经纬度·原典系列

资治通鉴

全本全注全译

第六册

汉纪

[宋]司马光　编著
张大可　韩兆琦　等　注译

浙江人民出版社

图书在版编目（CIP）数据

资治通鉴全本全注全译. 第六册 / （宋）司马光编著 ；张大可等注译. -- 杭州 ：浙江人民出版社，2024. 10（2025. 6重印）.

ISBN 978-7-213-11664-3

Ⅰ. K204. 3

中国国家版本馆CIP数据核字第2024BS6573号

资治通鉴全本全注全译　第六册

ZIZHI TONGJIAN QUANBEN QUANZHU QUANYI

［宋］司马光　编著　　张大可　韩兆琦　等　注译

出版发行：浙江人民出版社（杭州市环城北路 177 号　邮编　310006）
市场部电话：（0571）85061682　85176516
选题策划：胡俊生
项目统筹：潘海林　魏　力
责任编辑：方　程　潘海林　杨钰霆　訾建宇
特约编辑：褚　燕
营销编辑：陈雯怡
责任校对：陈　春　杨　帆　马　玉　汪景芬
责任印务：程　琳　幸天骄
封面设计：北京之江文化传媒有限公司
电脑制版：北京之江文化传媒有限公司
印　　刷：浙江新华数码印务有限公司
开　　本：710 毫米 ×1000 毫米　1/16　　印　　张：42
字　　数：822 千字　　插　　页：4
版　　次：2024 年 10 月第 1 版　　印　　次：2025 年 6 月第 2 次印刷
书　　号：ISBN 978-7-213-11664-3
定　　价：124.00 元

目　录

卷第五十五　汉纪四十七

起阏逢执徐（甲辰，公元一六四年），尽柔兆敦牂（丙午，公元一六六年），凡三年。

【题解】

本卷记事起公元一六四年，迄公元一六六年，凡三年，当桓帝延熹七年至九年，这一时期最重大的政治事件是，第一次党锢之祸爆发了。大司农刘祐、河南尹李膺、廷尉冯绲联手惩治贪残，反被下狱。贤良刘瑜上奏，宦官不应裂土分封，宦官子弟不应任职地方。京师太学生与清流士大夫清议朝政，褒贬人物，渐成风气，形成社会舆论。地方功曹岑晊、张俭、范滂等人不接受宦官请托，惩治奸人，触动宦官集团利益，引发党锢之祸。窦贵人立为皇后，其父窦武为特进、城门校尉，封槐里侯。窦武亲近清流士大夫，李膺出狱，任司隶校尉，打击为恶的宦官，毫不手软。蛊惑桓帝的风角师张成推占朝廷有赦令，教子杀人。李膺疾之如仇，在大赦令中杀死张成父子。宦官借机中伤，诬陷太学生与士大夫结成朋党、诽谤朝廷、扰乱风俗。桓帝大怒，以党人名义逮捕清流士大夫，第一次党锢之祸形成。

【原文】

孝桓皇帝中

延熹七年（甲辰，公元一六四年）

春，二月丙戌[①]，邟乡忠侯黄琼薨。将葬，四方远近名士会者六七千人。

初，琼之教授于家，徐稚从之咨访大义[②]。及琼贵，稚绝不复交。至是，稚往吊之，进酹[③]，哀哭而去，人莫知者。诸名士推问丧宰[④]，宰曰："先时有一书生来，衣粗薄而哭之哀，不记姓字。"众曰："必徐孺子[⑤]也。"于是选能言者陈留茅容[⑥]轻骑追之，及于途[⑦]。容为沽酒市肉[⑧]，稚为饮食[⑨]。容问国家之事，稚不答。更问稼穑之事，稚乃答之。容还，以语诸人。或曰："孔子云：'可与言而不与言，失人。[⑩]'

【语译】

孝桓皇帝中

延熹七年（甲辰，公元一六四年）

春，二月丙戌日，邡乡忠侯黄琼去世。将要安葬，四面八方的远近名士聚集了六七千人。

当初，黄琼在家教学，徐稚追随他询问经义。等到黄琼有了地位，徐稚与他断绝关系，不再交往。到这时，徐稚前往吊祭，以酒洒地祭奠，哀哭离去，但没有人认识他。各位名士追问主持丧事的人，主持人说："先前有一位书生前来，衣服粗薄，哭得很悲伤，没有留下姓名。"大家说："一定是徐孺子。"于是挑选善言的陈留人茅容轻装骑马追赶徐稚，在半道追上了。茅容特地打酒买肉，招待徐稚，徐稚吃了茅容这一顿饭。茅容询问国家大事，徐稚不回答。改问耕稼之事，徐稚才回答茅容。茅容回来，向大家说明情况。有的人说："孔子说：'可以与某人谈论大道而不谈论，就失去了可以谈论道的人。'那么，徐孺子岂不是失去了一个可以论道的人吗？"

然则孺子其失人乎?”太原郭泰曰:“不然。孺子之为人,清洁高廉,饥不可得食,寒不可得衣[11]。而为季伟饮酒食肉,此为已知季伟之贤故也!所以不答国事者,是其智可及,其愚不可及也[12]!”

【段旨】

以上为第一段,写名士徐孺子风采。

【注释】

①丙戌:二月壬寅朔,无丙戌。丙戌,应为三月十五日。②咨访大义:咨询访问,即学习经义。③进酹:以酒沃地祭奠。④丧宰:丧事主持人。⑤徐孺子:徐稚,字孺子,豫章郡南昌县(今江西南昌)人,东汉名士,公府辟举皆不就,终老田园。传见《后汉书》卷五十三。⑥茅容:字季伟,陈留(在今河南开封南)人,有孝行。事附《郭泰传》,见《后汉书》卷六十八。⑦及于涂:在半道追上了徐稚。⑧容为沽酒市

【原文】

泰[13]博学,善谈论。初游雒阳,时人莫识。陈留符融[14]一见嗟异[15],因以介于河南尹李膺。膺与相见,曰:“吾见士多矣,未有如郭林宗者也。其聪识通朗,高雅密博[16],今之华夏[17],鲜见其俦[18]。”遂与为友,于是名震京师。后归乡里,衣冠诸儒送至河上,车数千两。膺唯与泰同舟而济,众宾望之,以为神仙焉。

泰性明知人[19],好奖训士类[20],周游郡国。茅容年四十余,耕于野,与等辈避雨树下,众皆夷踞相对[21],容独危坐[22]愈恭。泰见而异之,因请寓宿。旦日,容杀鸡为馔[23],泰谓为己设,容分半食母,余半庋置[24],自以草蔬[25]与客同饭。泰曰:“卿贤哉远矣[26]!郭林宗犹减三牲之具以供宾旅[27],而卿如此,乃我友也!”起,对之揖,劝令从学,卒为盛德。巨鹿孟敏[28]客居太原,荷甑[29]堕地,不顾而去。泰见而问其意,对曰:

太原人郭泰说：“不对。徐孺子为人，清廉高洁，即使饥饿了，没有人可以让他吃饭，即使冷了，没有人可以让他穿衣。而能与季伟饮酒食肉，这是徐孺子已经知道了季伟贤明的缘故啊！他之所以不回答国事，是因为他的智慧我们可以赶得上，而他的大愚我们赶不上啊！”

肉：茅容特地打酒买肉，招待徐稚。⑨稚为饮食：徐稚认为茅容是贤者，吃了他这一顿饭。⑩可与言而不与言二句：语见《论语·卫灵公》孔子之言。意谓见了可以谈论大道的人而不谈，就失去了可以谈论道的人。⑪饥不可得食二句：徐稚即使饿了，没有人可以让他吃饭；即使冷了，没有人可以让他穿衣。意谓徐稚绝不接受非贤者之赐，如今他既然吃了茅容的饭，是知茅容为贤者，未失人。⑫所以不答国事者三句：徐稚之所以不回答国家大事，这是因为他的智慧我们赶得上，他的大愚我们赶不上。智愚之论，亦孔子之言，见《论语·公冶长》，这是称赞宁武子的话。此即《老子》所谓“大智若愚”。徐稚让茅容传语郭林宗说：“为我谢郭林宗，大木将颠，非一绳所维，何为栖栖不遑宁处！”这就是徐稚不言国家大事之意。

【语译】

郭泰学识广博，善于谈论。初游洛阳时，当时的人都不认识他。陈留人符融一见郭泰便很惊异，就把郭泰介绍给河南尹李膺。李膺与郭泰相见，说：“我见过的士人多了，没有像郭林宗这样的。他有聪慧卓识，品行高雅，思维细密而又博大，在今天的中国，很少见到能与他匹敌的人。”便和郭泰交为朋友，于是郭泰名震京师。后来郭泰返回乡里，达官诸儒送他到黄河岸边，车子千乘。李膺独与郭泰同舟渡河，众宾客望见他们，以为是神仙。

郭泰有知人之明，喜好鼓励士人上进，周游郡国。茅容有四十多岁，在田野耕种，与同伴在树下避雨，众人都杂乱地坐在地上，茅容独自正襟危坐，非常恭敬。郭泰见了很惊异，于是请求在茅容家借宿。第二天，茅容杀鸡做饭，郭泰以为是要招待自己，茅容分了半只鸡给母亲吃，剩下的半只收藏起来，自己与客人一起吃素饭素菜。郭泰说：“你贤德啊，远远超过了一般人！我郭林宗尚且还要减少对双亲的供养，用来招待宾客，而你竟然如此，这才是我要交的朋友啊！”郭泰站起来，向茅容作揖，勉励他进行学习，终于将他培养成有高超德行的人。巨鹿人孟敏寄居太原，扛着的瓦甑坠落地上，看都不看就走了。郭泰看见并问他是什么想法，孟敏回答：

"甑已破矣，视之何益!"泰以为有分决㉚，与之言，知其德性，因劝令游学，遂知名当世。陈留申屠蟠㉛家贫，佣为漆工，鄢陵庾乘㉜少给事县廷为门士，泰见而奇之，其后皆为名士。自余或出于屠沽、卒伍，因泰奖进成名者甚众。

陈国㉝童子魏昭请于泰曰:"经师㉞易遇，人师㉟难遭，愿在左右，供给洒扫。"泰许之。泰尝不佳，命昭作粥。粥成，进泰。泰呵之曰:"为长者作粥，不加意敬，使不可食!"以杯掷地。昭更为粥重进㊱，泰复呵之，如此者三。昭姿容无变㊲。泰乃曰:"吾始见子之面，而今而后，知卿心耳!"遂友而善之。

陈留左原为郡学生，犯法见斥。泰遇诸路，为设酒肴以慰之。谓曰:"昔颜涿聚㊳，梁甫㊴之巨盗，段干木㊵，晋国之大驵㊶，卒为齐之忠臣，魏之名贤。蘧瑗㊷、颜回㊸尚不能无过，况其余乎！慎勿恚恨，责躬㊹而已。"原纳其言㊺而去。或有讥泰不绝恶人者，泰曰:"人而不仁，疾之已甚，乱也㊻。"原后忽更怀忿结客㊼，欲报㊽诸生。其日，泰在学，原愧负前言，因遂罢去。后事露，众人咸谢服焉。

或问范滂曰:"郭林宗何如人?"滂曰:"隐不违亲㊾，贞不绝俗㊿，天子不得臣，诸侯不得友，吾不知其他。"

泰尝举有道，不就。同郡宋冲素服其德，以为自汉元以来(51)，未见其匹，尝劝之仕，泰曰:"吾夜观乾象(52)，昼察人事，天之所废，不可支也。吾将优游卒岁(53)而已。"然犹周旋京师(54)，诲诱不息(55)。徐稚以书戒(56)之曰:"夫[1]大木将颠(57)，非一绳所维，何为栖栖不遑宁处(58)!"泰感寤曰:"谨拜斯言，以为师表。"

【段旨】

以上为第二段，写党人精神领袖郭林宗识人，以及善处乱世之道。

“瓦甑已经摔破了，看了它又有何用！”郭泰认为孟敏处事决断，与他交谈，了解了他的德行，趁机劝孟敏游学，孟敏终于闻名当世。陈留人申屠蟠家贫，替人做油漆工，鄢陵人庾乘年轻时在县衙做守门人，郭泰见到并认为他们是奇才，后来都成为知名人士。其余屠宰、沽酒、行伍出身，因获郭泰奖励而成名的人很多。

陈国少年魏昭请求郭泰说：“授经老师容易遇见，品行高尚的育人老师难得碰见，希望在你身边，做些洒扫杂事。”郭泰答应了。郭泰曾身体不适，叫魏昭煮稀饭。稀饭煮好了，魏昭进奉给郭泰。郭泰大声斥责说：“替长辈煮稀饭，没有敬意，让我不能食用！”把碗扔到地上。魏昭再次煮了稀饭，又进奉给郭泰，郭泰又大声斥责他，像这样有三次。魏昭脸色不变。郭泰才说：“我开始时见到你的面容，从今之后，了解你的内心了！”于是把魏昭当作朋友善待。

陈留人左原是郡里的学生，犯法被斥责。郭泰在路上遇到他，设置酒菜安慰他，对他说：“从前颜涿聚是梁甫山的大盗，段干木是晋国大市侩，最后分别成了齐国的忠臣、魏国的名贤。蘧瑗、颜回尚且不能没有过错，何况其他的人呢！千万不要愤恨，反躬自责而已。”左原接受了他的劝告后离去。有人嘲讽郭泰连坏人都不拒绝，郭泰说：“一个人不仁德，若是被过分厌恶，就会生出更大的乱子。”左原后来忽然又心怀恨意，约聚党羽，想去报复同学。那天，郭泰在郡学中，左原感到愧负郭泰先前的劝导，于是罢手离去。后来这件事情外露，大家都很感谢和敬佩郭泰。

有人问范滂说：“郭林宗是怎样的人？”范滂回答说：“他隐居不仕，却不违背双亲意愿，保持操守，却不与世俗断绝，天子不能使他为臣，诸侯不能得他为友，我不知道其他的了。”

郭泰曾经被推举为有道之士，不肯应征。同郡人宋冲向来佩服郭泰的德行，认为从汉初以来，没有见到有人能与他相比，曾劝他出来当官，郭泰说：“我夜里观察天象，白天观察人事，上天所要废除的，人力是不能支撑的。我准备悠游自在地过完这一辈子罢了。”然而，郭泰却还是在京师与各方应酬，不停地劝导人们。徐稚写信告诫他说：“大树将倒，不是一根绳子所能维系的，为什么忙忙碌碌，无暇安静地居处！”郭泰感悟地说：“我诚恳地接受你的劝诲，把你作为我的师表。”

【注释】

⑬泰：郭泰，字又作太，字林宗，太原介休（在今山西介休东南）人，东汉末大名士，党人精神领袖。传见《后汉书》卷六十八。⑭符融：字伟明，陈留浚仪（今河南开封）人，东汉名士，善知人。传见《后汉书》卷六十八。⑮一见嗟异：一见成知己，叹其为非常人。⑯密博：思维细密而又博大。⑰华夏：指全中国。⑱鲜见其俦：很少见到

与他匹敌的人。俦，匹敌。⑲明知人：精明善识人；有识人之明。⑳好奖训士类：喜欢鼓励士人上进。㉑夷踞相对：杂乱地平坐于地。夷，平。踞，蹲。两腿伸直平坐，亦称踞。㉒危坐：正坐。两腿并拢屈地，坐于脚跟之上，衣襟垂直，称正襟危坐。这是有礼貌的正规坐法。㉓为馔：做饭。㉔度置：收藏起来。㉕草蔬：素饭素菜。草，粗、素饭。㉖卿贤哉远矣：你贤德啊，超出常人远矣。㉗郭林宗犹减三牲之具句：我郭林宗待客，尚且减少对父母的供养。三牲，牛、羊、猪。《孝经》："日用三牲之养。"这里借以指对父母的供养。㉘孟敏：字叔达，钜鹿杨氏（今河北宁晋）人，不受征辟，知名当世。事附《郭泰传》，见《后汉书》卷六十八。㉙甑：蒸饭陶器。㉚分决：处理事情果决。㉛申屠蟠：字子龙，陈留外黄（今河南民权西北）人，东汉末名士。传见《后汉书》卷五十三。㉜庾乘：字世游，颍川鄢陵（今河南鄢陵西北）人，东汉末名士。事附《郭泰传》。㉝陈国：封国名，治所陈县，在今河南淮阳。㉞经师：授经的老师。㉟人师：道德高尚的育人老师。㊱更为粥重进：再次做粥，重新送进。㊲姿容无变：脸色不变，仍然温和。㊳颜涿聚：春秋时齐国梁甫地方的大盗，改恶从善，拜孔子为师，成为齐国忠臣。㊴梁甫：又作梁父，古邑名、汉县名，在今山东泰安东南。㊵段干木：战国时魏隐士，为魏文侯师。㊶大驵：大市侩。驵，双方交易的中介人。㊷蘧瑗：春秋时卫国

【原文】

济阴黄允[59]，以隽才[60]知名。泰见而谓曰："卿高才绝人，足成伟器，年过四十，声名著矣。然至于此际，当深自匡持[61]，不然，将失之矣！"后司徒袁隗欲为从女[62]求姻，见允，叹曰："得婿如是，足矣！"允闻而黜遣其妻[63]。妻请大会宗亲为别，因于众中攘袂[64]数允隐慝十五事[65]而去，允以此废于时[66]。

初，允与汉中晋文经并恃其才智，曜名远近[67]，征辟不就。托言疗病京师[68]，不通宾客。公卿大夫遣门生旦暮问疾，郎吏杂坐其门[69]，犹不得见。三公所辟召者，辄以询访之，随所臧否[70]，以为与夺[71]。符融谓李膺曰："二子行业无闻[72]，以豪杰自置[73]，遂使公卿问疾，王臣坐门。融恐其小道破义[74]，空誉违实，特宜察焉[75]。"膺然之[76]。二人自是名论渐衰，宾徒稍省[77]，旬日之间，惭叹逃去，后并以罪废弃。

贤大夫。㊸颜回：孔子最得意的门生，孔子称赞他好学、不迁怒、不贰过。㊹责躬：反躬自责；自我检讨。㊺纳其言：接受了他的话。㊻人而不仁三句：一个人不仁德，如果被厌恶得太过分，会生出更大的乱子。语见《论语·泰伯》孔子之言。㊼结客：约聚党羽。㊽报：报仇。㊾隐不违亲：郭泰退隐，没有违背父母的意愿。以春秋时晋大夫介子推称许郭泰。介子推不出仕，他的母亲十分支持他。㊿贞不绝俗：保持操守，但不与世俗隔绝。以春秋时鲁大夫柳下惠推许郭泰。51汉元以来：汉建元以来，即汉初以来。52乾象：天象。53优游卒岁：自由自在地以终天年。54周旋京师：仍留在京师与各方应酬。55诲诱不息：谆谆地劝导人们，从不停止。56以书戒：写信告诫。《后汉书·徐稚传》云徐稚托茅容带口信给郭林宗，此作"以书戒之"。57大木将颠：大树将倒。此指东汉行将灭亡。颠，仆倒。58何为栖栖不遑宁处：为什么忙忙碌碌，无暇安静地居处。栖栖，皇皇、忙忙碌碌。

【校记】

［1］夫：原无此字。据章钰校，乙十六行本、乙十一行本、孔天胤本皆有此字，今据补。

【语译】

济阴人黄允以高才闻名于世。郭泰见到黄允并对他说："你高才过人，足成大器，四十岁以后，声名显赫。然而到了这个时候，自己应该深加约束，不然，美誉将要丧失了！"后来司徒袁隗想为侄女物色夫婿，见到黄允，赞叹说："能得到这样的女婿，就心满意足了！"黄允听说后就休去他的妻子。妻子邀请很多宗亲聚会进行告别，当着众人卷起袖子，数落黄允十五件见不得人的隐私后离去，黄允因此被时人唾弃。

当初，黄允与汉中人晋文经都依恃自己的才智，远近扬名，不应征召。声称到京师治病，不与宾客交往。公卿大夫派门生早晚询问病情，郎吏以下的小官挤满门庭，却见不到他们。三公府所征召的人，常去询问晋文经、黄允二人，二人随意褒贬，三公以此作为任用与黜退的依据。符融对李膺说："这两个人的品行和学业一无所闻，却以豪杰自居，竟能使公卿差人问病，朝臣聚坐门口。我怕他们的小聪明破坏大义，空有声誉，有违真相，应当特别留意考察。"李膺认为说得对。从此这两个人的名望和评论都渐渐衰落，宾客日渐稀少，没几天，惭愧逃离，后来都因罪而被废弃。

【段旨】

以上为第三段，写假名士黄允嘴脸现形。

【注释】

⑲黄允：字子艾，济阴（今山东定陶）人，东汉假名士。事附《郭泰传》。⑳隽才：高才。㉑深自匡持：特别小心，自我扶持，自我约束。㉒从女：侄女。㉓黜遣其妻：黄允休其妻夏侯氏。㉔攘袂：卷起袖子。形容愤怒的举动。㉕数允隐慝十五事：数落黄允十五件见不得人的隐私。数，数落。㉖废于时：被时人唾弃。㉗曜名远近：名声的

【原文】

陈留仇香[78]，至行纯嘿[79]，乡党无知者[80]。年四十，为蒲亭[81]长。民有陈元，独与母居，母诣香告元不孝。香惊曰："吾近日过元舍，庐落整顿，耕耘以时，此非恶人，当是教化未至耳。母守寡养孤，苦身投老，奈何以一旦之忿，弃历年之勤[82]乎！且母养人遗孤，不能成济[83]，若死者[84]有知，百岁之后，当何以见亡者[85]！"母涕泣而起。香乃亲到元家，为陈人伦孝行，譬以祸福之言。元感悟[86]，卒为孝子。考城令河内王奂署香主簿，谓之曰："闻在蒲亭，陈元不罚而化之，得无少鹰鹯之志[87]邪？"香曰："以为鹰鹯不若鸾凤[88]，故不为也。"奂曰："枳棘之林非鸾凤所集，百里非大贤之路[89]。"乃以一月奉[90]资[91]香，使入太学。郭泰、符融赍刺谒之[92]，因留宿。明旦，泰起，下床拜之曰："君，泰之师，非泰之友也。"香学毕归乡里，虽在宴居[93]，必正衣服，妻子事之若严君。妻子有过，免冠自责。妻子庭谢思过[94]，香冠[95]，妻子乃敢升堂[96]，终不见其喜怒声色之异。不应征辟，卒于家。

光辉照耀远近，即远近扬名。⑱托言疗病京师：声称有病到京师疗养，实为进京坐作身价。⑲郎吏杂坐其门：郎官以下的小官去看望黄允，挤满门庭。⑳随所臧否：随意褒贬。臧，褒扬。否，贬抑。㉑以为与夺：指三公所荐举征召的人，任用与否，都拿晋文经、黄允二人的评论作为依据。与夺，任用与不任用。㉒行业无闻：品行和学业一无所闻。㉓以豪杰自置：自我抬高身价，以豪杰自居。㉔小道破义：指晋、黄二人用小聪明破坏了大义。㉕空誉违实二句：声誉虚假，与实际不符时，应特别留意考察。㉖膺然之：李膺赞成符融的话，不与二人交接。李膺时为公认的名士，李膺不出，二人声名顿减。㉗宾徒稍省：宾客日渐稀少。

【语译】

陈留人仇香，德行高洁，沉默寡言，同乡的人都不了解他。四十岁时，做了蒲亭长。乡民陈元与母亲各自单独居住，母亲前往仇香那里告陈元不孝。仇香惊奇地说："我近日经过陈元家，房舍院落都整顿得很好，按时耕耘，这不是个坏人，该是教化没有达到而已。母亲守寡，育养孤儿，苦身到老，怎可因一时之愤，就抛开了多年养育的辛勤呢！再说，当母亲的养育遗孤，不能教子成器，如果死者有知，您去世之后，有何面目去见死去的丈夫呢！"陈元的母亲流泪站起来。仇香于是亲自到陈元家，向他讲述伦理孝道，谕以祸福之言。陈元感悟，最终成为孝子。考城县令河内人王奂委任仇香为主簿，王奂对仇香说："听说你在蒲亭时，不惩罚陈元而教化他，是不是缺乏雄鹰搏击的志向啊？"仇香说："我以为雄鹰不如鸾凤，所以不用惩罚治民。"王奂说："荆棘丛林不是鸾凤的栖身之处，百里的县府官职不是大贤人所走的路。"于是拿一个月的薪俸资助仇香，让他进入太学。郭泰、符融带着名帖谒见仇香，趁便在他那儿住了一夜。第二天清晨，郭泰起身，下床向仇香揖拜说："您是我的老师，不是我的朋友。"仇香学习结束，返回乡里，即使是平常闲居，也一定穿戴整齐，妻子儿女待他像侍奉严君一样。妻子儿女有过错，仇香就摘下帽子进行自责。等妻子儿女在院子里思过悔改后，仇香才戴上帽子，妻子儿女才敢进屋，始终不见他喜怒声容的不同。仇香从不应征召，死于家中。

【段旨】

以上为第四段，写学行一致的真名士仇香的风采。

【注释】

⑱仇香：又名览，字季智，陈留考城（在今河南民权东）人，任亭长，抚爱百姓，声名远播。传见《后汉书》卷七十六《循吏列传》。⑲至行纯嘿：品行高洁，沉默寡言。⑳乡党无知者：不为乡里人所知。㉑蒲亭：考城县之乡亭。㉒弃历年之勤：抛弃多年养育的辛勤。汉时以孝行治天下，母告子不孝，官府受理则大辟，故仇香劝陈元母不要起诉。㉓成济：成人；成器。㉔死者：指陈元母之夫。㉕何以见亡者：有何面目去见亡夫呢。㉖元

【原文】

三月癸亥⑰，陨石于鄠⑱。

夏，五月己丑⑲，京师雨雹。

荆州刺史度尚募诸蛮夷击艾县贼，大破之，降者数万人。桂阳宿贼⑳卜阳、潘鸿等逃入深山，尚穷追㉑数百里，破其三屯，多获珍宝。阳、鸿党众犹盛，尚欲击之，而士卒骄富，莫有斗志。尚计缓之则不战，逼之必逃亡㉒，乃宣言："卜阳、潘鸿作贼十年，习于攻守。今兵寡少，未易可进，当须诸郡所发悉至，乃并力攻之。"申令㉓军中，恣听射猎㉔。兵士喜悦，大小皆出。尚乃密使所亲客潜焚其营，珍积皆尽㉕。猎者来还，莫不泣涕。尚人人慰劳，深自咎责㉖，因曰："卜阳等财宝足富数世，诸卿但不并力耳，所亡少少㉗，何足介意㉘。"众咸愤踊㉙。尚敕令秣马蓐食㉚，明旦，径赴贼屯。阳、鸿等自以深固，不复设备。吏士乘锐㉛，遂破平之。尚出兵三年㉜，群寇悉定，封右乡侯。

【段旨】

以上为第五段，写荆州刺史度尚巧计破贼，抚定荆州。

【注释】

⑰癸亥：三月壬申朔，无癸亥。癸亥，应为四月二十三日。⑱鄠：县名，县治在今陕西西安市鄠邑区。⑲己丑：五月十九日。⑳宿贼：老贼；长年为贼。㉑穷追：死死

感悟：陈元受到感化而醒悟。⑰少鹰鹯之志：缺少雄鹰搏击的志向。⑱鹰鹯不若鸾凤：与其有苍鹰之勇，不如有鸾凤之和鸣。⑲枳棘之林二句：长满荆棘的丛林不是鸾凤的栖身之所，一个百里的县府官职不是大贤所走的路。王奂认为仇香有治国之才，应到京师学习，不应在一个县衙中做小吏。⑳奉：俸禄。㉑资：资助。㉒赍刺谒之：郭泰、符融带着名帖去求见仇香。刺，秦汉时书写姓名的帖子，如今之名片。㉓宴居：平常闲居。㉔妻子庭谢思过：老婆孩子到院子里承认错误，表示悔改。㉕香冠：仇香戴上帽子。㉖升堂：进屋。

【语译】

三月癸亥日，鄠县陨石。

夏，五月十九日己丑，京师洛阳下冰雹。

荆州刺史度尚招募蛮夷攻打艾县的贼人，把贼人打得大败，有数万人投降。桂阳郡老贼卜阳、潘鸿等逃入深山，度尚死死追赶了好几百里，攻破了他们的三处据点，获得许多珍宝。卜阳、潘鸿的队伍仍然庞大，度尚想进攻他们，但士卒骄傲，没有斗志。度尚估计拖延下去，士兵不肯出战，逼迫过甚，士兵必定逃跑，于是宣称："卜阳、潘鸿为贼十年，擅长攻守。现在我们军队太少，不可轻易进攻，只有等待各郡派来的军队全部到达了，才能协力进攻。"下令军中，听任士兵出营射猎。士兵高兴，上下都出动了。度尚便秘密派自己的亲信潜入他们的军营放火，军资及个人珍藏全部化为灰烬。打猎的士兵回来，没有不流泪的。度尚一个一个地安慰，引咎自责，趁机说："卜阳等人的财宝足够用几辈子，只怕你们不肯协力，所烧毁的少之又少，不值得耿耿于怀。"全军都感情激动，踊跃请求出征。度尚命令喂饱战马，早早吃饭。第二天清晨，直奔敌人的驻地。卜阳、潘鸿等人自以为营垒很坚固，不再加以防备。官军借着锐气，终于攻陷贼营。度尚出征三年，群寇全部被平定，受封为右乡侯。

追赶。⑩②尚计缓之则不战二句：度尚估计拖延下去，士兵不肯出战；逼迫过甚，士兵必定逃跑。缓，拖延进兵。逼，强令出战。⑩③申令：宣布命令。⑩④恣听射猎：听任士兵自由行动，外出打猎。⑩⑤珍积皆尽：军资及个人珍藏，全化为灰烬。⑩⑥深自咎责：狠狠地责备自己失责。⑩⑦所亡少少：比起卜阳等的聚积，被火烧毁的财宝少得可怜。⑩⑧何足介意：不值得耿耿于怀。⑩⑨众咸愤踊：全军都感情激动，踊跃请战。⑪⓪秣马蓐食：喂饱战马，早早吃饭。蓐食，指还未到起床时就吃饭。蓐，草席。⑪①乘锐：趁着锐气，一鼓作气。⑪②尚出兵三年：延熹五年度尚为荆州刺史，至延熹七年，是为三年。

【原文】

冬，十月壬寅⑬，帝南巡。庚申⑭，幸章陵⑮。戊辰⑯，幸云梦⑰，临汉水，还幸新野⑱。时公卿贵戚车骑万计，征求费役⑲，不可胜极⑳。护驾从事㉑桂阳胡腾㉒上言："天子无外㉓，乘舆所幸，即为京师。臣请以荆州刺史比司隶校尉，臣自同都官从事。"帝从之。自是肃然㉔，莫敢妄干扰郡县㉕。帝在南阳，左右并通奸利㉖，诏书多除人为郎。太尉杨秉上疏曰："太微积星，名为郎位㉗，入奉宿卫，出牧百姓，宜割不忍之恩，以断求欲之路㉘。"于是诏除乃止。

护羌校尉段颎击当煎羌，破之。

十二月辛丑㉙，车驾还宫。

中常侍汝阳侯唐衡、武原侯徐璜皆卒。

初，侍中寇荣㉚，恂之曾孙也，性矜洁㉛，少所与㉜，以此为权宠所疾。荣从兄子㉝尚帝妹益阳长公主，帝又纳其从孙女㉞于后宫，左右益忌之，遂共陷以罪，与宗族免归故郡㉟。吏承望风旨，持之浸急㊱。荣恐不免㊲，诣阙自讼。未至，刺史张敬追劾荣以擅去边㊳，有诏捕之。荣逃窜数年，会赦，不得除㊴，积穷困㊵，乃自亡命中上书曰："陛下统天理物，作民父母，自生齿以上㊶，咸蒙德泽。而臣兄弟独以无辜，为专权之臣所见批抵㊷，青蝇之人所共构会㊸，令陛下忽慈母之仁，发投杼之怒㊹。残谄之吏，张设机网，并驱争先，若赴仇敌，罚及死没，髡剔坟墓㊺，欲使严朝必加滥罚㊻。是以不敢触突天威而自窜山林㊼，以俟㊽陛下发神圣之听，启独睹之明㊾，救可济之人，援没溺之命㊿。不意滞怒不为春夏息，淹恚不为岁时怠[151]，遂驰使邮驿，布告远近，严文克剥[152]，痛于霜雪[153]。逐臣者穷人迹[2]，追臣者极车轨[154]，虽楚购伍员，汉求季布，无以过也[155]。臣遇罚以来，三赦再赎[156]，无验之罪[157]，足以蠲除。而陛下疾臣[158]愈深，有司咎臣甫力[159]，止则见扫灭，行则为亡虏[160]，苟生则为穷人，极死则为冤鬼[161]，天广而无以自覆[162]，地厚而无以自载[163]，蹈陆土而有沉沦之忧[164]，远岩墙而有镇压之患[165]。如臣犯元恶大憝，足以陈原野，备刀锯[166]，陛下当班布臣之所坐，以解众论之疑[167]。

【语译】

冬，十月初五日壬寅，汉桓帝南巡。二十三日庚申，汉桓帝幸临章陵。十一月初一日戊辰，汉桓帝幸临云梦，抵达汉水，并返回幸临新野。当时护驾的公卿贵戚车马数以万计，征用的费用和劳役没有极限。护驾从事桂阳人胡腾上奏说：“天子没有内外之别，圣驾所到之处就是京城。臣请求以荆州刺史比同司隶校尉，臣自己与都官从事一样。”汉桓帝听从了。从此，汉桓帝扈从队伍一片肃然，没有人敢随意扰乱郡县。汉桓帝在南阳，身边人都营私舞弊，汉桓帝下诏任命了不少人为郎。太尉杨秉上疏说：“太微宫五帝后有众多小星，称为郎位，入朝负责宿卫，外出牧守百姓，陛下应当割弃不忍拒绝的小恩，用以断绝奸人求欲的道路。”于是，汉桓帝不再下诏拜官。

护羌校尉段颎攻打当煎羌，打败了他们。

十二月初四日辛丑，汉桓帝车驾返回洛阳宫。

中常侍汝阳侯唐衡、武原侯徐璜都去世了。

当初，寇恂的曾孙寇荣，生性高傲廉洁，很少与人交往，因此被权贵宠臣嫉恨。寇荣堂兄的儿子娶了汉桓帝的妹妹益阳长公主，汉桓帝又把寇荣的侄孙女纳入后宫，左右的人更加忌恨寇荣，于是共同诬陷寇荣，寇荣与宗族的人都被免官，返回故乡。地方官员迎合权贵的想法，对寇荣的迫害一天天加深。寇荣害怕不能避免灾祸，就到宫廷申诉。人未到京城，刺史张敬就抢先弹劾他擅离边境，朝廷下诏追捕寇荣。寇荣逃窜了好几年，遇到大赦，也不得赦免，困难越来越多，于是在逃亡途中上书说：“陛下统管天下万物，为民父母，从一岁婴儿以上，都蒙受恩泽。而臣兄弟本是无辜的，被专权的臣子打击，受到青蝇般的小人一窝蜂地陷害，使陛下忽视了慈母的仁爱，发泄出像曾参母亲扔下织布梭子一样的愤怒。残虐谄媚之吏，张设陷阱，都争先诬陷臣，如同奔赴仇敌，惩罚去世的人，将坟前松柏砍光，想要使严明的朝廷再滥施重刑。因此，臣不敢冒犯圣怒，自己逃窜山林，等待陛下打开神圣的听觉，张开独明的眼睛，拯救可以救济的人，援助快被淹死的人。没想到陛下的积怒并未随着春夏二季的过去而消失，仇恨并未随着岁月的流逝而冲淡，始终让驿使奔跑，布告远近，严令限期捉拿，读后犹如遭受霜雪。缉拿臣的人穷尽人迹所至，追捕臣的人布满了所有通车的路口，即便是昔日楚王逮捕伍员，前汉搜捕季布，也没有今天追捕臣这样严厉。臣受罚以来，已经遇到三次赦令和两次赎罪的命令，臣的无法验证的罪责，也足以赦免。但陛下对臣越来越恨，主管部门对臣的追捕更加卖力，停下来就被消灭，逃跑就成了在逃犯，苟且偷生就是个穷途末路的人，被诛杀就是一个冤死鬼，上天宽广无边却不肯覆盖臣，大地厚实而没有承载臣的地方，臣脚踏大地而有陷下去的忧虑，远离高墙而有被墙塌埋的危险。如果臣犯了滔天大罪，

臣思入国门[168]，坐于肺石[169]之上，使三槐九棘平臣之罪[170]。而阊阖九重[171]，陷阱步设[172]，举趾触罘罝[173]，动行絓罗网[174]，无缘至万乘之前，永无见信之期。悲夫，久生亦复何聊[175]！盖忠臣杀身以解君怒，孝子殒命以宁亲怨，故大舜不避涂廪浚井[176]之难，申生不辞姬氏谗邪之谤[177]，臣敢忘斯义，不自毙以解明朝之忿哉[178]！乞以身塞责[179]，愿陛下丐兄弟死命[180]，使臣一门颇有遗类[181]，以崇陛下宽饶之惠[182]。先死陈情[183]，临章泣血[184]。"帝省章愈怒，遂诛荣。寇氏由是衰废[185]。

【段旨】

以上为第六段，写开国功臣寇恂曾孙寇荣，身为皇亲国戚，生性傲岸廉洁，遭群小构陷致死，寇氏衰落。

【注释】

⑬壬寅：十月初五日。⑭庚申：十月二十三日。⑮章陵：县名，东汉皇室祖先坟墓所在地，县治在今湖北枣阳南。⑯戊辰：十一月初一日。⑰云梦：古泽名，在今湖北安陆一带。⑱新野：县名，县治在今河南新野。⑲征求费役：向沿途地方征求费用与民夫。⑳不可胜极：没有极限。㉑护驾从事：从事为州郡长副官。此为荆州派出的护送皇帝的从事官。㉒胡腾：字子升，官至尚书。事附《后汉书·窦武传》。㉓天子无外：天子所到之处无内外之别。㉔肃然：天子扈从队伍一片整肃。㉕莫敢妄干扰郡县：再没有人敢假借天子权威勒索郡县。荆州刺史察举所部，天子扈从为京师权贵，刺史不得察举。今特命荆州刺史代行司隶校尉之职，胡腾代行司隶部属都官从事，则可察举扈从为奸之事，故全体肃然。㉖左右并通奸利：皇帝左右近习都营私舞弊，受人请托为郎，收取贿赂。㉗太微积星二句：在太微宫五帝后有二十五颗小星，象征郎官之位。㉘宜割不忍之恩二句：陛下应当舍弃不忍拒绝的小恩，用以断绝奸人求欲的道路。㉙辛丑：十二月初四日。㉚寇荣：东汉开国功臣寇恂的曾孙，桓帝时为侍中，得罪权幸被诛死。传见《后汉书》卷十六。㉛性矜洁：性情高傲廉洁。㉜少所与：很少与人交往。㉝从兄子：堂兄的儿子。㉞从孙女：寇荣的侄孙女。㉟故郡：故乡。寇荣故郡在上谷郡昌平县，在今北京市昌平东南。㊱吏承望风旨二句：地方官吏受权贵指使，对寇荣的迫害一天天加深。㊲不免：指不免于死。㊳追劾荣以擅去边：幽州刺史张敬抢先弹劾寇荣擅自离开边地的居所。㊴不得除：不得除寇荣之罪，即不能赦免寇荣。㊵积穷困：困难越来

足以抛尸荒野，该刀砍锯裂，陛下应当颁布臣的所犯罪行，以消解大家议论中的疑问。臣想进京，坐在肺石上，让三公九卿平议臣的罪过。但是天门九重，步步是陷阱，举足就会触及兽网，动一动就会落入鸟网，臣没有机会到陛下面前，永远也不会有被信任的时候。悲叹啊，长久地这样活着又有什么意思！忠臣杀身以消解君主的怒气，孝子舍命以平静父母的怨恨，所以大舜不回避涂廪掘井的危难，申生不逃避后母骊姬谗邪的诽谤，臣怎敢忘却这些道理，不去自杀以消除圣上的气愤！请求以身抵罪，希望陛下饶恕臣兄弟的死罪，让臣家族稍有后代，以弘大陛下宽宏的恩惠。在死之前述说衷情，面对奏章泪尽流血。”汉桓帝看了奏章更加愤怒，于是杀了寇荣。寇氏从此衰败。

越多，以致走投无路。⑭ 生齿以上：一岁以上。男八月生齿，女七月生齿。⑭ 批抵：打击。抵，亦批，侧击。⑭ 青蝇之人所共构会：受到青蝇般的小人一窝蜂地陷害。青蝇，《诗经·小雅》中篇名，讽刺周幽王听信谗言。⑭ 投杼之怒：扔下织布的梭子。曾参，春秋时大孝子。其母初听人传言说曾参杀人，她不信，而一连三人来说曾参杀人，她沉不住气了，扔下织布梭子逃走。事见本书卷三周赧王七年。⑭ 髡剔坟墓：将坟前松柏砍光，使坟墓像是受到髡刑一般。据《后汉书·寇恂传》，洛阳令袁腾挖了寇荣祖坟，剖棺露尸，砍伐墓木，以迫使寇荣露面。⑭ 欲使严朝必加滥罚：贪残之吏使严明之朝滥加刑罚。⑭ 是以句：此句谓我寇荣不敢冒犯圣怒，自己逃窜山林中躲起来。触突天威，冒犯圣怒。⑭ 俟：等待；期待。⑭ 启独睹之明：张开独明的眼睛。⑮ 援没溺之命：援救快要淹死的人。⑮ 不意滞怒二句：想不到皇上怒气积留，不因春夏已过而消失；仇恨蓄积，不因时光流逝而冲淡。滞怒，淹恚，指蓄积不化的怒气与仇恨。⑮ 严文克剥：严厉的通缉令，限期捉拿。⑮ 痛于霜雪：读了通缉令仿佛全身裹上了霜雪，痛入骨髓。⑮ 逐臣者穷人迹二句：缉拿我的人穷尽了人迹所至，追捕我的人布满了所有通车的路口。⑮ 虽楚购伍员三句：即使是昔日楚国悬赏捉拿伍员，汉初追索季布，也没有今天这样严厉。伍员，即伍子胥，春秋时楚平王大夫伍奢之子。平王听谗杀伍奢，伍员出亡，楚国以米五万石和执珪的高官悬赏捉拿他。后来伍员逃到吴国借兵报仇。季布，项羽之将，汉高祖捉拿他，季布逃亡，终被赦免为汉将。⑮ 三赦再赎：寇荣逃亡三年，已遇三次赦令和两次可以赎罪的命令，仍不免罪。即既不赦免寇荣，也不让他赎罪。赎，入钱免罪。⑮ 无验之罪：无法验证的罪。⑮ 疾臣：恨臣。⑮ 有司咎臣甫力：主管单位追捕我更加卖力。甫，始。⑯ 止则见扫灭二句：我停下来就被消灭，逃跑就成为一个逃亡犯。见，被。⑯ 苟生则为穷人二句：我苟延生命就是一个穷途末路的人，被诛死就是一个冤鬼。

苟生，苟延残喘地生存。极死，诛死。极，通“殛”。刑杀。⑯天广而无以自覆：上天宽广无边，就是不肯覆盖我。⑯地厚而无以自载：大地厚实而没有承载臣的地方。⑯蹈陆土而有沉沦之忧：我脚踏大地而有陷下去的忧虑。⑯远岩墙而有镇压之患：我远远地离开高墙而有被墙塌埋的危险。⑯如臣犯元恶大憝三句：假如我犯了滔天大罪，足以抛尸荒野，该刀砍锯裂。元恶、大憝，同义。憝，恶也。⑯陛下当班布臣之所坐二句：皇上应当颁布我的罪状，以解除大家议论中的疑问。班，通“颁”。所坐，所犯的罪状。⑯臣思入国门：我想进京。国门，都门。⑯肺石：古代立于宫门前的一块巨大赤石，申冤者立于肺石上三天，然后司法官记录他的诉状呈报。这里是借用，表示听从审判。⑰使三槐九棘平臣之罪：让三公九卿平议我的罪过。三槐，指三公。九棘，古代群臣外朝之位，树九棘为标帜，区分等级职位。此指九卿。⑰阊阖九重：天门九重。喻皇上居于深宫，不能到达。阊阖，天门。⑰陷阱步设：每一步都有陷阱。⑰举趾触罘罝：举足就要触上罗网。罘罝，捕兽的网。⑰罗网：捕鸟的网。⑰久生亦复何聊：长期这样活着又有什么

【原文】

八年（乙巳，公元一六五年）

春，正月，帝遣中常侍左悺之苦县[186]祠老子[187]。

勃海王悝[188]素行险僻[189]，多僭傲不法[190]。北军中侯[191]陈留史弼[192]上封事曰：“臣闻帝王之于亲戚，爱虽隆，必示之以威，体虽贵，必禁之以度，如是，和睦之道兴，骨肉之恩遂[193]矣。窃闻勃海王悝，外聚剽轻不逞之徒[194]，内荒酒乐[195]，出入无常[196]，所与群居，皆家之弃子[197]，朝之斥臣[198]，必有羊胜、伍被[199]之变。州司[200]不敢弹纠，傅相[201]不能匡辅。陛下隆于友于[202]，不忍遏绝[203]，恐遂滋蔓，为害弥大。乞露臣奏[204]，宣示百僚，平处其法[205]。法决罪定，乃下不忍之诏。臣下固执，然后少有所许[206]。如是则圣朝无伤亲之讥[207]，勃海有享国之庆[208]。不然，惧大狱将兴矣[209]。”上不听。悝果谋为不道[210]，有司请废之，诏贬为瘿陶王，食一县。

丙申[211]晦，日有食之。诏公、卿、校尉举贤良方正。

千秋万岁殿火。

中常侍侯览弟[3]参为益州刺史，残暴贪婪，累臧[212]亿计。太尉杨秉奏槛车征参，参于道自杀，阅其车重三百余两，皆金银锦帛。秉因

意思。⑯涂廪浚井：涂廪，给仓房顶上涂泥。浚井，淘井。虞舜之父瞽瞍及舜之弟象两人合谋害舜，让舜涂廪，瞽瞍从下放火；让舜浚井，象下土实井。舜都机智地逃走。事见《史记》卷一《五帝本纪》。⑰申生不辞姬氏谗邪之谤：申生不逃避后母骊姬谗邪的诽谤。申生，春秋时晋献公之子，晋国的太子。后母骊姬欲立自己的儿子奚齐为国君，就用计陷害申生，说他要用毒药害死晋献公。申生为了尽孝，不加分辩而自杀。⑱臣敢忘斯义二句：我怎敢忘记这些道理，不去自杀以消除圣上的气愤。⑲乞以身塞责：请求以身抵罪。⑳丐兄弟死命：乞求宽恕我兄弟的性命。㉑颇有遗类：稍有后代。㉒以崇陛下宽饶之惠：用以显示皇上宽宏的恩惠。㉓先死陈情：在死之前诉说衷情。㉔临章泣血：面对奏章泪尽流血。㉕衰废：门庭衰落。

【校记】

［2］迹：原作“途”。张敦仁《通鉴刊本识误》作“迹”，今据改。

【语译】

八年（乙巳，公元一六五年）

春，正月，汉桓帝派遣中常侍左悺前往苦县祭祀老子。

勃海王刘悝行为向来邪恶冷僻，经常傲慢不遵法纪。北军中侯陈留人史弼上密奏：“臣听说帝王对于亲戚，虽然厚爱，但要显示威严，身份虽然尊贵，但须以法度加以控制，如此，和睦的风气才能兴起，骨肉的恩情才能保全。臣听说勃海王刘悝，在外聚集了剽悍轻狂的不法之徒，在内疯狂地酗酒作乐，进出王府没有法度，与他一起居住的都是被家族抛弃的浪荡公子、朝廷斥逐的奸邪之臣，必然引发羊胜、伍被之类的叛变。州刺史不敢弹劾追究，诸侯王太傅、丞相也不能匡正辅佐。陛下碍于兄弟手足之情，不忍心及时阻止，恐怕日益蔓延，酿成大患。请求公开臣的奏疏，向群臣宣布，由百官平议，依法处置。根据法律定罪以后，陛下再颁不忍严惩的诏书。臣下出面坚持依法惩治，然后由陛下裁定略加宽大。这样圣明的朝廷不会遭受伤害亲情的嘲讽，勃海国也有长存的幸福。不这样的话，恐怕会发生重大狱案。”汉桓帝不听。刘悝果然图谋不轨，主管官员奏请废黜刘悝，下诏贬刘悝为瘿陶王，食邑一县。

正月最后一天三十日丙申，发生日食。汉桓帝下诏公、卿、校尉推荐贤良方正。

千秋万岁殿失火。

中常侍侯览的弟弟侯参任益州刺史，残暴贪婪，赃款以亿计算。太尉杨秉奏请以囚车征回侯参，侯参在途中自杀，搜出装有金银锦帛的重车三百多辆。杨秉因此

奏曰："臣案旧典，宦者本在给使省闼[213]，司昏守夜[214]。而今猥[215]受过宠，执政操权，附会者因公褒举，违忤者求事中伤[216]。居法王公[217]，富拟国家，饮食极肴膳，仆妾盈纨素。中常侍侯览弟参贪残元恶，自取祸灭。览顾知衅重[218]，必有自疑之意。臣愚以为不宜复见亲近。昔懿公刑邴歜之父，夺阎职之妻，而使二人参乘，卒有竹中之难[219]。览宜急屏斥，投畀有虎[220]，若斯之人，非恩所宥[221]，请免官送归本郡。"书奏，尚书召对秉掾属，诘之曰："设官分职，各有司存。三公统外，御史察内。今越奏近官[222]，经典、汉制，何所依据？其开公具对[223]。"秉使对曰："《春秋传》曰：'除君之恶，唯力是视[224]。'邓通懈慢[225]，申屠嘉召通诘责[226]，文帝从而请之[227]。汉世故事，三公之职，无所不统。"尚书不能诘。帝不得已，竟免览官。司隶校尉韩缜因奏左悺罪恶，及其兄太仆南乡侯称请托州郡，聚敛为奸，宾客放纵[228]，侵犯吏民。悺、称皆自杀。缜又奏中常侍具瑗兄沛相恭臧罪，征诣廷尉。瑗诣狱谢，上还东武侯印绶[229]，诏贬为都乡侯。超及璜、衡袭封者，并降为乡侯[230]，子弟分封者，悉夺爵土。刘普等贬为关内侯，尹勋等亦皆夺爵[231]。

【段旨】

以上为第七段，写宦官五侯子弟在地方为官，作恶多端犯众怒，汉桓帝接受舆情，五侯袭封者被贬为乡侯。

【注释】

⑱⑥苦县：县名，属陈国，县治在今河南鹿邑。⑱⑦老子：姓李名耳，字聃，道家创始人，《老子》的作者。传见《史记》卷六十三。⑱⑧勃海王悝：桓帝刘志之弟。⑱⑨素行险僻：行为一向邪恶冷僻。⑲⓪僭傲不法：超越礼制，傲慢，不遵守法纪。⑲①北军中侯：北军五校监察官，掌理军法。⑲②史弼：字公谦，陈留考城（在今河南民权东）人，桓帝时为平原相，在公元一六七年的党祸中，援救被无辜牵连的党人，存活者千余人。传见《后汉书》卷六十四。⑲③遂：完遂；保全。⑲④外聚剽轻不逞之徒：在外聚集一些剽悍轻狂的不法之徒。⑲⑤内荒酒乐：在内疯狂地酗酒作乐。荒，淫乱；疯狂。⑲⑥出入无常：进出王府没有法度。⑲⑦家之弃子：被家族抛弃的浪荡公子。⑲⑧朝之斥臣：朝廷斥逐的奸邪之

上奏说："臣寻查先前的典章制度，宦官本来只限于在宫内供差使，负责早晚看守门户。而现在多受过分宠爱，执掌政权，依附的人，宦官就利用国家选荐人才的机会进用他们，冒犯的人，宦官就找借口中伤他们。宦官家居模仿王侯三公，富贵比拟国家，饮食极尽珍肴，奴仆侍妾都穿绫罗绸缎。中常侍侯览的弟弟侯参贪婪残暴，罪大恶极，自取灭亡。侯览知道侯参的罪恶深重，必然惧怕不安。臣认为不宜让他再亲近陛下。过去，齐懿公对邴歜父亲戮尸，强占阎职的妻子，却让邴歜赶车，阎职陪乘，终于发生了竹林中的大祸。应当尽快斥逐侯览，把他送去喂虎，像他这种人，不能开恩宽宥，请免除他的官职，送回本郡。"奏书呈上，尚书召见杨秉的属吏，责备说："设置官署分配职务，各有工作范围。三公掌管朝外，御史按察宫内。现在太尉越位弹劾内侍，是根据经典还是汉朝制度？请公开作出详细回答。"杨秉的属吏回答："《春秋传》说：'为君王铲除奸恶，要尽力而为。'邓通举动轻慢，申屠嘉召见邓通审问斥责，汉文帝为他求情。汉朝旧例，三公职权，无所不管。"尚书无法反驳。汉桓帝不得已，最后免除了侯览的官职。司隶校尉韩缤因此弹劾左悺的罪恶，以及左悺兄长太仆南乡侯左称私相嘱托州郡官府，聚敛为奸，宾客仗势横行，侵犯官吏百姓。左悺、左称都自杀。韩缤又弹劾中常侍具瑗的兄长沛国相具恭的贪赃罪行，征召到廷尉。具瑗到狱中谢罪，交还东武侯印绶，下诏贬为都乡侯。单超、徐璜、唐衡的袭封者都贬为乡侯，子弟被分封的，都夺去爵位和封土。刘普等人被贬为关内侯，尹勋等人也都被削夺爵位。

臣。⑲⑨羊胜、伍被：两人分别是西汉梁孝王刘武、淮南王刘安的家臣，是谋叛逆臣，事发被诛。羊胜事详见本书卷十六景帝中二年，伍被事详见卷十九武帝元狩元年。⑳⓪州司：州刺史。⑳①傅相：指勃海王刘悝的诸侯王太傅、丞相。⑳②陛下隆于友于：指桓帝碍于兄弟之情，放纵刘悝胡作非为。友于，友爱兄弟。典出《尚书·君陈》："惟孝，友于兄弟。"⑳③不忍遏绝：不忍心及时阻止。⑳④乞露臣奏：请求公开宣布我的奏章。⑳⑤平处其法：由百官平议，依法处置。⑳⑥臣下固执二句：由臣下出面坚持依法惩治，然后由皇上裁定略加宽大。⑳⑦圣朝无伤亲之讥：圣明的朝廷就不会遭受伤害亲情的批评。⑳⑧勃海有享国之庆：指勃海国享有长存的幸福。享国，享有封国，指国家长存。⑳⑨不然二句：若不这样，将有大狱爆发。诸侯谋逆或僭越过度，将兴大狱，会牵连若干无辜人受害，也损害国家政治。㉑⓪谋为不道：图谋不轨。㉑①丙申：正月三十日。㉑②臧：通"赃"。㉑③给使省闼：在宫内供差使。㉑④司昏守夜：早晚看守门户。司，亦守也。㉑⑤猥：多。㉑⑥附会者因公褒举二句：依附宦官的人，宦官就利用国家选荐人才的机会进用他们；冒犯宦官的人，宦官就找借口对他们进行中伤。㉑⑦居法王公：宦官家居效法王侯三公。㉑⑧衅重：

罪恶深重。㉑⑨竹中之难：春秋齐懿公为公子时，与邴歜之父争田，弗胜。及即位，将邴歜之父从墓中掘出而刖其尸；又夺走了阎职的妻子。后来邴歜、阎职二人将齐懿公害死于竹林中。事详见《左传》文公十八年。㉒⓪投畀有虎：送去喂虎。畀，给予。㉒①非恩所宥：不能开恩宽宥。㉒②越奏近官：越位弹劾内官。㉒③开公具对：公开地做出详细回答。㉒④除君之恶二句：为君王除去奸恶，要尽力而为。语出《左传》僖公二十四年晋人寺人披之言。㉒⑤懈慢：举动轻慢。㉒⑥诘责：审问斥责。㉒⑦文帝从而请之：汉文帝为邓通讲情。邓通，汉文帝嬖臣。丞相申屠嘉责罚邓通放纵，轻慢皇上，文帝讲情，才免于死。事见本书卷十五文帝后二年。㉒⑧放纵：仗势横行。㉒⑨瑗诣狱谢二句：具瑗到廷尉狱自首谢罪，交还东武侯印绶，请求宽大。㉓⓪超及璜、衡袭封者二句：单超、徐璜、唐衡与左悺、具瑗为五侯，同体相依，三人已死，其后嗣袭爵为列侯，今降为乡侯，以示惩处。列侯为县侯。㉓①刘普等贬为关内侯二句：指封为十九亭侯的宦官，亦作降爵或夺爵处分。

【原文】

帝多内宠[232]，宫女至五六千人，及驱役从使[233]复兼倍于此[234]。而邓后恃尊骄忌[235]，与帝所幸郭贵人更相谮诉[236]。癸亥[237]，废皇后邓氏，送暴室[238]，以忧死[239]。河南尹邓万世、虎贲中郎将邓会皆下狱诛。

护羌校尉段颎击罕姐羌，破之。

三月辛巳[240]，赦天下。

宛陵[241]大姓羊元群罢北海郡，臧污狼籍[242]，郡舍溷轩[243]有奇巧，亦载之以归。河南尹李膺表按其罪。元群行赂宦官，膺竟反坐[244]。单超弟迁为山阳太守，以罪系狱，廷尉冯绲考致其死[245]。中官相党，共飞章[246]诬绲以罪。中常侍苏康、管霸，固天下良田美业，州郡不敢诘，大司农刘祐移书所在，依科品没入之[247]。帝大怒，与膺、绲俱输作左校。

夏，四月甲寅[248]，安陵[249]园寝火。

丁巳[250]，诏坏郡国诸淫祀[251]，特留[252]雒阳王涣、密县卓茂二祠。

五月丙戌[253]，太尉杨秉薨。秉为人清白寡欲，尝称“我有三不惑：酒、色、财也。”

秉既没，所举贤良广陵刘瑜[254]乃至京师上书言：“中官不当比肩[255]裂土[256]，竞立胤嗣，继体传爵[257]。又，嬖女充积[258]，冗食[259]空宫，

【校记】

[3] 弟：原作“兄”。张敦仁《通鉴刊本识误》作“弟”，本书下文云“侯览弟参”，以参为览弟，与张校合，今据改。〖按〗《后汉书》卷五十四《杨秉传》云：“时中常侍侯览弟为益州刺史。”卷七十八《宦者侯览传》又云：“览兄参为益州刺史。”二传记载亦有异。

【语译】

汉桓帝有许多女宠，宫女多达五六千人，还有比这多一倍的供役使的奴仆妇女。而邓皇后依仗尊贵的地位，骄傲妒忌，和汉桓帝宠幸的郭贵人互相诋毁。二月二十七日癸亥，废黜皇后邓氏，送到宫禁监狱，邓皇后忧愤而死。河南尹邓万世、虎贲中郎将邓会都下狱被杀。

护羌校尉段颎攻打罕姐羌，打败了他们。

三月十六日辛巳，大赦天下。

宛陵大族羊元群被罢免了北海郡郡守职务，他贪赃枉法，声名狼藉，郡府厕所有珍奇饰物，也被羊元群装在车子上带走。河南尹李膺上表请求审查羊元群的罪过。羊元群贿赂宦官，李膺反被判获罪。单超的弟弟单迁为山阳太守，因罪下狱，廷尉冯绲把他拷打致死。宦官相勾结，一起上奏章诬陷冯绲有罪。中常侍苏康、管霸，强占天下良田美业，州郡官吏不敢追究，大司农刘祐写信给有关州郡，按照法令没收了他们的田产。皇帝大怒，刘祐和李膺、冯绲一起被送到左校去做苦工。

夏，四月十九日甲寅，安陵园寝失火。

二十二日丁巳，汉桓帝下诏拆除各郡各封国的各种淫祀，只保留洛阳王涣、密县卓茂两祠堂。

五月二十二日丙戌，太尉杨秉去世。杨秉为人清心寡欲，曾经说“有三样东西不能迷惑我：酒、色、财。”

杨秉死后，他推举的贤良广陵人刘瑜到京城上书说：“宦官不应当跟士人同样裂土受封，争着养子为后嗣，继承宗脉，传袭爵位。另外，美女充满后宫，吃闲饭，

伤生费国[260]。又，第舍增多，穷极奇巧，掘山攻石[261]，促以严刑[262]。州郡官府，各自考事[263]，奸情赇赂[264]，皆为吏饵。民愁郁结[265]，起入贼党[266]，官辄兴兵诛讨其罪，贫困之民，或有卖其首级，以要酬赏[267]，父兄相代残身[268]，妻孥相视分裂[269]。又，陛下好微行近习之家，私幸宦者之舍，宾客市买[270]，熏灼道路[271]，因此暴纵，无所不容[272]。惟陛下开广谏道[273]，博观前古，远佞邪之人，放郑、卫之声[274]，则政致和平，德感祥风[275]矣。"诏特召瑜问灾咎之征[276]。执政者欲令瑜依违其辞[277]，乃更策以他事，瑜复悉心对八千余言，有切于前[278]。拜为议郎。

荆州兵朱盖等叛，与桂阳贼胡兰等复攻桂阳。太守任胤弃城走，贼众遂至数万。转攻零陵，太守下邳陈球[279]固守拒之。零陵下湿，编木为城[280]，郡中惶恐。掾史白球遣家避难[281]，球怒曰："太守分国虎符，受任一邦，岂顾妻孥而沮国威乎！复言者斩！"乃弦大木为弓，羽矛为矢，引机发之，多所杀伤。贼激流[282]灌城，球辄于内因地势[283]，反决水淹贼[284]，相拒十余日不能下。时度尚征还京师，诏以尚为中郎将，率步骑二万余人救球，发诸郡兵并势讨击，大破之，斩兰等首三千余级，复以尚为荆州刺史。苍梧太守张叙为贼所执[285]，及任胤皆征弃市。胡兰余党南走苍梧，交趾刺史张磐击破之，贼复还入荆州界。度尚惧为己负，乃伪上言苍梧贼入荆州界[286]，于是征磐下廷尉。辞状未正[287]，会赦见原[288]，磐不肯出狱，方更牢持械节[289]。狱吏谓磐曰："天恩旷然[290]，而君不出，何[4]乎[291]？"磐曰："磐备位方伯[292]，为尚所枉[293]，受罪牢狱。夫事有虚实，法有是非，磐实不辜，赦无所除[294]。如忍以苟免，永受侵辱之耻[295]，生为恶吏，死为敝鬼[296]。乞传尚诣廷尉，面对曲直[297]，足明真伪。尚不征者，磐埋骨牢槛，终不虚出，望尘受枉[298]！"廷尉以其状上[299]。诏书征尚，到廷尉，辞穷[300]，受罪，以先有功得原。

闰月甲午[301]，南宫朔平署[302]火。

段颎击破西羌，进兵穷追，展转山谷间，自春及秋，无日不战，虏遂败散，凡斩首二万三千级，获生口数万人，降者万余落。封颎都乡侯。

伤害生民，浪费国库。还有，扩增许多住宅府第，式样尽量奇异，挖山取石，用严刑逼迫。州郡官府，各自审案，奸人贿赂，诱引官吏。民众的愁苦郁结在心里，只好群起加入盗贼之中，官府动辄兴兵征讨他们的罪行，贫困的百姓，有的出卖首级，使其家人拿去报功邀赏，老父和兄长争着自杀，妻子儿女眼睁睁看着死别。另外，陛下喜欢穿着便服到近臣家里，私下到宦官的房舍去，近习宾客把皇帝的光临作为炫耀资本，如同买了珍贵货物一样，招摇喧嚷，弄得街巷道路乌烟瘴气，暴虐放纵，什么事都干得出来。请求陛下广开言路，博览古代，疏远邪佞小人，舍弃郑、卫靡靡的音乐，这样朝廷政通人和，恩德将感召和祥之风。”汉桓帝下诏特别召见刘瑜询问灾异征兆。执政者想要刘瑜含糊其词，就用其他事情策问，刘瑜却尽心写了八千多字的对策，言辞比前面的上奏更加激烈。被任用为议郎。

荆州士兵朱盖等人叛乱，与桂阳贼人胡兰等又进攻桂阳。太守任胤弃城逃走，贼众于是达到数万人。转攻零陵，太守下邳人陈球坚持抵抗。零陵地势低洼潮湿，树木桩为城墙，郡中惊恐。属吏对陈球说把家人送出避难，陈球生气地说："太守领有国家虎符，被任命负责一邦安全，怎能为了顾及妻子儿女而使国家威严遭受损失！谁敢再说这样的话，处斩！"于是士兵用大木制弓，在矛上粘羽毛当箭，用机械发射，杀伤了许多贼兵。贼人筑堤提高水位来灌城，陈球顺着城内地势，使大水反灌淹贼，相互对峙了十多天，贼人攻不下城池。这时，度尚被征调返回京城，下诏任命度尚为中郎将，率领两万多步兵、骑兵救援陈球，又调发几个郡的军队合力征讨，大败贼兵，杀死胡兰等三千多人，再次任命度尚为荆州刺史。苍梧太守张叙被叛贼活捉，和任胤一起被征召处死。胡兰的余部南逃苍梧，交趾刺史张磐打败了他们，残部又返回荆州境内。度尚担心承受罪责，于是谎称苍梧贼人入侵荆州，于是朝廷就召张磐交付廷尉。案子还未审定，遇到大赦被宽免，张磐不肯出狱，反把刑具钉得更牢。狱吏对张磐说："皇恩浩荡，而你却不肯出狱，为什么呢？"张磐说："我备位刺史，被度尚冤枉，获罪下狱。事有真假，法有是非，我确实无辜，赦罪之令与我无关。如果忍心接受不明不白的赦免，将永远背着黑锅蒙受耻辱，活着为恶吏，死后为恶鬼。请求传召度尚到廷尉，与我当面对质，完全可以明辨真伪。如果度尚不来，我就死在牢中，最后不会不明不白地出狱，蒙垢受辱！"廷尉把情况报告了汉桓帝。汉桓帝下诏征召度尚，度尚到了廷尉，无言以对，应当论罪，因从前立有大功，得到宽大。

闰七月初一日甲午，南宫朔平司马署失火。

段颎攻破西羌，进军穷追不舍，辗转在山谷中，从春到秋，没有一天不打仗，羌人终于溃败，官军共杀了两万三千名敌人，生擒了几万人，降服的有一万多户。册封段颎为都乡侯。

【段旨】

以上为第八段，写刘祐、李膺、冯绲惩治贪残，反被下狱。刘瑜上奏，宦官不应裂土受封，子弟不应任职地方。

【注释】

㉜内宠：女宠。㉝驱役从使：侍候有官称宫女的奴仆妇女，亦从民间掠夺而来。㉞兼倍于此：比五六千宫女又加多一倍，即什役宫女有一万多人。㉟邓后恃尊骄忌：皇后邓猛女，依恃皇后的尊贵身份，骄傲嫉妒。㊱更相谮诉：互相诋毁。㊲癸亥：二月二十七日。㊳暴室：宫禁监狱，囚禁废后及有过宫妃。㊴忧死：忧愤而死。㊵辛巳：三月十六日。㊶宛陵：县名，属河南尹，县治在今河南新郑东北。㊷臧污狼籍：贪赃枉法，声名狼藉。㊸溷轩：厕所。㊹反坐：反被判获罪。㊺考致其死：拷打致死。㊻飞章：匿名信；流言。㊼大司农刘祐移书所在二句：大司农刘祐向苏康、管霸所占良田的地方官府发下公文，依照法令一律没收。科品，有关法律条文。㊽甲寅：四月十九日。㊾安陵：西汉惠帝陵，在今陕西咸阳东北。㊿丁巳：四月二十二日。251诏坏郡国诸淫祀：下诏拆除各郡各封国不符祀典的祭祀。淫祀，民间违规的祭祀、不符祀典的祭祀。252特留：仅仅保留。253丙戌：五月二十二日。254刘瑜：字季节，广陵（今江苏扬州）人，汉宗室王光武帝子广陵王刘荆后裔。灵帝时官至侍中。传见《后汉书》卷五十七。255比肩：并列；相等。256裂土：指被封侯食邑。257竞立胤嗣二句：中官争先恐后养子为后嗣，继承宗脉，传袭爵位。东汉着令允许宦官养子袭爵，始于顺帝阳嘉四年。258嬖女充积：美女充满皇宫。259冗食：吃闲饭。260伤生费国：伤害生民，浪费国库。261掘山攻石：挖山取石。262促以严刑：用严刑逼迫。263考事：审案。264赇赂：贿赂。265民愁郁结：人民愁苦无处申诉而郁结于心。266起入贼党：只好群起投入盗贼之中。267或有卖其首级二句：有的贫民甚至卖首级，使其家人拿去领赏。268父兄相代

【原文】

秋，七月，以太中大夫陈蕃为太尉。蕃让于太常胡广、议郎王畅[303]、弛刑徒李膺，帝不许。

畅，龚之子也，尝为南阳太守，疾其多贵戚豪族，下车[304]，奋厉威猛[305]，大姓有犯[306]，或使吏发屋伐树，堙井夷灶[307]。功曹[308]张敞奏记谏曰："文翁、召父、卓茂[309]之徒，皆以温厚为政，流闻后世。

残身：老父与兄长争着自杀。㉖⑨妻孥相视分裂：妻子儿女眼睁睁看着死别。分裂，死别。㉗⓪宾客市买：近习宾客把皇帝的光临作为炫耀资本，如同买了珍贵货物一样。㉗①熏灼道路：招摇喧嚷，弄得街巷道路乌烟瘴气。㉗②无所不容：什么事都干得出。㉗③开广谏道：广开言路。㉗④放郑、卫之声：舍弃靡靡的音乐。郑、卫之声，指春秋时郑国、卫国流行的长于抒情的轻声乐曲，被儒家认为是靡靡之音，加以排斥。这里指帝王放纵的淫声。㉗⑤德感祥风：圣恩将给天下带来和祥之风。㉗⑥征：征验。㉗⑦依违其辞：模棱两可，不知痛痒的话。㉗⑧有切于前：言辞比前面的上奏更为激烈。㉗⑨陈球：字伯真，下邳淮浦（在今江苏涟水县）人，官至司空。灵帝时谋诛宦官，事泄不成，死狱中。传见《后汉书》卷五十六。㉘⓪编木为城：树木桩为城墙。㉘①遣家避难：疏散家属到安全的内地避难。㉘②激流：筑堤提高水位。㉘③因地势：顺着地势。㉘④反决水淹贼：反过来利用叛贼所筑堤防，决口使水反灌。㉘⑤执：活捉。㉘⑥度尚惧为己负二句：度尚已上报清除盗贼，今又复起，恐负欺君之罪，于是虚报交州苍梧郡贼入荆州。己负，自己负罪。㉘⑦辞状未正：所控罪状还未审理核实。未正，即在审理中。正，验证。㉘⑧会赦见原：正好赶上赦令被宽大释放。原，宽大赦免。㉘⑨方更牢持械节：正式把刑具的关节更牢固地扣紧。械节，刑具关节。㉙⓪天恩旷然：皇恩浩荡。㉙①何乎：为什么呢。㉙②备位方伯：朝廷委派独当一面的大臣。方伯，古代一方的地方长官，此喻刺史之任。㉙③枉：诬害。㉙④磐实不辜二句：我张磐本无罪，赦令对我不起作用。㉙⑤如忍以苟免二句：如果忍心接受不明不白的赦免，将永远背着黑锅蒙受耻辱。㉙⑥生为恶吏二句：活着被指为恶官，死后被骂为坏鬼。㉙⑦面对曲直：当面对质，以辨是非。㉙⑧终不虚出二句：最后不会不明不白地出狱，蒙垢受辱。㉙⑨以其状上：把这一情况上奏皇帝。㉚⓪辞穷：无言以对。㉚①甲午：闰七月初一日。㉚②朔平署：朔平司马署，负责南宫北门警卫。

【校记】

［4］何：原作“可”。据章钰校，乙十六行本、乙十一行本皆作“何”，今从改。

【语译】

秋，七月，任命太中大夫陈蕃为太尉。陈蕃推让给太常胡广、议郎王畅、正在服刑役的李膺，汉桓帝不答应。

王畅，是王龚的儿子，曾任南阳太守，痛恨当地有很多贵戚豪族，刚到任，就振奋法纪，严厉整顿，大族犯法，有时王畅就派属吏拆屋砍树、填井毁灶。功曹张敞奏记劝告说：“文翁、召父、卓茂这一班人，都因为温厚治政，声名流闻后世。

发屋伐树，将为严烈[310]，虽欲惩恶，难以闻远[311]。郡为旧都[312]，侯甸之国[313]，园庙出于章陵[314]，三后生自新野[315]，自中兴以来[316]，功臣将相，继世而隆[317]。愚以为恳恳[318]用刑，不如行恩，孳孳求奸，未若礼贤。舜举皋陶，不仁者远[319]，化人在德[320]，不在用刑。”畅深纳其言，更崇宽政[321]，教化大行。

八月戊辰[322]，初令郡国有田者亩敛税钱[323]。

九月丁未[324]，京师地震。

冬，十月，司空周景免，以太常刘茂为司空。茂，恺之子也。

郎中窦武[325]，融之玄孙也，有女为贵人。采女[326]田圣有宠于帝，帝将立之为后。司隶校尉应奉上书曰：“母后之重，兴废所因[327]。汉立飞燕，胤祀泯绝[328]。宜思《关雎》[329]之所求，远五禁之所忌[330]。”太尉陈蕃亦以田氏卑微，窦族良家，争之甚固。帝不得已，辛巳[331]，立窦贵人[332]为皇后，拜武为特进、城门校尉，封槐里侯。

十一月壬子[333]，黄门北寺[334]火。

陈蕃数言李膺、冯绲、刘祐之枉，请加原宥[335]，升之爵任，言及反覆[336]，诚辞恳切，以至流涕。帝不听。应奉上疏曰：“夫忠贤武将，国之心膂[337]。窃见左校弛刑徒冯绲、刘祐、李膺等，诛举邪臣，肆[338]之以法。陛下既不听察，而猥受谮诉，遂令忠臣同愆元恶[339]，自春迄冬，不蒙降恕，遐迩[340]观听[341]，为之叹息。夫立政之要，记功忘失[342]。是以武帝拔[5]安国于徒中[343]，宣帝征张敞于亡命[344]。绲前讨蛮荆，均吉甫之功[345]；祐数临督司[346]，有不吐茹之节[347]；膺著威幽、并，遗爱度辽[348]。今三垂蠢动[349]，王旅未振[350]，乞原膺等，以备不虞。”书奏，乃悉免其刑。久之，李膺复拜司隶校尉。时小黄门张让[351]弟朔为野王[352]令，贪残无道，畏膺威严，逃还京师，匿于兄家合柱[353]中。膺知其状，率吏卒破柱取朔，付雒阳狱，受辞毕，即杀之。让诉冤于帝，帝召膺，诘以不先请便加诛之意。对曰：“昔仲尼为鲁司寇，七日而诛少正卯。今臣到官已积一旬，私惧以稽留为愆[354]，不意获速疾之罪[355]。诚自知衅责[356]，死不旋踵，特乞留五日，克殄元恶[357]，退就鼎镬[358]，始生之愿也。”帝无复

拆屋砍树，将为严厉之举，虽是想惩治邪恶，难以声名远闻。南阳是旧都，是京师邻近之地，皇室祖先园庙建在章陵，三位皇后生于新野，自中兴以来，功臣将相，世代相承，代代兴隆。我认为严加用刑，不如推行恩德，积极捉奸，不如礼待贤能。虞舜举用皋陶，不仁的坏人就远远地躲开了，教化人在于恩德，不在于用刑。”王畅从内心深处采纳了他的意见，改为崇尚宽大，使教化施行。

八月初六日戊辰，首次下令各郡、封国中有土地的人按亩征税。

九月十五日丁未，京师洛阳发生地震。

冬，十月，司空周景被免职，任命太常刘茂为司空。刘茂，是刘恺的儿子。

郎中窦武，是窦融的玄孙，有女儿是贵人。采女田圣受汉桓帝宠爱，桓帝准备立她为皇后。司隶校尉应奉上书说：“皇后地位高贵，关系到国家兴亡。汉成帝立赵飞燕为后，后嗣灭绝。应当想想《关雎》中君子所追求的好配偶，远离五种禁忌的女子。”太尉陈蕃也认为田氏卑微，窦氏是良家女子，坚持力争。汉桓帝不得已，十月二十日辛巳，立窦贵人为皇后，任命窦武为特进、城门校尉，册封槐里侯。

十一月二十一日壬子，黄门北寺狱失火。

陈蕃一再申诉李膺、冯绲、刘祐冤枉，请求原谅过失、宽大处理、升任原职，再三诉说，言辞恳切，直至流涕。汉桓帝不理会。应奉上疏说：“忠臣良将是国家的腹心和手臂。臣认为左校服刑徒冯绲、刘祐、李膺等人，揭发惩治奸臣，绳之以法。陛下不但不调查，反而轻信诬告，于是使忠臣良将与大奸大恶同罪，从春到冬，未受到宽恕，远近看到、听到此事的人士为之叹息。皇上施政的关键，就是牢记臣下的功绩，忘掉臣下的过失。因此，景帝直接从监狱中提拔韩安国，宣帝从逃犯中征召张敞。冯绲以前征讨荆蛮，可与西周尹吉甫同功；刘祐多次担任检查举证不法的主司官，具有刚正廉直的节操；李膺威震幽州、并州，遗爱北疆。今日三面边陲蛮夷蠢动，而官军没有发威，请求原宥李膺等人，以防意外。”奏章呈上，汉桓帝才赦免了他们的罪刑。过了好久，李膺又拜官司隶校尉。当时小黄门张让的弟弟张朔为野王县令，贪婪残暴，不讲道义，害怕李膺的威严，逃回京城，藏匿在哥哥张让家的夹墙中。李膺知道了这一情况，带着吏卒到张让家破坏柱子，抓走了张朔，送到洛阳狱中，审问完毕立即杀了他。张让向汉桓帝诉冤，汉桓帝召见李膺，责备他不上奏就杀死张朔。李膺回答说：“过去孔子在鲁国任司寇，到任七天就杀掉少正卯。如今臣到任已十天了，暗自担忧会因积压案件而获罪，没想到会因办案迅速而获罪。臣自知罪责，很快死去，特请让臣留职五天，铲除大奸，再受烹刑，这是臣一生的

言，顾谓让曰："此汝弟之罪，司隶何愆！"乃遣出。自此诸黄门、常侍皆鞠躬屏气㉟，休沐不敢出宫省。帝怪问其故，并叩头泣曰："畏李校尉！"时朝廷日乱，纲纪颓弛㊱[6]，而膺独持风裁㊲，以声名自高，士有被其容接者，名为"登龙门㊳"云。

征东海相刘宽㊴为尚书令。宽，崎之子也，历典三郡，温仁多恕，虽在仓卒㊵，未尝疾言遽色㊶。吏民有过，但用蒲鞭㊷罚之，示辱而已，终不加苦。每见父老，慰以农里之言，少年，勉以孝悌之训，人皆悦而化之。

【段旨】

以上为第九段，写窦贵人立为皇后，其父窦武为特进、城门校尉，封槐里侯。李膺重新任职司隶校尉，惩治为恶的宦官亲戚，毫不手软。

【注释】

303 王畅（？至公元一六九年）：字叔茂，山阳高平（在今山东邹城西南）人，安帝时太尉王龚之子，东汉党人领袖八俊之一，官至司空。传见《后汉书》卷五十六。304 下车：刚到任。305 奋厉威猛：振奋法纪，严厉推行。306 大姓有犯：据《后汉书》王畅本传，豪右贪赃两千万以上不自首，严厉打击。307 发屋伐树二句：拆房砍树，填井毁灶，使犯者倾家荡产。308 功曹：此指南阳太守功曹。309 文翁、召父、卓茂：三人为政温和，流芳百世。文翁，西汉景帝时循吏，蜀郡太守。传见《汉书》卷八十九。召父，即西汉宣帝时循吏召信臣，与文翁同传。卓茂，光武帝太傅。传见《后汉书》卷二十五。310 严烈：严厉；严酷。311 虽欲惩恶二句：虽然想惩治奸恶，难以声名远闻。312 郡为旧都：南阳郡为皇室故郡，光武帝命为南都，又与洛阳京师比邻。313 侯甸之国：指京师邻近之地。周时，以京师方千里为畿，畿外五百里为甸服，甸外五百里为侯服。314 园庙出于章陵：章陵为南阳属县，光武帝祖陵在此。这里指章陵是皇帝家乡。315 三后生自新野：新野亦南阳郡属县，光武阴丽华皇后，和帝阴皇后、邓绥皇后，都出生在新野。316 自中兴以来：自东汉建立以来。317 继世而隆：代代兴隆。继世，一代接一代。318 悫悫：与下文"孳孳"互文，勤勉、专注、致力于的意思。319 舜举皋陶二句：舜把皋陶从众人中提拔上来，不仁的坏人就远远地躲开了。语出《论语·颜渊》子夏之言。原文为"舜有天下，选于众，举皋陶，不仁者远矣。"320 化人在德：感化人要用恩德。321 更崇宽政：改变做法，崇尚

心愿。”汉桓帝没有再说什么，回头对张让说：“这是你弟弟的罪过，司隶有何过错！”于是命令李膺退出。从此，黄门、常侍都小心谨慎，不敢出大气，休假日也不敢出宫门。汉桓帝觉得奇怪，问其中缘故，内侍都磕头流泪说：“害怕李校尉！”这时，朝廷日益衰乱，纲纪败坏，而只有李膺坚持风节，有清高正直的名誉，有被他接纳的士人，称之为“登龙门”。

征召东海相刘宽为尚书令。刘宽，是刘崎的儿子，先后典掌三郡，温柔仁厚，多行宽恕，即使事发突然，也不曾疾言厉色。官吏和百姓有过失，只用蒲鞭惩罚，以示羞辱而已，始终不施加酷刑。每次见到地方父老，就用农家话加以慰劳，见到少年，就训勉他们孝顺友爱，人们都乐意接受他的教导。

宽大。㉜戊辰：八月初六日。㉝亩敛税钱：汉制，田税为总收入的三十分之一，自此改为按亩征税。据李贤注，每亩征税十钱。㉞丁未：九月十五日。㉟窦武：字游平，扶风平陵（今陕西咸阳西北）人，东汉开国功臣窦融的玄孙，以外戚为大将军辅政灵帝，谋诛宦官，事泄诛死。传见《后汉书》卷六十九。㊱采女：嫔妃之号，低于贵人。㊲兴废所因：谓皇后的善恶是国家隆盛与衰败的一个重要因素。㊳胤祀泯绝：后嗣灭绝。西汉成帝以歌伎赵飞燕为皇后，专宠椒房，十余年无子。宫人生子，赵飞燕辄害之，使皇嗣断绝。㊴《关雎》:《诗经·国风》第一篇，也是全书开卷第一篇，描写美貌端庄的女子，才是君子的好配偶。㊵远五禁之所忌：疏远五种禁忌的女子。指五种出身的妇女，不得为皇后。母亲早死的长女不可娶，因缺少教养；家有遗传病的女子不可娶，因为天所弃；罪徒之家的女子不可娶，因为社会所唾弃；叛徒家的女子不可娶，因不是正类；家有背伦行为的女子不可娶，因违反人伦。见《韩诗外传》。㊶辛巳：十月二十日。㊷窦贵人：名窦妙。㊸壬子：十一月二十一日。㊹黄门北寺：黄门所属宫中监狱北寺狱。㊺原宥：原谅过失，宽大处理。㊻言及反覆：再三诉说。㊼心膂：心脏、手臂。㊽肆：陈；诉诸。㊾令忠臣同愆元恶：使忠臣与大奸同罪。愆，罪过。㊿遐迩：远近。(341)观听：看到听到，指了解李膺等受冤的人们。(342)立政之要二句：皇上施政的关键，就是记住臣下的功劳，忘掉臣下的过失。(343)武帝拔安国于徒中：西汉景帝时，韩安国为梁大夫，因犯法判刑，后来梁国缺内史，景帝直接从监狱中提拔韩安国为梁国内史。这里“武帝”应是景帝之误。(344)宣帝征张敞于亡命：宣帝征召逃亡犯张敞为冀州刺史。(345)均吉甫之功：谓冯绲在顺帝时讨平荆州蛮族之功可与西周宣王时尹吉甫之功相等。(346)督司：泛指监察举不法的主司官。这里指刘祐为河南尹、司隶校尉，均有司法之权。(347)有不吐茹之节：具有刚正廉直的节操。语出《诗经·烝民》称赞仲山甫之言：“柔亦不茹，刚亦不吐。”即不欺软，不怕硬。(348)膺著威幽、并二句：李膺声威震动幽州、并州，遗爱北疆。李膺

曾为渔阳太守、乌桓校尉，政绩在幽州，又为度辽将军屯驻并州。是北疆幽、并两州为李膺着威、遗爱之地。㊿三垂蠢动：指北面、西面、南面三方边陲都有战事。垂，边陲。㊿振：发威，打胜仗。㊿张让（？至公元一八九年）：桓、灵时大宦官，为中常侍，与赵忠二人狼狈为奸，能左右桓帝志意。桓帝说："张常侍是我公，赵常侍是我母。"中平六年为袁绍所杀。传见《后汉书》卷七十八《宦者列传》。㊿野王：县名，属河内郡，县治在今河南沁阳。㊿合柱：夹墙。㊿以稽留为愆：以办事迟缓为过失。㊿获速疾之罪：因办事有效率而得罪。㊿衅责：罪责。㊿克殄元恶：铲除大奸。㊿就鼎镬：接受烹刑。㊿鞠躬屏气：弯腰行走，不敢出大气。㊿颓弛：败坏。㊿风裁：风节；社会秩序。㊿登龙门：龙门，指山陕之间黄河上的禹门口，在陕西韩城、山西河津之间。黄河

【原文】

九年（丙午，公元一六六年）

春，正月辛卯朔[367]，日有食之。诏公卿、郡国举至孝。太常赵典[368]所举荀爽[369]对策曰："昔者圣人建天地之中而谓之礼，众礼之中，昏礼[370]为首。阳性纯而能施，阴体顺而能化。以礼济乐，节宣其气[371]，故能丰子孙之祥[372]，致老寿之福[373]。及三代之季，淫而无节[374]，阳竭于上，阴隔于下，故周公之戒曰：'时亦罔或克寿[375]。'《传》[376]曰：'截趾适履[377]，孰云其愚！何与斯人，追欲丧躯[378]？'诚可痛也。臣窃闻后宫采女五六千人，从官、侍使复在其外，空赋[379]不辜之民，以供无用之女，百姓穷困于外，阴阳隔塞于内，故感动和气，灾异屡臻[380]。臣愚以为诸未幸御者[381]，一皆遣出，使成妃合[382]，此诚国家之大福也。"诏拜郎中。

司隶、豫州[383]饥，死者什四五，至有灭户[384]者。

诏征张奂为大司农，复以皇甫规代为度辽将军。规自以为[7]连在大位，欲求退避，数上病，不见听。会友人丧至，规越界迎之，因令客密告并州刺史胡芳，言规擅远军营[385]，当急举奏[386]。芳曰："威明[387]欲避第仕涂，故激发我耳。吾当为朝廷爱才，何能申此子计邪[388]！"遂无所问[389]。

夏，四月，济阴、东郡、济北、平原[390]河水清[391]。

司徒许栩免。五月，以太常胡广为司徒。

在这里切断龙门山形成瀑布。传说春夏之交江海数千鲤鱼集于龙门下，争相跳跃，跳越龙门便可化龙，故称“鲤鱼跳龙门”。此喻李膺为人间龙门，得与交接，如同成仙。㊳㊸刘宽：字文饶，弘农华阴（在今陕西华阴）人，顺帝时司徒刘崎之子，历任东海、南阳等三郡国守相，官至太尉。传见《后汉书》卷二十五。㊳㊹仓卒：发生突然事变。卒，通“猝”。㊳㊺遽色：变脸色。㊳㊻蒲鞭：用蒲草绳代皮鞭，象征性地责罚犯人。

【校记】

[5]拔：原误作“舍”。张敦仁《通鉴刊本识误》作“拔”，当是，今据校正。[6]弛：原误作“阤”。据章钰校，乙十一行本作“弛”，当是，今据校正。

【语译】

九年（丙午，公元一六六年）

春，正月初一日辛卯，发生日食。汉桓帝下诏令公卿、郡国举荐至孝的人才。太常赵典所推荐的荀爽对策说：“从前圣人采集天地间的法则，称为礼，礼制中，婚礼为第一位。阳性纯正而能施行，阴性柔顺而能教化。用礼控制欢乐，用节制调适气血，所以能使子孙众多而吉祥，导致长寿的福气。到了夏、商、周的末年，君主淫乱而没有节制，阳气衰竭于上，阴气隔绝于下，所以周公告诫说：‘从这以后，也就没有能够长寿的君王。’古书上说：‘把脚削小以适应鞋子的大小，谁说他愚蠢！跟为了淫欲而丧生的人相比呢？’这实在可痛心。臣听说后宫有五六千采女，从官、侍使还在其外，白白地赋敛无罪百姓，用来供奉这些无用的女子，百姓在外边穷困，阴阳在宫里隔绝，所以触动了天地和气，灾异屡至。我认为凡是没有被召幸过的女子，一律打发出宫，让她们早成婚配，这实在是国家的大福。”汉桓帝下诏，任命荀爽为郎中。

司隶、豫州发生饥荒，人民饿死十分之四五，甚至有全家死光的。

下诏征召张奂任大司农，又以皇甫规代理度辽将军。皇甫规自认为连任高官，想请求退隐，几次称病，汉桓帝不准许。适逢朋友去世，灵柩运回安葬，皇甫规越界迎丧，趁机派宾客暗中向并州刺史胡芳报告，说皇甫规擅自远离军营，应当赶快举奏。胡芳说：“皇甫规想远避仕途，所以才激发我上奏。我应当为朝廷爱惜人才，怎能让他的计策伸展呢！”因而不追究此事。

夏，四月，济阴郡、东郡、济北郡、平原郡黄河水澄清。

司徒许栩被免职。五月，任命太常胡广为司徒。

庚午[392]，上亲祠老子于濯龙宫，以文罽为坛饰[393]，淳金钔器[394]，设华盖之坐，用郊天乐。

鲜卑闻张奂去，招结南匈奴及乌桓同叛。六月，南匈奴、乌桓、鲜卑数道入塞，寇掠缘边九郡。秋七月，鲜卑复入塞，诱引东羌与共盟诅[395]。于是上郡沈氐、安定先零诸种共寇武威、张掖，缘边大被其毒[396]。诏复以张奂为护匈奴中郎将，以九卿秩[397]督幽、并、凉三州及度辽、乌桓二营[398]，兼察刺史、二千石能否。

初，帝为蠡吾侯，受学于甘陵周福[399]。及即位，擢福为尚书。时同郡河南尹房植[400]有名当朝，乡人为之谣曰："天下规矩[401]房伯武，因师获印周仲进。"二家宾客，互相讥揣[402]，遂各树朋徒，渐成尤隙[403]。由是甘陵有南北部，党人之议自此始矣。

汝南太守宗资[404]以范滂为功曹，南阳太守成瑨[405]以岑晊[406]为功曹，皆委心听任，使之褒善纠违[407]，肃清朝府[408]。滂尤刚劲，疾恶如仇。滂甥李颂素无行，中常侍唐衡以属[409]资，资用为吏，滂寝[410]而不召。资迁怒，捶[411]书佐[412]朱零。零仰曰："范滂清裁[413]，今日宁受笞而死，滂不可违。"资乃止。郡中中人以下，莫不怨之。于是二郡为谣曰："汝南太守范孟博，南阳宗资主画诺[414]。南阳太守岑公孝，弘农成瑨但坐啸[415]。"

太学诸生三万余人，郭泰及颍川贾彪[416]为其冠，与李膺、陈蕃、王畅更相褒重。学中语曰："天下模楷李元礼，不畏强御[417]陈仲举，天下俊秀[418]王叔茂。"于是中外承风[419]，竞以臧否相尚[420]，自公卿以下，莫不畏其贬议，屣履[421]到门。

【段旨】

以上为第十段，写郡功曹范滂、岑晊不接受宦官请托，惩治奸人。太学生与士大夫清流领袖清议朝政，褒贬人物，渐成风气。

庚午日，汉桓帝亲自到濯龙宫祭祀老子，用织花毛毡铺在祭坛上，用纯金镶边的祭器，摆设华盖座位，演奏祭天的乐曲。

鲜卑人听说张奂离职，就召集南匈奴人和乌桓人一起背叛。六月，南匈奴、乌桓、鲜卑从几路入塞，劫夺缘边九郡。秋，七月，鲜卑又入塞，引诱东羌和他们结盟设誓。于是，上郡的沈氏、安定的先零等族联合侵占武威、张掖，缘边地区深受其害。朝廷下诏重新任命张奂为护匈奴中郎将，以九卿的级别督导幽州、并州、凉州，以及度辽、乌桓二营，兼及考察刺史、二千石官员的政绩。

当初，汉桓帝被封为蠡吾侯时，向甘陵人周福学习。等到即位，擢升周福为尚书。当时同郡人河南尹房植在朝已很有名，乡人为此编歌谣说："天下为人言行正派的有房植，靠当老师做官的有周福。"房、周二家宾客互相讥讽猜度，于是各树朋党，逐渐形成了怨隙。从此甘陵有了南北两派，朋党的议论由此开始。

汝南太守宗资用范滂为功曹，南阳太守成瑨用岑晊为功曹，都倾心信任，让他们扬善惩恶，整肃政府的法纪。范滂尤为刚健强劲，疾恶如仇。范滂的外甥李颂一向行为不正，中常侍唐衡替他向宗资请托，宗资任用为小吏，范滂却将公文搁置不发。宗资迁怒于人，拷打文书员朱零。朱零仰叹说："范滂的裁决是公正的，今天我宁愿被打死，也不能违反范滂。"宗资这才停止拷打。郡中一般不了解范滂的人，没有不抱怨他的。于是两郡的人为他们编歌谣说："汝南太守是范孟博，南阳人宗资只是在公文上画押签字。南阳太守是岑公孝，弘农人成瑨不过是闲坐啸咏，无所事事。"

太学里有三万多学生，郭泰和颍川人贾彪是他们的领袖，与李膺、陈蕃、王畅互相推崇。太学中有歌谣说："天下楷模是李膺，不畏强梁横暴的是陈蕃，天下才智出众的是王畅。"于是京师内外激发而形成一种风气，竞相崇尚褒贬善恶，自公卿以下，没有人不怕他们的贬议，急忙登门趋附。

【注释】

㊲辛卯朔：正月初一日。㊳赵典：字仲经，蜀郡成都（今四川成都）人。传见《后汉书》卷二十七。㊴荀爽：一名谞，字慈明，东汉末名士，官至司空。曾参与王允谋除董卓。传见《后汉书》卷六十二。㊵昏礼：婚礼。昏，通"婚"。㊶以礼济乐二句：用礼控制欢乐，用节制调适气血。㊷丰子孙之祥：子孙众多而吉祥。丰，众盛。㊸致老寿之福：导致长寿的福气。㊹淫而无节：淫乱而没有节制。㊺时亦罔或克寿：从这以后，也就没有能够长寿的君王。罔，无、没有。克，能。语出《尚书·无逸》："自时厥

后，亦罔或克寿。”自时厥后，指商朝自祖甲以后，所立君王荒淫无度，也就没有长寿的了。㉖《传》：泛指古书。下面引文所出不详。㉗截趾适履：把脚削小以适应鞋子的大小。《淮南子·说林训》作“削足而适履”。这是秦汉时一句流行的话，喻无原则迁就，因小失大。㉘追欲丧躯：为了纵欲，不惜丧生。这比削足适履更加愚蠢。㉙空赋：白白地出了租赋。㉚臻：至。㉛诸未幸御者：那些没有被皇帝召幸过的宫女。㉜一皆遣出二句：一律释放出宫，让她们早成婚配。妃，通“配”。胡三省注：“妃，读曰‘配’。”㉝司隶、豫州：东汉司隶，包括两京地区，即西京长安关中地区，以及洛阳京师地区，当今山西西南部、河南北部一带。豫州，当今河南中部、南部地区。㉞灭户：全家死光，户籍削除。㉟擅远军营：擅自远离军营。㊱当急举奏：应当赶快弹劾，治其擅离职守罪。度辽将军驻屯并州西河郡，并州刺史有察举之权。㊲威明：皇甫规的字。㊳何能申此子计邪：怎能让他的计划伸展。即不能中计。㊴遂无所问：于是不作追究。㊵济阴、东郡、济北、平原：黄河下游经常决口的地方。当今山东西部地区。㊶河水清：黄河水终年浑浊，偶然澄清被认为祥瑞，特加记载。㊷庚午：五月己丑朔，无庚午。庚午，应为六月十二日。㊸以文罽为坛饰：用织花毛毡铺在祭坛上。㊹淳金釦器：用纯金镶边的祭器。釦，扣边、镶边。㊺盟诅：结盟设誓。㊻大被其毒：大受其害。㊼九卿秩：中二千石。护匈奴中郎将，为比二千石，今加一级俸，为中二千石。㊽二营：指度辽将军

【原文】

宛有富贾张泛者，与后宫有亲，又善雕镂玩好之物，颇以赂遗中官，以此得显位，用势纵横[422]。岑晊与贼曹史[423]张牧劝成瑨收捕泛等。既而遇赦，瑨竟诛之，并收其宗族宾客，杀二百余人，后乃奏闻。小黄门晋阳[424]赵津贪暴放恣，为一县巨患。太原太守平原[425]刘瓆使郡吏王允[426]讨捕，亦于赦后杀之。于是中常侍侯览使张泛妻上书讼冤，宦者因缘[427]谮诉瑨、瓆。帝大怒，征瑨、瓆皆下狱。有司承旨，奏瑨、瓆罪当弃市。

山阳[428]太守翟超以郡人张俭[429]为东部督邮。侯览家在防东[430]，残暴百姓。览丧母还家，大起茔冢。俭举奏览罪，而览伺候遮截，章竟不上。俭遂破览冢宅，藉没资财，具奏其状，复不得御[431]。徐璜兄子宣为下邳[432]令，暴虐尤甚。尝求故汝南太守李暠女不能得，遂将吏卒至暠

营、乌桓校尉营。㊹周福：字仲进，为桓帝师。㊺房植：字伯武，为河南尹，当时名士。(401)规矩：规范；典范。规，校正圆形的器具。矩，校正方形的器具。(402)讥揣：讥讽猜度。(403)尤隙：怨仇。(404)宗资：字叔都，南阳安众（在今河南邓州东北）人，时为汝南太守，悉以郡事委任功曹范滂。(405)成瑨：字幼平，弘农（在今河南三门峡市陕州西南）人，时为南阳太守，因委任功曹岑晊捕杀桓帝乳母外亲张讯，下狱死。(406)岑晊：字公孝，南阳棘阳（今河南唐河县西北）人。传见《后汉书》卷六十七。(407)褒善纠违：扬善惩恶。(408)肃清朝府：整肃政府的法纪。朝，指朝廷。府，指郡府。朝府，这里只作偏义。(409)属：请托。(410)寝：把任命书搁置起来。(411)捶：拷打。(412)书佐：文书员。(413)清裁：做了公正的裁断。(414)画诺：在公文上画押签字。(415)坐啸：闲坐啸咏，无所事事。(416)贾彪：字伟节，颍川定陵（在今河南舞阳北）人，太学生首领。党锢事起，曾说窦武等援救党人，知名当世。传见《后汉书》卷六十七。(417)强御：横暴而有势力的人。这里指擅权的宦官。(418)俊秀：才智杰出的人。(419)承风：激发而成一种风气。(420)竞以臧否相尚：互相以发表批评时政的激烈言论而标榜。(421)屣履：拖着鞋子走路，形容急迫。

【校记】

［7］为：据章钰校，乙十六行本、乙十一行本皆无此字。

【语译】

宛县有富商张泛，与后宫有亲戚关系，又爱好雕镂玩物，常拿来送给宦官作为贿赂，因此得了高官，仗势横行。岑晊与贼曹史张牧劝成瑨拘捕张泛等人。后来碰上赦免，成瑨竟然杀了张泛，并且抓了他的宗族与宾客，杀了二百多人，后来才报告朝廷。小黄门晋阳人赵津凶残放纵，成了全县的大害。太原太守平原人刘瓆派郡吏王允去抓捕他，也是在大赦后杀了他。于是中常侍侯览让张泛的妻子上书诉冤，宦官们乘机诬告成瑨、刘瓆。汉桓帝大怒，征召成瑨、刘瓆，都送进监狱。主管部门逢迎朝廷的意思，上奏成瑨、刘瓆罪该处死。

山阳太守翟超以当地人张俭为东部督邮。侯览家在防东，残暴百姓。侯览因母亲去世回家，大修坟墓。张俭上奏告发侯览的罪行，而侯览伺机拦截，奏章最终也没有送上去。张俭于是拆毁了侯览的冢宅，没收资产，详细上奏侯览的罪状，奏章又没能上达御览。徐璜哥哥的儿子徐宣为下邳县令，暴虐尤为厉害。徐宣曾经想求娶前汝南太守李暠的女儿，未能得逞，于是带领吏卒到李暠家，把李暠的女儿用车

家，载其女归，戏射杀之。东海相汝南黄浮闻之，收宣家属，无少长，悉考之。掾史以下固争，浮曰："徐宣国贼，今日杀之，明日坐死，足以瞑目矣！"即案宣罪弃市，暴其尸。于是宦官诉冤于帝。帝大怒，超、浮并坐髡钳，输作左校。

太尉陈蕃、司空刘茂共谏，请瑨、瓆、超、浮等罪[433]，帝不悦。有司劾奏之，茂不敢复言。蕃乃独上疏曰："今寇贼在外，四支之疾；内政不理，心腹之患。臣寝不能寐，食不能饱，实忧左右日亲，忠言[8]日疏，内患渐积，外难方深[434]。陛下超从列侯，继承天位[435]，小家畜产百万之资，子孙尚耻愧失其先业，况乃产兼天下，受之先帝，而欲懈怠以自轻忽[436]乎！诚不爱己，不当念先帝得之勤苦邪！前梁氏五侯[437]，毒遍海内，天启圣意，收而戮之。天下之议，冀当小平[438]。明鉴未远，覆车如昨，而近习之权，复相扇结[439]。小黄门赵津、大猾张泛等肆行贪虐，奸媚左右。前太原太守刘瓆、南阳太守成瑨纠而戮之，虽言赦后不当诛杀，原其诚心[440]，在乎去恶，至于陛下，有何悁悁[441]！而小人道长，荧惑[442]圣听，遂使天威[443]为之发怒，必加刑谴[444][9]，已为过甚，况乃重罚令伏欧刀[445]乎！又，前山阳太守翟超、东海相黄浮奉公不桡[446]，疾恶如仇，超没侯览财物，浮诛徐宣之罪，并蒙刑坐，不逢赦恕。览之从横，没财已幸[447]；宣犯衅过，死有余辜。昔丞相申屠嘉召责邓通，雒阳令董宣折辱公主，而文帝从而请之，光武加以重赏，未闻二臣有专命之诛[448]。而今左右群竖[449]，恶伤党类[450]，妄相交构[451]，致此刑谴，闻臣是言，当复啼诉[452]。陛下深宜割塞近习与政之源[453]，引纳[454]尚书朝省之士[455]，简练清高[456]，斥黜佞邪[457]。如是天和于上，地洽于下[458]，休祯符瑞，岂远乎哉！"帝不纳。宦官由此疾蕃弥甚，选举奏议，辄以中诏谴却[459]，长史[460]以下多至抵罪[461]，犹以蕃名臣，不敢加害。

平原襄楷[462]诣阙上疏曰："臣闻皇天不言，以文象设教[463]。臣窃见太微，天廷五帝之坐[464]，而金、火罚星扬光其中[465]。于占，天子凶。又俱入房、心[466]，法无继嗣[467]。前年冬大寒，杀鸟兽，害鱼鳖，城傍竹柏之叶有伤枯[468]者。臣闻于师曰：'柏伤竹枯，不出二年，天子当之。'

拉了回来，玩游戏射杀了她。东海相汝南人黄浮听到此事，收捕徐宣家属，无论老少都拷打。掾史以下都极力反对他这样做，黄浮说："徐宣这个国贼，我今天杀了他，明天判我死罪，足以让我瞑目了！"当即判徐宣死罪，暴尸街市。宦官于是向汉桓帝诉冤。汉桓帝大怒，翟超、黄浮都被判以髡钳重刑，送到左校做苦力。

太尉陈蕃、司空刘茂一起上谏言，请求宽恕成瑨、刘瓆、翟超、黄浮等人的罪责，汉桓帝不高兴。有关官吏弹劾陈蕃、刘茂，刘茂不敢再说话。陈蕃于是单独上书说："现在寇贼在外，是四肢疾病；朝内政务不能治理，是心腹之患。臣卧床睡不着，吃饭不能饱，实在担忧内侍日渐亲信，忠言一天天稀少，内患越积越多，外患正是深重之时。陛下由列侯超升，继承了帝位，小民家庭积累百万钱家产，当子孙的尚且以败坏祖业为羞愧，何况陛下的产业兼济天下，受之先帝，怎么能够怠惰政事，不看重皇位呢！即使真的不爱惜自己，不应当想到先帝创业的辛勤劳苦吗！先前，梁姓五位侯爵，祸害全国，上天启发圣意，收捕并杀死了他们。天下议论，盼望得到一段太平日子。鉴戒不远，覆车如在昨天，而陛下身边的亲信，重新相互煽动勾结。小黄门赵津、大奸贼张泛等人肆行贪残，谄媚内侍。前太原太守刘瓆、南阳太守成瑨检举并杀了他们，虽说是大赦后不应当诛杀，推究他们的本意，在于为国除恶，至于陛下，有什么怨恨不平呢！可是小人得势，迷惑陛下的视听，才使得陛下为此事大发雷霆，一定要惩办刘瓆、成瑨，这已经够过分了，何况要从严重罚、斩首处决！另外，前山阳太守翟超、东海相黄浮秉公办事，不屈服于权势，疾恶如仇，翟超没收了侯览的财物，黄浮依法诛杀徐宣，都获罪入刑，不能得到赦免宽恕。侯览的放纵横暴，只是没收财物，已是幸事；徐宣犯的罪过，死有余辜。先前，丞相申屠嘉叫来邓通斥责，洛阳令董宣折辱公主，而文帝只是出面请求从轻发落邓通，光武帝却对董宣加以重赏，没有听说这两位臣子因专擅朝命而被惩罚。现在陛下身边的小丑，怨恨党羽受到伤害，狂妄地交相进谗陷害，导致当前的刑狱，他们听到我的这些话，必定又会在陛下面前号哭倾诉。陛下实在应当杜绝近侍参与政务的祸根，接纳朝廷百官，选拔清高人士，排除佞邪小人。这样，苍天和祥于上，大地融洽于下，祥瑞呈现，难道还会远吗！"汉桓帝没有采纳。宦官因此更加痛恨陈蕃，凡是陈蕃推荐的人才或呈上的奏章，每每借用汉桓帝的旨意斥责退还，长史以下的官员很多被判刑，因为陈蕃是名臣，还不敢加害于他。

平原人襄楷到宫门上疏说："臣听说上天不言语，用天象变异来表明教化。臣私下观察太微，五帝的星座间，竟有金星、火星这样的罚星在其中闪闪发光。依照五星占卜，天子有凶。金星、火星又都侵入了房宿、心宿星座，依据五星占，皇上没有后嗣。前年冬季大寒，冻杀鸟兽，害死鱼鳖，京城旁边的竹和柏树叶有伤冻枯萎的现象。臣听先师说过：'柏树凋敝，竹林枯萎，不出两年，天子必有灾祸。'

今自春夏以来，连有霜雹及大雨雷电，臣作威作福，刑罚急刻之所感[469]也。太原太守刘瓆、南阳太守成瑨，志除奸邪，其所诛翦，皆合人望。而陛下受阉竖之谮，乃远加考逮[470]。三公上书乞哀瓆等，不见采察，而严被谴让，忧国之臣，将遂杜口[471]矣。臣闻杀无罪，诛贤者，祸及三世[472]。自陛下即位以来，频行诛罚[473]，梁、寇、孙、邓并见族灭[474]，其从坐者又非其数。李云上书，明主所不当讳，杜众乞死，谅以感悟圣朝，曾无赦宥而并被残戮[475]，天下之人咸知其冤。汉兴以来，未有拒谏诛贤，用刑太深如今者也！昔文王一妻，诞致十子[476]。今宫女数千，未闻庆育，宜修德省刑[477]，以广《螽斯》之祚[478]。按春秋以来，及古帝王，未有河清。臣以为河者，诸侯位也[479]。清者属阳，浊者属阴。河当浊而反清者，阴欲为阳，诸侯欲为帝也。京房《易传》曰：'河水清，天下平。'今天垂异，地吐妖，人疠疫，三者并时而有河清[480]，犹春秋麟不当见而见，孔子书之以为异也。愿赐清闲，极尽所言[481]。"书奏，不省。

十余日，复上书曰："臣闻殷纣好色，妲己[482]是出；叶公好龙，真龙游廷[483]。今黄门、常侍[484]，天刑之人[485]，陛下爱待，兼倍常宠[486]，继[10]嗣未兆[487]，岂不为此！又闻宫中立黄、老、浮屠之祠[488]，此道清虚，贵尚无为，好生恶杀，省欲去奢。今陛下耆[489]欲不去，杀罚过理，既乖其道，岂获其祚[490]哉！浮屠不三宿桑下，不欲久生恩爱[491]，精之至也[492]。其守一[493]如此，乃能成道。今陛下淫女[494]艳妇，极天下之丽，甘肥饮美[495]，单天下之味[496]，奈何欲如黄、老乎！"书上，即召入，诏尚书问状。楷言："古者本无宦臣[497]，武帝末数游后宫[498]，始置之耳。"尚书承旨[499]，奏："楷不正辞理[500]，而违背经艺[501]，假借星宿，造合私意[502]，诬上罔事[503]，请下司隶正楷罪法，收送雒阳狱。"帝以楷言虽激切，然皆天文恒象之数[504]，故不诛；犹司寇论刑[505]。自永平[506]以来，臣民虽有习浮屠术者，而天子未之好。至帝，始笃好[507]之，常躬自祷祠[508]，由是其法浸盛[509]，故楷言及之。

符节令[510]汝南蔡衍[511]、议郎刘瑜表救成瑨、刘瓆，言甚切厉[512]，亦坐免官。瑨、瓆竟死狱中。瑨、瓆素刚直，有经术，知名当时，故天下惜之。岑晊、张牧逃窜获免。

今年自春夏以来，连续有霜雹和大雨雷电，这是因为有臣子作威作福，刑罚严酷，上感于天而出现的天谴。太原太守刘瓆、南阳太守成瑨，有志铲除奸邪，他们所诛杀的，都符合众望。而陛下接受阉宦的谗言，把他们从远处征回洛阳拷问治罪。三公上书哀求宽恕刘瓆等人，不予采纳，反被斥责，为国担忧的臣子，将闭口不言了。臣听说滥杀无辜，枉诛贤士的，要祸及三世。自从陛下即位以来，频加诛杀，梁冀、寇荣、孙寿、邓万世都被灭族，被牵连的不知有多少人。李云上书，圣明的君主不应当忌讳他人的言辞；杜众死谏，不过是希望使圣明的朝廷有所感悟。二人竟没有受到赦免而被处死，天下的人都知道他们受冤枉而死。汉朝中兴以来，从未有拒绝纳谏而诛杀贤士，刑罚苛刻得像今天这样！过去周文王只有一个妻子，却生了十个儿子。现在宫中有数千女子，却没有听说有谁生育，因此应修德减刑，子孙才会像螽斯一样繁衍。从春秋以来，以及古代帝王，黄河没有清澈过。臣认为，黄河象征着诸侯之位。清为阳，浊为阴。河水本当浑浊，反而变得清澈，阴气想要取代阳气，是诸侯想夺取帝位。京房《易传》说：'河水清澈，天下太平。'现在，上天垂示变异现象，地上有妖孽灾祸，人间有瘟疫，三种情况同时发生而河水居然清澈，犹如春秋时麒麟不当出现而出现，孔子记载下来作为怪异。请陛下在空闲时召见臣，让臣详细陈述心中的话。"奏章呈上，汉桓帝不予理睬。

过了十几天，襄楷再次上书说："臣听说殷纣好色，出现了妲己；叶公好龙，真龙降临在庭院中。现在的黄门、常侍，都是上天刑余之人，陛下宠幸他们，超过正常人的一倍，陛下后嗣还没有苗头，岂不是因为这个缘故！又听说宫中建有黄帝、老子、佛祖的庙宇，黄老及佛都主张清心寡欲、崇尚无为、爱护生命、厌恶杀戮、戒除欲念、舍弃奢侈。现今陛下不去掉嗜欲，杀罚过度，已违反正道，怎么能得到福祚！和尚不在一棵桑树下连住三夜，不愿久住以免萌生爱恋之情，这道理精妙绝伦。只因如此专心修行，才能修成正果。如今陛下的美女艳妇，极尽天下美色，吃美食，喝美酒，穷尽天下美味，怎能想与黄帝、老子一样呢！"奏书呈上，即被召入宫中，诏令尚书问明情况。襄楷说："古代本来没有宦官，汉武帝末年留恋后宫，才开始设立宦官。"尚书秉承宦官旨意，上奏说："襄楷的言辞道理不合正道，违背儒家经典礼义，假借星象，编造自己的私意，欺骗圣上，蒙蔽事实，请下令司隶确定他的罪责，收押送到洛阳监狱。"汉桓帝认为襄楷的言辞虽然激厉，但说的都是正常的天文现象，所以不杀襄楷，仍判二年徒刑。自从永平年间以来，臣民中虽然有学习佛教的，但天子并不喜好。到了汉桓帝，才开始崇信此道，经常亲自祈祷祭祀，由此佛教日益兴盛，所以襄楷上书才谈到了它。

符节令汝南人蔡衍、议郎刘瑜上表营救成瑨、刘瓆，言辞直率激烈，也坐罪免官。成瑨、刘瓆最终还是死在狱中。成瑨、刘瓆向来刚毅正直，通晓经学术数，在当世很出名，所以天下人都感到痛惜。岑晊、张牧逃窜获免。

晊之亡也，亲友竞匿之，贾彪独闭门不纳，时人望[513]之。彪曰：“《传》言‘相时而动，无累后人[514]。’公孝[515]以要君致衅[516]，自遗其咎[517]，吾已不能奋戈[518]相待，反可容隐之乎！”于是咸服其裁正。彪尝为新息[519]长，小民困贫，多不养子；彪严为其制，与杀人同罪。城南有盗劫害人者，北有妇人杀子者，彪出按验[520]，掾吏欲引南，彪怒曰：“贼寇害人，此则常理。母子相残，逆天违道！”遂驱车北行，按致其罪[521]。城南贼闻之，亦面缚自首。数年间，人养子者以千数，曰：“此贾父所生也。”皆名之为贾。

【段旨】

以上为第十一段，写岑晊、张俭惩治为害地方的宦官亲属，引发党锢之祸。

【注释】

㊷用势纵横：仗势横行。㊸贼曹史：助郡守捕盗贼的掾史。㊹晋阳：县名，并州及太原郡治所，在今山西太原西南。㊺平原：郡、国名，治所在今山东平原县西南。㊻王允（公元一三七至一九二年）：字子师，太原祁（今山西祁县东南）人，官至司徒，以谋诛董卓垂名于史。传见《后汉书》卷六十六。㊼因缘：趁机。㊽山阳：郡名，治所昌邑，在今山东昌邑。㊾张俭：字符节，山阳高平人，为山阳太守东部督邮，以惩治中常侍侯览宗亲而知名当世。传见《后汉书》卷六十七。㊿防东：县名，县治在今山东单县东北。[431]复不得御：又不能上达御览。[432]下邳：县名，下邳国治所，县治在今江苏邳州南。[433]请瑨、瓆、超、浮等罪：请求赦免成瑨、刘瓆、翟超、黄浮等人的罪。[434]内患渐积二句：内患日渐积多，外难正是深重之时。[435]陛下超从列侯二句：皇上从列侯超越直升，继承了皇位。[436]懈怠以自轻忽：怠惰政事，不看重皇位，稀里糊涂。[437]梁氏五侯：指外戚梁冀一门五侯擅权。五侯为梁冀、子胤、胤子桃、侄马及弟蒙。梁氏一门七侯，五侯未计梁冀祖父雍，及弟不疑。[438]冀当小平：梁氏被诛，天下之民盼望将会有一段太平日子。小平，短暂的太平。[439]扇结：相煽勾结。[440]原其诚心：推其本意。[441]悁悁：怨恨。[442]荧惑：迷惑。[443]天威：皇威。[444]刑谴：用刑法惩处。[445]伏欧刀：受刑刀杀头。[446]不桡：不屈服于权势。[447]览之从横二句：侯览如此凶暴横行，也只没收其财产而已。从，通“纵”。[448]未闻二臣有专命之诛：没听说申屠嘉、董宣两人因专擅朝命

岑晊逃亡期间，亲友们争着保护，只有贾彪闭门不肯收留，时人都怨恨他。贾彪说："《左传》说，'根据时机而行动，不要累及后人'。岑公孝因为胁迫长上而招致大祸，是他自取其咎，我已经不能举戈相对，岂能反过来隐藏他！"于是，人们都敬佩他做法公正。贾彪曾经担任新息县县长，百姓贫困，多半不想生育儿女，贾彪严格制定法令，不养育子女与杀人同罪。城南有盗贼害人，城北有妇人杀了孩子，贾彪前往验尸，属吏想要引导他往南走，贾彪发脾气说："贼寇害人，这是正常现象。母亲和孩子相互残害，这是忤逆上天、违反道义！"于是驱车北行，查明情况，判处杀子的罪名。城南的盗贼听到了，当面捆绑自己自首。数年之间，养育子女的人以千数，说道："这都是贾父生养的。"于是都以"贾"作为名字。

而被惩罚。专命，专擅朝命。申屠嘉责邓通事，见本书卷十四文帝后二年。董宣折辱公主事，见卷四十三光武建武十九年。董宣，洛阳令。光武帝姐湖阳长公主刘黄家奴杀人，公主庇匿，董宣伺机依法惩治，触怒长公主，而光武帝不加罪。㊾左右群竖：皇上身边的众小丑。㊿恶伤党类：他们怨恨同党受到伤害。451妄相交构：狂妄地交相进谗陷害。452啼诉：哭诉分辩。453割塞近习与政之源：切断宦官干预政治的道路，阻塞源头。454引纳：接纳。455尚书朝省之士：指朝廷百官。456简练清高：选拔清高人士。457斥黜佞邪：排斥奸佞小人。458如是天和于上二句：如果这样，上天和祥，人间融洽。459辄以中诏谴却：对陈蕃的奏章，宦官每每借用皇上旨意，斥责退还。460长史：指太尉府陈蕃长史。三公府皆有长史，为三公助理。461抵罪：被判处罪刑。462襄楷：字公矩，平原隰阴（今山东禹城东）人，天文阴阳学家。传见《后汉书》卷三十下。463以文象设教：上天用天象变异来表明它的教化。464太微二句：太微即天庭，天上星区之名，五帝坐在其中。五帝坐，西名为狮子座β星。465金、火罚星扬光其中：金星、火星这两颗罚星在太微垣中闪闪发光。466房、心：房星四颗为天子明堂。心星三颗为天帝正位，中星为天帝，前星为太子，后星为庶子。467法无继嗣：金、火入房、心，依据五星占，皇上没有后嗣。468城傍竹柏之叶有伤枯：竹柏四季常青，延熹七年冬大寒，洛阳四周竹柏之叶伤冻枯落。这一异常气象被认为是天谴，两年后皇上丧命。469感：感应于天。臣下作威作福，刑法严急，上感于天，以霜雹大雨雷电为天谴。470远加考逮：从遥远的太原、南阳把刘瓆、成瑨逮捕到京师洛阳拷问。471杜口：闭口不言。472祸及三世：胡三省注引汉黄石公《三略》说："伤贤者，殃及三世。蔽贤者，身当其害。达贤者，福流子孙。疾贤者，名不全。"473频行诛罚：不断诛杀。474梁、寇、孙、邓并见族灭：指梁冀、寇荣、孙寿、邓万世四族遭灭。475并被残戮：指李云、杜众均遭杀害。二人死于延熹二年

进谏。⑷⑺诞致十子：生育十子。文王妻太姒生十子，长子为伯邑考，其次为武王发、管叔鲜、周公旦、蔡叔度、曹叔振铎、成叔武、霍叔处、康叔封、冉季载。⑷⑺修德省刑：施行德政，减少刑罚。⑷⑻以广《螽斯》之祚：使子孙像螽斯一样繁衍。《螽斯》为《诗经·周南》篇名。螽斯，一种蝗虫类昆虫。该诗赞扬螽斯不妒忌，子孙繁衍。祚，福祚，指多子多福。⑷⑼臣以为河二句：黄河象征封国国君。纬书《孝经援神契》曰："五岳视三公，四渎视诸侯。"⑷⑻天垂异四句：指日食、地震、瘟疫，天地人皆有灾而河水清，此清不合时宜，非天下太平的象征。⑷⑻愿赐清闲二句：希望皇上留出一点时间召见，让臣详细陈述心中的话。⑷⑻妲己：殷纣王宠妃。⑷⑻真龙游廷：真龙降临庭中。《新序》记载的寓言。楚叶公子高爱好画龙，天上真龙闻知，降临拜访，叶子高魂出七窍。⑷⑻黄门、常侍：黄门郎、中常侍，皆宦官。⑷⑻天刑之人：宦官受腐刑，是上天所弃的人。⑷⑻兼倍常宠：宠爱宦官反而超过宠爱正常人一倍。⑷⑻继嗣未兆：儿子还没苗头。⑷⑻黄、老、浮屠之祠：祭祀黄帝、老子、佛祖的庙宇。黄老为道教，浮屠，又作佛陀，即佛教。⑷⑻耆：通"嗜"。⑷⑼祚：福。⑷⑼浮屠不三宿桑下二句：和尚不在一棵桑树下连续住三夜，不愿久住以免生出爱恋之情。⑷⑼精之至也：这道理精妙绝伦。⑷⑼守一：专一修行。⑷⑼淫女：与"艳妇"同义，即美女。⑷⑼甘肥饮美：吃美味，饮美酒。⑷⑼单天下之味：享尽天下的美味。单，通"殚"。尽。⑷⑼古者本无宦臣：古代不用宦官为臣。即不许宦官过问政

【原文】

河内[11]张成善风角[522]，推占当赦，教子杀人。司隶李膺督促收捕，既而逢宥[523]获免。膺愈怀愤疾，竟按杀之[524]。成素以方伎[525]交通宦官，帝亦颇讯[526]其占。宦官教成弟子牢脩上书，告"膺等养太学游士，交结诸郡生徒[527]，更相驱驰[528]，共为部党[529]，诽讪[530]朝廷，疑乱[531]风俗。"于是天子震怒，班[532]下郡国，逮捕党人，布告天下，使同忿疾。案经三府[533]，太尉陈蕃却之[534]，曰："今所按者[535]，皆海内人誉[536]，忧国忠公之臣，此等犹将十世宥也[537]，岂有罪名不章[538]而致收掠者乎！"不肯平署[539]。帝愈怒，遂下膺等于黄门北寺狱，其辞所连及，太仆颍川杜密[540]、御史中丞陈翔[541]及陈寔[542]、范滂之徒二百余人。或逃遁不获，皆悬金购募[543]，使者四出相望。陈寔曰："吾不就狱，众无所恃。"乃自往请囚。范滂至狱，狱吏谓曰："凡坐系者，皆祭皋陶[544]。"

治。⑱数游后宫：留恋后宫。⑲尚书承旨：指问襄楷的尚书秉承宦官之意。⑳不正辞理：言辞道理不合正道。㉑违背经艺：违背儒家经典礼义。㉒假借星宿二句：假借天文，编造自己的私意。㉓诬上罔事：欺诬皇上，蒙蔽事实。㉔皆天文恒象之数：说的都是正常的天文现象。㉕犹司寇论刑：仍判了二年徒刑。司寇，同"伺寇"。刑罚名，是一种二年刑，罚往边地戍守防敌。㉖永平：明帝年号（公元五八至七五年）。㉗笃好：崇信；虔诚信仰。㉘躬自祷祠：亲自拜佛。㉙其法浸盛：佛教日益兴盛。㉚符节令：少府属官，掌管符节印信。㉛蔡衍：字孟喜，汝南项县（在今河南沈丘）人，官至冀州刺史。传见《后汉书》卷六十七。㉜切厉：直率激烈。㉝望：怨恨。㉞相时而动二句：看准时机才行动，不要连累后人。语出《左传》隐公十一年君子赞郑庄公之言。㉟公孝：岑晊的字。㊱要君致衅：胁迫长上而招致大祸。岑晊过激，致兴大狱，太守成瑨被捕，他却逃亡，是以贾彪不纳。㊲自遗其咎：自取其祸。㊳奋戈：举戈。㊴新息：县名，县治在今河南息县。㊵按验：现场验尸。㊶按致其罪：判决杀子之罪。

【校记】

［8］言：据章钰校，乙十六行本作"信"。［9］谴：据章钰校，乙十一行本作"谪"。［10］继：原误作"系"。张敦仁《通鉴刊本识误》作"继"，当是，今据校正。

【语译】

河内人张成擅长风角术，推算占卜朝廷该颁布赦令，教唆儿子杀人。司隶校尉李膺督令手下逮捕了张成父子，不久遇赦获免。李膺愈发心怀愤恨，最终判处张成父子死刑，杀了他们。张成向来以占候术交结宦官，汉桓帝也时常向张成询问占卜。宦官教唆张成的弟子牢脩上书，告发"李膺等人蓄养太学生和游士，交结各郡的学生，互相奔走，结成群党，诽谤朝廷，扰乱风俗。"于是汉桓帝震怒，下诏各郡国，逮捕党人，布告天下，使人们都仇恨他们。公文经过三府，太尉陈蕃退回捕人诏书，说："这次被指控的人，都是海内有名誉的人，是忧国奉公的大臣，这些人有罪也要宽恕十代，怎么能够罪名未显就收捕拷打！"不肯联名签署。汉桓帝更加生气，于是将李膺等人关进了黄门北寺狱，狱辞连及太仆颍川人杜密、御史中丞陈翔以及陈寔、范滂等两百多人。有的人逃匿搜捕不到，就全部悬赏捉拿，派出使者四处搜捕，前后相继。陈寔说："我不下狱，众人就会无所依靠。"于是自己前去请求下狱。范滂到了狱中，管监狱的官吏说："凡是坐牢的人，都要祭祀皋陶。"

滂曰："皋陶，古之直臣，知滂无罪，将理之于帝[545]。如其有罪，祭之何益！"众人由此亦止。陈蕃复上书极谏，帝讳其言切，托以蕃辟召非其人，策免之。

时党人狱所染逮者[546]，皆天下名贤，度辽将军皇甫规，自以西州豪桀，耻不得与，乃自上言："臣前荐故大司农张奂[547]，是附党也。又，臣昔论输左校时，太学生张凤等上书[548]讼臣，是为党人所附也，臣宜坐之。"朝廷知而不问。

杜密素与李膺名行相次[549]，时人谓之李、杜，故同时被系。密尝为北海相，行春[550]，到高密[551]，见郑玄[552]为乡啬夫[553]，知其异器，即召署郡职，遂遣就学，卒成大儒。后密去官还家，每谒守令，多所陈托[554]。同郡刘胜亦自蜀郡告归[555]乡里，闭门扫轨[556]，无所干及[557]。太守王昱谓密曰："刘季陵[558]清高士，公卿多举之者。"密知昱以激己[559]，对曰："刘胜位为大夫[560]，见礼上宾，而知善不荐，闻恶无言，隐情惜己[561]，自同寒蝉，此罪人也。今志义力行之贤[562]而密达[563]之，违道失节之士[564]而密纠[565]之，使明府赏刑得中，令问休扬[566]，不亦万分之一乎？"昱惭服，待之弥厚。

九月，以光禄勋周景为太尉。

司空刘茂免。冬，十二月，以光禄勋汝南宣酆为司空。

以越骑校尉窦武为城门校尉。武在位，多辟名士，清身疾恶，礼赂不通[567]，妻子衣食裁[568]充足而已。得两宫[569]赏赐，悉散与太学诸生及丐施[570]贫民，由是众誉归之。

匈奴乌桓闻张奂至，皆相率还降，凡二十万口。奂但诛其首恶，余皆慰纳之，唯鲜卑出塞去。朝廷患檀石槐不能制，遣使持印绶封为王，欲与和亲。檀石槐不肯受，而寇抄滋甚[571]。自分其地为三部[572]：从右北平[573]以东至辽东，接夫余、濊貊二十余邑，为东部；从右北平以西，至上谷十余邑，为中部；从上谷以西至敦煌、乌孙二十余邑，为西部。各置大人领之。

范滂说:“皋陶是古代的耿直之臣，知道我范滂无罪，就会在天帝面前为我诉理。如果我犯罪了，祭祀他又有什么用处!”众人因此也不祭祀皋陶。陈蕃又上书极力规劝，汉桓帝忌讳他言辞激切，就借口说陈蕃推荐的人不称职，下诏免去他的官。

当时受党人案件牵连的人，都是天下知名的贤士，度辽将军皇甫规自认为是西州的豪杰，以没有被牵连为羞耻，就上言说:“臣以前举荐大司农张奂，这是附和党人。另外，臣过去被罚在左校做苦役时，太学生张凤等人上书为臣申诉，这是党人附和臣，臣应坐罪。”朝廷知道这些事却不加追究。

杜密向来与李膺声名相并列，时人称之为李、杜，所以同时被捕系狱。杜密曾经担任北海相，有一次春季出巡，到了高密，见到郑玄为乡啬夫，知道他是个奇才，就把他召去郡中任职，又送他去学习，郑玄终于成为大儒。后来杜密辞官回家，每次拜谒太守、县令，多所请托。同郡人刘胜也是从蜀郡告老乡里，闭门谢客，从不打扰地方官长。太守王昱对杜密说:“刘季陵是位清高雅士，公卿多所推荐。”杜密知道王昱在讥讽自己，就回答说:“刘胜身为大夫，受到上宾之礼，可是，刘胜知道善良正直的人却不推荐，听到恶人坏事却没有话说，隐瞒真情，爱惜自己，如同不语的寒蝉，这是罪人。现在，我要举荐言行一致的贤人，要揭发违背道义、丧失节操的人，使你赏罚得当、美名远扬，不是也尽到了万分之一的力量吗?”王昱羞愧佩服不已，更加厚待杜密。

九月，任命光禄勋周景为太尉。

司空刘茂被免职。冬，十二月，委任光禄勋汝南人宣酆为司空。

任命越骑校尉窦武为城门校尉。窦武在位，延聘很多知名人士，洁身自好，疾恶如仇，不受贿赂，妻子儿女的衣食费用仅够用就行。他得到皇帝和皇后的赏赐，全都分给太学生或赠送施舍给贫民，因此得到了众人的称誉。

匈奴人和乌桓人听说张奂到了，全都相率归降，总共有二十万人。张奂只杀了为首的恶人，其他的都加以慰问接收，只有鲜卑人出塞离去。朝廷担心不能制服檀石槐，派使者拿着印绶封檀石槐为王，想与他和亲。檀石槐不肯接受，反而侵掠得更加厉害。檀石槐把占领的地区分为三部：从右北平以东到辽东，连接夫余、濊貊二十多个城邑，作为东部；从右北平以西到上谷有十几个城邑，作为中部；从上谷以西到敦煌、乌孙的二十几个城邑作为西部。每部设立大人统领。

【段旨】

以上为第十二段，写司隶校尉李膺疾恶如仇，在赦令中杀死蛊惑桓帝的风角师张成父子。宦官借机中伤，诬陷太学生与士大夫结成朋党，诽谤朝廷，扰乱风俗。桓帝大怒，以党人名义逮捕清流士大夫，第一次党锢之祸形成。

【注释】

㉒风角：古代占卜的一种迷信方法，以占候四方、四隅的风向来预测吉凶。㉓宥：此指大赦令。㉔竟按杀之：终于判处张成死刑。㉕方伎：方术，此指风角之术。㉖讯：问。㉗生徒：学生。㉘驱驰：驱走奔驰。此谓尽力效命之意。㉙部党：朋党。㉚诽讪：毁谤。㉛疑乱：扰乱。㉜班：同“颁”。㉝案经三府：逮捕党人的公文经过三府下达。三府，太尉、司徒、司空。㉞却之：退回捕人诏书。㉟按者：被指控的人。㊱人誉：有声誉的人。㊲此等犹将十世宥也：这些人即使犯了过失，也要宽恕十世。典出《左传》襄公二十一年。范宣子囚叔向，祁奚谏宣子说，叔向是国家的柱石，有过“犹将十世宥之”，用于鼓励贤能的人。㊳罪名不章：罪名暧昧不显。章，通“彰”。㊴平署：连名。㊵杜密：字周甫，颍川阳城（在今河南登封东南）人，党人领袖，八俊之一。传见《后汉书》卷六十七。㊶陈翔：字子麟，汝南邵陵（在今河南漯河市东）人，党人领袖，八及之一。与杜密同传。㊷陈寔：字仲弓，颍川许县（在今河南许昌东）人。传见《后汉书》卷六十二。㊸悬金购募：悬赏缉拿。㊹皋陶：传说虞舜时的司法官。㊺理之于帝：向天帝申诉。㊻染逮者：受案件牵连的人。㊼荐故大司农张奂：皇甫规荐张奂事，见延熹六年。㊽张凤等上书：皇甫规被下狱，张凤上书陈冤，事见延熹五年。㊾名行相次：声名相等。㊿行春：地方郡国守相，春季出巡所辖各县劝课农桑，叫行春。551高密：县名，属北海国，县治在今山东高密西。552郑玄（公元一二七至二〇〇年）：字康成，北海高密人，东汉大经学家，今本十三经注疏中《毛诗》、三礼即为郑玄注。传见《后汉书》卷三十五。553乡啬夫：乡官名，掌一乡狱讼及收税。554陈托：请托。由下文杜密答话可知，杜密请托皆荐贤斥奸之事，不是个人私事。刘胜则明哲保身，故不值得赞誉。555自蜀郡告归：从蜀郡太守任上告老还乡。556闭门扫轨：关门谢客，不与外界交通。扫轨，扫除车迹，言车不出门。557无所干及：从不打扰地方官长。558刘季陵：刘胜的字。559激己：讽刺自己。560位为大夫：郡太守犹古之大夫。561隐情惜己：隐瞒真情来保惜自己的生命。562志义力行之贤：言行一致的贤人。563达：举荐。564违道失节之士：违背道义、丧失节操的人。565纠：揭发。566令问休扬：使你太守美名远播。令问，美好名声。567礼赂不通：送礼和贿赂一概拒绝。568裁：通“才”。仅仅。569两宫：指天子和皇后。570丐施：赠送施舍。丐，与也。571寇抄滋甚：侵掠得更加厉害。572分其地为三部：鲜卑此时领有匈奴旧地，东西万里，仿匈奴之制分为三大部。檀石槐居于中部，统领三部。三部各置首领，称大人。中部当今内蒙古中部地区。573右北平：郡名，治所土垠，在今河北唐山市丰润区。右北平郡正当鲜卑中部。

【校记】

［11］河内：原作“河南”。据章钰校，乙十六行本、乙十一行本、孔天胤本皆作“河内”，张敦仁《通鉴刊本识误》同，今据改。〖按〗《后汉书》卷六十七《党锢列传》作“河内”。

【研析】

本卷史事研析两大事件，第一，汉末清议之风；第二，第一次党锢之祸。

第一，汉末清议之风。东汉一朝有五位诸侯王子入继大统、七位皇太后临朝。太后临朝，贪权立幼，以诸侯子入继，使外来即位的小皇帝在朝官士大夫中根基不深，便于外戚擅权。幼君长成，不满傀儡地位，依靠宦官扳倒外戚，宦官得势。东汉政治长期是外戚与宦官两大势力博弈，轮番执政。朝官士大夫在夹缝中生存。朝官士大夫的立身之本是儒学礼义，通过征辟、举孝廉、皇帝求言对策、入太学明经等渠道入仕，称清流。宦官子弟、亲戚、宾友靠权力安排入仕，称浊流。耿直的朝官士大夫标榜清高，看不起浊流，鄙夷那些依附宦官势力固宠的朝官士大夫。太学生不满宦官子弟侵夺士人的仕途，逐渐与耿直派朝官士大夫相互呼应，形成清议之风，成为社会的强大舆论。社会名流互相标榜，指天下名士，为之称号。上曰“三君”，次曰“八俊”，次曰“八顾”，次曰“八及”，次曰“八厨”，比拟上古时代的“八元”“八恺”。《史记·五帝本纪》载，昔高阳氏有才子八人，世得其利，谓之“八恺”。高辛氏有才子八人，世谓之“八元”。东汉清议的“三君”谓窦武、刘淑、陈蕃。“君”的意思是一代宗师。“八俊”谓李膺、荀翌、杜密、王畅、刘祐、魏朗、赵典、朱寓。“俊”的意思是人中英杰。“八顾”谓郭林宗、宗慈、巴肃、夏馥、范滂、尹勋、蔡衍、羊陟。“顾”的意思是德行为人楷模。“八及”谓张俭、岑晊、刘表、陈翔、孔昱、苑康、檀敷、翟超。“及”的意思是能引导人上进。“八厨”谓度尚、张邈、王考、刘儒、胡母班、秦周、蕃向、王章。“厨”的意思是能用财物救济人。这三十五人都是当时的社会精英，人中豪杰。他们是朝官士大夫耿直派的代表，国家栋梁，反宦官浊流第一线的斗士。陈蕃、窦武、李膺、范滂等在反宦官斗争中为国殉难，他们护持大义、高风亮节的精神，永垂千古。

第二，第一次党锢之祸。东汉后期，于公元一六六至一八四年，发生了一场遍及全国的大冤狱，史称钩党之狱，又称党锢之祸。这场冤狱，前后有三次高潮，为祸近二十年，其持续之久、规模之大、迫害之虐，都是前所未有的。虽然，钩党之狱的直接受害者是士大夫儒生阶层，但罹其祸毒者，皆“天下善士”，又浩劫全国，故造成了社会的大倒退，使贤愚错位、是非颠倒、法制瓦解、道德沦丧。老百姓也不可避免地承受了社会动乱的实际灾难，生产停滞，经济崩溃，从而激化了阶级矛盾，加速了东汉政权的灭亡。因此，钩党之狱，就成为中国古代史上一个引人注目的问题，自然也是本卷研析的一个重大事件。

学术界研究钩党之狱，主要有以下几种观点：一、钩党之狱是君子与小人之争，士大夫是君子，宦官是小人。二、党祸是商贾市籍豪强与世家地主争夺参政权的斗争。三、东汉党争是统治集团内部的派系斗争。这些观点都有它的合理性，各自从不同的侧面揭示了钩党之狱的一些现象。但这些观点都未能揭示钩党之狱的本质。试问：作为皇帝家奴的宦官，在士大夫眼里为刑余之人，何以能专国？世家地主乃是东汉政权的基础，重农抑商又是两汉的国策，桓、灵二帝站在宦官一边，岂不是东汉皇帝成了商贾市籍豪强的代表来反对立国的基础吗？从理论上和实践上都是说不通的。说到派性斗争，离开真理就更加遥远。东汉士大夫多贤人君子，不避斧钺之诛以急国家之难，光明磊落，彪炳史册，而钩党之狱，却专事残害忠良，这又是为什么？所谓派性斗争论，是二十世纪六〇年代的特殊背景下提出的新观点，而这一新观点的出现，恰恰是钩党之狱研究中的一种倒退。因此，关于东汉钩党之狱，应予重新研讨。

钩党之狱的实质是一场集权运动，它是桓、灵二帝与宦官合谋发动的。桓、灵二帝相继以诸侯王子入继大统，最初都受制于太后。宦官乘势诡称太后、朝官欲废帝，诳惑君主，加剧桓、灵二帝的猜忌之心以假权窃国。桓、灵二帝不仅依靠宦官之力杀逐外戚，还利用群小的无耻之行来排抑被猜忌的耿直大臣，以集中皇权。皇帝与宦官互相操纵和利用，为了集权而制造冤狱，这就是钩党之狱产生的直接原因。

论从史出，首先必须把钩党之狱的经过、规模及其影响搞清楚。下面先谈桓帝发动的第一次钩党之狱。

第一次钩党之狱发生在桓帝延熹九年，即公元一六六年。它的导火线是三大案。一、汝南太守宗资任范滂为功曹，委以政事。滂外甥李颂素无行，范滂寝而不召。凡行违孝悌、不轨仁义者，范滂即逐斥之。郡中豪强莫不归怨范滂，于是编造谣言，煽动舆论说：“汝南太守范孟博，南阳宗资主画诺。”并指范滂所用之人为“范党”。二、南阳太守成瑨，以岑晊为功曹，亦委以政事，宛有富商张泛，是桓帝美人外亲，赂遗中官，横行乡里。岑晊劝成瑨捕拿张泛，诛杀其宾客二百余人。其时遇赦，晊先斩后奏。豪强贵戚造作飞语云：“南阳太守岑公孝，弘农成瑨但坐啸。”三、李膺为河南尹，河内张成善风角，因其推占当赦，教子杀人。其实是宦官透露朝中消息，以显示张成之能。张成不但交通宦竖，而且桓帝亦问其占。李膺收拿张成，既而果逢赦令，膺竟按杀之。

河南、南阳、汝南是三个大郡，东汉王朝的政治中枢地区。河南是帝城，南阳是帝乡。皇亲贵戚，盘根错节，结纳宦竖，鱼肉百姓。李膺、范滂、岑晊等按治豪强，直接打击宦官势力，并以直行触犯龙颜。其时又值太原太守刘瓆捕讨小黄门晋阳赵津，瓆为除“一县巨患”，“亦于赦后杀之”；山阳太守翟超，籍没中常侍侯览“资财”；东海相黄浮收拿中常侍徐璜兄子下邳令徐宣，“案宣罪弃市，暴其尸”。宦官向桓帝诉冤，“帝大怒”，刘瓆、翟超、黄浮俱被捕拿，公卿大臣交章疏救。桓帝欲致极刑，苦其无辞。三大案发，于是宦官讽张成弟子牢脩上书诬告李膺结纳朋党，“诽讪朝廷，疑乱风俗”，侯览又使张泛妻上书讼冤。这样一来，本不相干的三大案被宦官串联起来，说成是朋党为奸，有意犯禁树威。桓帝震怒，大捕党人。宗资、成瑨下狱死。岑晊遁逃。李膺、范滂等二百余人下狱。这就是第一次钩党之狱。

中常侍王甫治党狱，给党人的颈、手、脚加上“三木”的刑具，蒙头拷打，逼供牵引同党。“钩谓相牵引也”(《后汉书·灵帝纪》。下引《后汉书》，只注篇名)，所以史称党人为“钩党”。可见它完全是宦官诬加给李膺、范滂等人的一顶莫须有的政治帽子。但是一经圣旨钦定，便成法律，以颠倒黑白之事实，“布告天下，使同忿疾”。李膺、范滂等人，既没有组织，也没有什么宣言和主张，“旷年拘录，事无效验”(《窦武列传》)。他们都是汉室忠臣。范滂临捕，对他的儿子说:“吾欲使汝为恶，恶不可为；使汝为善，则我不为恶。”所谓钩党之狱，就是这样的一场忠直遭殃、邪曲嚣张的政治大冤狱。

但是，派性斗争论者认为，钩党之狱是由于党人行事操切激怒了皇帝，似乎是咎由自取，这是值得商榷的。

单从权力斗争的现象来看，钩党之狱是东汉政局长期动荡的总爆发。东汉政局不稳是由于外戚、宦官、朝官士大夫三大势力互斗不已、水火不容。外戚借太后之力专国，宦官假皇权肆虐，士大夫标榜清流自重。所谓清流就是以儒学为正宗，凭着举孝廉、征辟、策对的正途仕进。这三大势力实质上代表着太后、皇权、相权三种力量，他们之间的斗争，的确像是统治集团内部的派系斗争。但是历史研究绝不是对历史现象的描述，而应深入地揭示历史发展的本质。东汉外戚、宦官、士大夫三种势力，所代表的社会阶层利益不同，因而各派掌权治国所影响的历史面貌也是不同的。派性斗争论不能说明这种区别，它抹杀正义与非正义之分，混淆进步与反动之别，这是不能苟同的。(说明：本卷以及其后两卷的党锢之祸研析，行文中引用《后汉书·党锢传》及《资治通鉴》一律不括注出处。)

卷第五十六　汉纪四十八

起强圉协洽（丁未，公元一六七年），尽重光大渊献（辛亥，公元一七一年），凡五年。

【题解】

本卷记事起公元一六七年，迄公元一七一年，凡五年，当汉桓帝永康元年至汉灵帝建宁四年，载桓灵二帝政权交替五年间史事。这一时期东汉政坛发生剧烈震动，短短五年，社会陷于大分裂，可以说东汉政治处于暴风骤雨、雷击电闪的深夜，最为黑暗。这一时期的重大事件，是第一次党锢之祸解禁，紧接着是第二次党锢之祸兴起，由京师波及全国，被诬为党人者数十万人，邪枉炽结，正义遭压迫，社会大分裂。颍川名士贾彪西行入京，劝说外戚皇后父城门校尉窦武与朝官士大夫联手抗衡宦官，于是窦武与尚书霍谞等，共同上奏桓帝为党人申诉。桓帝释放了党人，范滂、李膺等二百余人出狱，但禁锢终身。桓帝死，灵帝立，窦

【原文】

孝桓皇帝下

永康元年[①]（丁未，公元一六七年）

春，正月，东羌先零围祋祤，掠云阳[②]，当煎诸种复反。段颎击之于鸾鸟[③]，大破之，西羌遂定。

夫余王夫台寇玄菟，玄菟太守公孙域击破之。

夏，四月，先零羌寇三辅，攻没两营[④]，杀千余人。

五月壬子晦[⑤]，日有食之。

陈蕃既免，朝臣震栗，莫敢复为党人言者。贾彪[⑥]曰："吾不西行[⑦]，大祸不解。"乃入雒阳，说城门校尉窦武、尚书魏郡霍谞[⑧]等，使讼之。武上疏曰："陛下即位以来，未闻善政，常侍、黄门，竞行谲诈[⑨]，妄爵非人。伏寻西京[⑩]，佞臣执政，终丧天下。今不虑前事之

太后临朝，窦武与太尉陈蕃等谋诛宦官。灵帝仍是诸侯入继大统，不满太后临朝，倒向与宦官结盟夺权，宦官抢先发难，陈蕃、窦武被诛，窦太后迁居南宫。第二次党锢之祸兴起，布告天下，全国范围清理党人。李膺、范滂等人慷慨就义，张俭逃亡，祸及万家。州郡长官，趋附宦官，抓捕党人肆意扩大化。平原相史弼抗命，存活者数百上千人。灵帝御座出现青蛇，诏公卿以下各上封事，大司农张奂、郎中谢弼上封事为陈蕃、窦武申冤，张奂下狱，谢弼罢官，遣回乡里以他事诛杀。汉灵帝加冠，大赦天下，唯党人不赦。

【语译】

孝桓皇帝下

永康元年（丁未，公元一六七年）

春，正月，东羌先零包围祋祤县，抢掠云阳县，当煎等诸部羌民再度叛乱。段颎在鸾鸟县攻击当煎羌，大败他们，于是西羌平定。

夫余王夫台侵扰玄菟，玄菟太守公孙域打败了他们。

夏，四月，先零羌侵扰三辅，攻破京兆虎牙、扶风雍两大军营，杀死一千多人。

五月最后一天三十日壬子，发生日食。

陈蕃被免职后，朝臣惊惧，没有人再敢为党人说话。贾彪说："如果我不西去京城一趟，大祸不可能化解。"于是到了洛阳，劝说城门校尉窦武、尚书魏郡人霍谞等人，请他们为党人上诉。窦武上疏说："自从陛下即位以来，没有听到实行善政，常侍、黄门争相欺诈，使不适宜的人封官晋爵。臣想到西汉时，奸佞之臣执政，最终

失，复循覆车之轨，臣恐二世之难⑪，必将复及，赵高之变，不朝则夕。近者奸臣牢脩造设党议，遂收前司隶校尉李膺等逮考，连及数百人，旷年拘录⑫，事无效验。臣惟膺等建忠抗节⑬，志经王室，此诚陛下稷、卨、伊、吕⑭之佐。而虚为奸臣贼子之所诬枉，天下寒心，海内失望。惟陛下留神澄省⑮，时见理出⑯，以厌⑰人[1]鬼喁喁之心⑱。今台阁近臣⑲，尚书朱寓⑳、荀绲㉑、刘祐、魏朗㉒、刘矩、尹勋等，皆国之贞士㉓，朝之良佐。尚书郎张陵㉔、妫皓、苑康㉕、杨乔、边韶㉖、戴恢等，文质彬彬，明达国典，内外之职，群才并列。而陛下委任近习㉗，专树饕餮㉘，外典州郡，内干心膂㉙，宜以次贬黜㉚，案罪纠罚㉛，信任忠良，平决臧否㉜，使邪正毁誉，各得其所，宝爱天官，唯善是授。如此，咎征㉝可消，天应可待。间者㉞有嘉禾、芝草、黄龙之见。夫瑞生必于嘉士㉟，福至㊱实由善人，在德为瑞，无德为灾㊲。陛下所行不合天意，不宜称庆。”书奏，因以病上还城门校尉、槐里侯印绶。霍谞亦为表请。帝意稍解㊳，使中常侍王甫㊴就狱讯党人范滂等，皆三木㊵囊头㊶，暴于阶下㊷。甫以次辩诘曰：“卿等更相拔举㊸，迭为唇齿㊹，其意如何㊺？”滂曰：“仲尼之言，‘见善如不及，见恶如探汤㊻’，滂欲使善善同其清，恶恶同其污㊼，谓王政之所愿闻，不悟更以为党㊽。古之修善，自求多福；今之修善，身陷大戮。身死之日，愿埋滂于首阳山㊾侧，上不负皇天，下不愧夷、齐。”甫愍然㊿为之改容(51)，乃得并解桎梏(52)。李膺等又多引宦官子弟，宦官惧，请帝以天时宜赦。六月，庚申(53)，赦天下，改元(54)。党人二百余人皆归田里，书名三府(55)，禁锢终身(56)。

【段旨】

以上为第一段，写城门校尉窦武、尚书霍谞上奏党人之冤，汉桓帝下诏赦免二百余党人，禁锢终身，故史称党锢之祸。

丧失了天下。现在不思考以前事情的失误，又重蹈覆辙，臣担心秦二世的灾祸必将重演，赵高的叛变早晚就会发生。最近奸臣牢脩虚造党人之事，逮捕了前司隶校尉李膺等人拷打，牵连几百人，整年拘押审讯，没有证据。臣认为李膺等人都有忠心直节，志在经营朝廷，这实在是后稷、契、伊尹、吕尚这样的辅臣。但他们枉为奸臣贼子诬害，天下寒心，海内失望。请求陛下明察，立即审理释放，以满足朝野上下的心愿。现在尚书署臣僚，如尚书朱寓、荀绲、刘祐、魏朗、刘矩、尹勋等人都是国家正直的士人、朝廷的辅佐良臣。尚书郎张陵、妫皓、苑康、杨乔、边韶、戴恢等人文质彬彬，通晓国家典制。内外官员，不缺良才。然而陛下却信任身边的小人，支持奸邪，这些人在外掌管州郡，在内主持朝廷机要，应依次贬黜，调查罪状，揭发惩治。信任忠正良善之人，分辨善恶，使得邪恶和正直、诋毁和名誉各得其所，珍惜官职，只授予贤才。这样，过失的征验就可以消除，上天祥瑞的感应就可以得到。近来有嘉禾、灵芝、黄龙等出现。祥瑞发生，必有贤才出现，福分降临，实在是因为有善人。有德便是吉祥，无德便是灾祸。陛下所作所为不符天意，不应该庆祝。”奏章呈上，窦武就称病，缴还城门校尉和槐里侯印绶。霍谞也上书请求宽恕党人。汉桓帝对党人的态度逐渐好转，派中常侍王甫到狱中审讯党人范滂等，范滂等人都头戴枷锁，手脚戴着镣铐，以物盖头，暴露在大庭之中。王甫依次诘问：“你们互相标榜，唇齿相依，有什么企图？”范滂说：“孔子有言，‘看到善良的行为，就像赶不上似的，要努力追赶；见到邪恶的行为，就像伸手到沸水里一样，立即躲开’。我想使善良的人如同清水一样在一起，使邪恶的人如同污水一样归在一起，认为这样会受到朝廷的鼓励，没想到这是结党。古人修德行善，自求多福；现在修德行善，遭杀身之祸。我死那天，希望把我葬在首阳山旁，上不负皇天，下无愧于伯夷、叔齐。”王甫心生哀怜，肃然起敬，就解除了所有党人罪徒的刑械。李膺等人的口供牵扯到很多宦官子弟，宦官恐慌，借口天时，请求汉桓帝赦免天下。六月初八日庚申，大赦天下，改年号为永康。二百多名党人回归乡里，在三公府登记姓名，终身不许当官。

【注释】

①永康元年：延熹十年（公元一六七年）六月改元永康。②云阳：与上句祋祤皆为县名，属左冯翊。祋祤县治在今陕西铜川市耀州区，云阳县治在今陕西淳化西北。③鸾鸟：县名，属武威郡，县治在今甘肃武威南。④两营：京兆虎牙营、扶风雍营。⑤壬子晦：五月三十日。⑥贾彪：字伟节，颍川定陵（在今河南舞阳北）人，汉末名士，与同郡荀爽齐名。永康元年，贾彪西行入京，说服外戚皇后父城门校尉窦武与朝官士大夫

联手抗衡宦官，于是窦武与尚书霍谞共同上奏桓帝，释放党人。传见《后汉书》卷六十七。⑦西行：指去京师洛阳。贾彪在颍川定陵，位洛阳东，从颍川赴洛阳为西行。⑧霍谞：字叔智，魏郡邺县（在今河北磁县东南）人，历仕尚书仆射、司隶校尉、廷尉等。传见《后汉书》卷四十八。⑨谲诈：欺诈。⑩西京：长安，此代指西汉。⑪二世之难：与下文"赵高之变"为同一事，指二世亡秦。秦末，宦官中车府令赵高擅权，关东兵起，赵高发动宫廷之变，谋杀了秦二世，秦朝随之灭亡。⑫旷年拘录：整年拘押审讯。⑬抗节：直节。⑭稷、卨、伊、吕：后稷、契、伊尹、吕尚。后稷，周始祖；契，商始祖。两人为虞舜的良辅。伊尹，商初贤相。吕尚，即姜子牙，周初功臣。⑮澄省：明彻地省察。⑯时见理出：立即审理释放。⑰厌：满足。⑱喁喁之心：盼慕之心。⑲台阁近臣：指尚书署臣僚。长官为令、仆，属员尚书五人，助理尚书称尚书郎。⑳朱寓：沛国人，党人领袖八俊之一。㉑荀绲：荀淑之子。荀淑有八子，皆有名，世称"荀氏八龙"。荀淑，荀卿十一代孙，东汉大儒。传见《后汉书》卷六十二。㉒魏朗：字少英，会稽上虞（在今浙江上虞）人，党人领袖八俊之一。传见《后汉书》卷六十七。刘祐、刘矩、尹勋，已见上卷。刘祐亦八俊之一。㉓贞士：正直的士人。㉔张陵：见本书卷五十三桓帝元嘉元年。㉕苑康：见本书卷五十三桓帝建和三年。㉖边韶：字孝先，陈留浚仪（今河南开封）人，以文章知名，官至尚书令。传见《后汉书》卷八十上。㉗委任近习：信任身边的小人。㉘专树饕餮：支持奸邪。㉙内干心膂：此指在朝廷内作为心腹之臣主持机要。干，同"管"。管领。心膂，心脏和脊梁骨，喻心腹。㉚以次贬黜：陆续罢黜。㉛案罪纠罚：调查罪状，揭发惩处。㉜平决臧否：分辨善恶。㉝咎征：过失的征验，指天象变异所示的谴告。㉞间者：近来。是年，魏郡生嘉禾，巴郡现黄龙。㉟瑞生必于嘉

【原文】

范滂往候[57]霍谞而不谢。或让[58]之，滂曰："昔[59]叔向不见祁奚[60]，吾何谢焉！"滂南归汝南[61]，南阳士大夫迎之者车数千两，乡人殷陶、黄穆侍卫于旁，应对宾客。滂谓陶等曰："今子相随，是重吾祸也[62]。"遂遁还乡里[63]。

初，诏书下举钩党[64]，郡国所奏相连及者多至百数，唯平原[65]相史弼独无所上。诏书前后迫切州郡，髡笞掾史[66]。从事坐传舍责曰[67]："诏书疾恶党人，旨意恳恻[68]。青州六郡，其五有党，平原何治而得独无？"弼曰："先王疆理天下，画界分境，水土异齐，风俗不同[69]。

士：祥瑞的产生，必定有贤才出现。㊱福至：福分降临。与上句为互文。㊲在德为瑞二句：祥瑞出现，有德便是吉祥，无德就是灾祸。㊳帝意稍解：桓帝对党人的态度逐渐有好转。㊴王甫：大宦官。㊵三木：手铐、脚镣、头枷。五体皆戴刑具。㊶囊头：头上盖物，如同戴高帽子。㊷暴于阶下：暴露在大庭之中。㊸更相拔举：互相标榜。㊹迭为唇齿：互相像唇齿一样结成死党。㊺其意如何：想干什么；有何企图。㊻见善如不及二句：看见善良行为，好像赶不上似的，要努力追赶；碰到邪恶的行为，就像伸手到沸水里一样，立即避开。汤，沸水。语出《论语·季氏》孔子之言。㊼善善同其清二句：使善良的人如同清水一样在一起，使邪恶的人如同污水一样归一处，认为这会受到朝廷的鼓励，从没想到这是结党。善善、恶恶，使善人归于善类、恶人归于恶类，首字善、恶为名词，第二个字善、恶为动词。㊽不悟更以为党：范滂之意，我们善人在一起，就把恶人显出来了，即泾渭分明，与恶人划清界限，不是什么结党。悟，认识到。㊾首阳山：在今山西永济南。一说首阳即河南洛阳市偃师区西北的邙山，因日出先照而得名。殷末周初贤人伯夷、叔齐饿死首阳山，故范滂要求埋骨于首阳之侧与贤者共眠。㊿愍然：哀怜的样子。51改容：动容，肃然起敬。52并解桎梏：解除了所有党人罪徒的刑具。桎，手铐。梏，脚镣。53庚申：六月初八日。54改元：改延熹十年为永康元年。55书名三府：将党人造成名册，在三府备案。56禁锢终身：终身禁止做官，不得远离住所。

【校记】

［1］人：原作“神”。据章钰校，乙十六行本、乙十一行本、孔天胤本皆作“人”，张瑛《通鉴校勘记》同，今据改。

【语译】

范滂前往拜访霍谞，却不道谢。有人责备他，范滂说：“从前，晋国范宣子欲杀叔向，为祁奚所救，叔向没有去见祁奚致谢，我为什么要谢霍谞！”范滂南归汝南，南阳士大夫迎接他的有几千辆车子，同乡人殷陶、黄穆在一旁侍卫，接待宾客。范滂对殷陶等人说：“现在你们跟随我，这是加重我的罪过。”于是悄悄地返回乡里。

当初，诏令揭发相牵连的党人，各郡国奏报相连及的人多达几百，唯独平原相史弼未上报。诏书前后催促州郡，对掾史施以髡刑鞭打。从事史坐在驿舍谴责史弼说：“诏书痛恨党人，旨意明确严厉。青州所属六郡，有五郡都有党人，平原郡怎么治理的，而能独无党人？”史弼说：“先王经营天下，划分境界，水土或同或不同，

他郡自有，平原自无，胡[70]可相比！若承望上司[71]，诬陷良善，淫刑滥罚，以逞非理，则平原之人，户可为党。相有死而已，所不能也！”从事大怒，即收郡僚职送狱[72]，遂举奏[73]弼。会党禁中解[74]，弼以俸赎罪[75]，所脱者甚众[76]。

窦武所荐：朱寓，沛人；苑康，勃海人；杨乔，会稽人；边韶，陈留人。乔容仪伟丽[77]，数上言政事，帝爱其才貌，欲妻以公主。乔固辞，不听，遂闭口不食，七日而死。

秋，八月，巴郡言黄龙见。初，郡人欲就池浴，见池水浊，因戏相恐，“此中有黄龙”，语遂行民间，太守欲以为美，故上之。郡吏傅坚谏曰：“此走卒戏语耳。”太守不听。

六州[2]大水，勃海[3]溢。

冬，十月，先零羌寇三辅，张奂遣司马[78]尹端、董卓[79]拒击，大破之，斩其酋豪，首虏万余人，三州清定。奂论功当封，以不事宦官故不果封，唯赐钱二十万，除家一人为郎。奂辞不受，请徙属弘农[80]。旧制，边人不得内徙。诏以奂有功，特许之。拜董卓为郎中。卓，陇西人，性粗猛有谋，羌胡畏之。

十二月壬申[81]，复瘿陶王悝[82]为勃海王。

丁丑[83]，帝崩[84]于德阳前殿。戊寅[85]，尊皇后曰皇太后，太后临朝[86]。初，窦后既立，御见甚稀，唯采女田圣等有宠。后素忌忍[87]，帝梓宫尚在前殿，遂杀田圣。城门校尉窦武议立嗣，召侍御史河间刘儵，问以国中[88]宗室之贤者，儵称解渎亭[89]侯宏[90]。宏者，河间孝王之曾孙也，祖淑，父苌，世封解渎亭侯。武乃入白太后，定策禁中[91]。以儵守光禄大夫，与中常侍曹节并持节将中黄门、虎贲、羽林千人，奉迎宏，时年十二。

风俗有异。其他的郡有党人，平原郡没有，怎能相提并论！如果秉承上司的旨意，诬害良善，滥施刑罚，以满足不合理的要求，那么平原郡的百姓，家家有党人。我只有一死而已，不能做不该做的事！”从事史大怒，当即逮捕平原郡的掾史下狱，上奏弹劾史弼。适逢党禁中途解除，准允史弼扣薪赎罪，当时得以免罪的人很多。

窦武所推举的人有：朱寓，沛郡人；苑康，勃海人；杨乔，会稽人；边韶，陈留人。杨乔容貌俊伟，多次上书谈论国政，汉桓帝喜爱他的才识容貌，想把公主嫁给他。杨乔坚决推辞，汉桓帝不准许，杨乔于是闭嘴不食，七天而死。

秋，八月，巴郡说是有黄龙出现。最初，郡中有人到池里去洗浴，看见池水浑浊，因此开玩笑并恐吓说“池里有黄龙”，这话于是流行民间，太守想以此事向汉桓帝献媚，所以上奏。郡吏傅坚劝谏说：“这不过是小民的一句玩笑话。”太守不听。

六州发大水，勃海溢水。

冬，十月，先零羌侵扰三辅，张奂派司马尹端、董卓抗击，大败先零羌，杀死先零羌的首领，斩首和俘虏一万多人，幽州、并州、凉州平定。张奂论功应当受封，因为不奉承宦官，所以没有被封。只赐予他二十万钱，任用张奂家一人为郎。张奂辞谢不受，请求把家人内迁到弘农郡。按照旧制，边郡人士不得迁往内地。因为张奂有功，下诏特许张奂的请求。任命董卓为郎中。董卓是陇西人，性情粗暴勇猛，颇有谋略，羌人和胡人都害怕他。

十二月二十三日壬申，再次封瘿陶王刘悝为勃海王。

十二月二十八日丁丑，汉桓帝在德阳前殿去世。二十九日戊寅，尊窦皇后为皇太后，窦太后临朝听政。最初，窦皇后册立后，汉桓帝很少宠幸她，只有采女田圣等人受宠。窦太后向来妒忌残忍，汉桓帝的灵柩还停在前殿，窦太后就杀死田圣。城门校尉窦武商议皇帝的继承人选，召侍御史河间人刘儵，询问京城刘姓皇族中的贤人，刘儵称道解渎亭侯刘宏。刘宏是河间孝王的曾孙，刘宏的祖父刘淑、父亲刘苌，世代受封为解渎亭侯。窦武就入宫禀白窦太后，在皇宫中秘密决定皇嗣。任命刘儵为光禄大夫，与中常侍曹节共同持节，率领中黄门、虎贲武士、羽林军等一千人奉迎刘宏。当时刘宏十二岁。

【段旨】

以上为第二段，写汉桓帝驾崩，窦后拟立刘宏为帝。

【注释】

⑰候：拜访。⑱让：责备。⑲昔：从前。此指春秋之时。⑳叔向不见祁奚：晋范宣子欲杀叔向，为祁奚所救，叔向并没有去见祁奚致谢。㉑归汝南：回故郡。㉒重吾祸也：将加重我的灾祸。㉓遁还乡里：悄悄地回到家乡。㉔钩党：相连及的党人。㉕平原：为平原国治所，县治在今山东平原县西。㉖髡笞掾史：各州郡治办党人不力，其部属掾史往往受到髡刑和笞打的责罚。㉗从事坐传舍责曰：这里指青州从事（青州刺史助理）在传舍召见史弼，责其治办不力。㉘恳恻：诚恳凄恻。这里作至为明确、十分严厉解。㉙水土异齐二句：水土有不同、有同，若水土不同则风俗不同。㉚胡：曷；怎么。㉛承望上司：秉承上级旨意。㉜收郡僚职送狱：捕系平原国诸曹掾史。㉝举奏：弹劾上奏。㉞会党禁中解：正赶上治党人案在半途解除。㉟以俸赎罪：用停止一段时间的俸禄作为惩罚。㊱所脱者甚众：史弼使很多人免于获罪。据《后汉书·史弼传》，脱免罪罚的人以百计、以千计。㊲容仪伟丽：容貌俊伟。㊳司马：将军属官，掌军法，参议军事。㊴董卓（？至公元一九二年）：字仲颖，陇西临洮（今甘肃岷县）人，行伍出身，为并州牧。灵帝死，他带兵入洛，废少帝，立献帝。关东起兵反卓，拉开了东汉末军阀

【原文】

孝灵皇帝[92]上之上

建宁元年（戊申，公元一六八年）

春，正月壬午[93]，以城门校尉窦武为大将军，前太尉陈蕃为太傅，与武及司徒胡广参录尚书事[94]。

时新遭大丧，国嗣未立，诸尚书畏惧，多托病不朝[95]。陈蕃移书责之[96]曰："古人立节[97]，事亡如存[98]。今帝祚未立，政事日蹙[99]，诸君奈何委荼蓼之苦，息偃在床[100]，于义安乎！"诸尚书惶怖[101]，皆起视事。

己亥[102]，解渎亭侯至夏门亭，使窦武持节，以王青盖车迎入殿中，庚子[103]，即皇帝位，改元。

二月辛酉[104]，葬孝桓皇帝于宣陵[105]，庙曰威宗[106]。

辛未[107]，赦天下。

初，护羌校尉段颎既定西羌[108]，而东羌[109]先零等种犹未服，度辽

混战的序幕。董卓挟帝西迁长安，为王允所谋杀。传见《后汉书》卷七十二。⑧⓪请徙属弘农：张奂为敦煌渊泉（今甘肃瓜州县东）人，请求把家人内迁弘农郡。弘农郡治所在今河南灵宝东北。⑧①壬申：十二月二十三日。⑧②悝：桓帝之弟。刘悝本为渤海王，因罪于延熹八年贬为瘿陶王，今复原王爵。⑧③丁丑：十二月二十八日。⑧④帝崩：桓帝刘志死。时年三十六岁。⑧⑤戊寅：十二月二十九日。⑧⑥太后临朝：窦妙皇太后临朝主持政务。窦妙，城门校尉窦武之女。⑧⑦后素忌忍：窦太后一向忌妒而又残忍。⑧⑧国中：在京师洛阳城中。⑧⑨解渎亭：亭侯封邑名，在今河北安国东北。⑨⓪宏：为桓帝刘志再从堂侄，同出章帝子河间王刘开之后，封解渎亭侯。刘宏祖刘淑为刘开第三子，与桓帝父刘翼为兄弟。刘翼，刘开第二子。⑨①定策禁中：在皇宫中秘密决定皇位，即不与百官廷议。

【校记】

［2］六州：原作“六月”。张敦仁《通鉴刊本识误》作“六州”，与《后汉书》卷七《桓帝纪》相合，今据改。〖按〗前记秋八月事，后记冬十月事，此处不当叙六月事，“六月”当是“六州”之误。［3］勃海：张敦仁《通鉴刊本识误》此二字下有“海”字，与《后汉书》卷七《桓帝纪》同。

【语译】

孝灵皇帝上之上

建宁元年（戊申，公元一六八年）

春，正月初三日壬午，任命城门校尉窦武为大将军，前太尉陈蕃为太傅，与窦武及司徒胡广共同管理尚书事务。

当时正遭遇汉桓帝大丧，新皇帝还未即位，各尚书都很害怕，大多托病不上朝。陈蕃写信责备他们说：“古人坚守志节，侍奉死者如同生时。现在新皇帝还没有即位，国家的政事日益艰难，诸位怎可推卸辛劳，躺在床上安歇，在道义上能安心吗！”尚书们害怕，都入朝办公。

正月二十日己亥，解渎亭侯到达夏门亭，派窦武持节，用侯王专用的青盖车迎接入宫。二十一日庚子，汉灵帝即位，改年号为建宁。

二月十三日辛酉，把孝桓皇帝安葬在宣陵，庙号为威宗。

二十三日辛未，大赦天下。

当初，护羌校尉段颎平定西羌后，而东羌、先零等族人还没有归服。度辽将军将军皇甫规、中郎将张奂招之连年，既降又叛。桓帝诏问颎曰："先零东羌造恶反逆，而皇甫规、张奂各拥强众，不时辑定⑩。欲令颎移兵东讨⑪，未识其宜⑫，可参思术略⑬。"颎上言曰："臣伏见先零东羌虽数叛逆，而降于皇甫规者，已二万许落。善恶既分，余寇无几。今张奂踌躇⑭久不进者，当虑外离内合⑮，兵往必惊。且自冬践春，屯结不散，人畜疲羸⑯，有自亡之势，欲更招降⑰，坐制强敌耳。臣以为狼子野心，难以恩纳⑱，势穷虽服，兵去复动⑲，唯当长矛挟胁⑳，白刃加颈耳。计东种所余三万余落，近居塞内，路无险折，非有燕、齐、秦、赵从横之势㉑，而久乱并、凉，累侵三辅，西河、上郡，已各内徙㉒，安定、北地，复至单危㉓。自云中、五原，西至汉阳二千余里㉔，匈奴、诸羌，并擅其地，是为痈疽伏疾，留滞胁下㉕，如不加诛，转就滋大㉖。若以骑五千、步万人、车三千两，三冬二夏，足以破定，无虑㉗用费为钱五十四亿。如此，则可令群羌破尽，匈奴长服，内徙郡县，得反本土。伏计㉘永初中，诸羌反叛，十有四年，用二百四十亿。永和㉙之末，复经七年，用八十余亿。费耗若此，犹不诛尽，余孽复起，于兹作害㉚。今不暂疲民，则永宁无期㉛。臣庶竭驽劣㉜，伏待节度㉝。"帝许之，悉听如所上。颎于是将兵万余人，赍十五日粮，从彭阳㉞直指高平㉟，与先零诸种战于逢义山㊱。虏兵盛，颎众皆恐。颎乃令军中长镞利刃㊲，长矛三重㊳，挟以强弩㊴，列㊵轻骑为左右翼，谓将士曰："今去家㊶数千里，进则事成，走必尽死㊷，努力共功名！"因大呼㊸，众皆应声腾赴㊹。颎[4]驰骑于傍㊺，突而击之㊻，虏众大溃，斩首八千余级。太后赐诏书褒美曰："须东羌尽定，当并录功勤；今且赐颎钱二十万，以家一人为郎中。"敕中藏府㊼调金钱、彩物增助军费，拜颎破羌将军。

皇甫规、中郎将张奂连年讨伐，羌人投降后又反叛。桓帝下诏询问段颎说："先零、东羌作恶反叛，皇甫规与张奂各自拥有强兵，未能按时讨平。现在想令你率军东讨，不知是否合适，可以先制订谋略对策。"段颎上言说："臣看到先零、东羌虽然数次叛乱，但是向皇甫规投降的，已有两万多户。善恶已经分明，残余的叛贼没有多少。现在张奂之所以踌躇而久不进兵，当是考虑到已经归附的羌人和尚未归服的羌人交相呼应，大军前行，必然惊惧。况且从去年冬季到今年春季，叛羌屯集不散，人疲畜困，有自取灭亡的态势，想改用招降的方式，以逸待劳，牵制强敌。臣认为羌人狼子野心，很难用恩德感化，力量穷尽了就降服，大军一旦撤走就会重新暴动，唯一的办法是用长矛直刺其胸，用大刀架在他们的脖子上。估计东羌余寇还有三万多户，集居在塞内附近，没有险隘，更没有燕、齐、秦、赵的纵横之势，却长期干扰并、凉二州，累次入侵三辅，使得西河、上郡治所被迫内迁，安定、北地势单力孤而陷于危境。从云中、五原，西到汉阳两千多里，匈奴、诸羌占领这一地区，这是脓疮暗疾留在两胁之下，如不诛灭，就会辗转迅速膨胀。如果以五千骑兵、一万步兵、三千辆战车，有三个冬季和两个夏季，就足以平定他们，大略费用为五十四亿钱。这样就可使羌人全部歼灭，匈奴长期顺服，内迁的郡县治所得以返回本地。臣计算，永初年间羌人各部叛乱，长达十四年，耗费二百四十亿钱。永和末年，又经过七年，用费八十多亿。如此庞大的耗费，还不能把贼寇全部歼灭，残余的贼寇又冒出来，直至今天仍在作恶。如果现在不让百姓忍受暂时的困苦，永久的安宁将遥遥无期。臣愿竭尽有限的能力，等待朝廷差遣。"汉桓帝同意了，完全按照段颎所呈上的建议行事。于是段颎率领一万多士卒，带上十五天的军粮，从彭阳向高平行进，在逢义山与先零等羌人交战。敌兵强盛，段颎的部队都很恐惧。段颎下令士兵拿着长枪利刀，用长枪的编为三个梯队，拉强弓的弓箭手混编在长枪队伍中，把轻骑排列在左右两翼，对将士说："现在我们离家有几千里，前进就能成功，逃跑必然全部死去，大家一起努力争取功名吧！"于是大声呐喊，全部步骑随着杀敌的呐喊声，争相奔腾冲向敌人。段颎亲自骑马奔驰在队伍旁指挥，带头冲入敌阵骑兵中砍杀，敌军大败，被斩杀了八千多人。窦太后赐诏书表扬说："等到东羌全部平定之后，当一并论功行赏；现在暂且赐给段颎二十万钱，选用段颎家一人为郎中。"并敕令中藏府调拨金钱、彩缎等增加军费，任命段颎为破羌将军。

【段旨】

以上为第三段，写汉灵帝即位，段颎大破西羌。

【注释】

⑫ 孝灵皇帝：名宏，以宗室子解渎亭侯入继大统，东汉第十二任皇帝，公元一六八至一八九年在位。胡三省注引《伏侯古今注》曰："宏之字曰大。"⑬ 壬午：正月初三日。⑭ 参录尚书事：窦武、陈蕃、胡广三人共同主持尚书政务。参，三人为参。⑮ 不朝：不上朝视事。⑯ 移书责之：写信责备尚书们。⑰ 立节：坚守志节。⑱ 事亡如存：侍奉死者如同生时。意谓桓帝虽死，犹当视事。⑲ 政事日蹙：政事日益艰难。⑳ 诸君奈何二句：各位怎么可以推卸辛劳，躺在床上休息。这里用了三个典故，责诸尚书以大义。《诗经·谷风》："谁谓荼苦，其甘如荠。"谁说苦菜很苦，只要能吞下，其味如同荠菜一样甘甜。荼，苦菜。《诗经·小毖》："未堪家多难，予又集于蓼。"本来我不能胜任家国之难，我却又遇上许多艰难。堪，任。蓼，辛苦。此诗为周成王思贤求辅。蓼，指三监之叛及淮夷起事。《诗经·北山》："或息偃在床。"㉑ 惶怖：惊恐。㉒ 己亥：正月二十日。㉓ 庚子：正月二十一日。㉔ 辛酉：二月十三日。㉕ 宣陵：桓帝陵，在洛阳东南。㉖ 庙曰威宗：庙号为威宗。㉗ 辛未：二月二十三日。㉘ 既定西羌：已经平定西羌。段颎定西羌，在去年，即桓帝永康元年（公元一六七年）。㉙ 东羌：指居于北地、安定等郡的内属羌人。桓帝延熹四年（公元一六一年），皇甫规招降东羌。延熹六年（公元一六三年）至永康元年张奂为度辽将军。东羌自皇甫规招降以来，七年之间，叛服无常。㉚ 不时辑定：未能按时讨平。㉛ 令颎移兵东讨：护羌校尉段颎驻兵于金城郡，移兵征东羌，故称东讨。㉜ 未识其宜：未知是否恰当。㉝ 可参思术略：可以先制订谋略对策。㉞ 踌躇：犹豫；徘徊。㉟ 外离内合：外离，指未归服的羌人。内合，指已归附的羌人，呼应外离之羌。㊱ 屯结不散二句：指叛羌长久屯结，已经是人疲畜困。㊲ 更招降：改以招降。㊳ 难以恩纳：很难用恩德感化。㊴ 兵去复

【原文】

闰月甲午[148]，追尊皇祖[149]为孝元皇，夫人夏氏为孝元后，考[150]为孝仁皇，尊帝母董氏为慎园贵人。

夏，四月戊辰[151]，太尉周景薨，司空宣酆免，以长乐卫尉王畅为司空。

五月丁未朔[152]，日有食之。

以太中大夫刘矩为太尉。

六月，京师大水。

癸巳[153]，录定策功，封窦武为闻喜侯，武子机为渭阳侯，兄子绍为鄠侯，靖为西乡侯，中常侍曹节[154]为长安乡侯，侯者凡十一人。

动：政府兵一撤走，羌人就会重新暴动。⑳长矛挟胁：用长矛直刺其胸。挟，交叉刺击。胁，前胸两侧。㉑从横之势：指有辽阔地域、众多援手可以联势纵横驰驱。东羌无此条件。㉒内徙：指西河、上郡治所被迫内迁。事见本书卷五十二顺帝永和五年。㉓单危：势孤而陷于危险境地。西河、上郡内徙后，安定、北地则陷于孤危之境。㉔二千余里：指东汉羌乱以后，北起云中、五原，西至汉阳，即从今内蒙古包头一带西至甘肃天水，两千余里，成为西北的战乱之地。㉕为痈疽伏疾二句：这好比是脓疮暗疾，留在两胁之下。㉖转就滋大：辗转迅速膨胀。㉗无虑：大略；总计。㉘伏计：我的统计。伏，拜伏，臣对君说话所用套语。㉙永和：指顺帝时。㉚于兹作害：直到今天仍在作恶。㉛永宁无期：永久的安宁遥遥无期。㉜庶竭驽劣：竭尽有限的全力。驽，劣马。自谦语。㉝伏待节度：等着朝廷差遣。㉞彭阳：县名，属安定郡，治所在今甘肃镇原东南。㉟高平：县名，属安定郡，治所在今宁夏固原。㊱逢义山：在高平县境内。㊲长镞利刃：长枪利刀。《后汉书·皇甫张段列传》作"张镞利刃"，则为拉满弓、举利刀。镞，箭矢，亦可作锋利解。应以"张镞利刃"为是，先总说，下二句分别注脚。㊳长矛三重：使用长枪的士卒编为三个梯队。㊴挟以强弩：拉强弓的弓箭手混编在长枪队中。挟，混杂。㊵列：布列。㊶去家：离家。㊷走必尽死：若要逃跑，大家全死。㊸大呼：大声呐喊。㊹众皆应声腾赴：全军步骑随着杀敌的呐喊声，争相奔腾冲向敌人。㊺颎驰骑于傍：段颎亲自骑马奔驰在队伍旁指挥。㊻突而击之：段颎带头冲入敌阵。㊼中藏府：皇室府库，属少府。

【校记】

[4]颎：原无此字。张敦仁《通鉴刊本识误》认为"颎"字脱，今据补。〖按〗《后汉书》卷六十五《段颎传》云："颎驰骑于傍，突而击之。"有"颎"字，文义方明了。

【语译】

闰三月甲午日，追尊皇祖为孝元皇，夫人夏氏为孝元后，皇父为孝仁皇，尊皇帝生母董氏为慎园贵人。

夏，四月戊辰日，太尉周景去世，司空宣酆被免职，任命长乐卫尉王畅为司空。

五月初一日丁未，发生日食。

任命太中大夫刘矩为太尉。

六月，京师发大水。

六月十七日癸巳，奖赏策立新皇帝的功劳，封窦武为闻喜侯，窦武的儿子窦机为渭阳侯，窦武哥哥的儿子窦绍为鄠侯、窦靖为西乡侯，中常侍曹节为长安乡侯，被封侯的共有十一人。

涿郡卢植[155]上书说武曰："足下之于汉朝，犹旦、奭[156]之在周室，建立圣主，四海有系[157]。论者以为吾子之功，于斯为重。今同宗相后，披图案牒，以次建之，何勋之有[158]！岂可横叨天功以为己力[159]乎！宜辞大赏，以全身名。"武不能用。植身长八尺二寸，音声如钟，性刚毅，有大节。少事马融，融性豪侈，多列女倡歌舞于前。植侍讲积年，未尝转盼[160][5]，融以是敬之。

太后以陈蕃旧德，特封高阳乡侯。蕃上疏让曰："臣闻割地之封，功德是为[161]。臣虽无素洁之行[162]，窃慕[163]君子'不以其道得之，不居也[164]'。若受爵不让[165]，掩面就之，使皇天震怒，灾流下民，于臣之身，亦何所寄？"太后不许。蕃固让，章前后十上，竟不受封。

段颎将轻兵[166]追羌，出桥门[167]，晨夜兼行，与战于奢延泽[168]、落川[169]、令鲜水[170]上，连破之。又战于灵武谷[171]，羌遂大败。秋，七月，颎至泾阳[172]，余寇四千落，悉散入汉阳[173]山谷间。

护匈奴中郎将张奂上言："东羌虽破，余种难尽[174]。段颎性轻果[175]，虑负败难常[176]，宜且以恩降[177]，可无后悔。"诏书下颎，颎复上言："臣本知东羌虽众，而软[178]弱易制，所以比陈愚虑[179]，思为永宁之算；而中郎将张奂说虏强难破，宜用招降。圣朝明监[180]，信纳瞽言[181]，故臣谋得行，奂计不用。事势相反，遂怀猜恨[182]，信叛羌之诉，饰润辞意[183]，云臣兵'累见折衄[184]'，又言'羌一气所生，不可诛尽，山谷广大，不可空静，血流污野，伤和致灾。'臣伏念周、秦之际，戎狄为害，中兴以来，羌寇最盛，诛之不尽，虽降复叛。今先零杂种，累以反覆[185]，攻没县邑，剽略人物[186]，发冢露尸[187]，祸及生死，上天震怒，假手行诛[188]。昔邢为无道，卫国伐之，师兴而雨[189]。臣动兵涉夏，连获甘澍[190]，岁时丰稔[191]，人无疵疫[192]。上占[193]天心，不为灾伤；下察人事，众和师克。自桥门以西、落川以东，故宫县邑，更相通属[194]，非为深险绝域之地[195]，车骑安行，无应折衄。案奂为汉吏，身当武职，驻军二年[196]，不能平寇，虚欲修文戢戈[197]，招降犷敌[198]，诞辞空说，僭而无征[199]。何以言之？昔先零作寇，赵充国徙令居内[200]。煎当乱边，马援迁之三辅[201]。始服终叛，至

涿郡人卢植上书劝窦武说："您对于汉朝，如周公旦、召公奭对于周室，拥戴圣主，维系天下。议论的人认为您的功劳，以此最为重要。现在是同宗相继，依照名牒，根据亲疏关系确立人选，又有什么功绩可言！怎么可以把天功据为己有！应当推辞重赏，来保全声名。"窦武不采纳。卢植身高八尺二寸，声如洪钟，性情刚毅，高风亮节。年轻时侍奉马融，马融性情豪侈，常令美女在庭前载歌载舞。卢植做了多年侍讲，未曾偷看，因此马融尊重他。

窦太后因为陈蕃昔日的功德，特封他为高阳乡侯。陈蕃上疏辞让说："臣听说，割地分封，是为了酬答功德。臣虽然没有洁白的德行，但也私心羡慕君子'不用正当的办法取得的东西，不接受'。如果臣接受封爵而不辞让，厚颜无耻地享用封邑，使得皇天震怒，灾祸转向人民，那么臣该到何处寄托渺渺之身？"窦太后不准许。陈蕃坚决辞让，前后上了十次奏章，最终没有受封。

段颎率领轻骑兵追赶羌人，出了桥门，日夜兼行，在奢延泽、落川、令鲜水岸交战，连续打败羌人。又在灵武谷交战，羌人于是大败。秋，七月，段颎到达泾阳，残余的四千多户羌人，全都散入汉阳山谷中。

护匈奴中郎将张奂上言："东部的叛羌虽然被打败，残余却难以全部消灭。段颎轻率而果断，应当考虑打仗是胜败无常，应该以恩德招降，才不会后悔。"诏书下达段颎，段颎又上书说："臣原本就知道东羌虽然人口众多，但是软弱，容易驯服，所以再次陈述臣的愚见，考虑永久安宁的计策。而中郎将张奂却说敌势强大，难以攻破，该使用招降的方法。主上英明，相信并采纳了臣的愚见，使臣的谋略得以施行，而没有采用张奂的计策。事情的发展与他的猜想相反，于是心怀忌恨，听信叛羌的申诉，把叛军控诉臣的话作了一番修饰，说臣的军队'连吃败仗'，又说'羌人与我们是同气所生，不可完全杀绝，山谷广阔，不可空无一人，流血污染原野，有伤和气，导致灾祸。'臣想到周、秦之际，戎狄为害，汉朝中兴以来，羌贼最为盛强，诛杀不尽，即使投降还会再次反叛。而今先零等部落，多次反复，攻占城邑，掠夺民众和财物，挖掘坟墓，暴露尸骨，祸及活人和死人，上天震怒，借用臣的双手进行诛罚。从前邢国政治暴虐，卫国讨伐它，大军出征之日，上天及时降雨。臣出兵经过了夏天，连降雨水，谷物丰收，民众没有瘟疫。对上察考天意，不会降下灾害；对下省察人事，军民和谐，战无不胜。从桥门以西，到落川以东，旧有的乡镇房舍连接，并不是深峻险恶、荒无人烟的地区，车辆马匹都可平安行驶，没有折损的事情发生。张奂身为汉朝官吏，担任武职，在边境驻军二年，不能平定敌寇，为了掩饰没有能力平定羌人，才提倡讲文息武，招降凶恶的敌人，夸大招降的效果，实际上虚妄而无验证。为什么这样说呢？从前先零为寇，赵充国把他们迁至边塞之内。煎当犯边，马援把他们迁至三辅。他们开始时归降，最后又叛乱，至

今为鲠[202]。故远识之士，以为深忧。今傍郡户口单少，数为羌所创毒[203]，而欲令降徒与之杂居，是犹种枳棘[204]于良田，养蛇虺[205][6]于室内也。故臣奉大汉之威，建长久之策，欲绝其本根，不使能殖。本规三岁之费，用五十四亿，今适期年，所耗未半，而余寇残烬[206]，将向殄灭[207]。臣每奉诏书，军不内御[208]，愿卒斯言，一以任臣，临时量宜[209]，不失权便[210]。”

【段旨】

以上为第四段，写太尉陈蕃辞封。讨伐西羌，段颎主伐，张奂主抚，两人主张相左，于是结怨。

【注释】

⑭⑧甲午：闰三月戊申朔，无甲午。甲午，应为四月十七日。〖按〗《后汉书》卷八《灵帝纪》作“闰月甲午”。⑭⑨皇祖：灵帝之祖刘淑，追尊为孝元皇。⑮⓪考：灵帝之父刘苌，追尊为孝仁皇。⑮①戊辰：四月戊寅朔，无戊辰。戊辰，应为五月二十二日。〖按〗《后汉书》卷八《灵帝纪》作“夏四月戊辰”。⑮②丁未朔：五月初一日。⑮③癸巳：六月十七日。⑮④曹节：字汉丰，南阳新野（今河南新野）人，灵帝时擅权宦官，官至尚书令。传见《后汉书》卷七十八。⑮⑤卢植（？至公元一九二年）：字子干，涿郡涿县（今河北涿州）人，东汉末经学家。传见《后汉书》卷六十四。⑮⑥旦、奭：周初功臣周公旦、召公奭。⑮⑦四海有系：维系天下人心。⑮⑧同宗相后四句：皇室宗系，血统有自然的顺序，按照宗谱，依次定立皇位继承人，有什么功劳呢。披图案牒，指考索宗谱。论者以窦武定策禁中立灵帝为大功。卢植认为按宗谱选立，谈不上有功，示意窦武谦让。胡三省注曰：“自和帝无嗣，安帝以肃宗之孙入立。冲、质短祚，桓帝以肃宗曾孙入立。桓帝无嗣，又以肃宗玄孙入立。是同宗相后，以次建之也。”⑮⑨横叨天功以为己力：贪取天功以为己有。天功，天的旨意。谓灵帝之立自有自然之势，又得天助。⑯⓪转盼：偷看。⑯①割地之封二句：割地封赏是为酬答功德。⑯②素洁之行：洁白的德行。⑯③窃慕：私下向慕。⑯④不以其道得之二句：不用正当的办法取得的东西，君子不接受。语出《论语·里仁》孔子之言。原文为：“富与贵是人之所欲也，不以其道得之，不处也。”⑯⑤受爵不让：典出《诗经·角弓》，“受爵不让，至于已斯亡”。接受爵位而不辞让，终于走向灭亡。⑯⑥轻兵：轻装骑兵。⑯⑦桥门：长城门名，因在桥山长城而得名，在今陕西黄陵西北。⑯⑧奢延泽：泽名，在今内蒙古

今为患。所以有卓见的人士，深为忧虑。现在边郡人口稀少，屡次受到羌人祸害，而想把归降的羌人与汉人混住，这好像是在良田里种枳棘，在屋里养毒蛇。所以，臣秉持大汉的威势，设立长久的策略，要断绝他们的根基，使其不再生存。原来预计三年的军费，用五十四亿，现在刚满一年，军费还没用到一半，而残余的贼寇已像行将熄灭的灰烬一样，面临绝灭。臣每次接到诏书，表示军事行动，朝廷不作遥控，希望把这话坚持到底，专任臣下，临机应变，不失军机。”

境内。已涸。⑯⑨落川：今陕西靖边西北的红柳河，古名奢延水。⑰⓪令鲜水：按段颎进军路线推之，此水当在落川西、灵武谷东，当今宁夏灵武境内。⑰①灵武谷：在今宁夏银川西北。⑰②泾阳：县名，属安定郡，县治在今甘肃平凉西北。⑰③汉阳：郡名，郡治冀县，在今甘肃甘谷县东南。⑰④余种难尽：意谓不能全部消灭羌人。张奂主张安抚，故有是言。⑰⑤性轻果：性情轻率而果敢。⑰⑥虑负败难常：应当考虑打仗是胜败无常。意谓段颎也不能必保常胜。⑰⑦宜且以恩降：应当在胜利的形势下用恩德招降。⑰⑧软：软弱。⑰⑨比陈愚虑：再次陈述愚见。⑱⓪圣朝明监：主上英明。监，通“鉴”。⑱①信纳瞽言：相信并采纳愚见。瞽言，瞎说之言，谦辞。⑱②事势相反二句：按我的计谋，形势发展与张奂预料的完全相反，于是心怀不满。猜狠，因嫉妒而怀恨。⑱③饰润辞意：张奂把叛羌控诉我的话作了一番修饰。⑱④累见折衄：连吃败仗。累，多次。⑱⑤反覆：反叛无常。⑱⑥剽略人物：抢夺民众和财物。⑱⑦发冢露尸：挖开坟墓，抛露尸骨。⑱⑧假手行诛：上天借用我的双手进行诛讨。⑱⑨昔邢为无道三句：从前，邢国政治暴虐，卫国讨伐它，大军出征之日，上天及时降雨。典出《左传》僖公十九年。师兴，调动军队出征。雨，下雨。⑲⓪甘澍：甘露，及时雨。⑲①丰稔：丰收。⑲②疵疫：瘟疫。⑲③占：察考。⑲④更相通属：互相连接。⑲⑤非为深险绝域之地：谓恢复交通的地域，并不是深峻险恶、荒无人烟的绝域。⑲⑥驻军二年：张奂于桓帝延熹九年督并、幽、凉三州及京兆虎牙营、扶风雍营之众，历时两年，未能安羌。⑲⑦虚欲修文戢戈：为掩饰无能力安羌，才提倡讲文息武。虚，掩饰。戢戈，停止战争。⑲⑧犷敌：凶恶的敌人。犷，凶恶的样子。⑲⑨诞辞空说二句：夸大招降的效果，实际上虚妄而无验证。僭，无信。征，验证。⑳⓪赵充国徙令居内：西汉宣帝时赵充国安羌，招降羌人使移居内地金城郡，置金城属国护理降羌。⑳①马援迁之三辅：马援安羌，迁降人于关中，事在光武帝建武十一年。⑳②鲠：病患。如同一根鱼骨卡在喉咙。⑳③创毒：祸害。⑳④枳棘：荆棘。⑳⑤蛇虺：毒蛇。⑳⑥残烬：行将熄灭的灰烬。烬，燃烧殆尽的余木。⑳⑦将向殄灭：面临灭绝。⑳⑧军不内御：军事行动，朝廷不作遥控。内，朝内。⑳⑨临时量宜：临机应变。㉑⓪权便：权宜之利，指军机。

【校记】

[5]盼：据章钰校，乙十六行本、乙十一行本、孔天胤本皆作“眄”。[6]蛇虺：据章钰校，乙十六行本、乙十一行本、孔天胤本二字互倒。

【原文】

八月，司空王畅免，宗正刘宠为司空。

初，窦太后之立也，陈蕃有力焉。及临朝，政无大小，皆委于蕃。蕃与窦武同心戮力㉑，以奖王室。征天下名贤李膺、杜密、尹勋、刘瑜等，皆列于朝廷，与共参政事。于是天下之士，莫不延颈想望太平。而帝乳母赵娆及诸女尚书㉒，旦夕在太后侧，中常侍曹节、王甫等共相朋结㉓，谄事㉔太后，太后信之，数出诏命，有所封拜。蕃、武疾之，尝共会朝堂，蕃私谓武曰："曹节、王甫等，自先帝时操弄国权，浊乱海内㉕，今不诛之，后必难图。"武深然之。蕃大喜，以手推[7]席而起㉖。武于是引同志尚书令尹勋等共定计策。

会有日食之变，蕃谓武曰："昔萧望之困一石显㉗，况今石显数十辈乎！蕃以八十之年，欲为将军除害，今可因日食斥罢宦官，以塞天变。"武乃白太后曰："故事，黄门、常侍但当给事省内㉘[8]门户，主近署财物㉙耳。今乃使与政事㉚，任重权，子弟布列㉛，专为贪暴。天下匈匈，正以此故，宜悉诛废以清朝廷。"太后曰："汉元㉜以来故事，世有宦官，但当诛其有罪者，岂可尽废邪！"时中常侍管霸颇有才略，专制省内，武先白收霸及中常侍苏康等，皆坐死。武复数白诛曹节等，太后冘豫㉝未忍，故事久不发。蕃上疏曰："今京师嚣嚣㉞，道路喧哗，言侯览、曹节、公乘昕、王甫、郑飒等与赵夫人㉟、诸尚书并乱天下，附从者升进，忤逆者中伤，一朝群臣如河中木耳，泛泛东西㊱，耽禄畏害㊲。陛下今不急诛此曹，必生变乱，倾危社稷，其祸难量。愿出臣章宣示左右，并令天下诸奸知臣疾之。"太后不纳。

是月，太白犯房之上将，入太微㊳。侍中刘瑜素善天官，恶之，上

【语译】

八月，司空王畅被免职，任命宗正刘宠为司空。

当初，窦太后立为皇后，陈蕃曾经尽力。等到窦太后临朝听政，无论大小政事，全都委任陈蕃处理。陈蕃与窦武同心协力，辅佐王室。征召天下有名的贤士李膺、杜密、尹勋、刘瑜等人，全都列位朝廷，一起参与政事。于是天下的士人，无不渴望太平盛世。但是，汉灵帝的乳母赵娆和一些主事女官，日夜在太后身边；中常侍曹节、王甫等人互相勾结成朋党，向窦太后献媚。太后信任他们，数次下诏，封官拜爵。陈蕃、窦武憎恨这批人，曾在朝堂聚会时，陈蕃私下对窦武说："曹节、王甫等人，从先帝时就控制朝政，扰乱天下，现在不把他们杀掉，以后很难处置。"窦武深表赞同。陈蕃大为高兴，用手推开几案，兴奋地站了起来。窦武于是结纳志同道合的尚书令尹勋等人共商大策。

正好发生日食，陈蕃对窦武说："从前御史大夫萧望之败在一个阉官石显手上，何况今日有几十个石显！我已经八十岁了，想为将军除害，现在可以利用日食撤免宦官，消解天变。"窦武于是对窦太后说："按照旧例，黄门、常侍只负责在宫里看门，主管宫中各部的财物而已。现在却让他们参与政事，委任重权，宦官子弟遍布州郡，专门做些贪赃暴虐的事。天下舆论纷纷，正是这个缘故，应该把他们全部诛杀或撤职，使朝政清明。"窦太后说："汉初以来旧制，世代有宦官，只应当诛杀有罪的，怎么可以把他们全都废除呢！"当时中常侍管霸颇有才略，在宫中专权，窦武先禀告收捕了管霸和中常侍苏康等人，都处以死刑。窦武几次禀告窦太后诛杀曹节等人，窦太后犹豫不决，所以事情长期没有动静。陈蕃上疏说："现在京城舆论沸腾，道路喧哗，传言侯览、曹节、公乘昕、王甫、郑飒等人与赵夫人、尚书们一起扰乱天下，附和他们的人得以提升，违背他们的人则被中伤，满朝大臣如同河中漂木，一会儿漂东，一会儿漂西，贪图俸禄，害怕祸害。如果陛下不赶快诛杀他们，一定发生变乱，倾覆社稷，灾祸难以估算。请把我的奏章宣示身边近臣，并让天下所有的奸臣知道我痛恨他们。"窦太后没有采纳。

这一月，金星侵入房宿四星的上将星，接近太微天子廷。侍中刘瑜向来通晓天

书皇太后曰："案《占书》：宫门当闭，将相不利，奸人在主傍，愿急防之。"又与武、蕃书，以星辰错缪[229]，不利大臣，宜速断大计。于是武、蕃以朱寓为司隶校尉，刘祐为河南尹，虞祁为雒阳令。武奏免黄门令魏彪，以所亲小黄门山冰代之，使冰奏收长乐尚书[230]郑飒，送北寺狱。蕃谓武曰："此曹子便当收杀，何复考为！"武不从，令冰与尹勋、侍御史祝瑨杂考[231]飒，辞连及曹节、王甫。勋、冰即奏收节等，使刘瑜内奏。

九月辛亥[232]，武出宿归府[233]。典中书者先以告长乐五官史[234]朱瑀，瑀盗发武奏，骂曰："中官放纵者，自可诛耳。我曹何罪，而当尽见族灭！"因大呼曰："陈蕃、窦武奏白太后废帝，为大逆！"乃夜召素所亲壮健者长乐从官史[235]共普、张亮等十七人，歃血共盟[236]，谋诛武等。曹节白帝曰："外间切切[237]，请出御德阳前殿。"令帝拔剑踊跃[238]，使乳母赵娆等拥卫左右，取棨信[239]，闭诸禁门。召尚书官属，胁以白刃，使作诏板[240]，拜王甫为黄门令，持节至北寺狱，收尹勋、山冰。冰疑，不受诏，甫格杀之，并杀勋，出郑飒，还兵劫太后[241]，夺玺绶[242]。令中谒者守南宫，闭门绝复道[243]，使郑飒等持节及侍御史谒者捕收武等。武不受诏，驰入步兵营，与其兄子步兵校尉绍共射杀使者，召会北军五校士数千人屯都亭[244]，下令军士曰："黄门、常侍反，尽力者封侯重赏。"陈蕃闻难，将官属诸生八十余人，并拔刃突入承明门，到尚书门，攘臂[245]呼曰："大将军忠以卫国，黄门反逆，何云窦氏不道邪！"王甫时出与蕃相遇，适闻其言，而让[246]蕃曰："先帝新弃天下，山陵未成，武有何功，兄弟父子并封三侯[247]！又设乐饮宴[248]，多取掖庭宫人，旬日之间，赀财巨万，大臣若此，为是道邪[249]？公为宰辅，苟相阿党，复何求贼！"使剑士收蕃。蕃拔剑叱甫，辞色逾厉。遂执蕃，送北寺狱。黄门从官驺[250]蹋蹴蕃[251]曰："死老魅[252]！复能损我曹员数，夺我曹禀假不[253]！"即日杀之。时护匈奴中郎将张奂征还京师，曹节等以奂新至，不知本谋，矫制[254]以少府周靖行车骑将军、加节，与奂率五营士讨武。夜漏尽[255]，王甫将虎贲、羽林等合千余人，出屯朱雀掖门[256]，与奂等合，已而悉军阙下[257]，与武对陈。甫兵渐盛，使其士大呼武军曰："窦武反，汝皆禁兵，当宿卫宫省，何故随反者乎？先降有赏！"营府[258][9]兵素畏服中官，

文，很讨厌这种星象，上书给窦太后说：“按照《占书》，宫门应当紧闭，不利于将相，奸邪就在君主身边，请紧急防范。”又上书给窦武、陈蕃，认为星辰错乱，不利于大臣，应当立即决断大事。于是，窦武、陈蕃任命朱寓为司隶校尉，刘祐为河南尹，虞祁为洛阳县令。窦武又上奏撤免了黄门令魏彪，用他的亲信小黄门山冰代理，令山冰奏请收捕了长乐尚书郑飒，送到北寺狱。陈蕃对窦武说：“这些家伙应当赶快收捕斩杀，为何还要审讯！”窦武不听从，命山冰和尹勋、侍御史祝瑨一起审讯郑飒，供词牵连到曹节、王甫。尹勋、山冰随即逮捕了曹节等人，让刘瑜向汉灵帝奏报。

九月初七日辛亥，窦武因休假出宫回到大将军府。掌管中书的人先把这一消息告诉了长乐宫五官史朱瑀，朱瑀偷看了窦武的奏章，骂道：“宦官放肆的，当然可以诛杀。我们有什么罪，却要全被灭族！”于是大声呼喊道：“陈蕃、窦武奏禀太后废掉皇上，大逆不道！”就连夜召集平日亲近、身体健壮的长乐宫从官史共普、张亮等十七人，喝血酒结盟，阴谋诛杀窦武等人。曹节报告汉灵帝说：“外面的情况紧急，请出宫坐镇德阳前殿。”叫汉灵帝拔剑腾跳，令乳母赵娆等人护卫在身边，收取所有印信，关闭宫门。召来尚书府的官员，拿着刀逼迫他们，要他们写诏书，任命王甫为黄门令，持节到北寺狱，逮捕尹勋、山冰。山冰怀疑诏书是伪造的，拒不接受，王甫杀了他，一并杀了尹勋，放出郑飒，回兵劫持太后，夺了太后玺绶。命令中谒者把守南宫，关闭宫门，断绝通道，派郑飒等人持节和侍御史、谒者逮捕窦武等人。窦武不接受诏令，飞驰进入步兵营，和他哥哥的儿子步兵校尉窦绍合力射杀使者，召集北军五路校士数千人把守洛阳都亭，对兵士下令说：“黄门、常侍反叛，尽力作战的人封侯重赏。”陈蕃听说有难，就带领属官和门生八十多人，一起持刀冲入承明门，到尚书门前，举臂呼喊道：“大将军窦武忠心卫国，黄门宦官反叛，怎么能说窦氏大逆不道呢！”王甫此时出来遇见陈蕃，正好听到陈蕃的话，就谴责陈蕃说：“先帝去世不久，陵墓还没完工，窦武有什么功劳，兄弟父子三人同时封侯！又设乐宴饮，带走了很多后宫宫女，十天之内，资财巨万，大臣做这样的事，难道还有理吗？你身为宰辅，苟且结党，还去何处抓贼！”王甫命令武士逮捕陈蕃。陈蕃拔剑斥责王甫，声色俱厉。于是逮捕陈蕃，送到北寺狱。黄门从官用脚踢陈蕃，骂道：“老不死的妖精！还能裁减我们的人数，削夺我们的薪俸吗！”当天就杀死陈蕃。当时护匈奴中郎将张奂征召回到京城，曹节等人以为张奂刚到，不知道真实的谋划，就假传汉灵帝诏令，派少府周靖代理车骑将军，加节，会同张奂率领五营校尉的士卒讨伐窦武。天刚亮，王甫率领虎贲武士、羽林军等总共一千多人，出兵屯守朱雀掖门，与张奂等人会合，很快会合的军队全部抵达宫门之下，与窦武对阵。王甫的兵士渐渐多起来，派兵士向窦武军营喊话：“窦武反叛，你们都是禁兵，应当保卫宫廷，为什么要追随叛贼呢？先归降的有赏！”营府的士兵向来害怕宦官，

于是武军稍稍归甫，自旦[259]至食时[260]，兵降略尽。武、绍走，诸军追围之，皆自杀，枭首雒阳都亭。收捕宗亲宾客姻属，悉诛之，及侍中刘瑜、屯骑校尉冯述，皆夷其族[261]。宦官又谮虎贲中郎将河间刘淑、故尚书会稽魏朗，云与武等通谋，皆自杀。迁皇太后于南宫，徙武家属于日南。自公卿以下尝为蕃、武所举者及门生故吏，皆免官禁锢。议郎勃海巴肃[262]始与武等同谋，曹节等不知，但坐禁锢，后乃知而收之。肃自载诣县，县令见肃，入阁[263]，解印绶，欲与俱去。肃曰："为人臣者，有谋不敢隐，有罪不逃刑，既不隐其谋矣，又敢逃其刑乎！"遂被诛。

曹节迁长乐卫尉，封育阳侯。王甫迁中常侍，黄门令如故。朱瑀、共普、张亮等六人皆为列侯，十一人为关内侯。于是群小得志，士大夫皆丧气。

蕃友人陈留朱震收葬蕃尸，匿其子逸，事觉，系狱，合门桎梏[264]。震受考掠，誓死不言，逸由是得免。武府掾桂阳胡腾殡敛武尸，行丧，坐以禁锢。武孙辅，年二岁，腾诈以为己子，与令史南阳张敞共匿之于零陵界中，亦得免。

张奂迁大司农，以功封侯。奂深病[265]为曹节等所卖[266]，固辞不受。

以司徒胡广为太傅，录尚书事，司空刘宠为司徒，大鸿胪[267]许栩为司空。

冬，十月甲辰晦[268]，日有食之。

十一月，太尉刘矩免，以太仆沛国闻人袭为太尉。

十二月，鲜卑及濊貊寇幽、并二州。

是岁，疏勒王季父和得杀其王自立。

乌桓大人上谷难楼有众九千余落，辽西丘力居有众五千余落，自[10]称王。辽东苏仆延有众千余落，自称峭王。右北平乌延有众八百余落，自称汗鲁王。

于是，窦武的士兵中渐渐有人归降王甫，从清晨到上午，士兵几乎都归降了。窦武和窦绍逃跑，各军追捕包围，他们全都自杀了，头颅悬挂在洛阳都亭。又逮捕了窦氏的宗亲宾客和姻属，全都杀了，还有侍中刘瑜、屯骑校尉冯述都被灭族。宦官又诬害虎贲中郎将河间人刘淑、前尚书会稽人魏朗，说他们与窦武串通同谋，全让他们自杀。把皇太后迁入南宫，将窦武的家属流放到日南。从公卿以下，曾被陈蕃、窦武举荐的人及门生故吏，全都免官，禁锢终身。议郎勃海人巴肃当初曾与窦武等人同谋，曹节等人不知道，只坐罪禁锢，后来知道实情，就逮捕了巴肃。巴肃自己坐车到县府，县令见到巴肃，就引入后室，解下印绶，想和他一同离去。巴肃说："身为臣子，有谋略不敢隐瞒，有罪不逃避刑罚，我既不愿隐瞒原来的谋略，又怎敢逃避刑罚！"于是被诛杀。

曹节升任长乐卫尉，封为育阳侯。王甫升任中常侍，仍任黄门令。朱瑀、共普、张亮等六人都被封为列侯，十一人为关内侯。于是众多小人得志，士大夫都十分沮丧。

陈蕃的友人陈留人朱震收葬了陈蕃的尸体，隐匿了他的儿子陈逸，事情被发觉，把朱震抓进大狱，全家被捕，戴上刑具。朱震受到拷打，誓死不说，陈逸因此得以免死。窦武府中的官吏桂阳人胡腾为窦武收尸发丧，坐罪禁锢。窦武的孙子窦辅才两岁，胡腾假称是自己的儿子，与令史南阳人张敞一起把他隐藏在零陵境内，也得以免死。

张奂升任大司农，因功封侯。张奂深深懊恼被曹节等人利用，坚决推辞不受官。

任命司徒胡广为太傅，处理尚书事务，司空刘宠为司徒，大鸿胪许栩为司空。

冬，十月最后一天三十日甲辰，发生日食。

十一月，太尉刘矩被免职，任命太仆沛国人闻人袭为太尉。

十二月，鲜卑和濊貊侵犯幽州、并州。

这年，疏勒王季父和得杀了疏勒王，自立为王。

乌桓酋长上谷难楼拥有九千多帐落，辽西郡的丘力居有五千多帐落，都自称为王。辽东郡的苏仆延有一千多帐落，自称峭王。右北平郡的乌延有八百多帐落，自称汗鲁王。

【段旨】

以上为第五段，写陈蕃、窦武谋诛宦官事泄，宦官抢先发难，陈蕃、窦武被诛，窦太后迁居南宫。陈蕃、窦武所举荐的门生故吏皆被禁锢，此为第二次党锢之祸。

【注释】

㉑1戮力：并力。㉑2诸女尚书：宫中决事诸女官。㉑3朋结：结成死党。㉑4谄事：谄媚奉承。㉑5浊乱海内：污浊扰乱了天下。㉑6以手推席而起：用手推开几案，兴奋地站了起来。㉑7萧望之困一石显：萧望之，汉元帝时御史大夫，又为元帝师，甚见亲信，却被宦官石显所害。事见本书卷二十八元帝初元二年。㉑8省内：宫内。㉑9主近署财物：宦官只掌管少府所掌中藏府、尚方等省内诸署。㉒0与政事：参与政务。㉒1子弟布列：宦官子弟遍布州郡。㉒2汉元：汉初。㉒3冘豫：犹豫。㉒4嚣嚣：喧哗，人声鼎沸，群情不安。㉒5赵夫人：灵帝乳母赵娆。㉒6泛泛东西：一会漂东，一会漂西。泛泛，漂来漂去的样子。这里把满朝文武比喻为河中浮木，没有立场，随波逐流。㉒7耽禄畏害：贪图俸禄，害怕祸害。谓满朝大臣不敢倡言诛宦官。㉒8太白犯房之上将二句：金星侵入房宿四星的上将星，又深入太微天子廷。房宿四星为四辅，第一星为上将，次星为次将，再次为次相，最上之星为上相。㉒9星辰错缪：星宿行次错乱。㉓0长乐尚书：太后居长乐宫，因临朝而置尚书，掌臣下所上章奏。㉓1杂考：会审。㉓2辛亥：九月初七日。㉓3武出宿归府：窦武因休假出宫回府。㉓4长乐五官史：长乐宫尚书仿外朝为五女尚书，以五官史主领之。㉓5长乐从官史：长乐宫太后从官。㉓6歃血共盟：喝血酒结盟。㉓7切切：情况紧急。㉓8拔剑踊跃：舞剑腾跳，以壮胆气。㉓9取棨信：收取所有印信。棨，木刻的符信，形制如戟，称棨戟。在宫中各殿通行，臣僚出巡地方，在门卫、关卡处都要验证棨戟。㉔0作诏板：写诏令。诏书写在尺一简上，称诏板。㉔1劫太后：劫持太后。㉔2夺玺绶：夺走太后印

【原文】

二年（己酉，公元一六九年）

春，正月丁丑㉖9，赦天下。

帝迎董贵人㉗0于河间。三月乙巳㉗1，尊为孝仁皇后，居永乐宫。拜其兄宠为执金吾，兄子重为五官中郎将。

夏，四月壬辰㉗2，有青蛇见于御坐上。癸巳㉗3，大风，雨雹，霹雳，拔大木百余。诏公卿以下各上封事。大司农张奂上疏曰："昔周公葬不如礼，天乃动威㉗4。今窦武、陈蕃忠贞，未被明宥㉗5，妖眚㉗6之来，皆为此也。宜急为改[11]葬，徙还家属，其从坐禁锢㉗7，一切蠲除。又，皇太后虽居南宫，而恩礼不接，朝臣莫言，远近失望，宜思大义顾复之报㉗8。"

玺。㉔复道：两边张有帷幔的殿阁间通道。此复道指连接洛阳南北宫的通道。㉔都亭：洛阳都亭。㉔攘臂：卷袖伸臂，愤怒的样子。㉔让：责备。㉔兄弟父子并封三侯：六月癸巳，以定策功封窦武为闻喜侯，其子窦机为渭阳侯，两侄窦绍为鄠侯、窦靖为西乡侯，共四侯。此言三侯，指窦武子侄兄弟三侯。㉔设乐饮宴：大摆宴席，饮酒作乐。㉔为是道邪：做这样的事，难道还有理吗。㉕黄门从官驺：黄门属官骑士。㉕蹋踧蕃：用脚踢踏陈蕃。㉕死老魅：老不死的妖精。魅，精怪。㉕复能损我曹员数二句：你还能裁减我们的人数，减我们的俸禄吗。损、夺，裁减。我曹，我们。禀假，俸禄。㉕矫制：假传皇帝命令。㉕夜漏尽：天将明。㉕朱雀掖门：北宫南掖门。㉕悉军阙下：会合的军队全部抵达宫门之下。㉕营府：指北军五营士。㉕旦：天明。㉖食时：吃早餐的时候。约上午八九点钟。㉖夷其族：诛灭全家。㉖巴肃：字恭祖，勃海高城（在今河北盐山县南）人，党人领袖八顾之一。传见《后汉书》卷六十七。㉖入阁：引入后室。㉖合门桎梏：全家被捕，都戴上刑具。㉖深病：深深恼恨。㉖卖：被骗，中圈套。㉖大鸿胪：九卿之一，掌归附的少数民族事务。㉖甲辰晦：十月三十日。

【校记】

［7］推：据章钰校，乙十六行本、乙十一行本、孔天胤本皆作“椎”，熊罗宿《胡刻资治通鉴校字记》同。［8］省内：张敦仁《通鉴刊本识误》认为此下脱“典”字。［9］府：据章钰校，乙十六行本、乙十一行本皆无此字，张敦仁《通鉴刊本识误》同。［10］自：张敦仁《通鉴刊本识误》“自”字上有“皆”字。

【语译】

二年（己酉，公元一六九年）

春，正月丁丑日，大赦天下。

汉灵帝把董贵人从河间国迎到京城。三月初三日乙巳，尊董贵人为孝仁皇后，住在永乐宫。任命她的哥哥董宠为执金吾，董宠的儿子董重为五官中郎将。

夏，四月二十一日壬辰，汉灵帝的御座上发现青蛇。二十二日癸巳，刮大风，降冰雹，响霹雳，拔起一百多株大树。汉灵帝下诏令公卿以下各上密奏。大司农张奂上疏说：“从前埋葬周公违反了葬礼，上天发怒。现在窦武、陈蕃忠诚坚贞，却未得到公开赦罪，妖异之所以发生，都是这个原因。应当迅速为他们改葬，迁回家属，对受牵连而被禁锢的人，一律赦免。另外，皇太后虽住在南宫，但未受到皇恩礼遇，朝臣都不敢说话，远近的士人都感到失望，应当思念大义，回报父母的亲恩。”

上深嘉奂言，以问诸常侍，左右皆恶之，帝不得自从[279]。奂又与尚书刘猛等共荐王畅、李膺可参三公之选，曹节等弥疾其言，遂下诏切责[280]之。奂等皆自囚廷尉，数日，乃得出，并以三月俸赎罪。

郎中东郡谢弼上封事曰："臣闻'惟虺惟蛇，女子之祥[281]'。伏惟皇太后定策宫闼，援立圣明，《书》曰：'父子兄弟，罪不相及[282]。'窦氏之诛，岂宜咎延太后[283]！幽隔空宫，愁感天心，如有雾露之疾，陛下当何面目以见天下！孝和皇帝不绝窦氏之恩[284]，前世以为美谈。《礼》'为人后者为之子。'今以桓帝为父，岂得不以太后为母哉！愿陛下仰慕有虞[285]蒸蒸[286]之化，俯思[12]《凯风》慰母之念[287]。臣又闻'开国承家，小人勿用[288]'。今功臣久外，未蒙爵秩，阿母[289]宠私，乃享大封，大风雨雹，亦由于兹。又，故太傅陈蕃，勤身王室，而见陷群邪[290]，一旦诛灭，其为酷滥[291]，骇动天下，而门生故吏，并离徙锢[292]。蕃身已往，人百何赎[293]！宜还其家属，解除禁网。夫台宰重器[294]，国命所系，今之四公[295]，唯司空刘宠[296]断断[297]守善，余皆素餐[298]致寇之人[299]，必有折足覆餗[300]之凶。可因灾异，并加罢黜，征故司空王畅、长乐少府李膺并居政事，庶[301]灾变可消，国祚惟永。"左右恶其言，出为广陵府丞[302]，去官，归家。曹节从子绍为东郡太守，以他罪收弼，掠死于狱。

帝以蛇妖问光禄勋杨赐[303]，赐上封事曰："夫善不妄来，灾不空发。王者心有所想，虽未形颜色，而五星[304]以之推移，阴阳为其变度。夫皇极不建[305]，则有龙蛇之孽[306]。《诗》云：'惟虺惟蛇，女子之祥。'惟陛下思乾刚之道[307]，别内外之宜，抑皇甫之权，割艳妻之爱[308]，则蛇变可消，祯祥立应。"赐，秉之子也。

【段旨】

以上为第六段，写灵帝御座出现青蛇，诏公卿以下各上封事，大司农张奂、郎中谢弼上封事为陈蕃、窦武、窦太后申冤，张奂下狱，谢弼被罢官，遣回乡里，以他罪掠死狱中。

汉灵帝对张奂的建议深为赞同，就此询问诸位常侍，宦官们都很反感，汉灵帝不能自己作决定。张奂又与尚书刘猛等人共同举荐王畅、李膺担任三公要职，曹节等人更加痛恶他们的言论。于是下诏严厉责备。张奂等人都自己到廷尉囚禁，几天后，才被释放，并以三个月的俸禄赎罪。

郎中东郡人谢弼上密奏说："臣听说，'毒蛇是女子的象征'。想到当初皇太后在宫内定策，拥立圣明的陛下继位，《尚书》说：'父子兄弟犯罪，不相牵连。'窦武被诛，怎么能祸及太后！把太后隔绝在空荡的宫中，哀愁感应了上天，如果发生意外的疾病，陛下还有什么面目见天下人！孝和皇帝不割断窦氏的养育之恩，前代引以为美谈。《礼记》说：'继承谁的香火，就是谁的儿子。'现在以桓帝为父，又怎能不以太后为母啊！愿陛下仰慕虞舜孝行淳厚的样子，俯思《凯风》歌颂思念母亲的恩情。臣又听说'开创国家、继承家业，不任用小人'。现在功臣久居外地，未蒙赐爵晋级，乳母赵娆受到私宠，竟然受封高爵，刮大风、下冰雹，也是这个原因。另外，前太傅陈蕃，辛勤地为王室效力，却被一群邪恶小人诬害，一旦被杀，滥施酷刑，震动天下，而陈蕃的门生和部属，全都遭到流放、禁锢。陈蕃已经死去，即使用一百个人的生命也赎不回他的性命！应当迁回他的家属，解除禁锢。台阁宰臣，是国家的重要职位，关系国家命脉，现今的四公，只有司徒刘宠是谨守善道，其余的都是吃闲饭、招贼寇的人，必将导致使国家败亡的凶事。可以趁着灾异，把闻人袭、胡广、许栩三人免职，征召前司空王畅、长乐少府李膺共同管理国政，这些灾异差不多就可以消解，国家永昌。"左右宦官对谢弼的话很痛恨，把谢弼外任为广陵府丞，谢弼离职，返回家乡。曹节的侄子曹绍担任东郡太守，用其他罪名逮捕谢弼，打死在狱中。

汉灵帝向光禄勋杨赐询问蛇妖的事情，杨赐上密奏说："好事不会凭空而降，灾异不会无故发生。君王心里所想的，虽然没有显现在脸上，而五星却为此推移，阴阳为之变化。君王的权威没有树立，就会有龙蛇妖孽。《诗经》上说：'毒蛇是女子的象征。'请陛下思虑阳刚之道，应该内外有别，压制皇后家族的权力，割断美妻艳妾的宠幸，那么，蛇妖出现的灾异可以消解，福祥立即应验。"杨赐，是杨秉的儿子。

【注释】

㉖⑨丁丑：正月甲辰朔，无丁丑。丁丑，应为二月初五日。㉗⓪董贵人：姓董，史失其名。灵帝之母，刘苌夫人，河间（今河北河间市东南）人，灵帝即位，追尊其父为孝仁皇，尊其母为慎园贵人，即董贵人。今迎至京师，尊为孝仁皇后。传见《后汉书》卷十下。㉗①乙巳：三月初三日。㉗②壬辰：四月二十一日。㉗③癸巳：四月二十二日。㉗④天乃动

威：上天发怒。《尚书大传》记载，周公姬旦死后，成王打算安葬周公在洛阳，上天忽然雷电风雨交加，庄稼倒伏，大树拔起，国人十分恐慌。成王改葬周公于毕邑（在今陕西咸阳西北），表示不敢臣属周公，于是天气恢复正常。㉗㉕明宥：公开赦罪。㉗㉖妖眚：妖异，指大风、雨雹、霹雳。㉗㉗从坐禁锢：指株连而被禁锢的人。㉗㉘顾复之报：子女反顾父母的亲恩。这里指灵帝入继大统，为人后嗣，于大义应尽人子之孝。顾复，典出《诗经·蓼莪》："父兮生我，母兮鞠我，拊我畜我，长我育我，顾我复我，出入腹我。"㉗㉙帝不得自从：灵帝不能自己做决定。㉘⓪切责：严厉责备。㉘①惟虺惟蛇二句：《诗经·斯干》之词，原意是做梦梦见蛇，生女的象征。这里断章取义，谓灵帝之立，是受女子（窦太后）之福。虺，毒蛇。㉘②父子兄弟二句：见《左传》僖公三十三年晋大夫胥臣之言，引《康诰》云："父不慈，子不祗，兄不友，弟不共，不相及也。"今本《尚书·康诰》无此语。㉘③咎延太后：殃及太后；祸及太后。㉘④孝和皇帝不绝窦氏之恩：和帝诛窦宪，仍尊礼窦太后。事见本书卷四十七和帝永元九年。㉘⑤有虞：虞舜。㉘⑥蒸蒸：孝行淳厚的样子。㉘⑦《凯风》慰母之念：想想《凯风》诗是怎样称颂思念母亲的恩情。《诗经·凯风》描写七子尽孝思母之情。诗意："风从南方吹来，吹动小小嫩苗。嫩苗是那样的柔弱，母亲真够辛劳。风从南方吹来，吹动青青的小树，母亲圣明美好，我只怕把母亲辜负。一股凉凉的泉水，滋润故乡的亲人，我们七个儿子，母亲真是劳苦。小小的黄莺，唱出好听的歌声，我们七个儿子，不能安慰母心。"凯风，南风。㉘⑧开国承家二句：语出《易经·师卦》。㉘⑨阿母：指灵帝乳母赵娆。㉙⓪见陷群邪：被群小诬陷。见，被。㉙①酷滥：刑

【原文】

五月，太尉闻人袭、司空许栩免。六月，以司徒刘宠为太尉，太常汝南许训为司徒，太仆长沙刘嚣为司空。嚣素附诸常侍，故致位公辅。

诏遣谒者冯禅说降汉阳散羌。段颎以春农，百姓布野，羌虽暂降，而县官无廪[309]，必当复为盗贼，不如乘虚放兵[310]，势必殄灭。颎于是自进营[311]，去羌所屯凡亭山[312]四五十里，遣骑司马田晏、假司马夏育[313]将五千人先进，击破之。羌众溃东奔，复聚射虎谷[314]，分兵守谷上下门。颎规一举灭之，不欲复令散走。秋七月，颎遣千人于西县[315]结木为栅，广二十步，长四十里遮之。分遣晏、育等将七千人衔枚夜上西山，结营穿堑，去虏一里许。又遣司马张恺等将三千人上东山[316]，虏乃觉

罚残酷，滥及无辜。㉒并离徙锢：都遭到流放、禁锢。㉓蕃身已往二句：陈蕃已死，即使用一百个人的生命也换不回来。典出《诗经·黄鸟》："如可赎兮，人百其身。"春秋时秦穆公死，以国之三良，即子车氏三子从殉，国人哀念，作诗《黄鸟》讥刺穆公以人从殉。诗意："如果可以替换三良，愿意用一百个人的生命。"这里反用其意。㉔台宰重器：台阁宰臣，是国家的重要职位。㉕今之四公：指太尉闻人袭、司徒刘宠、太傅胡广、司空许栩。㉖司空刘宠：应为司徒刘宠。㉗断断：憬憬直立的样子。㉘素餐：吃闲饭。㉙致寇之人：招引强盗的人。㉚折足覆𫗧：折断鼎足，食物倾覆。喻使国家败亡。𫗧，鼎中食物。㉛庶：庶几；差不多。㉜府丞：郡丞。㉝杨赐：字伯献，桓帝时太尉杨秉之子，官至司空。传见《后汉书》卷五十四。据《杨赐传》，灵帝熹平元年（公元一七二年）青蛇出现在御座，是以问蛇。此系于建宁二年。㉞五星：金、木、水、火、土。㉟皇极不建：君王的权威没有树立。㊱孽：妖孽。㊲思乾刚之道：思虑阳刚之道。即树立男性权威，不与内宠厮混。㊳抑皇甫之权二句：压制皇后家族的权力，割断美妻艳妾的宠爱。典出《诗经·十月之交》："皇父卿士，艳妻煽方处。"此诗讽刺周幽王宠褒姒，妻族皆为卿士。

【校记】

［11］改：原作"收"。据章钰校，乙十一行本作"改"，张敦仁《通鉴刊本识误》同，今据改。［12］俯思：原无此二字。据章钰校，乙十六行本、乙十一行本、孔天胤本皆有此二字，张敦仁《通鉴刊本识误》同，今据补。

【语译】

五月，太尉闻人袭、司空许栩被免职。六月，任命司徒刘宠为太尉，太常汝南人许训为司徒，太仆长沙人刘嚣为司空。刘嚣一向依附于宦官，所以能够官至公卿宰辅。

下诏派谒者冯禅说服汉阳郡散居的羌人归降。段颎认为春季是农耕之时，百姓遍布田野，羌人虽然暂时归降，官府却没有粮食供应，羌人必然再为盗贼，不如乘虚纵兵进击，势必把羌人歼灭。段颎于是亲自进入前线军营，距羌人屯聚的凡亭山四五十里，派遣司马田晏、假司马夏育率领五千人为先锋，打败了羌人。羌人溃散，向东逃跑，又聚集在射虎谷，分兵把守射虎谷的上下口。段颎计划一举歼灭羌人，不想让羌人再逃散。秋，七月，段颎派一千人在西县编木为栅，宽二十步，长四十里，用以阻拦羌人。分别派遣田晏、夏育等率领七千人口衔木片，乘夜登上西山，布营挖沟，距离敌人一里多地。又派司马张恺等率领三千人登上东山，羌人这才发

之。颎因与恺等挟东、西山，纵兵奋击，破之，追至谷上下门，穷山深谷之中，处处破之，斩其渠帅[317]以下万九千级。冯禅等所招降四千人，分置安定、汉阳、陇西三郡。于是东羌悉平。颎凡百八十战，斩三万八千余级，获杂畜四十二万七千余头，费用四十四亿，军士死者四百余人。更封新丰县侯，邑万户。

臣光曰："《书》称[318]'天地，万物父母。惟人万物之灵，亶聪明，作元后[319]，元后作民父母。'夫蛮夷戎狄，气类[320]虽殊，其就利避害，乐生恶死，亦与人同耳。御[321]之得其道，则附顺服从，失其道，则离叛侵扰，固其宜也。是以先王之政，叛则讨之，服则怀[322]之，处之四裔[323]，不使乱礼义之邦而已。若乃视之如草木禽兽，不分臧否[324]，不辨去来[325]，悉艾[326]杀之，岂作民父母之意哉！且夫羌之所以叛者，为郡县所侵冤故也。叛而不即诛[327]者，将帅非其人故也。苟使良将驱而出之塞外，择良吏而牧之，则疆场之臣也，岂得专以多杀为快邪！夫御之不得其道，虽华夏之民，亦将蜂起[328]而为寇，又可尽诛邪！然则段纪明之为将，虽克捷有功，君子所不与也。"

九月，江夏[329]蛮反，州郡讨平之。

丹杨[330]山越[331]围太守陈夤，夤击破之。

【段旨】

以上为第七段，写段颎用歼灭战平定羌乱，杀人众多，受到司马光的批评。

【注释】

[309]县官无廪：政府无粮。[310]放兵：纵兵击羌。[311]自进营：亲自进入前线军营。即亲自带队出征。[312]凡亭山：在今甘肃平凉市西北。[313]司马田晏、假司马夏育：护羌校尉属官有司马二人，主军法。假司马为副司马。田晏，官至鲜卑中郎将。夏育，官至护乌丸

觉。段颎于是与张恺分别由东、西两山夹攻，纵兵奋击，打败了羌人，追赶到谷的上下口以及穷山深谷之中，处处破贼，杀了羌帅以下一万九千人。把冯禅所归降的四千羌人，分别安置在安定、汉阳、陇西三郡中。于是，东部羌人全部平定。段颎总共一百八十次交战，杀死三万八千多人，获取各种牲畜四十二万七千多头，花费四十四亿，军士死亡四百多人。改封段颎为新丰县侯，食邑一万户。

司马光说："《尚书》说：'天地是万物的父母。只有人是万物的精灵，绝顶聪明的人做君长，君长是百姓父母。'蛮夷戎狄虽为异族，但他们趋利避害、乐生恶死，与人们是一样的。以正确的方式治理蛮夷，蛮夷就会顺从，治理不得法，蛮夷就会叛乱侵扰，这本来是合理的。所以，先王为政，叛乱了就加以征伐，顺服了就加以安抚，把蛮夷安置在四方边境，不使蛮夷扰乱中原礼仪之邦。如果把蛮夷看作草木禽兽，不分善恶，不辨别叛离还是归服，一律杀害，这难道是做百姓父母的心意吗！何况羌人之所以叛乱，是郡县侵扰、羌人蒙冤的缘故。对于叛乱者不能立即诛杀，这是所用将帅不当的缘故。如果能派良将把叛贼驱逐到塞外，选用良吏管理羌人，那么，边疆战场上的武将又怎么会以大肆杀戮为快乐呢！如果治理不合正道，即使是华夏百姓，也会蜂拥为寇，又能全杀掉吗！那么，段纪明身为将领，虽然克敌有功，但君子不赞成他的行为。"

九月，江夏蛮反叛，州郡讨伐平定了叛蛮。

丹杨郡山越人包围了太守陈夤，陈夤击败山越人。

校尉。⑭射虎谷：地名，在今甘肃天水西。⑮西县：县名，属汉阳郡，县治在今甘肃陇南。射虎谷即在县东北。⑯东山：与上文的西山并为射虎谷的东西山头。谷口又为木栅，形成围剿羌人的陷阱。⑰渠帅：大帅。⑱《书》称：《书》云。下文引语出自《尚书·泰誓》。⑲亶聪明二句：绝顶聪明的人，做君长。亶，诚。元后，大君。⑳气类：气质种类。㉑御：治理。㉒怀：安抚。㉓处之四裔：安置在四方边境。㉔臧否：善恶。否，不善、恶。㉕去来：去，叛离。来，归服。㉖艾：刈。㉗叛而不即诛：对叛乱的人不能立即诛杀。㉘蜂起：蜂拥而起。㉙江夏：郡名，治所西陵，在今湖北宜昌市西陵区。㉚丹杨：郡名，治所宛城，在今安徽宣城。㉛山越：越人，居处山林，故称山越。

【原文】

初，李膺等虽废锢，天下士大夫皆高尚其道而污秽朝廷[332]，希之者唯恐不及，更共相标榜[333]，为之称号。以窦武、陈蕃、刘淑为三君。君者，言一世之所宗[334]也。李膺、荀翌、杜密、王畅、刘祐、魏朗、赵典、朱寓为八俊。俊者，言人之英也[335]。郭泰、范滂、尹勋、巴肃及南阳宗慈、陈留夏馥、汝南蔡衍、泰山羊陟为八顾[336]。顾者，言能以德行引人者也。张俭、翟超、岑晊、苑康及山阳刘表、汝南陈翔、鲁国孔昱、山阳檀敷为八及。及者，言其能导人追宗[337]者也。度尚及东平张邈、王孝[338]、东郡刘儒、泰山胡母班、陈留秦周、鲁国蕃向、东莱王章为八厨[339]。厨者，言能以财救人者也。及陈、窦用事，复举拔膺等。陈、窦诛，膺等复废[340]。

宦官疾恶膺等，每下诏书，辄申党人之禁。侯览怨张俭尤甚，览乡人朱并素佞邪，为俭所弃，承览意指，上书告俭与同乡二十四人[341]别相署号，共为部党，图危社稷，而俭为之魁。诏刊章捕俭[342]等。

冬，十月，大长秋曹节因此讽有司奏"诸钩党者故司空虞放及李膺、杜密、朱寓、荀翌、翟超、刘儒、范滂等，请下州郡考治。"是时上年十四，问节等曰："何以为钩党？"对曰："钩党者，即党人也。"上曰："党人何用为恶[343]而欲诛之邪？"对曰："皆相举群辈[344]，欲为不轨[345]。"上曰："不轨欲如何[346]？"对曰："欲图社稷[347]。"上乃可其奏。

或请李膺曰："可去矣[348]！"对曰："事不辞难，罪不逃刑，臣之节也[349]。吾年已六十，死生有命，去将安之！"乃诣诏狱，考死，门生故吏并被禁锢。侍御史蜀郡景毅子顾为膺门徒，未有录牒[350]，不及于谴[351]。毅慨然曰："本谓膺贤，遣子师之，岂可以漏脱名籍，苟安而已！"遂自表免归。

汝南督邮[352]吴导受诏捕范滂，至征羌[353]，抱诏书闭传舍，伏床而泣，一县不知所为。滂闻之曰："必为我也。"即自诣狱。县令郭揖大惊，出，解印绶，引与俱亡，曰："天下大矣，子何为在此！"滂曰："滂死则祸塞[354]，何敢以罪累君，又令老母流离乎？"其母就与之诀，滂白母曰："仲博[355]孝敬，足以供养。滂从龙舒君[356]归黄泉，存亡各得其所。惟大人

【语译】

当初，李膺等虽然被禁锢，但天下士大夫都推崇李膺的为人原则而蔑视朝廷，追随李膺的人唯恐赶不上，就互相称扬，为他们取雅号。称呼窦武、陈蕃、刘淑为三君。“君”的意思是一代宗师。称呼李膺、荀翌、杜密、王畅、刘祐、魏朗、赵典、朱寓为八俊。“俊”的意思是人中英杰。称呼郭泰、范滂、尹勋、巴肃以及南阳人宗慈、陈留人夏馥、汝南人蔡衍、泰山人羊陟为八顾。“顾”的意思是能以德行引导别人。称呼张俭、翟超、岑晊、苑康及山阳人刘表、汝南人陈翔、鲁国人孔昱、山阳人檀敷为八及。“及”的意思是引导别人追求宗师。又称呼度尚和东平人张邈、王孝，东郡人刘儒、泰山人胡母班、陈留人秦周、鲁国人蕃向、东莱人王章为八厨。“厨”的意思是能施财救人。后来，陈蕃、窦武执政，又推荐了李膺等人。当陈蕃、窦武被杀，李膺等人就再次被罢黜而遭禁锢。

宦官仇恨李膺等人，每次下诏书都重申对党人的禁锢。侯览对张俭特别怨恨，侯览的同乡朱并一向谄媚奸邪，被张俭抛弃，他逢迎侯览的意旨，上书举告张俭与同乡二十四人互相起称号，结成同党，企图危害国家，而以张俭为首。下诏削除告发人的姓名，公布朱并的奏章，逮捕张俭等人。

冬，十月，大长秋曹节借此机会暗示有关官员上奏说：“结党的有前司空虞放，以及李膺、杜密、朱寓、荀翌、翟超、刘儒、范滂等人，请交给州郡拷问治罪。”这时汉灵帝十四岁，问曹节等人说：“什么叫钩党？”曹节回答：“钩党就是勾结在一起的党人。”汉灵帝说：“党人有什么罪，非杀不可？”曹节回答说：“党人相互勾结，推荐同伙，图谋不轨。”汉灵帝问道：“图谋不轨又想怎么样？”曹节回答：“党人想要夺权窃国。”汉灵帝这才批准了奏章。

有人对李膺说：“你可以逃跑了！”李膺说：“做事不辞艰难，犯罪不逃避刑罚，这是臣子的节操。我已经六十岁了，生死自有天命，又能逃到何地！”于是自己前往狱中，被拷打而死，门生故吏都被禁锢。侍御史蜀郡人景毅的儿子景顾是李膺的学生，禁锢的名册上没有他，因而没有受到惩罚。景毅感叹地说：“本认为李膺是个贤才，我才让儿子拜他为师，怎么能够因为名册上脱漏了名字而苟且偷安！”于是上表检举自己，被免官回乡。

汝南督邮吴导受诏逮捕范滂，到范滂的家乡征羌县，抱着诏书，关闭驿舍，伏在床上流泪，全县的人都不知道为了什么事。范滂听到这事就说：“这必定是因为我。”自己就立刻到狱中。县令郭揖大惊，走出县衙，解下印绶，接范滂一起逃走，说：“天下广大，你为什么要在这里！”范滂说：“我死了，灾祸就停止了，怎敢以罪连累你，又让我的老母流离失所呢？”范滂的母亲与范滂诀别，范滂对母亲说：“仲博很孝敬，足以奉养您。我跟随龙舒君到黄泉之下，生死各得其所。求母亲割舍母子

割[357]不可忍之恩，勿增感戚[358]！”仲博者，滂弟也。龙舒君者，滂父龙舒侯相显也。母曰：“汝今得与李、杜[359]齐名，死亦何恨！既有令名[360]，复求寿考[361]，可兼得乎！”滂跪受教，再拜而辞。顾其子曰：“吾欲使汝为恶，恶不可为；使汝为善，则我不为恶。”行路闻之，莫不流涕。

凡党人死者百余人，妻子皆徙边，天下豪桀及儒学有行义者[362]，宦官一切指为党人。有怨隙者，因相陷害，睚眦之忿[363]，滥入党中[364]。州郡承旨，或有未尝交关[365]，亦离[366]祸毒，其死、徙、废、禁[367]者又六七百人。

郭泰闻党人之死，私为之恸[368]曰：“《诗》云：‘人之云亡，邦国殄瘁[369]。’汉室灭矣，但未知‘瞻乌爰止，于谁之屋[370]’耳！”泰虽好臧否人伦[371]，而不为危言核论[372]，故能处浊世而怨祸不及焉。

张俭亡命困迫，望门投止[373]，莫不重其名行，破家相容[374]。后流转东莱[375]，止李笃家。外黄[376]令毛钦操兵到门，笃引钦就席曰：“张俭负罪亡命，笃岂得藏之！若审在此，此人名士，明廷[377]宁宜执之乎[378]？”钦因起抚[379]笃曰：“蘧伯玉[380]耻独为君子，足下如何专取仁义！”笃曰：“今欲分之，明廷载半去矣[381]！”钦叹息而去。笃导俭经北海戏子然[382]家，遂入渔阳出塞[383]。其所经历，伏重诛[384]者以十数，连引收考[385]者布遍天下，宗亲并皆殄灭，郡县为之残破。俭与鲁国孔褒[386]有旧，亡抵褒，不遇。褒弟融[387]，年十六，匿之。后事泄，俭得亡走，国相收褒、融送狱，未知所坐。融曰：“保纳舍藏[388]者，融也，当坐。”褒曰：“彼来求我，非弟之过。”吏问其母，母曰：“家事任长，妾当其辜。”一门争死，郡县疑不能决，乃上谳[389]之，诏书竟坐褒。及党禁解，俭乃还乡里，后为卫尉，卒，年八十四。

夏馥[390]闻张俭亡命，叹曰：“孽自己作，空污良善[391]，一人逃死，祸及万家，何以生为！”乃自翦须变形[392]，入林虑山[393]中，隐姓名，为冶家佣[394]，亲突烟炭[395]，形貌毁瘁[396]，积二三年，人无知者。馥弟静载缣帛追求饷[397]之，馥不受，曰：“弟奈何载祸相饷乎！”党禁未解而卒。

初，中常侍张让父死，归葬颍川，虽一郡毕至，而名士无往者。

不忍之情，不要太悲伤!”仲博是范滂的弟弟。龙舒君是范滂的父亲，龙舒侯国的国相范显。范滂的母亲说:“你今天能与李膺、杜密齐名，死也无憾！已经得到美名，又想求长寿，能两者兼而有之吗!”范滂跪着接受教训，拜了又拜之后辞别。又回头对儿子说:“我要使你作恶，恶不可作；我要教你行善，而我不作恶。”行路人听见了，无不流泪。

死去的党人总共一百多人，妻儿都流徙边地。天下豪杰和学行兼优的儒士，都被宦官指责为党人。有仇怨的人，乘机陷害，连瞪一眼的小积忿，也滥被指为党人。州郡奉承旨意，有些没有和党人交结的人，也遭遇祸害荼毒，受死罪、流放、罢官、禁锢的又有六七百人。

郭泰听到党人之死，私下悲痛地说:“《诗经》说，‘人才消失，国家危亡’。汉室就要灭亡了，只是不知‘乌鸦飞翔，将落在谁家屋上’!”郭泰虽然喜好评论人物，但从不说尖刻、触及对方隐私的话，所以能处于乱世而未受灾祸。

张俭流亡，穷困窘迫，漫无目的地乱跑，见有人家就请求收容，主人无不尊重他的名望与德行，冒着家破人亡的危险收容他。后来张俭流亡到东莱郡，住在李笃家。黄县县令毛钦带着兵器来到李家，李笃请毛钦入座，说:“张俭犯罪逃亡，我怎么能窝藏他！如果他真的在此，他是一位名士，你难道应该把他抓起来吗?”毛钦因此起身，拍着李笃的肩膀说:“蘧伯玉不愿独为君子，你怎么想独行仁义呢!”李笃说:“我现在就想与你平分，你已经得到一半了!”毛钦慨叹告辞。于是，李笃带着张俭投奔到北海戏子然家，又从渔阳郡出了边塞。张俭逃亡所经，被判重罪杀头的人以十计，互相牵连被逮捕拷问的遍及天下，这些人的宗族亲戚都被杀尽，郡县因此而残破。张俭与鲁国的孔褒有旧交，张俭逃到孔褒那里，没有遇到。孔褒的弟弟孔融十六岁，把张俭藏起来。事情后来泄露，张俭幸得逃走，鲁国国相收捕了孔褒、孔融关进监狱，不知该判谁有罪。孔融说:“保护接纳而藏匿张俭在家里的是我，应当判我的罪。”孔褒说:“张俭是来找我的，这并不是弟弟的过错。”官吏问孔褒、孔融的母亲，母亲说:“家长负责家事，我当其罪。”全家人都争着去死，郡县官吏犹疑不决，上报朝廷，下诏最终判处孔褒有罪。等到解除党禁，张俭才返回家乡，后来担任卫尉，死时八十四岁。

夏馥听说张俭逃命，叹息说:“张俭自己作孽，却凭空牵连善良，一个人逃命，祸及万家，何必活着!”于是夏馥剃发化妆，躲到林虑山中，隐姓埋名，受雇于冶铁家做工，亲受烟熏火燎，形容憔悴，两三年之后，没人认出他。夏馥的弟弟夏静在车上装着缣帛，到处找他、救济他，夏馥不肯接受，说:“你怎么用车载着灾祸来给我!”夏馥在党禁没有解除时就去世了。

当初，中常侍张让的父亲去世，回颍川埋葬，虽然郡里人全到了，却没有名士前往。

让甚耻之，陈寔独吊焉。及诛党人，让以寔故，多所全宥。南阳何颙[398]素与陈蕃、李膺善，亦被收捕，乃变名姓匿汝南间，与袁绍[399]为奔走之交，常私入雒阳，从绍计议，为诸名士罹党事者求救援，设权计[400]，使得逃隐，所全免甚众。

初，太尉袁汤三子，成、逢、隗。成生绍，逢生术[401]。逢、隗皆有名称，少历显官[402]。时中常侍袁赦以逢、隗宰相家，与之同姓，推崇以为外援。故袁氏贵宠于世，富奢甚，不与他公族同。绍壮健有威容，爱士养名，宾客辐凑[403]归之，辎軿[404]柴毂[405]，填接街陌[406]。术亦以侠气闻。逢从兄子闳，少有操行，以耕学为业，逢、隗数馈之，无所受。闳见时方险乱，而家门富盛，常对兄弟叹曰："吾先公[407]福祚，后世不能以德守之，而竞为骄奢，与乱世争权，此即晋之三郤[408]矣。"及党事起，闳欲投迹深林，以母老，不宜远遁，乃筑土室四周于庭，不为户，自牖纳饮食。母思闳时，往就视，母去，便自掩闭，兄弟妻子莫得见也。潜身十八年，卒于土室。

初，范滂等非讦[409]朝政，自公卿以下皆折节下之[410]，太学生争慕其风，以为文学将兴，处士[411]复用。申屠蟠[412]独叹曰："昔战国之世，处士横议，列国之王至为拥彗先驱[413]，卒有坑儒烧书[414]之祸，今之谓矣。"乃绝迹于梁[415]、砀[416]之间，因树为屋，自同佣人。居二年，滂等果罹党锢之祸，唯蟠超然免于评论。

臣光曰："天下有道，君子扬[417]于王庭，以正小人之罪，而莫敢不服。天下无道，君子囊括不言，以避小人之祸，而犹或不免。党人生昏乱之世，不在其位，四海横流，而欲以口舌救之，臧否人物，激浊扬清[418]，撩虺蛇之头[419]，践[13]虎狼之尾[420]，以至身被淫刑[421]，祸及朋友，士类歼灭，而国随以亡[422]，不亦悲乎！夫唯郭泰既明且哲，以保其身，申屠蟠见几而作，不俟终日[423]，卓[424]乎其不可及已！"

庚子晦[425]，日有食之。

十一月，太尉刘宠免，太仆扶沟郭禧为太尉。

张让认为这十分耻辱，只有陈寔单独吊丧。等到诛杀党人，张让为了回报陈寔，尽量保全饶恕他。南阳人何颙向来与陈蕃、李膺友善，也被搜捕，何颙于是改换姓名，躲在汝南一带，与袁绍结交，替党人奔走，常常私下进入洛阳，和袁绍商议，为被卷入党祸的名士寻求救援，想计谋，让他们逃跑或藏起来，使很多人得以保全。

当初，太尉袁汤有三个儿子：袁成、袁逢、袁隗。袁成生了袁绍，袁逢生了袁术。袁逢、袁隗都有名声，年少就当高官。当时中常侍袁赦认为袁逢、袁隗出身于宰相之家，和自己同姓，就推举他们，作为自己的外援。所以袁氏家族在当时显贵得宠，极为富有奢华，不同于其他公族。袁绍健壮而有威仪，喜欢士人，养护声名，归附的宾客盈门，豪华宾客的有篷大车和平民的木头车填满街巷。袁术也以侠气闻名。袁逢堂兄的儿子袁闳，从小品行良好，以农耕读书为业，袁逢、袁隗多次赠送财物，袁闳一无所受。袁闳见到时局险恶混乱，而家族富足兴盛，常对兄弟叹息说："我们的先祖开创的福分，后代不能以德行坚守，而竞相骄奢，在乱世争权，这就好像晋国的三郤了。"等到党祸事发，袁闳想逃入深山密林，因母亲年迈，不宜远行遁世，就在院子里筑了一间土屋，有窗无门，从窗口递送食物。母亲思念他时，就从窗口向里看，母亲离开后，自己就关闭窗子，兄弟妻子没有人能见到。袁闳藏身土室十八年，最后在土室中去世。

当初，范滂等人抨击朝政，自公卿以下都屈节居于下位，太学生争相追慕范滂等人的风范，认为学术将会兴盛，隐逸之士会被重新任用。唯有申屠蟠独自慨叹说："从前战国时代，名士纵横议论，列国之君尊礼为贵宾，甚至亲自拿着扫帚在前引导，终于发生了焚书坑儒的灾祸，今天历史在重演。"于是申屠蟠隐藏在梁国、砀县之间，靠着大树筑屋，像佣人一样劳动。过了两年，范滂等人果真遭遇党禁之祸，只有申屠蟠超然事外，免受议论。

司马光说："天下合乎正道，君子就可以在朝廷上宣扬正义，纠正小人的罪过，而无人敢不服从。天下不合乎正道，君子闭口不言，以避免小人之祸，仍有一些人不能免祸。党人生于昏乱的世道，没有在职位上，四海混乱，却想以言辞挽救时弊，评论人物，扬善惩恶，拨弄毒蛇的头，踏虎狼的尾巴，以致身受酷刑，祸及朋友，知识分子被消灭光，国家也跟着灭亡，这不是很可悲吗！只有郭泰明哲保身，申屠蟠见机行事，不到天黑就回头，见识卓然，没有人比得上！"

十月最后一天庚子日，发生日食。

十一月，太尉刘宠被免职，任命太仆扶沟人郭禧为太尉。

鲜卑寇并州。

长乐太仆曹节病困，诏拜车骑将军。有顷，疾瘳[426]，上印绶，复为中常侍，位特进，秩中二千石。

高句骊王伯固寇辽东，玄菟太守耿临讨降之。

【段旨】

以上为第八段，追述第二次党锢之祸中党人心态。李膺、范滂慷慨就义，张俭逃亡，祸及万家。

【注释】

㉜污秽朝廷：蔑视朝廷。㉝标榜：称扬。㉞宗：尊崇。㉟俊者二句：才过千人曰俊、曰英。㊱顾：引也，以德行引导人。㊲宗：宗仰。㊳王孝：《后汉书·党锢传》作王考。㊴厨：豪爽。㊵膺等复废：李膺等党人领袖，再次罢废。此列三君、八俊、八顾、八及、八厨共三十五人。陈蕃、窦武、王畅、刘表、度尚、郭林宗等六人，《后汉书》各有专传；荀翌，荀淑之子，附《荀淑传》，张邈附《吕布传》，胡母班附《袁绍传》，翟超附《陈蕃传》。王考冀州刺史，秦周北海相，蕃向郎中，王章少府卿，以及朱寓、赵典等六人六传。其余十九人总为一类传，即《后汉书》卷六十七《党锢列传》。以上名行显者，在本书中随文皆有注。㊶俭与同乡二十四人：朱并诬告张俭同乡，即山阳郡二十四人为部党，见《党锢列传》。二十四人为张俭、檀彬、褚凤、张肃、薛兰、冯禧、魏玄、徐干，是为八俊；田林、张隐、刘表、薛郁、王访、刘祇、宣靖、公绪恭，是为八顾；朱楷、田盘、疏耽、薛敦、宋布、唐龙、嬴咨、宣褒，是为八及。㊷诏刊章捕俭：为了不泄露告发者，在下诏收捕党人的公文中刊削了朱并的姓名，然后在诏书中公布朱并的奏章，收捕被告发的张俭等人。刊，削。㊸何用为恶：有什么罪恶。㊹相举群辈：互相勾结，推荐同伙。㊺不轨：不法。㊻不轨欲如何：图谋不轨又想怎么样。㊼欲图社稷：想夺权窃国。㊽可去矣：可以逃走了。㊾事不辞难三句：李膺回答说，“做事不辞艰难，犯罪不逃刑责，这是臣子的节操”。语出《左传》襄公三年羊舌赤赞魏绛之言，曰：“事君不辟难，有罪不逃刑。”㊿未有录牒：在李膺学生的登记簿上没有景顾的名字。牒，名籍。[351]不及于谴：没有处罚景毅。[352]督邮：州、郡派出的监察官。[353]征羌：县名，侯国名，为征羌侯来歙封邑。县治在今河南漯河东。[354]祸塞：祸患停止。[355]仲博：范滂弟之字。[356]龙舒君：范滂之父范显，曾为龙舒侯相，故称。[357]割：割舍。[358]勿增感戚：不要太悲伤。[359]李杜：指李膺、杜密。[360]令名：好名声。[361]寿考：长寿。[362]儒学有行义者：学行兼优的儒士。[363]睚眦之忿：小小的仇怨。睚眦，瞪眼睛，喻小仇小怨。[364]滥入党

鲜卑人侵犯并州。

长乐太仆曹节病危，下诏拜曹节为车骑将军。不久，曹节病愈，上交印绶，又任中常侍，赐位特进，俸禄中二千石。

高句丽王伯固侵扰辽东，玄菟太守耿临讨伐，使伯固归降。

中：陷害为党人。滥，打击泛滥，扩大化。㉟交关：指与党人交结。㊱离：遭遇。㊲死、徙、废、禁：死罪、流放、罢官、禁锢。㊳恸：大哭。㊴人之云亡二句：人才消亡，国家危亡。殄，尽。瘁，病。语出《诗经·瞻卬》。370 瞻乌爰止二句：乌鸦飞翔，将落在谁家屋上。喻汉室将亡，谁人逐得其鹿。语出《诗经·正月》。371 臧否人伦：评论人物。372 不为危言核论：从不说尖刻、触及对方隐私的话。373 望门投止：漫无目的地乱跑，见有人家，请求收容。374 破家相容：冒着家破人亡的危险收容张俭。375 东莱：郡名，治所黄县，在今山东龙口市。376 外黄：县名，属陈留郡，距东莱千余里。此"外"字衍，应为黄县，毛钦为东莱黄县令。377 明廷：贤明的县令。对毛钦的尊称。378 宁宜执之乎：难道张俭真应该被抓起来吗。379 抚：拍肩膀，表示钦敬。380 蘧伯玉：春秋时卫国贤大夫。381 明廷载半去矣：你已经取走了仁义的一半。意谓毛钦如果不搜捕张俭，便得仁义之半。382 戏子然：人名。383 入渔阳出塞：张俭从山东半岛经北海、平原、渤海等郡，即沿渤海湾至今津京，从渔阳郡逃入胡中。渔阳郡治所在今北京密云西南。出塞，出了边塞。384 重诛：判重罪杀头。385 连引收考：互相牵引被捕拷问。386 孔褒：鲁国（今山东曲阜）人，孔子之后，因受张俭逃匿之祸而死。387 褒弟融：孔褒弟孔融（公元一五三至二〇八年），字文举，历任北海相、少府、太中大夫等。为人恃才负气，为曹操所杀。孔融博通经学，文学亦负盛名，为建安七子之一。传见《后汉书》卷七十。388 保纳舍藏：保护接纳，藏于家中。389 谳：疑狱上奏。390 夏馥：字子治，陈留圉县（在今河南杞县南）人，党人领袖八顾之一。传见《后汉书》卷六十七。391 空污良善：凭空牵连善良。392 翦须变形：剃发化妆。393 林虑山：在今河南林州境。394 为冶家佣：受雇于冶铁家做工。395 亲突烟炭：亲身受烟熏火燎。突，被烟火熏烤。396 形貌毁瘁：形容憔悴。397 饷：馈饷；接济。398 何颙：字伯求，南阳襄乡（在今湖北枣阳东北）人，传亦在《党锢列传》中，见《后汉书》卷六十七。399 袁绍：字本初，桓帝时太尉袁汤之孙，东汉末大军阀。传见《后汉书》卷七十四上。400 设权计：设权宜之计。401 术：字公路，亦东汉末大军阀。传见《后汉书》卷七十五。402 少历显官：青年时就做了大官。袁逢，灵帝时官至司空。袁隗，先逢为三公，献帝初为太傅。403 辐凑：车辐聚于车毂，喻宾客从四面八方聚集于袁绍之门。404 辎軿：有篷的大车，指豪华宾客所乘之车。405 柴毂：木头车，指平民所乘之车。406 填接街陌：填满街巷，首尾相接。407 先公：指章帝时司徒袁安。袁

绍、袁闳为再从兄弟，是袁安的第四代孙。⑱晋之三郤：郤氏世为晋卿，晋厉公时郤锜、郤准、郤至均为晋大夫，凭借世资，骄奢侵权，为厉公所杀。⑲讦：横议是非，即无情抨击。⑳折节下之：委屈自己，甘居范滂之下。即十分礼敬范滂。㉑处士：隐逸之士。㉒申屠蟠：字子龙，陈留外黄（在今河南民权西北）人，东汉末隐逸士。传见《后汉书》卷五十三。㉓拥彗先驱：古代迎接贵宾的一种礼仪，主人拿着扫帚在前引导，表示洒扫迎客。战国时，邹衍入燕，燕昭王拥彗先驱。彗，扫帚。㉔坑儒烧书：秦始皇焚书坑儒。申屠蟠认为此举是对战国时代百家争鸣的政治批判。㉕梁：国名，治所睢阳，在今河南商丘。㉖砀：县名，县治在今河南永城北。㉗扬：显扬。㉘激浊扬清：排斥邪

【原文】

三年（庚戌，公元一七〇年）

春，三月丙寅晦[427]，日有食之。

征段颎还京师，拜侍中。颎在边十余年，未尝一日蓐寝[428]，与将士同甘苦，故皆乐为死战，所向有功。

夏，四月，太尉郭禧罢，以太中大夫闻人袭为太尉。

秋，七月，司空刘嚣罢。八月，以大鸿胪梁国桥玄[429]为司空。

九月，执金吾董宠[430]坐矫永乐太后[431]属请[432]，下狱死。

冬，郁林[433]太守谷永以恩信招降乌浒[434]人十余万，皆内属，受冠带，开置七县。

凉州刺史扶风孟佗遣从事任涉将敦煌兵五百人，与戊己校尉[14]曹宽、西域长史张宴将焉耆、龟兹、车师前、后部，合三万余人讨疏勒，攻桢中城[435]，四十余日，不能下，引去。其后疏勒王连相杀害，朝廷亦不能复治。

初，中常侍张让有监奴[436]，典任家事，威形喧赫[437]。孟佗资产饶赡[438]，与奴朋结[439]，倾竭馈问，无所遗爱[440]。奴咸德之，问其所欲。佗曰："吾望汝曹为我一拜耳！"时宾客求谒让者，车常数百千两。佗诣让，后至，不得进，监奴乃率诸仓头[441]迎拜于路，遂共轝车入门。宾客咸惊，谓佗善于让，皆争以珍玩赂之。佗分以遗让，让大喜，由是以佗为凉州刺史。

恶，奖励清高。⑲撩虺蛇之头：挑弄毒蛇的头。⑳践虎狼之尾：踏虎狼的尾巴。㉑淫刑：酷刑。㉒士类歼灭二句：知识分子被消灭光，国家也随之而灭亡。㉓见几而作二句：眼看形势不对，立即掉头，等不到天黑。㉔卓：卓越的识见。㉕庚子晦：十月己巳朔，无庚子。庚子，疑为戊戌之误。戊戌，十月三十日。㉖疾瘳：病愈。

【校记】

［13］践：原作“跷”。据章钰校，乙十六行本、乙十一行本、孔天胤本皆作“践”，张瑛《通鉴校勘记》、熊罗宿《胡刻资治通鉴校字记》同，今据改。

【语译】

三年（庚戌，公元一七〇年）

春，三月最后一天三十日丙寅，发生日食。

汉灵帝下诏征段颎回京城，任命他为侍中。段颎在边塞十几年，未曾在席垫上睡过一个安稳觉，与将士同甘共苦，所以将士都乐于为他拼死作战，兵锋所向都建有功勋。

夏，四月，太尉郭禧被罢官，任命太中大夫闻人袭为太尉。

秋，七月，司空刘嚣被罢官。八月，任命大鸿胪梁国人桥玄为司空。

九月，执金吾董宠伪称永乐太后懿旨，托人办事，下狱处死。

冬，郁林太守谷永以恩德诚信招降了十几万乌浒人，都迁至内地，授予冠带，设立了七个县。

凉州刺史扶风人孟佗派遣从事任涉率领五百名敦煌士兵，与戊己校尉曹宽、西域长史张宴率领的焉耆，龟兹，车师前、后王国，总共三万多人讨伐疏勒，攻打桢中城，四十多天，不能攻克，带兵离去。后来疏勒王接连互相残杀，朝廷也无法制服他们。

当初，中常侍张让养有管家奴，管理家务，威势显赫。孟佗资产富足，与管家奴结交为好友，倾其所有馈赠贿赂，毫不吝惜。管家奴都称赞孟佗，问孟佗想要什么。孟佗说：“我只希望你们向我一拜而已！”当时求见张让的宾客，每天常有几百上千的车辆。孟佗前往张让那里，后来才到，不能进门，管家奴就率领一群奴仆到路上迎拜孟佗，于是一同乘车进入大门。宾客都很惊讶，认为孟佗与张让关系很好，都抢着拿珍玩贿赂孟佗。孟佗分出一部分珍玩送给张让，张让大喜，因此任命孟佗为凉州刺史。

【段旨】

以上为第九段，写凉州刺史孟佗矫情结交中常侍张让管家奴，用钱财贿买得任凉州牧。

【注释】

㉗丙寅晦：三月三十日。㉘蓐寝：在席垫上睡觉。蓐，席。㉙桥玄（公元一〇九至一八三年）：字公祖，梁国睢阳（今河南商丘）人，历官度辽将军、河南尹、太尉。传见《后汉书》卷五十一。㉚董宠：灵帝舅，永乐太后之兄。㉛永乐太后：灵帝母孝仁

【原文】

四年（辛亥，公元一七一年）

春，正月甲子[442]，帝加元服[443]，赦天下，唯党人不赦。

二月癸卯[444]，地震。

三月辛酉朔[445]，日有食之。

太尉闻人袭免，以太仆汝南李咸为太尉。

大疫。司徒许训免，以司空桥玄为司徒。

夏，四月，以太常南阳来艳为司空。

秋，七月，司空来艳免。

癸丑[446]，立贵人宋氏为皇后[447]。后，执金吾酆之女也。

司徒桥玄免，以太常南阳宗俱为司空，前司空许栩为司徒。

帝以窦太后有援立之功，冬，十月戊子朔[448]，率群臣朝太后于南宫，亲馈上寿[449]。黄门令董萌因此数为太后诉冤[450]，帝深纳之，供养资奉[451]，有加于前。曹节、王甫疾之，诬萌以谤讪永乐宫[452]，下狱死。

鲜卑寇并州。

董皇后。㊿属请：请托谋私。㊾郁林：郡名，治所布山，在今广西贵港市港北区。㊾乌浒：地区名，乌浒人居地，当今广西西南部。㊾桢中城：在疏勒城东，当今新疆喀什东。㊾监奴：管家奴。㊾威形喧赫：声势显赫。㊾饶赡：富足。㊾朋结：结交为好友。㊾倾竭馈问二句：拿出所有家产来馈赠贿赂，毫不吝惜。㊾诸仓头：几个管家奴头。

【校记】

［14］校尉：据章钰校，乙十六行本、乙十一行本皆作“司马”。

【语译】

四年（辛亥，公元一七一年）

春，正月初三日甲子，汉灵帝行加冠礼，赦免天下，只有党人不赦免。

二月十三日癸卯，发生地震。

三月初一日辛酉，发生日食。

太尉闻人袭被免职，任命太仆汝南人李咸为太尉。

瘟疫流行。司徒许训被免职，任命司空桥玄为司徒。

夏，四月，任命太常南阳人来艳为司空。

秋，七月，司空来艳被免职。

癸丑日，册立贵人宋氏为皇后。皇后，是执金吾宋酆的女儿。

司徒桥玄被免职，任命太常南阳人宗俱为司空，前司空许栩为司徒。

汉灵帝因为窦太后有推立自己的功劳，冬，十月初一日戊子，率领群臣到南宫朝见窦太后，亲自为窦太后进食祝寿。黄门令董萌趁机一再陈述皇太后的冤枉，汉灵帝都采纳了，供养皇太后的待遇标准，比以前提高了。曹节、王甫仇恨董萌，诬陷董萌诽谤住在永乐宫的皇帝生母，董萌被下狱处死。

鲜卑人侵犯并州。

【段旨】

以上为第十段，写灵帝加冠，唯党人不赦。

【注释】

㊹② 甲子：正月初三日。㊹③ 帝加元服：灵帝行加冠礼。是年灵帝十六岁。㊹④ 癸卯：二月十三日。㊹⑤ 辛酉朔：三月初一日。㊹⑥ 癸丑：七月己未朔，无癸丑。癸丑，应为八月二十五日。㊹⑦ 宋氏为皇后：灵帝宋皇后，史失其名，宋酆之女，扶风平陵（在今陕西咸阳西北）人。传见《后汉书》卷十下。㊹⑧ 戊子朔：十月初一日。㊹⑨ 亲馈上寿：灵帝亲自给太后端菜敬酒祝福。㊺⓪ 董萌因此数为太后诉冤：黄门令董萌趁这机会一再陈述皇太后的冤枉。㊺① 供养资奉：供奉太后的待遇标准。㊺② 谤讪永乐宫：诽谤灵帝的生母永乐董太后。

【研析】

本卷史事研析，仍以党锢之祸为重心。本卷所载为桓、灵二帝政权交替五年间的史事，最重大事件是党锢之祸扩大化，成为全国性的一场政治大迫害，几十万社会精英人士遭荼毒，黑白颠倒，是非混淆，邪枉炽结，正义遭压迫，社会大分裂。可以说东汉处于最黑暗时期，具体研析两个问题。第一，第一次党锢之祸解禁。第二，第二次党锢之祸。

第一，第一次党锢之祸解禁。东汉外戚专权，梁冀达于巅峰。桓帝与宦官推倒梁冀，宦官势力达于巅峰，独霸政坛。党锢之祸是宦官向朝官士大夫开刀，下了狠手，置党人于死地，全没了政治妥协空间，双方作你死我活的战斗。失势的外戚站在朝官士大夫一边。第一次党锢解禁，就是外戚与朝官士大夫联盟取得的成果。朝官士大夫可以与外戚联合，绝不与宦官妥协，这是由外戚与宦官不同的政治质量与根基所决定的。外戚是靠裙带关系专国，一心谋取的是皇亲国戚这个小集团的利益，所以窦宪、梁冀等专权误国，终被诛灭，无可非议。但外戚的根基是朝官士大夫，他们沾了皇亲，有了特权，从朝官士大夫中分化出来，失势后回归朝官士大夫，所以当宦官势力独大时，外戚与朝官士大夫自然地联手对抗。至于宦官，原本就是一群不学无术的皇帝家奴，他们深居皇宫，与世隔绝，“不知稼穑之艰难，不恤征戍之劳苦”，对于治国良策更是茫然不知所以。也就是说，宦官专权，不仅广大劳动人民受到更沉重的剥削和压迫，而且统治阶级本身的大多数也遭受压迫，国家失去了组织生产、调节社会矛盾的职能，只代表一小撮凶狡人的利益，成为他们专政的工具。正途仕进的朝官士大夫为了维护整个地主阶级的长远利益，他们既忠君，也忧国忧民。他们敢于置个人生死于度外，抗愤而起，排抑宦官，完全是正义的。由于宦官为祸全国，他们在有限的权力下，迫不得已并果断地采取了先斩后奏的激烈手段来打击宦官，表示正邪不两立，为国除奸，为民除害。“原其诚心，在乎去恶”（《陈王列传》），士大夫的行为是应该肯定的，也是值得肯定的。

正因为士大夫排抑宦官是正义的行为，所以被禁党人赢得了广泛的社会支持和民众的拥护。于是这次冤狱的严重后果，就是社会的大分裂。一是“自是正直废放，邪枉炽结”，宦官更加得意，“举动回山海，呼吸变霜露。阿旨曲求，则光宠三族”，无耻之徒，竞相比附。南阳樊陵，“阿附宦官，致位太尉”。扶风孟佗，交结中常侍张让家奴，得凉州刺史。“州牧郡守，承顺风旨，辟召选举，释贤取愚”（《宦者列传》）。法制瓦解，道德沦丧。二是“海内希风之流，遂共相标榜，指天下名士，为之称号”。全国有“三君”“八俊”“八顾”“八及”“八厨”等称号三十五人，为学人士子公认的道德楷模。南阳太守王畅敢于纠发豪右；桓帝下令逮捕党人，太尉陈蕃不肯平署。于是王畅、陈蕃与李膺齐名。京师太学生三万余人与诸郡生徒结合成强大的在野舆论集团，转相传颂党人的品德节操，与宦官的“布告天下，使同忿疾”唱对台戏！学中语曰：“天下楷模李元礼，不畏强御陈仲举，天下俊秀王叔茂。”范滂出狱，“南归汝南，南阳士大夫迎之者车数千两”。李膺免归乡里，居阳城山中，“天下士大夫皆高尚其道而污秽朝廷”。由此可见，宦官制造的这场冤狱，不但没有加重自己的权威，反而激发了正义。桓帝利用和支持宦官肆虐，使他转化成黑暗势力的总代表，而李膺等人的声名却日益高涨。这生动地说明，公道真理自在人心，至高无上的皇权也是不能强奸民意的。

中官王甫审讯所谓党人，李膺等连引宦官子弟，宦官惧。桓帝皇后父窦武与尚书霍谞上疏劝桓帝赦党人，宦官顺势下坡，亦“请帝以天时宜赦”，公元一六七年党人出狱，而党人之名，犹书王府，禁锢终身。所以钩党之狱又称党锢之祸，或党锢之狱。从禁锢党人的角度，所谓的党人出狱，恰恰是党禁的形成，党禁即禁锢党人。其后又发生了第二次党锢之祸和第三次党锢之祸，是党禁的扩大化。党锢的解禁，是在灵帝中平元年（公元一八四年）黄巾大起义后，统治集团为了镇压黄巾起义，才下诏解除党禁。李膺等出狱后，不久桓帝崩殂，十二岁的灵帝以诸侯王子解渎亭侯入继大统，窦太后临朝，窦武执政，起用党人，党禁无形自解。所以第一次党锢之祸解禁，是朝官士大夫与外戚联手对抗宦官的一个事实成果，而法律名义上并没有解禁，宦官咬牙切齿，岂能容忍党人东山再起。一场更大的暴风骤雨即将来临，那就是第二次党锢之祸。

第二，第二次党锢之祸。第二次党锢之祸发生在灵帝建宁二年，即公元一六九年。这一次钩连株及面进一步扩大化，无辜受害者成千累万，遍及全国。

中常侍侯览家在山阳防东，“贪侈奢纵”，“请夺人宅”（《宦者列传》），“残暴百姓，所为不轨”。延熹九年（公元一六六年），督邮张俭助太守翟超破览家宅，藉没资财，举劾览及母罪恶，声名大振。建宁二年，侯览丧母还家，大起茔冢。“制度重深，僭类宫省”，“又豫作寿冢，石椁双阙，……虏夺良人，妻略妇子”。张俭具言罪状，再劾侯览，被览截留。侯览指使张俭乡人朱并诬告张俭钩连结党，谋大逆。“灵帝诏刊章捕俭等”。大长秋曹节讽有司奏捕前党，李膺、范滂等百余人，“皆死狱中”。

李膺被非法打死，“妻子徙边，门生、故吏及其父兄”均遭株连，“并被禁锢”。宦竖阉丑还肆意扩大打击面，凡“天下豪杰及儒学有行义者，宦官一切指为党人。有怨隙者，因相陷害，睚眦之忿，滥入党中。州郡承旨，或有未尝交关，亦离祸毒，其死、徙、废、禁者又六七百人”。这仅仅是京师诏狱拷治的人数。这次党狱波及全国，州郡被冤遭屠者不可胜数。“初，诏书下举钩党，郡国所奏相连及者多至百数”。青州六郡，五郡有党，唯弼“独无所上”。平原相史弼舍命保护，抗旨不报，“济活者千余人”。由于民众保护党人，于是出现了“一人逃死，祸及万家”的惨况。“俭等亡命，经历之处，皆被收考，辞所连引，布遍天下”。“其所经历，伏重诛者以十数，连引收考者布遍天下，宗亲并皆殄灭，郡县为之残破”。宦官何以有这样大的能量，使全国成千累万的无辜者惨遭杀害呢？只因“诏书疾恶党人，旨意恳恻”，整个国家机器以专制君主的名义被开动起来制造冤案，海内生灵，在劫难逃。

第一次钩党之狱，桓帝指名逮捕的只是李膺、范滂等两百余名士大夫上层人物。第二次钩党之狱，双方动了杀机。宦官包围了灵帝，不容党人东山再起；陈蕃、窦武，即朝官士大夫与外戚联手谋诛宦官。双方磨刀霍霍，都想一举歼灭对方，这就是第二次党锢之祸的背景。由于灵帝猜忌，又急于铲除外戚势力，夺取太后手中的政权，因而全力支持宦官制造冤狱，所以第二次钩党之狱，一爆发就以暴风骤雨之势，洒向人间都是怨。单是平原一郡，平原相史弼抗旨，存活一千余人，全国一百多郡国，蒙冤罹难者数十万人。灵帝直接过问的诏狱，杀李膺、范滂等一百余人，禁锢六七百人，太学生被捕一千余人。党人五服内亲属以及门生故吏凡有官职，全部免官禁锢。灵帝建宁四年，灵帝加冠大赦天下，唯党人不赦。

卷第五十七　汉纪四十九

起玄黓困敦（壬子，公元一七二年），尽上章涒滩（庚申，公元一八〇年），凡九年。

【题解】

本卷记事起公元一七二年，迄公元一八〇年，凡九年，当汉灵帝熹平元年至光和三年。载灵帝一朝中期史事。此时期的重大事件，仍是清理党人扩大化，熹平五年，兴起了第三次党锢之祸。先是窦太后忧死，汉灵帝俯从舆情，礼葬窦太后。民间流言宦官曹节、王甫幽杀太后。段颎投靠宦官任司隶校尉，在京师大捕所谓流言者一千余人，使党锢之祸扩大化。熹平五年，永昌太守曹鸾上书请赦免党人，灵帝盛怒，诏令追究党人，罪及五服，这是第三次党锢之祸。公元一六六年、公元一六九年、公元一七六年，连续三次党锢之祸，是非颠倒，正义受摧残。五侯余孽唐衡弟弟唐珍任司空。灵帝立《熹平石经》，以示倡导儒学；颁布三互法，以示清吏治。所谓三互法，是任官回避制度，指两地相邻有婚姻关系或士人之间有密切关系者，不能交互做官。司马光评论说，国之将亡，法令滋章。灵帝好文学，另设鸿都门学，招收经学以外士人，善言辞、技艺者入学，与太学相抗。灵帝又在西园设立卖官所，三公九卿皆标价出售。司徒刘郃、少府陈球、司隶校尉阳球谋诛宦官，密泄，皆下狱死。

【原文】

孝灵皇帝上之下

熹平元年（壬子，公元一七二年）

春，正月，车驾上原陵[①]。司徒掾陈留蔡邕[②]曰："吾闻古不墓祭[③]。朝廷有上陵之礼[④]，始谓可损[⑤]，今见威仪[⑥]，察其本意，乃知孝明皇帝至孝恻隐，不易夺也[⑦]。礼有烦而不可省[⑧]者，此之谓也。"

三月壬戌[⑨]，太傅胡广薨，年八十二。广周流四公[⑩]，三十余年，历事六帝[⑪]，礼任极优[⑫]，罢免未尝满岁，辄复升进。所辟[⑬]多天下名士，与故吏陈蕃、李咸并为三司[⑭]。练达故事，明解朝章[⑮]，故京师谚曰："万事不理，问伯始[⑯]；天下中庸[⑰]，有胡公。"然温柔谨悫[⑱]，常逊言恭色[⑲]，以取媚于时，无忠直之风[⑳]，天下以此薄之。

【语译】

孝灵皇帝上之下

熹平元年（壬子，公元一七二年）

春，正月，汉灵帝祭祀光武帝陵墓。司徒掾陈留人蔡邕说：“臣听说古代天子不到墓前祭祀。朝廷设有到陵前祭祀的礼节，起初臣认为可以废除，现在见到了这种祭祀的威严礼仪，体察祭礼的本意，才知道孝明皇帝非常孝顺、有恻隐之心，不容废掉。有些礼仪虽然繁缛，但仍不可减省，这种墓祭就是一个例证。”

三月初八日壬戌，太傅胡广去世，终年八十二岁。胡广历任太傅、太尉、司徒、司空，在职三十多年，先后奉侍安、顺、冲、质、桓、灵六帝，受到朝廷极其优厚的礼遇，每次免职不到一年，就又高升。他所征召的多是天下名士，与故吏陈蕃、李咸同做三公。胡广精通旧制，明了朝廷典制，所以，京城有谚语说：“任何事情治理不好，就去问伯始；天下的中和之道，可以向胡广请教。”胡广温柔敦厚，谨慎小心，言语谦逊，态度恭敬，以此讨好时人，没有忠诚耿直的气节，天下人因此轻视他。

五月己巳[21]，赦天下，改元[22]。

长乐太仆侯览坐专权骄奢，策收印绶，自杀。

六月，京师大水。

窦太后母卒于比景[23]，太后忧思感疾，癸巳[24]，崩于云台[25]。宦者积怨窦氏，以衣车[26]载太后尸置城南市舍[27]，数日，曹节、王甫欲用贵人礼殡。帝曰："太后亲立朕躬，统承大业，岂宜以贵人终乎！"于是发丧成礼。

节等欲别葬太后，而以冯贵人配祔[28]。诏公卿大会朝堂，令中常侍赵忠监议[29]。太尉李咸时病，扶舆而起，捣椒自随[30]，谓妻子曰："若皇太后不得配食桓帝，吾不生还矣！"既议，坐者数百人，各瞻望良久[31]，莫肯先言。赵忠曰："议当时定[32]。"廷尉陈球[33]曰："皇太后以盛德良家，母临天下，宜配先帝，是无所疑。"忠笑而言曰："陈廷尉宜便操笔。"球即下议曰："皇太后自在椒房，有聪明母仪之德。遭时不造[34]，援立圣明[35]，承继宗庙，功烈[36]至重。先帝晏驾，因遇大狱[37]，迁居空宫[38]，不幸早世。家虽获罪，事非太后，今若别葬，诚失天下之望。且冯贵人冢尝被发掘[39]，骸骨暴露，与贼并尸[40]，魂灵污染[41]，且无功于国，何宜上配至尊！"忠省球议，作色俯仰[42]，蚩[43]球曰："陈廷尉建此议甚健[44]！"球曰："陈、窦既冤，皇太后无故幽闭，臣常痛心，天下愤叹。今日言之，退而受罪，宿昔之愿[45]也。"李咸曰："臣本谓宜尔[46]，诚与意合。"于是公卿以下皆从球议。曹节、王甫犹争，以为："梁后家犯恶逆，别葬懿陵[47]；武帝黜废卫后，而以李夫人配食[48]。今窦氏罪深，岂得合葬先帝！"李咸复上疏曰："臣伏惟章德窦后虐害恭怀[49]，安思阎后家犯恶逆[50]，而和帝无异葬之议，顺朝无贬降之文。至于卫后，孝武皇帝身所废弃，不可以为比。今长乐太后[51]尊号在身，亲尝称制，且援立圣明，光隆皇祚[52]。太后以陛下为子，陛下岂得不以太后为母！子无黜母，臣无贬君，宜合葬宣陵，一如旧制。"帝省奏，从之。

秋，七月甲寅[53]，葬桓思皇后于宣陵[54]。

五月十六日己巳，大赦天下，改元熹平。

长乐宫太仆侯览因专权、骄横奢侈而获罪，汉灵帝下令收回他的印信，侯览自杀。

六月，京师发大水。

窦太后的母亲在比景去世，窦太后忧愁怀念，患了疾病，六月初十日癸巳，在南宫云台去世。宦官积怨窦氏，用行李车载着窦太后的尸体，放置在洛阳城南街市上的房舍中，停尸数日，曹节、王甫想用贵人的礼节埋葬窦太后。汉灵帝说："窦太后亲自扶立朕，让朕继承帝业，怎么能用贵人的仪式为窦太后送终啊！"于是按太后礼仪发丧，完成丧礼。

曹节等人想把窦太后葬在别处，而把冯贵人的牌位放在桓帝宗庙里配享。汉灵帝下诏让公卿都在朝堂聚会，令中常侍赵忠监临朝议。太尉李咸当时患病，扶舆起身，带着捣碎了的花椒，对妻儿说："如果皇太后不能配食桓帝，我就不活着回来了！"会议开始，坐着几百人，互相观望了很久，没有人肯先发言。赵忠说："没人发言，议案就这么决定了。"廷尉陈球说："窦太后有盛德和良好的家世，作为国母，应该配食先帝，无可怀疑。"赵忠笑着说："陈廷尉应该拿笔写下来。"陈球随即写下议案说："窦太后做皇后时，具有聪明贤淑的德行。遭遇先帝去世的不幸，她就扶立当今皇帝，继承宗庙，功绩伟大。先帝去世，受到大狱牵连，谪居冷宫，不幸早逝。窦家虽有罪，但不是太后的事情，现在如果把她葬在别处，实在是让天下人失望。况且冯贵人的墓地曾经被人挖掘，尸骨暴露，与贼人尸体混在一起，灵魂受到污染，而且对国家没有功劳，怎么适合配享天子！"赵忠审查陈球的议案，马上脸色大变，上下打量陈球，嘲笑陈球说："陈廷尉的建议真是好啊！"陈球说："陈、窦两家受到冤枉后，窦太后被无故幽禁，我常常痛心，天下愤慨。今天说这些事，退下后会受到罪罚，这是我的夙愿。"李咸说："我本来认为应该如此，真是与我的想法相合。"于是公卿以下都同意陈球的意见。曹节、王甫仍然争辩，他们认为："梁皇后家犯了恶逆大罪，就把梁皇后另外葬在懿陵；汉武帝废黜了卫皇后，而以李夫人配享。现在窦氏罪恶深重，怎能和先帝合葬！"李咸又上疏说："臣认为从前章德窦皇后杀害恭怀梁皇后，安思阎皇后家犯了恶逆大罪，而和帝没有改葬之议，顺帝也没有贬降的诏书。至于卫皇后，是孝武皇帝亲自废弃，不可以用来类比。如今长乐太后身有太后尊号，曾经亲自临朝听政，并且扶立当今皇帝，发扬光大了汉室皇统。太后以陛下为儿子，陛下怎能不以太后为母亲！儿子没有贬黜母亲的，臣子没有贬斥君王的，应当把窦太后与先帝合葬在宣陵，一切如同旧例。"汉灵帝看了奏章，接受了李咸的提议。

秋，七月初二日甲寅，安葬窦太后于宣陵。

【段旨】

以上为第一段，写汉灵帝俯从舆论，礼葬窦太后。

【注释】

①原陵：光武帝刘秀陵。②蔡邕（公元一三二至一九二年）：东汉文学家、书法家，字伯喈，陈留圉县（今河南杞县）人，官至左中郎将，史称蔡中郎。传见《后汉书》卷六十下。③古不墓祭：上古祭祖只在家中祭牌位，从秦始皇起，才在坟墓旁兴建寝殿，进行墓祭。④朝廷有上陵之礼：两汉承秦制，墓侧建寝殿，陈列衣冠几杖，与生前寝殿一模一样。西汉长安诸陵，四时特牲（一牲）祭，东汉皇帝亲自临祭时用太牢（牛、羊、豕三牲）。东汉洛阳诸陵，每月朔望、二十四节、伏、腊及四时皆祭。这就是东汉时的上陵（祭陵）之礼。⑤始谓可损：此为蔡邕个人的最初想法，认为墓祭不合古制，应当裁省。损，裁省。⑥威仪：庄严肃穆的礼仪。或指礼仪场面，或指礼仪队伍。此指皇帝亲临墓祭的庄严雄伟场景。⑦不易夺也：不能轻易改变。易，轻易。夺，改变。此指明帝亲临原陵墓祭，一切布置如同生前，更加整肃了墓祭的规格。见本书卷四十四永平元年明帝朝原陵。⑧礼有烦而不可省：礼仪烦琐但仍不能减省，这墓祭就是一个例证。⑨壬戌：三月初八日。⑩广周流四公：像转圈一样，胡广历官四公，即太傅、太尉、司徒、司空。⑪历事六帝：先后奉侍安、顺、冲、质、桓、灵六帝。⑫礼任极优：受到朝廷极优厚的礼遇。⑬辟：推荐；征召。⑭并为三司：并列三公。灵帝始即位的建宁元年，陈蕃为太尉，胡广为司徒，李咸为司空。⑮练达故事二句：胡广精通旧制，明了朝廷典制。⑯伯始：胡广的字。⑰中庸：中和之道。⑱温柔谨悫：温柔敦厚，谨慎小心。悫，厚道。⑲逊言恭色：言语谦逊，态度恭敬。⑳无忠直之风：没有忠直的气节。㉑己

【原文】

有人书朱雀阙[55]，言："天下大乱，曹节、王甫幽杀[56]太后，公卿皆尸禄[57]，无忠言者。"诏司隶校尉刘猛逐捕，十日一会。猛以诽书言直[58]，不肯急捕[59]。月余，主名不立[60]。猛坐左转谏议大夫，以御史中丞段颎代之。颎乃四出逐捕，及太学游生系者千余人。节等又使颎以他事奏猛，论输左校。

初，司隶校尉王寓依倚宦官，求荐于太常张奂，奂拒之，寓遂陷奂以党罪禁锢。奂尝与段颎争击羌，不相平[61]。颎为司隶，欲逐奂归敦

巳：五月十六日。㉒改元：改建宁五年为熹平元年。㉓比景：县名，属日南郡，县治在今越南中部洞海北。㉔癸巳：六月初十日。㉕云台：洛阳南宫殿名。窦太后被囚于此。㉖衣车：行李车，不用帝王辒凉车。㉗城南市舍：城南街市上的房舍，当是城南官家殡仪馆。㉘配祔：合葬。祔，后死者的牌位合食于先祖。夫妇之义，妇祔其夫。曹节等宦官欲贬低窦太后，以冯贵人牌位入桓帝庙，即以冯贵人与桓帝合葬。㉙监议：监临朝议。㉚扶舆而起二句：李咸从卧病的床上起来，让人扶上车子，还捣碎花椒带着。吞食大量的花椒可自杀。李咸决心以死争窦太后的葬仪。㉛各瞻望良久：各自互相观望了很久。㉜议当时定：没人发言，议案就这么决定了。即以冯贵人配祔，太后别葬。㉝陈球：字伯真，下邳淮浦（今江苏涟水县）人。传见《后汉书》卷五十六。㉞遭时不造：遭时不幸。指桓帝驾崩。㉟援立圣明：援引灵帝即位。㊱功烈：功业。㊲因遇大狱：指诛窦、陈之变。㊳迁居空宫：谪居冷宫。㊴冯贵人冢尝被发掘：冯贵人早死，其墓曾被盗发。㊵与贼并尸：冯贵人之尸与其他被盗发的尸体混杂在一起。㊶魂灵污染：灵魂受到污染。㊷作色俯仰：赵忠变脸，同时上下打量陈球，做出一副威迫的样子。㊸蚩：从鼻孔发出冷嗤之声。㊹甚健：理由真是充足。这是一句冷言。㊺宿昔之愿：这是我的夙愿。㊻臣本谓宜尔：我的本意也是如此。㊼懿陵：桓帝懿献梁皇后先于桓帝崩，葬懿陵，梁冀诛，废懿陵为贵人冢。㊽武帝黜废卫后二句：戾太子之乱，汉武帝废卫子夫皇后，后自杀。武帝崩，大将军霍光以武帝生前所宠李夫人配食。㊾章德窦后虐害恭怀：章帝窦皇后，不育，性嫉妒。章帝梁贵人生和帝，窦皇后夺其子，养为己子，梁贵人忧死。和帝即位，尊梁贵人为恭怀皇后，但不废窦皇后配食章帝。事见本书卷四十六章帝建初八年。㊿安思阎后家犯恶逆：安帝阎皇后谗废顺帝为太子。后顺帝复立，诛阎氏，但不废阎皇后与安帝配食。(51)长乐太后：桓思窦妙皇后。(52)光隆皇祚：发扬光大了汉室皇统。(53)甲寅：七月初二日。(54)宣陵：桓帝陵。

【语译】

有人在朱雀门上书写，说："天下大乱，曹节、王甫暗杀太后，公卿大臣都吃闲饭，没有人敢说忠言实话。"诏令司隶校尉刘猛搜捕，十天一次会合讨论。刘猛认为朱雀门阙上的诽谤文字是率直之言，不肯迅速破案缉拿其人。一个多月，主犯仍然没有找到。刘猛被降为谏议大夫，任命御史中丞段颎代理他的职务。段颎于是四出搜捕，包括太学学生，总共抓了一千多人。曹节又让段颎用别的事情弹劾刘猛，刘猛被判罪送到左校做苦工。

当初，司隶校尉王寓依附宦官，请太常张奂举荐，张奂拒绝了，王寓于是诬害张奂，使张奂受到党锢之祸。张奂曾经与段颎争着进攻羌人，互相怨恨不平。段颎

煌[62]而害之，奂奏记哀请于颎[63]，乃得免。

初，魏郡李暠为司隶校尉，以旧怨杀扶风苏谦。谦子不韦瘗而不葬[64]，变姓名，结客报仇。暠迁大司农，不韦匿于廥[65]中，凿地旁达暠之寝室，杀其妾并小儿。暠大惧，以板藉地[66]，一夕九徙。又掘暠父冢，断取其头，标之于市[67]。暠求捕不获，愤恚，呕血死[68]。不韦遇赦还家，乃葬父行丧。张奂素睦[69]于苏氏，而段颎与暠善，颎辟不韦为司隶从事[70]，不韦惧，称病不诣。颎怒，使从事张贤就家杀之。先以鸩[71]与贤父曰："若贤不得不韦，便可饮此。"贤遂收不韦，并其一门六十余人，尽诛之。

勃海王悝之贬瘿陶也，因中常侍王甫求复国，许谢钱五千万[72]。既而[73]桓帝遗诏复悝国[74]，悝知非甫功，不肯还谢钱。中常侍郑飒、中黄门董腾数与悝交通，甫密司察[75]以告段颎。冬，十月，收飒送北寺狱，使尚书令廉忠诬奏"飒等谋迎立悝，大逆不道"，遂诏冀州刺史收悝考实，迫责悝，令自杀。妃妾十一人、子女七十人、伎女[76]二十四人皆死狱中，傅、相以下悉伏诛。甫等十二人皆以功封列侯。

十一月，会稽妖贼许生起句章[77]，自称阳明皇帝，众以万数。遣扬州刺史臧旻、丹阳太守陈寅讨之。

十二月，司徒许栩罢，以大鸿胪袁隗为司徒。

鲜卑寇并州。

是岁，单于车兒死，子屠特若尸逐就单于[78]立。

【段旨】

以上为第二段，写京师流言宦官王甫、曹节幽杀窦太后。段颎投靠宦官任司隶校尉，以流言为借口，大捕清流士大夫及太学生一千余人，使党锢之祸扩大化。

任司隶校尉，想把张奂驱逐到敦煌杀害他，张奂写了封公函向段颎哀求，才得免祸。

当初，魏郡人李暠任司隶校尉，因为旧仇杀了扶风人苏谦。苏谦的儿子苏不韦把父亲的尸体偷偷掩埋，不建造坟冢，改变姓名，交结宾客报仇。李暠升任大司农，苏不韦藏在草料房中，挖掘地道，从侧面到达李暠寝室，杀死他的妾和小儿。李暠大为恐惧，用木板铺地，一夜搬迁九次。苏不韦又挖了李暠父亲的坟墓，斩下头颅，标明身份，陈列在闹市。李暠没有搜捕到苏不韦，愤怒恚恨，吐血而死。苏不韦遇到大赦返回家乡，才按丧礼安葬了父亲。张奂向来和苏家和睦，而段颎和李暠相友好，段颎征召苏不韦为司隶从事，苏不韦害怕，托病不肯就职。段颎发怒，派属吏张贤到苏家杀死苏不韦。行前，把毒酒交给张贤的父亲说："如果张贤杀不了苏不韦，你就可喝掉它。"张贤于是抓了苏不韦，并将其全家六十多人全部杀害。

勃海王刘悝被贬为瘿陶王时，通过中常侍王甫请求恢复封国，答应给钱五千万为酬礼。不久，桓帝有遗诏，恢复刘悝的封国，刘悝知道这不是王甫的功劳，不肯给他酬谢钱。中常侍郑飒、中黄门董腾多次与刘悝交结，王甫暗中察访，把情况告诉了段颎。冬，十月，逮捕郑飒，送到北寺狱，让尚书令廉忠诬陷"郑飒等人图谋迎立刘悝为皇帝，大逆不道"，于是汉灵帝下诏命令冀州刺史逮捕刘悝审讯，逼问刘悝，令刘悝自杀。刘悝的妻妾十一人、子女七十人、歌女二十四人都死在狱中，封国的师傅、国相以下的官吏都被杀死。王甫等十二人因功封为列侯。

十一月，会稽贼人许生在句章县反叛，自称阳明皇帝，部众以万计。朝廷委派扬州刺史臧旻、丹阳太守陈寅讨伐他们。

十二月，司徒许栩被罢免，任命大鸿胪袁隗为司徒。

鲜卑人侵犯并州。

这年，单于车兒去世，其子屠特若尸逐就继位为单于。

【注释】

㊺书朱雀阙：在朱雀门牌楼墙上书写。朱雀门，北宫南门。㊻幽杀：暗杀。㊼尸禄：尸位；吃闲饭。㊽诽书言直：刘猛认为朱雀门牌楼墙上书写的诽谤文字是率直之言。㊾急捕：迅速破案缉凶。㊿主名不立：主犯仍没有找到。(61)不相平：互相怨恨不平。段颎与张奂争击羌事，见上卷灵帝建宁元年。(62)逐奂归敦煌：张奂本敦煌渊泉人，桓帝永康元年内迁弘农郡。(63)奂奏记哀请于颎：张奂直接写了一封公函信给段颎，向他求情，段颎才消了心头之恨。事详见《后汉书·张奂传》。(64)不韦瘗而不葬：苏不韦将父亲尸体偷偷地掩埋，不作正式坟葬。瘗，幽埋。不韦报仇，不愿敌方知其父墓处，故瘗而不葬。不韦报父仇事，详见《后汉书》卷三十一。(65)庤：草料房。(66)以板藉地：用

木板铺地。⑥⑦标之于市：将李暠父头插标言明身份，宣扬于闹市。⑥⑧愤恚二句：愤怒恚恨，吐血而死。⑥⑨睦：和睦；亲善。⑦⓪司隶从事：官名，司隶校尉助理。⑦①鸩：毒酒。⑦②许谢钱五千万：答应送钱五千万作谢礼。⑦③既而：不久。⑦④帝遗诏复悝国：刘悝，桓帝之弟。桓帝遗诏复悝为勃海王，事见上卷永康元年。⑦⑤密司察：秘密侦察，揭人隐私。汉制，中官、大臣，均不得与诸侯王交通。⑦⑥伎女：歌舞女。⑦⑦句章：县名，属会稽郡，县治在今浙江宁波西北。⑦⑧屠特若尸逐就单于：公元一七二至一七八年在位。

【原文】

二年（癸丑，公元一七三年）

春，正月，大疫。

丁丑⑦⑨，司空宗俱薨。

二月壬午⑧⓪，赦天下。

以光禄勋杨赐为司空。

三月，太尉李咸免。

夏，五月，以司隶校尉段颎为太尉。

六月，北海地震。

秋，七月，司空杨赐免，以太常颍川唐珍为司空。珍，衡之弟也。

冬，十二月，太尉段颎罢。

鲜卑寇幽、并二州。

癸酉晦⑧①，日有食之。

三年（甲寅，公元一七四年）

春，二月己巳⑧②，赦天下。

以太常东海陈耽为太尉。

三月，中山穆王畅⑧③薨，无子，国除。

夏，六月，封河间王利子康⑧④为济南王，奉孝仁皇⑧⑤祀。

吴郡司马富春孙坚⑧⑥召募精勇，得千余人，助州郡讨许生。冬，十一月，臧旻[1]、陈寅大破生于会稽，斩之。

任城王博⑧⑦薨，无子，国绝。

【语译】

二年（癸丑，公元一七三年）

春，正月，发生瘟疫。

二十七日丁丑，司空宗俱去世。

二月初三日壬午，大赦天下。

任命光禄勋杨赐为司空。

三月，太尉李咸被免职。

夏，五月，任命司隶校尉段颎为太尉。

六月，北海郡发生地震。

秋，七月，司空杨赐被免职，任命太常颍川人唐珍为司空。唐珍，是唐衡的弟弟。

冬，十二月，太尉段颎被罢免。

鲜卑人侵犯幽州、并州。

二十九日癸酉，发生日食。

三年（甲寅，公元一七四年）

春，二月二十六日己巳，大赦天下。

任命太常东海人陈耽为太尉。

三月，中山穆王刘畅去世，没有儿子，撤销封国。

夏，六月，册封河间王刘利的儿子刘康为济南王，奉祀孝仁皇帝宗庙。

吴郡司马富春人孙坚招募精兵勇士，得到一千多人，协助州郡讨伐许生。冬，十一月，臧旻、陈寅在会稽大败许生，杀死了他。

任城王刘博去世，没有儿子，封国绝嗣。

十二月，鲜卑入北地，太守夏育率屠各追击，破之。迁育为护乌桓校尉。鲜卑又寇并州。

司空唐珍罢，以永乐少府[88]许训为司空。

【段旨】

以上为第三段，写五侯余孽唐衡弟弟唐珍任司空。鲜卑侵犯北地郡。

【注释】

⑦⑨丁丑：正月二十七日。⑧⓪壬午：二月初三日。⑧①癸酉晦：十二月二十九日。此日非晦日，疑记载有误。⑧②己巳：二月二十六日。⑧③中山穆王畅：中山王刘畅，刘焉之曾孙。刘焉，光武帝子。刘畅死，谥为穆王。⑧④河间王利子康：河间王刘利为刘开嫡传第四代孙，与灵帝为再从兄弟。刘开，章帝子。刘利祖父刘政与灵帝祖父刘淑为同

【原文】

四年（乙卯，公元一七五年）

春，三月，诏诸儒正五经文字[89]，命议郎蔡邕为古文、篆、隶三体书之，刻石[90]，立于太学[91]门外，使后儒晚学咸取正焉。碑始立，其观视及摹写者车乘日千余两，填塞街陌。

初，朝议以州郡相党，人情比周[92]，乃制昏姻之家及两州人士不得对相监临[93]。至是复有三互法[94]，禁忌转密，选用艰难[95]，幽、冀二州久缺不补。蔡邕上疏曰："伏见幽、冀旧壤，铠、马所出，比年兵饥，渐至空耗。今者阙职经时[96]，吏民延属，而三府[97]选举，逾月不定。臣怪问其故，云避三互。十一州有禁，当取二州而已[98]。又，二州之士或复限以岁月[99]，狐疑迟淹[100]，两州悬空，万里萧条，无所管系。愚以为三互之禁，禁之薄者[101]。今但申以威灵，明其宪令[102]，对相部主[103]，尚畏惧不敢营私[104]，况乃三互，何足为嫌[105]！昔韩安国起自徒中，朱买臣出

十二月，鲜卑人进入北地郡，郡守夏育率领屠各部落追击，打败了鲜卑。升迁夏育为护乌桓校尉。鲜卑人又侵犯并州。

司空唐珍被罢免，任命永乐少府许训为司空。

父兄弟，均刘开之子。灵帝，刘苌之子，入继大统，今以刘利之子刘康为济南王，奉祀刘苌。㊺孝仁皇：灵帝父刘苌。㊻孙坚（公元一五五至一九一年）：字文台，吴郡富春（今浙江富阳）人，三国时吴国奠基人，吴主孙权之父。传见《三国志》卷四十六。㊼任城王博：任城国为光武帝子刘尚封国，三传至刘崇，死，无子，国绝。桓帝延熹四年以章帝子河间王刘开之庶子参户亭侯刘博绍封任城国，奉祀刘尚。今又国绝。㊽永乐少府：官名，掌皇太后永乐宫事务。

【校记】

［1］臧旻：张敦仁《通鉴刊本识误》上有“坚从”二字，当是。

【语译】

四年（乙卯，公元一七五年）

春，三月，下诏儒士校正五经文字，命令议郎蔡邕用古文、篆、隶三种文体抄写五经，刻在石碑上，竖立在太学门外，让后代儒士和学生都取正于此。石碑初立，坐车前来观看和摹写经文的，每天一千多辆，挤满了街巷。

当初，朝廷议论认为州郡之间互相勾结，讲究私情而互相包庇，就规定有婚姻关系的家族，以及两州之间的人士不得交互做官。到这时又有了三互法，禁忌趋向严密，很难选拔人才，幽、冀两州的刺史长期空缺无人填补。蔡邕上疏说：“臣注意到幽、冀旧地，出产铠甲和良马，近年因为兵灾饥荒，渐渐空乏。现在两州刺史长期空缺，百姓引颈相望，而三公府所提人选，过了一个多月没有决定。臣很奇怪，问三公府是什么原因，说是回避三互法。全国十一个州有三互的禁令，但只有幽、冀这两个州执行最为严格。另外，对这两州人士又加上限以年资的规定，犹疑拖延，使两州州官空缺，万里萧条，没有人治理。臣认为三互的禁令，是禁令中最无价值的。现在，只要用朝廷权威，申明法令，两州两郡的人士交互做官，尚且畏惧法律，不敢营私，何况三互关系，不值得防嫌！从前韩安国从囚徒中被提升，朱买臣以卑

于幽贱[106]，并以才宜，还守本邦，岂复顾循三互，系以末制乎！臣愿陛下上则[107]先帝，蠲除近禁[108]，其诸州刺史器用可换者，无拘日月、三互[109]，以差厥中[110]。”朝廷不从。

臣光曰：“叔向有言：‘国将亡，必多制[111]。’明王之政，谨择忠贤而任之，凡中外之臣，有功则赏，有罪则诛，无所阿私[112]，法制不烦而天下大治。所以然者何哉？执其本[113]故也。及其衰也，百官之任不能择人，而禁令益多，防闲益密，有功者以阂文不赏[114]，为奸者以巧法免诛[115]，上下劳扰[116]，而天下大乱。所以然者何哉？逐其末[117]故也。孝灵之时，刺史、二千石贪如豺虎，暴殄烝民[118]，而朝廷方守三互之禁。以今视之，岂不适足为笑而深可为戒哉！”

封河间王建孙佗[119]为任城王。

夏，四月，郡、国七大水。

五月丁卯[120]，赦天下。

延陵[121]园灾。

鲜卑寇幽州。

六月，弘农、三辅螟。

于寘王安国攻拘弥[122]，大破之，杀其王。戊己校尉、西域长史各发兵辅立拘弥侍子定兴为王，人众裁千口。

【段旨】

以上为第四段，写朝廷立《熹平石经》，颁布三互之法。司马光评论认为国之将亡，法令烦琐。

微之身被任官，都因为有才干，回到本郡做官，哪里会考虑三互，受到这种不良制度的约束！臣希望陛下效法先帝，废除现在的三互禁令，对各州刺史有才能可更换的，不必受年资、三互的约束，这是比较中和的办法。”朝廷没有采纳。

司马光说：“叔向说过：‘国家将亡时，一定法令繁多。’圣明君主的政治，是要谨慎地选择忠贤而任用，凡是朝廷内外的臣子，有功就赏，有罪就惩治，无所偏袒，法令不繁杂而天下大治。为什么这样呢？这是掌握了治政根本的缘故。等到世道衰微，百官的任用不能选用适当的人，而禁令越来越多，防范越来越严密，有功的人受阻于条文，不加赏赐，作恶的人巧妙地钻法律的空子，免于惩罚，上上下下各级政府十分辛苦，而天下大乱。为什么如此？这是舍本逐末的缘故。孝灵帝时，刺史、二千石的官员贪婪得如同豺狼，残灭百姓，而朝廷还在严守三互的禁令。现在看来，岂不是足以令人发笑而应以此为戒！”

册封河间王刘建的孙子刘佗为任城王。

夏，四月，七个郡和封国发大水。

五月初一日丁卯，大赦天下。

延陵寝园失火。

鲜卑人侵犯幽州。

六月，弘农郡和三辅地区发生蝗灾。

于窴王安国攻打拘弥，大败拘弥，杀死拘弥国王。戊己校尉、西域长史各自发兵，辅佐送到汉朝为人质的拘弥王子定兴为拘弥王，拘弥的民众才一千人。

【注释】

⑧⑨ 正五经文字：校正五经，写出标准读本。这里所校正的不是传统的“五经”：《诗》《书》《礼》(《仪礼》)《易》《春秋》，而是《书》《易》《公羊》《仪礼》《论语》。见陆机《洛阳记》。⑨⓪ 三体书之二句：刻三体石经。经书刻石，为太学生提供定本，始于西汉平帝时王莽。莽命甄丰摹古文《易》《书》《诗》《左传》于石。东汉灵帝熹平四年诏诸儒正定《易》《书》《诗》《仪礼》《公羊》《论语》六经，由蔡邕用古文、篆文、隶书三体书写，刻石立于太学门外，称《熹平石经》，又称《三体石经》。古文，先秦大篆。篆，秦代小篆。隶书，秦统一文字后，秦汉时通用今字。⑨① 太学：在洛阳城南开阳门外。⑨② 州郡相党二句：相邻的州或郡，人们互相庇护，人在故土做官，人情勾连，互相包庇。相党、比周，为互文，拉帮结派，互相包庇。⑨③ 乃制昏姻之家句：意谓制定禁规，凡有婚

姻关系的家庭，以及两州之间人士，不能交互做官，这就是三互法。例如史弼，迁山阳太守，因其妻为巨鹿薛氏，巨鹿乃山阳郡属县，为避三互，转史弼为平原相。对相监临，两地有密切关系的士人，不得在两地互换交流做官，这是政治上的回避制度。⑭至是复有三互法：到了熹平四年，正式颁布三互法。⑮禁忌转密二句：汉制，本有回避之法，做官不能在本土，但执行并不严格，西汉韩安国、朱买臣均在本土做官。今行三互法，两州、两郡人不得交互做官，例如并州人在冀州做官，冀州人就不能在并州做官；反之亦是。若严格执行此制，无法选举，导致幽、冀二州地方官久缺不补。⑯阙职经时：指幽、冀两州刺史长期出缺。⑰三府：太尉、司徒、司空。⑱十一州有禁二句：全国十三州，其余十一州也有三互之禁，但唯有幽、冀二州执行严格。⑲复限以岁月：又加上限以年资的规定。⑩狐疑迟淹：犹疑拖延。⑪三互之禁二句：三互的禁令，是最无价值的。薄，轻薄。⑫申以威灵二句：使用朝廷权威，申明法律。⑬对相部主：两州两郡交互为官。如冀州人刺幽州，幽州人刺冀州，是为对相部主。⑭尚畏惧不敢营私：只要严明法纪，即使对相部主，因畏惧法律，就不敢为非法之事。⑮况乃三互二句：何况三互关系，不值得

【原文】

五年（丙辰，公元一七六年）

夏，四月癸亥[123]，赦天下。

益州郡[124]夷反，太守李颙讨平之。

大雩[125]。

五月，太尉陈耽罢，以司空许训为太尉。

闰月[126]，永昌[127]太守曹鸾上书曰："夫党人者，或耆年渊德[128]，或衣冠英贤[129]，皆宜股肱王室，左右大猷[130]者也，而久被禁锢，辱在涂泥。谋反大逆尚蒙赦宥，党人何罪，独不开恕乎！所以灾异屡见，水旱荐臻[131]，皆由于斯。宜加沛然[132]，以副天心。"帝省奏，大怒，即诏司隶、益州槛车[133]收鸾，送槐里[134]狱，掠杀之。于是诏州郡更考[135]党人门生、故吏、父子、兄弟在位者，悉免官禁锢，爰及五属[136]。

六月，壬戌[137]，以太常南阳刘逸为司空。

秋，七月，太尉许训罢，以光禄勋刘宽为太尉。

冬，十月，司徒袁隗罢。十一月丙戌[138]，以光禄大夫杨赐为司徒。

是岁，鲜卑寇幽州。

防嫌。⑯韩安国起自徒中二句：韩安国，梁人，犯法为罪徒，景帝起用为梁内史；朱买臣，会稽郡寒人，汉武帝用为会稽太守。均本郡人官本土。⑰则：效法。⑱蠲除近禁：撤销三互之法。⑲无拘日月、三互：不要用年资、三互来限制。⑳以差厥中：这是较为中和的办法。差，较。中，中和、平正。㉑国将亡二句：国家将亡时，法令规章必定烦琐。语出《左传》昭公六年晋大夫叔向致书郑子产之言。㉒阿私：偏私。㉓执其本：掌握根本。司马光所言根本，即儒家的贤人政治，重视人治而不重视法制。㉔有功者以阂文不赏：有功者受条文拘束，得不到奖励。阂，同"碍"。阻碍。㉕为奸者以巧法免诛：作奸犯法的人，却钻法律的空子免于惩罚。㉖上下劳扰：上上下下各级政府，十分辛劳。㉗末：指繁苛之法。衰世法繁是其表面，法坏才是实质。㉘暴殄烝民：残暴地杀灭众民。㉙建孙佗：河间王刘建，刘政之子，为灵帝再从父。刘建孙刘佗，为灵帝再从侄。⑳丁卯：五月初一日。㉑延陵：西汉成帝陵，在今陕西咸阳西北。㉒于寘王安国攻拘弥：于寘、拘弥，西域国名，于寘王城西城，在今新疆和田南，拘弥王城宁弥，在今新疆于田。

【语译】

五年（丙辰，公元一七六年）

夏，四月癸亥日，大赦天下。

益州郡夷人反叛，太守李颙讨平了叛乱。

举行隆重的求雨大典。

五月，太尉陈耽被罢官，任命司空许训为太尉。

闰五月，永昌郡太守曹鸾上奏说："所谓党人，有的年高德厚，有的是杰出的知识分子，他们都应当是辅佐王室、在陛下身边参决谋议的人，却被长期禁锢，屈辱埋没。谋反大逆还受到宽赦，党人又有什么罪，而唯独得不到宽恕呢！所以灾异屡次出现，水灾、旱灾交相而至，都是这个原因。应赐下恩典，以合天意。"汉灵帝看了奏书，大怒，立刻诏令司隶校尉、益州刺史用囚车逮捕曹鸾，送到槐里县的监狱，打死了他。这时又诏令各州郡重新审问追查尚在官位的党人的学生、属吏、父子、兄弟，全都免职禁锢，一直追究到五服之内的亲族。

六月初三日壬戌，任命太常南阳人刘逸为司空。

秋，七月，太尉许训被罢官，任命光禄勋刘宽为太尉。

冬，十月，司徒袁隗被罢官。十一月丙戌日，任命光禄大夫杨赐为司徒。

这一年，鲜卑人侵犯幽州。

【段旨】

以上为第五段，写永昌太守曹鸾上奏请赦免党人，灵帝大怒，诏令追究党人五服之内的亲族。此为第三次党锢之祸。

【注释】

⑫③癸亥：四月壬辰朔，无癸亥。癸亥，五月初三日。⑫④益州郡：在今云南中部地区，治所滇池，在今云南昆明市晋宁区。⑫⑤大雩：举行隆重的求雨大典。⑫⑥闰月：闰五

【原文】

六年（丁巳，公元一七七年）

春，正月辛丑[139]，赦天下。

夏，四月，大旱，七州蝗。

令三公条奏长吏苛酷贪污者[140]，罢免之。平原相渔阳阳球[141]坐严酷，征诣廷尉。帝以球前为九江太守讨贼有功，特赦之，拜议郎。

鲜卑寇三边。

市贾小民[142]有[2]相聚为宣陵孝子[143]者数十人，诏皆除太子舍人[144]。

秋，七月，司空刘逸免，以卫尉陈球为司空。

初，帝好文学[145]，自造《皇羲篇》五十章，因引诸生能为文赋者并待制鸿都门[146]下。后诸为尺牍[147]及工书鸟篆[148]者，皆加引召，遂至数十人。侍中祭酒[149]乐松、贾护多引无行趣势之徒[150]置其间，憙陈闾里小事[151]。帝甚悦之，待以不次之位[152]。又久不亲行郊庙之礼[153]。会诏群臣各陈政要，蔡邕上封事曰："夫迎气五郊[154]，清庙祭祀[155]、养老辟雍[156]，皆帝者之大业，祖宗所祗奉[157]也。而有司数以蕃国疏丧、宫内产生[158]及吏卒小污[159]，废阙不行，忘礼敬之大，任禁忌之书，拘信小故，以亏大典[160]。自今斋制宜如故典[161]，庶答风霆灾妖之异[162]。又，古者取士必使诸侯岁贡[163]，孝武之世[164]，郡举孝廉[165]，又有贤良、文学之选[166]，于是名臣辈出，文武并兴。汉之得人，数路而已[167]。夫书画辞赋，才之小者，匡

月。⑫⑦永昌：郡名，治所不韦，在今云南保山东北。⑫⑧耆年渊德：年高德望。⑫⑨衣冠英贤：杰出的知识分子。衣冠，指书香世家。⑬⓪左右大猷：在皇帝身边参决谋议。猷，谋议。⑬①水旱荐臻：水灾、旱灾交相而至。⑬②宜加沛然：应施加甘露。沛然，哗哗下雨的样子。喻甘露，恩典。⑬③槛车：有栅槛的囚车。⑬④槐里：县名，县治在今陕西兴平东南。西京诏狱在此。⑬⑤更考：再次审理追查。⑬⑥五属：五族，五服以内的亲族。旧时丧服制度以亲疏为差等，有斩衰、齐衰、大功、小功、缌麻五等，统称五服。⑬⑦壬戌：六月初三日。⑬⑧丙戌：十一月戊子朔，无丙戌。丙戌，十二月二十九日。

【语译】

六年（丁巳，公元一七七年）

春，正月十五日辛丑，大赦天下。

夏，四月，发生旱灾，七个州出现蝗灾。

汉灵帝下诏，令三公分别揭发贪污暴虐的地方官员，罢免了他们。平原国相渔阳人阳球因用法严酷获罪，征召到廷尉受审。汉灵帝因为阳球以前任九江太守时讨贼有功，特别赦免了他，任用为议郎。

鲜卑人侵犯边境。

有几十个市井小民相互聚集在一起，到桓帝陵前守丧，自称是桓帝的孝子，下诏都任命为太子舍人。

秋，七月，司空刘逸被免职，下诏命卫尉陈球为司空。

当初，汉灵帝喜好文学，自己写了《皇羲篇》五十章，因此引进太学中能够写文章辞赋的人，召集在鸿都门下。后来一些能写公文书信及擅写鸟篆的人，都加以引进，于是有数十人之多。侍中祭酒乐松、贾护引入很多品德低下、趋炎附势的人夹杂其间，这些人喜欢讲一些街头巷尾的琐事。汉灵帝很高兴，不按照程序越级提升他们。汉灵帝很久没有举行祭天祭祖之礼。此时正好诏令群臣陈述为政的要领，蔡邕上密奏说："在五郊迎接节气，在清静的宗庙祭祀，在太学里举行敬养三老、五更的礼仪，都是皇帝的大事，祖宗所敬奉。而有关部门多次用蕃国远亲的丧事、宫内妇女的生产、小吏宫卫的病亡等为禁忌，废缺祭礼，忘记了礼敬大事，信任那些讲禁忌的邪书，拘泥或相信细小的缘由，不举行祭祀大典。从现在起，一切斋戒祭祀应当恢复从前的典制，这样差不多可以平息上天的震怒、雷霆等灾异之变。另外，古代选拔人才，一定让各诸侯每年向朝廷推举，汉武帝时，由郡国举孝廉，还有贤良、文学人才的选用，于是名臣辈出，文武都很兴旺。汉代选举人才，就是孝廉、

国治政，未有其能[168]。陛下即位之初，先涉经术，听政余日，观省篇章[169]，聊以游意当代博奕[170]，非以为教化取士之本。而诸生竞利，作者鼎沸[171]。其高者颇引经训风喻之言[172]，下则连偶俗语[173]，有类俳优[174]，或窃成文，虚冒名氏[175]。臣每受诏于盛化门[176]，差次录第[177]，其未及者，亦复随辈皆见拜擢[178]。既加之恩，难复收改[179]，但守奉禄，于义已弘，不可复使治民及在州郡[180]。昔孝宣会诸儒于石渠[181]，章帝集学士于白虎[182]，通经释义，其事优大，文武之道，所宜从之[183]。若乃小能小善，虽有可观，孔子以为致远则泥[184]，君子固当志其大者。又，前一切以宣陵孝子为太子舍人，臣闻孝文皇帝制丧服三十六日[185]，虽继体之君[186]，父子至亲，公卿列臣受恩之重，皆屈情从制[187]，不敢逾越[188]。今虚伪小人，本非骨肉[189]，既无幸私之恩[190]，又无禄仕之实[191]，恻隐之心，义无所依[192]，至有奸轨之人通容其中[193]。桓思皇后[194]祖载之时[195]，东郡有盗人妻者[196]，亡在孝中，本县追捕，乃伏其辜。虚伪杂秽，难得胜言[197]。太子官属，宜搜选令德[198]，岂有但取丘墓凶丑之人[199]！其为不祥，莫与大焉[200]。宜遣归田里，以明诈伪。”书奏，帝乃亲迎气北郊及行辟雍之礼。又诏宣陵孝子为舍人者，悉改为丞、尉[201]焉。

【段旨】

以上为第六段，写汉灵帝好文学而兴办鸿都门学，好虚名而滥施恩，将自称桓帝孝子的趋炎附势之徒任命为县丞、县尉。

【注释】

⑬⑨辛丑：正月十五日。⑭⓪条奏长吏苛酷贪污者：条列上奏地方长官中贪污残暴的人。⑭①阳球：字方正，渔阳泉州（在今河北天津市蓟州区）人，光和二年为司隶校尉，诛杀宦官王甫，再欲诛曹节、张让等以清君侧，为宦官所害。传见《后汉书》卷七十七。⑭②市贾小民：洛阳城中市井小民。⑭③相聚为宣陵孝子：相互聚集，一起到桓帝陵前守丧。⑭④太子舍人：太子府值勤警卫官，秩二百石。⑭⑤帝好文学：《后汉书·蔡邕传》作“帝好学”，无“文”字，当是。文学，在两汉时特指经学，灵帝所好为文苑之学，即“文学”，非“经学”，故不当有“文”字。⑭⑥鸿都门：洛阳城门名，灵帝光和元

贤良和文学这几条道路。书画辞赋，不过是小才，对治国治民，无能为力。陛下刚即位时，先阅读儒家经典，听政的闲暇时间，观览文学篇章，只不过用以取代博戏、围棋而已，不是作为教化民众、选取士人的根本。而那些儒生竞逐利益，雅好文艺的人如鼎中沸水，踊跃非常。才高的文艺之士，还能够引用经书训诂教化风俗；才艺低的人，造几句对偶的俗语，如同戏耍的歌舞艺人，有的甚至抄袭拼凑成文，假冒别人的名字。臣每次在盛化门接受诏书，一一定出名次，加以录用，那些没有取得名次的，也因为他们追随在后而被授予官职。朝廷的恩典既然已经施加，就很难收回更改，只给他们发放俸禄，已经是很大的恩义，不能让他们再去治理百姓，在州郡任职。从前，孝宣皇帝在石渠阁会聚众儒，章帝在白虎观集合学士，统一经义，事关重大，文治武功的道理，都要符合经义。至于小的才能和小的善行，虽有一定价值，但孔子认为推广太远就行不通，君子实在应当有志于大道。还有，前不久把愿意做桓帝孝子的人都拜为舍人，我听说孝文皇帝规定丧制，服丧只需三十六日，即使是继位的君主，父子之亲，以及身受重恩的公卿大臣，都应克制感情，遵守制度，不敢超越三十六日。现在这些虚伪的市井小人，与桓帝不是骨肉之亲，既没有受到桓帝宠幸的恩惠，又没有做官食禄的实惠，他们的伤痛之心，从道理上说没有产生的依据，甚至有些奸邪小人混在其中。桓思皇后出葬时，东郡有个通奸犯，逃进孝子行列，本县追捕缉拿，才定罪伏法。类似这种虚伪肮脏的事情，难以言尽。太子的属官，应选用品德高尚的人，怎么可以用一些在墓陵假冒孝子的凶丑之徒！这样做的不吉利程度，没有比这更严重的了。应当把这些人遣还乡里，明示他们的诈伪行为。”奏书呈上，汉灵帝亲自到北郊迎接冬气，并在太学举行礼仪。又诏令那些被任命为舍人的宣陵孝子，一律改为县丞、县尉。

年（公元一七八年），灵帝在鸿都门创鸿都门学，提倡辞赋、小说、绘画、书法，称鸿都门学，对抗太学。鸿都门学画文学家乐松、江览等三十二人，加以题赞，对抗太学标榜的八俊等三十二名士。⑭⑦尺牍：指公文、信函。尺，简。牍，书版。⑭⑧工书鸟篆：善于书写草书。鸟篆，指草写的篆书。⑭⑨侍中祭酒：官名，即侍中仆射，东汉改称侍中祭酒。⑮⓪无行趣势之徒：品德低下、趋炎附势之徒。⑮①憙陈闾里小事：喜欢说一些乡间琐碎的事。⑮②待以不次之位：越级提升。不次，不一级一级升迁。⑮③郊庙之礼：在南郊祭天，称郊祀之礼；在皇庙祭祖，称庙祀之礼。⑮④迎气五郊：《后汉书·祭礼志》载，立春之日在东郊迎春，立夏之日在南郊迎夏，立秋前十八日在祭坛迎黄灵，立秋日在西郊迎秋，立冬日在北郊迎冬，各祭神祇，各有一套歌舞。⑮⑤清庙祭祀：皇庙祭祖也一年五次，为春正月、夏四月、秋七月、冬十月及十二月。⑮⑥养老辟雍：在太学（辟雍）举行敬养

三老、五更之礼，以宣扬孝悌之义。明帝敬老，以李躬为三老、桓荣为五更，事见本书卷四十四明帝永平二年。⑮⑦祗奉：敬奉；隆重进行。⑮⑧宫内产生：宫女生产。⑮⑨吏卒小污：小吏宫卫或病或死。妇女生产及吏卒死亡等都被认为是不吉，不能举行大典。⑯⓪拘信小故二句：拘泥或相信细小的缘由，不举行祭祀大典。亏，损害。⑯①自今斋制宜如故典：从现在起，一切斋戒祭祀，应恢复从前典制。汉制，祭祀天地，斋戒七日；祭祀山川及宗庙，斋戒五日；其他祭祀，斋戒三日。斋戒前一日有不吉之事，如丧事及妇女生产，斋戒照常进行；如在斋戒已进行的中途有不吉之事，就立即停止斋戒，由副手主持大典，立即进行。⑯②庶答风霆灾妖之异：差不多可以平息上天震怒，停止大风、雷霆等灾异之变。庶，庶几、差不多。答，指举行祭典来表现和反映对上天的敬礼。⑯③诸侯岁贡：各封国每年向朝廷推荐人才，称岁贡。贡，举。⑯④孝武之世：汉武帝时。⑯⑤郡举孝廉：汉武帝元光元年（公元前一三四年）初令郡国举孝廉各一人。东汉时，郡国每年按二十万人口举一人的比例举荐孝廉。⑯⑥贤良、文学之选：举贤良始于汉文帝二年（公元前一七八年）。举贤良，一般在灾变时诏举直言，或举茂才，西汉、东汉各进行了十五次。选文学，即兴太学，试选通经之士。汉武帝元朔五年（公元前一二四年）为博士官初置弟子五十人。成帝时太学达三千人，东汉桓、灵时太学诸生有三万人。⑯⑦数路而已：谓汉之选举正途，仅孝廉、贤良、文学几条道路。⑯⑧匡国治政二句：谓文艺小技，对治国治民，无能为力。⑯⑨观省篇章：指观览文学篇章。⑰⓪聊以游意当代博奕：只不过用以取代博戏、围棋而已。博，又称六博，古代一种二人对弈的棋局，用子十二枚，六黑六白。奕，即围棋。⑰①作者鼎沸：雅好文艺的人如鼎中沸水，踊跃非常。⑰②高者颇引经训风喻之言：才高的文艺之士，颇能引用经典，旨归讽喻。风，通"讽"。说教。⑰③连偶俗语：连成对句的俗语。⑰④有类俳优：如同戏耍的歌舞艺人。⑰⑤或窃成文二句：甚至有人抄袭拼凑成文，假冒别人的名字。⑰⑥盛化门：宫门名。⑰⑦差次录第：一一定出名

【原文】

护乌桓校尉夏育上言："鲜卑寇边，自春以来三十余发[202]，请征幽州诸郡兵出塞击之，一冬、二春，必能禽灭。"先是护羌校尉田晏坐事论刑[203]，被原[204]，欲立功自效[205]，乃请中常侍王甫求得为将。甫因此议遣兵与育并力讨贼，帝乃拜晏为破鲜卑中郎将。大臣多有不同，乃召百官议于朝堂。蔡邕议曰："征讨殊类[206]，所由尚矣。然而时有同异，势有可否，故谋有得失，事有成败，不可齐也。夫以世宗神武[207]，将帅

次，加以录用。⑰⑧其未及者二句：没有取上名次的，也因他们追随在后而都有安置。见拜擢，被录用。⑰⑨既加之恩二句：已经施给的恩典，难以把它收回或改变。⑱⓪但守奉禄三句：只给他们发放俸禄，已是很大的恩义，不可让他们再去治理百姓，在州郡任职。弘，大。⑱①石渠：西都长安未央宫北殿名。汉宣帝集诸儒于石渠阁统一五经经义，事见本书卷二十七甘露三年。⑱②白虎：洛阳北宫殿名，东汉章帝集学士在白虎观再次统一经义，事见本书卷四十六建初四年。⑱③通经释义四句：统一经义，事关重大，文治武功的道理，都要符合经义。⑱④致远则泥：如果推广太远就行不通了。《论语·子张》中有，“子夏曰：虽小道，必有可观者焉；致远恐泥，是以君子不为也”。意谓小道，也有它可取的地方，但它妨碍远大的事业，所以君子不去掌握它。⑱⑤孝文皇帝制丧服句：文帝遗诏，丧葬从简，儒家三年之丧，以日代月，是为三十六日。事见本书卷十四文帝后七年。⑱⑥继体之君：后嗣继位之君。⑱⑦屈情从制：克制感情，遵从制度。指遵孝文帝遗诏，行三十六日之丧。⑱⑧不敢逾越：不敢超越三十六日。⑱⑨本非骨肉：那些市井守丧之民，与桓帝并无骨肉亲情。⑲⓪既无幸私之恩：既没有受到桓帝宠幸的恩惠。⑲①又无禄仕之实：又没有做官食禄的实惠。⑲②恻隐之心二句：他们的孝心，没有产生的依据。⑲③通容其中：混在里面。⑲④桓思皇后：桓帝窦妙皇后。⑲⑤祖载之时：安葬之时。祖，出柩时祖祭于庭。载，升柩于车。⑲⑥盗人妻者：与别人妻子通奸的人。⑲⑦虚伪杂秽二句：像这类虚伪肮脏的事，难以说完。⑲⑧搜选令德：挑选美德之人。令德，美德。⑲⑨丘墓凶丑之人：蹬在坟墓上的凶丑之徒。指哭桓帝陵的那群“孝子”。⑳⓪其为不祥二句：作为不祥的事，没有比这更严重的了。⑳①丞、尉：指县丞、县尉。县丞，县长之副，助理收税及狱讼。县尉，逐捕盗贼。

【校记】

［2］有：原无此字。据章钰校，甲十一行本、乙十一行本皆有此字，今据补。

【语译】

护乌桓校尉夏育上书说：“鲜卑侵入边境，自从春季以来有三十多次，请求征用幽州等郡的军队出塞攻打鲜卑，一个冬季、两个春季，定能歼灭他们。”此前护羌校尉田晏犯罪判刑，受到宽恕，想立功效劳，就请托中常侍王甫谋取将领职务。于是王甫建议派兵与夏育合力讨贼，汉灵帝就任命田晏为破鲜卑中郎将。许多大臣不同意，于是召集百官在朝堂讨论。蔡邕议论说：“征讨周边异族，由来已久。然而时间不同，形势也不同，所以计谋有得有失，战事有成功有失败，不可齐观。汉武帝凭良猛，财赋充实，所括广远[208]，数十年间，官民俱匮[209]，犹有悔焉[210]。况今人财并乏，事劣昔时[211]乎！自匈奴遁逃，鲜卑强盛，据其故地，称兵[212]十万，才力劲健[213]，意智益生[214]。加以关塞不严[215]，禁网多漏[216]，精金良铁，皆为贼有，汉人逋逃[217]为之谋主，兵利马疾[218]，过于匈奴。昔段颎良将，习兵善战，有事西羌，犹十余年[219]。今育、晏才策未必过颎，鲜卑种众不弱曩时，而虚计二载[220]，自许有成。若祸结兵连，岂得中休[221]，当复征发众人，转运无已，是为耗竭诸夏，并力蛮夷。夫边垂之患，手足之疥搔[222]，中国之困，胸背之瘭疽[223]，方今郡县盗贼尚不能禁，况此丑虏而可伏乎！昔高祖忍平城之耻[224]，吕后弃慢书之诟[225]，方之于今，何者为甚[3]？天设[226]山河，秦筑长城，汉起塞垣，所以别内外，异殊俗也。苟无蹙国内侮[227]之患则可矣，岂与虫蚁之虏校往来之数哉[228]！虽或破之，岂可殄尽[229]，而方令本朝为之旰食[230]乎！昔淮南王安谏伐越[231]曰：'如使越人蒙死以逆执事[232]，厮舆[233]之卒有一不备而归者，虽得越王之首，犹为大汉羞之。'而欲以齐民易丑虏[234]，皇威辱外夷[235]，就如其言，犹已危矣[236]，况乎得失不可量邪[237]！"帝不从。八月，遣夏育出高柳[238]，田晏出云中[239]，匈奴中郎将臧旻率南单于出雁门[240]，各将万骑，三道出塞二千余里。檀石槐命三部大人各帅众逆战，育等大败，丧其节传辎重[241]，各将数十骑奔还，死者什七八。三将槛车征下狱，赎为庶人。

冬，十月癸丑朔[242]，日有食之。

太尉刘宽免。

辛丑[243]，京师地震。

十一月，司空陈球免。

十二月甲寅[244]，以太常河南孟戫为太尉。

庚辰[245]，司徒杨赐免。

以太常陈耽为司空。

辽西太守甘陵赵苞[246]到官，遣使迎母及妻子，垂当到郡，道经柳城[247]，值鲜卑万余人入塞寇钞[248]，苞母及妻子遂为所劫质[249]，载以击郡。苞率骑二万与贼对陈，贼出母以示苞，苞悲号，谓母曰："为子无状[250]，

借他的英明神武，将帅优秀而勇猛，财源充足，开拓了宽广辽阔的疆域，但数十年间，政府与百姓都陷入了贫乏，汉武帝犹有悔意。何况今天人力财力都很匮乏，国力不如汉武帝时强大！自从匈奴逃走，鲜卑强盛，占据了匈奴故地，拥有十万军队，才智武力强健，智慧谋略更加提高。加上关卡要塞修缮不固，禁令漏洞很多，精良的钢铁被贼人占有，逃亡的汉人成为鲜卑人的谋主，武器锋利，战马迅疾，胜过匈奴。从前段颎是优秀的将领，熟悉军事，善于作战，对西羌用兵，还历时十几年。现在夏育、田晏的才智策略未必能超过段颎，鲜卑部落不比过去柔弱，却妄说两年时间能够讨平。一旦展开战事，怎么可以中途收兵，那就又要征兵，运输不止，这是耗尽国力，全力对付蛮夷。边境的祸患，就像手脚的癣疥小疮，而国家的困顿，就好比长在胸上、背上的恶疮，现在各郡县的盗贼还无法禁止，何况这样的丑虏，能降伏吗！从前，汉高祖忍受平城被困的耻辱，吕后忍受匈奴无礼信函的羞辱，同现在相比，哪个耻辱更大？上天创设山川，秦朝建筑长城，汉代兴修关塞，是划分内外，区别不同的风俗。如果没有损害国家疆土，内地不遭受祸患就行了，岂能与像虫蚁一样的野蛮人计较长短呢！即使打败他们，岂能全部歼灭，只是让朝廷忧心不安而已。从前淮南王刘安劝阻进攻越人说：‘如果迫使越人拼死迎战，只要服役的士卒有一个没有回来，那么纵然得到越王的头颅，仍然是汉朝的羞耻。’现在却想以大汉的平民交换胡虏，皇家威严受辱于外夷，真是这样，打了胜仗也是危险的，何况胜败得失还不可预料呢！”汉灵帝不听从。八月，派夏育率军从高柳县出发，田晏率军从云中郡出发，匈奴中郎将臧旻率领南单于从雁门郡出发，各自率领一万骑兵，分三路出塞两千多里。鲜卑首领檀石槐命令三部大人各自率众迎战，夏育等人大败，失去了大将符节和辎重，各人带领几十个骑兵逃回，士兵死者十分之七八。三个将领被囚车押到狱中，缴钱赎罪，废为庶民。

冬，十月初一日癸丑，发生日食。

太尉刘宽被免职。

辛丑日，京师发生地震。

十一月，司空陈球被免职。

十二月初三日甲寅，任命太常河南人孟棫为太尉。

二十九日庚辰，司徒杨赐被免职。

任命太常陈耽为司空。

辽西太守甘陵人赵苞到任，派人迎接他的母亲和妻儿，将要到郡，经过柳城，碰到一万多鲜卑人入塞劫掠，赵苞的母亲和妻儿就被抢作人质，用车载着攻打辽西郡。赵苞率领两万骑兵与敌人对阵，敌人把赵苞的母亲给他看，赵苞痛哭，对母亲说：

欲以微禄奉养朝夕，不图为母作祸。昔为母子，今为王臣，义不得顾私恩，毁忠节，唯当万死，无以塞罪。”母遥谓曰：“威豪，人各有命，何得相顾以亏忠义，尔其勉之！”苞即时进战，贼悉摧破，其母妻皆为所害。苞自上归葬[251]。帝遣使吊慰，封鄃侯。苞葬讫，谓乡人曰：“食禄而避难，非忠也；杀母以全义，非孝也。如是，有何面目立于天下！”遂欧血[252]而死。

【段旨】

以上为第七段，写汉灵帝不纳忠言，任用智略不备的夏育、田晏讨伐鲜卑，官兵大败。

【注释】

㉒三十余发：侵扰边境三十余次。㉓坐事论刑：有罪被判刑。㉔被原：受到宽大。㉕立功自效：立功效劳。㉖殊类：指周边民族。㉗世宗神武：汉武帝英明威武。世宗，武帝庙号。㉘所括广远：开拓了广远的疆域。㉙官民俱匮：政府与百姓同时贫乏。武帝末年，“海内虚耗，户口减半”。㉚犹有悔焉：指汉武帝在征和四年（公元前八九年）所下轮台诏，深陈既往之悔，而休兵息农。㉛事劣昔时：如今国力不如武帝时强大。事，国事、国力。㉜称兵：举兵；拥兵。㉝劲健：勇猛刚健。㉞意智益生：指鲜卑人的智慧谋略更加提高。㉟关塞不严：关卡要塞修缮不固。㊱禁网多漏：禁令漏洞很多。汉时边塞有关市，铁器甲兵等严禁贸易。由于禁令不严密，有人把战略物资输往鲜卑。㊲逋逃：逃亡犯。㊳兵利马疾：武器锋利，战马迅疾。㊴犹十余年：段颎自桓帝延熹二年（公元一五九年）击西羌，至建宁二年（公元一六九年）始告成功，凡十一年。㊵虚计二载：妄说两年时间讨平。㊶岂得中休：二载不平，中途岂能将战争停止下来。㊷疥搔：癣疥小疮。㊸胸背之瘭疽：国内困顿，好比是长在胸上、背上的恶疮。㊹平城之耻：汉高帝七年（公元前二〇〇年），率军征匈奴，在平城被围七日七夜，几乎全军覆没，不得已忍辱和亲。平城，在今山西大同东北。㊺吕后弃慢书之诟：吕后忍受了匈奴无礼信件的侮辱。汉惠帝三年（公元前一九二年），匈奴冒顿单于写信吕后，戏之曰：“两主不乐，无以自娱；愿以所有，易其所无。”吕后报书逊谢，遗以车马，屈辱和亲。慢书，不

"儿子不好，原想用微少的俸禄朝夕奉养您，不料为您引来大祸。从前我是您的儿子，现在我是皇帝的臣子，从道义上说不得顾及私恩、毁弃忠节，我只求一死，不然难以弥补罪过。"母亲远远地对他说："威豪，人各有命，何必顾及私恩而损忠义，你要努力啊！"赵苞立刻进兵交战，把贼人全部击败，他的母亲和妻子全都被敌人杀害。赵苞自动离职，上书请求回家埋葬。汉灵帝派人吊问，封他为鄃侯。赵苞安葬完毕，对乡人说："拿国家的俸禄而逃避灾难，不是忠臣；杀了母亲而成全大义，不是孝子。如此，我有什么面目立身天下！"于是赵苞吐血而死。

礼貌的信。诟，骂。㉖天设：上天创设；自然生成。㉗蹙国内侮：损国疆土，内地受祸。㉘岂与虫蚁之虏句：岂可与像虫蚁一样的野蛮人争长计短呢。蚁，蚂蚁。校，考校、计较。㉙虽或破之二句：即使打败了他们，难道可以悉数歼灭。殄，灭。㉚旰食：勤劳国事，很晚吃饭。旰，日落时。㉛淮南王安谏伐越：淮南王刘安上书汉武帝谏伐南越，书载《汉书》卷六十四上《严助传》中，本书卷十七武帝建元六年引载。㉜越人蒙死以逆执事：谓越人冒死迎战。蒙，犯、冒。逆执事，迎战汉军。执事，主事之人，指汉军将领。㉝厮舆：厮，析薪者，即炊事兵。舆，赶车夫。㉞以齐民易丑虏：用中国之民与丑虏交换。齐民，平民。㉟皇威辱外夷：皇家威严受辱于外夷。㊱就如其言二句：如同上述分析，打了胜仗也是危险的。㊲况乎得失不可量邪：何况成败得失，还未可预料。㊳高柳：县名，代郡治所，在今山西阳高西南。㊴云中：郡名，治所在今内蒙古托克托东北。㊵雁门：郡名，治所阴馆，在今山西代县西北。㊶丧其节传辎重：丧失了大将符节及辎重。㊷癸丑朔：十月初一日。㊸辛丑：十月癸丑朔，无辛丑。辛丑，应为十一月二十日。㊹甲寅：十二月初三日。㊺庚辰：十二月二十九日。㊻赵苞（？至公元一七七年）：字威豪，甘陵东武城（在今河北故城县东北）人。传见《后汉书》卷八十一。㊼柳城：县名，属辽西郡，县治在今辽宁朝阳。㊽寇钞：劫掠。㊾劫质：被俘作人质。㊿无状：无行；不好。(251)苞自上归葬：赵苞自动离职，上书请求回家埋葬母亲。(252)欧血：吐血。

【校记】

［3］甚：原作"盛"。据章钰校，甲十一行本、乙十一行本皆作"甚"，张敦仁《通鉴刊本识误》、张瑛《通鉴校勘记》同，今据改。

【原文】

光和元年（戊午，公元一七八年）

春，正月，合浦、交趾乌浒蛮反，招引九真、日南民攻没郡县。

太尉孟戫罢。

二月辛亥朔[253]，日有食之。

癸丑[254]，以光禄勋陈国袁滂为司徒。

己未[255]，地震。

置鸿都门学，其诸生皆敕州郡、三公举用辟召，或出为刺史、太守，入为尚书、侍中，有封侯、赐爵[256]者，士君子皆耻与为列焉。

三月辛丑[257]，赦天下，改元[258]。

以太常常山张颢为太尉。颢，中常侍奉之弟也。

夏，四月丙辰[259]，地震。

侍中寺[260]雌鸡化为雄[261]。

司空陈耽免，以太常来艳为司空。

六月丁丑[262]，有黑气堕帝所御温德殿东庭中，长十余丈，似龙。

秋，七月壬子[263]，青虹见玉堂[264]后殿庭中。诏召光禄大夫杨赐等诣金商门[265]，问以灾异及消复之术[266]。赐对曰："《春秋谶》[267]曰：'天投蜺[268]，天下怨，海内乱。'加四百之期[269]，亦复垂及。今妾媵、阉尹[270]之徒，共专国朝，欺罔日月[271]。又，鸿都门下招会群小，造作赋说，见宠于时，更相荐说，旬月之间，并各拔擢。乐松处常伯[272]，任芝居纳言[273]，郤俭、梁鹄各受丰爵不次之宠，而令搢绅之徒[274]委伏畎亩[275]，口诵尧、舜之言，身蹈[276]绝俗之行[277]，弃捐沟壑，不见逮及[278]。冠履倒易[279]，陵谷代处[280]，幸赖皇天垂象谴告[281]。《周书》[282]曰：'天子见怪则修德，诸侯见怪则修政，卿大夫见怪则修职，士庶人见怪则修身。'唯陛下斥远佞巧之臣，速征鹤鸣之士[283]，断绝尺一[284]，抑止槃游[285]，冀上天还威，众变可弭。"

【语译】

光和元年（戊午，公元一七八年）

春，正月，合浦郡、交趾郡的乌浒蛮人反叛，招引九真、日南的民众攻陷郡县。

太尉孟戫被罢免。

二月初一日辛亥，发生日食。

初三日癸丑，任命光禄勋陈国人袁滂为司徒。

初九日己未，发生地震。

设立鸿都门学，那里的学生都是各州郡、三公推荐征召来的，有的派出担任刺史、太守，有的在朝廷担任尚书、侍中，还有封侯、赐爵的，士大夫君子都羞耻与他们为伍。

三月二十一日辛丑，大赦天下，改换年号。

任命太常常山人张颢为太尉。张颢，是中常侍张奉的弟弟。

夏，四月初七日丙辰，发生地震。

侍中寺里的母鸡打鸣。

司空陈耽被免职，任命太常来艳为司空。

六月二十九日丁丑，有黑色雾气落在汉灵帝所在的温德殿东庭，长达十多丈，形状像龙。

秋，七月壬子日，在玉堂后殿的庭中出现青虹。诏令光禄大夫杨赐等到金商门，询问灾异情况，以及消除灾祸、恢复正常的办法。杨赐对策说："《春秋谶》说，'上天投下彩虹，天下抱怨，海内混乱'。加上刘氏四百年的期限，又快到来。如今嫔妃和宦官，共同专断朝政，欺诈君后。另外，鸿都门下召集一群小人，写词作赋，受到宠幸，互相推荐，十天个把月时间就被举用。乐松位居侍中，任芝官居尚书，郤俭、梁鹄各自得到很高的封爵和特殊的恩幸，而让那些士大夫君子埋没在乡间，口中诵读尧、舜的话，亲身实践超越世俗的高尚品德，却被抛弃在山谷，不被国家录用。如同帽子和鞋子颠倒了位置，山峰和山谷交换了地方，幸亏上天显示天象加以谴告。《周书》说：'天子见到怪异就修明德行，诸侯看见怪异就修明政治，卿大夫看见怪异就修明职守，士庶人看见怪异就修明行为。'愿陛下罢黜奸佞之臣，迅速征用品德高尚、为时所称的士人，杜绝假传圣旨的渠道，节制放纵的娱乐，祈求上天平息愤怒，各种灾变能够消解。"

【段旨】

以上为第八段，写汉灵帝建立鸿都门学，因灾异求言。

【注释】

[253]辛亥朔：二月初一日。[254]癸丑：二月初三日。[255]己未：二月初九日。[256]赐爵：赐爵关内侯以下。[257]辛丑：三月二十一日。[258]改元：改熹平七年为光和元年。[259]丙辰：四月初七日。[260]侍中寺：侍中官署。[261]雌鸡化为雄：母鸡叫鸣。古代认为母鸡叫鸣，这个家就要离散。侍中署母鸡叫鸣，象征国家要解体。[262]丁丑：六月二十九日。[263]壬子：七月己卯朔，无壬子。壬子，八月初五日。[264]玉堂：洛阳南宫前殿。[265]金商门：洛阳南宫有崇德殿、太极殿，殿西有金商门。[266]消复之术：消除灾害，恢复正常的办法。[267]《春秋谶》：

【原文】

议郎蔡邕对曰："臣伏思诸异，皆亡国之怪也。天于大汉殷勤不已[286]，故屡出祆变以当谴责，欲令人君感悟[287]，改危即安。今蜺堕、鸡化，皆妇人干政之所致也。前者乳母赵娆贵重天下，谗谀骄溢[288]。续以永乐门史霍玉[289]依阻城社[290]，又为奸邪。今道路纷纷，复云有程大人[291]者，察其风声，将为国患，宜高为堤防[292]，明设禁令，深惟赵、霍，以为至戒。今太尉张颢，为玉所进[293]，光禄勋伟璋，有名贪浊，又长水校尉赵玹、屯骑校尉盖升，并叨时幸[294]，荣富优足。宜念[295]小人在位之咎[296]，退思[297]引身避贤之福。伏见廷尉郭禧纯厚[298]老成，光禄大夫桥玄聪达方直[299]，故太尉刘宠忠实守正[300]，并宜为谋主，数见访问[301]。夫宰相大臣，君之四体，委任责成，优劣已分，不宜听纳小吏，雕琢大臣[302]也。又，尚方[303]工技之作，鸿都篇赋之文，可且消息[304]，以示惟忧[305]。宰府孝廉，士之高选，近者以辟召不慎[306]，切责[307]三公，而今并以小文超取选举[308]，开请托之门[309]，违明王之典[310]，众心不厌[311]，莫之敢言。臣愿陛下忍而绝之，思惟万机[312]，以答天望[313]。圣朝既自约厉[314]，左右近臣亦宜从化[315]，人自抑损[316]，以塞咎戒[317]，则天道亏满，鬼神福谦[318]矣。夫君臣不密，上有漏言之戒，下有失身之祸[319]，愿寝臣表[320]，无使尽忠之吏受怨奸仇。"章奏，帝览而叹息。因起更衣[321]，曹节于后

神秘预言书。胡三省注引《春秋演孔图》云："霓者，斗之乱精也，失度投蜺见。"㉖⑧蜺：双虹。色鲜盛者为雄，称虹；色暗者为雌，曰蜺。㉖⑨四百之期：胡三省注引《春秋演孔图》云，"刘四百岁之际，褒汉王辅，皇王以期，有名不就"。意谓两汉四百年天下已尽。㉗⓪妾媵、阉尹：嫔妃、宦官。㉗①欺罔日月：欺罔君后。㉗②常伯：指侍中。㉗③纳言：指尚书。㉗④搢绅之徒：士大夫之代称。搢，插。绅，插笏的赤色腰带。㉗⑤委伏畎亩：埋没在乡间。㉗⑥身蹈：亲身实践。㉗⑦绝俗之行：超越世俗的高尚品德。㉗⑧不见逮及：不被国家录用。㉗⑨冠履倒易：小人治君子，如同帽子与鞋颠倒了位置。㉘⓪陵谷代处：山峰与山谷交换了地方。㉘①皇天垂象谴告：上天显示天象表示谴责。㉘②《周书》：引语为《周书》逸篇之辞。㉘③鹤鸣之士：品德高尚、为时所称的士人。鹤，喻君子。㉘④断绝尺一：杜绝假传圣旨的渠道。尺一，诏书所用之简。㉘⑤抑止槃游：节制放纵的娱乐。

【语译】

议郎蔡邕对策说："臣认为各种灾异，都是亡国的征兆。上天对大汉的恳切感情还没有终止，不断显示怪异作为谴责，想让君主感悟，转危为安。如今蜺虹从天上降落，母鸡变成公鸡叫鸣，都是妇人干涉政事所导致的。从前奶妈赵娆无比贵宠，说人坏话、阿谀奉承、骄淫放纵。接着又有永乐宫通报门官霍玉倚仗权势，为非作歹。如今路上议论纷纷，又说宫中有位姓程的宦官，观察他的风望和名声，将会成为国家的祸害，皇上应特别提防，明确禁令，深切地思量赵娆、霍玉的祸患，引以为鉴。现在的太尉张颢就是霍玉推荐的，光禄勋伟璋是出名的贪官污吏，另外，长水校尉赵玹、屯骑校尉盖升都得享一时侥幸，享受荣华富贵。皇上要考虑小人在高位必有祸患，再回想一下，引用贤能必得幸福。臣见到廷尉郭禧忠厚，光禄大夫桥玄明达正直，前太尉刘宠忠厚守道，都应当作为主要的谋臣，多征询他们的意见。宰相大臣是君主的四肢，委任他们完成职责，才能分辨优劣，不应采纳小吏的言辞，刁难大臣。另外，皇家工匠的技巧作品，鸿都学生的辞赋文章，可以暂时停止，以表示为国事担忧。宰府里的孝廉本是士人中的高才，近来荐拔征召不严，应严加斥责三公，而今都用雕虫小技越级升任，开启了请托升官的后门，违反了圣明君王的法典，众心不服，没有人敢说话。臣希望陛下忍痛屏绝，思考国家大事，以回报上天的厚望。皇上既然已经自我约束以求上进，左右的臣子自然就会受到感化而追随变化，人人都约束自己，用以消除灾害的警戒。这样，天道就会把灾难降给骄傲的人，鬼神就会把福分赐给谦谨的人。君臣对话要保密，君主有泄密之戒，臣子有泄密杀身之祸，希望皇上搁置臣的奏章，以免忠臣受到小人的报复。"奏章呈上，汉灵帝看后叹息。起身去厕所，曹节在后面

窃视之，悉宣语[322]左右，事遂漏露。其为邕所裁黜者[323]，侧目[324]思报。

初，邕与大鸿胪刘郃素不相平，叔父卫尉质又与将作大匠阳球有隙。球即中常侍程璜女夫也。璜遂使人飞章[325]言："邕、质数以私事请托于郃，郃不听。邕含隐切，志欲相中[326]。"于是诏下尚书召邕诘状[327]。邕上书曰："臣实愚戆[328]，不顾后害。陛下不念忠臣直言，宜加掩蔽[329]，诽谤卒至[330]，便用疑怪[331]。臣年四十有六，孤特一身[332]，得托名忠臣，死有余荣，恐陛下于此不复闻至言[333]矣！"于是下邕、质于雒阳狱，劾以"仇怨奉公[334]，议害大臣，大不敬，弃市。"事奏，中常侍河南吕强[335]愍[336]邕无罪，力为伸请[337]。帝亦更思其章，有诏："减死一等，与家属髡钳徙朔方[338]，不得以赦令除。"阳球使客追路刺邕，客感其义，皆莫为用。球又赂其部主[339]，使加毒害。所赂者反以其情戒邕[340]，由是得免。

【段旨】

以上为第九段，写议郎蔡邕对策建言汉灵帝亲近朝官，举用孝廉及士人，远离奸佞，罢斥请托任官的小人，被宦官飞书诬罔，流放朔方郡。

【注释】

㊻天于大汉殷勤不已：皇天对我大汉朝的恳切感情还没有终止。意谓上天的谴告正是对汉朝的关怀、爱护。[287]感悟：醒悟。[288]谗谀骄溢：意谓乳母赵娆谗毁逢迎，骄淫放纵。[289]续以永乐门史霍玉：接下来又有永乐宫（董太后所居）的门官霍玉为非作歹。门史，通报守门官。[290]依阻城社：仗恃权势。城社，城池田社。此喻权势。[291]程大人：宫中一位姓程的宦官。宫中对老年宦官皆称大人。[292]高为堤防：加高堤防，防患于未然。[293]进：推荐；引进。[294]叨时幸：得享一时侥幸。叨，承受。[295]宜念：应当认真考虑。[296]小人在位之咎：指小人在高位，必有祸患。[297]退思：退一步考虑；回头想一想。即换一种思维。[298]纯厚：忠厚。[299]聪达方直：明达正直。[300]忠实守正：忠厚守道。[301]数见访问：应经常征询他们的意见。[302]雕琢大臣：刁难大臣。胡三省注引李贤注："雕琢，谓镌削以成其罪也。"[303]尚方：工署名，属少府，制作皇室器用。[304]可且消息：可以暂且停止。[305]惟忧：思忧。[306]辟召不慎：荐拔征召不严。[307]切责：严加申斥。[308]超取选举：破格提拔。[309]开请托之门：开启请托升官的后门。[310]违明王之典：违背圣明君王的法典。[311]不厌：不服。[312]思惟万机：集中精力处理国家大事。[313]以答天望：用以回报上天的厚望。[314]圣朝既自约厉：

偷看，把内容向左右亲近的人传播，事情泄露。那些被蔡邕批评的人，都横目冷视，想法报复。

当初，蔡邕与大鸿胪刘郃向来不和，蔡邕的叔父卫尉蔡质又和将作大匠阳球有隔阂。阳球就是中常侍程璜的女婿。程璜于是派人匿名上奏章说："蔡邕、蔡质常向刘郃托付私事，刘郃不肯。蔡邕怀恨在心，一心想中伤刘郃。"于是下诏命令尚书召来蔡邕询问原委。蔡邕上书说："臣实在愚昧厚直，不顾后患。陛下不顾念忠臣说实话，本应当加以保护，现在诽谤突然到来，对臣猜疑。臣今年已经四十六岁，孤单一人，能够得到忠臣的名声，即使是死，也感到荣耀，只是担心陛下从此再也听不到忠言了！"于是，把蔡邕、蔡质关进洛阳监狱，判处他们"公报私仇，商议陷害大臣，犯大不敬罪，应斩首示众。"事情上报，中常侍河南人吕强怜悯蔡邕无罪，竭力求情。汉灵帝也重新考虑蔡邕的那篇奏章，下诏说："免死，减刑一等，与家属剃发、戴上刑具，流放到朔方郡，不得因赦令而免刑。"阳球派人在路上追赶刺杀蔡邕，刺客有感于蔡邕的正义品格，都不愿做这种事。阳球又贿赂朔方郡所属州刺史，要他们害死蔡邕。受贿的人反而用真实情况警告蔡邕，使他幸免于难。

皇上既然自我约束以求上进。圣朝，指灵帝。厉，通"砺"。此句是要灵帝身做表率。⑮亦宜从化：也自然追随变化。⑯人自抑损：人人自我约束。⑰以塞咎戒：用以消除灾害的警戒。⑱则天道亏满二句：那么上天将把灾祸降给自满的人，鬼神将把幸福赐给谦虚的人。语出《易经·谦卦》："天道亏盈而益谦……鬼神害盈而福谦。"这里引语"盈"作"满"，因避汉惠帝刘盈讳而改。⑲君臣不密三句：君臣对话要严守秘密，君不守秘密，就要受到泄密的批评，臣不守秘密，就要受到杀身之祸。戒，讥刺。汉制，臣泄禁中语，为大不敬，杀头。西汉赵充国子赵印，泄禁中语被杀头。故蔡邕有是言。这里是化用《易经·系辞》之语以为谏。原文："君不密则失臣，臣不密则失身。"失臣，失去臣僚。失身，杀身。⑳愿寝臣表：希望皇上搁置我的奏章，不要泄漏。㉑更衣：上厕所。㉒宣语：传播。㉓所裁黜者：被批评的人。㉔侧目：横目冷视。㉕飞章：匿名信。㉖邕含隐切二句：蔡邕心怀不满，想找机会中伤。隐切，含恨在心中。中，中伤。㉗诘状：询问原委。㉘愚戆：愚昧厚直。㉙掩蔽：掩盖遮蔽；保护。㉚卒至：突然到来。卒，通"猝"。㉛疑怪：猜疑。㉜孤特一身：孤单一人。㉝至言：忠言。㉞仇怨奉公：公报私仇。诬指蔡邕以请托不听，志欲中伤，公报私仇。㉟吕强：字汉盛，河南成皋（在今河南荥阳西北）人，为人清忠奉公，为群官所害。传见《后汉书》卷七十八《宦者列传》。㊱愍：怜悯；痛惜。㊲力为伸请：竭力求情。㊳髡钳徙朔方：剃光头发，戴上脚镣手铐，流放朔方郡。朔方郡治所临戎，在今内蒙古磴口北。㊴球又赂其部主：阳球又贿赂朔方郡所属州刺史，即并州刺史。㊵戒邕：警告蔡邕，令其有备。

【原文】

八月，有星孛于天市[341]。

九月，太尉张颢罢；以太常陈球为太尉。

司空来艳薨。冬，十月，以屯骑校尉袁逢为司空。

宋皇后[342]无宠，后宫幸姬众共谮毁。勃海王悝妃宋氏，即后之姑也，中常侍王甫恐后怨之，因谮后挟左道祝诅[343]。帝信之，遂策收玺绶。后自致暴室[344]，以忧死。父不其乡侯酆及兄弟并被诛。

丙子晦[345]，日有食之。

尚书卢植上言："凡诸党锢多非其罪，可加赦恕，申宥回枉[346]。又，宋后家属并以无辜委骸横尸[347]，不得敛葬[348]，宜敕收拾，以安游魂。又，郡守、刺史，一月数迁，宜依黜陟，以章能否[349]，纵不九载，可满三岁。又，请谒希求，一宜禁塞[350]，选举之事，责成主者[351]。又，天子之体，理无私积[352]，宜弘大务，蠲略细微[353]。"帝不省。

十一月，太尉陈球免。十二月丁巳，以光禄大夫桥玄为太尉。

鲜卑寇酒泉。种众日多，缘边莫不被毒[354]。

诏中尚方为鸿都文学乐松、江览等三十二人图象立赞[355]，以劝[356]学者。尚书令阳球谏曰："臣案松、览等皆出于微蔑[357]，斗筲小人[358]，依凭世戚，附托权豪，俯眉承睫[359]，徼进明时[360]。或献赋一篇，或鸟篆盈简[361]，而位升郎中，形图丹青[362]。亦有笔不点牍[363]，辞不辨心[364]，假手请字[365]，妖伪百品[366]，莫不蒙被殊恩，蝉蜕滓浊[367]。是以有识掩口[368]，天下嗟叹。臣闻图象之设，以昭劝戒，欲令人君动鉴得失，未闻竖子小人诈作文颂[369]，而可妄窃天官，垂象图素者也。今太学、东观[370]足以宣明圣化，愿罢鸿都之选，以销天下之谤。"书奏，不省。

是岁，初开西邸卖官[371]，入钱各有差：二千石二千万，四百石四百万，其以德次应选者半之，或三分之一，于西园立库以贮[372]之。或诣阙上书占令长[373]，随县好丑，丰约有贾[374]。富者则先入钱，贫者到官然后倍输[375]。又私令左右卖公卿，公千万，卿五百万。初，帝为侯时常苦贫，及即位，每叹桓帝不能作家居[376]，曾无私钱，故卖官聚钱以为私藏。

【语译】

八月，在天市星区出现孛星。

九月，太尉张颢被罢官，任命太常陈球为太尉。

司空来艳去世。冬，十月，任命屯骑校尉袁逢为司空。

宋皇后不受宠幸，后宫受到宠爱的姬妃一起诬害她。勃海王刘悝的妃子宋氏，是宋皇后的姑妈，中常侍王甫恐怕宋皇后怨恨他，就诬陷宋皇后用邪术诅咒汉灵帝。汉灵帝相信了王甫，于是收回了宋皇后的印信。宋皇后自行到宫廷监狱暴室投案，忧郁而死。父亲不其乡侯宋酆和兄弟都被诛杀。

十月最后一天三十日丙子，发生日食。

尚书卢植上书说："凡是因党人案件受禁锢的人大多无罪，可加宽赦，申诉冤枉而宽宥。另外，宋皇后的家属都是无辜的，但是尸体暴露，没有收敛安葬，应当下令准予收拾尸体，使游魂得以安宁。还有，郡守、刺史在一个月中几次提拔，应当依照任免制度来考察他们能否胜任，即使不能任满九年，也应能任满三年。此外，朝臣的私人请托以求非分之想，应一律阻止，选拔官员的事情应由主管官员负责。再者，天子本身，按理不应该有私产，应当致力于国家大政，不要计较小事。"汉灵帝不理睬。

十一月，太尉陈球被免职。十二月十二日丁巳，任命光禄大夫桥玄为太尉。

鲜卑人侵犯酒泉郡。部落人数日益增多，周边地区没有不受害的。

诏令中尚方给鸿都门学文学家乐松、江览等三十二人画像题词，用以鼓励学者。尚书令阳球劝谏说："臣认为乐松、江览等都是出身低微、气量狭小的人，依赖外戚的关系，托身权势，阿谀奉承，在这圣明之世侥幸得以进身。有的献上一篇辞赋，有的写满一简草书，却升任郎中，丹青画像。还有的根本不会用笔写字，词不达意，请别人代写，作伪花样百种，却没有不蒙受特殊恩宠的，就好像鸣蝉脱壳一样。因此有识之士掩口嘲笑，天下嗟叹。臣听说画像之设，是用来发扬劝诫，使君主的行动借鉴前人的得失，从没听说小人狡猾地写了几篇文章，竟可以窃取高官，留下画像。现在太学、东观足以宣扬圣明的教化，请停止鸿都门学的选举，用以消除天下人的诽谤。"奏章呈上，汉灵帝不理睬。

这一年，开始允许在西邸卖官，纳钱不等：二千石的官员是二千万，四百石的官员是四百万，按德行应选的官员出一半钱，有的出三分之一钱，在西园设立库府贮藏这些钱财。有的人到宫门上书出钱买县官，按照县的好坏，决定官价高低。有钱人先交钱，无钱的到任后再加倍偿还。汉灵帝又私下命令身边的人卖公卿职位，三公的价格是一千万，卿的价格是五百万。当初，汉灵帝为侯时常苦于贫困，等到即位，常感叹桓帝不能经营私人产业，没有私房钱，所以卖官聚钱作为私房。

帝尝问侍中杨奇曰："朕何如桓帝？"对曰："陛下之于桓帝，亦犹虞舜比德唐尧㊲。"帝不悦曰："卿强项㊳，真杨震子孙，死后必复致大鸟㊴矣！"奇，震之曾孙也。

南匈奴屠特若尸逐就单于死，子呼徵㊵立。

【段旨】

以上为第十段，写汉灵帝重用鸿都门学乐松、江览等人，大臣劝谏不听，又公然设西园卖官所，三公九卿皆标价出售。

【注释】

㉛有星孛于天市：在天市星区出现孛星。㉜宋皇后：灵帝宋皇后，史失其名。扶风平陵（今陕西咸阳西北）人。传见《后汉书》卷十下。㉝挟左道祝诅：用邪道诅咒皇帝。㉞后自致暴室：宋皇后自行到宫廷监狱暴室投案。㉟丙子晦：十月三十日。㊱申宥回枉：申诉冤枉而宽宥。即昭雪冤枉。回，纠正。㊲委骸横尸：委弃骸骨，尸首纵横。即尸体暴露。㊳敛葬：收敛安葬。㊴依黜陟二句：按照任免制度考察能与不能。黜，罢免。陟，升迁。古代黜陟制度，三年小考，九年大考。㊵请谒希求二句：私人请托以求非分之想，一律禁止。㊶责成主者：选举人才应由主管官员负责。㊷理无私积：按理皇上没有私产。㊸蠲略细微：皇上不要去管细小的事。蠲，除。㊹被毒：受害。㊺图象立赞：画像题词。㊻劝：鼓励。㊼微蔑：微贱。蔑，极细微卑贱。㊽斗筲小人：气量狭小

【原文】

二年（己未，公元一七九年）

春，大疫。

三月，司徒袁滂免，以大鸿胪刘郃为司徒。

乙丑㊶，太尉桥玄罢，拜太中大夫，以太中大夫段颎为太尉。玄幼子游门次㊷，为人所劫，登楼求货㊸，玄不与。司隶校尉、河南尹围守玄家，不敢迫㊹。玄瞋目呼㊺曰："奸人无状，玄岂以一子之命而纵国贼㊻乎！"促令攻之㊼，玄子亦死。玄因上言："天下凡有劫质，皆并杀

汉灵帝曾问侍中杨奇说："朕同桓帝相比如何？"杨奇回答："陛下和桓帝相比，就像虞舜与唐尧相比。"汉灵帝不高兴地说："你的脖子太硬，真是杨震的子孙，死后一定又会引来大鸟了！"杨奇，是杨震的曾孙。

南匈奴屠特若尸逐就单于去世，其子呼徵被立为单于。

的人。斗，量器。筲，竹编容器，仅容一斗二升，故称斗筲。㉟⑨ 俯眉承睫：低眉看眼色，即秉承主子眼色行事。㊱⓪ 徼进明时：在这圣明之世得以侥幸进身。㊱① 鸟篆盈简：满简草书。鸟篆，将篆字写得鸟飞一般的草书。㊱② 形图丹青：丹青画像。㊱③ 笔不点牍：根本不会用笔写字。㊱④ 辞不辨心：词不达意。㊱⑤ 假手请字：请别人代为写字。㊱⑥ 妖伪百品：作伪花样百种。㊱⑦ 蝉蜕滓浊：像鸣蝉一样，蜕皮翻新。滓浊，污秽的旧皮。㊱⑧ 有识掩口：有见识的人掩口而笑。㊱⑨ 诈作文颂：狡猾地写了几篇文章。㊲⓪ 东观：洛阳南宫殿名，秘藏图书在此。㊲① 开西邸卖官：西邸，皇家西园，灵帝在此设卖官所。㊲② 贮：聚储卖官钱。㊲③ 占令长：登记买某县县令或县长。大县称令，小县称长。㊲④ 随县好丑二句：按照县的肥瘦，官价有高有低。丰，价高。约，减价。贾，通"价"。㊲⑤ 倍输：赊买的官，到任后加倍偿还。㊲⑥ 作家居：经营私产。居，积也。㊲⑦ 虞舜比德唐尧：虞舜在唐尧之后，把灵帝比作舜，桓帝比作尧，是谓灵帝不如桓帝。㊲⑧ 强项：脖子硬，不随便低头。光武帝时洛阳令董宣不畏强御，惩处光武帝姐家奴横行，光武帝封为强项令。㊲⑨ 大鸟：安帝时太尉杨震为宦官所害，安葬时有大鸟聚落在杨震坟前高达一丈多。事见本书卷五十一安帝延光四年。㊳⓪ 呼徵：呼徵单于，公元一七八至一七九年在位。

【语译】

二年（己未，公元一七九年）

春，发生大瘟疫。

三月，司徒袁滂被免职，任命大鸿胪刘郃为司徒。

三月二十二日乙丑，罢免桥玄太尉的官职，改任太中大夫，任命太中大夫段颎为太尉。桥玄的小儿子在门外玩耍，被人劫夺，那人上楼索要赎金，桥玄不给。司隶校尉、河南尹包围桥玄的住宅，不敢逼迫劫质人。桥玄瞪大眼睛呼喊："贼人无法无天，我岂能因为一个儿子的命而放掉国贼啊！"督促进攻劫质人，劫质人死了，桥玄的儿子也死了。桥玄因此上书说："凡是天下劫夺人质的，都一起杀掉，不得用钱

之，不得赎以财宝，开张奸路[388]。”由是劫质遂绝。

京兆地震。

司空袁逢罢，以太常张济为司空。

夏，四月甲戌朔[389]，日有食之。

王甫、曹节等奸虐弄权，扇动内外，太尉段颎阿附之。节、甫父兄子弟为卿、校、牧、守、令、长者布满天下，所在贪暴。甫养子吉为沛相，尤残酷，凡杀人，皆磔尸车上[390]，随其罪目，宣示属县[391]。夏月腐烂，则以绳连其骨[392]，周遍一郡乃止，见者骇惧[393]。视事五年，凡杀万余人。尚书令阳球常拊髀[394]发愤曰：“若阳球作司隶，此曹子安得容乎！”既而球果迁司隶。

甫使门生于京兆界辜榷官财物[395]七千余万，京兆尹杨彪[396]发其奸，言之司隶。彪，赐之子也。时甫休沐里舍，颎方以日食自劾[397]。球诣阙谢恩，因奏甫、颎及中常侍淳于登、袁赦、封翮等罪恶。辛巳[398]，悉收甫、颎等送雒阳狱，及甫子永乐少府萌、沛相吉。球自临考甫等[399]，五毒备极[400]。萌先尝为司隶，乃谓球曰：“父子既当伏诛，亦以先后之义[401]，少以楚毒假借老父[402]。”球曰：“尔罪恶无状，死不灭责[403]，乃欲论先后求假借邪！”萌乃骂曰：“尔前奉事吾父子如奴，奴敢反汝主乎！今日临厄[4]相挤，行自及也[404]！”球使以土窒萌口[405]，箠扑交至[406]，父子悉死于杖下；颎亦自杀。乃僵磔甫尸[407]于夏城门，大署榜[408]曰“贼臣王甫”。尽没入其财产，妻子皆徙比景。

球既诛甫，欲以次表曹节等，乃敕中都官从事[409]曰：“且先去权贵大猾，乃议其余耳。公卿豪右若袁氏儿辈[410]，从事自办之，何须校尉[411]邪！”权门闻之，莫不屏气[412]，曹节等皆不敢出沐[413]。会顺帝虞贵人葬，百官会丧还，曹节见磔甫尸道次，慨然抆泪[414]曰：“我曹可自相食，何宜使犬舐其汁[415]乎！”语诸常侍：“今且俱入，勿过里舍[416]也。”节直入省，白帝曰：“阳球故酷暴吏，前三府奏当免官，以九江微功，复见擢用。愆过之人，好为妄作[417]，不宜使在司隶，以骋毒虐[418]。”帝乃徙球为卫尉。时球出谒陵，节敕尚书令召拜，不得稽留尺一。球被

财赎回，为奸贼开路。”从此劫持人质的事件断绝。

京兆发生地震。

司空袁逢被罢官，任命太常张济为司空。

夏，四月初一日甲戌，发生日食。

王甫、曹节等人为奸作孽，操弄权力，煽动朝廷内外，太尉段颎阿附他们。曹节、王甫的父子兄弟任九卿、校官、州牧、郡守、县令、县长的布满全国，在任职之地，贪婪残暴。王甫的养子王吉为沛国相，特别残酷，凡是杀人，都要把尸体卸成几大块装在囚车上，张贴罪名，宣示沛国所属各县。夏天尸体腐烂，就用绳索把骨架绑在囚车上，游遍全郡才算了事，看见的人震骇恐惧。王吉任职五年，共杀了一万多人。尚书令阳球常常拍着大腿愤慨地说：“如果我阳球做司隶校尉，怎么会容忍这种人！”不久，阳球果然迁为司隶校尉。

王甫派门生在京兆境内搜刮公家财物七千多万，京兆尹杨彪揭露他们的恶行，报告给司隶校尉。杨彪，是杨赐的儿子。当时王甫在家休假，段颎正因为日食而弹劾自己。阳球到官门谢恩，趁机向天子上奏王甫、段颎以及中常侍淳于登、袁赦、封爵等人的罪恶。四月初八日辛巳，把王甫、段颎等都送进洛阳监狱，还有王甫的儿子永乐少府王萌、沛国相王吉。阳球亲自前来审讯王甫等人，用遍了五种毒刑。王萌曾经担任司隶校尉，就对阳球说：“我们父子既然该当伏法受诛，但求想到我们先后为同僚的情面上，宽恕老父，让他少受点苦。”阳球说：“你罪大恶极，万死也不能抵消你的罪过，还想以先后同官请求宽宥啊！”王萌就骂道：“从前你像奴仆一样巴结我们父子，奴仆竟然反叛主子吗！今天你乘人之危进行排挤，你很快自陷刑罪！”阳球让人用泥巴堵住王萌的嘴巴，棍鞭齐下，王甫父子都死在杖下；段颎也自杀了。阳球派人把王甫的尸体砍成几大块暴露在夏城门，在布告上大大地写着“贼臣王甫”。没收他的所有财产，妻儿都发配到比景。

阳球杀死王甫后，又想依次揭露曹节等人，就命令中都官从事说：“暂且先除去权贵大奸，再说其余的人。像袁家这样的公卿大族，你们自己处置，何必要我出面！”权贵们听了，没有人敢出气，曹节等人都不敢出官休假。适逢顺帝的虞贵人出葬，百官出丧回来，曹节看见砍断的王甫的尸体放在路旁，慨叹流泪说：“我们可以自相残杀，怎么能让狗来舐我们的血！”对常侍们说：“我们今天一起进宫，不要回家。”曹节一直走进宫中，对汉灵帝说：“阳球本是个酷吏，以前三公曾经上奏应罢免他，因为他在九江的微小功劳，又被提升。犯过罪的人，喜欢轻举妄动，不宜让他担任司隶校尉，借以肆行暴虐。”汉灵帝就改任阳球为卫尉。当时，阳球出城拜谒先帝陵墓，曹节命令尚书令召阳球拜谢，不许拖延公文。阳球被紧急征召，趁机求见

召急，因求见帝，叩头[5]曰："臣无清高之行，横蒙鹰犬之任㊴，前虽诛王甫、段颎，盖狐狸小丑，未足宣示天下。愿假臣一月，必令豺狼鸱枭⑳各服其辜。"叩头流血。殿上呵叱曰："卫尉捍诏㉑邪！"至于再三，乃受拜。

【段旨】

以上为第十一段，写阳球任司隶校尉，矢志除宦官，只诛杀了王甫，半途而废。

【注释】

㊳乙丑：三月二十二日。㊳玄幼子游门次：桥玄小儿子在门前玩耍。㊳登楼求货：劫质人登楼索要赎金。㊳迫：相逼。㊳瞋目呼：瞪大眼睛呼喊。表示愤怒。㊳纵国贼：放走国贼。㊳促令攻之：督促攻击。㊳开张奸路：谓以财赎质是替奸人开路。㊳甲戌朔：四月初一日。㊳磔尸车上：把尸体卸成几大块装在囚车上。㊳宣示属县：在沛国所属各县巡回展示。㊳绳连其骨：尸体腐烂，肌肉脱落，就用绳索把骨架绑在囚车上。㊳骇惧：震骇恐惧。㊳拊髀：拍大腿。㊳辜榷官财物：侵吞公家财物。辜榷，独占、垄断。此指搜刮财物而侵吞独占。㊳杨彪：字文先，杨震的曾孙，灵帝太尉杨赐之子。官至司徒。传见《后汉书》卷五十四。㊳颎方以日食自劾：段颎正因日食而自己引咎辞职。段为中官之党，已离职，无力救王甫，而为阳球所劾。㊳辛巳：四月初八日。㊳球自临考甫等：阳球亲自主持严刑逼供，拷打王甫等。㊵五毒备极：五种苦刑全部用遍。五毒，鞭打、棍打、火烧、绳捆、悬吊。㊶以先后之义：王萌提示阳球，他

【原文】

于是曹节、朱瑀等权势复盛，节领尚书令。郎中梁人审忠上书曰："陛下即位之初，未能万机，皇太后念在抚育，权时摄政，故中常侍苏康、管霸应时诛殄。太傅陈蕃、大将军窦武考其党与，志清朝政。华容侯朱瑀知事觉露，祸及其身，遂兴造逆谋，作乱王室，撞蹋省闼㉒，执夺玺绶，迫胁陛下，聚会群臣，离间骨肉母子之恩，遂诛蕃、武及

汉灵帝，磕头说："臣没有清高的德行，总算是蒙恩做皇家的猎鹰走狗，前不久杀了王甫、段颎，他们不过是狐狸小丑，不足以宣示天下。希望给臣一个月时间，必定让那些如豺狼凶残的恶人，受到应得的惩治。"磕头流血。殿上的侍从呵斥说："卫尉反抗圣旨吗！"一连几次，阳球才接受新职。

和王萌曾先后做过司隶校尉，看在先后为同僚的情面上。㊷少以楚毒假借老父：少一点苦刑，宽恕老父王甫。403死不灭责：死了也抵不了罪责，即死有余辜。404今日临厄相挤二句：今天乘危排挤，行将自陷刑罪。405以土窒萌口：用泥土堵住王萌的嘴。406箠扑交至：棍鞭齐下。407磔甫尸：把王甫尸体切成几大块。408大署榜：在布告上大大地写着。409中都官从事：司隶校尉属官，助理察举百官，治非法。410袁氏儿辈：指袁逢、袁隗等袁家势力。诸袁在中常侍袁赦保护下，贵极一时。411何须校尉：用不着校尉出场。412莫不屏气：没有人敢呼大气。413出沐：出宫洗沐，即出宫休假。414抆泪：擦泪。即禁不住流泪。415犬舐其汁：狗舔其血。这里曹节骂阳球为狗。416今且俱入二句：今天我们全体进宫，不要回家。里舍，居里。417猥过之人二句：犯过罪的人，喜欢轻举妄动。418以骋毒虐：借以肆行暴虐。419横蒙鹰犬之任：总算是蒙恩做皇家的猎鹰走狗。横，横竖、总算是。鹰犬，阳球自谓有鹰犬之能。司隶校尉治奸猾，亦鹰犬之任。420鸱枭：禽鸟名。古代传说鸱是猛禽，枭会食母，因此用以比喻凶残的恶人。421捍诏：反抗圣旨。

【校记】

［4］厄：据章钰校，甲十一行本、乙十一行本皆作"坑"，熊罗宿《胡刻资治通鉴校字记》同。［5］叩头：原无此二字。据章钰校，甲十一行本、乙十一行本皆有此二字，张敦仁《通鉴刊本识误》、张瑛《通鉴校勘记》同，今据补。

【语译】

于是，曹节、朱瑀等人的权势再次壮大起来，曹节兼领尚书令。郎中梁国人审忠上书说："陛下当初即位时，不能亲理国政，皇太后顾念养育之情，权且摄政，所以中常侍苏康、管霸实时伏诛。太傅陈蕃、大将军窦武审查他们的余党，志在清理朝政。华容侯朱瑀知道事情败露，灾祸就要降临自己身上，于是兴起逆谋，扰乱王室，冲击宫禁，强夺印绶，胁逼陛下，会聚群臣，离间陛下的骨肉母子恩情，杀了

尹勋等。因共割裂城社[423]，自相封赏，父子兄弟，被蒙尊荣，素所亲厚，布在州郡，或登九列[424]，或据三司[425]。不惟禄重位尊之责，而苟营私门，多蓄财货，缮修第舍，连里竟巷，盗取御水[426]，以作渔钓[427]，车马服玩，拟于天家[428]。群公卿士，杜口吞声，莫敢有言。州牧郡守，承顺风旨[429]，辟召选举，释贤取愚。故虫蝗为之生，夷寇为之起。天意愤盈[430]，积十余年，故频岁[431]日食于上，地震于下，所以谴戒[432]人主，欲令觉悟，诛钼无状[433]。昔高宗以雊雉之变[434]，故获中兴之功。近者神祇启悟陛下，发赫斯之怒[435]，故王甫父子应时馘截[436]，路人士女[437]，莫不称善，若除父母之雠。诚怪[438]陛下复忍孽臣之类[439]，不悉殄灭[440]。昔秦信赵高以危其国[441]，吴使刑人[6]身遘其祸[442]。今以不忍之恩，赦夷族之罪，奸谋一成，悔亦何及！臣为郎十五年，皆耳目闻见，瑀之所为，诚皇天所不复赦。愿陛下留漏刻之听[443]，裁省臣表[444]，扫灭丑类，以答天怒。与瑀考验[445]，有不如言，愿受汤镬之诛[446]，妻子并徙，以绝妄言[447]之路。”章寝不报[448]。

中常侍吕强清忠奉公，帝以众例封为都乡侯。强固辞不受，因上疏陈事曰：“臣闻高祖重约，非功臣不侯，所以重天爵、明劝戒[449]也。中常侍曹节等，宦官祐薄[450]，品卑人贱，谗谄媚主，佞邪徼宠[451]，有赵高之祸，未被镮裂之诛[452]。陛下不悟，妄授茅土[453]，开国承家，小人是用，又并及家人，重金兼紫[454]，交结邪党，下比群佞。阴阳乖剌[455]，稼穑荒芜，人用不康[456]，罔不由兹。臣诚知封事[457]已行，言之无逮[458]，所以冒死干触[459]陈愚忠者，实愿陛下损改既谬，从此一止[460]。臣又闻后宫采女[461]数千余人，衣食之费，日数百金。比谷虽贱而户有饥色[462]，按法当贵而今更贱者，由赋发繁数[463]，以解县官。寒不敢衣，饥不敢食，民有斯厄而莫之恤。宫女无用，填积后庭，天下虽复尽力耕桑，犹不能供。又，前召议郎蔡邕对问于金商门，邕不敢怀道迷国[464]，而切言极对[465]，毁刺贵臣，讥呵宦官[466]。陛下不密其言，至令宣露，群邪项领，膏唇拭舌[467]，竞欲咀嚼，造作飞条[468]。陛下回受诽谤[469]，致邕刑罪，室家徙放，老幼流离，岂不负忠臣哉！今群臣皆以邕为戒，上畏不测之难，

陈蕃、窦武和尹勋等人。接着共同割裂城邑，互相封赏赐爵，父子兄弟，都受到尊崇荣耀，平时所亲信的人，散布在州郡为官，有的当上九卿，有的做了三公。不考虑俸禄厚重、职位崇高的责任，反而专门经营私事，积蓄大量钱财，修建住宅，里巷相连，偷取皇宫禁苑的水，作为鱼池钓鱼，车马衣服玩物，和君王相拟。所有的公卿大臣，闭口噤声，无人敢说话。州牧郡守，秉承旨意，征召选举，放弃贤才，取用愚昧之人。所以，蝗虫成灾，夷寇兴乱。皇天愤怒到了极点，已经积累十几年，所以连年上有日食，下有地震，用以谴责警告人君，想使皇上觉悟，铲除奸凶。从前，殷高宗武丁因为野鸡停在鼎上鸣叫，于是修政，从而获得中兴大业。近来神灵启悟陛下，勃然发怒，所以王甫父子实时被诛杀了，路上行人男男女女，没有不叫好的，好像是报了杀父母之仇。只是抱怨陛下还能容忍残余的奸贼，不一网打尽。过去秦二世相信赵高，危及国家；吴王余祭信任受刑的人，身遭其祸。现在陛下不忍心诛杀他们，赦免他们灭族的大罪，一旦他们奸谋得逞，后悔莫及！臣做了十五年郎，都耳闻目睹，朱瑀的所作所为，实在是皇天所不能宽恕的。但愿陛下留下片刻时间听臣陈奏，裁断省览臣的奏章，肃清奸邪之徒，来回应上天的愤怒。臣可与朱瑀对证，如果有不像我说的，臣甘愿接受烹煮的刑罚，妻儿一起流放，以断绝胡言乱语的发生。”奏章呈上被搁置，没有回音。

中常侍吕强清廉忠正，一心奉公，汉灵帝按照惯例，册封吕强为都乡侯。吕强坚决推辞不肯接受，因而上书陈述政事说：“臣听说高祖严格规定，不是功臣不封侯，为的是尊重国家的爵位，使奖惩鲜明。中常侍曹节等人，身为宦官，福分微薄，品德低劣，人格下贱，谗言谄媚，使用奸佞邪恶的手段邀取恩宠，犯有赵高的祸害，却未遭到车裂的刑罚。陛下没有觉悟，随意封给他们采邑，建国世袭，小人得到任用，又推及家人，个个佩戴尊贵的金印紫绶，结成奸党，与一群小人为伍。阴阳颠倒，农田荒废，人事不宁，都是由此产生的。臣完全知道对宦官封爵的事情已经成为事实了，说话也于事无补，臣之所以冒着死罪，触犯忌讳，陈述一片愚忠，实在是希望陛下改正已经形成的过错，到此为止。臣又听说后宫美女有几千人，衣食费用，每天耗费几百金。近来尽管谷价很低，而贫困的百姓还有忍饥挨饿的，按理说百姓饥饿，粮价应该上涨，反而如此便宜，实在是因为政府不断征收赋税，百姓只好抛售粮食来向县官缴税。天寒不敢多穿，饥饿不敢多吃，百姓如此困窘却不抚恤。宫女一无用处，却充满后宫，即使全国都尽力耕种纺织，还是不能供应。还有，前些时召议郎蔡邕到金商门策问，蔡邕不敢把治国之道藏起来而不管国家走入迷途，就直言答对，讥毁权贵，批评宦官。陛下对他的话没有保密，以致泄露出来，一群小人伸直脖子，舔着嘴唇，伸出舌头，争着想把蔡邕吞噬，制造匿名信诬告蔡邕。陛下错误地相信小人的造谣诬蔑，判处了蔡邕重罪，全家流放，老少分离，岂不辜负了忠臣！现在群臣都以蔡邕为戒，上畏意外横祸，

下惧剑客[470]之害，臣知朝廷不复得闻忠言矣！故太尉段颎，武勇冠世[471]，习于边事，垂发服戎[472]，功成皓首[473]，历事二主[474]，勋烈独昭[475]。陛下既已式序[476]，位登台司[477]，而为司隶校尉阳球所见诬胁[478]，一身既毙，而妻子远播[479]，天下惆怅[480]，功臣失望。宜征邕更加授任，反颎家属，则忠贞路开，众怨以弭[481]矣。”帝知其忠而不能用。

丁酉[482]，赦天下。

【段旨】

以上为第十二段，写郎中审忠与中常侍吕强上奏，陈述曹节奸佞、后宫太盛，平反陈蕃、窦武冤狱，召还蔡邕及段颎家属，灵帝皆充耳不闻。

【注释】

㊷撞蹹省闼：冲击宫禁，发动宫廷政变。蹹，通“踏”。㊸割裂城社：割裂城邑，作为采邑。㊹九列：列位九卿。㊺三司：三公。㊻御水：皇宫禁苑之水。㊼以作渔钓：引御水用作垂钓。㊽拟于天家：比拟皇上。㊾承顺风旨：秉承旨意。㊿天意愤盈：皇天愤怒到极点。[431]频岁：连年。[432]谴戒：谴责警告。[433]诛鉏无状：铲除无行奸凶。鉏，即“锄”字。[434]雉雊之变：殷高宗武丁时，祭祀成汤，有只野鸡飞落礼鼎耳把上鸣叫。高宗惧而修德，殷朝中兴。雉，野鸡。雊，鸣叫。[435]发赫斯之怒：勃然发怒。语出《诗经·皇矣》：“王赫斯怒。”[436]馘截：被砍下的脑袋。馘，割下的敌人耳朵，用以代首级。[437]路人士女：行路的男男女女。[438]怪：抱怨。[439]忍孽臣之类：容忍残余的丑类。[440]不悉殄灭：不一网打尽。[441]昔秦信赵高句：事见本书卷八秦二世二年。[442]吴使刑人句：吴王余祭信用刑余之人，身遭毒手。《左传》襄公二十九年载，吴伐越，将俘虏用作看门人，让他看管船只。吴王余祭登船，被这看门人砍死。古代看门人称阍人，要断其一足，故称刑人。[443]留漏刻之听：留下片刻时间来倾听我的意见。漏刻，古代用滴漏方法计时，一昼夜为一百刻度，一刻是很短暂的时间。[444]裁省臣表：详看我的奏章。裁省，裁断省览。[445]与瑀考验：敢和朱瑀对证。[446]愿受汤镬之诛：愿受烹刑。[447]妄言：胡言乱语。[448]章寝不报：奏章被搁置，没有回音。[449]重天爵、明劝戒：尊重国家的封爵，使奖惩鲜明。[450]祐薄：福薄。[451]佞邪徼宠：使用奸佞邪恶的手段邀取恩宠。[452]辕裂之

下惧刺客暗杀，臣知道朝廷再也听不到忠正之言了！前太尉段颎英勇盖世，熟悉边疆事务，孩提时从军，到头发发白才完成功业，历事桓帝、灵帝两位君主，功业昭著，为功臣之冠。陛下已经叙录其功，逐级提升他，位至三公，却被司隶校尉阳球诬陷，身既死亡，妻儿流放到远方，天下叹息，功臣失望。应当召回蔡邕，重新任用，召回段颎的家属，这样忠贞的道路才能开启，众人的怨恨才会消失。”汉灵帝知道吕强忠诚，但未采用吕强的建议。

四月二十四日丁酉，大赦天下。

诛：车裂之刑，俗称五马分尸。㊸茅土：采邑。㊹重金兼紫：佩戴尊贵的金印紫绶。汉制，太尉、司徒之印才是金印紫绶，司空仅银印青绶。㊺阴阳乖剌：阴阳颠倒。㊻不康：不安宁。㊼封事：指群官的封爵之事。㊽言之无逮：说话也来不及了。即说话于事无补。㊾冒死干触：冒着死罪，触怒忌讳。㊿损改既谬二句：修改错误，到此为止。461采女：美女。462比谷虽贱而户有饥色：近来尽管谷价很贱，而贫户之民仍面有饥色。463赋发繁数：指政府征收苛赋一次又一次，没完没了。464怀道迷国：把治国之道藏起来不管国家走入歧途。这是化用《论语·卫灵公》孔子之言。孔子赞扬卫大夫蘧伯玉，曰：“君子哉蘧伯玉！邦有道则仕，邦无道则可卷而怀之。”这里为避汉高祖刘邦之讳，改“邦”为“国”。465切言极对：直言答对。466毁刺贵臣二句：毁刺、讥呵为互文。讥刺，指责。467群邪项领二句：群奸伸直脖子，舔着嘴唇，伸出舌头。项领，喻群邪自恣，君王不能驾驭。468竞欲咀嚼二句：争着想把蔡邕一口吞嚼，制造匿名信进行诬陷。飞条，飞语、匿名信。469回受诽谤：错误地听信佞臣竖宦的造谣诬蔑。回，邪僻、邪枉。470剑客：刺客。指阳球指使刺客暗杀蔡邕。471冠世：盖世。472垂发服戎：孩提时投身行伍。垂发，谓童子。473功成皓首：头发白了才完成功业。474历事二主：段颎历任桓帝、灵帝两朝。475勋烈独昭：功业昭著。独，独出众人之上。476式序：叙录其功，按序升迁。477位登台司：位极三公。段颎官至太尉。478诬胁：诬陷。479远播：远迁；流放。480天下惆怅：全国叹息。481弭：消失。482丁酉：四月二十四日。

【校记】

[6]人：原作“臣”。据章钰校，甲十一行本、乙十一行本皆作“人”，今据改。

【原文】

上禄[483]长和海上言："礼，从祖兄弟[484]别居异财，恩义已轻，服属疏末。而今党人锢及五族，既乖典训之文[485]，有谬经常之法[486]。"帝览之而悟，于是党锢自从祖[487]以下皆得解释。

五月，以卫尉刘宽为太尉。

护匈奴中郎将张脩与南单于呼徵不相能[488]，脩擅斩之，更立右贤王羌渠为单于[489]。秋，七月，脩坐不先请而擅诛杀，槛车征诣廷尉，死。

初，司徒刘郃兄侍中儵与窦武同谋，俱死，永乐少府陈球说郃曰："公出自宗室，位登台鼎。天下瞻望，社稷镇卫[490]，岂得雷同[491]，容容无违[492]而已！今曹节等放纵为害，而久在左右，又公兄侍中受害节等，今可表徙卫尉阳球为司隶校尉，以次收节等诛之，政出圣主，天下太平，可翘足而待也！"郃曰："凶竖[493]多耳目，恐事未会，先受其祸[494]。"尚书刘纳曰："为国栋梁，倾危不持，焉用彼相邪[495]！"郃许诺，亦与阳球结谋。球小妻，程璜之女，由是节等颇得闻知，乃重赂璜，且胁之。璜惧迫，以球谋告节。节因共白帝曰："郃与刘纳、陈球、阳球交通书疏，谋议不轨。"帝大怒。冬，十月甲申[496]，刘郃、陈球、刘纳、阳球皆下狱，死。

巴郡[497]板楯蛮反，遣御史中丞萧瑗督益州刺史讨之，不克。

十二月，以光禄勋杨赐为司徒。

鲜卑寇幽、并二州。

【段旨】

以上为第十三段，写司徒刘郃、少府陈球、司隶校尉阳球谋诛宦官不密，皆下狱死。

【语译】

上禄县长和海上书说："按照礼制，同曾祖父的堂兄弟，分开居住，分开财产，亲情已经淡薄，族属疏远。而今党人遭禁锢延及五族，既不合乎经典之文，又违反正常的法律。"汉灵帝看了奏章，有所感悟，于是解除党人同曾祖父堂兄弟以下的禁锢。

五月，任命卫尉刘宽为太尉。

护匈奴中郎将张脩和南单于呼徵不和睦，张脩擅自杀死呼徵，改立右贤王羌渠为单于。秋，七月，张脩被指控不先请示而擅自诛杀呼徵，用囚车送到廷尉，处死。

当初，司徒刘郃的哥哥侍中刘儵和窦武同谋，一同被处死，永乐少府陈球对刘郃说："你出身皇族，位居三公，天下人瞻望，是国家栋梁，岂能与奸凶相同，庸庸碌碌，随波逐流！现在，曹节等人放纵肆虐，长期在皇帝身边，你的哥哥侍中受曹节等人陷害，你现在可以上表推荐阳球担任司隶校尉，依次逮捕曹节等人把他们杀掉，使政令出自天子，天下太平，翘首可待！"刘郃说："宦官耳目众多，恐怕事情还没有商议妥当，就先受到祸害。"尚书刘纳说："身为国家栋梁，国家有危而不扶持，何必还要你辅佐！"刘郃答应了，就和阳球密谋。阳球的小妾是程璜的女儿，因此曹节等人知道了这事，就重重贿赂程璜，并且威胁他。程璜害怕，就把阳球等人的谋划告诉了曹节。曹节等人共同报告汉灵帝说："刘郃和刘纳、陈球、阳球书信来往，图谋不轨。"汉灵帝大怒。冬，十月十四日甲申，刘郃、陈球、刘纳、阳球全都关进监狱处死。

巴郡板楯蛮反叛，派遣御史中丞萧瑗督领益州刺史讨伐蛮人，没有取胜。

十二月，任命光禄勋杨赐为司徒。

鲜卑人侵犯幽州、并州。

【注释】

㊽上禄：县名，县治在今甘肃成县西。㊽从祖兄弟：同曾祖而不同祖父的堂兄弟。㊽典训之文：此指《尚书·康诰》。《左传》昭公二十年载齐大夫苑何忌概括《康诰》文义之言云："在《康诰》曰，父子兄弟，罪不相及"。〖按〗今本《尚书·康诰》无此文。㊽有谬经常之法：不符合正常的法律。㊽从祖：叔祖。㊽不相能：相争斗气，各不忍让。㊽羌渠为单于：公元一七九至一八八年在位。㊾社稷镇卫：国家的栋梁。㊾岂得雷同：岂能与奸凶相同。㊾容容无违：庸庸碌碌，随波逐流。㊾凶竖：凶顽小子，指宦官。㊾恐事未会二句：恐怕事情还未商妥，就要先受其祸。㊾倾危不持二句：国家危而不扶，还用那辅佐干什么。语出《论语·季氏》孔子之言："危而不持，颠而不扶，则将焉用彼相矣？"㊾甲申：十月十四日。㊾巴郡：郡名，辖今四川东部地区。治所江州，在今重庆市。

【原文】

三年（庚申，公元一八〇年）

春，正月癸酉[498]，赦天下。

夏，四月，江夏[499]蛮反。

秋，酒泉地震。

冬，有星孛于狼、弧[500]。

鲜卑寇幽、并二州。

十二月己巳，立贵人何氏为皇后[501]。征后兄颍川太守进[502]为侍中。后本南阳屠家，以选入掖庭，生皇子辨[503]，故立之。

是岁作罼圭、灵昆苑[504]。司徒杨赐谏曰："先帝之制，左开鸿池[505]，右作上林，不奢不约，以合礼中。今猥规郊城之地[506]以为苑囿，坏沃衍[507]，废田园，驱居民，畜禽兽，殆非所谓若保赤子[508]之义。今城外之苑已有五六[509]，可以逞情意[510]，顺四节[511]也。宜惟夏禹卑宫[512]、太宗露台之意[513]，以尉下民之劳。"书奏，帝欲止，以问侍中任芝、乐松。对曰："昔文王之囿百里，人以为小；齐宣五里，人以为大[514]。今与百姓共之，无害于政也。"帝悦，遂为之。

巴郡板楯蛮反。

苍梧、桂阳贼攻郡县，零陵太守杨琁制马车数十乘，以排囊[515]盛石灰于车上，系布索于马尾[516]，又为兵车，专彀弓弩[517]。及战，令马车居前，顺风鼓灰，贼不得视，因以火烧布然[518]，马惊，奔突[519]贼阵，因使后车弓弩乱发，钲[520]鼓[521]鸣震，群盗波骇破散[522]，追逐伤斩无数，枭其渠帅，郡境以清。荆州刺史赵凯诬奏琁实非身亲破贼，而妄有其功。琁与相章奏[523]。凯有党助，遂槛车征琁，防禁严密，无由自讼[524]。乃噬臂出血，书衣为章[525]，具陈破贼形势，及言凯所诬状[526]，潜令亲属诣阙通之。诏书原琁[527]，拜议郎。凯受诬人之罪[528]。琁，乔[529]之弟也。

【语译】

三年（庚申，公元一八〇年）

春，正月癸酉日，大赦天下。

夏，四月，江夏蛮反叛。

秋，酒泉郡地震。

冬，在东井东南的狼、弧星区出现孛星。

鲜卑人侵犯幽州、并州。

十二月初五日己巳，立贵人何氏为皇后。征召皇后的哥哥颍川太守何进为侍中。何皇后本是南阳屠户的女儿，因选入宫中，生了皇子刘辨，所以被立为皇后。

这年，修建罼圭苑、灵昆苑。司徒杨赐劝谏说：“先帝的制度，左边开鸿池苑，右边造上林苑，不奢侈，也不简约，合乎中庸之礼。现在大规模圈占城郊的土地来建造苑囿，毁坏良田，废弃田园，驱逐居民，畜养禽兽，这不是爱民如子之道。如今京城外的苑囿已有五六处，可以尽情欢乐，顺应四时。应想想夏禹宫室简单，太宗不建露台的用意，来安抚小民的劳苦。”奏书呈上，汉灵帝想停建苑囿，拿此事询问侍中任芝和乐松。他们回答说：“过去周文王有百里苑囿，民众认为太小；齐宣王有五里苑囿，民众认为很大。现在陛下和百姓一起享受，不会危害国政。”汉灵帝很高兴，于是决定建造。

巴郡板楯蛮反叛。

苍梧、桂阳的贼民进攻郡县，零陵太守杨琁打造了几十辆马车，用袋子装石灰放在车上，在马尾系上布条，又制造射箭矢的专用战车。等到交战时，让马车在前，顺风扬灰，贼人睁不开眼，趁机用火点燃布条，马受惊，直冲贼人阵营，于是让后面的车子射箭，鸣金擂鼓，众贼惊慌溃逃，像水波一样扩散开，追杀贼人，死伤不计其数，割下首领的脑袋示众，郡境平静。荆州刺史赵凯诬奏杨琁实际上未亲自打败贼人，而妄自据有军功。杨琁上书答辩。赵凯有朋党相助，于是用囚车逮捕杨琁，防范严密，杨琁无从自己申诉。于是杨琁就咬破手臂，用血在衣服上写奏章，详细说明打败敌人的势态，以及赵凯诬奏的情况，秘密交给亲属到宫门上书。朝廷得知详情，下诏宽恕了杨琁，任命为议郎。赵凯被判处诬告罪。杨琁，是杨乔的弟弟。

【段旨】

以上为第十四段，写汉灵帝册立何皇后，大建苑囿。零陵太守杨琁平定叛乱，荆州刺史赵凯忌功诬奏杨琁冒功，事核，赵凯被判诬告罪。

【注释】

㊾⑧癸酉：正月庚子朔，无癸酉。癸酉，应为二月初五日。㊾⑨江夏：郡名，辖今湖北东部地区。治所西陵，在今湖北武汉市新洲区。东汉后期移治鄂县，在今湖北黄冈长江南岸。500有星孛于狼、弧：在东井东南的狼、弧星区出现孛星。501立贵人何氏为皇后：何皇后，南阳人，史失其名。生皇子刘辨。传见《后汉书》卷十下。502进：何进，何太后兄。何太后临朝，何进为大将军，谋诛宦官，迟疑不决，反被宦官所害。传见《后汉书》卷六十九。503皇子辨：东汉末少帝，为董卓所废。504罼圭、灵昆苑：皆为苑囿名，在洛阳宣平门外。罼圭苑有二，东罼圭苑，周围一千五百步，中有鱼梁台；西罼圭苑，周围三千三百步，规模更大。505鸿池：与下句“上林”，皆为苑名，均在洛阳西郊。506猥规郊城之地：大规模圈占城郊之地。猥，众、大规模。507坏沃衍：损坏良田。沃衍，平坦的肥美之地。508若保赤子：保护黎民。语出《尚书·康诰》：“若保赤子，惟民其康义。”赤子，婴儿。君王视民如赤子。509城外之苑已有五六：东汉初有平乐苑、上林苑，顺帝阳嘉元年（公元一三二年）起西苑，桓帝延熹二年（公元一五九年）建显扬苑，延熹九年（公元一六六年）建鸿德苑，已有五苑。510逞情意：尽情欢乐。逞，快也。511四节：春蒐、夏苗、秋狝、冬狩。512夏禹卑宫：夏禹建简陋的宫室。513太宗露台之意：汉文帝拒绝建高台，其意在养民。太宗，汉文帝庙号。他曾打算建造一座观天的露台，预算造价要费一百金，相当于十家中人之产，文帝决定停建。514文王之囿百里四句：见《孟子·梁惠王下》。齐宣王问孟子：周文王有囿方七十里，人们认为太小；我只有方五里之囿，人们却以为太大，这是为什么？孟子回答：文王之囿与人民共享，所以人们认为太小；大王之囿个人专享，所以人们认为太大。515排囊：两头开口的布袋。516系布索于马尾：在马尾系上布条。517又为兵车二句：又制造射箭矢的专用战车。彀，把弓箭张满。518火烧布然：用火点燃布袋。这样火使马惊，拼命奔驰，而烟火与石灰混合，形成遮天蔽日的滚滚烟尘。519奔突：直冲。520钲：古时军中的乐器，铜锣。521鼓：鼓鸣为进军之号。522波骇破散：全军惊骇奔逃，像水波一样扩散开去。523琁与相章奏：杨琁上奏章与赵凯答辩。524防禁严密二句：严密防范杨琁，使他无法申辩。525噬臂出血二句：杨琁咬破手臂，撕裂衣襟，写下血书奏章。526具陈破贼形势二句：详细陈述破敌势态，以及赵凯诬陷情况。527诏书原琁：下诏宽恕杨琁。528凯受诬人之罪：赵凯被判诬告罪。529乔：杨乔。见上卷桓帝永康元年。

【研析】

本卷史事研析汉灵帝立《熹平石经》，开办鸿都门学，以及第三次党锢之祸。

第一，灵帝立《熹平石经》。汉灵帝熹平四年（公元一七五年），春，三月，汉灵帝下诏，命儒家大师校定五经文字，命议郎蔡邕用古文、篆、隶三体书写，刻石立碑于太学门外，使太学生员和全国儒生参观抄写，每天有车千余辆，从四面八方云集，填满大街小巷，热闹非凡。石经，是官方写定的经书标准本。这是中国学术史、经学史上的一件大事。灵帝立《熹平石经》，对倡导学术严谨与推动学术发展有重大意义，应该肯定。

经书石刻不始于灵帝，嗣后历代有继承发展，至今立于西安市碑林博物馆。借此，将历代石经的沿革与内容，略述于下。

古代明经取士，而经学传写多误，故刻石立于太学以为定本。由于石经之刻，引发雕版印刷术之发明，影响至深且远。最早的石经，始刻于王莽。西汉平帝末，莽命甄丰摹古文《易》《书》《诗》《左传》于石。东汉灵帝时，诏诸儒正定，蔡邕书写《易》《书》《诗》《仪礼》《公羊》《论语》六经（据《后汉书·蔡邕传》），刻石于太学门外，称为《熹平石经》。魏废帝曹芳时，所刻石经称《正始石经》。东汉和魏所立石经均用古文、篆、隶三体书法以相对照，又称《三体石经》。唐文宗时又立《开成石经》，所刻增至十二经，无《孟子》。五代时蜀主孟昶立《蜀石经》，所刻凡十一经，无《孝经》《尔雅》而有《孟子》。北宋太宗刻十三经石经。南宋高宗御书石经，立于临安太学。清十三经石刻刻于高宗乾隆时，仁宗嘉庆时磨改。今存于西安碑林中十三经石刻即唐《开成石经》十二经，《孟子》朱注石经为康熙年间补刻。《开成石经》中之《孝经》四石为唐玄宗御书，天宝时立，是碑林现存石经中最早的。碑林创始于北宋哲宗元祐二年（公元一〇八七年）。石经于元祐五年，移入碑林。十三经石刻共一百十四碑，计经、注刻石六五点五万字。《易经》，王弼注。《尚书》，伪孔传。《毛诗》《周礼》《仪礼》《礼记》，均郑玄注。《春秋》三传，《左氏》杜预集解，《公羊》何休注，《谷梁》范宁注。《论语》，何晏集解。《孝经》，唐玄宗注。《尔雅》，郭璞注。《孟子》，朱熹集解。

汉灵帝立《熹平石经》，在文化上有进步意义，在政治上是为了缓解太学生的愤怒，转移他们攻击宦官的专注力。本来五经文字与宦官毫不相干，由于太学生考试争等第高下，抄写经书文本有差异，往往闹到官府里去争讼。太学生与朝官士大夫的清议，蔑视宦官的高傲，已经让宦官们发疯发狂，乱杀一气。太学生纠缠经学，吵吵闹闹随时可转为对宦官的攻击。六经石刻一立，引导太学生去钻故纸堆，确实使宦官清静了许多，也给汉灵帝脸上增添了一层光彩。

第二，汉灵帝立鸿都门学。光和元年（公元一七八年），汉灵帝在洛阳鸿都门创办收文学艺术类士子入学的学校，与太学相抗，史称鸿都门学。鸿都门学讲习辞赋、小说、绘画、书法。汉灵帝本人爱好文学艺术，加以提倡，无可厚非。文学艺术登上大雅之堂，还成为入仕资本，对中国传统文化的发展有进步意义。但灵帝创办鸿都门学，招收杂家九流，旨在与太学对抗，或者说是扶植制衡太学的新兴力量。汉灵帝为鸿都文学艺术家乐松、江览等三十二人画像题赞，用来对抗党人的“八俊”“八顾”“八及”“八厨”三十二大名士。鸿都学生考试及格给大官做，三公举用辟召，外放为刺史、太守，回朝为侍中、尚书，乃至封侯。考试不及格的就给小官做。但朝官士大夫都鄙视他们出身“微蔑”，称其为“斗筲小人”。太学生不肯与鸿都门学生为伍。鸿都门学是宦官的舆论阵地，自然名声很臭，在世家大族处于上升时期的风头上，根本不是对手。伴随灵帝之死，东汉之灭，鸿都门学式微了。

第三，第三次党锢之祸。宦官杀逐党人，引用大批下层豪强和宦官子弟夺占士族官职，激起双方的尖锐矛盾。一方是宦官继续利用各种借口把党锢之祸扩大化，打击士族。熹平五年，窦太后死，有流言说王甫杀太后。宦官追查流言，大捕清流朝官士大夫和太学生一千余人。另一方是朝官士大夫也是抓住机会就大杀宦官。灵帝光和二年四月，阳球任司隶校尉，一上任就杀了王甫，把王甫尸体砍成肉块示众在夏城门，用大大的字写布告说：“这就是贼臣王甫。”宦官与朝官士大夫如同针尖对麦芒，双方势不两立，这是第三次党锢之祸的背景。

第三次钩党之狱发生在灵帝熹平五年，这次是灵帝为了饰过而加重对钩党的迫害，株连党人的远亲旁支。学术界已往的论著一般称东汉有两次钩党之狱，把第三次看作是前两次的余波，这是应当辨正的。这一次冤狱发生在灵帝加元服，即亲掌政权之后，分析它的内容，有助于我们对钩党之狱性质的认识和评述，因此是很重要的。

建宁四年，即公元一七一年，灵帝加元服，大赦天下，唯党人不赦。熹平五年，永昌太守曹鸾上书，大讼党人，说他们有的年高德重，有的是治国人才，应该解除党禁，“股肱王室”。曹鸾质问说：“党人何罪，独不开恕乎!”曹鸾的方切直言恰恰触痛了灵帝的忌讳神经。灵帝览奏，勃然大怒，这是偏袒钩党，那还了得!“即诏司隶、益州槛车收鸾”，关押在槐里狱中，活活打死。又“诏州郡更考党人门生、故吏、父子、兄弟在位者，悉免官禁锢，爰及五属”。

桓帝制造“钩党之狱”，造成了社会的大分裂，灵帝继位后愈演愈烈，这是形势所逼，已非个人能力所能控制。但是历史并不能洗刷昏暴之君制造并扩大冤狱的责任。在专制政体下，掌握了国家权力的最高统治者皇帝，其个人的修养、品德将给历史打下善善恶恶的烙印。这是客观的存在。灵帝是比较聪明能干的，还懂一点文学，故其智更能饰诈拒谏。但他并无雄才伟略，又是一个贪财鬼，所以与群阉小丑臭味相投，合伙经营西园卖官所。他曾经宣称“张常侍是我公，赵常侍是我母”(《宦者列传》)，纵放张让、赵忠等十二中常侍专国乱政，达到了顶点。史称灵帝是“以小人而乘君子之器”。所以第二次党狱穷治，扩大成为全国性的大冤狱。曹鸾上书，道明真相，这无异于是在给专制的淫威火上浇油，于是灵帝变本加厉地导演了株连五属的第三次钩党之狱。从公元一六六到一七六年，十年之间，三次钩党之狱，浩劫全国。生灵涂炭，纲纪荡然；是非颠倒，廉耻相冒；天下钳口，人心思乱。汉室江山，气数已尽。灵帝一再扩大冤狱，伴随着正义被剿杀，他的威信也降到零点。于是中平元年（公元一八四年）爆发了黄巾大起义，灵帝惧，“乃大赦党人，诛徙之家皆归故郡”。

以上就是东汉三次“钩党之狱”的始末。范晔评论称之为“主荒政谬”。无疑，范晔的观点是应该肯定的。但是，为什么桓、灵二帝相继演出钩党之祸？宦官为恶，二帝不是不知，尤其是十常侍与黄巾通谋，灵帝亦未加责罚而独独对于起而矫弊的士大夫横加屠戮呢？难道桓、灵二帝不想把江山传之万世，以至无穷吗？这才是问题的本质所在。

追本溯源，东汉钩党之狱是秦汉专制制度消极因素的必然发展。秦汉中央集权制度，在统一全国、发展经济和繁荣共同文化等方面发挥了巨大作用。但是家天下的中央集权是靠君主独裁政体的形式来维系的，它就不可避免地要产生以意为法、权落群小的弊端。秦始皇集权，不辨赵高之奸；汉武帝集权，不明江充之佞，其结果都给国家带来了灾难。光武不悟个人过度集权之害，反其道而行之，致有外戚、宦官、士大夫之争，愈演愈烈而有钩党之狱，这是汉光武始料所不及之事。

太后、皇权、相权，这三权的鼎立是封建专制政体的必然产物。三种权力平衡，国家政局稳定；失去平衡，政局动荡。三种权力平衡的关键是加重相权，使皇帝、太后受到牵制，依照封建之法秉政。反之，削弱相权，皇权过分集中，皇帝为所欲为，就会形成以意为法的多中心权力结构，大权必然旁落群小，宦竖小丑成了皇权的代理，国家怎不衰败？东汉政局不稳，主要是“危自上起”，盖出于汉光武集权过度，使皇权与相权失去了平衡。东汉政论家仲长统早有极中肯的评论。他在《昌言·法诫》中说：

“光武皇帝愠数世之失权，忿强臣之窃命，矫枉过直，政不任下，虽置三公，事归台阁。自此以来，三公之职，备员而已。然政有不理，犹加谴责。而权移外戚之家，宠被近习之竖。亲其党类，用其私人。内充京师，外布列郡。颠倒贤愚，贸易选举。疲驽守境，贪残牧民，挠扰百姓，愤怒四夷，招致乖叛，乱离斯瘼，怨气并作。……此皆戚、宦之臣所致然也。”

但是，仲长统的议论也仍然只是表象。他只看到了光武的集权，却没有看到这是秦汉专制政体的必然发展。当然仲长统更看不到宦官之祸是封建专制政体不可能割除的肿瘤。因为宦官专政或群小误国，实质不过就是君主独裁的一种折光反射。

割除这一肿瘤，岂不意味着君主独裁的终结！这是古代政论家不可能思议的，所以我们不能苛求前人。

秦汉初制，丞相权大，其职“掌丞天子助理万机”(《汉书·百官公卿表》)，君权受到相权牵制，大权不得旁落群小。秦末赵高弄权，拥立二世，须得丞相李斯同意。西汉公卿操废立之权，当国统断续之际，大臣以社稷为重，所立之君既长且贤。周勃诛诸吕，迎立文帝，而有“文景之治”。霍光拥昭立宣，“摧燕王，仆上官，因权制敌，以成其忠”(《汉书·霍光传》)，而有“昭宣中兴”。西汉前期没有宦官之祸。汉文帝与宦官赵谈同载，郎中袁盎变色；丞相申屠嘉责罚邓通，文帝改容谢过。汉武帝封禅改制，削夺相权，以侍中参议朝政，又设中书令出纳章奏，形成了皇帝近侍决策的机构，称为“中朝”。“中朝”直接代表皇帝，所以凌驾在以丞相为首的“外朝”之上，这就为宦竖阉丑的登台扫清了道路。光武中兴进一步削弱相权，废丞相，事归台阁。东汉三公只是荣衔，毫无实权。东汉三公诛一宦竖，须得请旨而行。故有陈蕃、窦武之谋泄，何进议诛宦官之败。但是朝廷有过，天象变异，却要策免三公。外朝大臣成了皇帝犯过的替罪羊。于是外戚、宦官乘隙而起。东汉皇帝废立操于外戚、宦官之手。太后贪权立幼，权落外家。幼帝长成，与外戚争权，重用宦官。因此宫廷政变，迭次发生，造成了东汉政局长期动荡不稳。士大夫有感于此，激扬气节，以正色立于朝堂，外戚专权与外戚斗，宦官窃柄与宦官争。但是公卿无实权裁抑外戚和群阉小丑，只能以气节相尚，争取舆论。舆论“污秽朝廷”，更加激起皇帝对外朝官僚的猜忌。因此，愈是清廉之臣，就愈是罪尤之臣。皇帝要杀逐这些忠正清廉之臣以释猜忌，就要大兴冤狱。这就是“钩党之狱”产生的根本原因。

卷第五十八　汉纪五十

起重光作噩（辛酉，公元一八一年），尽强圉单阏（丁卯，公元一八七年），凡七年。

【题解】

本卷记事起公元一八一年，迄公元一八七年，凡七年，当汉灵帝光和四年至中平四年，是灵帝执政的后期。这一时期的最大事件是黄巾大起义。汉灵帝解除党禁，朝官士大夫一致镇压起义。皇甫嵩、朱儁、傅燮、卢植等人，建立殊勋。黄巾大起义，很快被扑灭，但边境事变方兴未艾。叛贼边章、韩遂、马腾、张纯等，勾结羌人、乌桓，祸乱西北雍凉和北疆幽并，官军征讨乏力，久不建功。昏暴贪残的汉灵帝，没有一丝悔悟，乱政的十常侍不但毫发未损，反而封侯拜爵，立功将士遭斥逐，鲠正大臣遭诛杀，吕强、张钧、刘陶、陈耽蒙冤屈死，汉家气数，不可复振。最大弊政，乃皇帝登上前台，公然卖官鬻爵。如此的贪婪皇帝，能够久长吗！

【原文】

孝灵皇帝中

光和四年（辛酉，公元一八一年）

春，正月，初置騄骥[①]厩丞[②]，领受[③]郡国调马[④]。豪右辜榷[⑤]，马一匹至二百万。

夏，四月庚子[⑥]，赦天下。

交趾[⑦]乌浒蛮久为乱，牧守[⑧]不能禁。交趾人梁龙等复反，攻破郡县。诏拜[⑨]兰陵令会稽朱儁[⑩]为交趾刺史[⑪]，击斩梁龙，降者数万人，旬月[⑫]尽定。以功封都亭侯[⑬]，征为谏议大夫[⑭]。

六月庚辰[⑮]，雨雹如鸡子[⑯]。

秋，九月庚寅朔[⑰]，日有食之。

太尉[⑱]刘宽[⑲]免，卫尉[⑳]许馘为太尉。

【语译】

孝灵皇帝中

光和四年（辛酉，公元一八一年）

春，正月，初次设置騄骥厩丞，接受郡国征拨的马匹。由于豪强的垄断，马价一匹达到二百万钱。

夏，四月庚子日，大赦天下。

交趾乌浒蛮夷长期作乱，州牧郡守不能制止。交趾人梁龙等人再次反叛，攻破郡县。下诏任命兰陵县令会稽人朱儁担任交趾刺史，朱儁击杀了梁龙，归降的蛮夷有数万人，一月之间彻底平定了暴乱。朱儁因功被封为都亭侯，征召为谏议大夫。

六月十九日庚辰，天降冰雹，大如鸡蛋。

秋，九月初一日庚寅，发生日食。

太尉刘宽被免职，卫尉许馘担任太尉。

闰月辛酉[21]，北宫东掖庭永巷署灾[22]。

司徒[23]杨赐[24]罢。冬，十月，太常陈耽[25]为司徒。

鲜卑[26]寇幽、并二州[27]。檀石槐[28]死，子和连代立。和连才力不及父而贪淫，后出攻北地[29]，北地人射杀之。其子骞曼尚幼，兄子魁头立。后骞曼长大，与魁头争国，众遂离散。魁头死，弟步度根立。

是岁，帝作列肆[30]于后宫，使诸采女[31]贩卖，更相盗窃争斗。帝著商贾服[32]，从之饮宴为乐。又于西园弄狗，着进贤冠[33]，带绶[34]。又驾四驴，帝躬自操辔[35]，驱驰周旋。京师转相仿效，驴价遂与马齐。

帝好为私稸[36]，收天下之珍货，每郡国贡献，先输中署[37]，名为"导行费"。中常侍[38]吕强[39]上疏谏曰："天下之财，莫不生之阴阳，归之陛下，岂有公私！而今中尚方[40]敛诸郡之宝，中御府[41]积天下之缯[42]，西园引司农[43]之藏，中厩[44]聚太仆[45]之马。而所输之府，辄有导行之财，调广民困，费多献少。奸吏因其利，百姓受其敝。又，阿媚之臣，好献其私，容谄姑息，自此而进。旧典选举委任三府[46]，尚书受奏御而已[47]。受试任用，责以成功，功无可察，然后付之尚书举劾，请下廷尉[48]覆按[49]虚实，行其罪罚。于是三公每有所选，参议掾属[50]，咨其行状[51]，度其器能。然犹有旷职废官，荒秽不治。今但任尚书，或有诏用[52]，如是，三公得免选举之负[53]，尚书亦复不坐[54]，责赏无归，岂肯空自劳苦乎！"书奏，不省[55]。

何皇后性强忌，后宫王美人生皇子协，后鸩[56]杀美人。帝大怒，欲废后。诸中官[57]固请，得止。

大长秋[58]华容侯曹节[59]卒，中常侍赵忠[60]代领大长秋。

闰九月初二日辛酉，北宫东厢房永巷署发生火灾。

司徒杨赐被罢免。冬，十月，太常陈耽担任司徒。

鲜卑进犯幽、并两州。鲜卑首领檀石槐死了，檀石槐的儿子和连继位。和连的才能不如父亲，却又贪婪荒淫，后来出兵进攻北地，北地人射死了他。他的儿子骞曼尚幼，哥哥的儿子魁头继位。后来骞曼长大了，和魁头争夺王位，部众便离散了。魁头死后，弟弟步度根继位。

这一年，灵帝在后宫修建成排的店铺，让宫女买卖货物，宫女们相互盗窃争斗。灵帝身穿商人的衣服，跟她们饮酒作乐。灵帝又在西园玩狗，狗头戴进贤冠，佩戴印绶。还驾着四驴车，灵帝亲自操控缰绳，驱车来回奔跑。京师中人竞相仿效，驴的价格于是与马相同。

灵帝喜好个人收藏，搜罗天下的珍奇宝物，郡国每有贡献，要先贿赂宫内官署，名叫“导行费”。中常侍吕强上表劝谏说：“天下的财物，无不是阴阳二气所生，全都属于陛下，哪还有公私的分别！但现在宫内尚方署收敛各郡国的珍宝，中御府聚积天下的丝织品，西园征取大司农的库藏，中厩聚集太仆的马匹。而那些收受贡品的府署，往往有“导行”之费，征调太多造成百姓贫困，花费增多，收入却少。奸诈的官吏由此而中饱私囊，百姓蒙受祸害。再有，阿谀奉承的臣子，喜欢进献他们的私藏；谄媚取容的小人，因此得到晋升。按照旧的制度，选举官员的大事交给三公衙署，尚书只是接受三公府的安排并加以管理罢了。官员的任用需接受考核才能正式委任，还要责成他做出功绩，如果没有功绩，就交给尚书纠举弹劾，并送至廷尉复审核实，然后实施惩罚。于是三公每次选用人才，三公僚属也参与评议，三公咨询所选人才的为人行事，量才使用。即使这样，还有不称职、充数的官吏，荒废了这一职务。现今只委任尚书选官，甚至有的直接下诏书任用，这样，三公免去了选官的责任，尚书也不会有失职之罪，惩罚与奖赏都没有了具体责任人，这样谁还肯辛勤劳苦呢！”谏书上奏后，灵帝没有理会。

何皇后生性倔强妒忌，后宫王美人生下皇子刘协，皇后用毒酒杀死了王美人。灵帝大怒，要废掉何皇后。宦官苦苦求情，才得免于被废。

大长秋华容侯曹节去世，中常侍赵忠代理大长秋。

【段旨】

以上为第一段，写朱儁崭露头角，平乱入京任谏大夫。汉灵帝聚敛财货珍宝。

【注释】

①骕骦：千里马之美称。②厩丞：皇家养马机构的副职长官。厩，马圈。③领受：接受。④调马：征调马匹。⑤辜榷：独占；垄断买卖权。⑥庚子：四月癸亥朔，无庚子日，史文有误。⑦交趾：或作交阯。郡名，东汉治所龙编，在今越南河内东北。⑧牧守：州郡长官。州称牧，郡称守。⑨拜：授官。⑩朱儁（？至公元一九五年）：字公伟，会稽上虞（今属浙江）人，因镇压黄巾军有功，官至太尉。传见《后汉书》卷七十一。⑪刺史：汉献帝以前，交趾未置州，但设置刺史，以重其地。刺史，一州之长，军事地位重要的州，刺史称州牧。⑫旬月：满月；一个月。⑬都亭侯：东汉封爵之一，低于都乡侯，高于关内侯。⑭谏议大夫：官名，属光禄勋，掌议论。⑮庚辰：六月十九日。⑯雨雹如鸡子：落下的冰雹像鸡蛋一般大。雨，动词，降落。⑰庚寅朔：九月初一日。初一为朔。⑱太尉：官名，东汉三公之一，掌全国军事。⑲刘宽（公元一三〇至一九五年）：字文饶，弘农华阴（今属陕西）人，官至太尉，封逯乡侯。传见《后汉书》卷二十五。⑳卫尉：官名，掌宫门警卫禁军，九卿之一。㉑辛酉：闰九月初二日。㉒永巷署灾：宫中管宫婢侍使的官署称永巷署。灾，发生火灾。㉓司徒：官名，东汉三公之一，掌民政。㉔杨赐（？至公元一八五年）：字伯献，弘农华阴人，历任司空、司徒等，封临晋侯。传见《后汉书》卷五十四。㉕陈耽（？至公元一八五年）：字汉公，东海郡（治所郯县，在今山东郯城西北）人，历任三公。事附见《后汉书》卷五十七《刘陶传》。㉖鲜卑：古民族名，古代东胡的一支。㉗幽、并二州：幽州治所蓟县，在今北京城西南。并

【原文】

五年（壬戌，公元一八二年）

春，正月辛未[61]，赦天下。

诏公卿以谣言[62]举刺史、二千石[63]为民蠹害者。太尉许馘、司空[64]张济[65]承望内官[66]，受取货赂，其宦者子弟、宾客[67]，虽贪污秽浊，皆不敢问，而虚纠[68]边远小郡清修有惠化者二十六人，吏民诣阙[69]陈诉。司徒陈耽上言："公卿所举，率党其私，所谓放鸱枭[70]而囚鸾凤[71]。"帝以让[72]馘、济。由是诸坐谣言征者，悉拜议郎。

二月，大疫。

三月，司徒陈耽免。

夏，四月，旱。

州治所晋阳，在今山西太原西南。㉘檀石槐（约公元一三七至一八一年）：鲜卑部落联盟首领，于二世纪中叶统一了蒙古草原的东部、中部和西部。事见《后汉书》卷九十《鲜卑传》。㉙北地：郡名，东汉后期为羌族所据，后徙寄治所于左冯翊祋祤，在今陕西铜川市耀州区东。㉚列肆：成列的店铺。㉛采女：宫女。㉜商贾服：商人衣服。㉝进贤冠：东汉文官戴的帽。前高七寸，后高三寸，长八寸。㉞绶：古代用以系印或装饰品的丝带。㉟辔：驾驭牲畜的缰绳。㊱稸：同“蓄”。㊲中署：宫内官署。㊳中常侍：官名，东汉以宦官担任，掌传达诏令、管理文书。㊴吕强：字汉盛，河南成皋（在今河南荥阳西北）人，是宦官中的正直者。传见《后汉书》卷七十八。㊵中尚方：宫中官署名，属少府，主造皇室兵器及玩好器物。㊶中御府：宫中官署名，属少府，主管皇室衣物的制作及浣洗。㊷缯：丝织物的总称。㊸司农：官名，即大司农，九卿之一，掌租税钱谷及财政收支。㊹中厩：国君的养马舍。㊺太仆：官名，九卿之一，掌皇帝之车马及马政。㊻三府：三公府，太尉、司徒、司空的府署。㊼尚书受奏御而已：谓三府负责官员选举，尚书受其奏加以管理而已。尚书，官名，东汉分六曹尚书，协助皇帝处理政务。㊽廷尉：官名，九卿之一，掌刑狱。㊾覆按：复查；审核。㊿掾属：汉代长官自己任命的下属官吏。(51)行状：人的品行业绩。(52)诏用：谓不由三公、尚书，直接以诏书任用。(53)负：责任。(54)坐：获罪。(55)省：看视。(56)鸩：毒酒。(57)中官：宦官。(58)大长秋：官名，皇后的近侍宦官，负责传达皇后旨意，管理宫中事务。(59)曹节：字汉丰，南阳新野（今河南新野）人，宦官。传见《后汉书》卷七十八。(60)赵忠：安平（今河北安平）人，宦官。传见《后汉书》卷七十八。

【语译】

五年（壬戌，公元一八二年）

春，正月十四日辛未，全国大赦。

下诏公卿依据民间流传的歌谣谚语，调查刺史、二千石高官中祸害百姓的官吏。太尉许馘、司空张济谄媚宦官，收取贿赂，这些宦官们的子弟、宾客，虽然污迹斑斑，都不敢过问，反而虚拟罪名逮捕了边远小郡中清廉有德政的官吏二十六人，当地官民到京师陈情申诉。司徒陈耽上奏说：“公卿所揭发的，大都为了泄私愤，这正是所谓放飞了鸱枭而囚禁了鸾凤。”灵帝以此责备许馘、张济。那些因歌谣谚语而被征调入京的官员，全都被任命为议郎。

二月，发生大规模瘟疫。

三月，司徒陈耽被免职。

夏，四月，发生旱灾。

以太常袁隗㊸为司徒。

五月庚申㊹，永乐宫署灾。

秋，七月，有星孛于太微㊺。

板楯蛮㊻寇乱巴郡㊼，连年讨之，不能克。帝欲大发兵，以问益州㊽计吏㊾汉中程包，对曰："板楯七姓㊿，自秦世立功，复[81]其租赋。其人勇猛善战。昔永初中，羌入汉川[82]，郡县破坏，得板楯救之，羌死败殆尽，羌人号为神兵，传语种辈，勿复南行。至建和二年[83]，羌复大入，实赖板楯连摧破之。前车骑将军[84]冯绲[85]南征武陵[86]，亦倚板楯以成其功。近益州郡[87]乱，太守李颙亦以板楯讨而平之。忠功如此，本无恶心。长吏[88]乡亭更赋[89]至重，仆役箠楚[90]，过于奴虏。亦有嫁妻卖子，或乃至自刭割。虽陈冤州郡，而牧守不为通理。阙庭[91]悠远，不能自闻，含怨呼天，无所叩愬[92]。故邑落[93]相聚，以致[1]叛戾[94]，非有谋主僭号[95]以图不轨。今但选明能牧守，自然安集，不烦征伐也。"帝从其言，选用太守曹谦，遣[2]宣诏赦之，即时皆降。

八月，起四百尺观于阿亭道。

冬，十月，太尉许馘罢，以太常杨赐为太尉。

帝校猎[96]上林苑[97]，历函谷关[98]，遂狩于广成苑。十二月，还，幸太学。

桓典[99]为侍御史[100]，宦官畏之。典常乘骢马[101]，京师为之语曰："行行[102]且止，避骢马御史。"典，焉[103]之孙也。

【段旨】

以上为第二段，写宦官庇护贪吏。巴郡板楯蛮民变，亦由贪吏激起，廉吏到任，民变平定。

任命太常袁隗为司徒。

五月初五日庚申，永乐官署发生火灾。

秋，七月，太微星区出现彗星。

板楯蛮侵扰巴郡，官军连年讨伐，没能平定。灵帝想大规模出兵，便询问益州计吏汉中人程包，程包回答说：“板楯有七个大姓，从秦朝起建立了功业，免除了当地租赋。板楯蛮人勇猛善战。从前永初年间，羌人侵入汉川，郡县遭到破坏，得到板楯蛮的援救，羌人死伤殆尽，羌人称他们是神兵，传话给自己的部族，不要再南犯。到建和二年，羌人再次大举入侵，仍然依靠板楯蛮接连击败了羌人。以前车骑将军冯绲征伐南方的武陵，也依靠板楯蛮才大功告成。近来益州郡叛乱，太守李颙也依靠板楯蛮平定了叛乱。板楯蛮忠诚有功，本无坏心。只是那些郡县长吏、乡长亭长的更赋太重，还把他们当作奴役使用，随意鞭打，残暴的程度甚至超过了对待奴隶和俘虏。有的板楯人嫁妻卖子，以至于刎颈自杀。虽然向州郡申诉冤情，而州牧郡守不予受理。天高皇帝远，他们的冤情不能上达，含冤呼号，无处申诉，所以村邑聚落相聚，以致叛乱，其实他们并不想僭号称王，图谋不轨。如今只要选用贤明能干的州牧郡守，自然会平安和谐，不需征讨。”灵帝采纳了程包的建言，选用太守曹谦，派他颁布诏书赦免板楯蛮，他们很快都归降了。

八月，在阿亭道修建了四百尺高的观台。

冬，十月，太尉许馘被免职，任太常杨赐为太尉。

灵帝在上林苑围猎，经过函谷关，于是到广成苑狩猎。十二月，回到京师，视察太学。

桓典任职侍御史，宦官们很畏惧他。桓典经常骑一匹杂有白色的青马，京城人为此编了一句歌谣：“边走边停，回避骑着杂花马的御史。”桓典，是桓焉的孙子。

【注释】

㉛ 辛未：正月十四日。㉜ 谣言：民间议论时政的歌谣谚语。㉝ 二千石：汉代郡守的俸禄为二千石，故成为郡守的通称。㉞ 司空：官名，东汉三公之一，掌土木营建和水利工程等。㉟ 张济：字符江，汝南细阳（今安徽太和东）人。事附见《后汉书》卷四十五《张酺传》。㊱ 内官：宦官。㊲ 宾客：依附豪强的人。㊳ 虚纠：捏造事实揭发，毫无根据告刁状。㊴ 诣阙：赴皇宫。㊵ 鸱枭：猛禽，喻指邪恶之人。㊶ 鸾凤：善鸟，喻指善良之人。㊷ 让：责备。㊸ 袁隗（？至公元一九一年）：字次阳，汝南汝阳（今河南商水县西南）人，官至太傅。事附见《后汉书》卷四十五《袁安传》。㊹ 庚申：五月初五日。㊺ 太微：天穹星区名，即三垣之上垣，位于北斗之南，轸、翼、角、亢之北，由二十颗星组成。㊻ 板楯蛮：古代居于巴郡的一支少数民族，主要分布于今四川渠江与嘉陵

江流域一带，因其作战时以木板为盾牌，故名。又因他们向统治者缴纳的赋叫賨，所以又称他们为巴賨或賨民。⑦巴郡：治所江州，在今重庆市南岸区。⑱益州：州名，治所雒县，在今四川广汉北。⑲计吏：又称上计吏，郡国守相的高级属吏之一。按期将本地户口、垦地、钱谷、盗贼等载入上计簿，到京城上报。⑳板楯七姓：罗、朴、昝、鄂、度、夕、龚七姓。㉑复：免除。㉒汉川：汉中地区。㉓建和二年：公元一四八年。㉔车骑将军：官名，位次于骠骑将军，掌京师兵卫与边防屯警。㉕冯绲（？至公元一六八年）：字皇卿，巴郡宕渠（今四川渠县东北）人，汉桓帝时为车骑将军，后为廷尉。传见《后汉书》卷三十八。㉖武陵：郡名，治所临沅，在今湖南常德。㉗益州郡：治所滇池，在今云南昆明市晋宁区。㉘长吏：指县令、长及丞、尉。汉代称秩在六百石以上的官吏为长吏；又称各县丞、尉秩在四百石至二百石者为长吏。汉代县令、长之秩在千石至三百石之间，故此，“长吏”指县令、长及丞、尉。㉙更赋：汉代以钱代服兵役和戍边

【原文】

六年（癸亥，公元一八三年）

春，三月辛未[104]，赦天下。

夏，大旱。

爵号皇后母为舞阳君。

秋，金城[105]河水溢出二十余里。

五原[106]山岸崩。

初，巨鹿[107]张角[108]奉事黄、老[109]，以妖术教授，号“太平道”。咒[110]符水[111]以疗病，令病者跪拜首过[112]。或时病愈，众共神而信之。角分遣弟子周行四方[113]，转相诳诱，十余年间，徒众数十万，自青、徐、幽、冀、荆、扬、兖、豫八州[114]之人，莫不毕应。或弃卖财产，流移奔赴，填塞道路，未至病死者亦以万数。郡县不解其意，反言角以善道教化，为民所归。

太尉杨赐时为司徒，上书言：“角诳曜[115][3]百姓，遭赦不悔[116]，稍益[117]滋蔓[118]。今若下州郡捕讨，恐更骚扰，速成其患。宜切敕[119]刺史、二千石，简别[120]流民，各护归本郡，以孤弱[121]其党；然后诛其渠帅[122]，可不劳而定。”会赐去位，事遂留中[123]。司徒掾[124]刘陶[125]复上疏申赐

的赋税。⑩ 箠楚：以棍棒捶打。⑪ 阙庭：皇宫朝廷。⑫ 叩愬：同“叩诉”。申诉。⑬ 邑落：村落。⑭ 叛戾：反叛。⑮ 僭号：谓与统治王朝对立而擅自称王称帝。⑯ 校猎：设木栏围野兽而后猎取。⑰ 上林苑：京郊的御用花园和围猎场所。⑱ 函谷关：在今河南新安东。⑲ 桓典（？至公元二〇一年）：沛郡龙亢（今安徽怀远西）人，官至御史中丞、光禄勋。传见《后汉书》卷三十七。⑳ 侍御史：官名，掌察举非法，接受公卿群吏奏事，举劾违失者。㉑ 骢马：青白杂色之马。㉒ 行行：踯躅不前的样子。㉓ 焉：桓焉，汉顺帝初为太傅。传见《后汉书》卷三十七。

【校记】

［1］致：原无此字。据章钰校，甲十一行本、乙十一行本皆有此字，张瑛《通鉴校勘记》同，今据补。［2］遣：原无此字。据章钰校，甲十一行本、乙十一行本皆有此字，今据补。

【语译】

六年（癸亥，公元一八三年）

春，三月二十一日辛未，大赦天下。

夏，大旱。

封何皇后之母为舞阳君。

秋，金城段黄河水暴涨，溢出二十余里。

五原郡发生山体滑坡。

当初，巨鹿郡人张角信奉黄老道，用妖术教授道徒，号称“太平道”。用咒语和符水治病，让病人跪拜忏悔。有的病人还真的被治好了，因而大家都把张角当作神来信奉。张角分派信徒周游四方，辗转诳骗引诱，十多年间，信徒有几十万，青、徐、幽、冀、荆、扬、兖、豫八州的百姓，无不响应入道。有的人变卖了家产，不远千里投奔张角，行人塞满道路。没有赶到而病死在半路的也数以万计。郡县官吏不了解张角的意图，反而说张角用道教教化百姓，为民心所向。

太尉杨赐当时为司徒，上书说：“张角煽惑百姓，受到赦免而不思悔改，逐渐扩充影响。现在如果下诏书命州郡进行追捕，恐怕会引起更大的骚乱，加速酿成祸害。应该严责刺史、二千石级的地方官吏，要检查区分流民，护送他们各归本郡，以此削弱他们的势力；然后诛杀他们的首领，便可以不费力而平定祸乱。”适逢杨赐去职，所奏之事便滞留宫中。司徒掾刘陶又上疏申述杨赐免职前的建议，说：“张角等

前议，言："角等阴谋益甚，四方私言，云'角等窃入京师，觇视[126]朝政'。鸟声兽心，私共鸣呼。州郡忌讳，不欲闻之，但更相告语，莫肯公文。宜下明诏，重募[127]角等，赏以国土[128]，有敢回避[129]，与之同罪。"帝殊不为意，方诏陶次第[130]《春秋条例》。

角遂置三十六方。方，犹将军也。大方万余人，小方六七千，各立渠帅。讹言[131]："苍天[132]已死，黄天[133]当立，岁在甲子，天下大吉。"以白土书京城寺门[134]及州郡官府，皆作"甲子"字。大方马元义等先收[135]荆、扬数万人，期会[136]发于邺[137]。元义数往来京师，以中常侍封谞、徐奉等为内应，约以三月五日内外俱起。

【段旨】

以上为第三段，写黄巾军领袖张角用太平道组织民众起义。

【注释】

⑩④辛未：三月二十一日。⑩⑤金城：郡名，治所允吾，在今甘肃永靖北。⑩⑥五原：郡名，治所九原，在今内蒙古包头西北。⑩⑦巨鹿：郡名，治所瘿陶，在今河北宁晋西南。⑩⑧张角（？至公元一八四年）：东汉末年黄巾军首领。其事散见《后汉书》卷七十一《皇甫嵩传》等。⑩⑨黄老：黄帝与老子，为太平道所宗奉。⑪⓪咒：旧时僧、道用来驱鬼降妖的口诀。⑪①符水：溶有烧成灰的符箓的水。⑪②首过：自己陈述过失。⑪③周行四方：周游布道，行走于四方。⑪④青、徐、幽、冀、荆、扬、兖、豫八州：八个州的治所分别为，青州治所临淄，在今山东淄博东北；徐州治所郯县，在今山东郯城西北；幽州治所蓟县，在今北京市西南；冀州治所高邑，在今河北柏乡北；荆州治所汉寿，在今湖南常德东北；扬州治所历阳，在今安徽和县；兖州治所昌邑，在今山东金乡西北；豫州治所

【原文】

中平元年（甲子，公元一八四年）

春，角弟子济南唐周上书告之。于是收马元义，车裂[138]于雒阳[139]。诏三公、司隶[140]按验[141]宫省直卫[142]及百姓有事角道者，诛杀千余人，

人的阴谋活动日益严重，四方传言说‘张角等已经秘密进入京师，窥探朝廷政局’。他们像鸟兽一样，彼此声心呼应。州郡官吏忌讳此事，不想上奏朝廷，只是相互转告，没有谁愿行文上奏。朝廷应下明确的诏书，用重金悬赏抓捕张角等人，赏赐爵位国土，有谁敢回护，与张角同罪。”灵帝仍不把此事放在心上，这时正诏令刘陶编撰《春秋条例》。

张角于是把信徒编制成三十六方。方的首领相当于将军。大方一万多人，小方六七千人，各方设置首领。他们散布谣言说：“苍天已死，黄天当立，岁在甲子，天下大吉。”用白色土在京城各衙门和州郡官署的门上书写“甲子”二字。大方马元义等先搜罗荆、扬两州的数万信徒，约定日期在邺地发难。马元义多次来往京师，利用中常侍封谞、徐奉等作为内应，定在次年的三月五日内外共同起事。

谯县，在今安徽亳州。⑮ 诳曜：欺骗迷惑。⑯ 遭赦不悔：蒙受赦免，仍不悔改。遭，遇到、受过。⑰ 稍益：渐渐增加。⑱ 滋蔓：滋长蔓延。⑲ 切敕：限期完成的命令，即严厉的命令。⑳ 简别：选择区分。㉑ 孤弱：使之孤立削弱。㉒ 渠帅：头领。㉓ 留中：指杨赐的上书被留在宫中，不交议也不批答。㉔ 司徒掾：司徒之属吏。㉕ 刘陶（？至公元一八五年）：字子奇，颍川颍阴（今河南许昌）人，官至尚书令、侍中，封中陵乡侯。传见《后汉书》卷五十七。㉖ 觇视：暗中偷看。㉗ 重募：谓重金悬赏。㉘ 赏以国土：谓封给爵邑。㉙ 回避：袒护；隐藏。㉚ 次第：整理编排。㉛ 讹言：流言；谣言。㉜ 苍天：指汉王朝。㉝ 黄天：指黄巾军。㉞ 寺门：官府之门。㉟ 先收：首先搜罗。㊱ 期会：约定日期。㊲ 邺：县名，县治在今河北临漳西南。

【校记】

［3］曜：据章钰校，甲十一行本、乙十一行本皆作“燿”，熊罗宿《胡刻资治通鉴校字记》同。〖按〗二字同。

【语译】

中平元年（甲子，公元一八四年）

春，张角弟子济南人唐周上书告密。于是收捕了马元义，在洛阳车裂示众。诏令三公、司隶校尉审查宫中宿卫及百姓中信奉张角太平教的人，杀了一千多人，

下[143]冀州逐捕角等。角等知事已露，晨夜驰敕诸方，一时俱起，皆着黄巾以为标帜，故时人谓之“黄巾贼”。

二月，角自称天公将军，角弟宝称地公将军，宝弟梁称人公将军，所在燔烧官府，劫略聚邑。州郡失据，长吏多逃亡。旬月之间，天下响应，京师震动。安平、甘陵[144]人各执其王应贼。

三月戊申[145]，以河南尹[146]何进[147]为大将军[148]，封慎侯，率左右羽林[149]、五营[150]营士屯都亭[151]，修理器械，以镇京师。置函谷、太谷、广成、伊阙、轘辕、旋门、孟津、小平津八关都尉[152]。

帝召群臣会议。北地太守皇甫嵩[153]以为“宜解党禁，益出中藏钱[154]、西园厩马[155]以班[156]军士。”嵩，规之兄子也。

上问计于中常侍吕强，对曰：“党锢久积，人情怨愤，若不赦宥，轻与张角合谋，为变滋大，悔之无救。今请先诛左右贪浊者，大赦党人，料简刺史、二千石能否，则盗无不平矣。”帝惧而从之。壬子[157]，赦天下党人，还诸徙者[158]，唯张角不赦。发天下精兵，遣北中郎将[159]卢植[160]讨张角，左中郎将皇甫嵩、右中郎将朱儁讨颍川[161]黄巾。

【段旨】

以上为第四段，写公元一八四年黄巾大起义，党人蒙赦。

【注释】

⑱车裂：古代酷刑，以马车撕裂人体。⑲雒阳：县名，东汉京都，在今河南洛阳白马寺东。⑳司隶：司隶校尉，官名，掌纠察京都百官违法者，并治所辖各郡，相当于州刺史。㉑按验：审查。㉒直卫：禁卫。直，通“值”。㉓下：下令。此指下诏书。㉔安平、甘陵：均王国名。安平国，治所信都，在今河北衡水市冀州区。当时刘续为王。甘陵国，治所甘陵县，在今山东临清东。当时刘忠为王。㉕戊申：三月初三。㉖河南尹：京师最高行政长官称尹。河南尹，京师洛阳市市长。㉗何进（？至公元一八九年）：字遂高，南阳宛县（今河南南阳）人，其妹为汉灵帝皇后。灵帝死，立少帝，专断朝政。后与袁绍谋诛宦官，事泄被杀。传见《后汉书》卷六十九。㉘大将军：官名，为将军的最高称号，掌统兵征伐。东汉时位在三公上，为中央政府执政者，但不常设。㉙左右羽

下令冀州的官员追捕张角等人。张角等知道起义的事情已泄露，便派人不分昼夜地飞告各方，同时一起提前起事，徒众都头戴黄巾作标志，因而当时人称他们为“黄巾贼”。

二月，张角自称天公将军，张角的弟弟张宝称地公将军，张宝的弟弟张梁称人公将军，他们所到之处，焚烧官府，抢掠城乡。州郡失陷，长官大多逃走。不到一月的时间，全国响应，京城震动。安平、甘陵两个侯国的人，抓了各自侯王响应贼寇。

三月初三日戊申，任命河南尹何进为大将军，封慎侯，率领左右羽林军和五营的士兵屯驻都亭，修造攻防器械，镇守京城。设立函谷、太谷、广成、伊阙、轘辕、旋门、孟津、小平津八关都尉。

灵帝召集群臣商议对策。北地郡太守皇甫嵩认为“应解除对党人的禁锢，调拨中藏府所贮钱帛、西园厩中的马匹，分发给士兵”。皇甫嵩，是皇甫规哥哥的儿子。

灵帝向中常侍吕强问计，吕强回答说：“党锢之祸积怨已久，人心愤恨，如果不赦免，党人很容易与张角合流同谋，那危害就更大了，到时后悔就没救了。现在请皇上先杀掉身边的贪官，大赦党人，选调贤能的刺史、二千石任职，那么盗贼没有不平息的。”灵帝很害怕，听从了吕强的建议。三月初七日壬子，赦免全国的党人，召还被流放的人，只有张角不予赦免。征调全国的精锐部队，派北中郎将卢植征讨张角，左中郎将皇甫嵩、右中郎将朱儁征讨颍川的黄巾贼。

林：护卫皇帝的禁卫军，置羽林中郎将统领。其下又有羽林左监统羽林左骑，羽林右监统羽林右骑。⑮⓪ 五营：大将军直属的五部军营，每部置校尉一人统领。⑮① 都亭：郡县治所城边的亭称都亭。此指洛阳的都亭。⑮② 置函谷、太谷、广成句：在京师洛阳四周，设立郡都尉级的八个军镇关口。函谷关在今洛阳西；太谷关在今洛阳东南；广成关在今伊川县西南；伊阙关在今洛阳西南；轘辕关在今洛阳市偃师区东南；旋门关在今荥阳西北；孟津关在今孟州南；小平津关在今孟津东北。都尉，官名，东汉在边郡或关塞之地置都尉，职如太守。⑮③ 皇甫嵩（？至公元一九五年）：字义真，安定郡朝那县（今甘肃平凉西北）人，镇压黄巾军的主将，封槐里侯。传见《后汉书》卷七十一。⑮④ 中藏钱：宫内中藏府所储的钱财。汉代又称之为“禁钱”。⑮⑤ 西园厩马：騄骥厩马。⑮⑥ 班：同“颁”。分发。⑮⑦ 壬子：三月初七。⑮⑧ 还诸徙者：指赦免党人妻子徙边者回到各自的家乡。⑮⑨ 北中郎将：官名。汉代置五官、左、右三署中郎将，统领皇帝侍卫军。北中郎将则置于此时。⑯⓪ 卢植（？至公元一九二年）：字子干，涿郡涿县（今河北涿州）人，官至尚书。传见《后汉书》卷六十四。⑯① 颍川：郡名，治所阳翟，在今河南禹州。

【原文】

是时中常侍赵忠、张让、夏恽、郭胜、段珪、宋典等[162]皆封侯贵宠。上常言："张常侍是我公[163]，赵常侍是我母。"由是宦官无所惮畏，并起第宅，拟则[164]宫室。上尝欲登永安候台[165]，宦官恐望见其居处，乃使中大人[166]尚但谏曰："天子不当登高，登高则百姓虚散[167]。"上自是不敢复升台榭[168]。及封谞、徐奉事发[169]，上诘责[170]诸常侍曰："汝曹常言党人欲为不轨，皆令禁锢，或有伏诛者。今党人更为国用，汝曹反与张角通，为可斩未[171]？"皆叩头曰："此王甫、侯览[172]所为也。"于是诸常侍人人求退，各自征还宗亲、子弟在州郡者。

赵忠、夏恽等遂共谮吕强，云与党人共议朝廷[173]，数读《霍光传》[174]。强兄弟所在，并皆贪秽。帝使中黄门[175]持兵[176]召强。强闻帝召，怒曰："吾死，乱起矣！丈夫欲尽忠国家[177]，岂能对狱吏乎！"遂自杀。忠、恽复谮[178]曰："强见召，未知所问而就外自屏[179]，有奸明审。"遂收捕其宗亲，没入财产。

侍中[180]河内向栩[181]上便宜[182]，讥刺左右[183]。张让诬栩与张角同心，欲为内应，收送黄门北寺狱[184]，杀之。郎中[185]中山张钧上书曰："窃惟张角所以能兴兵作乱，万民所以乐附之者，其源皆由十常侍[186]多放父兄、子弟、婚亲、宾客典据州郡，辜榷财利，侵掠百姓；百姓之冤，无所告诉，故谋议不轨，聚为盗贼。宜斩十常侍，县[187]头南郊，以谢百姓，遣使者布告天下，可不须师旅而大寇自消。"帝以钧章示诸常侍，皆免冠徒跣[188]顿首[189]，乞自致雒阳诏狱[190]，并出家财以助军费。有诏，皆冠履视事如故。帝怒钧曰："此真狂子也！十常侍固当有一人善者不[191]？"御史[192]承旨[193]，遂诬奏钧学黄巾道，收掠，死狱中。

【语译】

这时中常侍赵忠、张让、夏恽、郭胜、段珪、宋典等都被封为列侯，尊贵得宠。皇上常说："张常侍就是我的父亲，赵常侍就是我的母亲。"因此宦官便肆无忌惮，同时各自建造住宅，规制模仿宫殿。皇上曾想登上永安宫的瞭望台，宦官们害怕皇上看见他们的住宅，就让老宦官尚但劝谏皇上说："天子不应登高，天子登高老百姓会离心离德。"皇上从此不敢再登台榭。直到封谞、徐奉叛乱事件发生，皇上责问众常侍说："你们经常说党人图谋不轨，要把党人全都禁锢，有的还被诛杀，如今党人却为国家出力，而你们反与张角勾结，是不是应该杀头？"赵忠等一起磕头说："这是王甫、侯览他们干的。"于是众常侍人人求退自保，召回在州郡任职的亲属和子弟。

于是赵忠、夏恽等一起诬陷吕强，说他与党人一起非议朝政，读了多遍《霍光传》。吕强的兄弟无论在哪里任职，个个都贪污受贿。灵帝派中黄门手执兵器宣诏吕强。吕强听到皇帝传诏，气愤地说："我死后，就会引发祸乱！大丈夫只想为国家尽忠，怎么能面对狱吏呢！"于是就自杀了。赵忠、夏恽又诬陷说："吕强被召，不知道要问他什么就在外自裁了，明摆着他胸怀奸诈。"于是逮捕了吕强同宗的亲属，没收了他们的财产。

侍中河内人向栩上书建言国家应办的事宜，书中讥讽了皇帝左右的人。张让便诬陷向栩和张角同心，要做内应，于是逮捕向栩，押送到黄门北寺监狱，并杀了他。郎中中山人张钧上书说："我以为张角之所以能兴兵作乱，成千上万的百姓乐于追随他，根源就是十常侍大量安排他们的父兄、子弟、姻亲、宾客把持州郡，垄断财路，侵夺百姓的利益；百姓的冤屈无处申诉，所以才图谋不轨，相聚为盗贼。应当杀掉十常侍，将他们的头悬挂于南郊示众，向百姓道歉，再派使者布告全国，这样可以不动用军队而巨贼自然会消除。"灵帝把张钧的奏章拿给众常侍看，他们人人摘下帽子，脱掉鞋袜向皇帝磕头谢罪，请求自投洛阳诏狱，并愿拿出家财资助军费。灵帝下诏，命他们戴上帽子，穿上鞋袜，官复原职。对张钧发怒说："这真是个疯狂小子！十常侍中难道一个好人也没有吗？"御史秉承皇上旨意，于是诬奏张钧学习黄巾道，将他逮捕拷打，死在狱中。

【段旨】

以上为第五段，写汉灵帝尊宠宦官，导致十常侍乱政，颠倒黑白，陷害忠良，黄巾乱起，灵帝仍执迷不悟。

【注释】

⑫赵忠、张让、夏恽、郭胜、段珪、宋典等：指赵忠、夏恽等十常侍宦官。事见《后汉书》卷七十八《宦者传》。⑬公：父亲。⑭拟则：仿照。⑮永安候台：洛阳永安宫在北宫东北，宫中有候台。候台，瞭望台。⑯中大人：老资格的宦官。⑰虚散：逃散。此喻离心离德。⑱榭：建筑在台上的房屋。⑲封谞、徐奉事发：指封谞、徐奉等人勾结黄巾的事情败露。事发，事件被揭发、败露。⑳诘责：质问斥责。㉑未：义同“否”。㉒王甫、侯览：汉桓、灵二帝时的宦官，皆贪残不法，大量夺人田产房屋，放纵宗亲仆从侵凌百姓。熹平元年侯览事发自杀，光和二年王甫被告，死于狱中。事见《后汉书》卷七十八《宦者传》。㉓朝廷：指皇帝。㉔《霍光传》：指《汉书》卷六十八《霍光传》。言吕强等欲效霍光行废立事。㉕中黄门：官名，宦官充任，在宫中侍候

【原文】

庚子[194]，南阳[195]黄巾张曼成攻杀太守褚贡。

帝问太尉杨赐以黄巾事，赐所对切直，帝不悦。夏，四月，赐坐寇贼免，以太仆弘农邓盛为太尉。已而帝阅录故事，得赐与刘陶所上张角奏，乃封赐为临晋侯，陶为中陵乡侯。

司空张济罢，以大司农张温为司空。

皇甫嵩、朱儁合将四万余人共讨颍川[4]，嵩、儁各统一军。儁与贼波才战，败。嵩进保长社[196]。

汝南[197]黄巾败太守赵谦于邵陵[198]。广阳[199]黄巾杀幽州刺史郭勋及太守刘卫。

波才围皇甫嵩于长社。嵩兵少，军中皆恐。贼依草结营，会大风，嵩约敕军士皆束苣[200]乘城[201]，使锐士间出围外，纵火大呼，城上举燎[202]应之。嵩从城中鼓噪而出，奔击贼陈[203]，贼惊乱犇[5]走。会骑都尉[204]沛国曹操[205]将兵适至，五月，嵩、操与朱儁合军，更与贼战，大破之，斩首数万级。封嵩都乡侯[206]。

操父嵩，为中常侍曹腾[207]养子，不能审其生出本末，或云夏侯氏子也。操少机警，有权数[208]，而任侠放荡，不治行业[209]，世人未之奇

皇帝。⑯持兵：带着兵器。⑰国家：指皇帝。⑱谮：说坏话；打小报告。⑲自屏：自杀。⑳侍中：官名，职在侍从皇帝，应对顾问。㉑向栩（？至公元一八四年）：字甫兴，河内朝歌（今河南淇县）人，官至侍中。传见《后汉书》卷八十一。㉒便宜：谓有利国家而应办的事。㉓左右：指皇帝左右的宦官。㉔黄门北寺狱：汉末党事起，于宫内之北设北寺狱残害党人，因属黄门署，故称黄门北寺狱。㉕郎中：官名。属光禄勋，除宿卫诸殿门外，还内充侍卫，外从作战。㉖十常侍：据《后汉书》卷七十八《宦者传》，张让、赵忠、夏恽、郭胜、孙璋、毕岚、栗嵩、段珪、高望、张恭、韩悝、宋典十二人为中常侍。史言十常侍，是举其整数。㉗县："悬"本字。㉘徒跣：赤脚步行。㉙顿首：头叩地而拜。㉚诏狱：奉皇帝诏令拘禁罪犯的监狱。㉛不：同"否"。㉜御史：官名，即侍御史，掌察举非法，受公卿群吏奏事，有违失者则举劾。㉝承旨：奉承皇帝旨意。

【语译】

庚子日，南阳黄巾张曼成攻城杀了太守褚贡。

灵帝向太尉杨赐询问黄巾变乱的事情，杨赐直截了当地加以回答，灵帝很不高兴。夏，四月，因盗贼起事，杨赐被免职，任命太仆弘农人邓盛为太尉。不久，灵帝翻阅先前的文书，获得杨赐与刘陶所上有关张角的奏章，于是就封杨赐为临晋侯，刘陶为中陵乡侯。

司空张济被罢免，任命大司农张温为司空。

皇甫嵩、朱儁联合率领四万多名将士，一起征讨颍川，皇甫嵩与朱儁各自统领一军。朱儁与黄巾贼波才交战，失败。皇甫嵩进兵保卫长社县。

汝南黄巾在邵陵击败太守赵谦。广阳黄巾斩杀幽州刺史郭勋和郡太守刘卫。

波才在长社包围了皇甫嵩。皇甫嵩兵少，军中将士都很恐惧。盗贼背靠草垛扎营，适遇大风，皇甫嵩命令士兵都手持苇草扎成的火炬，登上城楼，派精锐的战士秘密地潜出包围圈，放火大喊，城楼上的士兵举起火炬响应。皇甫嵩率兵从城里击鼓呐喊杀出，奔袭贼军阵地，贼军惊恐混乱，四处逃走。适逢骑都尉沛国人曹操率兵赶到。五月，皇甫嵩、曹操与朱儁兵合一处，再与贼军交战，大败贼军，杀了几万人。于是封皇甫嵩为都乡侯。

曹操的父亲曹嵩，是中常侍曹腾的养子，不清楚他的出生根底，有人说他是夏侯氏的血脉。曹操从小机敏，有权谋，而且侠义放荡，不治产业，当时的人不看重

也，唯太尉桥玄[210]及南阳何颙[211]异焉。玄谓操曰："天下将乱，非命世之才[212]，不能济[213]也。能安之者，其在君乎！"颙见操，叹曰："汉家将亡，安天下者，必此人也！"玄谓操曰："君未有名，可交许子将。"子将者，训之从子劭[214]也。好人伦[215]，多所赏识，与从兄靖[216]俱有高名，好共核论乡党[217]人物，每月辄更其品题[218]，故汝南俗有月旦评焉。尝为郡功曹[219]，府中闻之，莫不改操饰行。曹操往造劭而问之曰："我何如人？"劭鄙其为人，不答。操乃劫[220]之，劭曰："子，治世之能臣，乱世之奸雄[221]。"操大喜而去。

朱儁之击黄巾也，其护军司马[222]北地傅燮[223]上疏曰："臣闻天下之祸不由于外，皆兴于内。是故虞舜先除四凶[224]，然后用十六相[225]，明恶人不去，则善人无由进也。今张角起于赵、魏[226]，黄巾乱于六州，此皆衅发萧墙[227]，而祸延四海者也。臣受戎任，奉辞伐罪，始到颍川，战无不克，黄巾虽盛，不足为庙堂[228]忧也。臣之所惧，在于治水不自其源，末流弥增其广耳。陛下仁德宽容，多所不忍，故阉竖[229]弄权，忠臣不进。诚使张角枭夷[230]，黄巾变服[231]，臣之所忧，甫[232]益深耳。何者？夫邪正之人不宜共国，亦犹冰炭不可同器。彼知正人之功显，而危亡之兆见，皆将巧辞饰说，共长虚伪。夫孝子疑于屡至[233]，市虎成于三夫[234]，若不详察真伪，忠臣将复有杜邮之戮[235]矣！陛下宜思虞舜四罪之举，速行谗佞之诛，则善人思进，奸凶自息。"赵忠见其疏而恶之。燮击黄巾，功多当封，忠谮诉之。帝识燮言，得不加罪，竟亦不封。

张曼成屯宛下百余日，六月，南阳太守秦颉击曼成，斩之。

交趾土多珍货，前后刺史多无清行，财计盈给[236]，辄求迁代。故吏民怨叛，执刺史及合浦[237]太守来达，自称柱天将军。三府选京令东郡贾琮[238]为交趾刺史。琮到部，讯其反状，咸言："赋敛过重，百姓莫不空单[239]。京师遥远，告冤无所，民不聊生[240]，故聚为盗贼。"琮即移书告示，各使安其资业，招抚荒散，蠲复[241]徭役，诛斩渠帅为大害者，简选良吏试守[242]诸县，岁间荡定[243]，百姓以安。巷路为之歌曰："贾父来晚，使我先反。今见清平，吏不敢饭[244]。"

他，只有太尉桥玄和南阳人何颙认为他是非常之人。桥玄对曹操说："天下将要大乱，非旷世奇才，不能拯救。能安定天下的，大概就是你曹操了！"何颙见到曹操，感叹地说："汉室将要灭亡，安定天下的，一定是这个人！"桥玄对曹操说："你还没有名气，可以和许子将结交。"许子将，是许训的侄子许劭。他喜欢交友，善于鉴别人物，很多人被他赏识，他和堂兄许靖都名声很高，他们喜欢一起评品乡里人物，每月两人总要轮换品评，因此汝南形成了每月初一品评人物的风气。许子将曾任汝南郡功曹，郡府的官吏听到他的事迹，没人不改变自己的操守。曹操去拜访许劭，询问他："我是一个什么样的人？"许劭鄙视曹操的为人，不作回答。曹操就逼迫他回答，许劭说："太平盛世你能成为能干的臣子，生逢乱世你会成为奸雄。"于是曹操非常高兴地离去。

在朱儁进击黄巾军时，他的护军司马北地人傅燮上奏说："我听说天下的祸乱不是源自外因，就是源自内因。所以虞舜首先除掉身边的四凶，然后起用十六位贤助手，这说明恶人不除掉，好人就无路进用。如今张角在赵、魏之地起事，黄巾军在六个州叛乱，这都是内部酿成祸患而流毒全国。臣受任军务，奉命征伐叛逆，刚到颍川，战无不胜，黄巾军虽然强大，还不足以成为国家的忧患。我担心的是，治水不从它的源头开始，那么下游则更加泛滥。陛下仁德宽容，常怀不忍之心，所以宦官专权，致使忠臣得不到进用。即便张角枭首，黄巾军顺服，而臣所担忧的，反而更加深远。为什么呢？大凡奸邪小人与正人君子不应共同治理国家，就像冰炭不能同炉一样。那些小人知道，正人君子的显赫功绩，就是他们危亡的先兆，所以都会花言巧语，以掩饰自己的虚伪。连曾参那样的孝子也会因谎言受到怀疑；连续三个人都说市面上有虎，人们就会相信。如果不细致地识别真伪，忠臣将再次遭受白起在杜邮自杀的悲剧！陛下应当思考虞舜驱逐四凶的举措，迅速诛灭进谗言的奸佞小人，那么贤人才会愿意为朝廷效命，恶人就会自然消亡。"赵忠看到傅燮的奏疏非常痛恨。傅燮攻打黄巾军，多次立功，应受到封赏，赵忠却诋毁他。灵帝尚还记得傅燮的奏疏内容，因而没有加罪于他，但始终也没有封赏他。

张曼成屯兵宛城一百多天，六月，南阳太守秦颉攻击张曼成，并杀了他。

交趾的土地盛产珍宝，先后担任刺史的官员大多不清廉，他们估算搜刮足了财物，就要求调离。所以官民怨恨反叛，抓了刺史与合浦太守来达，首领自称为柱天将军；三府选派京县令东郡人贾琮为交趾刺史。贾琮到任，调查吏民反叛的原因，都说："赋税太重，百姓都被搜刮一空。京城遥远，百姓无处申冤，民不聊生，因此聚而为盗贼。"贾琮就向各地贴出告示，让百姓各安其业，招抚安置逃荒在外的流民，免去徭役，诛杀罪大恶极的盗贼头目，挑选一批良吏试用各县。一年之内就平定了动乱，百姓得以安居。大街小巷可以听到赞颂贾琮的歌谣："贾父来晚了，逼得我们先反。如今太平了，官吏不敢强吃强占。"

皇甫嵩、朱儁乘胜进讨汝南、陈国[245]黄巾，追波才于阳翟，击彭脱于西华[246]，并破之，余贼降散，三郡悉平。嵩乃上言其状，以功归儁。于是进封儁西乡侯，迁镇贼中郎将[247]。诏嵩讨东郡[248]，儁讨南阳。

北中郎将卢植连战破张角，斩获万余人，角等走保广宗[249]。植筑围凿堑[250]，造作云梯[251]，垂[252]当拔之。帝遣小黄门[253]左丰视军，或劝植以赂送丰，植不肯。丰还，言于帝曰："广宗贼易破耳，卢中郎固垒息军，以待天诛。"帝怒，槛车[254]征植，减死一等，遣东中郎将[255]陇西董卓[256]代之。

巴郡张脩以妖术为人疗病，其法略与张角同，令病家出五斗米，号"五斗米师"。秋，七月，脩聚众反，寇郡县，时人谓之"米贼"。

八月，皇甫嵩与黄巾战于苍亭[257]，获其帅卜巳。董卓攻张角无功，抵罪。乙巳[258]，诏嵩讨角。

九月，安平王续[259]坐不道，诛，国除。

初，续为黄巾所虏，国人赎之得还，朝廷议复其国。议郎李燮[260]曰："续守藩不称，损辱圣朝，不宜复国。"朝廷不从。燮坐谤毁宗室，输作左校[261]。未满岁，王坐诛，乃复拜议郎。京师为之语曰："父不肯立帝[262]，子不肯立王。"

冬，十月，皇甫嵩与张角弟梁战于广宗，梁众精勇，嵩不能克。明日，乃闭营休士，以观其变。知贼意稍懈，乃潜夜勒兵[263]，鸡鸣[264]，驰赴其陈，战至晡时[265]，大破之，斩梁，获首三万级，赴河死者五万许人。角先已病死，剖棺戮尸，传首京师。

十一月，嵩复攻角弟宝于下曲阳[266]，斩之，斩获十余万人。即拜嵩为左车骑将军[267]，领[268]冀州牧，封槐里侯。嵩能温恤[269]士卒，每军行顿止，须营幔[270]修立，然后就舍；军士皆食，尔[271]乃尝饭[272]，故所向有功。

皇甫嵩、朱儁乘胜进军征讨汝南郡和陈国的黄巾军，在阳翟追赶波才，在西华攻打彭脱，把他们全打败了，残余的黄巾军，降的降散的散，颍川、汝南、陈国三郡全部平定。皇甫嵩上书报告战况，将战功归于朱儁。于是进封朱儁为西乡侯，提拔为镇贼中郎将。诏令皇甫嵩进军征讨东郡的黄巾军，朱儁征讨南阳的黄巾军。

北中郎将卢植连续击败张角，斩杀俘获一万多人，张角等退保广宗。卢植筑围墙、挖壕沟、制作云梯，即将攻破广宗城。灵帝派小黄门左丰来视察军队，有人劝卢植贿赂左丰，卢植不肯。左丰回到京师，向灵帝报告说："广宗的黄巾贼容易攻破，卢中郎将却坚守营垒休整军队，等待黄巾贼自行消亡。"灵帝很生气，用囚车把卢植押解回京，减罪一等，免去死刑，派东中郎将陇西人董卓取代卢植。

巴郡人张脩用妖术给人治病，他的方法与张角大致相同，让病家出五斗米，因此号称"五斗米师"。秋，七月，张脩聚众造反，寇掠郡县，当时人称他们为"米贼"。

八月，皇甫嵩与黄巾军在苍亭交战，俘获黄巾军头领卜巳。董卓进攻张角没有战功，受到惩罚。初三日乙巳，诏令皇甫嵩征讨张角。

九月，安平王刘续因犯大逆不道之罪，被杀，封国废除。

当初，刘续被黄巾军俘虏，国人把他赎回，朝廷商议恢复他的封国。议郎李燮说："刘续守卫藩国不称职，损害了圣朝的声誉，不应恢复封国。"朝廷没有听从。李燮反而被判处诽谤宗室之罪，被送到左校官署做苦工。不到一年，刘续因罪被杀，于是李燮官复原职。京城人为此编了一首顺口溜，说："父亲不肯拥立皇帝，儿子不肯拥立藩王。"

冬，十月，皇甫嵩和张角的弟弟张梁在广宗交战，张梁的部众精锐勇敢，皇甫嵩无力取胜。第二天，就闭营休整，静观敌情。发现敌寇稍稍有些松懈，于是秘密连夜部署兵马，鸡叫时，奔赴敌阵，一直战斗到黄昏时分，大破敌军，杀了张梁，斩获三万首级，敌人跳河淹死的有五万多人。张角在这之前已病死，被开棺戮尸，首级被传送到京师。

十一月，皇甫嵩又在下曲阳攻击张角的弟弟张宝，杀了张宝，斩杀俘虏十多万人。皇甫嵩因功升为左车骑将军，兼任冀州牧，封为槐里侯。皇甫嵩能体贴士兵，每次行军宿营时，一定要等到士兵的营帐扎好，才回到自己的住处，士兵们全都吃上了饭，自己才吃饭，因此所到之处都能建立战功。

【段旨】

以上为第六段，写皇甫嵩、朱儁等将领平定了黄巾起义。

【注释】

⑭ 庚子：三月丙午朔，无庚子。⑮ 南阳：郡名，治所宛县，在今河南南阳。⑯ 长社：县名，在今河南长葛东。⑰ 汝南：郡名，治所平舆，在今河南平舆北。⑱ 邵陵：县名，县治在今河南漯河市东北。⑲ 广阳：郡名，治所蓟县，在今北京市城西南。⑳ 束苣：用苇秆扎成的火炬。㉑ 乘城：登城。㉒ 燎：火炬。㉓ 陈：通“阵”。㉔ 骑都尉：官名，职责是统率皇帝的羽林骑兵。㉕ 曹操（公元一五五至二二〇年）：字孟德，沛国谯县（今安徽亳州）人，在汉末镇压黄巾军中，逐渐扩大力量。后迎汉献帝都许（今河南许昌东），遂“挟天子以令诸侯”，统一了北方。官至丞相，封魏公、魏王。其子曹丕建立魏朝后，追尊他为武皇帝。事详见《三国志》卷一《魏书·武帝纪》。㉖ 都乡侯：汉代的封爵名。其级在列侯下，关内侯上，有封地。㉗ 曹腾：汉安帝、顺帝、冲帝、质帝、桓帝时均为宦官，忠慎廉洁，受到时人好评。其养子曹嵩官至太尉。传见《后汉书》卷七十八。㉘ 权数：权谋智数。㉙ 行业：生计职业。㉚ 桥玄（公元一〇九至一八三年）：字公祖，梁国睢阳（今河南商丘）人，官历三公。传见《后汉书》卷五十一。㉛ 何颙：字伯求，南阳襄乡（今湖北枣阳东北）人。传见《后汉书》卷六十七。㉜ 命世之才：经邦济世之才。㉝ 济：拯救。㉞ 劭：许劭（公元一五〇至一九五年），字子将，汝南平舆（在今河南平舆北）人，与从兄靖有名当世，以品评人物著称。传见《后汉书》卷六十八。其从叔许训，字季师。汉灵帝初先后任司徒、司空、太尉等职。㉟ 人伦：指各类人物。㊱ 靖：许靖（？至公元二二二年），字文休。后入蜀，为蜀汉太傅。传见《三国志》卷三十八。㊲ 乡党：乡里。㊳ 品题：评论人物，定其高下。㊴ 功曹：官名，即功曹史，为郡守之主要佐吏，除分掌人事外，还参与全郡政务。㊵ 劫：胁迫。㊶ 治世之能臣二句：意谓天下治则可尽其才能成为治国之能臣，天下乱则能发挥其机变智能成为当世之奸雄。㊷ 护军司马：监护一军之司马。司马，为军府之官，职为综理府事，并参与军事谋划。㊸ 傅燮（？至公元一八七年）：字南容，北地灵州（今宁夏灵武北）人，参与镇压黄巾有功，但直言忤犯宦官，未得封赏。传见《后汉书》卷五十八。㊹ 除四凶：指虞舜流放共工至幽州，驱逐驩兜到崇山，赶跑三苗至三危，处死鲧于羽山。见《尚书·舜典》。㊺ 用十六相：传说虞舜时高阳氏有才子苍舒、隤敳、梼戭、大临、尨降、庭坚、仲容、叔达八人，世称为八元；高辛氏也有才子伯奋、仲堪、叔献、季仲、伯虎、仲熊、叔豹、季狸八人，世称为八恺。虞舜任用八元八恺，是为十六相。见《左传》文公十八年。㊻ 赵、魏：东汉的冀、兖二州是战国赵、魏之地。㊼ 萧墙：本为古代分隔宫室内外的小墙，后世常用以喻指内部。㊽ 庙堂：指朝廷。㊾ 阉竖：对宦官的蔑称。㊿ 枭夷：枭斩诛灭。(231) 变服：脱去黄巾之服而穿常人之服。谓黄巾归顺。(232) 甫：始；方始。(233) 孝子疑于屡至：曾参甚孝，有与曾参同名者杀人，旁人告曾母曾参杀人，曾母不信，后又连

续有人告之，曾母遂信以为真。见《战国策·魏策二》。㉞市虎成于三夫：此为战国时庞葱向魏王所作的比喻。大意是一二人说市上有虎，魏王皆不信，而三人亦说有虎，魏王却信而无疑。意思是说一件虚有之事，只要多人言说，亦能使人信以为真。见《韩非子·内储说上》。㉟杜邮之戮：战国时白起有功于秦，而范雎嫉妒他，进谗言于秦王，秦王便赐死白起于咸阳城西的杜邮。见《史记》卷七十三《白起王翦列传》。㊱盈给：满足。㊲合浦：郡名，治所合浦县，在今广西合浦东北。㊳贾琮：字孟坚，东郡聊城（今山东聊城北）人，后为冀州刺史、度辽将军。传见《后汉书》卷三十一。㊴空单：空尽；空无所有。单，通“殚”。尽。㊵聊生：赖以维持生活。㊶蠲复：免除。㊷试守：试用。㊸荡定：扫荡平定。㊹吏不敢饭：谓吏不敢在民众家白吃饭。㊺陈国：郡名，治所陈县，在今河南淮阳。㊻西华：县名，县治在今河南西华南。㊼镇贼中郎将：官名，是东汉政府专门针对黄巾军设置的高级武官。㊽东郡：治所濮阳，在今河南濮阳西南。㊾广宗：县名，县治在今河北威县东。㊿堑：护城壕沟。(251)云梯：攻城用的长梯。(252)垂：即将。(253)小黄门：官名，由宦官充任，职在侍候皇帝，受尚书奏事，并联络内外。(254)槛车：囚车。(255)东中郎将：官名，东汉位次于将军的统兵将领称中郎将。前卢植已为北中郎将，董卓又为东中郎将，均为新置。(256)董卓（？至公元一九二年）：字仲颖，陇西临洮（今甘肃岷县）人，汉少帝立，率兵入洛阳，废少帝立献帝，迁都长安，自为太师，后被王允、吕布所杀。传见《后汉书》卷七十二、《三国志》卷六。(257)苍亭：在范县界，即在今河南范县东南。(258)乙巳：八月初三。(259)安平王续：安帝延光元年（公元一二二年），改乐成国为安平国，以孝王得继封。续为得之子。(260)李燮：字德公，汉中南郑（今陕西汉中）人，官至河南尹。其父李固历仕汉顺帝、冲帝、质帝、桓帝四朝，以忠正著称。传见《后汉书》卷六十三。(261)左校：官署名，由左校令统管，掌左工徒。官员等犯罪者常送此做苦役。(262)父不肯立帝：指李燮父李固在汉冲帝与汉质帝死后，分别执意请立年长有德的清河王刘蒜，不肯立年幼的质帝与较疏的桓帝。(263)潜夜勒兵：暗自在夜间部署军队。(264)鸡鸣：指夜间第一次鸡鸣，古人谓为丑时，即午夜一至三点。(265)晡时：申时，即下午三至五点。(266)下曲阳：县名，县治在今河北晋州西。(267)左车骑将军：官名，车骑将军位次于骠骑将军。掌京师兵卫与边防屯警。此时因镇压黄巾军，故置左、右车骑将军。(268)领：兼任。(269)温恤：体贴抚慰。(270)营幔：行军帐幕。(271)尔：如此。(272)尝饭：吃饭。

【校记】

［4］颍川：张敦仁《通鉴刊本识误》认为此下脱“黄巾”二字。［5］犇：原无此字。据章钰校，甲十一行本、乙十一行本皆有此字，张敦仁《通鉴刊本识误》同，今据补。

【原文】

北地先零羌[273]及枹罕[274]、河关[275]群盗反，共立湟中[276]义从胡[277]北宫伯玉、李文侯为将军，杀护羌校尉[278]泠徵。金城[279]人边章[280]、韩遂[281]素著名西州[282]，群盗诱而劫之，使专任军政，杀金城太守陈懿，攻烧州郡。

初，武威[283]太守倚恃权贵，恣行[284]贪暴，凉州从事[285]武都苏正和案致其罪。刺史梁鹄惧，欲杀正和以免其负[286]，访于汉阳[287]长史[288]敦煌盖勋[289]。勋素与正和有仇，或劝勋因此报之。勋曰："谋事杀良，非忠也；乘人之危，非仁也。"乃谏鹄曰："夫绁食[290]鹰隼[291]，欲其鸷[292]也；鸷而亨[293]之，将何用哉！"鹄乃止。正和诣勋求谢，勋不见，曰："吾为梁使君[294]谋，不为苏正和也。"怨之如初。

后刺史左昌盗军谷数万，勋谏之。昌怒，使勋与从事辛曾、孔常别屯阿阳[295]以拒贼，欲因军事罪之，而勋数有战功。及北宫伯玉之攻金城也，勋劝昌救之，昌不从。陈懿既死，边章等进围昌于冀[296]，昌召勋等自救，辛曾等疑不肯赴，勋怒曰："昔庄贾后期，穰苴奋剑[297]。今之从事岂重于古之监军乎！"曾等惧而从之。勋至冀，诮让[298]章等以背叛之罪，皆曰："左使君若早从君言，以兵临我[299]，庶可自改。今罪已重，不得降也。"乃解围去。

叛羌围校尉[300]夏育于畜官[301]，勋与州郡合兵救育。至狐槃[302]，为羌所败。勋余众不及百人，身被三创[303]，坚坐不动，指木表[304]曰："尸我于此！"句就[305]种羌滇吾[306]以兵捍众[307]曰："盖长史贤人，汝曹杀之者为负天[308]。"勋仰骂曰："死反虏！汝何知，促[309]来杀我！"众相视而惊。滇吾下马与勋，勋不肯上，遂为羌所执。羌服其义勇，不敢加害，送还汉阳。后刺史杨雍表[310]勋领汉阳太守。

【语译】

北地郡的先零羌和枹罕、河关的群盗造反，共同拥立归服汉朝的湟中羌人首领北宫伯玉、李文侯为将军，杀死护羌校尉泠徵。金城人边章、韩遂在西州一向很有名望，群盗引诱劫持了边章、韩遂，逼迫他们两人主管军政事务，杀死金城太守陈懿，焚烧州郡。

当初武威太守投靠权贵，专横跋扈，贪赃残暴，凉州从事武都人苏正和追查太守的罪行。刺史梁鹄很恐惧，想杀死苏正和来免除自己的责任，就去咨询汉阳郡长史敦煌人盖勋。盖勋一向与苏正和有仇，有人劝盖勋乘机报复。盖勋说："替人谋事却杀害好人，算不得忠诚；乘人之危，也非仁义之道。"于是劝告梁鹄说："大凡人们豢养猎鹰，是想让它捕获猎物；捕获了猎物就将它烹杀，那么养它还有什么用呢！"梁鹄于是作罢。苏正和到盖勋那里面谢，盖勋却不见他，说："我是为梁使君谋事，不是帮助苏正和。"一如既往地仇恨苏正和。

后来凉州刺史左昌盗窃军粮几万石，盖勋劝阻他。左昌发怒，派盖勋和从事辛曾、孔常出外驻守阿阳以抗拒叛贼，企图用军事上的失误来惩罚盖勋，可是盖勋屡建战功。等到北宫伯玉攻打金城时，盖勋劝左昌救援金城，左昌不听。陈懿死后，边章等进军冀县包围了左昌，左昌征召盖勋等来救援自己，辛曾等迟疑不肯救援，盖勋愤怒地说："古代的庄贾贻误军期，司马穰苴挥剑斩了他。现今的从事难道比古代的监军还重要吗！"辛曾等很害怕便接受了。盖勋到了冀县，斥责边章等人的背叛罪行，边章等人都说："左使君如果早听从你的建议，率兵来攻打我们，也许我们还有机会改过。如今罪恶已经深重，无法归降了。"于是解围离去。

叛乱的羌人在畜牧场包围了护羌校尉夏育，盖勋与州郡合兵救援夏育。行至狐槃，被羌人打败。盖勋的残部不到百人，身受多处创伤，但坚坐不动，指着路边的木牌标记说："把我的尸体停放在这里！"句就种羌人首领滇吾用兵器拦截众人说："盖长史是个贤人，你们若杀了他，就会违背天意。"盖勋昂头骂道："该死的反贼！你知道什么，快来杀我！"羌众吃惊地面面相觑。滇吾下马让给盖勋，盖勋不肯上马，于是被羌人抓获。羌人敬佩他的节义和勇气，不敢杀害他，就送他回汉阳。后任凉州刺史杨雍上表推举盖勋兼任汉阳太守。

【段旨】

以上为第七段，写雍凉边事，表彰盖勋的忠勇节义。

【注释】

㉓先零羌：羌族之一支。㉔枹罕：县名，县治在今甘肃临夏东北。㉕河关：县名，县治在今甘肃临夏西北。㉖湟中：地区名，相当于今青海东北部湟水流域地区。㉗义从胡：自愿顺从的少数民族。㉘护羌校尉：官名，汉代置护羌校尉一人，管理西羌事。㉙金城：郡名，故治在今甘肃兰州西南。㉚边章：东汉末官吏。金城人，一名允，任督军从事。汉末乱起，边章与韩遂共为领袖，杀刺史、郡守，天下震动。不久边章病死。㉛韩遂：字文约，金城人，与同郡人边章俱著名西州。受羌人、氐民爱戴。韩遂与边章共同起事，边章死后，韩遂与马腾合作，割据凉州三十余年。曹操西征，击败韩遂，不久韩遂为部将所杀。㉜西州：西部州郡，此代指凉州。故地在今河西走廊至玉门关一带。㉝武威：郡名，治所姑臧，在今甘肃武威。㉞恣行：放纵行为。㉟从事：汉代州牧刺史的佐吏，有别驾从事史、治中从事史、兵曹从事史、部从事史等，均可简称为从事。㊱负：责任。㊲汉阳：郡名，治所冀县，在今甘肃甘谷县东南。㊳长史：郡太守

【原文】

张曼成余党更以赵弘为帅，众复盛，至十余万，据宛城。朱儁与荆州刺史徐璆[311]等合兵围之，自六月至八月不拔，有司[312]奏征儁。司空张温上疏曰："昔秦用白起[313]，燕任乐毅[314]，皆旷年历载，乃能克敌。儁讨颍川已有功效，引师南指，方略已设，临军易将，兵家所忌。宜假[315]日月[316]，责其成功。"帝乃止。儁击弘，斩之。

贼帅韩忠复据宛拒儁，儁鸣鼓攻其西南，贼悉众赴之。儁自将精卒掩其东北，乘城而入。忠乃退保小城，惶惧乞降。诸将皆欲听之，儁曰："兵固有形同而势异者，昔秦、项之际[317]，民无定主，故赏附以劝[318]来耳。今海内一统，唯黄巾造逆，纳降无以劝善，讨之足以惩恶。今若受之，更开逆意，贼利则进战，钝则乞降，纵敌长寇，非良计也。"因急攻，连战不克。儁登土山望之，顾谓司马[319]张超曰："吾知之矣。贼今外围周固[320]，内营逼急，乞降不受，欲出不得，所以死战也。万人一心，犹不可当，况十万乎！不如彻[321]围，并兵入城，忠见

下置丞一人，为太守之佐。与少数民族邻接之郡的太守则置长史，辅助太守，掌一郡兵马。㉘⑨盖勋：字符固，敦煌广至（今甘肃敦煌西）人，后任越骑校尉等职。传见《后汉书》卷五十八。㉙⓪绁食：豢养。绁，拴、缚。食，给食、喂养。㉙①隼：猛禽。㉙②鸷：凶猛。㉙③亨：通“烹”。㉙④使君：汉代人称州、郡长官为使君。㉙⑤阿阳：县名，县治在今甘肃静宁西南。㉙⑥冀：县名，县治在今甘肃甘谷县东南。㉙⑦庄贾后期二句：春秋齐景公时，燕国、晋国侵齐，景公命司马穰苴为将，统军前往抵抗；又命宠臣庄贾为监军；穰苴便与庄贾约定，明日中午会于军门，而庄贾一贯傲慢，至日落时方至，穰苴遂按军法斩庄贾。事见《史记》卷六十四《司马穰苴列传》。㉙⑧诮让：谴责。㉙⑨以兵临我：对我用兵。㉚⓪校尉：指护羌校尉。㉚①畜官：指官府牧场。㉚②狐槃：地名，在冀县，即今甘肃甘谷县东南。㉚③创：创伤。㉚④木表：木牌标记。㉚⑤句就：羌人之一种。㉚⑥滇吾：羌人名。其父滇良，二人皆为羌人酋长。滇良、滇吾时，种落势力渐强。事见《后汉书》卷八十七《西羌传》。㉚⑦以兵捍众：用兵器拦阻众人。兵，兵器。捍，遮挡、拦阻。㉚⑧负天：违背天命；违背天意。㉚⑨促：速；尽快。㉛⓪表：上表推荐。

【语译】

张曼成的余党又拥立赵弘为首领，贼众又强盛起来，达十几万人，占领了宛城。朱儁和荆州刺史徐璆等合兵包围宛城，从六月到八月没有攻取，有关部门上奏征召朱儁回京。司空张温上奏说：“过去秦国任用白起，燕国任用乐毅，都是经过长年累月，才能克敌制胜。朱儁讨伐颍川的黄巾贼已有成效，率师南下，战略战术已拟定，临阵换将，兵家大忌。应当给予时间，责令他取得成功。”灵帝才作罢。朱儁攻打赵弘，杀死了他。

叛贼首领韩忠又占据宛城抗拒朱儁，朱儁擂起战鼓进攻宛城西南角，叛贼全部奔向西南。朱儁亲自率领精兵突袭城东北角，攀城而入。韩忠于是退守小城，惊恐求降。官军将领都想接受韩忠的请求，朱儁说：“用兵本来就有形式相同而实质各异的，从前秦末项羽作乱之时，民众没有固定的君主，所以奖励归附者用以鼓励敌人来归服。如今海内统一，只有黄巾为逆，接受贼寇归降就无法鼓励守法的好人，讨伐他们才足以惩恶。现在倘若接受归降，会更加助长贼胆，贼人有利就进攻开战，不利就求降，放纵敌人就等于助长贼寇的气焰，这不是好对策。”朱儁趁机急攻猛打，接连攻战仍不能破城。朱儁登上土山观察敌情，回头对司马张超说：“我知道破城的方法了。贼军现在外围坚固，军营内部吃紧，求降不被接受，想逃出又不能，所以拼死作战。万人一心，尚且势不可当，何况十万人呢！不如撤除包围，合

围解，势必自出，自出则意散，易[6]破之道也。”既而解围，忠果出战，儁因击，大破之，斩首万余级。

南阳太守秦颉杀忠，余众复奉孙夏为帅，还屯宛。儁急攻之，司马孙坚㉜率众先登。癸巳㉝，拔宛城。孙夏走，儁追至西鄂㉞精山㉟，复破之，斩万余级。于是黄巾破散，其余州郡所诛，一郡数千人。

十二月己巳㊱，赦天下，改元㊲。

豫州刺史太原王允㊳破黄巾，得张让宾客书，与黄巾交通，上之。上责怒让，让叩头陈谢，竟亦不能罪也。让由是以事中㊴允，遂传㊵下狱。会赦，还为刺史。旬日㊶间，复以他罪被捕。杨赐不欲使更㊷楚辱㊸，遣客谢㊹之曰：“君以张让之事，故一月再征，凶慝㊺难量，幸㊻为深计㊼！”诸从事好气㊽决㊾者，共流涕奉药㊿而进之。允厉声曰：“吾为人臣，获罪于君，当伏[341]大辟[342]，以谢天下，岂有乳[343]药求死乎！”投杯而起，出就槛车。既至廷尉[7]，大将军进与杨赐、袁隗共上疏请之，得减死论。

【段旨】

以上为第八段，写黄巾余党覆灭，豫州刺史王允因揭露宦官而蒙冤。

【注释】

[311]徐璆：字孟玉，广陵海西（今江苏灌南东南）人，汉献帝曾授以上公之位，卒于太常任上。传见《后汉书》卷四十八。[312]有司：官吏之泛称，也指主管部门。[313]白起：战国秦将。秦昭王时为大良造，统兵攻魏，拔六十一城；后五年攻赵，拔光狼城；后七年攻楚，拔鄢、邓五城；次年又拔郢，烧夷陵，遂东至竟陵。传见《史记》卷七十三。[314]乐毅：战国燕将。燕昭王时为上将军。统兵攻齐，入临淄，徇城略地五年，攻下齐国七十余城。传见《史记》卷八十。[315]假：给予。[316]日月：指时间。[317]秦、项之际：秦末项羽起兵之时。[318]劝：奖励。[319]司马：官名，统兵将领之属官，综理军府事，并参与军事谋划。[320]周固：坚固。[321]彻：通“撤”。撤去。[322]孙坚（公元一五五至一九一年）：字文台，吴郡富春（今浙江富阳）人，参与镇压黄巾军，又西讨边章、韩遂，以功封乌程侯。后与袁术联合攻董卓，术表荐为破虏将军、豫州刺史。次子孙权建立吴国

兵攻城，韩忠见包围解除，势必亲自出战，亲自出战就会斗志涣散，这是容易破城的方法。”随即解除包围，韩忠果然出城作战，朱儁趁机进攻，大破叛贼，杀了一万多人。

南阳太守秦颉杀了韩忠，残余贼众又拥立孙夏为首领，回军驻守宛城。朱儁猛攻宛城，司马孙坚率领突击士兵首先登城。十一月二十二日癸巳，官军攻占宛城。孙夏逃走，朱儁追击到西鄂县的精山，又击败孙夏，杀死一万多人。于是黄巾军被击败逃散，残余叛贼被州郡收捕诛杀，每一个郡诛杀了几千人。

十二月二十九日己巳，大赦天下，更改年号。

豫州刺史太原人王允击破黄巾军，获得张让的门客与黄巾交往的书信，呈报皇上。皇上愤怒地谴责张让，张让磕头谢罪，竟然没被治罪。张让借用事由中伤王允，于是将王允收捕下狱。适逢大赦，王允回到豫州复任刺史。不到十天的时间，又因其他罪名被捕。杨赐不想让王允再受屈辱，派人去劝他说：“你因为揭发张让，所以在一月之中两次入狱，凶险难测，希望你好好想一想做出决定！”王允那些崇尚气节的从事们，都流着泪捧着毒药送给他。王允厉声道：“我身为人臣，得罪了君主，应当受到朝廷处决，谢罪天下，哪有服毒自杀的道理！”摔掉杯子，奋然起身，出去登上囚车。到了廷尉那里，大将军何进与杨赐、袁隗共同上奏求情，王允才得以减刑免死。

称帝后，追尊为武烈皇帝。传见《三国志》卷四十六。㉓癸巳：十一月二十二日。㉔西鄂：县名，县治在今河南南阳北。㉕精山：山名，在西鄂县南。㉖己巳：十二月二十九日。㉗改元：改年号。十二月二十九日前当时仍称光和七年，改元后便可通称中平元年。㉘王允（公元一三七至一九二年）：字子师，太原祁县（今山西祁县东南）人，汉献帝初为司徒，与吕布诛杀董卓，又被卓部将李傕、郭汜所杀。传见《后汉书》卷六十六。㉙中：中伤。㉚传：逮捕。㉛旬日：十日。㉜更：经受。㉝楚辱：拷打受羞辱。㉞谢：谢罪。㉟凶慝：凶险。㊱幸：希望。㊲深计：谓自杀。㊳好气：谓崇尚气节。㊴决：告别。㊵药：指毒药。㊶伏：承受。㊷大辟：死刑。㊸乳：饮。

【校记】

［6］易：原无此字。据章钰校，甲十一行本、乙十一行本、孔天胤本皆有此字，今据补。［7］廷尉：原无此二字。据章钰校，甲十一行本、乙十一行本、孔天胤本皆有此二字，张敦仁《通鉴刊本识误》同，今据补。

【原文】

二年（乙丑，公元一八五年）

春，正月，大疫。

二月己酉[344]，南宫云台灾。庚戌[345]，乐城门[346]灾。

中常侍张让、赵忠说[347]帝敛[348]天下田，亩十钱，以修宫室，铸铜人。乐安[349]太守陆康[350]上疏谏曰："昔鲁宣税亩而蝝[351]灾自生，哀公增赋而孔子非之[352]，岂有聚夺民物，以营无用之铜人，捐舍圣戒，自蹈亡王之法[353]哉！"内幸[354]谮康援引亡国以譬圣明，大不敬，槛车征诣廷尉。侍御史刘岱表陈解释，得免归田里。康，续[355]之孙也。

又诏发州郡材木文石[356]，部[357]送京师。黄门常侍辄令谴呵不中者[358]，因强折[359]贱买，仅得本贾[360]十分之一，因复货[361]之，宦官[8]复不为即受，材木遂至腐积，宫室连年不成。刺史、太守复增私调，百姓呼嗟。又令西园驺[362]分道督趣[363]，恐动州郡，多受赇赂[364]。刺史、二千石及茂才、孝廉[365]迁除[366]，皆责[367]助军、修宫钱，大郡至二三千万，余各有差。当之官[368]者，皆先至西园谐价[369]，然后得去。其守清[370]者乞不之官，皆迫遣之。时巨鹿太守河内司马直新除，以有清名，减责三百万。直被诏，怅然曰："为民父母而反割剥百姓以称[371]时求，吾不忍也。"辞疾，不听。行至孟津[372]，上书极陈当世之失，即吞药自杀。书奏，帝为暂绝修宫钱。

以朱儁为右车骑将军。

自张角之乱，所在盗贼并起，博陵[373]张牛角、常山[374]褚飞燕及黄龙、左校、于氐根、张白骑、刘石、左髭丈八[9]、平汉大计、司隶缘城、雷公[375]、浮云、白雀、杨凤、于毒、五鹿、李大目、白绕、眭固[10]、苦蝤之徒，不可胜数，大者二三万，小者六七千人。

张牛角、褚飞燕合军攻廮陶[376]，牛角中流矢，且死，令其众奉飞燕为帅，改姓张。飞燕名燕，轻勇趫捷[377]，故军中号曰"飞燕"。山谷寇贼多附之，部众浸[378]广，殆至百万，号黑山[379]贼，河北诸郡县并被其害，朝廷不能讨。燕乃遣使至京师，奏书乞降。遂拜燕平难中郎将[380]，

【语译】

二年（乙丑，公元一八五年）

春，正月，发生大瘟疫。

二月初十日己酉，南宫中的云台发生火灾。十一日庚戌，乐城门发生火灾。

中常侍张让、赵忠劝说灵帝加征天下田税，每亩十钱，用来修造宫室、铸造铜人。乐安太守陆康上疏劝谏说："从前鲁宣公按亩征税引起了蝗灾，鲁哀公增加赋税受到孔子的非议，怎么可以搜刮民财，用来铸造无用的铜人，抛弃圣人的训诫，自己甘心重蹈亡国之君的覆辙！"宦官们抓住陆康援引亡国君主来影射圣明的皇上，说陆康犯了大不敬之罪，用囚车把陆康押送到京城交廷尉治罪。侍御史刘岱上表为陆康开释，才得免死回乡。陆康，是陆续的孙子。

又下诏征发州郡的木材和纹理美观的石料，全部送至京城。黄门常侍总是呵斥不合格，乘机强迫折价贱卖，仅为原价的十分之一。于是宦官便把已收买的木石再回卖给州郡官吏。州郡官吏又拿这些木石交纳时，宦官们故意刁难不马上接受，导致木材积久而腐朽，宫室连年建不成。刺史、太守又擅自加码征调，百姓叫苦连天，又令西园的皇家骑士分道督促，惊动州郡，勒索了许多贿赂。刺史、二千石官吏以及茂才、孝廉升迁任命时，都被责成交纳一笔助军或修建宫室的费用，大郡达到二三千万钱，其余各郡多少不等。即将上任的官吏，都要先到西园商议赴任的价钱，然后才能去上任。那些操守清廉之士请求辞职不赴任，则被强迫遣送上任。当时巨鹿太守河内人司马直升任新职，因为有清廉美名，减去三百万的应交数额。司马直得到任命诏书，慨然叹道："作为百姓的父母官，却反而剥夺百姓来满足时弊的勒索，我不忍心这样做。"于是借口生病辞职，未获批准。赴任途中，行至孟津时，上书痛批时政的失误，就服毒自杀了。奏书呈上，灵帝因此暂停征收修造宫室费。

任命朱儁为右车骑将军。

自从张角叛乱之后，各地盗贼同时兴起，博陵人张牛角、常山人褚飞燕以及黄龙、左校、于氐根、张白骑、刘石、左髭丈八、平汉大计、司隶缘城、雷公、浮云、白雀、杨凤、于毒、五鹿、李大目、白绕、眭固、苦蝤等之流，不可胜数，势力大的达到二三万人，势力小的有六七千人。

张牛角、褚飞燕联合攻打廮陶，张牛角被流箭射中，临死时，命令他的部众拥立褚飞燕为首领，让褚飞燕改姓张。飞燕原名燕，身轻骁勇，矫捷如飞，所以军中称为"飞燕"。山谷中的贼寇大多归附他，部众逐渐增多，将近百万，被称为"黑山贼"，黄河以北各郡县都受到黑山贼的侵害，朝廷无力讨伐。张燕派使者到京师，上书求降。于是朝廷任命张燕为平难中郎将，统领黄河以北各山寨的事务，

使领河北诸山谷事，岁得举孝廉、计吏。

司徒袁隗免。三月，以廷尉崔烈[381]为司徒。烈，寔之从兄也。

是时，三公往往因常侍、阿保[382]入钱西园而得之，段颎[383]、张温等虽有功勤[384]名誉，然皆先输货财，乃登公位。烈因傅母[385]入钱五百万，故得为司徒。及拜日，天子临轩[386]，百僚毕会，帝顾谓亲幸者曰："悔不少[11]靳[387]，可至千万。"程夫人于傍应曰："崔公，冀州名士，岂肯买官！赖我得是，反不知姝[388]邪！"烈由是声誉顿衰。

北宫伯玉等寇三辅[389]，诏左车骑将军皇甫嵩镇长安以讨之。

时凉州[390]兵乱不解[12]，征发天下役赋无已，崔烈以为宜弃凉州。诏会公卿百官议之，议郎傅燮厉言曰："斩司徒，天下乃安！"尚书奏燮廷辱大臣。帝以问燮，对曰："樊哙以冒顿悖逆，愤激思奋，未失人臣之节，季布犹曰'哙可斩也[391]'。今凉州天下要冲，国家藩卫。高祖初兴，使郦商别定陇右[392]；世宗[393]拓境，列置四郡[394]，议者以为断匈奴右臂。今牧御[395]失和，使一州叛逆。烈为宰相，不念为国思所以弭[396]之之策，乃欲割弃一方万里之土，臣窃惑之。若使左衽[397]之虏得居此地，士劲甲坚，因以为乱，此天下之至虑，社稷之深忧也。若烈不知，是极蔽也；知而故言，是不忠也。"帝善而从之。

夏，四月庚戌[398]，大雨雹。

五月，太尉邓盛罢，以太仆河南张延为太尉。

六月，以讨张角功，封中常侍张让等十二人为列侯。

秋，七月，三辅螟[399]。

皇甫嵩之讨张角也，过邺[400]，见中常侍赵忠舍宅逾制[401]，奏没入[402]之。又中常侍张让私求钱五千万，嵩不与。二人由是奏嵩连战无功，所费者多，征嵩还，收左车骑将军印绶，削户六千。八月，以司空张温为车骑将军，执金吾[403]袁滂为副，以讨北宫伯玉；拜中郎将董卓为破虏将军[404]，与荡寇将军[405]周慎并统于温。

九月，以特进[406]杨赐为司空。

冬，十月庚寅[407]，临晋文烈侯杨赐薨。以光禄大夫[408]许相为司空。相，训之子也。

每年可向朝廷推举孝廉、派出上计吏。

司徒袁隗被免职。三月，任命廷尉崔烈为司徒。崔烈，是崔寔的堂兄。

这时，三公的职位常常是通过中常侍和灵帝乳母送钱给西园而获取。段颎、张温等虽有功劳声誉，但也要先进献财物，才能登上三公的职位。崔烈通过灵帝乳母送了五百万钱，所以才取得司徒的职位。到了任命那天，天子亲至殿前的平台，百官们都来参加典礼。灵帝回头对亲信说："真后悔没有抠得紧一些，不然可以得到一千万钱。"程夫人在一旁应声而说："崔公是冀州的名士，怎么肯用钱买官！是靠我才有这样的结果，你反而不觉得很好！"崔烈的声誉由此一落千丈。

北宫伯玉等侵扰三辅地区，诏令左车骑将军皇甫嵩镇守长安以讨伐贼寇。

此时凉州不断发生兵变，朝廷无休止地征调天下的徭役和赋税。崔烈认为应该放弃凉州，灵帝诏令公卿百官商议这事。议郎傅燮声色俱厉地说："只有杀掉司徒崔烈，天下才能安定！"尚书劾奏傅燮在朝廷上侮辱大臣。灵帝问傅燮，傅燮回答说："樊哙因为匈奴单于冒顿悖逆，出于一时义愤，请求出兵，尚未失去人臣的气节，季布还说'樊哙可杀'。如今凉州是天下的要塞，捍卫国家的屏障。高祖初兴之时，派郦商分兵去平定陇右；武帝开拓疆域，设立了河西四郡，谋议的人认为此举切断了匈奴的右臂。现在因州郡地方官管理不当，导致一州叛乱。崔烈身为宰相，不考虑为国家制订平定叛乱的方略，反而想丢弃这一块方圆万里的国土，我真是感到疑惑不解。如果让夷狄占据了这块土地，他们兵强马壮，铠甲坚牢，乘机作乱，这是天下最为忧虑的事，也是国家的大患。如果崔烈不懂得这些，真是愚蠢到极点；如果他知道却故意说出这种话，就是不忠。"灵帝认为傅燮的话很有道理，听从了他的意见。

夏，四月十二日庚戌，下大雨和冰雹。

五月，太尉邓盛被罢免。任命太仆河南人张延为太尉。

六月，因为征讨张角有功，册封中常侍张让等十二人为列侯。

秋，七月，三辅地区发生蝗灾。

皇甫嵩征讨张角时，路经邺城，发现中常侍赵忠的宅第超过制度规定，奏请没收宅第。再者，中常侍张让私下向皇甫嵩索求五千万钱，皇甫嵩不给。于是赵忠、张让两人上奏诬陷皇甫嵩久战无功、耗费太大，灵帝召回皇甫嵩，收回左车骑将军的印绶，并削减封邑六千户。八月，任命司空张温为车骑将军，执金吾袁滂为副职，讨伐北宫伯玉。封拜中郎将董卓为破虏将军，与荡寇将军周慎一同受张温指挥。

九月，任命特进杨赐为司空。

冬，十月庚寅日，临晋文烈侯杨赐去世。任命光禄大夫许相为司空。许相，是许训的儿子。

谏议大夫刘陶上言："天下前遇张角之乱，后遭边章之寇，今西羌逆类已攻河东[409]，恐遂转盛，豕突[410]上京[411]。民有百走退死之心，而无一前斗生之计。西寇浸[412]前，车骑[413]孤危，假令失利，其败不救。臣自知言数见厌，而言不自裁者，以为国安则臣蒙其庆，国危则臣亦先亡也。谨复陈当今要急八事。"大较[414]言天下大乱，皆由宦官。宦官共谗陶曰："前张角事发，诏书示以威恩。自此以来，各各改悔。今者四方安静，而陶疾害圣政，专言妖孽。州郡不上，陶何缘知？疑陶与贼通情。"于是收陶下黄门北寺狱，掠按日急。陶谓使者曰："臣恨不与伊、吕[415]同畴[416]，而以三仁[417]为辈。今上杀忠謇[418]之臣，下有憔悴之民，亦在不久，后悔何及！"遂闭气而死。前司徒陈耽为人忠正，宦官怨之，亦诬陷，死狱中。

张温将诸郡兵步骑十余万屯美阳[419]，边章、韩遂亦进兵美阳，温与战，辄不利。十一月，董卓与右扶风鲍鸿等并兵攻章、遂，大破之，章、遂走榆中[420]。

温遣周慎将三万人追之。参军事[421]孙坚说慎曰："贼城中无谷，当外转粮食，坚愿得万人断其运道，将军以大兵继后，贼必困乏而不敢战，走入羌中，并力讨之，则凉州可定也。"慎不从，引军围榆中城。而章、遂分屯葵园峡[422]，反断慎运道。慎惧，弃车重[423]而退。

温又使董卓将兵三万讨先零羌，羌、胡围卓于望垣[424]北，粮食乏绝，乃于所渡水中立伪[13]隅[425]以捕鱼，而潜从隅下过军。比贼追之，决水已深，不得度，遂还屯扶风[426]。

张温以诏书召卓，卓良久乃诣温，温责让[427]卓，卓应对不顺。孙坚前耳语[428]谓温曰："卓不怖罪而鸱张[429]大语，宜以召不时至，陈军法斩之。"温曰："卓素著威名于河、陇之间，今日杀之，西行无依。"坚曰："明公亲率王师，威震天下，何赖于卓！观卓所言，不假[430]明公，轻上无礼，一罪也；章、遂跋扈经年，当以时进讨，而卓云未可，沮[431]军疑众，二罪也；卓受任无功，应召稽留，而轩昂[432]自高，三罪也。古之名将仗钺[433]临众，

谏议大夫刘陶上奏说："国家前遇张角之乱，后遭边章为寇，如今西羌匪类已在进攻河东，我担心事态还可能进一步扩大，冲击京师。百姓怀有四处逃亡而死的悲观情绪，却无一丝一毫地向前拼命求生的想法。西边寇贼渐渐前侵，车骑将军张温危难孤立，假如失利，败局则不可扭转。我自知说多了令人讨厌，但不能控制自己不说话。因为我认为国家安宁，臣子才能蒙受福祉；国家危急，臣子就会先行灭亡。所以我现在再次陈述当今紧急的八件事务。"大意是说，天下大乱都是宦官造成的。宦官们一起诬陷刘陶，说："先前张角叛乱刚发生之时，朝廷下诏恩威并施。自此以后，叛贼各自改悔。现在四方平静安宁，而刘陶忌毁圣明的朝政，专说那些妖孽作祟的怪事。再说州郡没有上报这些事情，刘陶是怎么知道的？我们怀疑刘陶与叛贼勾通。"于是逮捕刘陶，囚禁在黄门北寺监狱，一日紧于一日地拷打审讯。刘陶对皇上的使者说："我遗憾不能和伊尹、吕尚同类，幸而与古代三位贤人为伍。如今国家在上杀害忠诚正直的臣子，在下有苦难贫困的百姓，这样的局面也不会维持多久，到时后悔都来不及了！"于是自己闭气而死。前司徒陈耽为人忠诚正直，宦官怨恨他，也遭诬陷，死在狱中。

张温率领各郡的步兵骑兵十几万驻守美阳，边章、韩遂也来进攻美阳，张温与贼作战总是失败。十一月，董卓和右扶风人鲍鸿等合兵攻打边章、韩遂，大败贼兵，边章、韩遂逃往榆中县。

张温派周慎率领三万人追击边章、韩遂，参军事孙坚劝周慎说："叛贼所据的城中没有粮食，一定会从外面转运，我希望率领一万人截断贼人的运粮通道，将军率大军紧随其后，叛贼一定困乏而不敢交战，只能逃入羌人居住区，我们再合力征讨他们，凉州就可以平定了。"周慎不听，率军包围榆中城。而边章、韩遂分兵屯驻葵园峡，反而断绝了官兵的补给通道。周慎惊慌恐惧，丢弃车辆辎重撤退。

张温又派董卓率兵三万讨伐先零羌，羌人、胡人在望垣县的北面包围了董卓，董卓军中粮尽。于是董卓命人在渡河的地方假装筑起堤堰，用来捕鱼，而秘密从堤背面撤退。等到叛贼追来时，堤堰决口，水已很深，贼兵无法渡河。董卓于是回师屯驻扶风。

张温以皇帝诏书的名义召见董卓，董卓过了很久才来见张温，张温责备董卓，董卓回答时态度不恭。孙坚向前对张温耳语说："董卓对自己的罪行非但不畏惧，反而气焰嚣张地出言不逊，应以奉召迟慢的罪名，按军法斩首。"张温说："董卓在黄河、陇山一带颇有威名，现在杀了他，西征就没有依靠了。"孙坚说："明公您亲率皇家大军，威震天下，为何要依靠董卓呢？分析董卓刚才所讲的话，不把您放在眼里，轻蔑上级，没有礼貌，这是第一条罪状；边章、韩遂跋扈多年，应当及时征讨，但董卓说时机尚不成熟，阻止进兵，惑乱军心，这是第二条罪状；董卓受命无功，应召迟缓，且自高傲慢，这是第三条罪状。古代的名将受命统军，

未有不断斩以成功者也。今明公垂意[434]于卓，不即加诛，亏损威刑，于是在矣！”温不忍发，乃曰：“君且还，卓将疑人。”坚遂出。

是岁，帝造万金堂于西园，引司农金钱、缯帛牣积[435]堂中，复藏寄小黄门、常侍家钱各数千万，又于河间[436]买田宅，起第观。

【段旨】

以上为第九段，写黄巾失败，国家稍稍安宁，而边患未靖，灵帝又故态复萌，聚敛无度，宠幸宦官，杀害忠良。

【注释】

㉞己酉：二月初十。㉟庚戌：二月十一日。㊱乐城门：当作“乐成门”，为南宫中门。㊲说：劝说。㊳敛：税取。㊴乐安：郡名，治所临济，在今山东高青西北。㊵陆康：字季宁，吴郡吴县（今江苏苏州）人，历任庐江等郡太守，汉献帝时加忠义将军。传见《后汉书》卷三十一。㊶蝝：未生翅的幼蝗虫。鲁宣公十五年实行按田亩收税之制。同年冬，鲁国又发生蝝灾。事见《左传》宣公十五年。㊷哀公增赋而孔子非之：鲁哀公十一年，执政季孙氏欲增加田赋，使冉有访问孔子，孔子对冉有说：不遵守礼，贪冒无厌，虽增田赋，也不会富足。又说：如果循法而行，有周公之制在那里；如果苟且而行，又何必询问我。事见《左传》哀公十一年。㊸亡王之法：指秦始皇铸十二铜人而导致秦亡。㊹内幸：宫内幸臣。指张让、赵忠等。㊺续：陆续，字智初，曾为州郡吏。传见《后汉书》卷八十一。㊻文石：有花纹之石。㊼部：统；总。㊽不中者：不合格者。㊾折：谓折价。㊿贾：通“价”。[361]货：卖出。[362]驺：骑士。[363]趣：通“促”。[364]贼赂：贿赂。[365]茂才、孝廉：汉代举用人才的两种科目。茂才，即秀才，指才华优秀者，东汉避光武帝刘秀讳，改称茂才。孝廉，名义上须孝顺父母，行为清廉。[366]迁除：调授官职。[367]责：求；索取。[368]之官：上任。[369]谐价：议定价钱。[370]清：谓清廉。[371]称：适合；符合。[372]孟津：关名，在今河南孟州南。[373]博陵：郡名，治所博陵县，在今河北蠡县南。[374]常山：王国名，治所元氏，在今河北元氏西北。[375]雷公：声音如雷，故名。随张角起事的诸头领多以自身某一特征而得名，如身体轻便者称飞燕，大眼者称大目，骑白马者称张白骑。[376]廮陶：县名，县治在今河北宁晋西南。[377]趫捷：轻便敏捷。[378]浸：逐渐。[379]黑山：山名，在今河南浚县西北。[380]平难中郎将：官名，东汉统兵将领多授

没有不果断诛杀而获得成功的。现在您关照董卓，不立刻诛杀，有损军法的威严，董卓能如此，原因就在这里！”张温不忍心处死董卓，便说：“你暂且回去，董卓将疑心我们。”孙坚便走出去了。

这一年，灵帝在西园建造万金堂，调拨司农的金钱、丝帛堆积在堂里，又把钱寄放在小黄门、常侍的家中，每家寄存了几千万，还在河间买田买房，建造宅第楼阁。

中郎将之职。平难中郎将此时新置。㊳崔烈：博陵安平（今河北安平）人，官至司徒、太尉。事附见《后汉书》卷五十二《崔寔传》。㊴阿保：指皇帝的保姆。㊵段颎：字纪明，武威姑臧（今甘肃武威）人，为破羌将军，数与羌人战有功。后为司隶校尉、太尉等。传见《后汉书》卷六十五。㊶功勤：功劳。㊷傅母：保姆。㊸临轩：皇帝在殿前平台上接见臣属称临轩。㊹靳：吝惜。㊺姝：美好。㊻三辅：地区名，汉代称京兆尹、左冯翊、右扶风为三辅，相当于以今西安为中心的陕西中部地区。㊼凉州：治所原在陇县，在今甘肃张家川回族自治县。汉灵帝中平以后至献帝建安末，治所在冀县，在今甘肃甘谷县东南。㊽哙可斩也：汉惠帝时，匈奴冒顿单于作书轻慢吕后，吕后大怒，樊哙即说：“臣愿得兵十万，横行匈奴中。”季布却认为高帝率四十万众击匈奴，尚被匈奴围困于平城，樊哙此言是当面欺上，故说“樊哙可斩也”。事见《史记》卷一百《季布栾布列传》。㊾使郦商别定陇右：指刘邦以郦商为陇西都尉平定北地郡、上郡事。见《史记》卷九十五《郦商列传》。陇右，地区名，指陇山以西地区，相当于今甘肃六盘山以西、黄河以东一带。㊿世宗：汉武帝的庙号。(394)四郡：指汉武帝新置的河西四郡，即酒泉、张掖、武威、敦煌四郡。(395)牧御：州牧之统治。(396)弭：安定。(397)左衽：衽，衣襟。古代少数民族衣服之前襟向左，故称左衽。(398)庚戌：四月十二日。(399)螟：食禾稼的害虫。(400)邺：县名，县治在今河北临漳西南。(401)逾制：谓超过人臣宅第的规制。(402)没入：谓没收入官。(403)执金吾：官名，掌督巡宫外，维护皇宫周围及京都的治安，皇帝出行时，则充护卫及仪仗队。(404)破虏将军：官名，杂号将军之一，主带兵征伐。(405)荡寇将军：官名，杂号将军之一。(406)特进：凡列侯功德优盛，朝廷所敬异者，授特进，位在三公下，无具体职掌。(407)庚寅：十月丙申朔，无庚寅。(408)光禄大夫：官名，属光禄勋，掌顾问应对。(409)河东：郡名，治所安邑，在今山西夏县西北。(410)豕突：猪豕奔突。比喻横冲直撞，流窜侵扰。(411)上京：指京都洛阳。(412)浸：渐渐。(413)车骑：指车骑将军张温。(414)大较：大概；大略。(415)伊、吕：指商初贤相伊尹，周初太师吕尚。(416)同畴：同辈。畴，通“俦”。(417)三仁：指商末被纣王疏远、惩罚、处死的微子、箕子、比干三贤。(418)忠謇：忠心正直。(419)美阳：县名，县治在今陕西武功西北。(420)榆中：县名，县治在今甘肃兰州

东。㉑参军事：官名，军中参谋军事之官，位任颇重。㉒蒌园峡：黄河津渡，在榆中东，今称桑园峡。㉓车重：辎重车；载军用物资之车。㉔望垣：县名，县治在今甘肃天水市西北。㉕隔："堰"的异体字。㉖扶风：右扶风，汉代三辅之一。东汉治所在槐里，在今陕西兴平东南。㉗责让：责备。㉘耳语：附耳低语。㉙鸱张：鸱鸟张翼，比喻猖狂、嚣张。㉚假：凭借；依恃。㉛沮：阻止。㉜轩昂：倨傲；高傲。㉝仗钺：执钺。钺，大斧。国君命将出征授以钺，表示授予专杀之权。㉞垂意：留意；关照。㉟牣积：堆满。牣，满。㊱河间：王国名，治所乐成，在今河北献县东南。〖按〗汉灵帝为河间孝王刘开之玄孙，其祖父又封为解渎亭侯，亦在河间。

【原文】

三年（丙寅，公元一八六年）

春，二月，江夏㊲兵赵慈反，杀南阳太守秦颉。

庚戌㊳，赦天下。

太尉张延罢，遣使者持节㊴就长安拜张温为太尉。三公在外始于温。

以中常侍赵忠为车骑将军。帝使忠论讨黄巾之功，执金吾甄举谓忠曰："傅南容㊵前在东军㊶，有功不侯，天下失望。今将军亲当重任，宜进贤理屈㊷，以副众心。"忠纳其言，遣弟城门校尉㊸延致殷勤㊹于傅燮。延谓燮曰："南容少答㊺我常侍，万户侯不足得也。"燮正色拒之曰："有功不论，命也。傅燮岂求私赏哉！"忠愈怀恨，然惮其名，不敢害，出为汉阳太守。

帝使钩盾令㊻宋典缮[14]修南宫玉堂㊼，又使掖庭令㊽毕岚铸四铜人，又铸四钟，皆受二千斛㊾。又铸天禄㊿、虾蟆吐水于平门外桥东，转水入宫。又作翻车⑤①、渴乌⑤②施于桥西，用洒南北郊路，以为可省百姓洒道之费。

五月壬辰晦⑤③，日有食之。

【校记】

［8］宦官：张敦仁《通鉴刊本识误》作“中者”。［9］丈八：原误作“文八”。张敦仁《通鉴刊本识误》作“丈八”，当是。〖按〗《后汉书》卷七十一《朱儁传》、卷七十四上《袁绍传》皆作“丈八”。本书卷六十献帝初平四年六月载袁绍军斩左髭丈八，“丈”字尚不误。丈八，言其身躯高大。［10］眭固：原误作“睦固”。据章钰校，甲十一行本、乙十一行本、孔天胤本皆作“眭固”，熊罗宿《胡刻资治通鉴校字记》同，今据校正。［11］少：据章钰校，甲十一行本、乙十一行本皆作“小”。［12］解：原作“止”。据章钰校，甲十一行本、乙十一行本、孔天胤本皆作“解”，张敦仁《通鉴刊本识误》、熊罗宿《胡刻资治通鉴校字记》同，今从改。［13］伪：原无此字。据章钰校，甲十一行本、乙十一行本皆有此字，今据补。

【语译】

三年（丙寅，公元一八六年）

春，二月，江夏官兵赵慈反叛，杀死南阳太守秦颉。

十六日庚戌，大赦天下。

太尉张延被免职，朝廷派使者持节赴长安任命张温为太尉。三公在京师外被委任，从张温开始。

任命中常侍赵忠为车骑将军。灵帝委派赵忠评定讨伐黄巾军的战功，执金吾甄举对赵忠说：“傅燮先前在东征的战事中，立下功劳没有被封侯，天下人失望。现在将军身当重任，应该举荐贤才，平反冤屈，以符合民心。”赵忠采纳了甄举的意见，派遣弟弟城门校尉赵延向傅燮献殷勤。赵延对傅燮说：“只要你对我哥哥赵常侍略有表示，万户侯不在话下。”傅燮神色严肃地回答说：“有功不赏，这是命。我傅燮岂肯通过私人关系乞求赏赐呢！”赵忠更加怀恨傅燮，但顾忌到他的声望，不敢加害，便调他外出做汉阳太守。

灵帝派钩盾令宋典修缮南宫的玉堂殿，又派掖庭令毕岚督铸四个铜人，又铸造四口铜钟，容量都为二千斛。又铸造避邪的天禄兽、蛤蟆吐水的铜器放置在平门外的桥东，通过兽口喷水转流入宫。又制作翻车、渴乌安置在桥西，用来喷洒南北大路，认为可以节省百姓清水洒街的费用。

五月最后一天三十日壬辰，发生日食。

六月，荆州刺史王敏讨赵慈，斩之。

车骑将军赵忠罢。

冬，十月，武陵蛮反，郡兵讨破之。

前太尉张延为宦官所谮，下狱死。

十二月，鲜卑寇幽、并二州。

征张温还京师。

【段旨】

以上为第十段，写耿直朝官傅燮拒绝与宦官同流合污。

【注释】

㊲江夏：郡名，治所安陆，在今湖北安陆北。㊳庚戌：二月十六日。㊴节：符节，皇帝授命的信物。㊵傅南容：傅燮字南容。传见《后汉书》卷五十八。㊶东军：指朱儁镇压颍川黄巾的官军。㊷理屈：平反冤狱。理，审理。屈，委曲、冤狱。㊸城门校尉：官名，掌京都城门的屯兵。㊹殷勤：表示亲切。㊺少答：稍微报答。㊻钩盾令：官名，

【原文】

四年（丁卯，公元一八七年）

春，正月己卯[454]，赦天下。

二月，荥阳[455]贼杀中牟[456]令。三月，河南尹何苗[457]讨荥阳贼，破之，拜苗为车骑将军。

韩遂杀边章及北宫伯玉、李文侯，拥兵十余万，进围陇西[458]。太守李相如叛，与遂连和。

凉州刺史耿鄙率六郡兵讨遂。鄙任治中[459]程球，球通奸利，士民怨之。汉阳太守傅燮谓鄙曰："使君[460]统政日浅[461]，民未知教。贼闻大军将至，必万人一心，边兵多勇，其锋难当。而新合之众，上下未和[15]，万一内变，虽悔无及。不若息军养德，明赏必罚。贼得宽挺[462]，

六月，荆州刺史王敏讨伐赵慈，把赵慈杀了。

车骑将军赵忠被罢免。

冬，十月，武陵蛮反叛，郡兵讨伐，打败了叛军。

前太尉张延遭到宦官的诬陷，下狱而死。

十二月，鲜卑侵犯幽、并两州。

灵帝下诏，征召张温回到京师。

宦官充任，主管宫廷近处苑囿及游观地。㊼玉堂：东汉洛阳宫殿名，有前殿和后殿。前殿为皇帝处理朝政之所，后殿为寝宫。故址在今河南洛阳东白马寺一带。㊽掖庭令：官名，宦官担任，掌后宫贵人、采女事。㊾斛：量器名，汉代十斗为一斛。㊿天禄：传说中之兽名，形似狮。(451)翻车：引水车。(452)渴乌：吸水用的鸟形虹吸筒。(453)壬辰晦：五月三十日。

【校记】

［14］缮：原无此字。据章钰校，甲十一行本、乙十一行本、孔天胤本皆有此字，张敦仁《通鉴刊本识误》同，今据补。

【语译】

四年（丁卯，公元一八七年）

春，正月二十一日己卯，大赦天下。

二月，荥阳的叛贼杀死中牟县令。三月，河南尹何苗讨伐荥阳叛贼，击败叛贼，任命何苗为车骑将军。

韩遂杀死边章及北宫伯玉、李文侯，拥众十余万，进兵包围陇西郡城。太守李相如叛变，与韩遂联合。

凉州刺史耿鄙率领六郡的兵众讨伐韩遂，耿鄙信任治中程球，而程球贪污腐败，官民痛恨。汉阳太守傅燮对耿鄙说："使君你为政时间短，民众还没有受到你的教化。叛贼听到大军即将到达，一定万众一心，边疆的士兵大多勇猛，其锋锐不可当。而刚刚从各郡调集的官军，上下尚未磨合，万一内部有变，虽然后悔也来不及。不如休兵，蓄养正气，严明赏罚。叛贼得到喘气的机会，一定认为官兵胆怯，

必谓我怯，群恶争势，其离可必。然后率已教之民，讨成离之贼，其功可坐而待也。”鄙不从。夏，四月，鄙行至狄道，州别驾[463]反应贼，先杀程球，次害鄙，贼遂进围汉阳[464]。城中兵少粮尽，燮犹固守。

时北地胡骑数千随贼攻郡，皆夙怀燮恩，共于城外叩头，求送燮归乡里。燮子幹，年十三，言于燮曰：“国家昏乱，遂令大人不容于朝。今兵不足以自守，宜听羌、胡之请，还乡里，徐俟有道而辅之。”言未终，燮慨然叹曰：“汝知吾必死邪？圣达节[465]，次守节。殷纣暴虐，伯夷不食周粟而死[466]。吾遭世乱，不能养浩然之志[467]，食禄，又欲避其难乎！吾行何之？必死于此！汝有才智，勉之勉之！主簿[468]杨会，吾之程婴[469]也。”

狄道[470]人王国使故酒泉[471]太守黄衍说燮曰：“天下已非复汉有，府君宁有意为吾属帅乎？”燮按剑叱衍曰：“若剖符之臣[472]，反为贼说邪！”遂麾左右进兵，临陈战殁。耿鄙司马扶风马腾[473]亦拥兵反，与韩遂合，共推王国为主，寇掠三辅。

太尉张温以寇贼未平，免，以司徒崔烈为太尉。五月，以司空许相为司徒；光禄勋[474]沛国丁宫为司空。

初，张温发幽州乌桓[475]突骑三千以讨凉州，故中山[476]相[477]渔阳张纯请将之。温不听，而使涿[478]令辽西公孙瓒将之。军到蓟[479]中，乌桓以牢禀[480]逋县[481]，多叛还本国。张纯忿不得将，乃与同郡故泰山[482]太守张举及乌桓大人[483]丘力居等连盟，劫略蓟中，杀护乌桓校尉[484]公綦稠、右北平[485]太守刘政、辽东[486]太守阳终等，众至十余万，屯肥如[487]。举称天子，纯称弥天将军、安定王，移书州郡，云举当代汉，告天子避位，敕公卿奉迎。

冬，十月，长沙[488]贼区星自称将军，众万余人。诏以议郎孙坚为长沙太守，讨击平之，封坚乌程侯。

十一月，太尉崔烈罢，以大司农曹嵩[489]为太尉。

十二月，屠各胡[490]反。

是岁，卖关内侯，直[491]五百万钱。

各个首领就会争夺先机，必然离心离德。然后使君率领已接受教化的军民，讨伐离心离德的叛贼，这样大功可静坐而得。”耿鄙不听。夏，四月，耿鄙进兵到狄道，凉州别驾反叛响应叛贼，先杀死程球，后杀死耿鄙，于是叛兵乘势进围汉阳郡城。城中兵少粮尽，傅燮仍坚守城池。

当时北地郡的几千名胡人骑兵追随叛贼攻击汉阳郡，这些胡人都怀念傅燮的旧恩，一起在城外磕头，请求送傅燮回乡。傅燮的儿子傅幹才十三岁，向傅燮进言道：“国家政治昏乱，便使父亲大人不容于朝。如今官军的力量不足以防守，应答应羌人、胡人的请求，回到故乡，等有道的明君出世后再去辅佐他。”傅幹的话还没讲完，傅燮慨叹说：“你知道我必须死的原因吗？圣人对节操通达权变，次等的坚守节操。商纣王暴虐，忠臣伯夷不食周粟而死。我遭逢乱世，不能修养出崇高的志向和节操，既然已经领了国家的俸禄，又想逃避危难吗！我走，走往哪里？我一定要死在这里！你有才学，好自为之吧！主簿杨会就是我的程婴。”

狄道人王国派原酒泉太守黄衍劝说傅燮：“天下已不再是汉朝的天下，府君您有意当我们的首领吗？”傅燮手握剑柄斥责黄衍说：“你是汉朝的臣子，怎么反而替叛贼游说呢！”于是指挥左右进军，临阵战死。耿鄙的司马扶风人马腾也拥兵反叛，与韩遂联合，共同推举王国为首领，侵扰三辅一带。

太尉张温因为没有平定叛贼，被罢免，任命司徒崔烈为太尉。五月，任命司空许相为司徒；光禄勋沛国人丁宫为司空。

当初，张温征调幽州乌桓的三千突骑讨伐凉州叛贼，原中山相渔阳人张纯请求率领突骑。张温不答应，而派涿县县令辽西人公孙瓒去统率。这支军队到达蓟城时，由于粮饷拖欠，乌桓骑兵大多叛逃回本国。张纯怨恨没有得到统帅职位，就和同郡人原泰山太守张举及乌桓酋长丘力居等联盟，抢掠蓟县，杀死护乌桓校尉公綦稠、右北平太守刘政、辽东太守阳终等，部众达到十几万，屯驻在肥如县。张举自称天子，张纯称弥天将军、安定王，向各州郡发布文告，说张举将取代汉帝，宣告天子已退位，敕令公卿来迎接张举。

冬，十月，长沙叛贼区星自称将军，部众一万多人。朝廷下诏派议郎孙坚出任长沙太守，讨伐并平定叛贼，封孙坚为乌程侯。

十一月，太尉崔烈被罢官，任命大司农曹嵩为太尉。

十二月，屠各胡反叛。

这一年，朝廷拍卖关内侯爵位，价值五百万钱。

前太丘[492]长陈寔[493]卒，海内赴吊者三万余人。寔在乡闾，平心率物[494]，其有争讼，辄求判正[495]，晓譬曲直，退无怨者，至乃叹曰："宁为刑罚所加，不为陈君所短[496]！"杨赐、陈耽，每拜公卿，群僚毕贺，辄叹寔大位未登，愧于先之。

【段旨】

以上为第十一段，写忠臣傅燮赴义而死，名士陈寔大志不伸、黯然凋谢。

【注释】

㊺己卯：正月二十一日。㊻荥阳：县名，县治在今河南荥阳东北。㊼中牟：县名，县治在今河南中牟。㊽何苗：何进之弟。事附见《后汉书》卷六十九《何进传》。㊾陇西：郡名，治所狄道，在今甘肃临洮。㊿治中：官名，即治中从事史，州刺史的主要佐吏，职责是居中治事，主众曹文书。[460]使君：汉代人称郡太守为使君。[461]日浅：时间不长。[462]宽挺：宽缓。[463]别驾：官名，即别驾从事史，州牧刺史的主要佐吏，主领众事。州牧、刺史巡行各地时，别驾乘传车从行，故名别驾。[464]汉阳：郡名，治所冀县，在今甘肃甘谷县东南。[465]达节：对节操通达权变。[466]伯夷不食周粟而死：殷商末年，纣王暴虐无道，周武王起兵灭纣而有天下。殷商故诸侯孤竹国之伯夷、叔齐却以为周武王不义，逃隐于首阳山，不食周粟而死。事见《史记》卷六十一《伯夷列传》。[467]浩然之志：正大刚直之志。[468]主簿：官名，汉代中央及郡县官署皆置主簿，以典领文书、办理事务。[469]程婴：春秋时人。晋景公三年，赵朔被大夫屠岸贾所杀，其族被灭，赵朔妻有遗腹子，程婴与赵朔客公孙杵臼不惜身死，保住了赵氏遗腹子，并抚养成人，恢复了赵氏封土。事见《史记》卷四十三《赵世家》。[470]狄道：县名，县治在今甘肃临洮。[471]酒泉：郡名，治所禄福，在今甘肃酒泉。[472]剖符之臣：执符的大臣。此指郡太守。符，符信，君臣各执一半，合符示信。[473]马腾：字寿成，扶风茂陵（今陕西兴平东北）人，曾为征西将军。事附见《三国志》卷三十六《蜀书·马超传》。[474]光禄勋：官名，汉九卿之一，掌领宿卫侍从之官。[475]乌桓：又写作"乌丸"。少数民族名，东胡之一支。活动于今山海关外东北及内蒙古地区。[476]中山：王国名，王都卢奴，在今河北定州。[477]相：官名，朝廷委派的执掌王国行政大权的长官，相当于郡太守。[478]涿：县名，县治在今河北涿州。[479]蓟：县名，县治在今北京市西南。[480]牢禀：军粮。[481]逋县：拖欠。县，"悬"本字。[482]泰山：郡名，治所奉高，在今山东泰安东北。[483]乌桓大人：乌桓部族首领。[484]护乌桓校尉：官名，东汉沿西汉所置，以管辖各地乌桓。[485]右北平：郡名，治所土垠，在今河北丰润东。[486]辽东：郡名，治所襄平，在今辽宁辽阳。[487]肥如：县名，县治在今河

前太丘县县长陈寔去世，全国来吊丧的有三万多人。陈寔在乡间时处事公正，表率乡里，乡亲们有了争执，总是请求他评判，他把是非曲直讲得明明白白，事后没有人抱怨，甚至人们感叹说："宁可遭受刑罚，也不愿受陈君批评！"杨赐、陈耽每次被任命为公卿，百官们都来祝贺，二人总是为陈寔没有登上高位而叹惜，而为自己先任要职感到惭愧。

北卢龙北。㊽长沙：郡名，治所临湘，在今湖南长沙。㊾曹嵩：字巨高，沛国谯县（今安徽亳州）人，曹操之父，官至太尉，后被陶谦部下所杀。事附见《三国志》卷一《魏书·武帝纪》。㊿屠各胡：匈奴之一支。491直：通"值"。价值。492太丘：县名，县治在今河南永城西北。493陈寔（公元一〇四至一八七年）：字仲弓，颍川许县（今河南许昌东）人，为太丘长，公正清廉，为世所称。党锢祸起，被牵连，不逃，自请囚禁。党禁解，朝廷多次征召，皆不从命。卒于家，谥为文范先生。传见《后汉书》卷六十二。494率物：做人的表率。495判正：断定是非曲直。496短：批评。

【校记】

［15］上下未和：此下原空四字位置。据章钰校，甲十一行本、乙十一行本、孔天胤本皆无空格，今从改。

【研析】

本卷着重研讨黄巾大起义与东汉王朝的关系。黄巾大起义是借助宗教形式发动的。东汉统治者为了加强对人民的思想控制，极力宣扬谶纬迷信思想，以火德自命，用来表示天命所在。农民群众深受谶纬迷信的束缚，反过来以其人之道还治其人之身。顺帝时，琅邪人于吉造了一部《太平清领书》，后称之为《太平经》。东汉末年，《太平经》广泛流传于民间，《太平经》中宣扬的平均平等，以及变革天命的思想为困苦的农民群众所接受，在传经布道中分为几个流派，其中最主要的是"太平道"和"五斗米道"。

太平道的教主是巨鹿人张角。他自称"大贤良师"，通过用符水给人治病传播太平道，在冀州吸引了许多徒众，十余年间，信徒达到十多万人，遍于青、徐、幽、冀、荆、扬、豫等州。张角把信徒组织起来，按地区分为三十六方，大方一万多人，小方六七千人，各立首领，由他统一指挥。张角利用宗教把他的触角深入统治集团的最高中枢，吸纳皇宫中的宦官入道。经过周密准备，决定在中平元年（公元一八四年）发动起义。事先向各地道徒传播"苍天已死，黄天当立，岁在甲子，天下大吉”。这是一道谶语，张角用作发动起义的口号，并在各地官府墙壁上用隐语写上“甲子”二字，作为一致起事的时间。张角要从京师心脏地区发动起义，宦官封谞、徐奉等愿做内应。由于叛徒唐周告密，计划泄漏，张角被迫通知各方提前在二月起义。波才在颍川，张曼成、赵弘、韩忠、孙夏等人在南阳，彭脱等人在汝南陈国，张角、张宝、张梁兄弟在巨鹿，杀逐太守，攻占城池，形成了几支强大的黄巾军。黄巾军人数极多，遍布大江南北，声势浩大，京师震动。

灵帝以诸侯入继大统，他与太后争权，依靠宦官，宠信张让、赵忠、封谞、段珪、曹节、侯览、蹇硕、程旷、夏恽、郭胜十常侍。十常侍假借皇权，排斥外戚，打压朝官和士大夫，党羽子弟遍布州郡，残暴百姓，侵夺民宅。十常侍朋比为奸，蛊惑圣心，灵帝竟然称“张常侍是我公，赵常侍是我母”。宦官专权的黑暗政治是激发黄巾大起义的重要原因，而宦官却在“黄天当立”的谶语威胁下倒戈助黄巾。汉灵帝感到士大夫有用，于是质问十常侍说，你们说党人要造反，杀的杀，禁锢的禁锢，而今倒是你们勾结黄巾造朝廷的反，该不该杀呢？十常侍一起磕头请罪，灵帝信任如故。但灵帝还是采纳了中常侍吕强的谏言，大赦党人，解除党禁。

于是各地豪强地主纷纷起兵，配合朝廷所遣中郎将皇甫嵩、朱儁、卢植、董卓等率领的大军，分路镇压黄巾军，到十一月，各路黄巾军均被打败。张角病死，张宝、张梁被杀害。但黄巾余部坚持战斗了近二十年。青徐黄巾军和冀州黑山军，一度部众达一百万。最终青徐黄巾军被曹操收编为青州兵，冀州黑山军被袁绍击败，此时已是军阀大混战，东汉已经名存实亡。

波澜壮阔的黄巾军如同暴风骤雨，突然兴起，而短短九个月就遭败绩，根本原因是东汉末年地主与农民两大对立阶级的矛盾还未到你死我活的地步，农民群众还未到不能生活的地步。黄巾大起义前夕没有重大的天灾人祸，黄巾大起义是靠宗教形式组织起来的，又计划泄漏，匆匆而起。黄巾是乌合之众，而官军与地方豪强武装则是训练有素，且统治阶级一致对抗黄巾，所以黄巾军很快失败了。东汉末年的腐败政治，表现是统治阶级上层集团的尖锐斗争，宦官专政，制造党锢冤狱，士大夫得到人民的同情。而党锢解禁，士大夫一致起来镇压黄巾起义，宦官一时收敛，人心还向着朝廷。一方面是黄巾基础不牢固，另一方面是汉家旗帜有士大夫的一致拥护而为人心所望。不过黄巾虽然失败，却沉重地打击了东汉政权，而黄巾余众的继续反抗，导致豪强集团兴起，为军阀混战打下了基础。由于黄巾军的过快失败，灵帝依然故我，宦官势力立即抬头，宦官集团反攻倒算，杀逐正直士大夫，还杀了吕强。灵帝比宦官还要贪婪，公然设立西园卖官所，朝官郡守均标价拍卖。于是天下人心失望，诸侯打起了废立的主意，东汉的覆亡不可避免。但以怎样的形式改朝换代，那要看时局怎样发展了。总之，黄巾军的沉重一击，注定了东汉政权一蹶不振。黄巾军虽然失败了，却扮演了改朝换代清道夫的角色。

卷第五十九　汉纪五十一

起著雍执徐（戊辰，公元一八八年），尽上章敦牂（庚午，公元一九〇年），凡三年。

【题解】

本卷记事起公元一八八年，迄公元一九〇年，凡三年，当汉灵帝中平五年到汉献帝初平元年。三年间，东汉王朝发生剧烈震荡，影响历史的重大事件连续不断发生。主要有五大事件：一、灵帝英年早逝；二、朝官士大夫诛灭宦官；三、董卓入京擅废立；四、关东诸侯起兵讨董卓；五、董卓挟帝西迁长安。这一系列大事件，导致东汉王朝在灵帝死后两年间换了两个皇帝，发生了两次宫廷政变，年号换了四个，政局动荡，权臣窃国，天子蒙尘，京都播迁，东汉由治世转入乱世，军阀形成，东汉名存实亡。

东汉政治，三大势力长期并存：宦官、外戚、朝官士大夫。东汉新皇帝继位，年幼的居多，有五任皇帝是诸侯入继大统。桓、灵二帝相继以诸侯入继大统，桓帝十五岁即位，灵帝十二岁即位。少年登基，外戚得势，皇帝长成，依靠宦官抗衡外戚。宦官、外戚分羹，朝官士大夫不满。于是宦官、外戚、朝官士大夫，三大势力既相争又共存，是东汉政权的三大支柱。灵帝在位，虽然昏暴，正在英年，三大势力尚能维持平衡。灵帝三十四岁，突然病逝，皇子年幼，长子刘辩十五岁，加之智力平庸，无法掌控政权，皇权出现真空。所以灵帝一死，失去皇权掩蔽的三大势力，立即由明争暗斗转为公开的白热化斗争，宦官与朝官士大夫势不两立，水火不容。此时外戚代表皇权，却又内部分裂。刘辩即位，史称少

【原文】

孝灵皇帝下

中平五年（戊辰，公元一八八年）

春，正月丁酉①，赦天下。

二月，有星孛②于紫宫③。

黄巾余贼郭大等起于西河④[1]白波谷⑤，寇太原⑥、河东⑦。

三月，屠各胡⑧攻杀并州⑨刺史张懿⑩。

太常⑪江夏刘焉⑫见王室多故，建议以为：“四方兵寇，由刺史威

帝。少帝母何太后临朝，太后之兄大将军何进掌控朝政。何进倒向朝官士大夫，谋诛宦官，而何氏是借助宦官势力登上政治舞台的，因此何太后庇护宦官，何进之弟何苗也袒护宦官。何进本人优柔寡断，执政能力不强。于是外戚夹在宦官、朝官士大夫两股势力中间左右摇摆。何进没有决断力，即朝廷失去了制衡能力。何进宣召董卓等诸侯带兵入洛，想借用外力挟制太后，诛灭宦官。结果宦官先下手为强，杀了何进。袁绍借机兴兵入宫，尽杀宦官，一场浩劫，宦官、外戚两股势力均被消灭。三大势力，只剩下朝官士大夫一股力量，独木难支，朝政大权落入董卓之手。董卓为了进一步削弱朝官士大夫，擅自废立，少帝刘辩被废杀，何太后亦死，九岁的陈留王刘协被立为帝，史称献帝。反对废立的袁绍、曹操等人被逼出京。

如果说袁绍诛宦官是第一次宫廷政变，董卓废少帝、立献帝则是第二次宫廷政变。两次宫廷政变，发生在一年之内，年号换了四个：光熹、昭宁、永汉、初平，表明政权激烈动荡。两次宫廷政变，皇权遭践踏，统治集团大洗牌。公元一九〇年，关东兵起，董卓西迁，东汉洛阳二百年帝京，董卓一把火把它化作了瓦砾场。随即，关东诸侯罢兵，各归州郡，互相征伐，形成了军阀混战的局面，东汉也就名存实亡了。

【语译】

孝灵皇帝下

中平五年（戊辰，公元一八八年）

春，正月十五日丁酉，大赦天下。

二月，孛星出现在紫宫。

黄巾的残部郭大等人在西河白波谷起兵，寇扰太原郡、河东郡。

三月，屠各胡攻杀了并州刺史张懿。

太常江夏人刘焉看到王室多难，向朝廷建议："四方兵乱，原因是刺史的权威太

轻，既不能禁，且用非其人，以致离叛。宜改置牧伯⑬，选清名重臣以居其任。”焉内欲⑭求交趾⑮牧。侍中⑯广汉董扶⑰私谓焉曰：“京师将乱，益州⑱分野⑲有天子气⑳。”焉乃更求益州。会益州刺史郤俭㉑赋敛烦扰㉒，谣言㉓远闻，而耿鄙㉔、张懿皆为盗所杀，朝廷遂从焉议，选列卿、尚书为州牧，各以本秩㉕居任。以焉为益州牧，太仆㉖黄琬㉗为豫州㉘牧，宗正㉙东海刘虞㉚为幽州㉛牧。州任之重，自此而始。焉，鲁恭王㉜之后。虞，东海恭王㉝之五世孙也。虞尝为幽州刺史，民夷怀其恩信，故用之。董扶及太仓令㉞赵韪皆弃官，随焉入蜀。

诏发南匈奴㉟兵配刘虞讨张纯，单于羌渠㊱遣左贤王㊲将骑诣幽州。国人恐发兵无已，于是右部醢落㊳反，与屠各胡合，凡十余万人，攻杀羌渠，国人立其子右贤王㊴於扶罗为持至尸逐侯单于。

夏，四月，太尉曹嵩罢。

五月，以永乐少府㊵南阳樊陵为太尉。六月，罢。

益州贼马相、赵祇等起兵绵竹㊶，自号黄巾，杀刺史郤俭，进击巴郡㊷、犍为㊸。旬月之间，破坏三郡㊹，有众数万，相[2]自称天子。州从事贾龙率吏民攻相等，数日破走，州界清静。龙乃选吏卒迎刘焉。焉徙治绵竹㊺，抚纳离叛，务行宽惠，以收人心。

郡国七大水。

【段旨】

以上为第一段，写东汉末初置州牧，刘焉入蜀任益州牧。

【注释】

①丁酉：正月十五日。②孛：星芒四射之状，因以为彗星的别称。③紫宫：天区名，即三垣中之中垣，又称紫微垣，共由三十七颗星组成，位于北斗星之东北，环拱极星成屏藩状，以象天子之宫，故称紫宫。④西河：郡名，治所离石，在今山西吕梁市离石区。⑤白波谷：邑聚名，一名白波，在今山西襄汾西南永固镇。⑥太原：郡名，治所晋阳，在今山西太原西南。⑦河东：郡名，治所安邑，在今山西夏县西北。⑧屠各胡：

轻，他们既不能禁乱，又用人不当，以致叛变。朝廷应当改设州级军政长官为州牧、州伯，选择有清名的重臣担任。”刘焉内心想得到交趾牧一职。侍中广汉人董扶私下对刘焉说：“京师将发生变乱，益州地区有天子气。”刘焉便改求益州牧。适逢益州刺史郤俭赋敛繁重，扰乱百姓，讥讽他的民谣远近流传，耿鄙、张懿又都被盗贼杀死，于是朝廷接受了刘焉的建议，选任列卿、尚书出任州牧，各人以原有的品级上任。任命刘焉为益州牧，太仆黄琬为豫州牧，宗正东海人刘虞为幽州牧。州牧位高权重自此开始。刘焉，是鲁恭王的后裔。刘虞，是东海恭王的五世孙。刘虞曾担任幽州刺史，汉民夷狄都怀念他的恩德和信义，所以才任用他。董扶和太仓令赵韪都自动弃官，追随刘焉进蜀。

诏令征发南匈奴兵配合刘虞讨伐张纯，匈奴单于羌渠派左贤王率领骑兵到达幽州。南匈奴人担心没完没了的征发，于是右部醯落反叛，与屠各胡联合，总计十多万人，进击并杀死羌渠单于，南匈奴人拥立羌渠的儿子右贤王於扶罗为持至尸逐侯单于。

夏，四月，太尉曹嵩被免职。

五月，任命永乐少府南阳人樊陵为太尉。六月，樊陵被免职。

益州贼寇马相、赵祗等人在绵竹起兵，自称黄巾军，杀死刺史郤俭，进兵攻打巴郡、犍为。个把月的时间，攻破三郡，有徒众数万，马相自称天子。益州从事贾龙率领官吏百姓攻击马相等人，几天内马相等人兵败逃走，益州境内得以清静安宁。于是贾龙选派官兵去迎接刘焉。刘焉把益州治所从雒县迁到绵竹，安抚招纳叛离的民众，一心推行宽大恩惠的政策，以收取人心。

七个郡国发生严重水灾。

东汉至西晋时匈奴部落之一。⑨并州：州名，州治晋阳，在今山西太原。⑩张懿：并州刺史。事附见《三国志》卷三十一《蜀书·刘焉传》，作“张壹”。⑪太常：官名，汉九卿之一，掌宗庙礼仪，兼选试博士。⑫刘焉（？至公元一九四年）：字君郎，江夏（今湖北潜江市西北）人，汉宗亲，后为益州牧，病卒。传见《后汉书》卷七十五、《三国志》卷三十一。⑬改置牧伯：牧伯即州牧。汉代自武帝置十三部刺史后，长官名称，屡有改动。有时称刺史，有时称州牧。此时刘焉又建议复称州牧。刺史只有监察权，由六百石中级官吏充任，州牧则为地方最高一级行政长官，秩二千石。州牧之重，自此始。⑭内欲：内心的欲望。⑮交趾：州名，故治广信（今广西梧州），寻改番禺，在今广东广州。⑯侍中：官名，职在侍从皇帝，应对顾问。⑰董扶：字茂安，善图谶，灵帝时征拜为侍中。事附见《三国志》卷三十一《蜀书·刘焉传》。⑱益州：州名，治所

雒县，在今四川广汉北。⑲ 分野：古天文学说将十二星辰的位置与地上州郡的位置相对应，称为分野。⑳ 天子气：古人的一种迷信说法，认为真龙天子所在的地方，天空出现一种五色祥云，称天子气。㉑ 郤俭：河南偃师（今河南洛阳市偃师区）人，后为益州黄巾军所杀。事附见《三国志》卷四十二《蜀书·郤正传》。㉒ 烦扰：冗杂繁乱。㉓ 谣言：歌谣谚语。㉔ 耿鄙：当时为凉州刺史。㉕ 本秩：原先官职的俸禄。列卿秩中二千石，尚书秩六百石。㉖ 太仆：官名，汉九卿之一，掌皇帝之车马及马政。㉗ 黄琬：字子琰。为地方官，有政绩。传见《后汉书》卷六十一。㉘ 豫州：州名，东汉治所在谯县，今安徽亳州。㉙ 宗正：官名，汉九卿之一，由皇族中人担任，掌宗室及外戚之有关事务。㉚ 刘虞：字伯安，东海郯县（今山东郯城西北）人，汉宗室，为幽州牧，有政绩，后征为太傅，未得通，被公孙瓒所杀。传见《后汉书》卷七十三。㉛ 幽州：州名，治所在蓟县，今北京市西南。㉜ 鲁恭王：刘馀，汉景帝之子，封为鲁王。传见《汉书》卷五十三。㉝ 东海恭王：刘强，汉光武帝之子，封于东海，兼食鲁郡。传见《后汉书》卷四十二。㉞ 太仓令：官名，属大司农，主管郡国上缴之粮食。㉟ 南匈奴：部族名。东汉初，匈奴分裂为两大部，南下附汉的称为南匈奴，屯聚朔方、五原、云中一带，即今内蒙古河套地区一带。㊱ 单于羌渠：匈奴称君长为单于。羌渠，匈奴单于之名。㊲ 左贤王：匈

【原文】

故太傅[46]陈蕃[47]子逸与术士襄楷会于冀州刺史王芬坐，楷曰："天文不利宦者[48]，黄门、常侍[49]真族灭矣。"逸喜。芬曰："若然者，芬愿驱除。"因与豪杰转相招合，上书言黑山贼攻劫郡县，欲因以起兵。会帝欲北巡河间旧宅[50]，芬等谋以兵徼[51]劫，诛诸常侍、黄门，因废帝，立合肥侯[52]，以其谋告议郎曹操。操曰："夫废立之事，天下之至不祥也。古人有权成败[53]、计轻重[54]而行之者，伊、霍[55]是也。伊、霍皆怀至忠之诚，据宰辅之势，因秉政之重[56]，同众人之欲[57]，故能计从事立。今诸君徒见曩者[58]之易，未睹当今之难，而造作非常[59]，欲望必克[60]，不亦[3]危乎！"芬又呼平原华歆[61]、陶丘洪[62]共定计。洪欲行，歆止之曰："夫废立大事，伊、霍之所难。芬性疏[63]而不武[64]，此必无成。"洪乃止。会北方夜半有赤气，东西竟天。太史[65]上言："北方有阴谋，不宜北行。"帝乃止。敕芬罢兵，俄而[66]征之。芬惧，解印绶亡走，至平原，自杀。

奴诸王称号之一，地位最高，在诸王上。㊳醢落：南匈奴之部落名，汉光武帝时，匈奴右薁鞬日逐王依附于汉，称醢落尸逐鞮单于。醢落即其后代之分支，因居于右部，故称右部醢落。㊴右贤王：匈奴诸王称号之一，位次于左贤王。㊵永乐少府：官名，由宦官担任，主管永乐宫中诸官。当时永乐宫为汉灵帝母孝仁皇后所居。㊶绵竹：县名，县治在今四川德阳北黄许镇。㊷巴郡：治所江州，在今重庆市南岸区。㊸犍为：郡名，治所武阳，在今四川眉山市彭山区东北。㊹破坏三郡：《三国志》卷三十一《蜀书·刘焉传》谓马相、赵祇等起兵于绵竹，杀绵竹令李升，“便前破雒县，攻益州杀俭，又到蜀郡、犍为，旬月之间，破坏三郡”。《后汉书》卷七十五《刘焉传》亦同，故李贤注三郡说：“绵竹及雒属广汉郡，并蜀郡、犍为郡。”是三郡指广汉郡、蜀郡及犍为郡。《通鉴》此谓进击巴郡，恐误。㊺徙治绵竹：原益州刺史之治所在雒县，刘焉始迁徙于绵竹。

【校记】

[1] 西河：原作“河西”。据章钰校，孔天胤本作“西河”。〖按〗《后汉书》卷八《灵帝纪》亦作“西河”，与孔天胤本合，今据改。[2] 相：原无此字。据章钰校，甲十一行本、乙十一行本皆有此字，张敦仁《通鉴刊本识误》同，今据补。

【语译】

原太傅陈蕃的儿子陈逸和术士襄楷在冀州刺史王芬的客座上相见。襄楷说：“天象不利于宦官，黄门、常侍真的要被灭族了。”陈逸十分高兴。王芬说：“如果这样的话，我愿意驱除他们。”于是转相招引交结豪杰，上奏疏说黑山贼攻打抢劫郡县，想借此机会举兵。适逢灵帝打算去北方巡视河间的旧居，王芬等阴谋用兵拦截，杀死那些常侍、黄门，趁机废黜灵帝，迎立合肥侯刘虞。王芬把他的计划告诉了议郎曹操，曹操说：“废立皇帝，是天下最不吉祥的事。古代有权衡成败、估量轻重之后才行动的人，伊尹、霍光便是。伊尹、霍光都怀着最大的忠诚，依靠宰相的势力，凭借把持的重权，顺从众人的意愿，所以能顺利实现计划成就大事。现在各位只看到过去的容易，没看到现在的困难，而要做非常之举，并想必定成功，不是很危险吗！”王芬又邀请平原人华歆、陶丘洪共同商定计划，陶丘洪打算前去，华歆阻止他说：“废立皇帝的大事，连伊尹、霍光都很为难。王芬生性粗犷又不威武，这事一定不会成功。”陶丘洪便没有去。恰巧北方的空中半夜里有股赤气，从东至西横贯天际。太史上书说：“北方有阴谋活动，不宜北行。”于是灵帝止步未行。诏令王芬收兵，不久朝廷征召王芬。王芬惧怕，解下印绶逃走，逃到平原自杀了。

秋，七月，以射声校尉[67]马日磾[68]为太尉。日磾，融之族孙也。

八月，初置西园八校尉[69]，以小黄门[70]蹇硕[71]为上军校尉，虎贲中郎将[72]袁绍[73]为中军校尉，屯骑校尉[74]鲍鸿为下军校尉，议郎曹操为典军校尉，赵融为助军左校尉，冯芳为助军右校尉，谏议大夫[75]夏牟为左校尉，淳于琼为右校尉，皆统于蹇硕。帝自黄巾之起，留心戎事，硕壮健有武略，帝亲任之，虽大将军[76]亦领属焉。

九月，司徒[77]许相罢，以司空[78]丁宫为司徒，光禄勋[79]南阳刘弘为司空。以卫尉[80]条侯董重为票骑将军[81]。重，永乐太后[82]兄子也。

冬，十月，青、徐[83]黄巾复起，寇郡县。

望气者[84]以为京师当有大兵，两宫[85]流血。帝欲厌[86]之，乃大发四方兵，讲武[87]于平乐观下，起大坛，上建十二重华盖[88]，盖高十丈。坛东北为小坛，复建九重华盖，高九丈。列步骑数万人，结营为陈。甲子[89]，帝亲出临军[90]，驻大华盖下，大将军进驻小华盖下。帝躬擐甲[91]、介马[92]，称“无上将军”，行陈三匝[93]而还，以兵授进。帝问讨虏校尉盖勋[94]曰：“吾讲武如是，何如?”对曰：“臣闻先王曜德不观兵。今寇在远而设近陈，不足以昭果毅[95]，只黩武[96]耳。”帝曰：“善！恨见君晚，群臣初无[97]是言也。”勋谓袁绍曰：“上甚聪明，但蔽于左右耳。”与绍谋共诛嬖幸[98]。蹇硕惧，出[99]勋为京兆尹[100]。

十一月，王国围陈仓[101]。诏复拜皇甫嵩为左将军[102]，督前将军董卓，合兵四万人以拒之。

张纯与丘力居钞略[103]青、徐、幽、冀[104]四州，诏骑都尉[105]公孙瓒[106]讨之。瓒与战于属国[107]石门[108]，纯等大败，弃妻子，逾塞走，悉得所略男女。瓒深入无继，反为丘力居等所围于辽西[109]管子城二百余日，粮尽众溃，士卒死者什五六。

董卓谓皇甫嵩曰：“陈仓危急，请速救之！”嵩曰：“不然，百战百胜，不如不战而屈人兵。陈仓虽小，城守固备，未易可拔。王国虽强，攻陈仓不下，其众必疲；疲而击之，全胜之道也，将何救焉！”国攻陈仓八十余日，不拔。

秋，七月，任命射声校尉马日磾为太尉。马日磾，是马融的同族孙辈。

八月，初设西园八校尉，任小黄门蹇硕为上军校尉，虎贲中郎将袁绍为中军校尉，屯骑校尉鲍鸿为下军校尉，议郎曹操为典军校尉，赵融为助军左校尉，冯芳为助军右校尉，谏议大夫夏牟为左校尉，淳于琼为右校尉，袁绍等七人都受蹇硕节制。灵帝从黄巾军起事后，关心军事，蹇硕身体强健又武勇有韬略，灵帝亲近信任他，即使是大将军何进也要从属于他。

九月，司徒许相被罢官，任命司空丁宫为司徒，光禄勋南阳人刘弘为司空。任命卫尉条侯董重为骠骑将军。董重，是永乐太后哥哥的儿子。

冬，十月，青州、徐州的黄巾军重新起事，寇掠郡县。

观察天文的术士认为京城将发生大的兵乱，两宫会出现流血事件。灵帝想震慑这种事件的发生，于是大举征调四方兵力，在平乐观下演习武事，筑起一个大坛，坛上竖立起十二层彩色伞盖，盖高十丈。大坛的东北面修建一个小坛，坛上也竖起九层彩色伞盖，高九丈。排列步骑兵数万人，结营布阵。十月十六日甲子，灵帝亲自临坛检阅军队，站立在大坛伞盖下，大将军何进站立在小坛伞盖下。灵帝亲自披上甲胄，跨上披有铠甲的战马，自称“无上将军”，巡行军阵三圈回到坛上，将兵权授给何进。灵帝问讨虏校尉盖勋说：“朕如此演习武事，怎么样？”盖勋回答说：“臣听说先王只宣耀德政，不阅兵。现在寇贼在远方而皇上却在这里布阵，这不足以显示果敢和坚强，只是滥用武力罢了。”灵帝说：“好！只恨见你太晚了，以前群臣没有这样的言论。”盖勋对袁绍说：“皇上很聪明，只是被身边的人蒙蔽了。”盖勋和袁绍密谋共同诛杀皇帝左右的亲信宦官。蹇硕很害怕，把盖勋外放为京兆尹。

十一月，王国围攻陈仓。诏令重新起用皇甫嵩为左将军，督率前将军董卓，合兵四万人抵御王国。

张纯和丘力居抢掠青、徐、幽、冀四州，诏令骑都尉公孙瓒讨伐他们。公孙瓒在辽东属国石门山与张纯等交战，张纯等大败，丢弃妻子儿女，越过边塞逃走，被掳掠的男女全部被官兵救回。公孙瓒深入敌后没有后援，反而被丘力居等围困于辽西管子城二百多天，公孙瓒粮尽而兵众溃散，士兵死了十之五六。

董卓对皇甫嵩说：“陈仓危急，请赶快救援！”皇甫嵩说：“不是这样，百战百胜，不如不战而胜，陈仓虽小，但城池坚固守卫完备，不易被攻破。王国虽然兵强，若攻不下陈仓，他的部众一定疲困不堪；待他疲困后再进攻他，这是大获全胜的策略，何必去救援呢！”王国围攻陈仓八十多天，没能攻下。

【段旨】

以上为第二段，写王芬议废立，虽然胎死腹中，却标志汉室天命已摇摇欲坠。灵帝讲武，设置新军西园八校尉，无补于政局稳定。

【注释】

㊻太傅：官名，位在三公上，为上公，无职事，多为大官之加号。㊼陈蕃（？至公元一六八年）：字仲举，汝南平舆（今河南平舆北）人，汉桓帝时为太尉，反对宦官专权，有高名。为太学生所敬重。汉灵帝初为太傅，与外戚窦武谋诛宦官，事败被杀。传见《后汉书》卷六十六。㊽天文不利宦者：古代术士认为，天象之变化反映人间的变化，从观察天象可预知人间之事。㊾黄门、常侍：皆宦官官名。黄门即给事黄门侍郎，给事于宫门之内，侍从皇帝，顾问应对。常侍即中常侍，侍奉皇帝左右，为宦者要职。㊿河间旧宅：汉灵帝即帝位前为解渎亭侯。解渎亭在河间，故河间有其旧宅。河间，国名，治所乐成，在今河北献县东南。51徼：通"邀"，拦截。52合肥侯：指幽州牧刘虞，封合肥侯。53权成败：权衡成功与失败的可能性。54计轻重：估量付出的代价，值与不值。轻重，指结果的轻重。55伊、霍：指伊尹、霍光。伊尹助汤建立商朝，汤死后，辅佐外丙（卜丙）、仲壬二王，仲壬死后，太甲继位，太甲暴虐乱德，伊尹将他放逐到桐宫。居三年，太甲悔过从善，伊尹又将他迎归，复为商王。事见《史记》卷三《殷本纪》。霍光受汉武帝遗命辅佐昭帝。昭帝卒，无子，霍光迎立昌邑王刘贺。而刘贺淫乱无道，霍光又将他废掉，另立宣帝。事见《汉书》卷六十八《霍光传》。56因秉政之重：凭借执掌政权的重位。因，凭借、依靠。57众人之欲：众人的心愿。众人，指朝中皇亲贵戚及朝野士大夫。58曩者：从前。59造作非常：指发动政变，行废立之事。60克：成功。61华歆：字子鱼，平原高唐（今山东禹城西南）人，后为尚书令。曹魏时为司徒、太尉。传见《三国志》卷十三。62陶丘洪：人名，复姓陶丘，名洪。63性疏：性情粗疏，思虑不周。64不武：不果断刚强。武，刚强。65太史：官名，即太史令，属太常，掌天文历算。66俄而：一会儿，指时间短暂。67射声校尉：官名，东汉北军五校尉之一，掌宿卫兵。68马日磾：字翁叔，东汉大经学家马融之族孙，后为太傅。事附见《后汉书》卷六十上《马融传》。69西园八校尉：西园，即上林苑，在洛阳城西，故别称西园。汉灵帝慑于黄巾军，遂以西园为名新置八校尉，以加强京都宿卫。70小黄门：官名，由宦官充任，职任侍奉皇帝，受尚书奏事，并联络内外。71蹇硕：汉灵帝最宠信的宦官，十常侍之一。72虎贲中郎将：官名，属光禄勋，掌虎贲宿卫。73袁绍（？至公元二〇二年）：字本初，汝南汝阳（今河南商水县西南）人，初为

司隶校尉，与何进谋诛宦官，事泄，进被杀，绍尽诛宦官。董卓入京，绍逃奔冀州，起兵讨卓。后据有冀、青、幽、并四州，为当时地广兵强的大军阀。公元二〇〇年在官渡与曹操决战，被曹操打败，全军覆没，不久病死。传见《后汉书》卷七十四、《三国志》卷六。⑭屯骑校尉：官名，东汉北军五校尉之一，掌宿卫兵。⑮谏议大夫：官名，光禄勋属官，掌顾问应对。⑯大将军：汉武帝初置以尊宠卫青，位在三公之上。东汉不常置，秩位或在三公之上，或等同三公，或在三公之下。故灵帝以大将军隶属蹇硕，在三公之下。灵帝死，何进为大将军，秉政，位在三公之上。⑰司徒：三公之一。东汉以太尉、司徒、司空为三公。司徒掌民政。⑱司空：三公之一。掌宫殿、陵寝土木建筑。⑲光禄勋：官名，九卿之一，掌禁军，宿卫宫殿。⑳卫尉：官名，汉九卿之一，掌宫门警卫及宫中巡逻。㉑票骑将军："票"又写作"骠"，将军名号。位在大将军之后。㉒永乐太后：汉灵帝母董太后，时居永乐宫，故称永乐太后。㉓青、徐：青州和徐州。青州治临淄，即今山东淄博临淄北。徐州治郯县，即今山东郯城。㉔望气者：观天象者。㉕两宫：指汉灵帝之宫与董太后之宫。㉖厌：通"压"。镇压；抑制。㉗讲武：军事演习。㉘华盖：皇帝或贵官所用的伞盖。㉙甲子：十月十六日。㉚临军：检阅军队。㉛擐甲：穿上铠甲。㉜介马：给马披上铠甲。㉝行陈三匝：巡视军阵三周。㉞盖勋（公元一四〇至一九一年）：字符固，敦煌广至县（今甘肃瓜州县南）人，历任汉阳长史、讨虏校尉、京兆尹等。董卓入洛，盖勋屡欲讨之，力不从心，忧郁疽发背而死。传见《后汉书》卷五十八。㉟昭果毅：显示果断坚强。㊱黩武：滥用兵；用兵无节制。㊲初无：全无。㊳嬖幸：宠爱之人。此指汉灵帝左右之宦官。㊴出：外放。指解除盖勋执掌禁军的讨虏校尉的军职，外任为京师行政长官。京兆尹虽驻京师，但它是地方官，并非朝官，故而称外任。㊵京兆尹：官名，京师的长官，称京兆尹，位高于郡太守，位列九卿。㊶陈仓：县名，县治在今陕西宝鸡东。㊷左将军：官名，位次上卿，与前、后、右将军掌京都兵卫和边防屯警。㊸钞略：侵扰掠夺。㊹冀：州名，东汉治所在高邑，即今河北柏乡北，末期移治邺县，今河北临漳西南。㊺骑都尉：官名，掌羽林骑兵。㊻公孙瓒（？至公元一九九年）：字伯珪，辽西令支（今河北迁安西）人，后割据幽州，败亡于袁绍。传见《后汉书》卷七十三、《三国志》卷八。㊼属国：指辽东属国，治所昌黎，在今辽宁义县。㊽石门：山名，在今辽宁朝阳西南。㊾辽西：郡名，治所阳乐，在今辽宁义县西。

【校记】

［3］亦：原作"以"。据章钰校，甲十一行本、乙十一行本、孔天胤本皆作"亦"，张瑛《通鉴校勘记》同，今据改。

【原文】

六年（己巳，公元一八九年）

春，二月，国众疲敝，解围去，皇甫嵩进兵击之。董卓曰："不可！兵法，穷寇勿迫，归众勿追[110]。"嵩曰："不然。前吾不击，避其锐也；今而击之，待其衰也；所击疲师，非归众也；国众且走[111]，莫有斗志，以整击乱，非穷寇也。"遂独进击之，使卓为后拒。连战，大破之，斩首万余级。卓大惭恨，由是与嵩有隙[112]。

韩遂等共废王国，而劫[113]故信都[114]令汉阳阎忠使督统诸部。忠病死，遂等稍争权利，更相[115]杀害，由是浸衰[116]。

幽州牧刘虞到部，遣使至鲜卑中，告以利害，责使送张举、张纯首，厚加购赏[117]。丘力居等闻虞至，喜，各遣译[118]自归[119]。举、纯走出塞，余皆降散。虞上[120]罢诸屯兵，但留降虏校尉[121]公孙瓒，将步骑万人屯右北平[122]。三月，张纯客王政杀纯，送首诣虞。公孙瓒志欲扫灭乌桓，而虞欲以恩信招降，由是与瓒有隙。

夏，四月丙子朔[123]，日有食之。

太尉马日磾免，遣使即拜幽州牧刘虞为太尉，封容丘侯。

蹇硕忌大将军进，与诸常侍共说帝遣进西击韩遂，帝从之。进阴知其谋，奏遣袁绍收徐、兖二州兵，须绍还而西，以稽[124]行期。

初，帝数失皇子，何皇后生子辩，养于道人[125]史子眇家，号曰"史侯"。王美人生子协，董太后自养之，号曰"董侯"。群臣请立太子，帝以辩轻佻[126]无威仪[127]，欲立协，犹豫未决。会疾笃[128]，属[129]协于蹇硕。丙辰[130]，帝崩[131]于嘉德殿。硕时在内，欲先诛何进而立协，使人迎进，欲与计事，进即驾往。硕司马[132]潘隐与进早旧[133]，迎而目之[134]。进惊，驰[135]从儳道[136]归营，引兵入屯百郡邸[137]，因称疾不入。

【语译】

六年（己巳，公元一八九年）

春，二月，王国部众疲敝，解陈仓之围离去，皇甫嵩进兵追击。董卓说："不可！兵法上说，穷途末路的贼寇不要再逼迫，已退走的兵众不要再追赶。"皇甫嵩说："不对。以前我不进击，是为了避开敌人的锐气；现在我要出击，正是已经等到敌人士气衰弱；我们所进攻的是一支疲惫的军队，不是退走之兵；王国的兵众一心逃命，没有斗志，我们以整饬的部队去攻击溃逃的兵众，而不是穷途末路的贼寇。"于是皇甫嵩单独进击，让董卓断后。连续作战，大败王国，杀敌一万多。董卓非常羞愧恼怒，因此和皇甫嵩结下仇怨。

韩遂等共同废除王国，而劫持胁迫原信都令汉阳人阎忠统领各部。阎忠病死，韩遂等开始争权夺利，相互残杀，因此日渐衰弱。

幽州牧刘虞到任，派使者到鲜卑部落，晓以利害，责令鲜卑送上张举、张纯的人头，厚加赏赐。丘力居等人听说刘虞到任，很高兴，各派译员来联络主动归顺。张举、张纯逃往塞外，余部或降或散。刘虞上奏朝廷请求裁撤各处的屯兵，只留下降虏校尉公孙瓒，率领步兵骑兵一万人屯守右北平。三月，张纯的门客王政杀掉张纯，把首级送给刘虞。公孙瓒立志要消灭乌桓，而刘虞想用恩德和信义来招降，因此与公孙瓒结下怨仇。

夏，四月丙子朔，发生日食。

太尉马日磾被免职，朝廷派使者到幽州任命幽州牧刘虞为太尉，封容丘侯。

蹇硕忌恨大将军何进，便与众常侍一起劝说灵帝派何进西征韩遂，灵帝听从了。何进暗中打探到他们的阴谋，便上奏请求委派袁绍搜集徐、兖两州的官兵，等到袁绍回来再西征，以此来拖延行期。

先前，灵帝多次失去皇子，何皇后生下儿子刘辩，把他寄养在有道贤人史子眇家，称为"史侯"。王美人生下儿子刘协，由董太后亲自抚养，称为"董侯"。群臣请求确立太子，灵帝认为刘辩轻浮没有威严，想立刘协，犹豫不决。恰逢灵帝病重，就把刘协托付给蹇硕。四月十一日丙辰，灵帝在嘉德殿去世。当时蹇硕在宫内，打算先杀死何进然后立刘协为帝，派人去迎请何进，说要与他商议事情，何进立刻驾车前往。蹇硕的司马潘隐和何进是旧交，潘隐出宫迎接何进，用眼神进行暗示。何进大惊失色，赶紧从捷径飞驰回营，率兵进驻百郡邸，于是称病不肯入宫。

【段旨】

以上为第三段，写幽州公孙瓒与刘虞因政见不同而有隙。灵帝崩于嘉德殿。

【注释】

[110] 穷寇勿迫二句:《后汉书》卷七十一《皇甫嵩传》注谓《司马兵法》之言。《孙子兵法·军事篇》此二语作“归师勿遏，穷寇勿迫”。[111] 且走：将要逃走。[112] 隙：间隙；矛盾。[113] 劫：胁迫。[114] 信都：县名，治今河北衡水市冀州区。[115] 更相：互相。[116] 浸衰：渐衰。[117] 购赏：悬赏。[118] 译：译使；翻译。[119] 自归：主动归顺。[120] 上：谓上奏朝廷。[121] 降

【原文】

戊午[138]，皇子辩即皇帝位，年十四，尊皇后曰皇太后。太后临朝[139]，赦天下，改元为光熹。封皇弟协为勃海王，协年九岁。以后将军袁隗为太傅，与大将军何进参录尚书事[140]。

进既秉朝政，忿蹇硕图[141]己，阴规[142]诛之。袁绍因进亲客张津，劝进悉诛诸宦官。进以袁氏累世贵宠[143]，而绍与从弟虎贲中郎将术[144]皆为豪桀所归，信而用之。复博征智谋之士何颙[145]、荀攸[146]及河南郑泰[147]等二十余人，以颙为北军中侯[148]，攸为黄门侍郎[149]，泰为尚书，与同腹心。攸，爽[150]之从孙也。

蹇硕疑不自安，与中常侍赵忠、宋典等书曰：“大将军兄弟秉国专朝，今与天下党人谋诛先帝左右，扫灭我曹，但以硕典禁兵，故且沉吟[151]。今宜共闭上阁[152]，急捕诛之。”中常侍郭胜，进同郡人也，太后及进之贵幸，胜有力焉，故亲信何氏。与赵忠等议，不从硕计，而以其书示进。庚午[153]，进使黄门令[154]收硕，诛之，因悉领其屯兵。

票骑将军董重与何进权势相害[155]，中官[156]挟[157]重以为党助[158]。董太后每欲参干[159]政事，何太后辄相禁塞[160]，董后忿恚[161]，詈[162]曰：“汝今辀张[163]，怙[164]汝兄[165]耶！吾敕票骑断何进头如反手耳！”何太后闻之以告进。五月，进与三公共奏：“孝仁皇后使故中常侍夏恽等交通州郡，辜较[166]财利，悉入西省[167]。故事[168]，蕃后[169]不得留京师，请迁宫本国[170]。”

虏校尉：官名，带兵之中级将领。公孙瓒于石门有功，自骑都尉升为降虏校尉。⑫右北平：郡名，治所土垠，在今河北唐山市丰润区东南。⑬丙子朔：中平六年四月朔日不是丙子，当从《后汉书》卷八《灵帝纪》作“丙午”。⑭稽：延迟。⑮道人：有道德的贤人。⑯轻佻：轻薄；不庄重严肃。⑰威仪：庄重严肃的容貌举止。⑱疾笃：病情危重。⑲属：通“嘱”。托付。⑳丙辰：四月十一日。㉑帝崩：汉灵帝病逝。〖按〗汉灵帝死时三十四岁。㉒司马：官名，领兵将领之属官，总理军府事。㉓早旧：谓早有交情。旧，旧交。㉔目之：给何进递眼色。㉕驰：急速。㉖儳道：捷径。㉗百郡邸：地方各郡国在京都的总馆所。

【语译】

四月十三日戊午，皇子刘辩即皇帝位，年仅十四岁，尊皇后为皇太后。太后临朝听政，大赦天下，改年号为光熹。封皇帝的弟弟刘协为勃海王，刘协当时只有九岁。任命后将军袁隗为太傅，与大将军何进共同管理尚书事务。

何进执掌朝政后，愤恨蹇硕谋害自己，暗中策划诛杀他。袁绍通过何进的亲信门客张津，劝说何进消灭所有宦官。何进认为袁氏历代显贵宠幸，并且袁绍和他的堂弟虎贲中郎将袁术都是豪杰归附的人物，便十分信任重用袁氏兄弟。何进又多方征用智谋之士何颙、荀攸以及河南人郑泰等二十多人，委任何颙为北军中侯，荀攸为黄门侍郎，郑泰为尚书，把他们作为自己的心腹。荀攸，是荀爽的堂孙。

蹇硕疑惧不安，他写信给中常侍赵忠、宋典等说：“大将军兄弟俩专断朝政，现在正与天下党人图谋诛杀先帝身边的人，打算消灭我辈，只是因为我掌管了禁军，所以犹豫未决。现在应当一起关闭宫门，急速捕杀何进。”中常侍郭胜与何进是同郡人，太后和何进得以显贵宠幸，也有郭胜一臂之力，所以依附何氏。于是郭胜和赵忠等商议，不听从蹇硕的策划，反而把蹇硕的书信拿给何进看。四月二十五日庚午，何进派黄门令收捕蹇硕，杀了他，趁势统领了屯守京师的全部兵权。

骠骑将军董重与何进为争权势互相倾轧，宦官则依仗董重以为党援。董太后每次要干预政事，何太后就要加以阻挠，董太后很愤恨，骂道：“你现在这样猖狂，还不是仗着你哥哥！我下令骠骑将军斩下何进的头颅易如反掌！”何太后听到这话就告诉了何进。五月，何进和三公一起上奏：“孝仁皇后派原中常侍夏恽等勾结州郡官员，垄断财路，所得全部上交西省。依据旧制，藩国的王后不得留居京城，请把董太后迁回本国。”奏章得到准许。初六日辛巳，何进起兵包围了骠骑将军府，

奏可。辛巳[171]，进举兵围票骑府，收董重，免官，自杀。六月辛亥[172]，董太后忧怖[173]，暴崩[174]。民间由是不附何氏。

辛酉[175]，葬孝灵皇帝于文陵[176]。何进惩[177]蹇硕之谋，称疾，不入陪丧，又不送山陵。

大水。

秋，七月，徙勃海王协为陈留王。

司徒丁宫罢。

袁绍复说何进曰："前窦武欲诛内宠而反为所害者，但坐[178]言语漏泄。五营兵士[179]皆畏服中人，而窦氏反用之[180]，自取祸灭。今将军兄弟[181]并领劲兵，部曲[182]将吏皆英俊名士，乐尽力命[183]，事在掌握，此天赞[184]之时也。将军宜一[185]为天下除患，以垂名后世，不可失也。"进乃白太后，请尽罢中常侍以下，以三署郎[186]补其处。太后不听，曰："中官统领禁省，自古及今，汉家故事，不可废也。且先帝新弃天下，我奈何楚楚[187]与士人共对事[188]乎！"进难违太后意，且欲诛其放纵者[189]。绍以为中官亲近至尊，出纳号令，今不悉废，后必为患。而太后母舞阳君及何苗数受诸宦官赂遗[190]，知进欲诛之，数白太后为其障蔽。又言"大将军专杀左右，擅权以弱社稷。"太后疑以为然。进新贵，素敬惮中官，虽外慕大名而内不能断，故事久不决。

绍等又为画策，多召四方猛将及诸豪杰，使并引兵向京城，以胁太后，进然之。主簿[191]广陵陈琳[192]谏曰："谚称'掩目捕雀'，夫微物尚不可欺以得志，况国之大事，其可以诈立乎！今将军总皇威[193]，握兵要[194]，龙骧虎步[195]，高下在心[196]，此犹鼓洪炉燎毛发[197]耳。但当速发雷霆[198]，行权立断[199]，则天人顺之。而反委释[200]利器[201]，更征外助，大兵聚会，强者为雄，所谓倒持干戈，授人以柄，功必不成，只为乱阶耳。"进不听。典军校尉曹操闻而笑曰："宦者之官，古今宜有，但世主不当假[202]之权宠，使至于此。既治其罪，当诛元恶[203]，一狱吏足矣，何至纷纷召外兵乎！欲尽诛之，事必宣露，吾见其败也。"

初，灵帝征董卓为少府[204]，卓上书言："所将湟中[205]义从[206]及秦、

逮捕董重，罢免他的官职，董重自杀。六月初七日辛亥，董太后忧虑害怕，突然死去。从此民心不归顺何氏。

六月十七日辛酉，安葬孝灵皇帝于文陵。何进吸取了蹇硕阴谋事件的教训，称病不出，既不入宫守灵，也不到山陵送葬。

发生严重水灾。

秋，七月，改封勃海王刘协为陈留王。

司徒丁宫被免职。

袁绍又劝何进说："以前窦武企图诛杀宦官，结果反被宦官所害，原因在于言语泄漏。北军的五营士兵都由于畏惧而服从宦官，而窦武却反要利用他们，这是自取灭亡。现在将军兄弟俩共同统领精锐部队，部下将领都是英雄豪杰，乐于尽力效命，此事全在您的掌握之中，这可是天赐良机啊。将军应当彻底地为天下除害，留名后世，不可错失这个机会。"何进于是禀报太后，请求罢免所有中常侍以下的宦官，用三署中的郎官补其缺。太后不允许，说："宦官统领皇宫事务，既是从古到今的制度，也是汉家的传统，不能废除。况且先帝刚刚去世，我怎能去抛头露面和群臣相处共事呢!"何进难以违抗太后的旨意，于是就想只杀掉那些飞扬跋扈的宦官。袁绍认为宦官亲近皇帝，诏书敕令全经他们传递，如果现在不彻底除去，以后必定成为祸害。但太后的母亲舞阳君与何苗多次接受众宦官的贿赂，得知何进要诛杀他们，多次禀白太后做他们的保护伞。又说："大将军一心要杀害您身边的人，目的是专擅朝政削弱朝廷。"太后起了疑心，认为此话有理。何进刚刚显贵，一向敬畏宦官，虽然外表仰慕盛名，内心却下不了决心诛杀宦官，所以此事长久定不下来。

袁绍等又为何进出谋划策，大量招募四方猛将和众豪杰，要他们都带兵向京城进发，以此胁迫太后，何进同意了。主簿广陵人陈琳劝谏说："谚语说'掩目捕雀'，即使是微不足道的小事尚且不能用欺骗的手段来达到目的，何况是国家大事，怎么可以用欺骗的手段取得成功呢！现在将军您集皇家威权于一身，手握军权，龙行虎步，上下随意，消灭宦官就像鼓动炉火烧掉毛发一样容易。但要如雷霆般迅速出手，行使权力要坚决果断，那么天意民心都会顺从。但您却想放弃手中兵权，转而征求外援，外来大军一旦聚集，强者就会称雄，这就像把刀把子交给他人一样，一定不会成功，只能酿成祸乱。"何进不听从。典军校尉曹操听到后大笑说："宦官这种职业，古今都应当有，只是天子不应给予权势宠幸，以致形成现在的局面。既然要治他们的罪，就应诛杀首恶，办这事一个狱吏就足够了，何至于纷纷去征召外地的军队呢！要想完全诛灭宦官，事情一定会泄露，我看这事一定会失败。"

当初，灵帝征召董卓任少府，董卓上奏说："臣所率领的湟中义从羌兵和秦、

胡兵皆诣臣言：‘牢直[207]不毕[208]，禀赐断绝，妻子饥冻。’牵挽臣车，使不得行。羌、胡憋肠[209]狗态，臣不能禁止，辄将顺[210]安慰。增异复上[211]。”朝廷不能制。及帝寝疾，玺书拜卓并州牧，令以兵属皇甫嵩。卓复上书言：“臣误蒙天恩，掌戎十年，士卒大小，相狎[212]弥久，恋臣畜养之恩，为臣奋一旦之命，乞将之[213]北州[214]，效力边垂[215]。”嵩从子郦说嵩曰：“天下兵柄，在大人与董卓耳。今怨隙已结，势不俱存。卓被诏委兵[216]而上书自请，此逆命[217]也；彼度京师政乱，故敢踌躇[218]不进，此怀奸也。此[4]二者[219]刑所不赦。且其凶戾无亲，将士不附。大人今为元帅[220]，杖国威以讨之，上显忠义，下除凶害，无不济也。”嵩曰：“违命虽罪，专诛[221]亦有责也。不如显奏其事，使朝廷裁之。”乃上书以闻。帝以让[222]卓，卓亦不奉诏，驻兵河东以观时变。

何进召卓使将兵诣京师。侍御史[223]郑泰谏曰：“董卓强忍[224]寡义，志欲无厌[225]，若借之朝政，授以大事，将恣[226]凶欲，必危朝廷。明公以亲德之重，据阿衡[227]之权，秉意独断，诛除有罪，诚不宜假卓以为资援也。且事留变生，殷鉴不远[228]，宜在速决。”尚书卢植亦言不宜召卓，进皆不从。泰乃弃官去，谓荀攸曰：“何公未易辅也。”

进府掾[229]王匡、骑都尉鲍信皆泰山[230]人，进使还乡里募兵；并召东郡太守桥瑁屯成皋[231]，使武猛都尉[232]丁原将数千人寇河内[233]，烧孟津[234]，火照城中，皆以诛宦官为言。

董卓闻召，即时就道，并上书曰：“中常侍张让等窃幸承宠，浊乱[235]海内。臣闻扬汤止沸[236]，莫若去薪[237]；溃痈[238]虽痛，胜于内食[239]。昔赵鞅兴晋阳之甲以逐君侧之恶[240]，今臣辄鸣钟鼓[241]如[242]雒阳，请收让等以清奸秽！”太后犹不从。何苗谓进曰：“始共从南阳来，俱以贫贱依省内以致富贵[243]，国家之事，亦何容易。覆水不收[244]，宜深思之，且与省内和也。”卓至渑池[245]，而进更狐疑[246]，使谏议大夫种邵[247]宣诏止之。卓不受诏，遂前至河南[248]。邵迎劳之，因譬令[249]还军。卓疑有变，使其军士以兵胁邵。邵怒，称诏叱之，军士皆披[250]，遂前质责卓。卓辞屈，乃还军夕阳亭[251]。邵，暠之孙也。

胡士兵都对臣说：‘军饷没有给足，赏赐也断绝了，妻子儿女饥寒交迫。’他们拉住臣的车子，使臣不能前行。羌人、胡人心肠险恶，又是狗脾气，臣无法禁止，只好顺情安慰。将来情况若有变化，再行上奏。”朝廷对他也没办法。等到灵帝卧病在床，下诏书任命董卓为并州牧，要他把军队交给皇甫嵩。董卓又上奏说：“臣蒙皇帝的错爱，掌管军事十年，官兵上下，长期共事，产生情感，他们眷恋臣培育的恩惠，乐意为臣效命，臣请求率领他们去北部州郡，为国家的边防效力。”皇甫嵩的侄子皇甫郦劝告皇甫嵩说：“天下兵权握在您和董卓的手中。如今仇怨已结，其势无法共存。董卓被诏令交出兵权，却上奏自请率兵北上，这是违抗诏命；他想京城的政治混乱，所以才敢拖延不进，这明明是胸怀奸诈。抗旨、拖延两种行为都是刑律不能赦免的。况且他凶残暴虐没人亲近，将士不依附。大人现为元帅，凭仗国家的威严去讨伐他，上而对朝廷表示忠义，下而为社会消除祸害，没有不成功的。”皇甫嵩说：“违抗诏命虽然有罪，但擅自诛杀也有罪责。不如堂堂正正地奏报此事，让朝廷来裁决。”于是上书呈报灵帝。灵帝以此斥责董卓，董卓仍不肯接受诏书，驻兵河东以观望时局变化。

何进召董卓率兵到京城。侍御史郑泰进谏说：“董卓强暴残忍缺少仁义，欲望无边，倘若交给他朝政，授权处理国家大事，那会助长他的凶残和奢望，必定危害朝廷。明公您凭着皇亲国戚和德高望重，手握国家大权，可按心意独断专行，惩除罪犯，真不该借重董卓为援手。再说事情迟疑会生变故，窦武的教训可引以为鉴，应尽快决断。”尚书卢植也认为不应征召董卓，何进全都不听从。于是郑泰辞职离去，对荀攸说：“何公是个难以辅佐的人。”

何进的府掾王匡、骑都尉鲍信都是泰山郡人，何进派他们回故乡去招募兵士；同时征召东郡太守桥瑁屯兵成皋，派武猛都尉丁原率领数千人骚扰河内，火烧孟津，火光映照到洛阳城中。这些行动都打着诛除宦官的名义。

董卓接到征召令，立即上路，同时上书说：“中常侍张让等人依靠皇帝的宠幸，扰乱天下。臣听说扬汤止沸，不如釜底抽薪；挑破脓包，虽然疼痛，但胜过它向内腐蚀肌体。过去赵鞅动用晋阳之兵驱除国君身边的恶人，如今臣鸣钟击鼓进兵洛阳，请求收捕张让等扫清奸恶！”太后仍然不听从。何苗对何进说：“当初我们一起从南阳来京，都因为出身贫贱，才依靠宦官获得富贵，处理国家大事，谈何容易。泼出去的水难以收回，你应当深思熟虑，还是和宦官们和解吧。”董卓到了渑池，何进却更加犹豫，便派谏议大夫种卲宣布诏书阻止董卓前进。董卓不接受诏令，竟进军到河南。种卲出迎慰劳军队，趁机晓以利害令其回兵。董卓怀疑有变故，令他的部下用兵刃胁迫种卲。种卲大怒，以皇帝诏旨的名义呵斥士兵，士兵们都被吓退，于是种卲向前斥责董卓。董卓理屈词穷，只好撤军至夕阳亭。种卲，是种暠的孙子。

【段旨】

以上为第四段，写少帝刘辩即位，大将军何进与袁绍谋诛宦官，召董卓入京。

【注释】

⑬⑧戊午：四月十三日。⑬⑨临朝：太后垂帘，当朝处理政事。⑭⓪录尚书事：录为总领之意。东汉以来政归尚书，录尚书事即总揽朝政。⑭①图：谓谋害。⑭②阴规：密谋。⑭③袁氏累世贵宠：指袁氏自袁安起，四代人皆为三公高官。⑭④术：指袁术（？至公元一九九年），字公路，汝南汝阳（今河南商水县西南）人，董卓专权时逃奔南阳，据有淮南。后一度称帝，被曹操击破。传见《后汉书》卷七十五、《三国志》卷六。⑭⑤何颙：字伯求，南阳襄乡（今湖北枣阳东北）人，东汉末名士，与太傅陈蕃、司隶校尉李膺等齐名。党锢祸起，亡匿汝南，与袁绍等豪俊交游。党锢禁解，辟司空府，与黄门侍郎荀攸、越骑校尉任琼等共谋诛董卓，事觉被董卓所捕，忧郁而死。⑭⑥荀攸：字公达，颍川颍阴（今河南许昌）人，后为曹操谋士，任中军师，魏国尚书令。传见《三国志》卷十。⑭⑦郑泰：《后汉书》作“郑太”，系范晔避家讳所改。字公业，河南开封（今河南开封南）人，东汉大经学家郑众之曾孙。传见《后汉书》卷七十。⑭⑧北军中侯：官名，东汉以屯骑、越骑、步兵、长水、射声等五校尉典领禁卫军，称为北军。北军中侯即监北军五营。⑭⑨黄门侍郎：又称给事黄门侍郎，官名，职为侍从皇帝，传达诏命。⑮⓪爽：荀爽，字慈明，汉献帝时为司空。传见《后汉书》卷六十二。⑮①沉吟：犹言迟疑，没有行动。⑮②上阁：尚书台阁，在宫禁中。⑮③庚午：四月二十五日。⑮④黄门令：官名，由宦官担任，主管宫中诸宦官。⑮⑤相害：互相妒忌。⑮⑥中官：宦官。⑮⑦挟：依恃。⑮⑧党助：同党相助，即为党援。⑮⑨参干：参与。⑯⓪禁塞：阻止。⑯①忿恚：愤怒。⑯②詈：骂。⑯③辀张：强横跋扈。⑯④怙：仗恃。⑯⑤兄：指何进。⑯⑥辜较：同“辜榷”。垄断；独霸。⑯⑦西省：官署名，即董太后所居之永乐宫司署。⑯⑧故事：先例，谓旧有的制度。⑯⑨蕃后：指汉平帝母卫姬。王莽摄政时，恐卫姬专权，便下令不得留京师。⑰⓪迁宫本国：指把董太后迁回原本的侯国，即迁居解渎亭侯国。⑰①辛巳：五月初六。⑰②辛亥：六月初七。⑰③忧怖：怖愁惊恐。⑰④暴崩：突然死亡。⑰⑤辛酉：六月十七日。⑰⑥文陵：故址在今河南洛阳东北。⑰⑦惩：警戒；接受教训。⑰⑧坐：遭受；因为。⑰⑨五营兵士：指北军五营兵士。⑱⓪窦氏反用之：汉灵帝初，窦武与陈蕃谋诛宦官，武报告太后，太后犹豫未忍。后谋泄，宦官遂挟灵帝起兵捕武。窦武拒捕，驰入步兵营，召北军五营士与宦官战。五营士素畏宦官，不肯战，窦武遂兵败自杀。事见《后汉书》卷六十九《窦武传》。⑱①将军兄弟：指何进及弟何苗。⑱②部曲：部属。部曲原指军队的两级编制。大将军营五部，部有校尉一人，部下有曲，曲有军候一人。⑱③力命：尽力效命。⑱④赞：帮助。⑱⑤一：全心全意，横

下一条心。谓果决，果敢。⑱三署郎：光禄勋下属的五官、左、右三署中郎将所统的郎官。⑱楚楚：鲜明貌。此谓抛头露面。⑱对事：同论政事。⑱放纵者：指飞扬跋扈的宦官。放纵，肆无忌惮。⑲赂遗：赂赠；贿赂。⑲主簿：官名，汉代中央及郡县官署皆置此官，以典领文书、办理事务。⑲陈琳（？至公元二一七年）：字孔璋，广陵（治所广陵，在今江苏扬州）人，后依袁绍，绍败，归曹操。有文才，为建安七子之一。曹操之军国书檄，多出其手。事附见《三国志》卷二十一《魏书·王粲传》。⑲总皇威：总握皇帝之威权。时少帝年幼，何进以元舅辅政，为大将军、录尚书事，军政大权皆由其掌握。⑲兵要：兵权。⑲龙骧虎步：比喻气势威武。骧，高举。⑲高下在心：谓随心所欲。⑲鼓洪炉燎毛发：比喻成事极易。⑲雷霆：谓威势。⑲行权立断：行使权力要当机立断。⑳委释：放弃。⑳利器：指兵权。⑳假：给予。⑳元恶：元凶；首恶。⑳少府：官名，汉九卿之一。东汉时掌宫中御衣、宝货、珍膳等。⑳湟中：地区名，相当于今青海东北部湟水流域一带。⑳义从：自愿顺从者。⑳牢直：军粮钱。⑳不毕：不全；欠差。⑳憋肠：心肠险恶。㉑将顺：顺从。㉑增异复上：有不同于此者再次上奏。㉑狎：亲近。㉑之：往。㉑北州：指并州。㉑垂：通“陲”。边境。㉑委兵：放弃军队。㉑逆命：违犯诏令。㉑踌躇：徘徊不前。㉑二者：指董卓抗旨、拖延两大罪过。㉒元帅：全军的首领。皇甫嵩以左将军督董卓讨王国，是为全军之元帅。㉒专诛：擅自诛杀。㉒让：责备。㉒侍御史：官名，御史大夫属官，给事殿中，职掌监察，秩六百石。㉒强忍：极残忍。㉒厌：通“餍”。满足。㉒恣：放肆；肆意而为。㉒阿衡：本商初官名，伊尹任此职。后引申为辅导帝王、主持国政之意。㉒殷鉴不远：指窦武谋诛宦官而犹豫不决，反被宦官所杀事。㉒府掾：此指大将军府之佐吏。㉓泰山：郡名，初治博，在今山东泰安东南，后治奉高，在今泰安东。㉓成皋：县名，县治在今河南荥阳汜水镇西。㉓武猛都尉：官名，东汉于边郡关塞之地设，职如太守，兼领军事。㉓河内：郡名，治所怀县，在今河南武陟西南。㉓孟津：关名，在今河南孟州南。㉓浊乱：扰乱。㉓扬汤止沸：谓用勺舀沸水再倾下，使之散热而停止沸腾。㉓薪：柴火。㉓溃痈：使痈穿破。痈，人身上的一种毒疮。㉓内食：谓痈毒在人体内浸蚀肌体。㉔赵鞅兴晋阳之甲以逐君侧之恶：春秋鲁定公时，赵鞅起晋阳之兵驱逐荀寅与士吉射，谓为除君侧之恶人。事见《公羊传》定公十三年。㉔鸣钟鼓：鸣鼓而攻之，谓讨伐罪人。㉔如：往；进入。㉔依省内以致富贵：省内，宫禁之内，指宦官。何太后依靠宦官而得入宫，何进兄弟也因此而得贵幸。㉔覆水不收：泼水难收。㉔渑池：县名，县治在今河南渑池县西。㉔狐疑：犹豫不决。㉔种卲：字申甫，河南洛阳（今河南洛阳东）人，后为侍中。其祖种暠，字景伯。汉顺帝与汉桓帝时，曾为益州刺史，治绩卓著，后为司徒。传见《后汉书》卷五十六。㉔河南：县名，县治在今河南洛阳。㉔譬令：晓谕劝说。㉕披：退散。㉕夕阳亭：乡亭名，一名河亭，故址在今洛阳城西。

【校记】

［4］此：原无此字。据章钰校，孔天胤本有此字，张敦仁《通鉴刊本识误》同，今据补。

【原文】

袁绍惧进变计，因胁之曰："交构[252]已成，形势[253]已露，将军复欲何待而不早决之乎？事久变生，复为窦氏[254]矣！"进于是以绍为司隶校尉[255]，假节[256]，专命击断，从事中郎[257]王允为河南尹[258]。绍使雒阳方略武吏[259]司察[260]宦者，而促董卓等使驰驿上奏，欲进兵平乐观[261]。太后乃恐，悉罢中常侍、小黄门使还里舍，唯留素［5］进所私人以守省中[262]。诸常侍、小黄门皆诣进谢罪，唯所措置[263]。进谓曰："天下匈匈[264]，正患诸君耳。今董卓垂至[265]，诸君何不早各就国[266]！"袁绍劝进便于此决之[267]，至于再三，进不许。绍又为书告诸州郡，诈宣进意，使捕按[268]中官亲属。

进谋积日，颇泄，中官惧而思变。张让子妇，太后之妹也，让向子妇叩头曰："老臣得罪，当与新妇俱归私门。唯[269]受恩累世[270]，今当远离宫殿，情怀恋恋，愿复一入直[271]，得暂奉望太后、陛下颜色，然后退就沟壑[272]，死不恨矣！"子妇言于舞阳君[273]，入白太后；乃诏诸常侍皆复入直。

八月戊辰[274]，进入长乐宫，白太后，请尽诛诸常侍。中常侍张让、段珪相谓曰："大将军称疾，不临丧，不送葬，今欻[275]入省，此意何为？窦氏事[276]竟复起邪？"使潜听，具闻其语，乃率其党数十人持兵窃自[277]侧闼[278]入，伏省户[279]下。进出，因诈以太后诏召进，入坐省阁。让等诘[280]进曰："天下愦愦[281]，亦非独我曹罪也。先帝尝与太后不快[282]，几至成败[283]，我曹涕泣救解，各出家财千万为礼，和悦上意，但欲托卿门户耳。今乃欲灭我曹种族，不亦太［6］甚乎！"于是尚方监[284]渠穆拔剑斩进于嘉德殿[285]前。让、珪等为诏，以故太尉樊陵为司隶校尉，少府许相为河南尹。尚书得诏版，疑之，曰："请大将军出共议。"中黄门以进头掷与尚书，曰："何进谋反，已伏诛矣！"

【语译】

袁绍害怕何进改变计划，因而威胁他说："仇怨已经结下，情势已经显露，将军还要等待什么而不早做决断？事情拖久了就会发生变故，还要成为窦武吗！"何进于是委任袁绍为司隶校尉，持节，专门负责封锁京城，委任从事中郎王允为河南尹。袁绍派洛阳有韬略的武吏观察宦官的动静，又督促董卓等飞马上奏章，说打算进兵平乐观。太后这才惊恐，罢免所有的中常侍、小黄门，让他们返回自己的住所，只留下平常何进亲信的人守卫在宫中。众常侍、小黄门都到何进那里请罪，任凭处置。何进说："天下之所以纷乱不安，祸根就是你们这些人。现在董卓就要来了，诸位为何不早点回到自己的封地！"袁绍劝何进趁此机会除掉他们，一而再再而三地劝说，何进就是不同意。袁绍又发出公文到各州郡，假称是何进的意见，要他们抓捕审讯宦官的亲属。

何进的计划久拖不决，多所泄露，宦官们因恐惧而想发动政变。张让的儿媳，是太后的妹妹，张让向儿媳磕头说："老臣有罪，应和儿媳一起返回故里。只是蒙受几代的皇恩，如今要远离宫殿，情怀留恋，希望能再一次进宫值宿，暂时侍奉一下太后、皇帝，然后退归乡野，死而无憾！"儿媳把这话转告舞阳君，舞阳君入宫禀报何太后；何太后诏令众常侍都重新入宫值宿。

八月二十五日戊辰，何进进入长乐宫，报告太后，请求诛杀众常侍。中常侍张让、段珪互相商议说："此前大将军称病，不为先帝守丧，不去送葬，现在突然进宫，他想干什么？难道要重演窦氏的故伎吗？"于是派人去窃听，听到全部谈话内容，于是率领他们的同党几十人手持兵刃偷偷地从侧门进去，埋伏在宫门两边。何进出来，趁机诈称太后征召何进，何进又入宫坐定，张让等斥责何进说："天下混乱，也不单单是我们的罪过。先帝曾与太后不和，几至崩裂，我们流着泪挽救和解，各自拿出家财千万作为礼物，取悦皇帝，我们只是想依托在你们何家门下罢了。现在你却想族灭我们，不也太过分了吗！"于是尚方监渠穆拔剑在嘉德殿前杀了何进。张让、段珪等起草诏书，任命前太尉樊陵为司隶校尉，少府许相为河南尹。尚书得到诏书，觉得可疑，说："请大将军出来共同议事。"中黄门把何进的人头扔给尚书，说："何进谋反，已被诛杀！"

进部曲将[286]吴匡、张璋在外，闻进被害，欲引兵入宫，宫门闭。虎贲中郎将袁术与匡共斫攻之，中黄门持兵守阁。会日暮，术因烧南宫青琐门[287]，欲以胁出让等。让等入白太后，言大将军兵反，烧宫，攻尚书闼[288]，因将[289]太后、少帝及陈留王，劫省内官属，从复道[290]走北宫。尚书卢植执戈于阁道窗下，仰数[291]段珪。珪惧，乃释太后。太后投阁，乃[7]免。袁绍与叔父隗矫诏召樊陵、许相，斩之。绍及何苗引兵屯朱雀阙[292]下，捕得赵忠等，斩之。吴匡等素怨苗不与进同心，而又疑其与宦官通谋，乃令军中曰："杀大将军者[8]，即车骑[293]也，吏士能为报雠乎？"皆流涕曰："愿致死！"匡遂引兵与董卓弟奉车都尉[294]旻攻杀苗，弃其尸于苑中。绍遂闭北宫门，勒兵[295]捕诸宦者，无少长皆杀之，凡二千余人，或有无须而误死者。绍因进兵排宫[296]，或上端门[297]屋，以攻省内。

庚午[298]，张让、段珪等困迫，遂将帝与陈留王数十人步出谷门[299]，夜，至小平津[300]。六玺[301]不自随，公卿无得从者，唯尚书卢植、河南中部掾[302]闵贡夜至河上。贡厉声质责让等，且曰："今不速死，吾将杀汝！"因手剑斩数人。让等惶怖，叉手再拜，叩头向帝辞曰："臣等死，陛下自爱！"遂投河而死。

贡扶帝与陈留王夜步逐萤光南行，欲还宫，行数里，得民家露车[303]，共乘之，至雒舍[304]止。辛未[305]，帝独乘一马，陈留王与贡共乘一马，从雒舍南行，公卿稍有至者。董卓至显阳苑[306]，远见火起，知有变，引兵急进。未明，到城西，闻帝在北，因与公卿往奉迎于北芒阪[307]下。帝见卓将兵卒[308]至，恐怖涕泣。群公谓卓曰："有诏却兵。"卓曰："公诸人为国大臣，不能匡正王室，至使国家[309]播荡[310]，何却兵之有！"卓与帝语，语不可了[311]。乃更与陈留王语，问祸乱由起，王答，自初至终，无所遗失。卓大喜，以王为贤，且为董太后所养，卓自以与太后同族，遂有废立之意。

是日，帝还宫，赦天下，改光熹为昭宁。失传国玺，余玺皆得之。以丁原为执金吾[312]。骑都尉鲍信自泰山募兵适至[313]，说袁绍曰："董卓拥强兵，将有异志，今不早图，必为所制。及其新至疲劳，袭之，可禽也。"绍畏卓，不敢发。信乃引兵还泰山。

何进部将吴匡、张璋在宫外，听到何进被害，想率兵冲入宫内，但宫门已经关闭。虎贲中郎将袁术和吴匡一起刀劈宫门，中黄门手持兵器守护在宫门楼上。适逢天色已晚，袁术趁机火烧南宫青琐门，想以此逼迫张让等出宫。张让等入后宫禀报太后，说大将军的军队造反，火烧皇宫，攻打尚书门。张让等趁机挟持太后、少帝和陈留王以及宫内的其他官属，从复道逃往北宫。尚书卢植手持长戈在复道的窗下，仰面数落段珪的罪状。段珪害怕，于是释放太后。太后从阁道窗口跳下，才幸免于祸。袁绍和叔父袁隗假传圣旨征召樊陵、许相，杀死他们。袁绍与何苗率兵驻守朱雀阙下，抓获赵忠等人，全部杀掉。吴匡等一向怨恨何苗不与何进同心，而且又疑心他与宦官同谋，于是命令军中说："杀死大将军的人，就是车骑将军何苗，将士们能为大将军报仇吗？"官兵们都满面流泪说："我们愿意拼命而死！"吴匡率兵和董卓的弟弟奉车都尉董旻进击并杀死了何苗，把他的尸体丢弃在宫苑中。于是袁绍关闭北宫门，率兵捕捉众宦官，无论长幼统统杀掉，总计两千多人，有些是没有胡须而被误杀的。袁绍乘势进兵宫禁，有的士兵爬上端门城楼，冲进宫内。

八月二十七日庚午，张让、段珪等处境危急，于是劫持少帝和陈留王几十人徒步出了谷门，夜晚，来到小平津。御用的六玺没有带在身边，没一位公卿跟随，只有尚书卢植、河南中部掾闵贡夜里追赶到黄河边。闵贡一边厉声斥责张让等，一边说："你们若不赶快自杀，我就要杀死你们！"于是挥剑杀了几个人。张让等惊惧，拱手一再作揖，向少帝磕头告别说："臣等死后，请陛下自己保重！"于是投河而死。

闵贡搀扶少帝和陈留王连夜借着萤光向南步行，想返回南宫，走了几里，得到百姓一辆敞篷车，一起乘车到雒舍歇息。八月二十八日辛未，少帝独骑一匹马，陈留王和闵贡同骑一匹马，从雒舍向南走，逐渐有公卿赶来。董卓来到显阳苑，远远看见火光亮起，知道发生了变故，率兵急进。天还未亮，董卓到达洛阳城西，听说少帝在北面，就与公卿们赶往北芒阪下迎接。少帝看见董卓率兵突然赶到，惊恐哭泣。大臣们对董卓说："皇上有诏，命你退兵。"董卓说："诸位身为国家大臣，不能辅正王室，导致皇上流离失所，哪有退兵这一说！"董卓和少帝交谈，少帝不懂董卓的话。于是董卓回头和陈留王交谈，问起祸乱缘由，陈留王一一回答，事件的自始至终，没有遗漏任何细节。董卓十分高兴，认为陈留王贤能，又是董太后养大，董卓自认为与太后同宗，于是产生了废立的念头。

这一天，少帝回宫，大赦天下，改年号光熹为昭宁。只丢了传国玉玺，其余的玉玺都找到了。任命丁原为执金吾。骑都尉鲍信从泰山郡招募兵士刚好赶到，劝袁绍说："董卓手握强兵，将有二心，现在若不早点除掉，将来一定受制于他。趁他刚来还很疲惫，袭击他，可以活捉他。"袁绍畏惧董卓，不敢行动。鲍信便率兵返回泰山郡。

【段旨】

以上为第五段，写大将军何进优柔寡断，为宦官所害。袁绍趁机清宫杀灭宦官，实质是一场震动京师的宫廷政变。

【注释】

(252)交构：谓结下怨仇。(253)形势：情况；情势。(254)窦氏：指窦武。(255)司隶校尉：官名，掌纠察京都百官违法者，并治所辖各郡，相当于州刺史。(256)假节：假，借，此为授予之意。节，代表皇帝使命的凭证。假节即有行使皇帝使命的权力。汉司隶校尉本持节，汉元帝时始去节，现又假节，在于加重其权力。(257)从事中郎：官名，此指大将军府之属官，职参谋议。(258)河南尹：东汉初改河南郡为河南尹，亦以为官名。故治洛阳，即今洛阳东北。(259)方略武吏：有谋略的武官。(260)司察：监督。(261)平乐观：宫观名，作为阅兵之地。故址在今河南洛阳东白马寺一带。(262)省中：宫中。(263)唯所措置：听从处置。(264)匈匈：同“汹汹”。动乱；纷扰。(265)垂至：将到。(266)就国：回到封地。(267)决之：谓决计诛灭宦官。(268)捕按：逮捕审讯。(269)唯：通“惟”。思念。(270)累世：连续几代。(271)入直：入宫侍值。(272)退就沟壑：退而去死。(273)舞阳君：何太后之母的封爵。(274)戊辰：八月二十五日。(275)欻：忽然。(276)窦氏事：指窦武谋诛宦官事。(277)窃自：暗自。(278)侧闼：侧门。(279)省户：宫门。(280)诘：责问。(281)愦愦：纷乱。(282)先帝尝与太后不快：指何后毒死王美人，汉灵帝怒而欲废何后，诸宦官固请得止。事详见《后汉书》卷十下《皇后纪下》。(283)成败：偏义复词，即失败。此指灵帝欲废何皇后事。(284)尚方监：官名，汉代尚方署属少府，主造皇室所用刀剑兵器及诸玩好器物，设有令、丞主管，由宦官担任。尚方监大概新置于此时。(285)嘉德殿：宫殿名，在今河南洛阳东郊东汉都城洛阳南宫内。(286)部曲将：汉代

【原文】

董卓之入也，步骑不过三千，自嫌兵少，恐不为远近所服，率四五日辄夜潜出军近营，明旦，乃大陈旌鼓而还，以为西兵复至，雒中无知者。俄而进及弟苗部曲[314]皆归于卓，卓又阴使丁原部曲司马[315]五原吕布[316]杀原而并其众，卓兵于是大盛。乃讽朝廷，以久雨策免司空刘弘而代之。

初，蔡邕[317]徙朔方[318]，会赦得还。五原太守王智，甫[319]之弟也，奏邕谤讪[320]朝廷。邕遂亡命江海，积十二年。董卓闻其名而辟之，称疾

将军统兵，都有部曲，每部有校尉一人，部下有曲，每曲有军候一人。㉘⑦青琐门：宫门名，东汉时洛阳南宫的东门。在今河南洛阳东。㉘⑧尚书闼：尚书官署之门。㉘⑨将：挟持。㉙⓪复道：楼阁间有上下两重通道，架空者称复道，又称天桥。㉙①仰数：仰面责斥。㉙②朱雀阙：宫门名，即东汉都城洛阳宫城北宫南门名。㉙③车骑：指何苗。当时何苗为车骑将军。㉙④奉车都尉：官名，掌皇帝车舆。㉙⑤勒兵：部署军队。㉙⑥排宫：指攻打南宫。㉙⑦端门：洛阳北宫南面的正门。㉙⑧庚午：八月二十七日。㉙⑨谷门：当时洛阳北宫的正北门。㉚⓪小平津：黄河渡口名，在今河南孟津东北。㉚①六玺：汉代皇帝的印玺有六种，用处各异，其文也不同，分别为“皇帝行玺”“皇帝之玺”“皇帝信玺”“天子行玺”“天子之玺”“天子信玺”。㉚②河南中部掾：官名，河南尹置四部督邮监察属县，中部为掾。㉚③露车：无车盖围栏的车。㉚④雒舍：地名，洛阳县北有芒山。雒舍又在芒山之北。㉚⑤辛未：八月二十八日。㉚⑥显阳苑：在当时洛阳之西。㉚⑦北芒阪：芒山，在洛阳之北。㉚⑧卒：同“猝”。突然。㉚⑨国家：指皇帝。㉛⓪播荡：流亡；流离失所。㉛①了：了解。㉛②执金吾：官名，掌督巡宫外，维护皇宫周围及京都之治安，皇帝出行时，则充任护卫及仪仗队。㉛③适至：正好到。

【校记】

［5］素：原无此字。据章钰校，甲十一行本、乙十一行本、孔天胤本皆有此字，今据补。［6］太：原作“大”。据章钰校，乙十一行本、孔天胤本皆作“太”，熊罗宿《胡刻资治通鉴校字记》同，今从改。［7］乃：据章钰校，甲十一行本、乙十一行本、孔天胤本皆作“得”。［8］者：原无此字。据章钰校，甲十一行本、乙十一行本、孔天胤本皆有此字，张敦仁《通鉴刊本识误》同，今据补。

【语译】

董卓进入京城的时候，步兵骑兵不过三千人，自己也嫌兵力太少，担心不能使远近慑服，于是他大约每隔四五日就在夜里悄悄地派兵行至军营附近，第二天早晨，就大张旗鼓地开回来，让人以为西军又来了，这一情况洛阳城中没人知晓。不久何进及弟弟何苗的部队都归属董卓，董卓又暗中派丁原的部下司马五原人吕布杀死丁原，吞并了他的部队，董卓的兵力空前强盛。他暗示朝廷，以久雨不晴为借口，下诏罢免司空刘弘而以自己取代。

当初，蔡邕被流放到朔方，遇到大赦得以返回。五原太守王智，是王甫的弟弟，劾奏蔡邕诽谤朝廷。于是蔡邕逃亡江湖，时间加起来有十二年。董卓闻知蔡邕的名

不就。卓怒，詈曰："我能族[321]人！"邕惧而应命，到，署[322]祭酒[323]，甚见敬重，举高第[324]，三日之间，周历三台[325]，迁为侍中。

董卓谓袁绍曰："天下之主，宜得贤明，每念灵帝，令人愤毒[326]！董侯[327]似可，今欲立之，为能胜史侯[328]否？人有小智大痴，亦知复何如为当；且尔[329]，刘氏种不足复遗[330]！"绍曰："汉家君天下四百许年[331]，恩泽深渥[332]，兆民戴之。今上富于春秋[333]，未有不善宣于天下。公欲废嫡立庶，恐众不从公议也。"卓按剑叱绍曰："竖子敢然[334]！天下之事，岂不在我！我欲为之，谁敢不从！尔谓董卓刀为不利乎！"绍勃然[335]曰："天下健者[336]，岂惟董公！"引佩刀，横揖，径出。卓以新至，见绍大家，故不敢害。绍县[337]节[338]于上东门[339]，逃奔冀州。

九月癸酉[340]，卓大会百僚，奋首[341]而言曰："皇帝暗弱[342]，不可以奉宗庙[343]，为天下主。今欲依伊尹、霍光故事[344]，更立陈留王，何如?"公卿以下皆惶恐，莫敢对。卓又抗言[345]曰："昔霍光定策，延年按剑[346]。有敢沮[347]大议，皆以军法从事！"坐者震动。尚书卢植独曰："昔太甲既立不明，昌邑罪过千余，故有废立之事。今上富于春秋，行无失德，非前事之比也。"卓大怒，罢坐。将杀植，蔡邕为之请，议郎彭伯亦谏卓曰："卢尚书海内大儒，人之望也。今先害之，天下震怖。"卓乃止，但免植官，植遂逃隐于上谷[348]。卓以废立议示太傅袁隗，隗报如议。

甲戌[349]，卓复会群僚于崇德前殿，遂胁太后策[350]废少帝，曰："皇帝在丧，无人子之心，威仪不类人君，今废为弘农王，立陈留王协为帝。"袁隗解帝玺绶[351]，以奉陈留王，扶弘农王下殿，北面称臣[352]。太后鲠涕[353]，群臣含悲，莫敢言者。

卓又议："太后蹴迫[354]永乐宫[355]，至令忧死，逆妇姑[356]之礼。"乃迁太后于永安宫。赦天下，改昭宁为永汉。丙子[357]，卓鸩杀[358]何太后。公卿以下不布服，会葬，素衣而已。卓又发何苗棺，出其尸，支解节断，弃于道边；杀苗母舞阳君，弃尸于苑枳落[359]中。

诏除[360]公卿以下子弟为郎[361]，以补宦官之职，侍于殿上。

乙酉[362]，以太尉刘虞为大司马[363]，封襄贲侯。董卓自为太尉，

声而征辟他，蔡邕装病不应征。董卓很生气，骂道："我可以灭人家族！"蔡邕害怕，从命应召，到了洛阳，被任命为祭酒，很受敬重，对策评为高第，三日之内，历遍三台的官职，后升为侍中。

董卓对袁绍说："天下的君主，应由贤明的人来充任，每每想到灵帝，令人愤恨！董侯似乎可以，现在我打算拥立他，不知他是否能胜过史侯？有的人小事聪明大事糊涂，也不知他将来又会怎样；现在只好暂且如此，刘氏的血脉不值得延续！"袁绍说："汉家君临天下约四百年了，恩泽深厚，万民拥戴。现在皇上年轻，没有什么不良的行为显露天下。您想废嫡立庶，恐怕众人不会顺从您的意见。"董卓按剑呵斥袁绍说："你小子胆敢如此！天下的事情，难道不是我说了算！我想做的，谁敢不服从！你认为我董卓的刀不够锐利吗！"袁绍勃然大怒说："天下的强人，难道只有你董公！"他抽出佩刀，横向作个揖，径直走出。董卓刚到京师，得知袁绍出身于大族，所以不敢加害他。袁绍把司隶校尉的符节悬挂在上东门，逃往冀州。

九月癸酉日，董卓会集百官，昂首挺胸说道："皇帝愚昧软弱，不足以承续大位，做天下的君主，现今我想仿效伊尹、霍光的做法，改立陈留王，怎么样？"公卿以下的大臣都很惊惧，没有谁敢回答。董卓又高声说："从前霍光决定废立大计时，田延年手握剑柄。有敢阻止大事的，就按军法论处！"在座的人震骇骚动。只有尚书卢植说："从前太甲继位后昏庸不明，昌邑王刘贺罪过一千余条，所以才有废立的事情。现今皇上年轻，没有失德的行为，不能和前面的事情相提并论。"董卓大怒，离席而去，将要诛杀卢植，蔡邕为卢植求情，议郎彭伯也谏劝董卓说："卢尚书是海内大儒，人们仰望。现在先杀了他，天下人会感到恐怖。"董卓这才罢手，但免去了卢植的官职，卢植便逃走隐居于上谷郡。董卓把废立的计划告诉太傅袁隗，袁隗回复同意。

九月初一日甲戌，董卓又在崇德前殿召集群臣会议，于是威逼太后下诏废黜少帝，诏令说："皇帝在守丧期间，没有孝子之心，威仪不像国君的样子，现废为弘农王，立陈留王刘协为皇帝。"袁隗解下皇帝的玉玺印绶，呈献给陈留王，扶持弘农王下殿，面北称臣。太后哽咽流涕，群臣悲痛，没有敢说话的人。

董卓又提议："太后曾威逼董太后，使她忧郁而死，违反了婆媳关系的礼数。"于是把何太后贬至永安宫。大赦天下，改年号昭宁为永汉。九月初三日丙子，董卓毒死何太后。公卿以下大臣都不许穿丧服，会葬那一天，也只许穿白色的衣服。董卓又发掘何苗的棺材，拖出尸体，分裂截断，丢弃到路边；杀死何苗的母亲舞阳君，将其尸体扔在苑囿里灌木丛中。

下诏令录用公卿以下百官的子弟为郎官，用来弥补宦官被诛杀后的职缺，在殿上侍奉。

九月十二日乙酉，任命太尉刘虞为大司马，封襄贲侯。董卓自任太尉，兼理前

领[364]前将军[365]事，加节传[366]、斧钺[367]、虎贲[368]，更封郿侯。

丙戌[369]，以太中大夫[370]杨彪[371]为司空。

【段旨】

以上为第六段，写董卓大权独揽，擅自废立。

【注释】

⑭部曲：此指军队。⑮部曲司马：军司马，官名，为统兵将领之属官，综理军府事，并参与军事谋划。⑯吕布（？至公元一九八年）：字奉先，五原九原（今内蒙古包头西北）人，武艺高强。初随丁原，继而杀原归董卓。后又与王允合谋杀卓，逃据徐州，为曹操所杀。传见《后汉书》卷七十五、《三国志》卷七。⑰蔡邕：字伯喈，陈留圉县（今河南杞县南）人，博学，善辞章、天文、术数，尤精书法。汉灵帝初为郎中。熹平中奏定五经文字，并自书于碑，刻立于太学门外，以供后学取正，史称《熹平石经》。后得罪宦官，被流徙朔方，遇赦得还。汉献帝初，为司空、侍中、中郎将。董卓被诛后，他受牵连入狱，死于狱中。著作有《独断》《蔡中郎集》等。传见《后汉书》卷六十下。⑱朔方：郡名，治所临戎，在今内蒙古磴口北之黄河东岸。⑲甫：王甫。灵帝时为黄门令，谋诛陈蕃、窦武，升中常侍，又封冠军侯。阳球奏劾入狱而死。⑳谤讪：毁谤。㉑族：族诛；灭族。㉒署：代理或暂任官职称“署”。㉓祭酒：官名，为五经博士之首。㉔高第：高品第。㉕三台：东汉称尚书为中台，御史为宪台，谒者为外台，合称三台。而蔡邕只为侍御史、治书御史及尚书，未为谒者，称周历三台，为夸张之言。㉖愤毒：愤恨。㉗董侯：指陈留王刘协，因为董太后所养，号董侯。㉘史侯：指少帝刘辩，因养于史道人家，号为史侯。㉙且尔：暂且如此。董卓言此，其欲废汉自立之心，昭然若揭。㉚刘氏种不足复遗：指汉家天下不值得延续。刘氏种，刘家的血脉。㉛君天下四百许年：为君统治天下约四百年。㉜深渥：深厚。㉝富于春秋：谓年纪轻。㉞竖

【原文】

甲午[372]，以豫州[373]牧黄琬[374]为司徒[375]。

董卓率诸公上书，追理陈蕃、窦武及诸党人，悉复其爵位，遣使吊祠，擢用[376]其子孙。

将军事，加赐节传、斧钺、虎贲，改封为郿侯。

十三日丙戌，任命太中大夫杨彪为司空。

子敢然：小子竟敢如此。㉟勃然：发怒变色的样子。㊱健者：强者。㊲县："悬"本字。㊳节：指所假司隶校尉之节。㊴上东门：当时洛阳城东面靠北之门。㊵癸酉：九月甲戌朔，无癸酉。㊶奋首：昂首；仰着头。㊷暗弱：愚昧柔弱。㊸奉宗庙：侍奉祖庙。此指继承大统为皇帝。㊹伊尹、霍光故事：伊尹，商初大臣，辅佐帝太甲，太甲暴虐，伊尹流放太甲守商汤陵墓，太甲改过，伊尹迎他复为商王。霍光，西汉辅佐昭帝的大臣，昭帝死，霍光迎立昌邑王刘贺为帝，刘贺昏暴，为霍光所废。董卓引此两人故事为自己行废立事辩护。㊺抗言：高声。㊻延年按剑：当霍光决计废昌邑王后，在未央宫召集群臣会议，群臣皆不敢言，田延年遂按剑而起说："群臣后应者，臣请剑斩之。"群臣遂赞同，事见《汉书》卷六十八《霍光传》。㊼沮：阻止。㊽上谷：郡名，治所沮阳，在今河北怀来东南。㊾甲戌：九月初一。㊿策：下策书。351绶：系印的丝带。352北面称臣：古时帝王坐北面南，臣子北面而朝。353鲠涕：哽咽流泪。354踧迫：紧迫；逼迫。踧，通"蹙"。355永乐宫：指汉灵帝母董太后。356妇姑：古代称儿子之妻为妇，丈夫之母为姑，今称婆媳。357丙子：九月初三。358鸩杀：用鸩酒毒死。359枳落：犹言灌木丛。枳为长刺的灌木。360除：任命。361郎：皇帝侍从官之通称。两汉光禄勋之属官议郎、侍郎等总称为郎。东汉时政归台阁，于尚书台置尚书郎，亦称为郎。362乙酉：九月十二日。363大司马：官名，汉武帝置大司马代替太尉。东汉光武帝又罢大司马置太尉。汉灵帝末年又并置大司马与太尉。364领：兼任。365前将军：官名，位次于上卿，与后将军及左、右将军掌京师兵卫和边防屯警。366节传：行使皇帝使命的凭证。367斧钺：两种兵器，为皇帝专用的仪仗。368虎贲：皇帝之仪卫武士。369丙戌：九月十三日。370太中大夫：官名，属光禄勋，掌议论。371杨彪（公元一四二至二二五年）：字文先，弘农华阴（今陕西华阴）人，汉献帝时为三公。传见《后汉书》卷五十四。

【语译】

九月二十一日甲午，任命豫州牧黄琬为司徒。

董卓领衔诸大臣上奏，请求重新审理陈蕃、窦武以及所有党人的案件，全部恢复他们的爵位，派出使者吊唁祭祀，提拔录用他们的子孙。

自六月雨至于是月。

冬，十月乙巳[377]，葬灵思皇后[378]。

白波贼[379]寇河东，董卓遣其将牛辅击之。

初，南单于於扶罗既立，国人杀其父者遂叛，共立须卜骨都侯[380]为单于。於扶罗诣阙自讼。会灵帝崩，天下大乱，於扶罗将数千骑与白波贼合兵寇郡县。时民皆保聚[381]，钞掠无利，而兵遂挫伤。复欲归国，国人不受，乃止河东平阳[382]。须卜骨都侯为单于一年而死，南庭遂虚其位，以老王行国事。

十一月，以董卓为相国[383]，赞拜[384]不名[385]，入朝不趋[386]，剑履上殿[387]。

十二月戊戌[388]，以司徒黄琬为太尉，司空杨彪[389]为司徒，光禄勋荀爽[390]为司空。

初，尚书武威周毖[391]、城门校尉[392]汝南伍琼[393]说董卓矫[394]桓、灵之政，擢用天下名士，以收众望。卓从之，命毖、琼与尚书郑泰、长史何颙等沙汰[395]秽恶[396]，显拔幽滞[397]。于是征处士[398]荀爽、陈纪[399]、韩融[400]、申屠蟠[401]。复就拜爽平原[402]相[403]，行至宛陵[404]，迁[405]光禄勋，视事三日，进拜司空，自被征命及登台司[406]，凡九十三日。又以纪为五官中郎将[407]，融为大鸿胪[408]。纪，寔[409]之子。融，韶[410]之子也。爽等皆畏卓之暴，无敢不至。独申屠蟠得征书，人劝之行，蟠笑而不答，卓终不能屈，年七十余，以寿终。卓又以尚书韩馥[411]为冀州牧，侍中刘岱[412]为兖州刺史，陈留孔伷[413]为豫州刺史，东平张邈[414]为陈留太守，颍川张咨[415]为南阳太守。卓所亲爱，并不处显职，但将校[416]而已。

诏除光熹、昭宁、永汉三号[417]。

董卓性残忍，一旦专政，据有国家甲兵、珍宝，威震天下，所愿无极，语宾客曰："我相[418]，贵无上[419]也！"侍御史扰龙宗诣卓白事，不解剑，立檛杀[420]之。是时，雒中贵戚，室第相望，金帛财产，家家充积。卓纵放兵士，突[421]其庐舍，剽虏[422]资物，妻略妇女[423]，不避贵贱[9]，人情崩恐，不保朝夕。

卓购求[424]袁绍急，周毖、伍琼说卓曰："夫废立大事，非常人所及。袁绍不达大体，恐惧出奔，非有他志。今急购之，势必为变。

从六月下雨不停，直到本月。

冬，十月初三日乙巳，安葬灵思何皇后。

白波贼徒侵扰河东郡，董卓派他的部将牛辅征剿。

当初，南单于於扶罗即位后，杀死他父亲的南匈奴人反叛，共同拥立须卜骨都侯为单于。於扶罗到京师申诉。适逢灵帝去世，天下大乱，于是於扶罗率领几千名骑兵和白波贼合兵侵扰郡县。当时百姓都组织起来修筑坞壁聚众自保，於扶罗单于抢不到什么东西，反而伤亡不少兵士。於扶罗又想回国，国人不接受，便停留在河东平阳。须卜骨都侯做了一年的单于就死了，南匈奴空下单于的位置，由其父亲代行国事。

十一月，任命董卓为相国，朝拜皇帝时不称名，上朝时也不必趋步快行，可以佩剑穿鞋上殿。

十二月戊戌日，任命司徒黄琬为太尉，司空杨彪为司徒，光禄勋荀爽为司空。

当初，尚书武威人周毖、城门校尉汝南人伍琼劝说董卓矫正桓帝、灵帝的政治，提拔任用天下名士，以收民心。董卓听从了，便命令周毖、伍琼和尚书郑泰、长史何颙等淘汰贪官污吏，显著地提拔被压抑的人才。于是征用未任职的名士荀爽、陈纪、韩融、申屠蟠。又就地委任荀爽为平原相，荀爽赴任行至宛陵时，又升迁为光禄勋，上任才三天，进而升为司空，自从他被征召任命到登上三公之位，总共才九十三日。又任命陈纪为五官中郎将，韩融为大鸿胪。陈纪，是陈寔的儿子。韩融，是韩韶的儿子。荀爽等都害怕董卓的残暴，没有谁敢不来。只有申屠蟠得到征召令时，别人劝他赴任，申屠蟠却笑而不答，董卓始终没能使他屈服，他活了七十多岁，以长寿而终。董卓又委任尚书韩馥为冀州牧，侍中刘岱为兖州刺史，陈留人孔伷为豫州刺史，东平人张邈为陈留太守，颍川人张咨为南阳太守。董卓所亲近的人都没有担任要职，只是将校而已。

下诏令废除光熹、昭宁、永汉三个年号。

董卓生性残忍，一旦大权在握，控制了国家的军队、珍宝，威震天下，欲望更加没有止境，他对宾客们说："我的相貌，尊贵无比！"侍御史扰龙宗到董卓那里禀报政务，没有解下佩剑，立即被打死。当时，洛阳城中的豪门贵戚，宅第相望，金银财宝，家家充盈。董卓放纵士兵，冲入他们的住宅，掠夺财宝，奸污抢掠妇女，不避贵贱，人人自危，朝不保夕。

董卓悬赏紧急捉拿袁绍，周毖、伍琼劝谏董卓说："废立大事，不是常人所能理解的。袁绍不识大体，由恐惧而出逃，并没有其他想法。现今急速悬赏捉拿，势必

袁氏树恩四世[425]，门生[426]故吏遍于天下，若收豪桀以聚徒众，英雄因之而起，则山东[427]非公之有也。不如赦之，拜一郡守。绍喜于免罪，必无患矣。”卓以为然，乃即拜绍勃海[428]太守，封邟乡侯；又以袁术为后将军[429]，曹操为骁骑校尉[430]。

术畏卓，出奔南阳。操变易姓名，间行[431]东归。过中牟[432]，为亭长[433]所疑，执诣县。时县已被卓书，唯功曹[434]心知是操，以世方乱，不宜拘天下雄隽，因白令释之。操至陈留，散家财，合兵得五千人。

是时豪杰多欲起兵讨卓者，袁绍在勃海，冀州牧韩馥遣数部从事[435]守之，不得动摇[436]。东郡太守桥瑁[437]诈作京师三公[438]移书[439]与州郡，陈卓罪恶，云：“见逼迫，无以自救，企望[440]义兵，解国患难。”馥得移，请诸从事问曰：“今当助袁氏邪，助董氏邪？”治中从事刘子惠曰：“今兴兵为国，何谓袁、董！”馥有惭色。子惠复言：“兵者凶事，不可为首。今宜往视他州，有发动者，然后和[441]之。冀州于他州不为弱也，他人功未有在冀州之右[442]者也。”馥然之。馥乃作书与绍，道卓之恶，听[443]其举兵。

【段旨】

以上为第七段，写董卓平反党人冤狱，征用名士，外示宽柔，而放纵部属肆意抢掠皇亲国戚和大户，野心勃勃，觊觎神器。

【注释】

[372]甲午：九月二十一日。[373]豫州：州名，治所谯县，在今安徽亳州。[374]黄琬（公元一四一至一九二年）：字子琰，江夏安陆（今属湖北）人，东汉末名士、大臣，历官议郎、将作大匠、少府、太仆，又为右扶风、豫州牧。董卓西迁，官拜司隶校尉，与王允共谋诛董卓，寻为卓将李傕所害。事附见《后汉书》卷六十一《黄琼传》。[375]司徒：官名，东汉三公之一，掌民政。[376]擢用：提拔任用。[377]乙巳：十月初三。[378]灵思皇后：汉灵帝何皇后，思为谥号。[379]白波贼：因起事地在西河白波谷（今山西侯马北），故称之为白波军。[380]须卜骨都侯：须卜，南匈奴异姓贵族之一姓。骨都侯，官名，是异姓大臣中的最高官位。[381]保聚：修筑坞壁聚众自保。保，通“堡”。用砖石修建的防御工事，

促成他叛变。袁氏四代树立恩信，门生故吏遍布天下，如果他收揽豪杰，聚集徒众，英雄人物乘时兴起，那么山东之地就不属于您了。不如赦免他，任命他为一个郡守。袁绍高兴被免罪，一定没有后患。”董卓认为有道理，即刻任命袁绍为勃海太守，封邟乡侯；又任命袁术为后将军，曹操为骁骑校尉。

袁术畏惧董卓，逃往南阳。曹操改名换姓，抄小路东归。经过中牟县时，被亭长怀疑，把他扭送到县衙。当时县里已接到董卓的文书，只有功曹心知他是曹操，认为天下正乱，不应拘捕天下的英雄俊杰，因此请示县令释放了他。曹操到陈留，散发家财，招聚兵士五千人。

当时豪强大多想起兵征讨董卓，袁绍在勃海郡，冀州牧韩馥派出几个州部从事监管他，使他不得行动。东郡太守桥瑁，假托京师三公的名义向州郡发布声讨董卓的文书，列举董卓罪恶，说：“皇上被逼迫，无法自救，盼望地方兴起义兵，解除国家的患难。”韩馥得到文书，请来从事们商量，韩馥问大家：“现在应帮助袁氏还是董氏？”治中从事刘子惠说：“现在起兵是为了国家，说不上是为袁绍还是为董卓！”韩馥面有愧色。刘子惠又说：“战争是凶事，不能带这个头。现在应当派人打探其他各州的动静，有起兵的，我们再响应。冀州不比其他州弱，建立功名，其他州没有哪个能超过冀州的。”韩馥认为有理。韩馥于是写信给袁绍，列举董卓的罪恶，听任袁绍起兵。

又称坞壁。㊳②平阳：县名，县治在今山西临汾西南。㊳③相国：西汉初年曾置相国，为辅佐皇帝、综理全国政务的最高长官。后改称丞相，东汉时称为司徒，现又增置。㊳④赞拜：古时臣下朝拜天子，司仪者在旁唱礼，唱礼时直呼朝拜者的姓名。㊳⑤不名：不直呼姓名，只称官职。㊳⑥趋：小步快走，以示恭敬。㊳⑦剑履上殿：带剑穿鞋上殿。古时臣子不能穿鞋带兵器上殿。㊳⑧戊戌：十二月癸卯朔，无戊戌。㊳⑨杨彪：字文先，弘农华阴（今属陕西）人，东汉名臣杨震之曾孙。彪为汉末名士，历官议郎、侍中、京兆尹、司空、太尉。建安年间，彪见汉祚将终，称疾退隐。事附见《后汉书》卷五十四《杨震传》。㊴⓪荀爽：一名谞，字慈明，颍川颍阴（今河南许昌）人，东汉末大臣，官至司空。事附见《后汉书》卷六十二《荀淑传》。㊴①周毖：《后汉书》卷七十二《董卓传》作“周珌”。字仲远，武威（今属甘肃）人，东汉末大臣，董卓时任尚书，多荐名士任职，护佑汉室，为董卓所害。其事略见《三国志》卷六《魏书·董卓传》及裴松之注引《英雄记》。㊴②城门校尉：官名，掌京师城门屯兵，秩比二千石，第四品。㊴③伍琼：字德瑜，汝南（治今河南平舆北）人，董卓时任城门校尉，与周毖同心，荐袁绍为勃海太守，为

董卓所害。其事散见《后汉书》卷七十二、《三国志》卷六《魏书·董卓传》及裴松之注引谢承《后汉书》。㊴矫：纠正。㊵沙汰：淘汰。㊶秽恶：指贪官污吏。㊷显拔幽滞：显扬提拔失意不得仕进的人。㊸处士：未做官的士人。㊹陈纪：字符方，陈寔之子，颍川许昌（今河南许昌）人，东汉末名士，著书《陈子》。历官平原相、侍中、大鸿胪。传见《后汉书》卷六十二。㊺韩融：字符长，颍川舞阳（今属河南）人，东汉末名士，官至太仆。其事散见《后汉书》卷七十二《董卓传》等。㊻申屠蟠：字子龙，陈留外黄（今河南民权西北）人，东汉末名士，官府屡征不就，年七十四，卒于家。传见《后汉书》卷五十三。㊼平原：王国名，治所平原县，在今山东平原县西南。㊽相：官名，中央政府委派的执掌王国行政大权的长官，相当于郡太守。㊾宛陵：县名，县治在今河南新郑东北。㊿迁：调任。[406]台司：谓三公府。[407]五官中郎将：官名，汉于光禄勋下置五官、左、右三署中郎将，统领皇帝侍卫军。[408]大鸿胪：官名，汉九卿之一，掌宾礼。凡附属的少数民族及诸侯王之入朝、迎送、朝会、封授等皆由大鸿胪掌管。[409]寔：陈寔，字仲弓，颍川人。东汉名士。何进、袁隗欲擢寔高位，寔辄拒之。卒后谥文范先生。传见《后汉书》卷六十二。[410]韶：韩韶，东汉舞阳人。曾为嬴长，为政有声，贼相戒不入嬴境。开仓赈济百姓。传见《后汉书》卷六十二。[411]韩馥：字文节，颍川（治今河南禹州）人，官至冀州牧。关东诸侯讨董卓，袁绍为盟主，胁迫韩馥让出冀州，馥失势自杀。其事散见《后汉书》卷七十四上《袁绍传》等。[412]刘岱：字公山，东莱牟平（今属山东）人，东汉末兖州刺史，为关东起兵讨董卓的诸侯之一。初平三年为黄巾军所杀。其事散见《后汉书》卷七十四上《袁绍传》等。[413]孔伷：字公绪，东汉末陈留（今河南开封）人，豫州刺史，为关东起兵讨董卓的诸侯之一。其事散见《后汉书》卷七十四上《袁绍传》等。[414]张邈：字孟卓，东汉末年寿张县（今山东东平）人，陈留太守，为关东起兵讨董卓的诸侯之一。张邈与曹操友善，后两人反目成仇，邈依附吕布与曹操

【原文】

孝献皇帝[444]甲

初平元年（庚午，公元一九〇年）

春，正月，关东[445]州郡皆起兵以讨董卓，推勃海太守袁绍为盟主。绍自号车骑将军，诸将皆板授[446]官号。绍与河内[447]太守王匡屯河内，冀州牧韩馥留邺[448]，给其军粮。豫州刺史孔伷屯颍川，兖州刺史刘岱、陈留太守张邈、邈弟广陵[449]太守超、东郡[450]太守桥瑁、山阳[451]太守袁遗、济北[452]相鲍信与曹操俱屯酸枣[453]，后将军袁术屯鲁阳[454]，众各数万。

争兖州。吕布兵败，邀诣袁术求救，为其部下所杀。事附见《三国志》卷七《魏书·吕布传》。415 张咨：字子议，颍川人，东汉末为南阳太守，被长沙太守孙坚所杀。其事散见《后汉书》卷七十五《袁术传》及李贤注引《英雄记》《吴历》等。416 将校：谓中郎将及校尉，为中级领兵官。417 除光熹、昭宁、永汉三号：谓废除上述三个年号，复称中平六年。418 相：长相；相貌。419 贵无上：意谓当作皇帝。420 棁杀：以杖击死。421 突：冲闯。422 剽虏：抢夺。423 妻略妇女：强掠妇女为妻。424 购求：悬赏捕捉。425 四世：指袁安、袁汤、袁逢等至袁绍四代。426 门生：本指门下受业的生徒，但在东汉后期，投身豪门的依附者亦称门生。427 山东：战国、秦、汉间人称“山东”，一般指崤山以东之地。此处“山东”，应指太行山以东地区。428 勃海：郡名，治所南皮，在今河北南皮北。429 后将军：官名，位次上卿，与前、左、右将军掌京师兵卫和边防屯警。430 骁骑校尉：官名，为北军五校尉之一。汉光武帝初，本改屯骑校尉为骁骑校尉，后又复称屯骑校尉，此时又再称骁骑校尉。431 间行：走小路。432 中牟：县名，故治在今河南中牟东五里。433 亭长：乡官名，汉代乡间十里设一亭，置亭长一人，掌地方治安，巡捕盗贼。434 功曹：官名，汉代县令下亦设功曹史，为县令之佐吏。435 部从事：官名，即部从事史，州牧刺史之佐使，每郡置一人，主察非法。436 不得动摇：谓防止袁绍起兵。437 桥瑁：字符伟，睢阳（今河南商丘）人，东汉末为东郡太守，关东诸侯讨董卓的发难者。后因与刘岱不和，为刘岱所杀。438 三公：东汉以太尉、司徒、司空为三公。439 移书：移送文书。440 企望：盼望。441 和：附和。442 右：上。443 听：听任。

【校记】

［9］贱：原作“戚”。据章钰校，甲十一行本、乙十一行本、孔天胤本皆作“贱”，张敦仁《通鉴刊本识误》同，今据改。

【语译】

孝献皇帝甲

初平元年（庚午，公元一九〇年）

春，正月，关东各州郡全都起兵征讨董卓，推举勃海太守袁绍为盟主。袁绍自称车骑将军，各将领都临时授予官号。袁绍与河内太守王匡驻屯河内，冀州牧韩馥留守邺城，供给袁、王军粮。豫州刺史孔伷驻屯颍川，兖州刺史刘岱、陈留太守张邈、张邈的弟弟广陵太守张超、东郡太守桥瑁、山阳太守袁遗、济北相鲍信和曹操都驻屯酸枣，后将军袁术驻屯鲁阳，部众各有数万人。豪杰大多心向袁绍，只有鲍豪桀多归心袁绍者，鲍信独谓曹操曰："夫略不世出[455]，能拨乱反正者，君也。苟非其人，虽强必毙。君殆天之所启乎！"

辛亥[456]，赦天下。

癸酉[457]，董卓使郎中令[458]李儒鸩杀弘农王辩。

卓议大发兵以讨山东，尚书郑泰曰："夫政在德，不在众也。"卓不悦，曰："如卿此言，兵为无用邪！"泰曰："非谓其然也，以为山东不足加大兵耳。明公出自西州[459]，少为将帅，闲习[460]军事。袁本初[461]公卿子弟，生处京师，张孟卓[462]东平长者[463]，坐不窥堂[464]，孔公绪[465]清谈高论[466]，嘘枯吹生[467]，并无军旅[468]之才，临锋决敌[469]，非公之俦[470]也。况王爵不加[471]，尊卑无序，若恃众怙力[472]，将各棋峙[473]以观成败，不肯同心共胆，与齐进退也。且山东承平日久，民不习战。关西[474]顷遭羌寇，妇女皆能挟弓而斗，天下所畏者，无若并、凉之人与羌、胡义从[475]。而明公拥之以为爪牙，譬犹驱虎兕[476]以赴犬羊，鼓烈风以扫枯叶，谁敢御之！无事征兵以惊天下，使患役之民相聚为非，弃德恃众，自亏威重也。"卓乃悦。

【段旨】

以上为第八段，写关东诸侯起兵讨董卓。

【注释】

㊹孝献皇帝（公元一八一至二三四年）：名协，字伯和，东汉末帝，公元一八九至二二〇年在位。但即帝位时，东汉已名存实亡，故在位期间皆为傀儡。公元二二〇年被曹丕取代，废为山阳公。《谥法》："聪明睿智曰献。"事详见《后汉书》卷九《献帝纪》及《三国志》卷一《魏书·武帝纪》。㊺关东：泛指函谷关以东之地。㊻板授：未经诏命之临时授官。㊼河内：郡名，故治怀县，在今河南武陟西南。㊽邺：邺城。东汉末为冀州、相州治所。故址在今河北临漳邺镇东。㊾广陵：郡名，故治广陵，在今江苏扬州西北。㊿东郡：郡名，故治濮阳，在今河南濮阳西南。[451]山阳：郡名，故治昌

信对曹操说："谋略盖世，能拨乱反正的人，就是您啊。如果不是这样的人，即使他现在强大也必定会败亡。您大概就是上天派来的吧！"

正月初十日辛亥，大赦天下。

癸酉日，董卓派郎中令李儒毒死弘农王刘辩。

董卓提议大规模发兵征讨山东，尚书郑泰说："政事在于推行恩德，不在于军队众多。"董卓很不高兴，说："按您的说法，军队没有用了！"郑泰说："我不是这个意思，只是认为山东不值得用大军征讨罢了。明公您来自西州，年轻时就担任将帅，通晓军事。袁本初是公卿子弟，生长在京城；张孟卓是东平的忠厚长者，目不斜视；孔公绪高谈阔论，能把死的说成活的。他们都没有军事才能，临阵打仗，他们不是明公您的对手。况且没有朝廷的封爵，没有上下尊卑次序，如果他们依靠人多势众，就会互相对峙坐观成败，不肯同心协力、共同进退。况且山东长期太平，人民不熟习战事。关西刚遭羌人侵扰，妇女都能持弓战斗，天下所畏惧的，没有超过并州、凉州的人以及羌、胡义从。而明公您却拥有这些人作为自己的爪牙，犹如驱赶老虎犀牛扑向犬羊，起动狂风横扫枯叶一样，谁敢抵抗！没有必要征召兵马来惊动天下，反而会把害怕当兵的人聚集起来为非作歹，抛弃德政倚仗兵众，这是自损威望。"董卓听完才高兴起来。

邑，在今山东金乡西北。㊿②济北：王国名，东汉和帝永元二年分泰山郡置。故治卢县，在今山东济南市长青区东南。453酸枣：县名，县治在今河南延津西南。454鲁阳：县名，县治在今河南鲁山县。455略不世出：谓谋略高出于世人。456辛亥：正月初十。457癸酉：正月壬寅朔，无癸酉。458郎中令：王国官名，掌王国大夫、郎中，负责宿卫，如朝廷之光禄勋。459西州：指凉州。460闲习：熟练。461袁本初：袁绍字本初。462张孟卓：张邈字孟卓。463长者：端庄忠厚者。464坐不窥堂：谓坐在堂内也不随便乱看，谓目不斜视。465孔公绪：孔伷字公绪。466清谈高论：谓善于空谈阔论。467嘘枯吹生：枯的能吹之使生。468军旅：军队、军事。469临锋决敌：谓冲锋陷阵与敌决胜负。470侪：同辈；同类。471王爵不加：指袁绍等人的官职不是由朝廷任命。472怙力：倚仗力量。473棋峙：谓如棋子之对峙，互不相下。474关西：泛指函谷关以西之地。475羌、胡义从：羌族及胡人之自愿归顺者，即归降者。476兕：犀牛。古籍中，兕与虎经常并提，为猛兽之代表。

【原文】

董卓以山东兵盛，欲迁都以避之，公卿皆不欲而莫敢言。卓表[477]河南尹朱儁为太仆，以为己副。使者召拜[478]，儁辞，不肯受，因曰："国家西迁，必孤[479]天下之望，以成山东之衅[480]，臣不知其可也。"使者曰："召君受拜而君拒之，不问徙事而君陈之，何也？"儁曰："副相国，非臣所堪也。迁都非计，事所急也。辞所不堪，言其所急，臣之宜也。"由是止不为副。

卓大会公卿议，曰："高祖都关中，十有一世，光武宫雒阳，于今亦十一世矣。按《石包谶》[481]，宜徙都长安，以应天人之意。"百官皆默然。司徒杨彪曰："移都改制，天下大事，故盘庚迁亳[482]，殷民胥怨[483]。昔关中遭王莽残破，故光武更都雒邑，历年已久，百姓安乐。今无故捐[484]宗庙，弃园陵，恐百姓惊动，必有糜沸[485]之乱。《石包谶》，妖邪之书，岂可信用！"卓曰："关中肥饶，故秦得并吞六国。且陇右材木自出，杜陵[486]有武帝陶灶[487]，并功营之，可使一朝而办。百姓何足与议！若有前却[488]，我以大兵驱之，可令诣沧海[489]。"彪曰："天下动之至易，安之甚难，惟明公虑焉。"卓作色[490]曰："公欲沮国计邪？"太尉黄琬曰："此国之大事，杨公之言，得无[491]可思！"卓不答。司空荀爽见卓意壮，恐害彪等，因从容言曰："相国岂乐此邪！山东兵起，非一日可禁，故当迁以图之，此秦、汉之势[492]也。"卓意小解。琬退，又为驳议。二月乙亥[493]，卓以灾异奏免琬、彪等，以光禄勋赵谦为太尉，太仆王允[494]为司徒。城门校尉伍琼、督军校尉[495]周毖固谏迁都，卓大怒曰："卓初入朝，二君劝用善士，故卓相从。而诸君到官，举兵相图，此二君卖卓，卓何用相负[496]！"庚辰[497]，收琼、毖，斩之。杨彪、黄琬恐惧，诣卓谢，卓亦悔杀琼、毖，乃复表彪、琬为光禄大夫。

卓征京兆尹盖勋为议郎。时左将军皇甫嵩将兵三万屯扶风[498]，勋密与嵩谋讨卓。会卓亦征嵩为城门校尉，嵩长史[499]梁衍说嵩曰："董卓寇掠京邑，废立从意，今征将军，大则危祸，小则困辱。今及卓在雒阳，天子来西，以将军之众迎接至尊，奉令讨逆，征兵群帅，袁氏[500]逼其东，

【语译】

董卓认为山东兵力强盛，想迁都避其锋芒，公卿大臣们都不愿意而没人敢说话。董卓上表推举河南尹朱儁为太仆，作为自己的副手。使者宣诏任命，朱儁推辞不肯接受，并趁机说："国都西迁，势必辜负天下人的希望，而且会促成山东的祸患，我不认为是可行的。"使者说："召您接受任命您却拒绝，没有询问您迁都的事您却加以陈述，这是为什么？"朱儁说："相国的副手，不是我能胜任的。迁都不是好主意，这是当务之急。我辞掉自己不能胜任的，陈述当前之所急，是我作为臣子的本分。"因此董卓作罢，不再让朱儁做自己的副手。

董卓召集公卿大臣商议，说："高祖建都关中，传世十一代，光武帝建都洛阳，至今也有十一代了。按照《石包谶》的说法，应迁都长安来应合天意民心。"百官全都默然无语。司徒杨彪说："迁都改制是国家大事，所以盘庚迁都亳邑，殷代的百姓都抱怨。此前关中地区遭到王莽的毁坏，所以光武帝改都雒邑，历时已久，百姓安居乐业。如今无故抛弃宗庙，抛弃先帝陵园，恐怕百姓惊骇骚动，势必引起天下混乱。《石包谶》是妖邪之书，怎么能采信！"董卓说："关中土地肥沃，所以秦国能吞并六国。况且陇右出产木材，杜陵有武帝时烧陶器的窑灶，加力经营，很快就能见成效。老百姓的议论不值得考虑！如果谁敢前来阻止，我用大兵驱赶，可以把他们赶进大海。"杨彪说："要天下动荡很容易，要天下安定很难，希望明公三思。"董卓脸色变了，说："你要败坏国家大计吗？"太尉黄琬说："这是国家大事，杨公的话，还是值得考虑！"董卓不回答。司空荀爽见董卓肝火正旺，恐怕他杀害杨彪等，因而和颜悦色地劝道："相国哪里乐意这样呢！只是山东兵起，不是一天两天能够平息的，所以应该迁都来对付他们，这和秦、汉建都关中的形势一样。"董卓的怒气稍微消退。黄琬退朝后，又上书反对。二月初五日乙亥，董卓用灾异为借口上奏罢免黄琬、杨彪等，任命光禄勋赵谦为太尉，太仆王允为司徒。城门校尉伍琼、督军校尉周毖坚决谏阻迁都，董卓大怒说："我当初入朝，二位劝我任用贤良的名士，所以我听从了。而这些人到任后，却起兵反对我，你们二位出卖我，我董卓没有对不起你们的地方！"初十日庚辰，董卓逮捕伍琼、周毖，杀了他们。杨彪、黄琬很害怕，到董卓那里谢罪，董卓也后悔杀死伍琼、周毖，才又上表任用杨彪、黄琬为光禄大夫。

董卓征召京兆尹盖勋为议郎。当时左将军皇甫嵩率领三万兵众屯驻扶风，盖勋秘密和皇甫嵩谋划征讨董卓。恰好董卓也正在征召皇甫嵩为城门校尉，皇甫嵩的长史梁衍劝皇甫嵩说："董卓抢劫京师，随意废立皇帝，现在征召将军，大则有祸，小则受辱。现在趁董卓还在洛阳，天子将西来，用将军的大军迎接天子，奉天子之命讨伐逆贼，征调各路统帅的兵马，袁氏从东面进攻董卓，将军您从西面进逼，将军迫其西，此成禽也。”嵩不从，遂就征。勋以众弱不能独立，亦还京师。卓以勋为越骑校尉㉛。河南尹朱儁为卓陈军事，卓折㉜儁曰：“我百战百胜，决之于心，卿勿妄说，且污我刀！”盖勋曰：“昔武丁之明，犹求箴谏㉝，况如卿者，而欲杜人之口乎！”卓乃谢之。

卓遣军至阳城㉞，值民会于社下㉟，悉就斩之，驾其车重㊱，载其妇女，以头系车辕㊲，歌呼还雒，云攻贼大获。卓焚烧其头，以妇女与甲兵㊳为婢妾。

丁亥㊴，车驾西迁。董卓收㊵诸富室，以罪恶诛之，没入其财物，死者不可胜计。悉驱徙其余民数百万口于长安，步骑驱蹙㊶，更相蹈藉㊷，饥饿寇掠，积尸盈路。卓自留屯毕圭苑㊸中，悉烧宫庙㊹、官府、居家，二百里内，室屋荡尽，无复鸡犬。又使吕布发诸帝陵及公卿以下冢墓，收其珍宝。卓获山东兵，以猪膏涂布十余匹，用缠其身，然后烧之，先从足起。

三月乙巳㊺，车驾入长安，居京兆府舍，后乃稍葺㊻宫室而居之。时董卓未至，朝政大小皆委之王允。允外相弥缝，内谋王室㊼，甚有大臣之度，自天子及朝中皆倚允。允屈意承㊽卓，卓亦雅信焉。

【段旨】

以上为第九段，写董卓胁迫献帝西迁长安，火烧洛阳，东汉二百年帝京，成了一片废墟。

【注释】

⑰表：上表举荐。⑱召拜：诏命宣召授官。⑲孤：辜负。⑳衅：罪孽；灾祸。㉑《石包谶》：当时的一种谶纬书。㉒盘庚迁亳：盘庚，殷商国王，汤之第九代孙。即位后，曾将国都从河北迁到河南之亳，在今河南洛阳市偃师区西。㉓胥怨：皆怨。㉔捐：遗弃。㉕糜沸：粥在锅中沸腾。用以比喻动乱纷扰。㉖杜陵：县名，县治在今陕西西安东南。因汉宣帝筑杜陵于此，故名。㉗陶灶：烧制陶器的窑灶。㉘前却：挡在前面阻止。㉙可令诣沧海：可以使他们赴汤蹈海，谓暴力可使百姓不敢避险难。这里指把百姓赶下海。㉚作色：变脸色。㉛得无：能不。㉜秦、汉之势：指秦、汉建都关中，即因山

这样一定能抓获董卓。”皇甫嵩不听，于是接受征召。盖勋因兵弱势孤，不能独自行动，也返回京师。董卓任命盖勋为越骑校尉。河南尹朱儁向董卓陈说军事，董卓驳斥朱儁说：“我百战百胜，内心已经决定，你不要胡说，免得你的血玷污了我的刀!”盖勋说：“从前武丁那样圣明，还征求别人的意见，何况像您这样的人，反而要堵塞别人的口!”董卓于是向他道歉。

董卓派军队到阳城，正值百姓在社下祭祀，就把他们全杀掉，驾着他们的辎重车辆，装上抢掠的妇女，把被杀人的头颅绑在车辕上，歌唱呼喊着返回洛阳，扬言攻打叛贼大获全胜。董卓焚烧这些头颅，把妇女配给兵士做婢妾。

二月十七日丁亥，天子西迁。董卓收捕众富豪，假借罪名杀了他们，没收他们的财产，死的人不计其数。董卓驱赶剩余的几百万人迁往长安，步兵骑兵裹胁逼迫，人马互相践踏，加上饥饿和抢夺，尸体堆满道路。董卓自己留屯毕圭苑中，焚烧所有的宫殿、陵庙、官府、民房，洛阳方圆二百里内，屋室尽毁，鸡犬不留。又派吕布挖掘各皇帝的陵墓和公卿大臣以下的坟墓，搜集墓中珍宝。董卓擒获山东的士兵，用猪油涂在十几匹布上，把它裹在俘虏的身上，然后从脚下点火，活活烧死他们。

三月初五日乙巳，天子进入长安，暂住在京兆尹的府衙，后来把宫室稍加修整后才迁入。此时董卓还没有到长安，朝政大小事都由王允处置。王允对外协调各方，对内为王室谋划，颇有大臣风度，从天子到百官都依靠他。王允曲意奉承董卓，董卓也很信任他。

河形势以制天下。㊾③乙亥：二月初五。㊾④王允：字子节，太原祁县（今属山西）人，官至司徒。初平三年，与士孙瑞、吕布密谋诛杀了董卓。随后为卓将李傕等所害。㊾⑤督军校尉：统兵之中级将领。㊾⑥何用相负：犹言没有什么对不起你们的。㊾⑦庚辰：二月初十。㊾⑧扶风：右扶风，汉代三辅之一。东汉时治所在槐里，在今陕西兴平东南。㊾⑨长史：官名，为将军之属官，职责是总理将军幕府亭。500袁氏：指袁绍。501越骑校尉：官名，东汉北军五校尉之一，掌宿卫兵。502折：屈服。503武丁之明二句：胡三省注谓“武丁”为“武公”传写之误。武公指春秋时卫武公。卫武公已九十五岁，还向国人征求警戒之言。事见《国语·楚语上》。504阳城：县名，县治在今河南登封东南。505社下：祭祀土地神的处所。社，土地神。506车重：装有货物的车。507辕：车前驾牲畜的直木。508甲兵：穿甲胄的士兵。509丁亥：二月十七日。510收：收捕。511驱蹙：驱赶逼迫。512蹈藉：践踏。513毕圭苑：东汉皇家苑林之一。故址在今河南洛阳东。514宫庙：宫室宗庙。515乙巳：三月初五。516葺：修补房屋。517外相弥缝二句：谓王允表面上对董卓敷衍搪塞，暗中却为王室谋划。518承：奉承。

【原文】

董卓以袁绍之故，戊午[519]，杀太傅袁隗[520]、太仆袁基[521]，及其家尺口[522]以上五十余人。

初，荆州刺史王睿与长沙太守孙坚共击零、桂[523]贼，以坚武官，言颇轻之。及州郡举兵讨董卓，睿与坚亦皆起兵。睿素与武陵太守曹寅不相能[524]，扬言当先杀寅。寅惧，诈作按行使者[525]檄[526]移坚，说睿罪过，令收，行刑讫，以状上[527]。坚承檄，即勒兵袭睿。睿闻兵至，登楼望之，遣问"欲何为?"坚前部答曰:"兵久战劳苦，欲诣使君[528]求资直[529]耳。"睿见坚，惊曰:"兵自求赏，孙府君[530]何以在其中?"坚曰:"被使者檄诛君!"睿曰:"我何罪?"坚曰:"坐[531]无所知!"睿穷迫，刮金饮之而死。坚前至南阳[532]，众已数万人。南阳太守张咨不肯给军粮，坚诱而斩之，郡中震栗[533]，无求不获。前到鲁阳[534]，与袁术合兵。术由是得据南阳，表坚行破虏将军、领豫州刺史。

诏以北军中候[535]刘表[536]为荆州刺史。时寇贼纵横，道路梗塞，表单马入宜城[537]，请南郡[538]名士蒯良、蒯越[539]，与之谋曰:"今江南宗贼[540]甚盛，各拥众不附。若袁术因之，祸必至矣。吾欲征兵，恐不能集，其策焉出?"蒯良曰:"众不附者，仁不足也；附而不治者，义不足也。苟仁义之道行，百姓归之如水之趣下，何患征兵之不集乎!"蒯越曰:"袁术骄而无谋，宗贼帅多贪暴，为下所患。若使人示之以利，必以众来。使君诛其无道，抚而用之，一州之人有乐存之心，闻君威德，必襁负[541]而至矣。兵集众附，南据江陵[542]，北守襄阳[543]，荆州八郡[544]可传檄而定，公路[545]虽至，无能为也。"表曰:"善!"乃使越诱宗贼帅，至者五十五人，皆斩之而取其众。遂徙治襄阳[546]，镇抚郡县，江南悉平。

董卓在雒阳，袁绍等诸军皆畏其强，莫敢先进。曹操曰:"举义兵以诛暴乱，大众已合，诸君何疑!向使[547]董卓倚王室，据旧京，东向以临天下，虽以无道行之，犹足为患。今焚烧宫室，劫迁天子，海内震动，不知所归，此天亡之时也，一战而天下定矣!"遂引兵西，将据成皋[548]，张邈遣将卫兹分兵随之。进至荥阳[549]汴水[550]，遇卓将玄菟徐荣，

【语译】

董卓因为袁绍起兵，三月十八日戊午，杀了太傅袁隗、太仆袁基及其家中婴孩以上五十多人。

当初，荆州刺史王睿与长沙太守孙坚一起攻打零陵、桂阳的贼党，王睿认为孙坚是一介武夫，话语中十分轻蔑他。到了各州郡起兵讨伐董卓时，王睿与孙坚也都起兵。王睿一向与武陵太守曹寅不和，扬言要首先杀死曹寅。曹寅很害怕，伪造一份按行使者的檄文给孙坚，列述王睿的罪过，令孙坚逮捕王睿，先斩后奏。孙坚接到檄文，立刻率兵袭击王睿。王睿听到孙坚的军队到达，登上城楼察看，派人询问："想要干什么？"孙坚的前锋部队回答说："士兵们长久作战非常辛苦，想来见您使君讨生活费用。"王睿看到孙坚，惊讶地说："士兵们自己来求赏，孙府君为何在当中？"孙坚说："受使者的檄文来诛杀你！"王睿说："我犯了什么罪？"孙坚说："犯了无知之罪！"王睿陷于穷途末路，只好刮下金屑吞饮而死。孙坚前进到南阳，部众已有几万人。南阳太守张咨不肯供给军粮，孙坚把张咨诱出杀死，郡中惊恐，没有要求不能满足的。孙坚又前进到鲁阳，与袁术兵合一处。因此袁术得据南阳，上表举荐孙坚为破虏将军，兼豫州刺史。

朝廷诏令北军中侯刘表为荆州刺史。此时寇贼横行，道路不通。刘表单骑进入宜城，邀请南郡的名士蒯良、蒯越，与他们谋划，刘表说："现今江南宗族贼党，势力强盛，各自拥兵不归附。如果袁术利用他们，必然大祸临头。我想征召兵马，担心召集不来，有什么办法呢？"蒯良说："民众不归附，是因为仁德不足；归附后不能治理，是因为恩义不足。如果推行仁义之道，百姓归顺就如同水往下流，怎么还怕征召不到兵员呢！"蒯越说："袁术骄横而无谋略，宗族贼帅大多贪婪残暴，成为部下的祸害。如果派人以利来引诱他们，一定会率众前来。使君你诛杀其中的无道恶徒，安抚后加以任用，州内百姓都想安居生存，听说使君你的威望德行，一定背负子女来投奔。兵马聚集民众归附，南据江陵，北守襄阳，这样荆州境内的八郡只要一纸檄文便可平定，袁术即使赶来，他也无能为力了。"刘表说："好！"于是派蒯越引诱宗族贼首领，来了五十五人，刘表把他们全部杀掉，并收编了他们的部众。于是将荆州治所迁到襄阳，镇压各郡县的叛乱，安抚百姓，江南全部平定。

董卓在洛阳，袁绍等各军都畏惧他的强大，没有人敢先进兵。曹操说："兴起义兵，诛除暴乱，大军已联合，诸位还迟疑什么！假如当初董卓倚仗王室，据守旧京，东向进兵来控制天下，尽管他行政无道，仍然会成为一大祸害。如今他焚烧宫殿房屋，劫持天子西迁，天下震动，百姓不知所从，这是上天要灭绝董卓的时机，一战就可以平定天下了！"于是曹操率兵西进，打算占领成皋，张邈派卫兹率兵跟随。进军到荥阳汴水，遭遇了董卓部将玄菟人徐荣，和他交战，曹操兵败，被流箭射中，

与战，操兵败，为流矢所中，所乘马被创[551]。从弟洪以马与操，操不受。洪曰："天下可无洪，不可无君。"遂步从操，夜遁去。荣见操所将兵少，力战尽日，谓酸枣未易攻也，亦引兵还。

操到酸枣，诸军十余万，日置酒高会，不图进取。操责让[552]之，因为谋曰："诸君能听吾计，使勃海[553]引河内之众临孟津[554]，酸枣诸将守成皋，据敖仓[555]，塞轘辕、太谷[556]，全制其险，使袁将军[557]率南阳之军军丹、析[558]，入武关[559]，以震三辅[560]，皆高垒深壁，勿与战，益[561]为疑兵[562]，示天下形势，以顺诛逆，可立定也。今兵以义动，持疑不进，失天下望，窃为诸君耻之。"邈等不能用。操乃与司马[563]沛国夏侯惇[564]等诣扬州[565]募兵，得千余人，还屯河内。

顷之，酸枣诸军食尽，众散。刘岱与桥瑁相恶，岱杀瑁，以王肱领东郡太守。青州刺史焦和亦起兵讨董卓，务及诸将[566]西行，不为民人保障。兵始济河[567]，黄巾已入其境。青州素殷实，甲兵甚盛。和每望寇奔北[568]，未尝接风尘，交旗鼓[569]也。性好卜筮[570]，信鬼神，入见其人，清谈干云[571]，出观其政，赏罚淆乱，州遂萧条，悉为丘墟。顷之，和病卒，袁绍使广陵臧洪[572]领[573]青州以抚之。

夏，四月，以幽州牧刘虞为太傅，道路壅塞，信命[574]竟不得通。先是，幽部应接[575]荒外[576]，资费甚广，岁常割青、冀赋调[577]二亿有余[578]以足之。时处处断绝，委输[579]不至，而虞敝衣绳屦[580]，食无兼肉，务存宽政，劝督农桑，开上谷胡市[581]之利，通渔阳[582]盐铁之饶，民悦年登，谷石[583]三十[584]，青、徐士庶避难归虞者百余万口，虞皆收视[585]温恤[586]，为安立生业，流民皆忘其迁徙焉。

五月，司空荀爽薨。六月辛丑[587]，以光禄大夫种拂[588]为司空。拂，邵之父也。

董卓遣大鸿胪韩融、少府阴脩、执金吾胡毋班、将作大匠[589]吴脩、越骑校尉王瓌安集关东，解譬[590]袁绍等。胡毋班、吴脩、王瓌至河内，袁绍使王匡悉收系[10]杀之。袁术亦杀阴脩，惟韩融以名德免。

董卓坏五铢钱[591]，更铸小钱，悉取雒阳及长安铜人[592]、钟虡[593]、飞廉[594]、铜马之属以铸之，由是货贱[595]物贵，谷石至数万钱。

他骑的马也受了伤。堂弟曹洪把自己的乘马给曹操，曹操不接受。曹洪说："天下可以没有曹洪，但不能没有你。"曹洪于是步行跟随曹操，趁夜逃走。徐荣见曹操所率领的兵很少，却苦战了一整天，认为酸枣不容易攻取，也就率兵撤退。

曹操回到酸枣，见各路军队十多万人，天天置酒宴会，不思进取。曹操便责备他们，同时献计说："诸位若能听从我的计谋，请勃海太守袁绍率领河内之军前进到孟津，酸枣各将据守成皋，占领敖仓，封锁轘辕、太谷关口，控制全部险要之地，让袁术将军率领南阳之军驻屯丹水、析县，进攻武关，用以威慑三辅地区，各军都高筑壁垒，不与董卓交战，广设疑兵，向他们晓以天下形势，以顺天应人之师讨伐叛逆，这样很快就可以平定了。如今我们因道义而起兵，却迟疑不前，使天下失望，我为诸位感到羞耻。"张邈等不采纳。曹操于是和司马沛国人夏侯惇等到扬州招募兵马，获得一千多人，返回驻守河内。

不久，酸枣各军粮尽四散。刘岱和桥瑁交恶，刘岱杀了桥瑁，命王肱兼领东郡太守。青州刺史焦和也起兵征讨董卓，他急于进军想赶上酸枣的各路将领一起西征，不保障青州百姓的安全。青州军刚刚渡过黄河，黄巾军就进入青州境内。青州一向富庶，军力强大。可是焦和一见到贼寇就逃跑，从不与对方交战。他生性喜欢占卜，迷信鬼神，内观其人，喜欢高谈阔论，外察其政，赏罚混乱，致使青州萧条衰落，全境成为废墟。不久，焦和病死，袁绍派广陵人臧洪兼治青州以安抚百姓。

夏，四月，朝廷任命幽州牧刘虞为太傅，由于道路阻断，使者和诏令竟不能到达。先前，幽州要照应接济边远地区，所需费用很多，每年都要从青、冀二州的赋税中拨出两亿多来补充幽州的不足。此时处处隔绝，财物运送不进来，甚至刘虞本人也穿破衣草鞋，吃饭也只有一道肉食，却仍然尽力于推行宽厚的政治，鼓励百姓从事农桑，开放上谷的关市与胡人做生意，发展渔阳郡的盐、铁生产，百姓欢悦，粮食丰收，每石谷价只有三十钱，青、徐二州为避战乱投奔刘虞的难民有一百多万人，刘虞全部收容照顾，体贴抚慰，使他们安家立业，流民都忘记了自己是逃亡在外。

五月，司空荀爽去世。六月辛丑日，任命光禄大夫种拂为司空。种拂，是种卲的父亲。

董卓派大鸿胪韩融、少府阴脩、执金吾胡毋班、将作大匠吴脩、越骑校尉王瓌安抚关东、晓谕袁绍等。胡毋班、吴脩、王瓌到了河内，袁绍派王匡把他们全部收捕杀掉。袁术也杀了阴脩，只有韩融因德高望重得免。

董卓毁废五铢钱，改铸小钱，全部收缴洛阳和长安的铜人、钟架、飞廉、铜马之类的器物来改铸，因此货币贬值，物价腾贵，每石谷价高达数万钱。

冬，孙坚与官属会饮于鲁阳城东，董卓步骑数万猝至。坚方行酒，谈笑，整顿部曲⑤⑨⑥，无得妄动。后骑渐益，坚徐罢坐，导引入城，乃曰：“向坚所以不即起者，恐兵相蹈藉，诸君不得入耳。”卓兵见其整，不敢攻而还。

王匡屯河阳津⑤⑨⑦，董卓袭击，大破之。

左中郎将⑤⑨⑧蔡邕⑤⑨⑨议：“孝和以下庙号称宗者，皆宜省去，以遵先典。”从之。

中郎将徐荣荐同郡故冀州刺史公孙度⑥⓪⓪于董卓，卓以为辽东太守。度到官，以法诛灭郡中名豪大姓百余家，郡中震栗。乃东伐高句骊⑥⓪①，西击乌桓，语所亲吏柳毅、阳仪等曰：“汉祚将绝，当与诸卿图王[11]耳。”于是分辽东为辽西、中辽郡，各置太守，越海收东莱⑥⓪②诸县，置营州刺史。自立为辽东侯、平州⑥⓪③牧，立汉二祖⑥⓪④庙，承制⑥⓪⑤郊祀天地⑥⓪⑥，藉田⑥⓪⑦，乘鸾路⑥⓪⑧，设旄头⑥⓪⑨、羽骑⑥①⓪。

【段旨】

以上为第十段，写董卓西迁后，关东诸侯散归各自领属的州郡，互相征伐，初步形成军阀混战的态势。

【注释】

⑤①⑨戊午：三月十八日。⑤②⓪袁隗：字次阳，袁绍叔父，献帝初任太傅。由于袁绍、袁术起兵讨董卓，卓于是诛杀袁隗及在京袁氏家族。其事散见《后汉书》卷六十九《何进传》、《三国志》卷六《魏书·袁绍传》等。⑤②①袁基：袁术之兄。其事散见《后汉书》卷四十五《袁京传》等。⑤②②尺口：指婴儿。⑤②③零、桂：指零陵、桂阳二郡。零陵郡治所泉陵，在今湖南零陵。桂阳郡治所郴县，在今湖南郴州。⑤②④不相能：不兼容。⑤②⑤按行使者：中央临时派到地方巡察的官员。⑤②⑥檄：古代官文书之一种。⑤②⑦以状上：指曹寅要孙坚把诛杀王睿的情况向朝廷奏报。上，上奏。⑤②⑧使君：汉代人称州、郡长官为使君。⑤②⑨资直：衣食之值。指生活费用。⑤③⓪府君：汉代人称郡守为府君。⑤③①坐：获罪。⑤③②南阳：郡名，故治宛县，在今河南南阳。⑤③③震栗：恐惧而颤抖。⑤③④鲁阳：县名，故治在今河南鲁山。⑤③⑤北军中侯：官名，职责是监督北军五营。⑤③⑥刘表（公元一四二至二〇八年）：字

冬，孙坚正与部属在鲁阳城东饮酒聚会，董卓的几万步兵骑兵突然来到。孙坚正在巡回敬酒，仍谈笑风生，同时整饬部队，不许轻举妄动。后来敌骑逐渐增加，孙坚才慢慢离开座位，引导部队进城，这时才说："刚才我不立即起身的原因，是恐怕士兵因惊慌而互相践踏，诸位进不了城。"董卓的部队看到孙坚部队军容整齐，不敢进攻就撤退了。

王匡驻守河阳津，董卓来袭击，大败王匡。

左中郎将蔡邕建议："从孝和帝以后庙号称宗的，都应省去，以遵守先贤的典制。"献帝同意了。

中郎将徐荣把同郡人前冀州刺史公孙度推荐给董卓，董卓委任他为辽东太守。公孙度上任后，依法诛杀了郡中名豪大姓一百多家，全郡震惊。然后东征高句丽，西击乌桓，对他亲信的官吏柳毅、阳仪等说："汉朝将亡，我应和诸位图谋王业了。"于是分辽东为辽西、中辽郡，各设立太守，又跨海占领东莱各县，设置营州刺史。公孙度自立为辽东侯、平州牧，建立汉高祖、汉世祖的宗庙，假借皇帝的名义在郊外祭祀天地，举行藉田礼，乘坐鸾车，设立旄头、羽林骑等仪仗。

景升，东汉皇族之远支，后据有荆州。病死后子琮降于曹操。传见《三国志》卷六、《后汉书》卷七十四下。㊲宜城：县名，县治在今湖北宜城南。㊳南郡：治所江陵，在今湖北江陵。㊴蒯良、蒯越：东汉末，两人为荆州牧刘表谋士。良字子柔，中庐（今湖北南漳）人。越字异度，助刘表平定荆州。曹操平定荆州，以越为光禄勋，并封侯。㊵宗贼：指由强宗豪族及其依附农民组成的与政府对抗的武装集团。㊶襁负：谓用襁褓背负小儿。㊷江陵：县名，故治在今湖北江陵。㊸襄阳：县名，属南郡，县治在今湖北襄阳。㊹荆州八郡：南阳郡、南郡、江夏郡、零陵郡、桂阳郡、长沙郡、武陵郡、章陵郡。㊺公路：袁术字公路。㊻徙治襄阳：荆州治所此前在武陵之汉寿（今湖南常德西），刘表始徙于襄阳。㊼向使：假使。㊽成皋：县名，故治在今河南荥阳西北。㊾荥阳：县名，县治在今河南荥阳东北。㊿汴水：流经荥阳县。551被创：受伤。552责让：责备。553勃海：指袁绍。袁绍当时为勃海太守。554孟津：古黄河渡口名，东汉在此置关。在今河南孟州南。555敖仓：地名，在荥阳西北山上，临黄河，有大仓，名敖仓。556轘辕、太谷：均关名，在洛阳东南险要之地。轘辕关在今河南洛阳市偃师区东南，太谷关在今洛阳东南。557袁将军：指袁术。此时袁术为后将军。558丹、析：丹水县与析县。丹水县治所在今河南淅川县西，析县治所在今河南西峡县。559武关：在今陕西商洛，北接高山，南临绝涧，自古以来为兵家必争之地。560三辅：地区名，西汉称京兆尹、左冯翊、右扶

风为三辅，相当于以今西安为中心的陕西中部地区。东汉虽建都洛阳，而以三辅陵庙所在，不改其名，仍称三辅。561 益：增加。562 疑兵：用以迷惑敌人的军队。563 司马：官名，统兵将领之属官，综理军府事，并参与军事谋划。564 夏侯惇：字子让，沛国谯县（今安徽亳州）人，曹操之主要将领，官至大将军。传见《三国志》卷九。565 扬州：州名，汉武帝置十三部州之一。东汉治所历阳，在今安徽合肥西，末年移治寿春，在今安徽寿县。三国时魏、吴各置扬州。魏扬州治寿春。吴扬州治建业，在今江苏南京。此时州治在历阳。566 务及诸将：谓力求赶上在酸枣的诸将领。567 河：黄河。568 奔北：败逃。569 接风尘二句：指与对方接触交战。570 卜筮：古代用龟甲和蓍草占卜以预测吉凶的方法。用龟甲称卜，用蓍草称筮。571 清谈干云：谓极善高谈阔论。572 臧洪：字子源，以义气著称。东汉末，洪为广陵太守张超功曹，劝张超征讨董卓，关东诸侯定盟，洪为司仪，宣读誓词，慷慨激昂。后为袁绍定青州，转东郡太守。曹操围攻张超，洪向袁绍请兵救超，绍不允，洪于是反叛袁绍，被袁绍所杀。绍失臧洪，自毁长城。传见《三国志》卷七、《后汉书》卷五十八。573 领：兼任。574 信命：信使传达之王命。575 应接：照应；照顾。576 荒外：谓八荒之外，亦即边远之地。577 赋调：赋税。578 二亿有余：二亿多钱。579 委输：运送。以物置于车船上称委，再转运到他处交卸称输。580 绳屦：粗制鞋。581 胡市：与少数民族交易之市。582 渔阳：郡名，故治在今北京市密云西南。583 石：汉代容量名，十斗为一石，与斛同。584 三十：指三十枚五铢钱。585 收视：收容照顾。586 温恤：体贴抚慰。587 辛丑：六月己巳朔，无辛丑。588 种拂：字颍伯。传见《后汉书》卷五十六。589 将作大匠：官名，掌宫室、宗庙、陵墓及其他土木营建。590 解譬：劝解晓谕。591 五铢钱：汉代自武帝后长期使用的钱币，重五铢，故名。铢，汉重量单位，二十四铢为一两。592 铜人：指秦始皇所铸之铜人。593 钟虡：钟和钟架，架上多以猛兽为装饰，皆为铜制。594 飞廉：古代传说中的神禽，多以铜铸，作为摆设或装饰物。595 货贱：货币贬值。596 部曲：部队。597 河阳津：孟津。598 中郎将：官名，东汉位次于将军的统兵将领。599 蔡邕：字伯喈，陈郡圉县（今河南杞县南）人，东汉末著名文学家、书法家。灵帝时为议郎，校书东观。董卓入京，重其才，举高第。王允诛卓，以邕为卓党被捕，死于狱中。传见《后汉书》卷六十下。600 公孙度：字升济。传见《三国志》卷八。601 高句骊：朝鲜古国名，亦作“高句丽”“高丽”“高骊”。602 东莱：郡名，治所黄县，在今山东龙口东。603 平州：平州及上述辽西、中辽郡，皆公孙度自置，均在辽东郡内。604 二祖：指高祖刘邦及世祖刘秀。605 承制：秉承皇帝命令，打皇帝旗号。606 郊祀天地：古代帝王在郊外祭祀天地的大典。607 藉田：古代天子、诸侯征用民力所耕之田。而每年春天，天子、诸侯例至田中亲耕，以示重视农业。608 鸾路：鸾辂。为天子所乘之车。路，通“辂”。609 旄头：皇帝出行时，羽林骑兵披发先驱，称为旄头。610 羽骑：羽林骑兵。

【校记】

［10］系：原作“击”。据章钰校，甲十一行本、乙十一行本皆作“系”，张瑛《通鉴校勘记》同，今据改。［11］王：原作“正”。据章钰校，甲十一行本、乙十一行本、孔天胤本皆作“王”，熊罗宿《胡刻资治通鉴校字记》同，今据改。

【研析】

本卷研讨东汉末大军阀董卓窃国乱政、祸害两京带给人们的历史思考。

董卓字仲颖，陇西郡临洮县（今甘肃岷县）人。临洮为陇西郡南部都尉治，在西汉时是一个防御羌人的边陲重镇。这一带地理形势山高水险，本是羌中之地。这里的人民与羌人交接，骑马弯弓，养成了勇武剽悍的习性。董卓就是在这样的地理环境和社会习俗中成长起来的一个雄略人物。

董卓出身于一个武官家族。他父亲董君雅是颍川纶氏县尉。县尉领县兵，维持地方治安。董卓生来力大体壮，有一副好身躯，粗猛有谋。史称他“膂力过人，双带两鞬，左右驰射，为羌胡所畏”(《后汉书·董卓传》)。他青年时游历羌中，尽与羌豪相结，精通羌胡事，被羌胡人视为豪侠好汉。董卓成为大军阀，他的基干队伍就是以羌胡为主体的凉州兵。公元一八四年黄巾大起义，董卓被起用为东中郎将，与北中郎将卢植并击河北、山东黄巾。公元一八五年董卓被任为破虏将军，受司空张温节制，西征韩遂。汉军六路征讨，五路皆败，董卓独全众而返，屯驻扶风，拜为前将军。公元一八九年，灵帝征董卓为少府，要他交出兵权，董卓抗旨不就。灵帝无奈，只好调派他做并州刺史，而董卓仍不交出凉州兵，以前将军头衔拥众驻屯河东观变。当年四月灵帝死，太子刘辩即位，年十七，史称少帝，朝廷大权旁落外戚何进。何进任大将军，与袁绍谋诛宦官，而何进无能，擅召董卓入京相助，实际上是引狼入室，给早就怀有异心的董卓创造了千载难逢的好时机。宦官闻讯，抢先下手杀了何进，袁绍兵围皇宫，尽诛宦官。董卓身经百战，当时东汉朝廷里，没有一个将军是他的对手，因镇压黄巾而负有盛名的两个中郎将皇甫嵩和朱儁都十分害怕董卓，听任摆布，于是董卓不把任何朝官放在眼里。

董卓入洛，步骑不过三千。当时京师官兵甚盛，司隶校尉袁绍拥有西园八校尉禁军的指挥权，当时曹操是八校尉之一，任典军校尉。大将军何进被宦官杀了以后，何氏部曲为后将军袁术所控制。济北相鲍信又募来一支山东兵，执金吾丁原有骁将吕布。这些力量合起来十倍于董卓而有余。董卓觉察自己势单力弱，他隔四五天就将部众在夜里暗地派出军营，天明又大张旗鼓而还，造成援军不断入京的假象。董卓这一手竟镇住了一时人杰袁绍、袁术、曹操等人，纷纷逃出京师，禁军及何进部曲统归于卓。曹操欲刺杀董卓，卓防范严密，不得下手，董卓又离间丁原部曲，收买吕布为义子，使吕布杀丁原而并其众，于是董卓势力大盛。

董卓的政治手腕也不凡，且雄略过人。他进兵洛阳，冠冕堂皇发表清君侧诛讨宦官的表章，争取舆论，但是未等董卓入京，二袁已诛除了宦官，少帝派公卿去阻止董卓入京，董卓趁此威迫公卿大臣，堂而皇之施以强权。他对公卿大臣说："诸公大人不能匡正王室，致使国家倾危，有什么资格来阻止我进京！"俗话说：来者不善。董卓入洛，他办的第一件事就是废了少帝，更立少帝弟陈留王刘协为献帝，控制皇权。当时献帝只有九岁，成为董卓任意摆弄的傀儡。他毫不手软地杀害何太后，拔掉了朝官和名士所凭借的旗帜。与之同时，董卓外示宽柔，起用党人名士做朝官，外放大臣为牧伯太守，平反党人冤狱，"以从人望"（《后汉书·董卓传》）。董卓自为太尉，统掌兵权，以朱儁为副，但不让他掌握一兵一卒。

关西是董卓的根本。董卓挟天子以令诸侯，招抚了凉州的马腾、韩遂，又征召了关中潜在的政敌皇甫嵩和京兆尹盖勋。左将军皇甫嵩屯驻扶风，有雄兵三万。盖勋鼓动皇甫嵩起兵响应关东军夹击董卓。本来皇甫嵩的兵谋比董卓还高一筹。但皇甫嵩雄略不足以驾驭董卓，他乖乖地交出了兵权，到洛阳去做城门校尉。董卓为了屈服皇甫嵩，先给了他一个下马威，逮捕皇甫嵩入狱，然后放出来用为御史中丞。盖勋孤掌难鸣，也只好接受征召，到洛阳去任越骑校尉。这样董卓就有了一个安定的后院。公元一九〇年，关东诸侯起兵讨董卓，于是董卓挟持献帝，迁都到长安。

董卓完成废帝更立后，大权在握，自为相国，入朝时可以带剑穿鞋上殿，朝见皇帝也可以大摇大摆慢步行进。东汉两百年承平，京师贵戚宅地相望，金帛财物，家家殷实。董卓放纵士兵剽掳，随意抄没，淫掠妇女，叫作"搜牢"，意思是牢固封藏的财物也要搜索出来。何太后合葬灵帝文陵，董卓趁机掠取陵中随葬珍宝，又"奸乱公主，妻略宫人"，严刑胁众，公报私仇，国家法纪全被践踏。董卓公开宣言，"我的面相，无比尊贵"（《董卓传》裴注引《魏书》）。由于关东兵起，才未能篡逆。

董卓退出洛阳，挟帝西迁，更加暴露了他的凶残本性。他发掘了诸帝陵寝及公卿冢墓，收其珍宝。董卓是中国历史上最大的盗墓贼。董卓还把洛阳及其周围二百里内几百万居民驱赶入关中，将房屋烧光，鸡犬杀尽。被驱赶的人民，沿途缺粮，更遭野蛮的凉州兵的践踏和抢掠，死亡无算，积尸满路，史称"旧京空虚，数百里中无烟火"（《孙坚传》裴注引《江表传》）。作为东汉两百年政治、经济、文化中心的巍峨帝京，成了一片瓦砾场。接着，董卓又把关中弄得残破不堪，他大肆搜刮，敲剥黎民。筑坞于郿县，高厚七丈，与长安城等，号曰"万岁坞"，积屯了三十年的军粮，珍藏黄金二三万斤，银八九万斤，绫锦绸缎堆积如山。董卓得意洋洋地声称："事成，雄居天下；不成，守此足以毕老。"（《汉书·董卓传》）足以看出，董卓把个人的荣辱，完全建立在千百万人的尸骨上。

董卓为了满足他无止境的贪欲，还椎破了秦时所铸的铜人，又毁坏了汉时流行的五铢钱，更铸小钱，造成物价飞涨，米谷一斛数十万。平民百姓又蒙受了一层灾害。

公元一九二年四月，司徒王允利用吕布与董卓的矛盾，谋杀了董卓。长安士女出卖衣装首饰，沽酒相庆。士卒皆呼万岁，百姓歌舞于道。董卓肥大的尸体在街头示众，守尸的士兵用草绳盘结在卓尸肚脐上，点燃做灯，光明达旦，一直到整个尸体成了一堆灰烬。一代穷凶极恶的祸国大盗，终于被钉在历史的耻辱柱上而遗臭万年。

董卓出现于历史舞台，是一个惨重的历史教训。它说明了如果人民革命没有能够推翻极度腐朽的专制政权，那就必然要产生像董卓这样穷凶极恶的军阀来割据、操纵政权。这样生灵遭涂炭，也就是在劫难逃了。古今中外的军人政变、军阀割据，无一不是产生在极度腐朽的专制政权之下。君权专制制度不除，“董卓”不死。中国两千年的封建社会，不知产生了几多“董卓”。因此，剖析董卓，不只是研究三国史，而且也是剖析中国封建专制制度弊病的一个典型事例，是很有意义的。

卷第六十　汉纪五十二

起重光协洽（辛未，公元一九一年），尽昭阳作噩（癸酉，公元一九三年），凡三年。

【题解】

本卷记事起公元一九一年，迄公元一九三年，凡三年，当汉献帝初平二年到初平四年。三年间时局大乱。窃国大盗董卓被关东军驱逐出洛阳，西走长安，为王允所诛灭。凉州兵团残余李傕、郭汜兵入长安杀王允，西京又遭浩劫。两汉帝京长安、洛阳，惨遭凉州兵团荼毒，成了一片废墟。随着天子西迁，朝纲坠地，关东诸侯互相残杀兼并，中原大混战方兴未艾。河南河北，江淮徐扬，四处烽烟。三年混战，袁绍据冀州，陶谦据徐州，曹操据兖州，袁术据淮南，公孙度据辽东，刘焉据益州，公孙瓒火并刘虞得幽州。孙坚死，刘表稳坐荆州。汉末军阀割据，初具格局。

【原文】

孝献皇帝乙

初平二年（辛未，公元一九一年）

春，正月辛丑①，赦天下。

关东诸将议：以朝廷②幼冲③，迫[1]于董卓，远隔关塞④，不知存否。幽州牧刘虞，宗室贤俊，欲共立为主。曹操曰："吾等所以举兵而远近莫不响应者，以义动⑤故也。今幼主微弱，制于奸臣，非有昌邑⑥亡国之衅⑦，而一旦改易，天下其孰安之！诸君北面⑧，我自西向⑨。"韩馥、袁绍以书与袁术曰："帝非孝灵子，欲依绛、灌⑩诛废少主、迎立代王故事，奉大司马虞为帝。"术阴有不臣之心，不利国家有长君，乃外托公义以拒之。绍复与术书曰："今西名有幼君，无血脉之属⑪。公卿以下皆媚事卓，安可复信！但当⑫使兵往屯关要，皆自蹙死⑬；东立圣君，

【语译】

孝献皇帝乙

初平二年（辛未，公元一九一年）

春，正月初六日辛丑，大赦天下。

关东地区的诸位将领商议，认为天子年幼，受到董卓胁迫，被关塞远隔，不知生死。幽州牧刘虞，是宗室里贤明俊逸之士，众将领打算共同拥立他为天子。曹操说："我们之所以起兵而远近没有不起来响应的，是以道义行动的缘故。如今幼主柔弱，受制于奸臣，并没有犯下昌邑王刘贺那样亡国的过错，而一旦改立君主，天下人谁能心安呢！诸位向北迎立刘虞，我自向西侍奉天子。"韩馥、袁绍写信给袁术说："皇帝不是孝灵帝的儿子，想按照绛侯周勃和灌婴废黜少主、迎立代王的先例，拥戴大司马刘虞为皇帝。"袁术暗怀称帝的野心，国家有了年长的皇帝对自己不利，表面上以君臣大义拒绝了韩馥和袁绍的建议。袁绍再次写信给袁术说："现今西边名义上有个年幼君主，却不是灵帝的血脉。公卿以下都谄媚董卓，怎能再相信他们呢！只要派兵去守住关塞要地，他们会全部自困而死；在东边拥立一个圣明的君主，

太平可冀[14]，如何有疑！又室家见戮[15]，不念子胥[16]，可复北面[17]乎？”术答曰：“圣主聪睿，有周成[18]之质。贼卓因危乱之际，威服百寮，此乃汉家小厄之会[19]，乃云今上‘无血脉之属’，岂不诬乎！又曰‘室家见戮，可复北面’，此卓所为，岂国家[20]哉！慺慺[21]赤心，志在灭卓，不识其他。”馥、绍竟遣故乐浪[22]太守张岐等赍议[23]上虞尊号。虞见岐等，厉色叱之曰：“今天下崩乱，主上蒙尘[24]，吾被重恩，未能清雪国耻。诸君各据州郡，宜共戮力[25]尽心王室，而反造逆谋以相垢污[26]邪！”固拒之。馥等又请虞领尚书事，承制封拜[27]，复不听，欲奔匈奴以自绝，绍等乃止。

二月丁丑[28]，以董卓为太师[29]，位在诸侯王上。

孙坚移屯梁[30]东，为卓将徐荣[31]所败，复收散卒进屯阳人[32]。卓遣东郡太守胡轸督步骑五千击之，以吕布为骑督[33]。轸与布不相得[34]，坚出击，大破之，枭其都督[35]华雄[36]。

或谓袁术曰：“坚若得雒，不可复制，此为除狼而得虎也。”术疑之，不运军粮。坚夜驰见术，画地计校曰：“所以出身不顾者，上为国家讨贼，下慰将军家门之私雠。坚与卓非有骨肉之怨也，而将军受浸润之言[37]，还相嫌疑，何也？”术踧踖[38]，即调发军粮。

坚还屯，卓遣将军李傕[39]说坚，欲与和亲，令坚疏子弟任刺史、郡守者，许表用之。坚曰：“卓逆天无道，今不夷汝三族，县[40]示四海，则吾死不瞑目，岂将与乃[41]和亲邪！”复进军大谷[42]，距雒九十里。卓自出，与坚战于诸陵间。卓败走，却[43]屯渑池[44]，聚兵于陕[45]。坚进至雒阳，击吕布，复破走。坚乃扫除宗庙，祠以太牢[46]，得传国玺于城南甄官井[47]中。分兵出新安[48]、渑池间以要卓[49]。

卓谓长史刘艾曰：“关东军败数矣，皆畏孤，无能为也。惟孙坚小戆[50]，颇能用人，当语诸将，使知忌之。孤昔与周慎西征边、韩[51]于金城，孤语张温，求引所将兵为慎作后驻，温不听。温又使孤讨先零叛羌，孤知其不克而不得止，遂行，留别部司马[52]刘靖将步骑四千屯安定[53]，以为声势。叛羌欲截[54]归道，孤小击辄开，畏安定有兵故也。虏谓安定当数万人，不知但靖也。而孙坚随周慎行，谓慎求先将万兵造

天下太平就有了希望，为何还要迟疑！再说我们袁氏全家遭屠杀，你难道不想学伍子胥为父兄报仇吗，怎能再向这样的皇帝称臣呢？”袁术回信说：“天子聪明，有周成王的资质。奸贼董卓趁国家危乱之际，用暴力压服百官，这不过是汉家小小的厄运，你却说当今皇上‘不是灵帝的血脉’，岂不是污蔑吗！又说‘家室遭屠杀，怎能再向这样的皇帝称臣’，这是董卓所为，哪里是皇帝的本意！我忠心耿耿，志在消灭董卓，不知其他。”韩馥、袁绍最终还是派前乐浪太守张岐等带着议案到幽州，向刘虞奉上天子的尊号。刘虞见到张岐等人，声色俱厉地呵斥说：“现今天下混乱，天子蒙难，我受国家厚恩，不能洗雪国耻。诸位各据州郡，应该齐心合力为王室效劳，为何反而策划叛逆的阴谋来玷污我呢！”他坚决拒绝了。韩馥等又请求刘虞兼管尚书事务，秉承皇帝旨意封爵任官，刘虞还是不听从，他想逃往匈奴自行了断此事，袁绍等才作罢。

二月十二日丁丑，任命董卓为太师，地位在诸侯王之上。

孙坚移军驻守在梁县东面，被董卓部将徐荣打败，孙坚又收罗散兵进驻梁县西边的阳人聚。董卓派东郡太守胡轸率领步、骑兵五千人攻打孙坚，用吕布为骑兵都督。胡轸与吕布不和，孙坚出击，大败胡轸，砍下了他的步兵都督华雄的头颅示众。

有人对袁术说：“孙坚如果得到洛阳，就不能再加控制，这就叫除掉狼却招来了虎。”袁术怀疑孙坚，便不给孙坚运送军粮。孙坚连夜驰马来见袁术，在地上指划着向他论理，说：“我之所以奋不顾身，上为国家讨征逆贼，下报你将军家的私仇。我和董卓没有个人仇怨，而你却听信谗言，反倒猜疑我，这是为什么？”袁术窘迫不安，立刻调发军粮。

孙坚回到驻地，董卓派将军李傕劝说孙坚，想和孙坚结为亲家，并要孙坚开列可做刺史、郡守的儿子兄弟名单，答应上表举任他们。孙坚对李傕说：“董卓逆天无道，现在不诛灭他三族，悬首昭示天下，我死不瞑目，怎会与他结亲呢！”孙坚又进军大谷，距洛阳九十里。董卓亲自率军出击，与孙坚在诸陵园间交战。董卓兵败逃走，退守渑池，在陕县聚集军队。孙坚进兵到洛阳，攻打吕布，吕布又败走。于是孙坚打扫皇帝宗庙，用牛、羊、猪三牲祭祀，在城南甄官署的井中得到了传国玉玺。又分兵前往新安、渑池之间截击董卓。

董卓对长史刘艾说：“关东的军队屡屡失利，他们都害怕我，不可能有什么作为。只有孙坚有点戆愚，很善于用人，应当告知诸位将领，让他们有所顾忌。我从前与周慎在金城西征边章、韩遂，我告诉张温，让我率领我的军队做周慎的后援，张温不听。张温又派我征伐先零叛乱的羌人，我知道不能打赢，但又不能作罢，于是出发，留下别部司马刘靖率领步、骑兵四千人驻守安定，以为声援。叛乱的羌人想截断我的归路，我稍微出击便冲出了拦截，这是羌人害怕安定有兵的缘故。羌人认为安定应有几万人，不知道只有刘靖一支人马。而孙坚随从周慎行进，他向周慎

金城，使慎以二万作后驻。边、韩畏慎大兵，不敢轻与坚战，而坚兵足以断其运道。儿曹[55]用其言，凉州或能定也。温既不能用孤，慎又不能用坚，卒用败走[56]。坚以佐军司马所见略与人同，固自为可[57]。但无故从诸袁儿，终亦死耳。”乃使东中郎将董越屯渑池，中郎将段煨屯华阴[58]，中郎将牛辅屯安邑[59]，其余诸将布在诸县，以御山东。辅，卓之婿也。卓引还长安。孙坚修塞诸陵，引军还鲁阳[60]。

【段旨】

以上为第一段，写孙坚奋勇击贼，逼迫董卓退出洛阳、龟缩关中。关东诸侯讨卓，孙坚建功为诸侯之冠，为孙氏崛起江东伏笔。

【注释】

①辛丑：正月初六。②朝廷：指皇帝。③幼冲：幼小。④关塞：指函谷关、桃林塞。⑤义动：依道义行动。指关东诸侯起兵讨董卓是正义的行动。⑥昌邑：指昌邑王刘贺。汉昭帝死后无子，霍光立刘贺为帝。而刘贺荒淫无道，又为霍光所废。⑦衅：暇隙；破绽。⑧北面：指向北面幽州的刘虞称臣。⑨西向：指仍臣服于西边长安的汉献帝。⑩绛、灌：指西汉初年的绛侯周勃与大将军灌婴。汉惠帝死后无子，吕太后立后宫美人之幼子为少帝。吕后死后，诸吕企图篡权，周勃、灌婴等即起而诛除诸吕，废杀少帝；又迎代王刘恒，立为文帝，事见《汉书》卷三《高后纪》。⑪无血脉之属：谓少帝刘辩非灵帝子。⑫但当：只要。⑬蹙死：紧迫而死。⑭冀：希望。⑮室家见戮：指袁隗被杀之事。⑯子胥：伍子胥。春秋时，伍子胥之父伍奢、兄伍尚，被楚平王冤杀。伍子胥逃到吴国，助吴攻楚，入郢都，掘楚平王墓，鞭其尸以报父兄之仇。事见《史记》卷六十六《伍子胥列传》。⑰北面：此指向汉献帝称臣。袁绍的意思是说：汉献帝杀了袁隗等人，哪能不报此仇而再尊他为君？〖按〗杀袁隗者，乃董卓，卓以献帝名义杀之，献帝乃傀儡，袁绍欲立另一傀儡皇帝取代献帝，故而违心说是献帝杀袁隗。⑱周成：周成王。⑲小厄之会：小的危难遭遇。⑳国家：指皇帝。㉑偻偻：恭谨。㉒乐浪：郡名，治所在今朝鲜平壤西南。㉓赍议：谓带着袁绍等人之议。㉔蒙尘：谓皇帝蒙难出奔在外。㉕戮力：并力。㉖垢污：污秽。㉗承制封拜：秉承皇帝之意旨封爵授官。㉘丁丑：

请求先率一万人抵达金城，让周慎用两万人驻后为援。边章、韩遂畏惧周慎的后援大军，不敢轻易和孙坚开战，而孙坚的军队足以截断他们的运输通道。周慎、张温这些小子如果采用了孙坚的计谋，凉州或许能够平定。张温既不能听从我，周慎又不能听从孙坚，最终战败撤退。孙坚这个佐军司马，见解却大致和我相同，固然是个可用之才。只是无故追随袁家小子，终究难免一死。”于是派东中郎将董越驻守渑池，中郎将段煨屯驻华阴，中郎将牛辅驻守安邑，其余各将分布在各县，用来抵御山东的军队。牛辅，是董卓的女婿。董卓率军返回长安。孙坚修整各处陵园，带兵返回鲁阳。

二月十二日。㉙太师：官名，位在太傅上，汉代不常置，西汉仅平帝时置，东汉唯献帝初董卓充任。㉚梁：县名，县治在今河南汝州西。㉛徐荣：董卓部将。辽东襄平（今辽宁辽阳）人，董卓西迁，徐荣断后，曾在汴水击败曹操，此又击败孙坚。㉜阳人：聚邑名，在当时梁县之西。㉝骑督：统率骑兵的将领。㉞不相得：不相和，有矛盾。㉟都督：统兵官。㊱华雄：董卓骁将。㊲浸润之言：指谗毁之言。㊳踧踖：局促不安的样子。㊴李傕：东汉末董卓部将。董卓被杀后，李傕等攻破京师，劫持献帝。复与郭汜互相攻杀，建安三年被杀。传见《三国志》卷六。㊵县："悬"本字。㊶乃：你。㊷大谷：太谷关，为汉灵帝所置八关之一，在今河南洛阳东南。㊸却：退却。㊹渑池：县名，在今河南渑池县西。㊺陕：县名，县治在今河南三门峡市陕州区。㊻太牢：古代祭祀时牛、羊、豕三牲并用称太牢。㊼甄官井：甄官署之井。甄官，官名，职掌供应宫廷砖瓦之事。㊽新安：县名，县治在今河南渑池县东。㊾要卓：拦截董卓。要，拦截、伏击。㊿戆：刚直而愚蠢。(51)边、韩：边章、韩遂。(52)别部司马：官名，大将军领营五部，部有校尉一人，军司马一人，其别营领属为别部司马。此时董卓虽未为大将军，也置别部司马。(53)安定：郡名，治所临泾，在今甘肃镇原东南。(54)戳："截"本字。(55)儿曹：儿辈；小子们。(56)卒用败走：终于因此而败走。(57)固自为可：谓孙坚之才干可用。(58)华阴：县名，县治在今陕西华阴。(59)安邑：县名，县治在今山西夏县西北。(60)鲁阳：县名，孙坚讨董卓建行营于此。县治在今河南鲁山县。

【校记】

［1］迫：据章钰校，甲十一行本、乙十一行本皆作"逼"。

【原文】

夏，四月，董卓至长安，公卿皆迎拜车下。卓抵手[61]谓御史中丞皇甫嵩曰："义真[62]，怖未乎？"嵩曰："明公以德辅朝廷，大庆方至，何怖之有！若淫刑[63]以逞[64]，将天下皆惧，岂独嵩乎！"

卓党欲尊卓比太公[65]，称尚父[66]。卓以问蔡邕[67]，邕曰："明公威德，诚为巍巍。然比之太公，愚意以为未可。宜须关东平定，车驾还反旧京，然后议之。"卓乃止。

卓使司隶校尉刘嚣籍[68]吏民有为子不孝、为臣不忠、为吏不清、为弟不顺者，皆身诛，财物没官[69]。于是更相诬引，冤死者以千数。百姓嚣嚣[70]，道路以目[71]。

六月丙戌[72]，地震。

秋，七月，司空种拂免，以光禄大夫济南淳于嘉为司空。太尉赵谦罢，以太常马日磾为太尉。

初，何进遣云中张杨还并州募兵，会进败，杨留上党[73]，有众数千人。袁绍在河内，杨往归之，与南单于於扶罗屯漳水[74]。韩馥以豪杰多归心袁绍，忌之，阴贬节[75]其军粮，欲使其众离散。会馥将麹义[76]叛，馥与战而败，绍因与义相结。

绍客逄纪谓绍曰："将军举大事而仰[77]人资给，不据一州，无以自全。"绍曰："冀州兵强，吾士饥乏，设[78]不能办，无所容立。"纪曰："韩馥庸才，可密要[79]公孙瓒使取冀州，馥必骇惧，因遣辩士为陈祸福，馥迫于仓卒[80]，必肯逊让。"绍然之，即以书与瓒。瓒遂引兵而至，外托讨董卓而阴谋袭馥，馥与战不利。会董卓入关[81]，绍还军延津[82]，使外甥陈留高幹[83]及馥所亲颍川辛评、荀谌、郭图[84]等说馥曰："公孙瓒将燕、代之卒乘胜来南，而诸郡应之，其锋不可当。袁车骑[85]引军东向[86]，其意未可量也，窃为将军危之。"馥惧，曰："然则为之奈何？"谌曰："君自料宽仁容众，为天下所附，孰与袁氏？"馥曰："不如也。""临危吐决[87]，智勇过人，又孰与袁氏？"馥曰："不如也。""世布恩德，天下家受其惠，又孰与袁氏？"馥曰："不如也。"谌曰："袁氏一时之杰，将军资[88]三不如之势，久处其上，彼必不为将军下也。

【语译】

夏，四月，董卓到达长安，大臣们都到他的车下迎接参拜。董卓拍手对御史中丞皇甫嵩说："义真，怕不怕？"皇甫嵩说："明公您用德行辅佐朝廷，大的喜庆刚来，有何可怕的！如果滥施刑罚，将使天下人都害怕，又岂止是我皇甫嵩！"

董卓的党羽想依照姜太公的地位尊崇董卓，称为尚父。董卓就此询问蔡邕，蔡邕说："明公您的威望道德，确实是伟大。但与太公相比，我认为还不可以。应等到关东平定，天子返回旧京洛阳，然后商讨这事。"董卓于是作罢。

董卓派司隶校尉刘嚣查办官民中有做儿子不孝、做臣子不忠、做官吏不廉、做弟弟不顺从的人，一律处死，财产没收入官府。于是相互诬告牵引，含冤而死的人数以千计。百姓恐怖，在路上相遇，只敢用眼神交流。

六月二十三日丙戌，发生地震。

秋，七月，司空种拂被免职，任命光禄大夫济南人淳于嘉为司空。太尉赵谦被免职，任命太常马日磾为太尉。

当初，何进派云中人张杨回并州招募兵士，恰好何进败死，张杨就留在上党，有部众几千人。袁绍在河内，张杨前去归附他，与南单于於扶罗一起驻守漳水。韩馥因豪杰大多心向袁绍，心里妒恨，暗中减少供给袁绍的军粮，想让袁绍的部众离散。正好此时韩馥的部将麹义叛乱，韩馥与麹义交战失败，袁绍趁机与麹义相联合。

袁绍的门客逄纪对袁绍说："将军举大事却依靠别人供给，如不占据一州，就无法保全自己。"袁绍说："冀州兵强，我的士兵饥饿疲惫，假如不能得到冀州，就没有立足之地了。"逄纪说："韩馥才能平庸，您可以秘密联络公孙瓒，让他去攻取冀州，韩馥一定惊恐，您趁机派一个能言善辩的人替他分析祸福利害，韩馥迫于这一突发事件，一定会让出冀州。"袁绍同意这一看法，立即写信给公孙瓒。于是公孙瓒率兵而来，对外声称征讨董卓，而阴谋偷袭韩馥，韩馥与公孙瓒交战失利。正遇董卓进入关中，袁绍便率兵回到延津，派外甥陈留人高幹和韩馥的亲信颍川人辛评、荀谌、郭图等劝韩馥说："公孙瓒率领燕、代两地的军队乘胜南来，而各郡响应，势不可挡。袁绍率兵东去，他的意向不可捉摸，我们深深地替将军担心。"韩馥畏惧，说："那我该怎么办呢？"荀谌说："你自己估量一下，宽厚仁爱有容众之量，能为天下百姓所归附，跟袁绍比怎么样？"韩馥说："我不如袁绍。"荀谌又说："临危决策，智勇过人，跟袁绍比又怎么样？"韩馥说："我不如袁绍。"荀谌继续说："累世广布恩德，使天下的人家家受惠，跟袁绍比又怎么样？"韩馥说："我不如袁绍。"荀谌说："袁绍是一代豪杰，将军凭借三个方面都不如袁氏的劣势，却长期位居其上，他一定不甘心居将军之下。

夫冀州，天下之重资[89]也，彼若与公孙瓒并力取之，危亡可立而待也。夫袁氏，将军之旧，且为同盟[90]，当今之计，若举冀州以让袁氏，彼必厚德将军，瓒亦不能与之争矣。是将军有让贤之名，而身安于泰山也。”馥性恇怯[91]，因然其计。馥长史耿武、别驾闵纯、治中李历闻而谏曰：“冀州带甲百万，谷支十年。袁绍孤客穷军，仰我鼻息[92]，譬如婴儿在股掌之上[93]，绝其哺乳，立可饿杀，奈何欲以州与之！”馥曰：“吾袁氏故吏，且才不如本初，度[94]德而让，古人所贵，诸君独何病[95]焉！”先是，馥从事[96]赵浮、程涣将强弩万张屯孟津[97]，闻之，率兵驰还。时绍在朝歌[98]清水[99]，浮等从后来，船数百艘，众万余人，整兵鼓，夜过绍营，绍甚恶之。浮等到，谓馥曰：“袁本初军无斗粮，各已离散，虽有张杨、於扶罗新附，未肯为用，不足敌也。小从事等请自[2]以见[100]兵拒之，旬日之间，必土崩瓦解，明将军但当开阁高枕，何忧何惧！”馥又不听，乃避位，出居中常侍赵忠故舍，遣子送印绶以让绍。绍将至，从事十人争弃馥去，独耿武、闵纯杖刀拒之，不能禁，乃止。绍皆杀之。绍遂领冀州牧，承制以馥为奋威将军[101]，而无所将御[102]，亦无官属。绍以广平沮授为奋武将军[103]，使监护诸将，宠遇甚厚。魏郡审配、巨鹿田丰[104]并以正直不得志于韩馥，绍以丰为别驾，配为治中，及南阳许攸、逢纪、颍川荀谌皆为谋主。

绍以河内朱汉为都官从事[105]。汉先为韩馥所不礼，且欲徼迎[106]绍意，擅发兵围守馥第[107]，拔刃登屋。馥走上楼，收得馥大儿，槌折[108]两脚。绍立收汉，杀之。馥犹忧怖，从绍索去[109]，往依张邈。后绍遣使诣邈，有所计议，与邈耳语[110]。馥在坐上，谓为见图[111]，无何[112]，起至溷[113]，以书刀[114]自杀。

冀州是天下的战略重地，他如果与公孙瓒合力攻取，将军的危亡时刻立即到来。袁绍是你的旧交，而且是讨伐董卓的同盟者，现今的策略是，如果把冀州让给袁绍，他一定会感激将军的厚德，公孙瓒也不能与袁绍相争了。这样将军有让贤的美名，而自身可以安如泰山。”韩馥生性胆小懦弱，因而接受了这个建议。韩馥的长史耿武、别驾闵纯、治中李历听到后劝谏说：“冀州有甲兵百万，谷物可支持十年。袁绍是孤单穷困的客军，要仰承我们的鼻息，他好像是掌中的婴儿，只要给他断奶，立刻就会饿死，怎么可以把冀州让给他！”韩馥说：“我是袁氏的老部下，何况才干又不如袁绍，估量德行而让贤，这是古人所看重的，诸位为何要责难呢！”先前，韩馥的从事赵浮、程涣率一万名弓弩手驻扎孟津，听到这个消息，率军急速回到冀州。这时袁绍在朝歌清水，赵浮等从后面赶来，战船几百艘，士兵一万多，整饬军容旗鼓，连夜通过袁绍的营地，袁绍很憎恶。赵浮等到达冀州，对韩馥说：“袁绍军中无斗粮，已各自离散，虽然有张杨、於扶罗最近归附，但不肯为他所用，不足为敌。我们这些小从事请求率领自己现有的军队抵抗他，不出十日，袁军一定土崩瓦解，将军您只管敞门高卧，有什么可忧惧的！”韩馥还是不听从，就离开职位，搬出官府，住在中常侍赵忠的旧居，派儿子把印绶送给袁绍。袁绍将要到达冀州的时候，韩馥的十个从事争相抛弃韩馥而离去，只有耿武、闵纯挥刀阻拦，不能禁止，只好作罢。袁绍把他们都杀了。袁绍便兼任冀州牧，以皇帝的名义任命韩馥为奋威将军，但既无兵可统，也无官属。袁绍任命广平人沮授为奋武将军，派他监护所有将领，对他十分宠信、待遇优厚。魏郡人审配、巨鹿人田丰都因为品格正直而在韩馥手下不得志，袁绍任命田丰为别驾、审配为治中，以及南阳人许攸、逢纪、颍川人荀谌都成为他的主要谋士。

袁绍任命河内人朱汉为都官从事。朱汉先前没有受到韩馥的礼遇，又想迎合袁绍的心意，就擅自出兵包围韩馥的住宅，拔出战刀登上屋顶。韩馥躲藏到楼上，朱汉抓获韩馥的大儿子，打断了他的双腿。袁绍马上收捕朱汉，杀了他。韩馥还是害怕，于是向袁绍请求离去，投奔张邈。后来袁绍派使者去见张邈，有事商议，与张邈耳语。韩馥当时在座，认为他们是要谋害自己，不一会儿，起身入厕，用削竹简的书刀自杀了。

【段旨】

以上为第二段，写关东军盟主袁绍以诈术夺取冀州，开启了军阀混战。

【注释】

㉑抵手：拍手。㉒义真：皇甫嵩字义真。㉓淫刑：滥用刑罚。㉔逞：快意。㉕太公：周初助武王灭商之吕尚。㉖尚父：周人尊吕尚为尚父。㉗蔡邕：字伯喈，陈留圉县（今河南杞县南）人。博学多才，任河平长、郎中、议郎。曾写经于碑，世称《熹平石经》。因遭诬流放朔方，流亡江湖十余年。董卓被杀后，受牵连，死狱中。传见《后汉书》卷六十下。㉘籍：查办。㉙没官：没收于官府。㉚嚣嚣：《三国志》作"嗷嗷"，象声词，愁叹声。㉛道路以目：谓路上行人不敢说话，仅以眼神交流。形容敢怒而不敢言。㉜丙戌：六月二十三。㉝上党：郡名，治所本在长子（今山西长子西），东汉末移至壶关（今山西长治北）。㉞漳水：指浊漳水，源出长子县。㉟贬节：减少。㊱麹义：冀州牧韩馥部将，叛投袁绍，替袁绍打败公孙瓒，于是居功自傲，为绍所杀。㊲仰：依赖。㊳设：假使。㊴要：邀约。㊵仓卒：同"仓猝"。匆忙。㊶关：指函谷关。㊷延津：渡口名，是当时黄河的重要渡口，在今河南新乡东南。㊸高幹：字符才，袁绍外甥，陈留圉县（今河南杞县南）人，袁绍委以并州牧。曹操灭袁氏，高幹降，后叛离曹操，兵败，逃往荆州，被上洛都尉捕斩。㊹辛评、荀谌、郭图：皆袁绍谋士。㊺袁车骑：指袁绍。时袁绍自号车骑将军。㊻东向：袁绍自河内往东至延津，是为东向。㊼吐决：作出决策。㊽资：凭借。㊾重资：最重要的资本；最重要的凭借。喻冀州地理位置之重

【原文】

鲍信谓曹操曰："袁绍为盟主，因权专利，将自生乱，是复有一卓也。若抑之，则力不能制，祗以遘难[115]。且可规大河之南，以待其变。"操善之。会黑山[116]、于毒[117]、白绕[118]、眭固[119]等十余万众略东郡，王肱不能御。曹操引兵入东郡，击白绕于濮阳，破之。袁绍因表操为东郡太守，治东武阳[120]。

南单于劫张杨[121]以叛袁绍，屯于黎阳[122]。董卓以杨为建义将军[123]、河内太守。

太史[124]望气[125]，言当有大臣戮死者。董卓使人诬卫尉张温与袁术交通，冬，十月壬戌[126]，笞杀[127]温于市以应之。

青州黄巾寇勃海，众三十万，欲与黑山合。公孙瓒率步骑二万人逆击[128]于东光[129]南，大破之，斩首三万余级。贼弃其辎重，奔走渡

要。⑩ 同盟：指同盟讨董卓。⑪ 恇怯：胆小懦弱。⑫ 仰我鼻息：犹言靠我生存。鼻息，鼻腔呼吸时之气息。⑬ 在股掌之上：犹言在掌握之中。⑭ 度：比量。⑮ 病：责难。⑯ 从事：官名，东汉州牧刺史的佐吏，有别驾从事史、治中从事史、兵曹从事史、部从事史等，均可简称从事。⑰ 孟津：津渡名，故址在今河南洛阳市孟津区东北，孟州西南的黄河岸上。相传周武王会盟八百诸侯于此，原称盟津，后讹作孟津。⑱ 朝歌：县名，县治在今河南淇县。⑲ 清水：淇水，俗称淇水为清水，流经朝歌。据《三国志》卷六《魏书·袁绍传》注引《九州春秋》，当时袁绍在朝歌清水口。清水口，即淇口，南岸即延津。⑳ 见："现"本字。㉑ 奋威将军：官名，汉杂号将军之一。㉒ 将御：统率。㉓ 奋武将军：官名，亦汉代杂号将军之一。㉔ 魏郡审配、巨鹿田丰：两人投袁绍后，皆为绍重要谋士。㉕ 都官从事：官名，汉代司隶校尉下设有都官从事史，主察举百官犯法者。此时袁绍置都官从事，则还兼领司隶校尉之职。㉖ 徼迎：讨好迎合。徼，通"邀"。㉗ 第：宅第。㉘ 槌折：打断。槌，通"搥""捶"。㉙ 索去：要求离去。㉚ 耳语：附耳低语。㉛ 见图：被谋害。㉜ 无何：不久。㉝ 溷：厕所。㉞ 书刀：用以削治竹简，作为书写材料。

【校记】

［2］自：原无此字。据章钰校，甲十一行本、乙十一行本、孔天胤本皆有此字，今据补。

【语译】

鲍信对曹操说："袁绍作为盟主，利用权势垄断财利，将自生祸乱，这等于又出了一个董卓。如果抑制他，我们的力量不能制服，只会招来祸害。我们可以暂且图谋黄河以南之地，等待局势变化。"曹操十分赞同。适逢黑山、于毒、白绕、眭固等十多万人侵犯东郡，王肱无力抵抗。曹操率兵进入东郡，在濮阳攻击白绕，打败敌人。袁绍于是上表推举曹操为东郡太守，治所设在东武阳。

南单于劫持张杨背叛袁绍，驻军黎阳。董卓委任张杨为建义将军、河内太守。

太史观察天象，说大臣中将有人被处死。董卓使人诬陷卫尉张温与袁术勾结，冬，十月初一日壬戌，在闹市区棒杀张温，以此应合天意。

青州黄巾军侵掠勃海郡，部众有三十万，想与黑山军会合。公孙瓒率领步骑两万人在东光县以南迎击，大败黄巾军，杀死三万多人。贼众抛弃辎重，狼狈渡河。

河[130]。瓒因其半济薄[131]之，贼复大破，死者数万，流血丹水[132]，收得生口七万余人，车甲财物不可胜算，威名大震。

刘虞子和为侍中，帝思东归，使和伪逃董卓，潜出武关诣虞，令将兵来迎。和至南阳[133]，袁术利虞为援，留和不遣，许兵至俱西，令和为书与虞。虞得书，遣数千骑诣和。公孙瓒知术有异志，止之，虞不听。瓒恐术闻而怨之，亦遣其从弟越将千骑诣术，而阴教术执和，夺其兵，由是虞、瓒有隙[134]。和逃术来北，复为袁绍所留。

是时关东州、郡务相兼并，以自强大，袁绍、袁术亦自相[3]离贰[135]。术遣孙坚击董卓未返，绍以会稽周昂为豫州刺史，袭夺坚阳城[136]。坚叹曰："同举义兵，将救社稷[137]，逆贼垂破[138]而各若此，吾当谁与戮力[139]乎！"引兵击昂，走之。袁术遣公孙越[140]助坚攻昂，越为流矢所中死。公孙瓒怒曰："余弟死，祸起于绍。"遂出军屯磐河[141]，上书数[142]绍罪恶，进兵攻绍。冀州诸城多叛绍从瓒，绍惧，以所佩勃海太守印绶授瓒从弟范，遣之郡。而范遂背绍，领勃海兵以助瓒。瓒乃自署[143]其将帅严纲为冀州刺史，田楷为青州刺史，单经为兖州刺史，又悉改置郡、县守、令。

初，涿郡刘备[144]，中山靖王之后也，少孤贫，与母以贩履为业，长七尺五寸[145]，垂手下膝[146]，顾自见其耳。有大志，少语言，喜怒不形于色。尝与公孙瓒同师事卢植，由是往依瓒。瓒使备与田楷徇[147]青州有功，因以为平原[148]相[149]。备少与河东关羽[150]、涿郡张飞[151]相友善，以羽、飞为别部司马，分统部曲[152]。备与二人寝则同床，恩若兄弟，而稠人广坐，侍立终日，随备周旋[153]，不避艰险。常山赵云[154]为本郡将吏兵诣公孙瓒，瓒曰："闻贵州人皆愿[155]袁氏，君何独迷而能反乎？"云曰："天下讻讻[156]，未知孰是，民有倒县[157]之厄，鄙州论议，从仁政所在，不为忽[158]袁公，私[159]明将军也。"刘备见而奇之，深加接纳。云遂从备至平原，为备主骑兵。

公孙瓒趁他们渡到一半时发动攻击，又大破黄巾军，杀死几万人，流血染红了河水，俘获七万多人，车辆、甲胄、财物不可胜计，公孙瓒威名大震。

刘虞的儿子刘和任侍中，献帝想东归洛阳，派刘和假装逃离董卓，暗中出武关前往刘虞那里，命令刘虞率兵来迎驾。刘和行至南阳，袁术想利用刘虞作外援，便扣留了刘和，不让刘和北上。袁术向刘和承诺，只要刘虞兵到来，一起西征，让刘和写信给刘虞。刘虞收到刘和的信，派遣几千骑兵到刘和那里。公孙瓒知道袁术有野心，劝止刘虞发兵，刘虞不听从。公孙瓒恐怕袁术知道后怨恨他，也派遣他的堂弟公孙越率领一千骑兵到袁术那里，而暗中唆使袁术逮捕刘和，夺取他的兵马。因此，刘虞与公孙瓒结下了仇怨。刘和逃离袁术来到北方，又被袁绍扣留。

这时关东各州郡互相兼并，用以壮大自己。袁绍、袁术也自相背离。袁术派孙坚攻击董卓还没有返回，袁绍便任会稽人周昂为豫州刺史，偷袭攻占了孙坚所属的阳城。孙坚叹息说:“共同兴举义兵，为的是拯救国家，现在叛贼即将被攻破而各路诸侯却如此相攻，我将和谁一起奋斗啊!”于是领兵攻打周昂，赶走了他。袁术派公孙越帮助孙坚攻打周昂，公孙越被流矢射中而死。公孙瓒生气地说:“我弟弟的死，祸根就是袁绍。”于是出兵到磐河，上奏朝廷，列举袁绍罪恶，并进兵攻打袁绍。冀州所属各城大都背叛袁绍追随公孙瓒。袁绍很害怕，把自己所佩的勃海太守印绶交给公孙瓒的堂弟公孙范，派他上任。而公孙范却背叛了袁绍，率领勃海郡的兵马帮助公孙瓒。公孙瓒就自行任命他的部将严纲为冀州刺史，田楷为青州刺史，单经为兖州刺史，又全部改任了所属各州的郡守、县令。

当初，涿郡人刘备是西汉中山靖王的后代，年少丧父家贫，与母亲一起靠贩鞋为生，身高七尺五寸，双手下垂过膝，眼睛侧视可以看到自己的耳朵。有大志，沉默寡言，喜怒不形于色。曾经与公孙瓒共同拜卢植为师，因此刘备前往依附公孙瓒。公孙瓒派刘备和田楷夺取青州有功，于是任命他为平原国相。刘备年轻时与河东关羽、涿郡张飞交好，任命关羽、张飞为别部司马，分别统领部众。刘备与关、张二人睡则同床，亲如兄弟，但在大庭广众之中，关、张二人整天侍立在刘备身边，跟随刘备征战，不避艰险。常山人赵云率领本郡的兵马投奔公孙瓒。公孙瓒对赵云说:“听说你们州的人都愿追随袁绍，你为何独能迷途知返?”赵云说:“天下纷扰大乱，不知谁是谁非，百姓有倒悬之苦，本州人议论，谁施仁政就追随谁，并不是忽视袁绍，偏爱将军你。”刘备见到赵云很惊奇，便与他深交。于是赵云跟随刘备到平原，为刘备统领骑兵。

【段旨】

以上为第三段，写军阀逐鹿方兴。曹操据有东郡。公孙瓒破黄巾于河北，南联袁术，北战袁绍，于是二袁交恶。刘备投公孙瓒，为逐鹿河南伏笔。

【注释】

⑮遘难：造成祸难。遘，通“构”。⑯黑山：黄巾起事后，冀州一带（今河北中南部）农民起而响应。首领为张牛角、张燕等，称黑山军。⑰于毒：东汉末农民军领袖之一。后为袁绍击败，被杀。⑱白绕：东汉末农民军领袖之一。⑲眭固：东汉末河北响应黄巾军的一支农民军的首领。⑳东武阳：县名，县治在今山东莘县南。㉑张杨：字雅叔，云中（今内蒙古呼和浩特西南）人，张杨与吕布友善。曹操攻围吕布，时张杨为河内太守，为吕布声援。曹操策反张杨部将杨丑杀张杨，尽收其部众。㉒黎阳：县名，县治在今河南浚县东。㉓建义将军：官名，汉代杂号将军之一。㉔太史：官名，即太史令，属太常，掌天文历算。㉕望气：观天象。㉖壬戌：十月初一。㉗笞杀：用杖打死。㉘逆击：迎击。㉙东光：县名，县治在今河北东光东。㉚河：大河；黄河。㉛薄：逼近攻击。㉜丹水：水被染红。㉝南阳：郡名，治所宛县，在今河南南阳。㉞隙：间隙；矛盾。㉟离贰：谓有异心。㊱阳城：县名，县治在今河南登封东南。㊲社稷：土谷之神，指代国家。㊳垂破：即将破败。㊴戮力：奋力；尽力。㊵公孙越：公孙瓒之弟。㊶磐河：在今山东兰陵县东。河已枯没。㊷数：数说；责备。㊸署：署置，任用官吏。㊹刘备（公元一六一至二二三年）：字玄德，涿郡涿县（今河北涿州）人，汉景帝之子中山靖王刘胜后裔之支属。汉末起兵，参与镇压黄巾军及军阀混战。后联合孙权大

【原文】

初，袁术之得南阳，户口数百万。而术奢淫肆欲，征敛无度，百姓苦之，稍稍[160]离散。既与袁绍有隙，各立党援[161]，以相图谋。术结公孙瓒而绍连刘表，豪杰多附于绍。术怒曰：“群竖[162]不吾从而从吾家奴[163]乎！”又与公孙瓒书曰：“绍非袁氏子。”绍闻大怒。

术使孙坚击刘表，表遣其将黄祖逆战于樊[164]、邓[165]之间。坚击破之，遂围襄阳。表夜遣黄祖潜出发兵，祖将兵欲还，坚逆与战，祖败走，窜岘山[166]中。坚乘胜夜追祖，祖部曲[4]兵从竹木间暗射坚，杀之。坚所举孝廉长沙桓阶[167]诣表请坚丧，表义而许之。坚兄子贲[168]率其士众就袁术，术复表贲为豫州刺史。术由是不能胜表。

初，董卓入关，留朱儁守雒阳。而儁潜与山东诸将通谋，惧为卓所袭，出奔荆州。卓以弘农杨懿为河南尹，儁复引兵还雒，击懿，

败曹操于赤壁，占有荆州，后又夺取益州。于公元二二一年称帝，国号汉，史称蜀汉。死后谥为昭烈帝。传见《三国志》卷三十二。⑭⑮长七尺五寸：指身高七尺五寸，相当于今一点七二五米。汉一尺约为二十三厘米。⑭⑯膝：膝盖。⑭⑰徇：攻取。⑭⑱平原：王国名，治所平原县，在今山东平原县西南。⑭⑲相：官名，王国的相，由中央直接委派，执掌王国行政大权，相当于郡太守。⑮⓪关羽（？至公元二一九年）：字云长，河东解县（今山西临猗西南）人，汉末随刘备起兵，为刘备大将。后镇守荆州，被孙权派兵袭杀。传见《三国志》卷三十六。⑮①张飞（？至公元二二一年）：字益德，涿郡（治今河北涿州）人，汉末随刘备起兵，为刘备大将，后为部下刺杀。传见《三国志》卷三十六。⑮②部曲：军队。⑮③周旋：追逐。⑮④赵云（？至公元二二九年）：字子龙，常山真定（今河北正定南）人，初随公孙瓒，后归刘备，为刘备大将。传见《三国志》卷三十六。⑮⑤愿：胡三省注谓“愿”下当有“从”字。⑮⑥讻讻：喧哗纷扰貌。⑮⑦县：“悬”本字。⑮⑧忽：忽略；轻视。⑮⑨私：袒护之意。

【校记】

［3］相：原无此字。据章钰校，甲十一行本、乙十一行本、孔天胤本皆有此字，今据补。

【语译】

起初，袁术得到南阳，户口有几百万。但袁术骄奢淫逸放肆纵欲，征税没完没了，百姓痛苦不堪，逐渐流离。他和袁绍结怨，各自结党相援，互相算计。袁术和公孙瓒勾结而袁绍与刘表联手，豪杰大多归附袁绍。袁术愤怒地说：“这帮小子不跟随我却去追随我的家奴！”又写信给公孙瓒说：“袁绍不是袁家的后代。”袁绍听到后大为愤怒。

袁术派孙坚攻打刘表，刘表派部将黄祖在樊城、邓县一带迎战。孙坚击败黄祖，于是包围了襄阳。刘表乘夜派黄祖偷偷出城去调集援军，黄祖率兵想要返回，遭到孙坚迎头阻击，黄祖战败逃走，窜入岘山中。孙坚乘胜连夜追击黄祖，黄祖部下的士兵躲在竹木丛林中用暗箭射击孙坚，杀死了孙坚。孙坚所举荐的孝廉长沙人桓阶来见刘表，请收孙坚的尸体，刘表赞赏桓阶有义气就答应了。孙坚哥哥的儿子孙贲率领孙坚的部众投奔袁术，袁术再次上表推荐孙贲为豫州刺史。袁术从此不能战胜刘表。

当初，董卓进入关中，留下朱儁守卫洛阳。而朱儁暗中与山东各将领通谋，害怕被董卓袭击，出逃到荆州。董卓任命弘农人杨懿为河南尹，朱儁又率兵返回洛阳，攻打

走之。儁以河南残破无所资，乃东屯中牟，移书州郡，请师讨卓。徐州[169]刺史陶谦[170]上儁行[171]车骑将军，遣精兵三千助之，余州郡亦有所给。谦，丹阳人。朝廷以黄巾寇乱徐州，用谦为刺史。谦至，击黄巾，大破走之，州境晏然。

刘焉在益州阴图异计。沛人张鲁[172]，自祖父陵以来，世为五斗米道[173]，客居于蜀[174]。鲁母以鬼道[175]常往来焉家，焉乃以鲁为督义司马[176]，以张脩为别部司马，与合兵掩杀汉中[177]太守苏固，断绝斜谷阁[178]，杀害汉使。焉上书言"米贼断道，不得复通"。又托他事杀州中豪强王咸、李权等十余人，以立威刑。犍为太守任岐及校尉贾龙由此起兵攻焉，焉击杀岐、龙[179]。焉意渐盛，作乘舆[180]车具千余乘，刘表上"焉有似子夏在西河疑圣人[181]"之论。时焉子范为左中郎将，诞为治书御史[182]，璋为奉车都尉[183]，皆从帝在长安，惟小子别部司马瑁素随焉。帝使璋晓喻[184]焉，焉留璋不遣。

公孙度威行海外，中国人士避乱者多归之，北海管宁、邴原、王烈[185]皆往依焉。宁少时与华歆为友，尝与歆共锄菜，见地有金，宁挥锄不顾，与瓦石无异，歆捉而掷之，人以是知其优劣。邴原远行游学，八九年而归，师友以原不饮酒，会[186]米肉送之。原曰："本能饮酒，但以荒思废业，故断之耳。今当远别，可一饮燕[187]。"于是共坐饮酒，终日不醉。宁、原俱以操尚称，度虚馆以候之[188]。宁既见度，乃庐于山谷[189]。时避难者多居郡南，而宁独居北，示无还志。后渐来从之，旬月[190]而成邑[191]。宁每见度，语唯经典，不及世事。还山，专讲《诗》《书》，习俎豆[192]，非学者无见也。由是度安其贤，民化其德。邴原性刚直，清议以格物[193]，度以下心不安之。宁谓原曰："潜龙以不见成德[194]。言非其时，皆招祸之道也。"密遣原逃归。度闻之，亦不复追也。王烈器业[195]过人，少时名闻[196]在原、宁之右[197]。善于教诱，乡里有盗牛者，主得之，盗请罪，曰："刑戮是甘，乞不使王彦方知也。"烈闻而使人谢之，遗[198]布一端[199]。或问其故，烈曰："盗惧吾闻其过，是有耻恶之心。既知耻恶，则

杨懿，把他赶走。朱儁认为河南郡残破没有资源可依凭，便向东进驻中牟，发文告给各个州郡，请求出兵征讨董卓。徐州刺史陶谦上表推荐朱儁代理车骑将军，派三千精兵帮助他，其余各州郡也都有所供给。陶谦，是丹阳人。朝廷因黄巾军侵掠徐州，任用陶谦为刺史。陶谦到了徐州，攻击黄巾军，大败黄巾军并将其赶走，于是徐州境内安然平静。

刘焉在益州暗暗策划割据之计。沛国人张鲁，从祖父张陵以来，世代信奉五斗米道，客居在蜀地。张鲁的母亲因通鬼神之道经常来往于刘焉家，刘焉就任张鲁为督义司马，任张脩为别部司马，要他们联兵袭杀汉中太守苏固，切断斜谷阁栈道，杀掉汉朝的使臣。刘焉上书说："米贼断绝道路，不能再与朝廷联络。"又借他事杀了益州的豪强王咸、李权等十几人，用以树立刑法威严。犍为太守任岐和校尉贾龙因此起兵攻打刘焉，刘焉迎击并杀死任岐、贾龙。刘焉的野心越来越大，便打造天子的御车及其他车辆一千多辆。刘表上表有"刘焉在蜀地就像子夏在西河一样模拟圣人"的说法。当时刘焉的儿子刘范任左中郎将，刘诞任治书御史，刘璋任奉车都尉，都跟随献帝在长安，只有小儿子别部司马刘瑁一直跟在刘焉身边。献帝派刘璋去明确指出刘焉的错误行径，刘焉趁机扣留刘璋，不放他回朝廷。

公孙度在海外享有威名，中原人士为避战乱，大多投奔公孙度。北海人管宁、邴原、王烈也都投靠了公孙度。管宁小时候和华歆是朋友，曾和华歆一起为菜地除草松土，发现土里有一块金子，管宁照旧挥锄不看它一眼，视同瓦砾，华歆捡起来又扔掉，人们从这件小事看出了他们两人的优劣。邴原曾到远方去游学，八九年后才回家，老师和学友们以为他不喝酒，便筹集米肉送给他。邴原说："我本来能喝酒，只因怕饮酒后影响思虑荒废学业，所以戒掉了。今天要远别，可以破例喝一次。"于是同众人坐在一起喝酒，喝了一天也没有醉。管宁、邴原都以操行高尚著称，公孙度空出客房来等候他们。管宁拜见公孙度后，便到山谷里搭建房屋。当时避难的人大多居住在郡治以南，而管宁独居郡治以北，以表示不回乡的决心。后来逐渐来了些追随者，一个月的时间这里就成了城镇。管宁每次拜见公孙度，只谈圣人经典，不涉时事。回到山里，专门讲授《诗经》《尚书》，演习礼仪，不是求学的人他不会见。因此公孙度对他的贤德甚为欣慰，民间也受到他道德的感化。邴原生性刚烈耿直，喜欢议论时政褒贬人物，公孙度以下的各级官吏，都感到不安。管宁对邴原说："潜在水下的龙，以不为人所见才修炼成德。说话不合时宜是招惹灾祸的根源。"让他秘密逃回中原。公孙度得知后，也不再追赶。王烈的气度学业超过一般的人，年轻时的名望在管宁、邴原之上。善于教诲诱导，乡里有个偷牛的人，被牛的主人抓获，这个偷牛的人表示认罪，说："我甘心接受刑法惩处，请求不要让王彦方知道。"王烈听到这件事，派人向偷牛的人致谢，送给他一块布。有人询问王烈为何送布，王烈说："这个小偷害怕我听到他的罪过，这表明他还有羞耻之心。既然他知道羞耻，

善心将生，故与布以劝[200]为善也。”后有老父遗[201]剑于路，行道一人见而守之。至暮，老父还，寻得剑，怪之，以事告烈。烈使推求[202]，乃先盗牛者也。诸有争讼曲直将质之于烈[203]，或至涂[204]而反，或望庐而还，皆相推[205]以直[206]，不敢使烈闻之。度欲以为长史，烈辞之，为商贾以自秽[207]，乃免。

【段旨】

以上为第四段，写刘表挫败袁术、站稳荆州，陶谦据徐州，刘焉据西州，公孙度据辽东。

【注释】

⑯⓪稍稍：逐渐。⑯①党援：结党相助。⑯②竖：小子。⑯③家奴：指袁绍。袁绍为袁逢之庶子，袁术之异母兄，又过继给伯父袁成为子，故袁术斥之为家奴。⑯④樊：樊城，在襄阳北，与襄阳隔汉水相望，今湖北襄阳。⑯⑤邓：邓城，在襄阳东北，今湖北襄阳。⑯⑥岘山：距当时襄阳城十里。⑯⑦桓阶：字伯绪，后为曹魏大臣。传见《三国志》卷二十二。⑯⑧贲：孙贲，字伯阳，后为豫章太守、征虏将军。传见《三国志》卷五十一。⑯⑨徐州：治所本在郯县（今山东郯城西北），东汉末移至下邳（今江苏睢宁西北）。⑰⓪陶谦（公元一三二至一九四年）：字恭祖，后为徐州牧，被曹操所败，不久病死。传见《三国志》卷八、《后汉书》卷七十三。⑰①行：代理。⑰②张鲁：字公祺，沛国丰县（今江苏丰县）人，汉末据汉中传五斗米道，后归降曹操，为镇南将军，封阆中侯。传见《三国志》卷八。⑰③五斗米道：因学道者需出五斗米，故名五斗米道。后世称为天师道。⑰④蜀：郡名，治所成都，在今四川成都中心。⑰⑤鬼道：奉鬼的宗教，即五斗米道。⑰⑥督义司马：官名，刘焉在益州所自置。⑰⑦汉中：郡名，治所南郑，在今陕西汉中。⑰⑧斜谷阁：指斜谷及阁道。斜谷在今陕西眉县西南，为古褒斜道之北口。阁道即栈道。⑰⑨岐、龙：任岐、

【原文】

三年（壬申，公元一九二年）

春，正月丁丑[208]，赦天下。

董卓遣牛辅将兵屯陕，辅分遣校尉北地李傕、张掖郭汜[209]、武威张

将会萌发善心，所以送布鼓励他为善。”后来有一个老先生把剑丢失在路上，一个过路人看到了，就一直守在剑旁。直到天黑，老先生返回找到了剑，很是惊讶，把这件事告诉了王烈。王烈派人去寻找，守剑者原来就是那个偷牛的人。凡是争论是非曲直的人都去找王烈评定，有的走到半路又折回去了，有的看到了王烈的房舍就往回走，都互相推让对方正确，不敢让王烈知道。公孙度想让王烈做长史，王烈推辞，就去经商来玷污自己，公孙度这才作罢。

贾龙，皆蜀中大姓，土著豪强首领，不服外来的刘焉的统治而反叛。刘焉击杀二人，在蜀郡站稳脚跟。⑱⓪乘舆：天子所乘之车。⑱①子夏在西河疑圣人：疑，通“拟”，比拟。孔子死后，子夏居于魏国西河（今河南安阳），西河人将子夏比拟于孔子（见《礼记·檀弓》）。刘表此言在于说明刘焉在蜀图谋不轨，使蜀人比拟他为天子。⑱②治书御史：治书侍御史，官名，掌以法律评判疑狱是非。⑱③奉车都尉：官名，掌皇帝乘舆。⑱④晓喻：明白开导。⑱⑤管宁、邴原、王烈：管宁字幼安，邴原字根矩，王烈字彦方，皆为当时之名士。后均归曹操，但王烈未至而死。邴原曾为曹操丞相征事，管宁位至曹魏三公。传均见《三国志》卷十一。⑱⑥会：筹集。⑱⑦燕：通“宴”。⑱⑧虚馆以候之：空出馆舍等候他们来。⑱⑨庐于山谷：在山谷中建房舍。⑲⓪旬月：一个来月。⑲①邑：聚落。⑲②习俎豆：俎与豆皆古时礼器。习俎豆，犹言习礼节。⑲③清议以格物：意谓用评论人物之方式以纠正人们之不善。⑲④潜龙以不见成德：《易·乾》有“潜龙勿用”之语，用以比喻圣人君子在未遇有道之时，就应潜隐而不显露。⑲⑤器业：谓器质道德。⑲⑥名闻：名誉声望。⑲⑦右：上。⑲⑧遗：赠与。⑲⑨端：古布帛长度名，布六丈为一端。⑳⓪劝：勉励。⑳①遗：丢失。⑳②推求：分析寻找。⑳③质之于烈：谓请王烈评定是非。⑳④涂：通“途”。道路。⑳⑤推：推让。⑳⑥直：有理。⑳⑦为商贾以自秽：汉代制度，商人不得为官吏。故王烈为逃避做公孙度之官，就为商人以自秽。

【校记】

［4］曲：据章钰校，甲十一行本、乙十一行本皆无此字。

【语译】

三年（壬申，公元一九二年）

春，正月丁丑日，大赦天下。

董卓派牛辅率兵屯守陕县，牛辅分别派出校尉北地人李傕、张掖人郭汜、武威济将步骑数万击破朱儁于中牟，因掠陈留、颍川诸县，所过杀虏无遗。

初，荀淑有孙曰彧[210]，少有才名。何颙见而异之，曰："王佐才也！"及天下乱，彧谓父老曰："颍川四战之地[211]，宜亟[212]避之。"乡人多怀土不能去，彧独率宗族去依韩馥。会袁绍已夺馥位，待彧以上宾之礼。彧度[213]绍终不能定大业，闻曹操有雄略，乃去绍从操。操与语，大悦，曰："吾子房[214]也！"以为奋武司马[215]。其乡人留者，多为傕、汜等所杀。

袁绍自出拒公孙瓒，与瓒战于界桥[216]南二十里。瓒兵三万，其锋甚锐。绍令麹义领精兵八百先登，强弩千张夹承[217]之。瓒轻其兵少，纵骑腾[218]之。义兵伏楯下不动，未至十数步，一时同发，欢呼[219]动地，瓒军大败。斩其所置冀州刺史严纲，获甲首[220]千余级。追至界桥，瓒敛兵还战，义复破之。遂到瓒营，拔其牙门[221]，余众皆走。

初，兖州刺史刘岱与绍、瓒连和，绍令妻子居岱所，瓒亦遣从事范方将骑助岱。及瓒击破绍军，语岱令遣绍妻子，别敕范方："若岱不遣绍家，将骑还。吾定绍，将加兵于岱。"岱与官属议，连日不决。闻东郡程昱[222]有智谋，召而问之。昱曰："若弃绍近援而求瓒远助，此假人于越以救溺子之说[223]也。夫公孙瓒非袁绍之敌也，今虽坏绍军，然终为绍所禽。"岱从之。范方将其骑归，未至而瓒败。

曹操军顿丘[224]，于毒等攻东武阳[225]。操引兵西入山，攻毒等本屯[226]。诸将皆请救武阳。操曰："使贼闻我西而还，武阳自解也，不还，我能败其本屯，虏不能拔武阳必矣。"遂行。毒闻之，弃武阳还。操遂击眭固及匈奴於扶罗于内黄[227]，皆大破之。

董卓以其弟旻为左将军，兄子璜为中军校尉[228]，皆典[229]兵事，宗族内外并列朝廷。卓侍妾怀抱中子皆封侯，弄以金紫[230]。卓车服僭拟天子，召呼三台[231]，尚书以下皆自诣卓府启事。又筑坞[232]于郿[233]，高厚皆七丈，积谷为三十年储，自云："事成，雄据天下；不成，守此足以毕老。"

人张济率领几万步兵、骑兵在中牟击败朱儁，趁势抢掠陈留、颍川两郡所属各县，所过之处烧杀掳掠无所遗留。

当初，荀淑有个孙子叫荀彧，从小就因有才华而出名。何颙见到后很惊奇，说："真是个辅佐君王的人才！"等到天下大乱，荀彧对父老乡亲们说："颍川是四面受敌的地方，应当赶快逃避。"乡里人大多留恋故土不愿离去，荀彧独自率领他的家族去投靠韩馥。正赶上袁绍已夺取了韩馥的职位，袁绍用贵宾的礼节接待了荀彧。荀彧估量袁绍最终不能成就大业，听说曹操有雄才大略，于是离开袁绍追随曹操。曹操与荀彧交谈，十分高兴，说："你就是我的张良！"任命他为奋武司马。那些留在颍川的乡亲，大多被李傕、郭汜等杀害。

袁绍亲自率兵抵抗公孙瓒，与公孙瓒在界桥以南二十里的地方交战。公孙瓒的兵众有三万，锋芒十分锐利。袁绍派麹义率精兵八百为前锋，强弩手一千夹道紧随其后。公孙瓒轻视麹义兵少，放纵骑兵冲击。麹义的士兵伏在楯牌下不动，等对方行至不到十步距离时，同时齐发，喧呼声惊天动地，公孙瓒的军队大败。杀死公孙瓒所任命的冀州刺史严纲，获得甲士的首级一千多。追赶到界桥，公孙瓒聚兵还击，麹义再次击败了公孙瓒的军队。于是到达了公孙瓒的大本营，拔掉他的牙门旗，公孙瓒的残兵全部逃走。

起初，兖州刺史刘岱和袁绍、公孙瓒联合，袁绍让妻子儿女寄居在刘岱处，公孙瓒也派从事范方率骑兵协助刘岱。等到公孙瓒击败袁绍的军队，就通告刘岱要他把袁绍的妻子儿女交出来，另外命令范方说："如果刘岱不交出袁绍家属，你就率领骑兵返回。等我平定了袁绍，再用兵刘岱。"刘岱和部下商量，一连几天下不了决断。听说东郡人程昱有智谋，就叫来询问他，程昱说："如果放弃袁绍这一近援，而求公孙瓒的远助，这就好比儿子溺水却远请越地的水手救助一样。公孙瓒不是袁绍的对手，现在虽击败了袁军，但他终将被袁绍擒获。"刘岱听从了他的话。范方率领他的骑兵返回，还没到达而公孙瓒已经失败。

曹操的军队驻守在顿丘，于毒等黄巾军攻打东武阳。曹操率兵西行入山，进攻于毒的大本营。诸位将领都请求救援东武阳。曹操说："如果叛贼听说我西行而回师救援，东武阳之围固然可以解除，如果我不回师，就能捣毁叛贼的大本营，叛贼不能攻占东武阳是肯定的。"于是西进。于毒听说，放弃东武阳返回。曹操便趁势在内黄进攻眭固和南匈奴单于於扶罗，把他们打得大败。

董卓任他的弟弟董旻为左将军，哥哥的儿子董璜为中军校尉，都掌管兵权。董卓的宗族及其亲属都在朝做官，连董卓侍妾怀中吃奶的儿子也封了侯，把金印紫绶当作玩具。董卓的车乘和服饰越制模仿皇帝，对三台官招来呼去，尚书以下的朝官都要亲自到董府请示汇报。董卓还在郿县修建城堡，高厚都是七丈，积存了可以支持三十年的谷物储备，自我夸耀说："事成，我可以雄据天下；不成，守住这里也足以终老。"

卓忍[234]于诛杀，诸将言语有蹉跌[235]者，便戮于前，人不聊生。司徒[5]王允与司隶校尉黄琬、仆射[236]士孙瑞、尚书杨瓒密谋诛卓。中郎将吕布便[237]弓马，膂力[238]过人。卓自以遇人无礼，行止常以布自卫，甚爱信之，誓为父子。然卓性刚褊[239]，尝小失卓意，卓拔手戟[240]掷布。布拳捷[241]，避之，而改容顾谢，卓意亦解。布由是阴怨于卓。卓又使布守中阁[242]，而私[243]于傅婢[244]，益不自安。王允素善待布，布见允，自陈卓几见杀之状[245]，允因以诛卓之谋告布，使为内应。布曰："如父子何？"曰："君自姓吕，本非骨肉。今忧死不暇，何谓父子！掷戟之时，岂有父子情邪！"布遂许之。

夏，四月丁巳[246]，帝有疾新愈，大会未央殿。卓朝服乘车而入，陈兵夹道，自营至宫，左步右骑，屯卫周匝[247]，令吕布等捍卫前后。王允使士孙瑞自书诏以授布，布令同郡骑都尉李肃与勇士秦谊、陈卫等十余人伪著卫士服，守北掖门[248]内以待卓。卓入门，肃以戟刺之。卓衷甲[249]，不入，伤臂，堕车，顾大呼曰："吕布何在？"布曰："有诏讨贼臣！"卓大骂曰："庸狗[250]，敢如是邪！"布应声持矛刺卓，趣[251]兵斩之。主簿[252]田仪及卓仓头[253]前赴其尸，布又杀之，凡所杀三人。布即出怀中诏版[254]以令吏士曰："诏讨卓耳，余皆不问！"吏士皆正立不动，大称万岁。百姓歌舞于道，长安中士女卖其珠玉衣装市酒肉相庆者，填满街肆[255]。弟旻、璜等及宗族老弱在郿，皆为其群下所斫射死。暴卓尸于市，天时始热，卓素充肥[256]，脂流于地，守尸吏为大炷[257]，置卓脐中然[258]之，光明达曙，如是积日。诸袁门生聚董氏之尸，焚灰扬之于路。坞中有金二三万斤，银八九万斤，锦绮奇玩积如丘山。以王允录尚书事[259]，吕布为奋威将军、假节、仪比三司[260]，封温侯，共秉朝政。

卓之死也，左中郎将高阳侯蔡邕在王允坐，闻之惊叹。允勃然[261]叱之曰："董卓国之大贼，几亡汉室。君为王臣，所宜同疾。而怀其私遇，反相伤痛，岂不共为逆哉！"即收付廷尉[262]。邕谢曰："身虽不忠，古今大义，耳所厌[263]闻，口所常玩，岂当背国而向卓也！愿黥首[264]刖足[265]，继成汉史。"士大夫多矜[266]救之，不能得。太尉马日磾谓

董卓残暴嗜杀，将领们言语稍有差错，便当场处死，弄得人不自保。司徒王允和司隶校尉黄琬、仆射士孙瑞、尚书杨瓒密谋诛除董卓。中郎将吕布擅长骑射，臂力过人，董卓知道自己待人无礼，一切行动都常常把吕布作为自己的侍卫，非常宠信他，两人立誓成为父子。然而董卓生性刚愎褊急，吕布曾稍稍违背董卓心意，董卓便拔出手戟投向吕布。吕布身手矫健，敏捷地避开了，并和颜悦色地向董卓道歉，董卓的怒意才消解。从此吕布暗中怨恨董卓。董卓又让吕布侍卫于内室，吕布却和董卓的贴身侍女私通，心里更加感到不安。王允一向对吕布很好，吕布见到王允，主动述说差点被董卓杀死的情况，王允趁机将诛除董卓的密谋告诉吕布，让他做内应。吕布说："我们是父子关系，怎么行呢？"王允说："你自姓吕，与董卓本不是骨肉。现在你生死都顾不了，还谈什么父子关系！他在投戟的时候，难道还有父子之情吗！"吕布于是答应了。

夏，四月丁巳日，献帝有病初愈，便在未央殿大会文武百官。董卓穿着朝服乘车入宫，道路两旁布满卫兵，从他的大本营一直到皇宫，左面是步兵，右面是骑兵，守卫周密，命吕布等前后护卫。王允命士孙瑞亲自写诏书交给吕布，吕布命同郡人骑都尉李肃和勇士秦谊、陈卫等十多人穿着卫士服装，守在北掖门内等待董卓。董卓入门，李肃用戟刺杀他。董卓内穿铠甲，戟刺不进，只伤及臂膀，从车上跌下，回头大喊："吕布在哪里？"吕布说："有诏令诛讨贼臣！"董卓大骂："蠢狗，你胆敢如此！"吕布应声手持长矛直刺，并催促士兵砍下董卓的头。主簿田仪和董卓的奴仆上前扑向董卓的尸体，吕布又杀死他们，总共杀了三人。吕布随即从怀中拿出诏书对官兵说："诏令只诛讨董卓，其余的都不追究！"官兵们立正不动，高呼万岁。老百姓在路上唱歌跳舞，长安城中士女变卖珠宝玉器服饰来打酒割肉互相庆贺，人群填满了街道。董卓弟弟董旻、董璜及其宗族老少住在郿县，都被他们的部下砍杀射死。董卓的尸体在街头示众，这时天气开始热起来，董卓一向肥胖，晒出的油脂流到了地上，看守尸体的小吏做了一个大灯芯，插入董卓的肚脐里点燃，从晚上一直烧到天亮，连续烧了好些天。袁氏各家的门生搜集董氏家人的尸体，焚烧成灰，撒在路上。城堡中有黄金二三万斤，白银八九万斤，绫罗绸缎珍宝奇玩堆积如山。朝廷任命王允为录尚书事，吕布为奋威将军，假节、礼仪等待遇与三公相同，封为温侯，和王允共同主持朝政。

董卓死时，左中郎将高阳侯蔡邕在王允家做客，听到这个消息大为惊叹。王允勃然大怒，斥责他说："董卓是个窃国大盗，几乎亡了汉家天下。你身为汉家的臣子，应当同仇敌忾。而你念念不忘私恩，为他悲伤，岂不是共同为逆吗！"当即收捕了蔡邕交给廷尉治罪。蔡邕谢罪说："我虽然不忠，但古今君臣的大义，耳熟能详，口里常常习诵，怎么会背叛国家而心向董卓呢！我甘愿受刑，不管是脸上刺字，或砍去双脚，使我继续完成汉史。"士大夫们大都同情蔡邕设法营救，但没能成功。太尉马

允曰："伯喈[267]旷世逸才[268]，多识汉事，当续成后史，为一代大典。而所坐[269]至微，诛之，无乃失人望乎！"允曰："昔武帝不杀司马迁，使作谤书[270]流于后世。方今国祚[271]中衰，戎马在郊，不可令佞臣执笔在幼主左右，既无益圣德，复使吾党蒙其讪议[272]。"日磾退而告人曰："王公其无后乎！善人，国之纪[273]也；制作，国之典也；灭纪废典，其能久乎！"邕遂死狱中。

初，黄门侍郎荀攸与尚书郑泰、侍中种辑等谋曰："董卓骄忍无亲，虽资强兵，实一匹夫耳，可直刺杀也。"事垂就而觉，收攸系狱，泰逃奔袁术。攸言语饮食自若，会卓死，得免。

【段旨】

以上为第五段，写王允诛除董卓，罪及无辜蔡邕，为王允滥杀而败伏笔。

【注释】

⑳⑧丁丑：正月庚寅朔，无丁丑。⑳⑨北地李傕、张掖郭汜：皆董卓部将，董卓被杀后，攻入长安。后二人发生矛盾，互相攻击，长安大乱，致使三辅地区遭到毁灭性的破坏。其事附见《三国志》卷六《魏书·董卓传》、《后汉书》卷七十二《董卓传》。[210]彧：荀彧（公元一六三至二一二年），字文若，颍川颍阴（今河南许昌）人，初依袁绍，后归曹操。为曹操重要谋士，任汉侍中兼尚书令，后因反对曹操称魏公，被迫自杀。传见《三国志》卷十、《后汉书》卷七十。[211]颍川四战之地：谓颍川郡周围无险阻，四面均能遭受攻击。[212]亟：急速。[213]度：揣度；推测。[214]子房：张良字子房，汉高祖刘邦的重要谋臣，佐刘邦定天下、建汉朝。[215]奋武司马：官名，当时曹操为奋武将军，以荀彧为司马综理军府事，并参与军事谋划，故称奋武司马。[216]界桥：桥名，在今河北威县东北原漳河上。[217]承：继。[218]腾：奔驰。[219]欢呼：喧嚣呼喊。[220]甲首：甲士首级。[221]牙门：古时行军，军前有大旗，称为牙旗。扎营时，将牙旗立于营门，称为牙门。[222]程昱：字仲德，东郡东阿（今山东阳谷北）人，后投曹操，为尚书、奋武将军，曹魏初为卫尉。传见《三国志》卷十四。[223]假人于越以救溺子之说：意谓南方之越人习水，北方有人之子被溺，而求救于越人，显然来不及。这大概是当时的成语。[224]顿丘：县名，县治在今河南清丰西南。[225]东武阳：县名，置于武水之北。县治在今山东阳谷西南。[226]屯：营寨。[227]内黄：县名，县治在今河南内黄西北。[228]中军校尉：官名，为汉灵帝所置西园

日磾对王允说：“蔡邕是旷世奇才，熟悉汉代的史事，应该让他续成后汉史，成就一代大典。再说只因轻微的罪过就杀了他，岂不使天下人失望吗！”王允说：“从前武帝不杀司马迁，让他写了诽谤的书流传后世。现在国运中衰，兵马在野外作战，不可让奸臣在幼主身边掌握笔墨，这既无益于圣德的养成，又会使我们这些人遭受他的讥讽。”马日磾退出后对人说：“王公大概要绝后了！善人是国家的纲纪，著作是国家的经典，毁灭纲纪废除经典，他能长久吗！”蔡邕于是死在狱中。

起初，黄门侍郎荀攸与尚书郑泰、侍中种辑等密谋说：“董卓骄横残忍没有亲近的人，虽然拥有强兵，其实只不过是一介匹夫罢了，可径直刺杀他。”事情即将成功却被发觉，荀攸被捕入狱，郑泰逃奔袁术。荀攸言谈饮食如常，恰逢董卓被杀，得以幸免。

八校尉之一。㉙典：主管。㉚金紫：指金章紫绶，为侯者所用。㉛三台：指尚书台、御史台、谒者台。㉜坞：土堡；小城。㉝郿：县名，县治在今陕西眉县东北。㉞忍：敢杀；残酷。㉟蹉跌：失足。此为失误之意。㊱仆射：尚书仆射，官名，东汉尚书令的副手。㊲便：熟习。㊳膂力：体力。㊴刚褊：刚愎狭隘。㊵手戟：便于击刺的小戟。㊶拳捷：勇武迅捷。㊷中阁：内室。㊸私：私通。㊹傅婢：亲幸的侍女。㊺自陈卓几见杀之状：自述说几乎被董卓所杀的状况。㊻丁巳：四月己未朔，无丁巳，当从《后汉书》卷九《献帝纪》作“辛巳”。辛巳，四月二十三日。㊼周匝：周围。㊽北掖门：宫门名，即宫城北面的旁门。此指长安未央宫北面的旁门。㊾衷甲：谓内穿铠甲外套衣服。㊿庸狗：骂人的话，犹言蠢狗。251趣：催促。252主簿：官名，掌文书簿籍及印章。汉制御史台及郡县皆置主簿。曹魏三公府亦置主簿，七品。此时董卓任相国，已置主簿，田仪任其职。253仓头：奴仆。254诏版：写于木牍上的诏令。255肆：集市贸易之处。256充肥：丰满肥胖。257炷：灯芯。258然：“燃”本字。259录尚书事：录，总领之意。东汉以来，政归尚书，录尚书事即总揽朝政。260仪比三司：又称仪同三司。即官非三公而给以三公同等的礼遇。261勃然：发怒变色貌。262廷尉：官名，汉九卿之一，掌刑狱。263厌：通“餍”。饱；满。264黥首：古代面部刺字之刑。265刖足：古代砍掉脚之酷刑。266矜：怜惜。267伯喈：蔡邕字伯喈。268旷世逸才：谓举世无双之超众人才。269坐：获罪。270谤书：诽谤不实的书。此指《史记》。271国祚：国家命运。272讪议：毁谤之议论。273纪：纲纪；准则。

【校记】

［5］司徒：原误刻为“司走”，显系误字，今迳校正。

【原文】

青州黄巾寇兖州，刘岱欲击之，济北[274]相鲍信谏曰："今贼众百万，百姓皆震恐，士卒无斗志，不可敌也。然贼军无辎重[275]，唯以钞略为资[276]。今不若畜[277]士众之力，先为固守，彼欲战不得，攻又不能，其势必离散，然后选精锐，据要害，击之可破也。"岱不从，遂与战，果为所杀。

曹操部将东郡陈宫谓操曰："州今无主，而王命断绝。宫请说州中纲纪[278]，明府[279]寻往牧之[280]，资之以收天下，此霸王之业也。"宫因往说别驾、治中曰："今天下分裂而州无主，曹东郡，命世之才[281]也，若迎以牧州，必宁生民。"鲍信等亦以为然，乃与州吏万潜等至东郡，迎操领兖州刺史。操遂进兵击黄巾于寿张[282]东，不利。贼众精悍，操兵寡弱，操抚循[283]激励，明设赏罚，承间[284]设奇，昼夜会战，战辄禽获，贼遂退走。鲍信战死，操购求[285]其丧[286]不得，乃刻木如信状，祭而哭焉。诏以京兆金尚为兖州刺史，将之部，操逆击之，尚奔袁术。

五月，以征西将军[287]皇甫嵩为车骑将军。

初，吕布劝王允尽杀董卓部曲[288]，允曰："此辈无罪，不可。"布欲以卓财物班赐[289]公卿、将校，允又不从。允素以剑客遇布，布负其功劳，多自夸伐[290]，既失意望，渐不相平。允性刚棱[291]疾恶，初惧董卓，故折节[292]下之。卓既歼灭，自谓无复患难，颇自骄傲，以是群下不甚附之。

允始与士孙瑞议，特下诏赦卓部曲，既而疑曰："部曲从其主耳，今若名之恶逆而赦之，恐适[293]使深自疑，非所以安之也。"乃止。又议悉罢其军，或[294]说允曰："凉州人素惮袁氏而畏关东[295]，今若一旦解兵开关，必人人自危。可以皇甫义真[296]为将军，就领其众，因使留陕以安抚之。"允曰："不然。关东举义兵者，皆吾徒也。今若距险屯陕，虽安凉州[297]，而疑关东之心，不可也。"

时百姓讹言[298]当悉诛凉州人，卓故将校遂转相恐动，皆拥兵自守，更相谓曰："蔡伯喈但以董公亲厚尚从坐，今既不赦我曹，而欲使解兵[299]，今日解兵，明日当复为鱼肉[300]矣！"吕布使李肃[301]至陕，以诏命

【语译】

青州黄巾军寇掠兖州，刘岱准备出兵攻打它。济北相鲍信劝谏说：“现今叛贼有百万之众，百姓震动惊恐，官兵没有斗志，抵抗不了敌人。然而黄巾军没有辎重物资，只靠抢掠来补给。现在不如让将士养精蓄锐，首先是固守，黄巾军求战不得，攻城不下，它的气势一定会消失，然后我方挑选精锐士卒，控制要害之地，再行攻击，就可打败敌军。”刘岱不听从，于是与黄巾军交战，果然被黄巾军杀害。

曹操部将东郡人陈宫对曹操说：“兖州现今没有主人，而朝廷的政令又断绝。我请求去劝说州中的主事官员，府君你随后去就任州牧，以兖州为依托来收取天下，这是霸王的功业。”陈宫便前往兖州游说别驾、治中。陈宫说：“如今天下分裂而兖州没有主人，东郡太守曹操，是治国安邦的大才，如果迎接他来做州牧，一定能使百姓安宁。”鲍信等也认为是这样，便与州吏万潜等人到东郡，迎请曹操代理兖州刺史。曹操于是进兵，在寿张县东攻击黄巾军，初战不利。黄巾军兵众精悍，曹操兵少且弱，曹操对兵士安抚激励，定出明确的赏罚条例，找机会巧设奇计，日夜交战，每战必有擒获，贼军终于退走。鲍信战死，曹操悬赏寻求他的尸体，没有找到，于是刻了一尊鲍信木像，曹操亲自祭奠痛哭。诏书任命京兆人金尚为兖州刺史，金尚将到兖州赴任，遭曹操迎击，金尚逃奔袁术。

五月，任命征西将军皇甫嵩为车骑将军。

当初，吕布劝说王允杀尽董卓部众，王允说：“这些人无罪，不能杀。”吕布想把董卓的财物赏赐给公卿、将校，王允又不同意。王允一向只把吕布当作游侠剑客来对待，吕布自恃有功，经常自我夸耀，既然有许多事使他失望，自然就渐渐心生不平。王允性情刚直方正，疾恶如仇，原先因害怕董卓，所以不得不对吕布屈尊谦下。董卓既已灭除，他认为再也没有患难了，便骄傲起来，因此他的部下也就不怎么亲附他了。

王允最初和士孙瑞商量，特别下诏赦免董卓的部下，随即又感疑惑，说：“部下只是追随主人而已，现在如果认定他们是恶逆之人而赦免，恐怕反而加深他们的疑虑，这不是安抚他们的好办法。”于是作罢。又商量遣散董卓所有的军队，有人劝王允说：“凉州人一向害怕袁绍而畏惧关东大军，现在一旦遣散军队，打开函谷关，一定会人人自危。可以任命皇甫嵩为将军，统领董卓的部众，趁机让他们留在陕县加以安抚。”王允说：“不对。关东兴举义兵的人，都是我们的同盟军。现今如果据守险要，屯守陕县，虽然安抚了凉州人，却让关东将领起疑心，不行啊。”

当时百姓讹传要杀尽凉州人，董卓先前的将校相互转告，非常恐惧，都拥兵自守，还互相传言说：“蔡邕仅因董公的亲近厚待尚且治罪，现在既不赦免我们，还想遣散我们的军队，今天遣散了军队，明天我们就要成为任人宰割的鱼肉了！”吕布派

诛牛辅。辅等逆与肃战，肃败，走弘农[302]，布诛杀之。辅恇怯[303]失守，会营中无故自惊，辅欲走，为左右所杀。李傕等还[304]，辅已死，傕等无所依，遣使诣长安求赦。王允曰："一岁不可再赦。"不许。傕等益惧，不知所为，欲各解散，间行[305]归乡里，讨虏校尉武威贾诩[306]曰："诸君若弃军单行，则一亭长[307]能束君矣。不如相率而西，以攻长安，为董公报仇。事济，奉国家[308]以正天下，若其不合[309]，走未晚[6]也。"傕等然之，乃相与结盟，率军数千，晨夜西行。王允以胡文才、杨整脩皆凉州大人[310]，召使东，解释之[311]，不假借以温颜[312]，谓曰："关东鼠子[313]，欲何为邪？卿往呼之！"于是二人往，实召兵而还。

傕随道收兵，比至[314]长安，已十余万，与卓故部曲樊稠、李蒙等合围长安城，城峻不可攻，守之八日。吕布军有叟[315]兵内反。六月戊午[316]，引傕众入城，放兵虏掠。布与战城中，不胜，将数百骑以卓头系马鞍出走，驻马青琐门外，招王允同去。允曰："若蒙社稷之灵，上安国家，吾之愿也。如其不获，则奉身以死之。朝廷[317]幼少，恃我而已，临难苟免，吾不忍也。努力谢[318]关东诸公[319]，勤以国家为念！"太常[320]种拂曰："为国大臣，不能禁暴御侮，使白刃向宫，去将安之！"遂战而死。

傕、汜屯南宫掖门，杀太仆[321]鲁馗[322]、大鸿胪周奂、城门校尉崔烈、越骑校尉王颀，吏民死者万余人，狼籍[323]满道。王允扶帝上宣平门避兵，傕等于城门下伏地叩头。帝谓傕等曰："卿等放兵纵横，欲何为乎？"傕等曰："董卓忠于陛下，而无故为吕布所杀，臣等为卓报雠，非敢为逆也，请事毕诣廷尉受罪。"傕等围门楼，共表请司徒王允出，问太师何罪。允穷蹙，乃下见之。己未[324]，赦天下，以李傕为扬武将军[325]，郭汜为扬烈将军[326]，樊稠等皆为中郎将。傕等收司隶校尉黄琬，下狱[7]，杀之。

初，王允以同郡宋翼为左冯翊[327]，王宏为右扶风[328]。傕等欲杀允，恐二郡为患，乃先征翼、宏。宏遣使谓翼曰："郭汜、李傕以我二人在外，故未危[329]王公。今日就征，明日俱族，计将安出？"翼曰："虽祸福难量，然王命所不得避也！"宏曰："关东义兵鼎沸，欲诛董卓。今卓已死，其党与易制耳。若举兵共讨傕等，与山东相应，此转祸为福之计也。"

李肃到陕县，宣布诏命要杀牛辅。牛辅等迎击李肃，李肃战败，逃至弘农，被吕布杀死。牛辅因惊恐而失态，恰又遇上军营中自我惊乱，牛辅想逃跑，被部下杀死。李傕等人回来，牛辅已死，李傕等人无所依靠，便派使者到长安请求朝廷赦免。王允说："一年之中不能两次赦免。"没有答应。李傕等人更加恐惧，不知所措，想各自散去，悄悄从小路逃回家乡，讨虏校尉武威人贾诩说："诸位如果丢下军队只身单行，那么一个小小的亭长就能把你们抓起来。不如互相率兵向西，进攻长安，替董公报仇。事成，则拥戴天子来匡正天下，如果不成，再逃也不晚。"李傕等十分赞同，于是结成同盟，率领几千兵马，日夜兼程西进。王允认为胡文才、杨整脩都是凉州名人，便召见他们，要他们东去向李傕等人解释，可是王允在会见他们时不给好脸色，对他们说："关东那帮鼠辈，想要干什么？你们去叫他们来！"于是二人前往，实则是把大军召往长安。

李傕沿途收拢兵马，等到进至长安，已拥有十多万人，与董卓旧部樊稠、李蒙等合围长安城，长安城墙高不能攻下，围守了八天。吕布军中有西南夷兵在城内叛乱。六月初一日戊午，叛军引导李傕的军队进城，李傕纵兵抢劫掠夺。吕布与李傕在城中交战不胜，率领几百名骑兵，把董卓的头系在马鞍上往城外逃跑，到青琐门外停下马，招呼王允一起走。王允说："如果受到社稷神灵的保护，上使国家安定，这是我的愿望。如果不能实现，就献身而死。皇帝年幼，只能依赖我，遇到危难逃跑偷生，我不忍心。你务必告诉关东诸位将领，劝他们要以天子为重！"太常种拂说："我身为国家大臣，不能禁止暴力抵拒外侮，致使刀枪逼向皇宫，能逃往哪里去呢！"于是奋战而死。

李傕、郭汜驻守南宫掖门，杀死太仆鲁馗、大鸿胪周奂、城门校尉崔烈、越骑校尉王颀，被杀死的官民一万多人，尸首横七竖八铺满街道。王允扶持献帝登上宣平门楼躲避兵乱，李傕等在城门下伏地磕头。献帝对李傕等说："你们放纵士兵横冲直撞，想要干什么？"李傕等说："董卓忠于陛下，而无故被吕布杀死，臣等是为董卓报仇，哪敢叛乱，臣等请求事毕后到廷尉领罪。"李傕等包围门楼，一齐上表请求司徒王允出面，问太师有什么罪。王允词穷而窘迫，只好下来接见他们。六月初二日己未，赦免天下，任命李傕为扬武将军，郭汜为扬烈将军，樊稠等都任中郎将。李傕等逮捕司隶校尉黄琬，下狱，杀死了他。

起初，王允任命同郡人宋翼为左冯翊，王宏为右扶风。李傕等要杀王允，害怕这两郡起兵发难，于是先征召宋翼、王宏。王宏派使者对宋翼说："郭汜、李傕因为有我们两人领兵在外，所以才没有危害王公。今日如果我们接受征召，明日都被灭族，你有什么对策吗？"宋翼说："虽然福祸难以预测，然而朝廷的命令是不能违抗的！"王宏说："关东义兵声势汹涌，要杀董卓。现在董卓已死，他的党羽很容易对付。如果我们举兵共同征讨李傕等，与山东义兵相呼应，这是转祸为福的策略。"

翼不从。宏不能独立，遂俱就征。甲子[330]，傕收允及翼、宏，并杀之，允妻子皆死。宏临命[331]诟[332]曰："宋翼竖儒，不足议大计！"傕尸王允于市，莫敢收者，故吏平陵令京兆赵戬弃官收而葬之。始，允自专[333]讨卓之劳[334]，士孙瑞归功不侯[335]，故得免于难。

臣光曰："《易》称'劳谦君子有终吉[336]'，士孙瑞有功不伐[337]，以保其身，可不谓之智乎！"

傕等以贾诩为左冯翊，欲侯之，诩曰："此救命之计，何功之有！"固辞不受。又以为尚书仆射，诩曰："尚书仆射，官之师长，天下所望。诩名不素重，非所以服人也。"乃以为尚书。

【段旨】

以上为第六段，写凉州将李傕、郭汜为董卓报仇，诛杀王允。

【注释】

㉗④济北：王国名，治所卢县，在今山东济南市长清区南。㉗⑤辎重：军用器械、粮草等物资。㉗⑥唯以钞略为资：单靠掠取物资作为给养。㉗⑦畜：同"蓄"。㉗⑧纲纪：州别驾及治中从事等皆可称纲纪。㉗⑨明府：汉代人称郡太守为府君，亦称明府君，简称明府。曹操时为东郡太守，而陈宫为东郡人，故称曹操为明府。㉘⓪牧之：谓为兖州牧。㉘①命世之才：经邦济世之人才。㉘②寿张：县名，县治在今山东东平西南。㉘③抚循：安抚。㉘④承间：找机会。此指寻求战机。㉘⑤购求：悬赏寻求。㉘⑥丧：指尸体。㉘⑦征西将军：官名，东汉杂号将军之一，掌统兵征伐。㉘⑧部曲：军队。此指军队的中下级军官。㉘⑨班赐：颁赐；分发赏赐。㉙⓪夸伐：夸耀自矜。伐，自矜其功。㉙①刚棱：刚直严正。㉙②折节：降低身份，屈从于人。㉙③适：正好。㉙④或：有人。㉙⑤关东：地区名。泛指函谷关以东中原地区。此指袁绍等人之关东军。㉙⑥皇甫义真：皇甫嵩字义真。㉙⑦凉州：指董卓之凉州军队。㉙⑧讹言：流言；谣言。㉙⑨解兵：放下武器，即解散军队。㉚⓪为鱼肉：比喻己为鱼肉，任人宰割。㉚①李肃：东汉末将领。献帝初为骑都尉，与吕布同心，诛杀董卓。其事迹附见《后汉书》卷七十二《董卓传》。㉚②弘农：郡名，治所弘农县，在今河南灵宝北。㉚③恇怯：恐惧畏缩。㉚④李傕等还：指李傕等从陈留、颍川还陕县。㉚⑤间行：走小

宋翼不听从。王宏难以单独行事，于是一起接受征召。六月初七日甲子，李傕逮捕王允及宋翼、王宏，把他们都杀掉，王允的妻子儿女全被杀害。王宏临刑时骂道："宋翼，你这个鄙贱的儒生，不值得和你商量大计！"李傕把王允的尸体弃置在街头，没有人敢去收殓，王允以前的属吏平陵令京兆人赵戬，抛弃官职，收葬了王允。起初，王允把征讨董卓的功劳全部归于自己，士孙瑞推让功劳未能封侯，所以幸免于难。

司马光说："《易经》说'有功而又谦让的君子，最终必有吉祥'，士孙瑞有功不自夸，保全了身家性命，能不说他是智者吗！"

李傕等任贾诩为左冯翊，想给他封侯，贾诩说："这只是救命之计，有什么功劳！"坚决推辞不受。又任命他为尚书仆射，贾诩说："尚书仆射是百官的师表，为天下所仰望。我的名声一向不高，不能使人信服。"于是任命他为尚书。

路。㉚⁶贾诩：字文和，武威姑臧（今甘肃武威）人，初为董卓部下，后归曹操，为谋士。曹魏时官至太尉。传见《三国志》卷十。307亭长：秦汉时最低层的行政长吏。城市中十里设一亭，有亭长；乡村有乡亭，亦设亭长。其职务为管理诉讼、治安等事。308国家：指皇帝。309不合：谓不合本来之计谋。310大人：指大家豪右。311召使东二句：谓召胡文才、杨整脩使之东去解散李傕、郭汜等人的军队。312温颜：和颜悦色。313关东鼠子：辱骂李傕、郭汜等人，时诸人皆在潼关之东。314比至：及至。315叟：汉代称西南地区氐羌系的部分少数民族为"叟"。316戊午：六月初一。317朝廷：指皇帝。318谢：告诉。319关东诸公：指袁绍等人。320太常：官名，九卿之一，掌宗庙祭祀礼仪，兼选试博士。321太仆：官名，九卿之一，掌皇帝车马及马政，秩中二千石。322馗：古"逵"字。323狼籍：纵横散乱。324己未：六月初二。325扬武将军：官名，东汉杂号将军之一。326扬烈将军：官名，东汉杂号将军之一，此时始置。327左冯翊：官名，左冯翊的长官，相当于郡太守。左冯翊本政区名，为汉代三辅之一，东汉时治所在高陵（今陕西西安市高陵区西南）。而左冯翊的长官也称左冯翊，官名与政区名相同。328右扶风：官名，右扶风的长官，相当于郡太守。右扶风亦本政区名，汉代三辅之一，东汉时治所在槐里（今陕西兴平东南）。右扶风的长官也称右扶风，官名与政区名相同。329危：指杀害。330甲子：六月初七。331临命：将死之时。332诟：怒骂。333专：独占。334劳：功劳。335不侯：不封侯。336劳谦君子有终吉：《易·谦·九三》之辞，意思是说有功劳而又谦逊的君子最后必然吉祥。337伐：夸耀；自矜其功。

【校记】

［6］晚：据章钰校，甲十一行本、乙十一行本皆作“后”。［7］下狱：原无此二字。据章钰校，甲十一行本、乙十一行本皆有此二字，今据补。

【原文】

吕布自武关[338]奔南阳，袁术待之甚厚。布自恃有功于袁氏[339]，恣[340]兵钞掠。术患之，布不自安，去从张杨于河内。李傕等购求[341]布急，布又逃归袁绍。

丙子[342]，以前将军赵谦[343]为司徒。

秋，七月庚子[344]，以太尉马日磾为太傅，录尚书事。八月，以车骑将军皇甫嵩为太尉。

诏太傅马日磾、太仆赵岐[345]杖节[346]镇抚关东。

九月，以李傕为车骑将军、领司隶校尉、假节，郭汜为后将军，樊稠为右将军，张济为骠骑将军，皆封侯。傕、汜、稠筦[347]朝政，济出屯弘农。

司徒赵谦罢。甲申[348]，以司空淳于嘉[349]为司徒，光禄大夫杨彪[350]为司空，录尚书事。

初，董卓入关[351]，说韩遂、马腾与共图山东[352]，遂、腾率众诣长安。会卓死，李傕等以遂为镇西将军[353]，遣还金城[354]，腾为征西将军，遣屯郿。

冬，十月，荆州刺史刘表遣使贡献。以表为镇南将军、荆州牧，封成武侯。

十二月，太尉皇甫嵩免，以光禄大夫周忠[355]为太尉，参录尚书事。

曹操追黄巾至济北，悉降之，得戎卒三十余万，男女百余万口，收其精锐者，号青州兵[356]。

操辟陈留毛玠[357]为治中从事[358]。玠言于操曰：“今天下分崩，乘舆[359]播荡[360]，生民废业，饥馑流亡，公家无经岁之储，百姓无安固之志，

【语译】

吕布从武关逃往南阳，袁术待他十分优厚。吕布自恃对袁氏有功，纵兵抢掠。袁术十分忧虑，吕布也心感不安，离开袁术到河内投奔张杨。李傕等紧急悬赏捉拿吕布，吕布又逃归袁绍。

六月十九日丙子，任命前将军赵谦为司徒。

秋，七月十三日庚子，任命太尉马日磾为太傅，录尚书事。八月，任命车骑将军皇甫嵩为太尉。

皇帝诏令太傅马日磾、太仆赵岐持节镇抚关东诸侯。

九月，任命李傕为车骑将军，兼司隶校尉，假节，郭汜为后将军，樊稠为右将军，张济为骠骑将军，全都封侯。李傕、郭汜、樊稠掌管朝政，张济出外屯守弘农。

司徒赵谦被罢官。九月二十九日甲申，任命司空淳于嘉为司徒，光禄大夫杨彪为司空，录尚书事。

当初，董卓入关后，游说韩遂、马腾与他一起对付山东诸侯，韩遂、马腾率领部众到达长安。正赶上董卓被诛杀，李傕等任命韩遂为镇西将军，派他返回金城，任命马腾为征西将军，派他屯驻郿县。

冬，十月，荆州刺史刘表派使者进献贡品。任刘表为镇南将军、荆州牧，封成武侯。

十二月，太尉皇甫嵩被免职，任命光禄大夫周忠为太尉，参录尚书事。

曹操追击黄巾军到济北，黄巾军全部归降，获得兵众三十多万，百姓一百多万人，收编其中精锐的士兵，号称青州兵。

曹操征用陈留人毛玠为治中从事。毛玠向曹操进言说：“现在天下分裂，天子流亡在外，百姓荒废生计、饥饿逃亡，官府没有一年的储备，百姓没有安心坚守生计的想法，

难以持久。夫兵义者胜，守位以财，宜奉天子以令不臣[361]，修耕植以畜[362]军资，如此，则霸王之业可成也。”操纳其言，遣使诣河内太守张杨，欲假涂西至长安，杨不听。

定陶董昭[363]说杨曰：“袁、曹虽为一家，势不久群。曹今虽弱，然实天下之英雄也，当故结之[364]。况今有缘，宜通其上事[365]，并表荐之。若事有成，永为深分[366]。”杨于是通操上事，仍表荐操。昭为操作书与李傕、郭汜等，各随轻重致殷勤。

傕、汜见操使，以为关东欲自立天子，今曹操虽有使命，非其诚实，议留操使。黄门侍郎[367]锺繇[368]说傕、汜曰：“方今英雄并起，各矫命专制，唯曹兖州乃心王室[369]，而逆其忠款[370]，非所以副将来之望也。”傕、汜乃厚加报答。繇，皓[371]之曾孙也。

徐州刺史陶谦[372]与诸守相共奏记[373]，推朱儁为太师，因移檄牧伯[374]，欲以同讨李傕等，奉迎天子。会李傕用太尉周忠、尚书贾诩策，征儁入朝，儁乃辞谦议而就征，复为太仆。

公孙瓒复遣兵击袁绍，至龙凑[375]，绍击破之。瓒遂还幽州，不敢复出。

扬州刺史汝南陈温[376]卒，袁绍使袁遗领扬州。袁术击破之，遗走至沛[377]，为兵所杀。术以下邳陈瑀[378]为扬州刺史。

【段旨】

以上为第七段，写凉州将李傕、郭汜共掌朝政，曹操奉正朔以蓄积政治资本，大败山东黄巾军，收编为青州军，势力渐大。

这种局面难以持久。以道义用兵才能取胜，守住地位要依靠财富，应当拥戴天子来号令不臣服的人，发展农桑来积蓄军需，这样，霸王之业就可以成功。”曹操采纳了他的建议，派使者见河内太守张杨，想借道西上长安，张杨不答应。

定陶人董昭劝张杨说：“袁绍、曹操虽然是一家，随着形势的发展，一定不会长期合作。曹操现在的势力虽然弱小，但他确实是天下的英雄，应当寻找机缘与他交结。何况现在就有机会，应该为他上书言事提供通道，并上表举荐他。如果事成，可永结深交。”于是张杨让曹操的使者通过，并上表举荐曹操。董昭还为曹操写信给李傕、郭汜等，按照他们地位高低分别致意。

李傕、郭汜接见曹操使者，认为关东诸将想自己拥立皇帝，现在曹操虽然派使者来京，但并非真心实意，打算扣留曹操的使者。黄门侍郎锺繇劝谏李傕、郭汜说：“现今英雄四起，各自借天子的名义专权，只有兖州刺史曹操还忠于王室，如果拒绝他的忠心，这不符合未来的期望。”于是李傕、郭汜对曹操厚加报答。锺繇，是锺皓的曾孙。

徐州刺史陶谦和各郡国的太守互相联合上奏章，推荐朱儁为太师，趁机传檄各州郡的长官，打算共同讨伐李傕等，迎接天子。恰好李傕采用太尉周忠、尚书贾诩的策略，征召朱儁入朝，于是朱儁拒绝陶谦等人的奏议而接受征召，再次被任命为太仆。

公孙瓒又派兵攻打袁绍，进军到龙凑，被袁绍打败。于是公孙瓒返回幽州，不敢再出兵。

扬州刺史汝南人陈温死了，袁绍任命袁遗兼扬州刺史。袁术打败袁遗，袁遗逃至沛县，被兵卒杀死。袁术任命下邳人陈瑀为扬州刺史。

【注释】

㊳㊳8武关：关名，在今陕西商洛市商州区东。339有功于袁氏：指杀董卓为袁氏报仇。340恣：放任。341购求：悬赏捕捉。342丙子：六月十九日。343赵谦：东汉末大臣，字彦信，蜀郡成都人。灵帝时为汝南太守，献帝初为太尉。后任司隶校尉、前将军，封郫侯。初平三年（公元一九二年）为司徒，病免，拜尚书令，卒。传见《后汉书》卷二十七。344庚子：七月十三日。345赵岐：字邠卿，原名赵嘉，字台卿。京兆长安（今陕西咸阳东北）人，东汉经学家，有《孟子章句》行于世。历仕桓、灵、献帝三朝。此时为太仆。346杖节：执持符节。大臣出使，皇帝授予符节作为凭证。347筦：同“管”。348甲申：九月二十九日。349淳于嘉：东汉末大臣，济南（今山东济南市章丘区西北）人。初为光禄大夫，献帝初平二年（公元一九一年）迁司空，三年任司徒。兴平元年（公元一九四

年）罢。其事迹散见《后汉书》卷九《献帝纪》。(350)杨彪：东汉末大臣。字文先，弘农华阴（今陕西华阴）人。历任中外高官，最高至太尉。经历董卓之乱、曹操专权。曹丕立，欲以为太尉，不就，病卒。事附见《后汉书》卷五十四《杨震传》。(351)关：指函谷关，在今河南新安东。(352)山东：泛指崤山以东地区。(353)镇西将军：官名。东汉杂号将军之一。(354)金城：郡名，治所允吾，在今甘肃永靖北。(355)周忠：东汉末大臣。字嘉谋，庐江舒（今安徽庐江县西南）人。曾任光禄大夫。献帝初平三年（公元一九二年）为太尉，录尚书事。次年以灾异免，复为卫尉。传见《后汉书》卷四十五。(356)青州兵：因所改编的军队是青州黄巾军，故号青州兵。(357)毛玠：字孝先，陈留平丘（今河南长垣西南）人，为曹操东曹掾，典选举，清正廉直。传见《三国志》卷十二。(358)治中从事：官名，为州牧刺史的主要佐吏，主管众曹文书。(359)乘舆：指代皇帝。(360)播荡：流亡在外。(361)不臣：不臣服的人。(362)畜：通"蓄"。(363)董昭：字公仁，济阴定陶（今山东菏泽市定陶区西北）人，初投袁绍为参军事，后归曹操为重要谋士之一。曹丕称帝，任大鸿胪，封右乡侯。魏明帝即位，晋爵乐平侯，转卫尉，迁司徒。传见《三国志》卷十四。(364)当故结之：当

【原文】

四年（癸酉，公元一九三年）

春，正月甲寅朔，日有食之。

丁卯[379]，赦天下。

曹操军[380]鄄城[381][8]。袁术为刘表所逼，引兵屯封丘[382]，黑山[383]别部及匈奴於扶罗皆附之。曹操击破术军，遂围封丘。术走襄邑[384]，又走宁陵[385]。操追击，连破之。术走九江[386]，扬州[387]刺史陈瑀拒术不纳。术退保阴陵[388]，集兵于淮北，复进向寿春。瑀惧，走归下邳[389]，术遂领其州，兼称徐州伯[390]。李傕欲结术为援，以术为左将军，封阳翟侯，假节。

袁绍与公孙瓒所置青州刺史田楷连战二年，士卒疲困，粮食并尽，互掠百姓，野无青草。绍以其子谭为青州刺史，楷与战，不胜。会赵岐来和解关东，瓒乃与绍和亲，各引兵去。

三月，袁绍在薄落津[391]。魏郡[392]兵反，与黑山贼于毒等数万人共覆邺城[393]，杀其太守。绍还屯斥丘[394]。

夏，曹操还军定陶[395]。

徐州治中东海王朗及别驾琅邪赵昱说刺史陶谦曰："求诸侯莫如勤

因事与他结交。㉟上事：上疏奏事。㊱深分：深厚的情谊。㊲黄门侍郎：官名，职为侍从皇帝，传达诏命。㊳锺繇（公元一五一至二三〇年）：字符常，颍川长社（今河南长葛东）人，曹操执政时为司隶校尉，经营关中。曹魏时为廷尉、太尉、太傅。传见《三国志》卷十三。㊴乃心王室：汝心在于王室。谓忠于朝廷。《尚书·康诰》："虽尔身在外，乃心罔不在王室。"㊵忠款：忠诚。㊶皓：锺皓，字季明。为郡著姓，有高名，不仕高官，居家教授，为士大夫所归慕。传见《后汉书》卷六十二。㊷陶谦：字恭祖，丹阳（今安徽宣城）人，献帝初，谦为安东将军、徐州牧，封溧阳侯。曹操因谦部下杀其父曹嵩而兵征徐州，陶谦兵败，于兴平元年（公元一九四年）忧死，以州牧让刘备。传见《后汉书》卷七十三、《三国志》卷八。㊸奏记：上奏朝廷的表章。㊹牧伯：此指州牧、郡守。㊺龙凑：地名，在平原郡内。平原治在今山东平原县西南。㊻陈温：东汉末大臣。献帝时任扬州刺史，初平四年，被袁术所杀。其事附见《三国志》卷六《袁术传》。㊼沛：县名，县治在今江苏沛县。㊽陈瑀：字公玮，下邳淮浦（今江苏涟水县）人，原任吴郡太守，遭孙策攻击，袁术任为扬州刺史。

【语译】

四年（癸酉，公元一九三年）

春，正月初一日甲寅，发生日食。

十四日丁卯，大赦天下。

曹操驻军鄄城。袁术遭刘表逼迫，率兵驻守封丘，黑山军的别支与南匈奴单于於扶罗都归附袁术。曹操打败袁术的军队，便包围了封丘。袁术逃到襄邑，又逃到宁陵。曹操追击，连续打败袁术。袁术逃到九江，扬州刺史陈瑀拒不接纳。袁术退保阴陵，在淮北集结兵力，又向寿春进军。陈瑀很害怕，逃归下邳，袁术于是兼领扬州，兼称徐州伯。李傕想结交袁术作为外援，任命袁术为左将军，封阳翟侯，假节。

袁绍与公孙瓒所任命的青州刺史田楷连续交战两年，双方将士疲惫不堪，粮食也都吃光了，交相掠夺百姓，田野的青草也被吃光了。袁绍派儿子袁谭做青州刺史，田楷与袁谭交战，不能取胜。恰逢赵岐来山东和解诸将领，公孙瓒便与袁绍结亲，各自引兵离去。

三月，袁绍驻军薄落津。魏郡的士兵叛乱，和黑山贼于毒等数万人共同攻占邺城，杀死郡太守。袁绍率军返回斥丘。

夏，曹操回师屯驻定陶。

徐州治中东海人王朗和别驾琅邪人赵昱劝说刺史陶谦："有求于诸侯，不如尽心

王[396]，今天子越[397]在西京[398]，宜遣使奉贡。”谦乃遣昱奉章至长安。诏拜谦徐州牧，加安东将军[399]，封溧阳侯；以昱为广陵[400]太守，朗为会稽[401]太守。

是时，徐方[402]百姓殷盛，谷实差[9]丰[403]，流民多归之。而谦信用谗邪，疏远忠直，刑政不治，由是徐州渐乱。许劭避地[404]广陵，谦礼之甚厚。劭告其徒曰：“陶恭祖[405]外慕声名，内非真正，待吾虽厚，其势必薄。”遂去之。后谦果捕诸寓士[406]，人乃服其先识。

六月，扶风大雨雹[407]。

华山崩裂。

太尉周忠免，以太仆朱儁为太尉，录尚书事。

下邳阙宣聚众数千人，自称天子，陶谦击杀之。

大雨，昼夜二十余日，漂没民居。

袁绍出军入朝歌鹿肠山[408]，讨于毒，围攻五日，破之，斩毒及其众万余级。绍遂寻山北行，进击诸贼左髭丈八等，皆斩之。又击刘石、青牛角、黄龙左校、郭大贤、李大目、于氐根等，复斩数万级，皆屠其屯壁[409]，遂与黑山贼张燕及四营屠各[410]、雁门乌桓[411]战于常山[412]。燕精兵数万，骑数千匹。绍与吕布共击燕，连战十余日，燕兵死伤虽多，绍军亦疲，遂俱退。

吕布将士多暴横，绍患之，布因求还雒阳。绍承制以布领司隶校尉，遣壮士送布，而阴图之。布使人鼓筝[413]于帐中，密亡去[414]。送者夜起，斫帐被皆坏。明旦，绍闻布尚在，惧，闭城自守。布引军复归张杨。

前太尉曹嵩避难在琅邪[415]，其子操令泰山太守应劭[416]迎之。嵩辎重百余两，陶谦别将守阴平[417]，士卒利嵩财宝，掩袭嵩于华[418]、费[419]间，杀之，并少子德。秋，操引兵击谦，攻拔十余城，至彭城[420]，大战，谦兵败，走保郯[421]。

初，京雒[422]遭董卓之乱，民流移东出，多依徐土。遇操至，坑杀男女数十万口于泗水，水为不流。

操攻郯不能克，乃去。攻取虑[423]、睢陵[424]、夏丘[425]，皆屠之，鸡犬亦

于朝廷，现在天子远在西京长安，你应派使者前去进贡。”于是陶谦派赵昱带着奏章到长安。朝廷下诏任命陶谦为徐州牧，加安东将军衔，封溧阳侯；任命赵昱为广陵太守，王朗为会稽太守。

这时，徐州百姓富裕，粮食丰足，流民多来归附。而陶谦信任奸邪小人，疏远忠直之士，刑法政事没有得到治理，因此徐州逐渐陷于混乱。许劭避难来到广陵，陶谦待他礼遇甚厚。许劭告诫他的门徒说：“陶谦追求外在的名声，实际上心地并不正直，现在待我虽然优厚，以后必然会变得刻薄。”于是离开了陶谦。后来陶谦果然逮捕了避居在徐州的士人，人们这才佩服许劭有先见之明。

六月，扶风大量降下冰雹。

华山崩裂。

太尉周忠被免职，任命太仆朱儁为太尉，录尚书事。

下邳人阙宣聚集了几千徒众，自称天子，被陶谦击杀。

大雨昼夜不停地连续下了二十多天，冲毁淹没了民居。

袁绍出军入朝歌的鹿肠山，征讨于毒，围攻五天，打败了于毒，杀于毒及其部众一万多人。于是袁绍乘胜沿山麓北行，进攻左髭丈八等各路贼人，全部杀了他们。又进击刘石、青牛角、黄龙左校、郭大贤、李大目、于氐根等，又斩杀了几万人，各处贼人的营垒都被屠灭，于是与黑山军张燕以及匈奴的四营屠各部落、雁门的乌桓部落在常山交战。张燕拥有精兵数万、骑兵数千。袁绍和吕布一起进攻张燕，连续交战十几天。张燕兵死伤众多，袁绍军队也疲乏不堪，于是各自撤退。

吕布的将士大多凶残蛮横，袁绍深为忧虑，吕布因此要求返回洛阳。袁绍以皇帝的名义命吕布兼任司隶校尉，派勇壮之士护送吕布，而暗中谋害他。吕布找一个替身在营帐中弹筝，自己悄悄逃走。护送的人夜里动手，把营帐床被全部砍坏。天亮时，袁绍得知吕布还活着，非常恐惧，关闭城门自守。吕布率军又归附张杨。

前太尉曹嵩在琅邪避难，他的儿子曹操命泰山太守应劭迎接，曹嵩辎重车一百多辆，陶谦别部将领把守在阴平，守军将士贪求曹嵩的财宝，在华县、费县之间突袭杀死了曹嵩，以及曹嵩的小儿子曹德。秋，曹操率兵攻击陶谦，攻占了十几座城池，进兵到彭城，双方大战，陶谦失败，退保郯县。

起初，京都洛阳一带遭受董卓之乱，百姓向东流移，大多依附徐州一带。直到曹操到达，男女几十万人被坑杀，致使泗水不流。

曹操没能攻下郯县，就率兵离去。又攻取虑、睢陵、夏丘，三县都遭屠灭，鸡尽，墟邑无复行人。

冬，十月辛丑[426]，京师地震。

有星孛于天市[427]。

司空杨彪免。丙午，以太常赵温为司空，录尚书事。

【段旨】

以上为第八段，写中原大混战，河南、河北、江淮徐扬，四处烽烟。袁绍与公孙瓒争夺青州。吕布遭袁氏兄弟驱逐，归依河内张杨。曹操得兖州，驱袁术入淮南，又大破徐州牧陶谦。

【注释】

⑲丁卯：正月十四日。⑳军：驻军。㉑鄄城：县名，县治在今山东鄄城西北，是当时黄河边上军事重地。《水经注》说它是“河上之邑，最为峻固”。兖州刺史本治昌邑，曹操为兖州牧，移治鄄城。㉒封丘：县名，县治在今河南封丘。㉓黑山：指黑山军。㉔襄邑：县名，县治在今河南睢县。㉕宁陵：县名，县治在今河南宁陵南。㉖九江：郡名，西汉时治所在寿春，东汉时迁至阴陵，东汉末又迁至寿春。寿春县治在今安徽寿县。㉗扬州：东汉末，扬州刺史治所在寿春。㉘阴陵：县名，县治在今安徽定远西北。㉙下邳：县名，县治在今江苏睢宁西北。㉚徐州伯：徐州牧。本来牧伯连称，而一般只单称牧，袁术却又单称伯。㉛薄落津：渡口名，东汉属安平国经县，在今河北巨鹿东南的漳河上。㉜魏郡：郡名，治所邺县，在今河北临漳西。㉝邺城：邺县之城。邺县，春秋时齐邑，汉置县。袁绍为冀州牧治邺，后为曹操封邑，魏置为邺都。故城在今河北临漳西。㉞斥丘：县名，县治在今河北曲周东南。㉟定陶：县名，县治在今山东菏泽市定陶区西北。㊱求诸侯莫如勤王：此为《左传》僖公二十五年狐偃对晋文公之言，意思是说，要求被封为诸侯的最好办法莫过于出兵救援王室。㊲越：远。㊳西京：指长安。㊴安东将军：官名，东汉杂号将军之一。㊵广陵：郡名，治所广陵县，在今江苏扬

【原文】

刘虞与公孙瓒积不相能[428]，瓒数与袁绍相攻，虞禁之，不可，而稍节其禀假[429]。瓒怒，屡违节度，又复侵犯百姓。虞不能制，乃遣驿

犬不留，废墟中的城邑不再有行人。

冬，十月二十二日辛丑，京师发生地震。

天市垣出现孛星。

司空杨彪被免职。二十七日丙午，任命太常赵温为司空，录尚书事。

州。㊶会稽：郡名，治所山阴，在今浙江绍兴。㊷徐方：徐州。古语多称州为方。㊸差丰：比较丰富。㊹避地：避难之地。㊺陶恭祖：陶谦字恭祖。㊻寓士：指寄居于徐州的他方人士。㊼大雨雹：大落冰雹。㊽朝歌鹿肠山：朝歌，县名，属河内郡，治所在今河南淇县。鹿肠山，山名，在今河南淇县西南。㊾屯壁：营垒。㊿屠各：部族名，为匈奴族的一个分支。⑪乌桓：为当时生活在东北的部族。⑫常山：郡名，治所在今河北元氏西北。原名恒山，因避汉文帝刘恒讳改。⑬筝：古时一种弦乐器。⑭密亡去：暗中逃走。⑮琅邪：王国名，治所开阳，在今山东临沂北。⑯应劭：东汉官吏、学者。字仲远，汝南南顿（今河南项城西）人。任泰山太守，后任袁绍军谋校尉。曾删定律令《汉官仪》二百五十篇，又著《礼仪故事》《状人记》《中汉辑序》《风俗通》《汉书集释》等。传见《后汉书》卷四十八。⑰阴平：县名，县治在今江苏沭阳西北。⑱华：县名，县治在今山东费县东北。⑲费：县名，县治在今山东费县西北。⑳彭城：县名，县治在今江苏徐州。㉑郯：县名，县治在今山东郯城西北。为当时徐州刺史之治所。㉒京雒：犹言京都洛阳。㉓取虑：县名，县治在今江苏睢宁西南。㉔睢陵：县名，县治在今江苏睢宁。㉕夏丘：县名，县治在今安徽泗县。㉖辛丑：十月二十二日。㉗天市：天区名，即天市垣，为三垣之下垣，位于房心东北，有十九星座。

【校记】

［8］鄄城：原作“甄城”。据章钰校，甲十一行本、乙十一行本皆作“鄄城”，张敦仁《通鉴刊本识误》同，胡三省注云蜀本亦作“鄄城”，今据改。〖按〗《三国志》卷一《魏书·武帝纪》云初平四年春，曹操“军鄄城”，“鄄”字亦不误。［9］差：据章钰校，孔天胤本作“甚”，张敦仁《通鉴刊本识误》同。

【语译】

刘虞和公孙瓒有积怨互相不和，公孙瓒屡次与袁绍互相攻打，刘虞加以制止，但没起作用，便稍微减少对公孙瓒的后勤供给。公孙瓒很生气，屡屡违反刘虞的指令，又一再侵夺百姓。刘虞无法控制，于是派驿使奉上奏章陈述公孙瓒残暴掠夺的

使[430]奉章陈其暴掠之罪，瓒亦上[431]虞禀粮不周。二奏交驰，互相非毁，朝廷依违[432]而已。瓒乃筑小城于蓟[433]城东南以居之。虞数请会，瓒辄称病不应。虞恐其终为乱，乃率所部兵合十万人以讨之。时瓒部曲放散在外，仓卒掘东城欲走。虞兵无部伍[434]，不习战；又爱民庐舍，敕不听焚烧，戒军士曰："无伤余人，杀一伯珪[435]而已。"攻围不下。瓒乃简募[436]锐士数百人，因风纵火，直冲突之，虞众大溃。虞与官属北奔居庸[437]，瓒追攻之，三日，城陷，执虞并妻子还蓟，犹使领州文书。会诏遣使者段训增虞封邑，督六州事，拜瓒前将军，封易侯。瓒乃诬虞前与袁绍等谋称尊号，胁训斩虞及妻子于蓟市。故常山相孙瑾、掾[438]张逸、张瓒等相与就虞，骂瓒极口，然后同死。瓒传虞首于京师，故吏尾敦[439]于路劫虞首，归葬之。虞以恩厚得众心，北州[440]百姓流旧[441]莫不痛惜。

初，虞欲遣使奉章诣长安，而难其人[442]。众咸曰："右北平田畴[443]，年二十二，年虽少，然有奇材。"虞乃备礼，请以为掾。具[444]车骑将行，畴曰："今道路阻绝，寇虏纵横，称官奉使，为众所指。愿以私行，期于得达而已。"虞从之。畴乃自选家客[445]二十骑，俱上西关[446]，出塞[447]，傍[448]北山[449]，直趣[450]朔方[451]，循间道[452]至长安致命。

诏拜畴为骑都尉[453]。畴以天子方蒙尘[454]未安，不可以荷佩[455]荣宠，固辞不受。得报[456]，驰还，比至[457]，虞已死。畴谒祭[458]虞墓，陈发章表[459]，哭泣而去。公孙瓒怒，购求[460]获畴，谓曰："汝不送章报我，何也?"畴曰："汉室衰颓，人怀异心，唯刘公不失忠节。章报所言，于将军未美，恐非所乐闻，故不进也。且将军既灭无罪之君[461]，又雠守义之臣，畴恐燕、赵[462]之士皆将蹈东海而死，莫有从将军者也。"瓒乃释之。

畴北归无终，率宗族及他附从者数百人，扫地而盟曰："君仇不报，吾不可以立于世!"遂入徐无山[463]中，营深险平敞地而居，躬耕以养父母，百姓归之，数年间至五千余家。畴谓其父老曰："今众成都邑，而莫相统一，又无法制以治之，恐非久安之道。畴有愚计，愿与诸君共施之，可乎?"皆曰："可!"畴乃为约束，相杀伤、犯盗、诤

罪状，公孙瓒也上奏刘虞克扣军粮。两人的奏章交替呈上，相互诋毁，朝廷只是应付而已。于是公孙瓒便在蓟城东南建造小城居住。刘虞多次要会见他，公孙瓒都称病不答应。刘虞担心他终将叛乱，于是率其所属兵马共十万人征讨公孙瓒。这时公孙瓒的部下分散在外地，仓促之际挖开东城墙想逃走。刘虞的部队没有上下统属系统，不熟悉战事；刘虞又珍惜百姓的房屋，下令不许焚烧，告诫部下说："不要伤害其他人，只杀公孙瓒一人而已。"一时围攻不下。于是公孙瓒挑选募集勇士几百人，趁风向纵火，径直冲击刘虞的部队，刘虞的兵众溃败。刘虞和他的官属向北逃到居庸县，公孙瓒追击，围攻居庸城三日，城池陷落，俘获了刘虞及其妻子儿女返回蓟城，仍让刘虞主管州府的文书。恰逢诏令派使者段训来增扩刘虞的封邑，让他总管六州的事务，任命公孙瓒为前将军，封易侯。公孙瓒趁机诬陷刘虞先前与袁绍等共谋自立为天子，胁迫段训在蓟城街头杀死刘虞及其妻子儿女。前常山国相孙瑾、常山掾张逸、张瓒等一起陪伴刘虞，破口大骂公孙瓒，然后一起被处死，公孙瓒把刘虞的首级传送京城，刘虞以前的属吏尾敦在路上劫夺了首级，送回安葬。刘虞因仁恩厚义深得民心，北部州郡的百姓不论是土著还是流亡来的，无不痛惜。

当初，刘虞想派使者送奏章到长安，却难找到合适的人。大家都说："右北平人田畴，二十二岁，虽然年轻，然而有奇才。"刘虞于是备上礼物，请他做自己的掾属。备好车马将要出发，田畴说："现今道路阻塞不通，寇盗横行，称为官方的使者，容易引起众人注目。我愿以私人的身份上路，只要能到达长安就行了。"刘虞接受了他的建议。田畴从自己的门客中挑选了二十名骑士，一起去西关，出了关塞，沿着北山而行，直奔朔方，顺着小路到长安，完成了使命。

诏令任田畴为骑都尉。田畴认为天子正在流亡还未安定，自己不能享有这种荣宠，坚辞不受。田畴得到朝廷回复的章报，立即奔驰而回，等回到幽州，刘虞已死。田畴拜祭刘虞墓，并摆上天子回复的章报，洒泪离去。公孙瓒大怒，悬赏抓获了田畴，对田畴说："你不把章报送给我，为什么？"田畴回答："汉室衰败，人人都怀有二心，只有刘公不失忠贞之节。章报的内容，对将军来说没有什么称美之词，恐怕不是你喜欢听到的，所以没有呈送给你。而且将军既杀害了无罪的上司，又仇恨他守节义的僚属，我担心燕、赵的士人都宁可跳东海而死，没有谁愿追随你。"于是公孙瓒释放了田畴。

田畴北行回到了无终县，率领宗族及其附从者几百人，扫地而盟誓说："君主之仇不报，我就不能立足世上！"于是进入徐无山中，在深山险要的地方寻找一块平地居住下来，亲自耕作来奉养父母，百姓前来归附，几年的时间增至五千多家。田畴对他们的父老说："现在聚集成城镇，但没有统一的领导，又没有法制来管理，恐怕不是长久之计。我有一个计划，愿意和诸位一起来实行，可以吗？"大家都说："可以！"田畴于是制定约束的条文，凡相互杀伤、偷盗、因争执而诉讼的人，按情节轻

讼㊹者，随轻重抵罪，重者至死，凡一十余条。又制为婚姻嫁娶之礼，兴[10]学校讲授之业，班㊺行于众，众皆便之，至道不拾遗。北边翕然㊻服其威信，乌桓、鲜卑各遣使致馈。畴悉抚纳，令不为寇。

十二月辛丑㊼，地震。

司空赵温免。乙巳㊽，以卫尉张喜㊾为司空。

【段旨】

以上为第九段，写公孙瓒火并刘虞割据幽州。

【注释】

㉘积不相能：久不和睦，矛盾很深。㉙稍节其禀假：谓渐渐减少对公孙瓒的供给和借贷。㉚驿使：驿站传送文书之吏。㉛上：上奏。㉜朝廷依违：谓刘虞上奏则依刘虞而违公孙瓒，公孙瓒上奏又依公孙瓒而违刘虞，朝廷没有一定的是非标准。㉝蓟：县名，县治在今北京城西南，为幽州牧的治所。㉞部伍：队伍，指有组织的编队。㉟伯珪：公孙瓒字伯珪。㊱简募：选拔募集。㊲居庸：县名，县治在今北京市延庆区。㊳掾：汉代长官自任用的佐治官吏。㊴尾敦：人名，刘虞的下属官吏。㊵北州：指幽州。㊶流旧：流，指他州流入幽州之人。旧，指幽州的土著。㊷难其人：谓难找到合适的人。㊸田畴：字子泰，右北平无终（今天津市蓟州区）人，后应曹操召辟，助征乌桓有功，但终不受封爵。传见《三国志》卷十一。㊹具：备办。㊺家客：依附豪强之人。㊻西关：居庸关，在今北京市昌平区西北。㊼塞：边界险要地。㊽傍：靠近。这里是谓沿着。㊾北山：阴山。㊿趣：趋赴。51朔方：郡名，治所朔台，在今内蒙古杭锦旗北。52间道：小路。53骑都尉：官名，掌羽林骑兵。54蒙尘：皇帝流亡在外称“蒙尘”。55荷佩：承受、接受之意。56报：回答。57比至：及至。58谒祭：拜祭。59章表：当依下文作“章报”，即回答的文书。60购求：悬赏捉拿。61君：古代下级官吏可称上级长官为君，称自己为臣。62燕、赵：大体指当时幽、冀二州而言。63徐无山：右北平郡徐无县有徐无山。徐无县治在今河北遵化东。64诤讼：犹言诉讼。65班：颁布。66翕然：和顺貌。67辛丑：十二月二十三日。68乙巳：十二月二十七日。69张喜：东汉末大臣。汝南细阳（今安徽太和东南）人。献帝时自卫尉升为司空。李傕、郭汜相攻，张喜从中调解，被郭汜扣留。后随曹操入许昌。建安元年（公元一九六年），曹操罢喜以自代。其事散见《后汉书》卷九《孝献帝纪》。

重定罪，最重的处死，总计十多条。又制定了婚姻嫁娶的礼节，兴办学校讲授课程，在群众中颁布实行，大家都觉得很方便，致使路不拾遗。北部边境的百姓欣然敬服田畴的威信，乌桓、鲜卑各派使者来馈赠礼物。田畴都一律接受并加安抚，要他们不要侵扰抢掠。

十二月二十三日辛丑，发生地震。

司空赵温被免职。二十七日乙巳，任命卫尉张喜为司空。

【校记】

［10］兴：原作“与”。据章钰校，孔天胤本作“兴”，今据改。

【研析】

本卷重点研析两大问题：一、凉州兵团的终结；二、东汉末军阀混战格局的形成。分别来谈。

凉州兵团的终结。董卓西迁被王允谋杀，但祸患未已，因为董卓的部曲凉州兵团未受损伤。所谓凉州兵团，是一支汉羌混合的队伍。这支军队是董卓长期对西羌作战中精心培植起来的部曲武装，它的基干是湟中义从羌和关中秦胡，有三万余人，扩充的部队为汉人有十余万。董卓倚重的是凉州将、羌胡兵。董卓死后，扰乱长安的四大将李傕、郭汜、张济、樊稠都是凉州人。董卓挟汉献帝西迁，凉州主力部署在潼关以东防范关东诸侯。董卓死后，凉州将以李傕、郭汜为首，打着为董卓报仇的旗子杀向长安。公元一九二年六月，凉州兵攻破长安，杀王允等公卿百官及长安民众一万余人。公元一九四年，马腾、韩遂攻长安，又适值天旱大饥荒，谷一斗五十万，豆麦一斗二十万，人相食，白骨委积道路。公元一九五年，李傕、郭汜争权，连月相攻，死者数万。关中户有数十万，经过这场浩劫，“二三年间，关中无复人迹”。富庶的关中，遭凉州兵扰乱，一片荒残。从公元一八九年八月董卓入洛阳，到公元一九八年四月李傕在长安覆灭，凉州兵在东汉末的历史舞台上活跃了整整十年，给古代的神州大地带来了极大的破坏。关中和中原的经济遭到极大的摧残，人口死亡数百万。“白骨露于野，千里无鸡鸣”（曹操诗《蒿里行》）。这就是凉州兵在四百年繁华的东西两京制造的人间悲剧！当时传播文化的书籍是用手写的简策帛书，传播不广，京师所藏，极为珍贵。不读书的凉州兵，把珍贵的简册帛书毁坏，把缣帛文书制成帷囊，造成了无法弥补的损失。李傕、郭汜和他的主子董卓一样，愈是凶残，愈是加速自身的灭亡。他们在自相火并中残杀。樊稠为李傕所杀，郭汜为其部将所杀，张济出关攻战死于穰县。公元一九八年，曹操以天子名义命驻屯华阴的

凉州将段煨讨灭李傕，并夷其三族。伴随李傕之死，凉州兵也就随之消亡。

东汉末军阀混战格局的形成。东汉末年的军阀混战，从公元一九〇至一九九年（汉献帝初平元年至建安四年），是十年大混战时期，争战异常激烈，黄河两岸，淮河之南，整个中原大地化为战场，城邑村落变成废墟。

东汉末军阀混战格局的形成，有其远因、近因和导火线。先说远因。军阀混战是豪强地主集团割据性的一种表现。东汉豪强集团的兴起是军阀混战的远因。两汉超四百年的统一，地主经济得到了高度发展。东汉建立者刘秀就出身贵族官僚地主家庭。他是汉高祖刘邦的九世孙。东汉建立的功臣，包括云台二十八将、三十二功臣、三百六十五功臣，大多出身“世吏二千石”，或为“乡闾著姓”，是一个以南阳豪强为基干的豪强集团。因此，东汉政权一建立，就显示出严重的兼并性和割据性。它维护豪强地主的利益，造成土地高度集中。如贵族地主济南王刘康，有田八百顷，奴婢多至一千四百多人。官僚地主郑泰，有田四百顷。东汉政论家仲长统对东汉豪强地主经济势力的膨胀有着生动的描绘。他说：“汉朝中兴以来，豪强富人，居住着几百间富丽堂皇的深宅大院，占据了大片肥沃的土地，役使着成千的奴婢和上万的长工，妖童美妾充满了内庭，女乐倡优排列于深堂。有的兼营商业，车船周游各地，囤积居奇，货物充满都邑。他们的奇物宝货堆满了巨室，马牛猪羊布满了山谷。”（《后汉书·仲长统传》）豪强地主不仅占有巨大的财富，而且在地方上有很大的势力，大都拥有自己的武装，有的多达二三万。有一官半职的豪强，倚势作威作福，没有官职的劣绅也武断于乡曲。豪强们的荣耀逸乐不亚于王侯，他们的势力显赫与郡守县令相匹敌。如果中央政权稳固，能够有效地控制豪强地主，地方经济愈发达，国家愈强大。反过来，如是中央政权削弱，国家对豪强失御，地方经济愈发达，愈要与中央闹独立。东汉末年就是这一情况。

东汉末军阀混战的近因，是黄巾大起义动摇东汉根基，加深加速了封建割据。汉灵帝为了加强对黄巾的镇压，在公元一八八年采纳刘焉的建议，改刺史为州牧。汉承秦制，地方行政为郡县两级，汉武帝加强对地方的控制，划分全国为十三个部，每部即一州，设置十三个州刺史。州不是一级地方行政区划，刺史只起监察作用，由六百石的中级官充任。州刺史改为州牧，成为地方最高一级行政长官，有领兵治民之权，由二千石高官领牧。朝廷派刘焉为益州刺史，刘虞为幽州刺史，黄琬为豫州刺史。起初这三大州牧的设置，目的是加强对益州、豫州农民军的镇压，以及对幽州张纯叛乱的镇压。很快，州牧增设，各州牧便成了事实上各霸一方的土皇帝。各郡国守相，也趁机扩张势力。因此，州牧的设置，加速了地方割据势力的发展，军阀混战只差一根导火线来引燃了。

何进召军阀董卓入京，引燃军阀混战的导火线被制造了出来。董卓擅废立，点燃了导火线。公元一九〇年正月，东郡太守桥瑁，发起讨伐董卓的战争，他假传京师三公的手谕，草拟讨卓檄文，列数罪恶，布告各州郡牧守，同时起兵。后将军南阳太守袁术、冀州牧韩馥、豫州刺史孔伷、兖州刺史刘岱、河内太守王匡、勃海太守袁绍、陈留太守张邈、东郡太守桥瑁、山阳太守袁遗、济北相鲍信，共十路诸侯起兵，各有数万兵马，一致推举袁绍为盟主。十路诸侯都在关东中原，所以史称关东军，又称关东兵起。此外，长沙太守孙坚，率军北上讨董卓。曹操起兵陈留，与诸侯会合，称奋武将军。

关东军盟主袁绍与王匡屯驻河内，张邈、刘岱、鲍信、桥瑁、袁遗、曹操屯驻酸枣，袁术、孙坚屯驻南阳，孔伷屯驻颍州，韩馥屯驻邺城，为袁绍后援。关东军从北、东、南三面摆开了对京师洛阳夹击的态势。关东军十倍于董卓，又高举堂皇正大之旗，讨灭董卓易如反掌。但各路诸侯，同床异梦，每天饮酒宴会，不图进取。曹操孤军深入攻向荥阳，在汴水遭到董卓将徐荣阻击，曹操寡不敌众，大败而归。曹操到酸枣，指陈形势，献计说："袁绍引河内之军，攻占孟津，在洛阳背后切断董卓向西的退路，酸枣诸军，攻取成皋、敖仓，控制轘辕、太谷的险要，深沟高垒，不与董卓决战。袁术率南阳之军，西入武关，据长安。这样一来，董卓就会困死洛阳，一战而定天下。"曹操当时尚有规复汉室之心，所以提出如此建议，并亲冒矢石，奋勇先进。当时能左右局势的袁绍、袁术兄弟，却心怀二志，只做攻击姿态，逼使董卓西迁，不但不去挽救朝廷的败没，而且企图借董卓之手扫荡汉天子朝廷势力。袁氏兄弟，假讨董卓之名，行割据之实，各路诸侯也坐观形势，扩充势力。董卓从容撤出洛阳，浩劫两京。汉献帝西迁，中原无主，各路诸侯立即展开了火并。首先，刘岱杀桥瑁，夺了东郡。袁绍用计引诱幽州公孙瓒南下攻击冀州，逼使韩馥让出冀州，袁绍自领冀州牧。作为盟主的袁绍，抢夺别人的地盘，关东军联盟不复存在，中原大地的军阀混战格局就这样形成了。

卷第六十一　汉纪五十三

起阏逢阉茂（甲戌，公元一九四年），尽旃蒙大渊献（乙亥，公元一九五年），凡二年。

【题解】

本卷记事起公元一九四年，迄公元一九五年，凡二年，当汉献帝兴平元年至二年。两年间军阀大混斗，烽烟遍及全国主要地区，主战场有六处：河南、徐州、关中、淮南、江东、河北。袁绍与曹操联手，袁绍战河北，曹操战河南，两个背靠背互无后顾之忧。曹操战河南，两线作战，一是屠徐州，打败陶谦，陶谦困危忧死，让州牧给刘备。二是曹操与吕布争兖州，吕布不敌，败投刘备，曹操稳固地保有兖州，在河南立足，成为显赫大军阀。袁绍战河北与公孙瓒交战，由于逼反臧洪，袁绍掉头灭臧洪，自毁长城，公孙瓒趁机经营幽州。袁术经营淮南，孙策兴起于江东。关中战场主要是凉州兵团李傕与郭汜内讧，长安遭屠，献帝趁机摆脱凉州兵团控制东归，驻跸河东。曹孙刘三家兴起，孙刘两家也已初见曙光。

【原文】

孝献皇帝丙

兴平元年（甲戌，公元一九四年）

春，正月辛酉[①]，赦天下。

甲子[②]，帝加元服[③]。

二月戊寅[④]，有司[⑤]奏立长秋宫[⑥]。诏曰："皇妣[⑦]宅兆[⑧]未卜，何忍言后宫之选乎！"壬午[⑨]，三公[⑩]奏改葬皇妣王夫人，追上尊号曰灵怀皇后。

陶谦告急于田楷，楷与平原[⑪]相[⑫]刘备救之。备自有兵数千人，谦益以丹阳[⑬]兵四千，备遂去楷归谦，谦表为豫州刺史，屯小沛[⑭]。曹操军食亦尽，引兵还。

马腾私有求于李傕，不获而怒，欲举兵相攻。帝遣使者和解之，不从。韩遂率众来和腾、傕，既而复与腾合。谏议大夫[⑮]种邵[⑯]、侍

【语译】

孝献皇帝丙

兴平元年（甲戌，公元一九四年）

春，正月十三日辛酉，大赦天下。

十六日甲子，献帝举行加冠礼。

二月初一日戊寅，主管部门奏请册立皇后。献帝下诏说："皇母的墓地还没有选定，怎么忍心谈论选立皇后的事呢！"初五日壬午，三公上奏改葬皇母王夫人，追加尊号为灵怀皇后。

陶谦向田楷告急，田楷与平原相刘备救援陶谦。刘备自有数千人马，陶谦增给他四千名丹阳兵，刘备于是离开田楷归附陶谦，陶谦表奏刘备为豫州刺史，驻屯小沛。曹操军粮也耗尽了，领兵退回。

马腾因私事有求于李傕，没有获得应允而愤怒，想发兵进攻李傕。献帝派使者从中和解，都不肯听从。韩遂领兵来和解马腾、李傕，继而又和马腾联合。谏议大

中[17]马宇、左中郎将[18]刘范谋使腾袭长安，己为内应，以诛傕等。壬申[19]，腾、遂勒兵屯长平观[20]。卲等谋泄，出奔槐里[21]。傕使樊稠、郭汜及兄子利击之，腾、遂败走，还凉州。又攻槐里，卲等皆死。庚申[22]，诏赦腾等。夏，四月，以腾为安狄将军[23]，遂为安降将军。

曹操使司马荀彧、寿张[24]令程昱[25]守鄄[1]城，复往攻陶谦，遂略地至琅邪、东海[26]，所过残灭[27]。还，击破刘备于郯东。谦恐，欲走归丹阳。会陈留太守张邈叛操迎吕布，操乃引军还。

初，张邈少时好游侠，袁绍、曹操皆与之善。及绍为盟主[28]，有骄色。邈正议责绍，绍怒，使操杀之。操不听，曰："孟卓[29]，亲友也，是非当容之。今天下未定，奈何自相危也！"操之前攻陶谦，志在必死，敕家曰："我若不还，往依孟卓。"后还见邈，垂泣相对。

陈留高柔[30]谓乡人曰："曹将军虽据兖州，本有四方之图，未得安坐守也。而张府君[31]恃陈留之资，将乘间[32]为变。欲与诸君避之，何如？"众人皆以曹、张相亲，柔又年少，不然其言。柔从兄幹[33]自河北呼柔，柔举宗从之。

吕布之舍袁绍从张杨也，过邈，临别，把手共誓。绍闻之，大恨。邈畏操终为绍杀己也，心不自安。前九江太守陈留边让[34]尝讥议操，操闻而杀之，并其妻子。让素有才名，由是兖州士大夫皆恐惧。陈宫性刚直壮烈[35]，内亦自疑，乃与从事中郎[36]许汜、王楷及邈弟超共谋叛操。宫说邈曰："今天下分崩，雄杰并起，君以千里之众，当四战之地[37]，抚剑顾眄[2]，亦足以为人豪，而反受制于人，不亦鄙乎！今州军东征[38]，其处空虚，吕布壮士，善战无前，若权[39]迎之，共牧兖州，观天下形势，俟时事之变，此亦纵横[40]之一时也。"邈从之。

时操使宫将兵留屯东郡[41]，遂以其众潜迎布为兖州牧。布至，邈乃使其党刘翊告荀彧曰："吕将军来助曹使君[42]击陶谦，宜亟[43]供其军食。"众疑惑。彧知邈为乱，即勒兵设备，急召东郡太守夏侯惇[44]于濮阳。惇来，布遂据濮阳。时操悉军攻陶谦，留守兵少，而督将[45]、大吏[46]多与邈、宫通谋。惇至，其夜，诛谋叛者数十人，众乃定。

夫种卲、侍中马宇、左中郎将刘范策划唆使马腾偷袭长安，自己为内应，以诛杀李傕等人。二月壬申日，马腾、韩遂领兵屯驻长平观。种卲等人密谋泄漏，出逃到槐里。李傕派樊稠、郭汜及兄子郭利攻击马腾、韩遂，马、韩战败，退回凉州。樊稠等又进攻槐里，种卲等人都被杀。庚申日，诏令赦免马腾等。夏，四月，任命马腾为安狄将军，韩遂为安降将军。

曹操派司马荀彧、寿张县令程昱守卫鄄城，自己率军再次攻打陶谦，于是攻掠琅邪、东海，所过之地残破毁灭。曹操回军，在郯县东打败刘备。陶谦惊恐，想逃归丹阳。恰逢陈留太守张邈背叛曹操迎接吕布，曹操于是率军返回。

起初，张邈年轻时喜欢仗义行侠，袁绍、曹操都和张邈友善。等到袁绍成为关东军盟主，有了骄傲的神色。张邈以正义之道责备袁绍，袁绍大怒，派曹操去杀张邈。曹操不听命，说："张孟卓是我亲密的朋友，即使生些是非，也应当宽容。如今天下尚未安定，怎么可以自相残杀呢！"曹操在此之前进攻陶谦时，决心以死相拼，于是叮嘱家人说："我如果不能生还，你们去投靠张孟卓。"事后，曹操回来见了张邈，两人相对流泪。

陈留人高柔对乡亲们说："曹将军虽然据有兖州，但他本来就有图谋四方的大志，不可能安然坐守兖州。而张邈太守依恃陈留为资本，必将乘机发动变乱。我想和各位一起逃避，怎么样？"大家都认为曹、张两人关系亲密，高柔又年轻，因此不相信高柔的话。高柔的堂兄高幹在河北召唤高柔，高柔带着全族的人去追随高幹。

吕布背弃袁绍追随张杨的时候，拜访张邈，临别，两人携手一同发誓。袁绍听说此事，十分恼怒。张邈畏惧曹操终会为袁绍杀害自己，心不自安。原九江太守陈留郡人边让，曾经讥讽过曹操，曹操听到后杀了边让，还杀了他的妻儿。边让一向很有才名，因此兖州的士大夫都很恐惧。陈宫性格刚烈正直，内心也产生疑惧，于是与从事中郎许汜、王楷以及张邈的弟弟张超，共同谋议背叛曹操。陈宫劝张邈说："如今天下分崩离析，豪杰并起，你拥有千里区域的民众，处于四战之地，按剑环视，也足以成为人中豪杰，却反而受人控制，不是太卑屈了吗！现在兖州大军东征，后方空虚，吕布是个壮士，英勇善战无人可挡，如果姑且迎他前来，共同治理兖州，观察天下的形势，等待时局的变化，这也是纵横天下的一个好时机。"张邈听从了。

当时曹操派陈宫领兵留守东郡，于是率这支人马悄悄迎接吕布为兖州牧。吕布到来，张邈便派他的同党刘翊告诉荀彧说："吕将军前来帮助曹使君征讨陶谦，应当赶快供给他军粮。"大家疑惑不解。荀彧知道张邈将叛乱，立即部署兵力设置防卫，紧急叫留守濮阳的东郡太守夏侯惇赶来。夏侯惇前来，吕布随即占据了濮阳。当时曹操以全部兵力攻打陶谦，留守的兵很少，而军中的将领、行政长官很多与张邈、陈宫通谋。夏侯惇赶到鄄城的当天夜里，杀死了几十个阴谋叛乱的人，人们才安定下来。

豫州刺史郭贡率众数万来至城下，或言与吕布同谋，众甚惧。贡求见荀彧，彧将往，惇等曰："君一州镇[47]也，往必危，不可。"彧曰："贡与邈等，分非素结[48]也，今来速，计必未定；及其未定说之，纵不为用[49]，可使中立。若先疑之，彼将怒而成计。"贡见彧无惧意，谓鄄城未易攻，遂引兵去。

是时，兖州郡县皆应布，唯鄄城、范、东阿不动。布军降者言："陈宫欲自将兵取东阿，又使氾嶷取范[50]。"吏民皆恐。程昱本东阿[51]人，或谓昱曰："今举州皆叛，唯有此三城，宫等以重兵临之，非有以深结其心，三城必动。君，民之望也，宜往抚之。"昱乃归过范，说其令靳允曰："闻吕布执君母、弟、妻子，孝子诚不可为心[52]。今天下大乱，英雄并起，必有命世[53]能息天下之乱者，此智者所宜详择也。得主者昌，失主者亡。陈宫叛迎吕布而百城皆应，似能有为，然以君观之，布何如人哉？夫布粗中[54]少亲，刚而无礼，匹夫之雄耳。宫等以势假合，不能相君[55]也，兵虽众，终必无成。曹使君智略不世出[56]，殆天所授。君必固范，我守东阿，则田单[57]之功可立也。孰与违忠从恶而母子俱亡乎？唯[58]君详虑之！"允流涕曰："不敢有贰心。"时氾嶷已在县，允乃见嶷，伏兵刺杀之，归，勒兵自守。

徐众[59]评曰："允于曹公未成君臣，母至亲也，于义应去。卫公子开方[60]仕齐，积年不返，管仲以为不怀其亲，安能爱君。是以求忠臣必于孝子之门。允宜先救至亲。徐庶[61]母为曹公所得，刘备遣庶归北，欲为天下者恕[62]人子之情也。曹公亦宜遣允。"

昱又遣别骑绝仓亭津[63]，陈宫至，不得渡。昱至东阿，东阿令颍川枣祗[64]已率厉[65]吏民拒城坚守，卒完[66]三城以待操。操还，执昱手曰："微子之力[67]，吾无所归矣！"表昱为东平[68]相，屯范。吕布攻鄄城不能下，西屯濮阳[69]。曹操曰："布一旦得一州，不能据东平，断亢父[70]、泰山之道，乘险要[71]我，而乃屯濮阳，吾知其无能为也。"乃进攻之。

豫州刺史郭贡率领几万兵众来到鄄城之外，有人说郭贡与吕布同谋，众人非常恐惧。郭贡请求与荀彧见面，荀彧将要前往，夏侯惇等人说："您是一州的镇守重臣，前去一定很危险，不可以去。"荀彧说："郭贡与张邈等人，平时并无结交，现在又来得这么快，计谋一定还没有酌定；趁他计谋还没定之时去劝说他，即使不能为我所用，也可使他中立。如果我们先怀疑他，他将会在一怒之下而促成其谋。"郭贡看到荀彧没有丝毫的惧意，认为鄄城不容易攻破，于是领兵退走。

这时，兖州各郡县都响应吕布，只有鄄城、范县、东阿县没有动摇。吕布军中归降的人说："陈宫想亲自领兵攻取东阿，另派氾嶷夺取范县。"官民都很恐惧。程昱本是东阿人，荀彧对程昱说："如今全兖州都背叛了，只剩下这三个城池，陈宫等人派大军压境，如果我们没办法深深凝聚军民的心，这三座城一定会动摇。您程昱是东阿百姓敬仰的人，应当前去安抚他们。"程昱于是回返，途经范县，劝导县令靳允说："听说吕布拘捕了你的母亲、弟弟、妻子儿女，您作为一个孝子，实在不能忍心。现今天下大乱，英雄并起，一定会有命世大才能够平息天下大乱，这是智者应当认真选择的啊。得到好主公就能昌盛，失去好主公就会灭亡。陈宫叛变迎接吕布，得到百城的响应，似乎要有所作为，但是据你观察，吕布是一个什么样的人呢？我以为吕布是个粗暴而缺少亲信的人，刚烈而无礼，只是个匹夫中的枭雄罢了。陈宫等人迫于形势而权宜联合，他们之间不能确立君臣关系，兵众虽然多，最终必定一事无成。曹使君的智慧谋略世间少有，大概是上天所授。你一定要固守范县，我程昱守住东阿，就可以建立田单那样的功劳。这与背叛忠正追随恶人而母子都遭灭亡相比，哪条路好呢？希望你认真考虑！"靳允涕泪俱下地说："不敢有二心。"这时氾嶷已在范县，靳允于是会见氾嶷，埋伏士兵刺死他，靳允回到县城，部署军队防守。

徐众评论说："靳允与曹操之间并未确立君臣关系，而母亲却是至亲，按道义靳允应该离开曹操。从前卫国公子开方在齐国做官，多年不回，管仲认为一个不怀念亲人的人，哪能爱他的君主。因此，寻求忠臣，一定要到孝子之家。靳允应该先去拯救母亲。徐庶的母亲被曹操抓获，刘备就派徐庶回北方救母，想要取得天下的人体谅人子之情。曹操也应该派靳允去救他的母亲。"

程昱又派出一支骑兵断绝仓亭津，陈宫到达，不能渡河。程昱到了东阿，东阿县令颍川人枣祗已经率领并鼓动官民坚守城池，终于完好地保住了东阿、范县、鄄城三座城池等待曹操。曹操返回后，紧握程昱的手说："若没有您的努力，我就无处可归了！"曹操上表推举程昱为东平相，屯驻范县。吕布进攻鄄城未能攻下，于是西进驻守濮阳。曹操说："吕布一天就得到了一个州，他不知道占领东平，切断亢父、泰山之间的通道，扼守险要来拦击我，却竟然屯驻濮阳，我就断定他不会有什么作为。"于是进兵攻打吕布。

【段旨】

以上为第一段，写曹操征徐州，暴虐残民，被吕布抄了后路，丢失兖州。幸亏荀彧、程昱应变有方，才保留了三城的根据地。

【注释】

①辛酉：正月十三日。②甲子：正月十六日。③元服：冠；帽。④戊寅：二月初一。⑤有司：主管部门。古代设官分职，各有专司，故主管官吏亦称为有司。⑥长秋宫：汉代皇后所居有长秋宫，臣下以长秋宫代指皇后。⑦皇妣：指汉献帝死去的母亲王夫人。⑧宅兆：墓地的界址。⑨壬午：二月初五日。⑩三公：东汉以太尉、司徒、司空为三公。⑪平原：王国名，治所平原，在今山东平原县西南。⑫相：官名，中央政府委派的执掌王国行政大权的长官，相当于郡太守。⑬丹阳：郡名，治所宛陵，在今安徽宣城。〖按〗丹阳郡与丹阳县之"阳"，均应从木，作"杨"，因丹杨县中多赤柳，故名"丹杨"。后来书籍中多作"丹阳"，严格说来是不正确的。此说见姚鼐《惜抱轩笔记》卷六。⑭小沛：沛为县名，县治在今江苏沛县。因当时沛县属沛国，故时人称之为小沛。又〖按〗豫州刺史的治所本在谯县（今安徽亳州），而陶谦表刘备为豫州刺史，刘备却驻屯小沛，当时又有豫州刺史郭贡，可见朝命不行，各地私自委任官吏。⑮谏议大夫：官名，属光禄勋，掌议论。⑯种卲：字申甫，中平末为谏议大夫。⑰侍中：官名，职在侍从皇帝、应对顾问。⑱左中郎将：官名，汉代于光禄勋下置左、右、五官三署中郎将，统领皇帝侍卫军。⑲壬申：二月戊寅朔，无壬申。⑳长平观：乡亭名，又名长平坂、长平阪。故址在今陕西泾阳南，去长安五十里。㉑槐里：县名，县治在今陕西兴平东南。㉒庚申：二月戊寅朔，无庚申。按《后汉书》卷九《献帝纪》，马腾、韩遂与郭汜、樊稠战于长平观在兴平元年三月，则此战后之赦诏也必在三月，《通鉴》于"庚申"前漏书"三月"二字。三月庚申为三月十三日。㉓安狄将军：安狄将军与下文安降将军均为此时暂置之杂号将军，后世不再置。㉔寿张：县名，县治在今山东东平西南。㉕程昱：字仲德，东郡东阿（今山东阳谷东北）人，曹操为兖州牧，始受命为官。汉献帝迁许都后，为尚书。曹魏初为卫尉。传见《三国志》卷十四。㉖东海：郡名，治所郯县，在今山东郯城西北。㉗残灭：《三国志》卷一《魏书·武帝纪》作"残戮"。㉘盟主：指关东起兵讨董卓之盟主。㉙孟卓：张邈字孟卓。㉚高柔：字文惠，陈留圉县（今河南杞县南）人，曹操平河北后始为官。曹魏初为廷尉。魏明帝时多所匡正，后为三公。传见《三国志》卷二十四。㉛张府君：指张邈。汉代人称郡太守为府君。㉜乘间：乘间隙；遇机会。㉝幹：高幹，袁绍外甥，时从袁绍在河北，后被绍委为并州牧。㉞边让：字文礼，陈留浚仪（今河南开封）人，善辞章，有才名，为孔融、王朗、蔡邕等名士所推崇。初为大将军何进所召辟，后为九江太守。初平中去官归家。曾有轻侮曹操之言，曹操因使郡太守杀之。传见《后汉书》卷八十

下。㉟壮烈：勇敢有气节。㊱从事中郎：官名，为将军之属官，职责是参谋议论。此处指奋武将军曹操之从事中郎。㊲四战之地：谓四面平坦，无险可守，四面容易受攻击之地。㊳州军东征：指曹操带兖州军征徐州。㊴权：姑且；暂且。㊵纵横：谓任意驰骋发展。㊶东郡：郡名，治所濮阳，在今河南濮阳西南。㊷使君：东汉人对州牧郡守之尊称。时曹操领兖州牧，刘翊遂称他为曹使君。㊸亟：急速。㊹夏侯惇：字符让，沛国谯县（今安徽亳州）人，随曹操起兵，为曹操之主要将领。建安中为河南尹、伏波将军、前将军、大将军等职。传见《三国志》卷九。㊺督将：指领兵的将领。㊻大吏：指掌管州郡事的官吏。㊼镇：镇守者。㊽分非素结：本来平素之间就无结交。㊾纵不为用：即使不为我所用。㊿范：县名，县治在今河南范县东南。51东阿：县名，县治在今山东阳谷东北。52孝子诚不可为心：意谓孝子真不能忍心如此。53命世：谓经邦济世之人。54粗中：粗暴。"粗中少亲"一语，见《韩非子·十过》。55不能相君：谓陈宫、吕布等人之间不能相互确定君臣关系。56不世出：谓非世所常有。57田单：战国时齐将。齐愍王时，燕昭王使乐毅攻破齐国，连下七十余城，齐愍王出奔。田单固守即墨（今山东平度东南）以拒燕。燕昭王死后，子惠王立，田单遂施反间计，燕惠王果罢乐毅而用骑劫，田单遂用火牛阵击败燕军，一举收复七十余城。齐国即以田单为相国，封安平君。事见《史记》卷八十二《田单列传》。58唯：表示希望。59徐众：东晋人，撰有《三国志评》三卷。60开方：春秋时卫国公子，至齐国，为齐桓公宠臣。管仲临死前，齐桓公问谁可为相，管仲说："知臣莫如君。"齐桓公说："开方如何？"管仲说："倍亲以适君，非人情，难近。"后来开方与易牙、竖刁果然乱齐。事见《史记》卷三十二《齐太公世家》。61徐庶：字符直，颍川（治所阳翟，在今河南禹州）人，初平中避难至荆州，与诸葛亮、崔州平、石广元等友善，后向刘备推荐诸葛亮。曹操破荆州，掳获其母，遂辞刘备投曹操。事附见《三国志》卷三十五《诸葛亮传》。62恕：宽容。63仓亭津：渡口名，为当时的黄河渡口，在范县界，距东阿六十里。64枣祗：颍川人，从曹操起兵，为东阿令、陈留太守，后又为羽林监、屯田都尉。建安元年（公元一九六年）建议曹操实行屯田，解决了当时军粮匮乏的难题，为曹操统一北方奠定了物质基础。事附见《三国志》卷十六《任峻传》。65厉：同"励"。勉励。66卒完：终于完全保住。67微子之力：无你之力。68东平：王国名，治所无盐，在今山东东平东。此时程昱暂屯范县。69濮阳：县名，县治在今河南濮阳西南。70亢父：县名，县治在今山东济宁南。亢父之道很险要，战国时苏秦曾说："亢父之险，车不得方轨（两车并行叫方轨），马不得并行。"（见《战国策·齐策一》）曹操从徐州归兖州要经过此道。71要：通"邀"。中途拦截。

【校记】

［1］鄄：原误作"甄"。胡三省注云："'甄'当作'鄄'。"可参阅上卷"鄄城"校记。［2］昐：据章钰校，甲十一行本、乙十一行本皆作"眪"。

【原文】

五月，以扬武将军郭汜为后将军[72]，安集将军[73]樊稠为右将军，并开府[74]如三公，合为六府[75]，皆参选举。李傕等各欲用其所举，若一违之，便忿愤喜怒[76]，主者[77]患之，乃以次第用其所举。先从傕起，汜次之，稠次之，三公所举，终不见用。

河西[78]四郡[79]以去凉州治远，隔以河寇，上书求别置州。六月丙子[80]，诏以陈留邯郸商为雍州[81]刺史，典治之。

丁丑[82]，京师地震。戊寅[83]，又震。

乙酉晦[84]，日有食之。

秋，七月壬子[85]，太尉朱儁免。

戊午[86]，以太常杨彪为太尉，录尚书事[87]。

甲子[88]，以镇南将军[89]杨定为安西将军，开府如三公。

自四月不雨至于是月，谷一斛直[90]钱五十万，长安中人相食。帝令侍御史[91]侯汶出太仓[92]米豆为贫人作糜[93]，饿死者如故。帝疑禀赋[94]不实，取米豆各五升于御前作糜，得二盆。乃杖汶五十，于是悉得全济。

八月，冯翊羌[95]寇属县，郭汜、樊稠等率众破之。

吕布有别屯[96]在濮阳西，曹操夜袭破之。未及还，会布至，身自搏战，自旦至日昳[97]数十合，相持[98]甚急。操募人陷陈，司马陈留典韦[99]将应募者进当[100]之。布弓弩乱发，矢至如雨。韦不视，谓等人[101]曰："虏来十步，乃白之。"等人曰："十步矣。"又曰："五步乃白。"等人惧，疾言："虏至矣！"韦持戟大呼而起，所抵无不应手倒者，布众退。会日暮，操乃得引去。拜韦都尉[102]，令常将亲兵数百人，绕大帐左右。

濮阳大姓田氏为反间，操得入城，烧其东门，示无反意。及战，军败，布骑得操而不识，问曰："曹操何在？"操曰："乘黄马走者是也。"布骑乃释操而追黄马者。操突火而出，至营，自力[103]劳军[104]，令军中促[105]为攻具，进，复攻之，与布相守百余日。蝗虫起，百姓大饿，布粮食亦尽，各引去。九月，操还鄄城。布到乘氏[106]，为其县人李进所破，东屯山阳[107]。

【语译】

五月，任命扬武将军郭汜为后将军，安集将军樊稠为右将军，都与三公一样开设府署，与三公的府署一起合称为六府，参与选举。李傕等人要任用自己所举荐的人，如果一有违背，就非常恼怒，大发脾气，主管选举的尚书十分头疼。于是按次序来任用他们选举的人。先任用李傕的人，郭汜次之，樊稠再次之，三公举荐的人，始终不被任用。

河西四郡因距凉州的治所太远，又被黄河寇盗隔绝，所以上书请求另设州府。六月初一日丙子，诏书任用陈留人邯郸商为雍州刺史，掌管河西四郡的治理。

六月初二日丁丑，京师地震。初三日戊寅，京师又一次地震。

最后一天乙酉日，发生日食。

秋，七月初七日壬子，太尉朱儁被免职。

十三日戊午，任命太常杨彪为太尉，录尚书事。

十九日甲子，任命镇南将军杨定为安西将军，设置府署如三公。

从四月以来未下雨，一直到七月。谷一斛售价高达五十万钱，长安城中人相食。皇帝诏令侍御史侯汶调出太仓的米、豆为贫民熬粥，可是饿死的人数依然如故。皇帝怀疑赈济的粮食数量不实，于是取出米、豆各五升，在御案前熬粥，熬粥二盆。于是侯汶被杖打了五十棍，贫民才都得到了救济。

八月，冯翊的羌人侵扰所属各县，郭汜、樊稠等率军击败了羌人。

吕布另一支部队驻在濮阳西面，曹操趁夜偷袭击败了它。还没来得及撤回，恰巧吕布赶到，吕布亲自上阵格斗，从早晨一直打到日头偏西，战了几十个回合，相持不下，十分危急。曹操招募人冲锋陷阵，司马陈留人典韦带领应募的人上前抵挡吕布。吕布军中弓弩乱发，箭如雨下。典韦看都不看，对应募的人说："贼人距我们十步，才报告我。"应募的人说："已经十步了。"又说："五步时才报告。"应募的人很害怕，赶紧喊："贼人到了！"典韦手持战戟，大喊一声跃起，所到之处，敌人无不应手倒下，吕布的兵众后退。直到黄昏，曹操才得以率兵撤离。于是任命典韦为都尉，让他经常率领几百名亲兵，环绕在自己的大帐周围。

濮阳的大姓田氏为曹操反间，曹操才得以进入濮阳城，随后烧毁了城的东门，表示绝不后退。等到交战，曹操兵败，吕布的骑兵擒获曹操却不认识，问道："曹操在哪里？"曹操回答说："那个骑黄马逃走的人就是。"吕布的骑兵便放了曹操去追赶那个骑黄马的人。曹操冲出火围逃走，到了营地，亲自慰问部众，命令军中赶快制造攻城的器械，军队前进，再次攻打濮阳城，与吕布相持了一百多天。这时发生蝗灾，百姓极为饥饿，吕布的军粮也用完，于是各自率兵离去。九月，曹操回到鄄城，吕布兵至乘氏县，被本县人李进打败，向东屯驻山阳县。

冬，十月，操至东阿。袁绍使人说操，欲使操遣家居邺。操新失兖州，军食尽，将许之。程昱曰："意者[108]将军殆临事而惧，不然，何虑之不深也！夫袁绍有并天下之心，而智不能济也，将军自度[109]能为之下乎？将军以龙虎之威，可为之韩、彭[110]邪！今兖州虽残，尚有三城，能战之士，不下万人，以将军之神武[111]，与文若[112]、昱等收而用之，霸王之业可成也，愿将军更虑之。"操乃止。

十二月，司徒淳于嘉罢，以卫尉赵温为司徒，录尚书事。

马腾之攻李傕也，刘焉二子范、诞皆死。议郎[113]河南庞羲素与焉善，乃募[114]将[115]焉诸孙入蜀。会天火烧城[116]，焉徙治成都[117]，疽[118]发背而卒。州大吏[119]赵韪等贪焉子璋温仁[120]，共上璋为益州刺史，诏拜颍川扈瑁为刺史。璋将沈弥、娄发、甘宁[121]反，击璋，不胜，走入荆州，诏乃以璋为益州牧。璋以韪为征东中郎将[122]，率众击刘表，屯朐䏰[123]。

徐州牧陶谦疾笃，谓别驾[124]东海[125]麋竺[126]曰："非刘备不能安此州也。"谦卒，竺率州人迎备。备未敢当，曰："袁公路[127]近在寿春[128]，君可以州与之。"典农校尉[129]下邳[130]陈登[131]曰："公路骄豪，非治乱之主。今欲为使君[132]合步骑十万，上可以匡主济民，下可以割地守境。若使君不见听许，登亦未敢听使君也。"北海[133]相孔融[134]谓备曰："袁公路岂忧国忘家者邪！冢[135]中枯骨，何足介意[136]！今日之事，百姓与能[137]，天与不取，悔不可追。"备遂领徐州。

【段旨】

以上为第二段，写吕布与曹操激战，争兖州，刘备渔翁得利，陶谦临终让州牧，刘备第一次得徐州。

冬，十月，曹操到达东阿县。袁绍派人劝说曹操，想让曹操把家属迁居邺城。曹操因刚丢掉兖州，军粮用尽，准备同意袁绍的建议。程昱说："我料想将军您大概因面临当前的艰难局面而忧惧，不然的话，为什么会考虑得这么不深啊！袁绍有吞并天下的野心，但他的智力达不到，将军您扪心自问，能处在他的下面吗？将军您有龙虎之威，难道可以做他的韩信、彭越吗！今日兖州虽然残破，但还有三城，能作战的士兵不下万人，凭着将军的神武，加之荀彧和我程昱等人被您收用，可以成就霸王的功业，希望将军重新考虑。"曹操这才搁置了袁绍的建议。

十二月，司徒淳于嘉被免职，任命卫尉赵温为司徒，录尚书事。

在马腾攻击李傕时，刘焉的两个儿子刘范、刘诞都被杀死。议郎河南人庞羲一向跟刘焉友善，于是募人护送刘焉的几个孙子进入蜀郡。正逢雷火烧了绵竹城，刘焉把治所迁到成都，不久因背生毒疮而死。州中主事的官员赵韪等贪图刘焉儿子刘璋温厚仁爱，共同上疏举荐刘璋为益州刺史，诏书却任命颍川人扈瑁为益州刺史。刘璋的部将沈弥、娄发、甘宁反叛，攻打刘璋，没有获胜，逃入荆州，朝廷这才任命刘璋为益州牧。刘璋任命赵韪为征东中郎将，率军攻打刘表，驻守在朐䏰县。

徐州牧陶谦病重，对别驾东海人麋竺说："除非刘备，没有谁能安定这个州。"陶谦去世，麋竺率领徐州百姓迎接刘备。刘备不敢承当，说："袁术近在寿春，你可以把徐州交给他。"典农校尉下邳人陈登说："袁术骄横，不是治理乱世的英主。现今我们打算为您收聚步兵、骑兵十万，这样上可以辅佐君主救济万民，下可以割据一方自守。如果使君您不答应我的要求，我也不敢听命于使君。"北海相孔融对刘备说："袁术哪是忧国忘家的人啊！他不过是坟墓中的枯骨，不值得放在心上！现在这种局面，是百姓拥护贤能的人，上天赐予而不取，后悔莫及。"刘备这才领有徐州。

【注释】

⑫ 后将军：官名，位次于上卿，与前将军、左将军、右将军掌京师兵卫和边防屯警。⑬ 安集将军：官名，此时暂置的杂号将军。⑭ 开府：开建府署，辟置僚属。汉制，唯三公可开府，而至东汉末，将军亦可开府。⑮ 六府：当时李傕为车骑将军开府，再加郭汜、樊稠二府及三公之三府，共为六府。⑯ 喜怒：好怒；易怒。⑰ 主者：指主管人事之尚书。⑱ 河西：地区名，指今甘肃、青海两省黄河以西之地，亦即河西走廊与湟水流域地区。⑲ 四郡：指武威、张掖、酒泉、敦煌四郡。⑳ 丙子：六月初一日。㉑ 雍州：州名，汉武帝置十三部刺史时无雍州，东汉光武帝初，始在关中置雍州，后撤销，复置司

隶校尉，汉献帝又于此时分凉州置雍州。雍州治所长安，即今陕西西安。凉州治所在武威姑臧，即今甘肃武威。㉜丁丑：六月初二日。㉝戊寅：六月初三日。㉞乙酉晦：六月丙子朔，晦日不是乙酉，《后汉书》卷九《献帝纪》作“乙巳晦”，当是。乙巳，六月三十日。㉟壬子：七月初七日。㊱戊午：七月十三日。㊲录尚书事：录，总领之意。东汉以来，政归尚书，录尚书事即总揽朝政。㊳甲子：七月十九日。㊴镇南将军：与下文之安西将军均为东汉之杂号将军。㊵直：通“值”。价值。㊶侍御史：官名，掌察举非法，受公卿百官奏事，有违失者则举劾。㊷太仓：京城储粮的大仓。㊸糜：粥。㊹禀赋：给予粮食。禀，通“廪”。㊺冯翊羌：部族名，东汉时分布在左冯翊的羌人部落。在今陕西北部一带。㊻屯：营寨。㊼日昳：午后日偏斜之时。㊽相持：谓相持不下，势均力敌。㊾典韦：陈留己吾（今河南宁陵西南）人，形貌魁梧，勇力过人，曹操之猛将。事见《三国志》卷十八《典韦传》。⑩⓪当：抵挡；抵敌。⑩①等人：立等级招募人，够等级者称为等人。⑩②都尉：官名，东汉于边郡关塞之地设都尉，职如太守。其他都尉为临时设置的一级领兵将领。此都尉亦是一级领兵将领。⑩③自力：强自支持。⑩④劳军：慰问军队。⑩⑤促：急速。⑩⑥乘氏：侯国名，国治在今山东巨野西南。⑩⑦山阳：郡名，治所昌邑，在今山东金乡西北。⑩⑧意者：料想。⑩⑨度：忖度；臆测。⑪⓪韩、彭：指秦末汉初之韩信、彭越。韩信初属项羽，后归刘邦，善将兵，为大将，助刘邦灭项羽。汉朝建立后，封为楚王，最后为吕后所杀。事见《史记》卷九十二《淮阴侯列传》。彭越于秦末聚众起兵，楚汉战争时将兵归刘邦，助刘邦灭项羽。汉朝建立后，封为梁王。最后为刘邦所杀。事见《史记》卷九十《魏豹彭越列传》。⑪①神武：神明威武。⑪②文若：荀彧字文若。⑪③议郎：官名，郎官之一种，属光禄勋，但不入值宿卫，得参与朝政议论。⑪④募：招

【原文】

初，太傅马日磾与赵岐俱奉使至寿春，岐守志不桡[138]，袁术惮之。日磾颇有求于术，术侵侮之，从日磾借节[139]视之，因夺不还，条[140]军中十余人，使促辟[141]之。日磾从术求去，术留不遣，又欲逼为军师[142]。日磾病[143]其失节，呕血而死。

初，孙坚娶钱唐吴氏，生四男策、权、翊、匡及一女[144]。坚从军于外，留家寿春。策年十余岁，已交结知名。舒[145]人周瑜[146]与策同年，亦英达[147]夙成[148]。闻策声问，自舒来造焉，便推结分好[149]，劝策徙居舒，

寻。⑮将：带领；护送。⑯城：指绵竹县城，在今四川德阳北黄许镇。刘焉初为益州牧，治于此。⑰成都：县名，县治在今四川成都。⑱疽：人身上的一种毒疮。⑲州大吏：统管州事之官吏。据《华阳国志》，当时赵韪为州帐下司马。⑳温仁：温和仁慈。㉑甘宁：字兴霸，巴郡临江（今重庆市忠县）人，后投吴为著名大将。㉒征东中郎将：官名，东汉位次于将军的统兵将领称中郎将。征东为其加号。㉓朐䏰：县名，县治在今重庆云阳西。㉔别驾：官名，即别驾从事史，州牧刺史的主要佐吏，主领众事。州牧刺史巡行各地时，别乘传车从行，故名别驾。㉕东海：郡名，郡治郯县，在今山东郯城西北。㉖麋竺：字子仲，东海朐县（今江苏连云港市海州区）人，竺为陶谦别驾，刘备领徐州牧，竺嫁妹于备。入蜀拜安汉将军。㉗袁公路：袁术字公路。㉘寿春：县名，县治在今安徽寿县。㉙典农校尉：官名，曹操于建安中推行屯田制，在屯田区设有典农校尉，职如太守。而在建安前陈登已为典农校尉，则此官在建安前已有，曹操系沿用旧称，增其品秩。建安前之典农校尉管理州之农事。㉚下邳：县名，治所在今江苏睢宁西北。汉、魏历为徐州、下邳国、下邳郡治所。㉛陈登：字符龙。初从陶谦为典农校尉，后从曹操为广陵、东城太守，伏波将军。事附见《三国志》卷七《吕布传》。㉜使君：东汉人对州牧郡守之尊称。时刘备为豫州刺史，故陈登称他为使君。㉝北海：王国名，治所剧县，在今山东昌乐西。㉞孔融（公元一五三至二〇八年）：字文举，鲁国（治所在今山东曲阜）人，孔子二十世孙。少即有重名，善为文，为建安七子之一。初为公府所辟，为司空掾、北中军侯、虎贲中郎将。董卓专权，出为北海相。汉献帝迁许后，为将作大匠、少府等。因多次讥讽反对曹操，为曹操所杀。传见《后汉书》卷七十。㉟冢：坟墓。㊱介意：放在心上。㊲百姓与能：谓百姓拥护有能力的人。

【语译】

当初，太傅马日磾与赵岐一起奉天子的使命到寿春，赵岐坚守气节，不肯屈服，袁术害怕他。马日磾有求于袁术，遭到袁术的凌辱，袁术向马日磾借符节观赏，乘机夺走不还，并开列出军中十几人的名单，迫使马日磾立即任用他们。马日磾向袁术请求离开，袁术扣留他不放行，又想逼迫他做军师。马日磾为自己的失节而痛心，吐血而死。

起初，孙坚娶钱唐人吴氏，生了四个男孩孙策、孙权、孙翊、孙匡以及一个女儿。孙坚从军在外，家眷留在寿春。孙策十几岁时，已经和知名人士结交。舒县人周瑜和孙策同岁，也英俊通达，很早成才。闻听孙策的名声，从舒县前来拜访，两人互道身世结为好友。周瑜劝孙策迁居舒县，孙策听从了。周瑜让出路边的一处大

策从之。瑜乃推[150]道旁[3]大宅与策，升堂拜母[151]，有无通共。及坚死，策年十七，还葬曲阿[152]，已乃渡江[153]，居江都[154]，结纳豪俊，有复雠之志。

丹阳太守会稽周昕与袁术相恶，术上策舅吴景领丹阳太守，攻昕，夺其郡，以策从兄贲为丹阳都尉[155]。策以母弟托广陵张纮，径到寿春见袁术，涕泣言曰：“亡父昔从长沙入讨董卓，与明使君[156]会于南阳，同盟结好，不幸遇难，勋业不终。策感惟先人旧恩，欲自凭结，愿明使君垂察其诚！”术甚奇之，然未肯还其父兵，谓策曰：“孤用贵舅为丹阳太守，贤从伯阳[157]为都尉，彼精兵之地，可还依召募。”策遂与汝南吕范[158]及族人孙河迎其母诣曲阿，依舅氏，因缘召募，得数百人。而为泾县[159]大帅[160]祖郎所袭，几至危殆[161]，于是复往见术。术以坚余兵千余人还策，表拜怀义校尉[162]。策骑士有罪，逃入术营，隐于内厩。策指使人就斩之，讫，诣术谢[163]。术曰：“兵人好叛，当共疾之，何为谢也！”由是军中益畏惮之。术初许以策为九江太守，已而更用丹阳陈纪。后术欲攻徐州，从庐江[164]太守陆康求米三万斛，康不与。术大怒，遣策攻康，谓曰：“前错用陈纪，每恨本意不遂[165]。今若得康，庐江真卿[166]有也。”策攻康，拔之，术复用其故吏刘勋为太守，策益失望。

侍御史刘繇[167]，岱之弟也，素有盛名，诏书用为扬州刺史。州旧治寿春，术已据之，繇欲南渡江，吴景、孙贲迎置曲阿。及策攻庐江，繇闻之，以景、贲本术所置，惧为袁、孙所并，遂构嫌隙[168]，迫逐景、贲。景、贲退屯历阳[169]，繇遣将樊能、于糜屯横江[170]，张英屯当利口[171]以拒之。术乃自用故吏惠衢为扬州刺史，以景为督军中郎将[172]，与贲共将兵击英等。

宅给孙策，并亲登后堂拜见孙策的母亲，两家互通有无。到孙坚死时，孙策年十七岁，他送父亲回曲阿县安葬，然后才过长江，住在江都，结交豪杰，有为父报仇之志。

丹阳太守会稽人周昕与袁术交恶，袁术上表推荐孙策的舅舅吴景代理丹阳太守，进攻周昕，夺取丹阳郡，任命孙策堂兄孙贲为丹阳都尉。孙策把母亲和弟弟们托付给广陵人张纮，自己径直往寿春拜见袁术，流着泪说："亡父以前从长沙入中原讨伐董卓，与英明的使君您在南阳相会，结成友好同盟，不幸遇难，功业未成。我孙策感念您与先人的旧恩，想归附于您，望您明察我的诚意！"袁术对孙策的言行甚为惊奇，但不肯归还他父亲的部属，对孙策说："我任用你的舅父为丹阳太守，你的堂兄孙伯阳为都尉，丹阳是有精兵的地方，你可以回去依靠他们招募军队。"孙策于是和汝南人吕范以及孙氏同族人孙河到曲阿去迎接母亲，依靠舅父，随机招募兵马，得到了几百人。可是遭到泾县本地武装头目祖郎的袭击，几乎陷于危急境地，于是再次去拜见袁术。袁术把孙坚余部一千多人还给孙策，并表荐孙策为怀义校尉。孙策的骑士犯了罪，逃入袁术的军营，藏身营中马圈里。孙策派人当场杀了这个骑士，事后，孙策到袁术那里请罪。袁术说："当兵的好背叛，这是我们共同痛恨的行为，还请什么罪呢！"从此军中更加畏惧孙策。袁术起初许诺任命孙策为九江太守，过后却改用丹阳人陈纪。后来袁术想攻打徐州，向庐江太守陆康求三万斛米，陆康不给。袁术大怒，派孙策攻打陆康，对孙策说："以前错用了陈纪，常常悔恨没有实现本来的意愿。现在如果你打败了陆康，庐江就一定归你所有。"孙策攻打陆康，攻下庐江，袁术又任他的旧吏刘勋为庐江太守，孙策更加失望。

侍御史刘繇是刘岱的弟弟，一向享有盛名，诏书任命他为扬州刺史。州治原在寿春，由于袁术已占据了寿春，刘繇打算南进渡江，吴景、孙贲把刘繇迎到曲阿安置。等到孙策攻占庐江，刘繇听到了消息，认为吴景、孙贲本是袁术任命的人，害怕自己被袁术、孙策所吞并，因而形成仇怨，便逼走了吴景、孙贲。吴景、孙贲退守历阳，刘繇派部将樊能、于糜屯守横江，张英屯守当利口来抵抗吴景、孙贲。袁术于是自己任用旧吏惠衢为扬州刺史，以吴景为督军中郎将，与孙贲一起率兵攻打张英等。

【段旨】

以上为第三段，写袁术经营淮南，孙坚之子孙策年少建功，崭露头角，为孙氏割据江东伏笔。

【注释】

⑬⑧桡：屈从。⑬⑨节：皇帝给予使臣的凭证。⑭⓪条：一一开列。⑭①促辟：急促任用。⑭②军师：官名，军队之高级参谋。⑭③病：痛恨。⑭④生四男策、权、翊、匡及一女：孙策、孙权、孙翊、孙匡，为孙坚所生四子。孙策草创，平定江南，与其父孙坚同传，见《三国志》卷四十六。孙权（公元一八二至二五二年），字仲谋。孙策死后，继领其众，仍据有江东六郡。建安十三年（公元二〇八年）与刘备联合，大败曹操于赤壁，奠定了三国鼎立的基础。公元二二九年称帝，国号吴，建都建业（今江苏南京）。公元二二九至二五二年在位，死后谥为大皇帝。传见《三国志》卷四十七。孙翊、孙匡二人均二十多岁卒。传见《三国志》卷五十一。孙坚一女，史未载其名，民间传说名孙尚香。⑭⑤舒：县名，本春秋舒国，西汉置县，东汉因之。治所在今安徽庐江县西南。⑭⑥周瑜（公元一七五至二一〇年）：字公瑾，庐江舒县（今安徽庐江县西南）人，少与孙策为友，后助孙策创立江东孙氏政权。孙策死后，与张昭同辅孙权，建安十三年率军大破曹操于赤壁。后病卒。传见《三国志》卷五十四。⑭⑦英达：英俊通达。⑭⑧夙成：成熟得早。⑭⑨推结分好：推分结好，互道身世，结为友好。⑮⓪推：让出。⑮①升堂拜母：古时情谊深厚之友相访时，往往进入后堂拜望友人之母，称为升堂拜母。⑮②曲阿：县名，县治在今江苏丹阳。⑮③江：长江。⑮④江都：县名，县治在今江苏扬州市江都区西南。⑮⑤都

【原文】

二年（乙亥，公元一九五年）

春，正月癸丑[173]，赦天下。

曹操败吕布于定陶[174]。

诏即拜[175]袁绍为右将军[176]。

董卓初死，三辅[177]民尚数十万户。李傕等放兵劫掠，加以饥馑，二年间，民相食略尽。李傕、郭汜、樊稠各相与矜功[178]争权，欲斗者数矣。贾诩每以大体[179]责之，虽内不能善，外相含容。

樊稠之击马腾、韩遂也，李利战不甚力。稠叱之曰：“人欲截汝父[180]头，何敢如此，我不能斩卿邪！”及腾、遂败走，稠追至陈仓[181]，遂语稠曰：“本所争者非私怨，王家事耳。与足下州里人[182]，欲相与善语而别。”乃俱却骑，前接马，交臂相加，共语良久而别。军还，李利

尉：官名，西汉时辅佐郡守并掌全郡军事之官，东汉初废除，仅在边郡关塞之地置都尉，职如太守。袁术于此时以吴景为太守，孙贲为都尉，盖仿西汉之制，仍以都尉辅助郡守并掌全郡军事。⑯明使君：英明的使君。使君，亦东汉人对州牧郡守之尊称。时袁术自为扬州刺史，故孙策称他为明使君。⑰贤从伯阳：您的堂兄孙伯阳。从，指从兄。伯阳，孙贲字伯阳。⑱吕范：字子衡，汝南细阳（今安徽太和东）人，归孙策后，屡立战功。孙权时，为平南将军、扬州牧等，又封南昌侯。传见《三国志》卷六十五。⑲泾县：县名，县治在今安徽泾县西。⑳大帅：地方武装豪强之头领。㉑危殆：危险。㉒怀义校尉：官名，校尉为统兵之中级武官，怀义为其名号。㉓谢：谢罪。指入袁术营擅自杀骑士之事。㉔庐江：郡名，治所舒县，在今安徽庐江县西南。㉕遂：顺，犹言如意。㉖卿：你。㉗刘繇：字正礼，东莱牟平（今山东烟台市蓬莱区东南）人，后诏书又命为扬州牧、振武将军，仍未能赴治所，不久病卒。传见《三国志》卷四十九。㉘嫌隙：由猜疑而形成的仇怨。㉙历阳：侯国名，王都在今安徽和县。㉚横江：渡口名，即横江渡，在今安徽和县之长江边，正对马鞍山市之采石矶。㉛当利口：在今安徽和县东十二里。㉜督军中郎将：官名，中郎将为东汉位次于将军的统兵将领，督军为其称号。

【校记】

［3］旁：据章钰校，甲十一行本、乙十一行本皆作“南”。

【语译】

二年（乙亥，公元一九五年）

春，正月十一日癸丑，大赦天下。

曹操在定陶击败吕布。

诏令就地任命袁绍为右将军。

董卓刚死时，三辅地区百姓还有几十万户。由于李傕等人纵兵劫掠，加上饥荒，两年之间，百姓相食，人几乎死光了。李傕、郭汜、樊稠互相夸功争权，多次要火并。贾诩常以大局为重责备他们，虽然他们内心不和，表面上还能相互包容。

在樊稠攻击马腾、韩遂的时候，李利作战不太卖力。樊稠呵斥他说：“人家要砍你叔父的头，你怎敢这样，你以为我不能杀你吗！”等到马腾、韩遂战败逃走，樊稠追至陈仓，韩遂告诉樊稠说：“本来我们所争的不是个人恩怨，而是国家大事。我和你是同乡，想与你友好叙谈作别。”于是各自命令自己的骑兵后撤，他们两人向前，二马交颈，二人手牵着手，一起交谈了很久才分别。军队返回后，李利告诉李傕：

告傕："韩、樊交马[183]语，不知所道，意爱甚密。"傕亦以稠勇而得众，忌之。稠欲将兵东出关[184]，从傕索[185]益兵。二月，傕请稠会议，便于坐杀稠，由是诸将转相疑贰[186]。

傕数设酒请郭汜，或留汜止宿。汜妻恐汜爱傕婢妾，思有以间[187]之。会傕送馈[188]，妻以豉[189]为药，擿[190]以示汜，曰："一栖不两雄[191]，我固疑将军信李公也。"他日，傕复请汜，饮大醉，汜疑其有毒，绞粪汁[192]饮之，于是各治兵相攻矣。

帝使侍中、尚书和傕、汜，傕、汜不从。汜谋迎帝幸[193]其营，夜有亡者，告傕。三月丙寅[194]，傕使兄子暹将数千兵围宫，以车三乘[195]迎帝。太尉杨彪曰："自古帝王无在人家者，诸君举事，奈何如是！"暹曰："将军计定矣！"于是群臣步从乘舆[196]以出，兵即入殿中，掠宫人、御物。帝至傕营，傕又徙御府金帛置其营，遂放火烧宫殿、官府、居民[197]悉尽。帝复使公卿和傕、汜，汜留杨彪及司空张喜、尚书王隆、光禄勋刘渊、卫尉士孙瑞、太仆韩融、廷尉宣播、大鸿胪荣郃、大司农朱儁、将作大匠梁卲、屯骑校尉姜宣等于其营以为质[198]。朱儁愤懑[199]发病死。

夏，四月甲子[200]，立贵人琅邪伏氏[201]为皇后，以后父侍中完[202]为执金吾。

郭汜飨公卿[203]，议攻李傕。杨彪曰："群臣共斗，一人劫天子，一人质公卿，可行乎！"汜怒，欲手刃之。彪曰："卿尚不奉国家[204]，吾岂求生邪！"中郎将[205]杨密固谏，汜乃止。傕召羌、胡数千人，先以御物缯彩与之，许以宫人、妇女，欲令攻郭汜。汜阴与傕党中郎将张苞等谋攻傕。丙申[206]，汜将兵夜攻傕门，矢及帝帘帷[207]中，又贯[208]傕左耳。苞等烧屋，火不然[209]。杨奉于外拒汜，汜兵退，苞等因将所领兵归汜。

是日，傕复移乘舆幸北坞[210]，使校尉监坞门，内外隔绝，侍臣皆有饥色。帝求米五斗、牛骨五具[211]以赐左右。傕曰："朝晡上饭[212]，何用米为？"乃以臭牛骨与之。帝大怒，欲诘责[213]之。侍中杨琦谏曰："傕自知所犯悖逆，欲转车驾幸池阳[214]黄白城[215]，臣愿陛下忍之。"帝乃止。司徒赵温与傕书曰："公前屠陷王城，杀戮大臣。今争睚眦之隙[216]，

"韩遂、樊稠两马相交近距离交谈，不知说了些什么，看起来互相敬爱关系很亲密。"李傕也因樊稠勇猛得众心而猜忌他。樊稠想率兵东出函谷关，向李傕索求增加兵众。二月，李傕邀请樊稠相会议事，便在座上杀了樊稠，从此将领们相互猜疑怀有二心。

李傕多次设酒宴请郭汜，有时留郭汜过夜。郭汜的妻子担心郭汜爱上李傕的婢妾，想办法挑拨离间郭、李二人。恰巧李傕派人送来食物，郭汜的妻子把豆豉说成毒药，挑出来给郭汜看，并说："一条树枝难栖两只公鸡，我本来就怀疑你对李傕的信任。"有一天，李傕又宴请郭汜，郭汜喝得大醉，怀疑酒食里有毒，就喝下粪汁来催吐，从此各自治军相攻。

献帝派侍中、尚书调解李傕、郭汜的关系，李傕、郭汜都不听从。郭汜筹划迎接献帝到自己的营地，夜里营中有人逃走，报告李傕。三月二十五日丙寅，李傕派哥哥的儿子李暹率几千名士兵包围皇宫，用三辆车子迎接献帝。太尉杨彪说："自古以来帝王没有在别人家居住的，诸位做事，怎能这样呢！"李暹说："李傕将军已经打定主意了！"于是群臣徒步跟随御驾出宫，士兵立即进入殿中，抢掠宫人和御用之物。献帝到了李傕军营，李傕又把皇家仓库的金银绸帛搬到自己的营里，随后放火把宫殿、官府、民居都烧为灰烬。献帝再次派公卿调解李傕、郭汜，郭汜把杨彪以及司空张喜、尚书王隆、光禄勋刘渊、卫尉士孙瑞、太仆韩融、廷尉宣播、大鸿胪荣郃、大司农朱儁、将作大匠梁邵、屯骑校尉姜宣等扣留在他的军营里作为人质。朱儁愤懑发病而死。

夏，四月甲子日，册立贵人琅邪人伏氏为皇后，任命皇后的父亲侍中伏完为执金吾。

郭汜宴请公卿，商议攻打李傕。杨彪说："群臣一起争斗，一个人劫持天子，一个人把公卿扣为人质，能行吗！"郭汜大怒，要亲手杀死杨彪。杨彪说："你连天子都不尊奉，我难道还想求生吗！"中郎将杨密大力劝阻，郭汜才作罢。李傕召集数千名羌人、胡人，先把御用之物和绸缎赏赐给他们，还许愿把宫人、妇女赏赐给他们，想让他们去攻打郭汜。郭汜暗中和李傕同伙中郎将张苞等谋划攻击李傕。四月二十五日丙申，郭汜率兵趁夜攻打李傕的营门，飞箭射到献帝的帷帘中，又射穿了李傕的左耳。张苞等放火烧屋，却未燃烧。杨奉在外面抵抗郭汜，郭汜军撤退，张苞等乘机率领所属兵马归附郭汜。

这一天，李傕又把天子转移到北坞，派校尉监守北坞垒门，断绝内外联系，皇帝的随从大臣都面有饥色。献帝要求给五斗米、五副牛骨来赐给左右大臣。李傕说："早晚给您上饭，要米干什么？"于是拿臭牛骨送给献帝。献帝大怒，想要责问李傕，侍中杨琦劝谏说："李傕自知所犯下的是叛逆之罪，正想把陛下转移到池阳县黄白城，我希望陛下忍受。"献帝方才作罢。司徒赵温写信给李傕说："你先前杀人放火毁灭了京城长安，杀死大臣。如今却为些小的恩怨争斗不止，结成深仇大恨。

以成千钧之雠[217]。朝廷欲令和解，诏命不行，而复欲转乘舆于黄白城，此诚老夫所不解也。于《易》，一为过，再为涉，三而弗改，灭其顶，凶[218]。不如早共和解。”傕大怒，欲杀温，其弟应谏之，数日乃止。

傕信巫觋[219]厌胜[220]之术，常以三牲[221]祠董卓于省门[222]外。每对帝或言“明陛下”，或言“明帝”，为帝说郭汜无状[223]，帝亦随其意应答之。傕喜，自谓良[224]得天子欢心也。

闰月[225]己卯[226]，帝使谒者仆射皇甫郦和傕、汜。郦先诣汜，汜从命。又诣傕，傕不肯，曰：“郭多[227]，盗马虏耳，何敢欲与吾等邪，必诛之！君观吾方略[228]士众，足办郭多否邪？郭多又劫质公卿，所为如是，而君苟[229]欲左右[230]之邪！”郦曰：“近者董公之强，将军所知也。吕布受恩而反图[231]之，斯须[232]之间，身首异处，此有勇而无谋也。今将军身为上将，荷[233]国宠荣，汜质公卿而将军胁主，谁轻重乎！张济与汜有谋，杨奉，白波贼帅耳，犹知将军所为非是，将军虽宠之，犹不为用也。”傕呵之令出。郦出，诣省门，白“傕不肯奉诏，辞语不顺”。帝恐傕闻之，亟[234]令郦去。傕遣虎贲[235]王昌呼，欲杀之。昌知郦忠直，纵令去，还答傕，言“追之不及”。

辛巳[236]，以车骑将军李傕为大司马[237]，在三公之右。

【段旨】

以上为第四段，写凉州将李傕、郭汜内讧，西京长安士民遭荼毒，天子公卿被双方劫为人质，朝纲坠地。

【注释】

⑰³癸丑：正月十一日。⑰⁴定陶：县名，县治在今山东菏泽市定陶区西北。⑰⁵即拜：谓在被任命人之地授以官爵。时袁绍在邺，即在邺任命袁绍为右将军。⑰⁶右将军：位次于上卿，与前、后、左将军掌京师兵卫和边防屯警。⑰⁷三辅：地区名，汉代称京兆尹、左冯翊、右扶风为三辅，相当于以今西安为中心的陕西中部地区。⑰⁸矜功：自夸功绩。⑰⁹大体：大局；大原则。⑱⁰父：指李傕。李利为李傕之兄子。⑱¹陈仓：县名，县

朝廷想让你们和解，你不遵行诏命，反而又想把天子转到黄白城，这实在让我这个老头子不理解。依据《易经》所论，一次是过失，二次就严重一些，三次还不改，就会遭受灭顶之灾，这是很凶险的。不如早日互相和解。”李傕大怒，想要杀死赵温，李傕的弟弟李应劝阻，过了好几天才罢休。

李傕迷信巫师能用咒语制伏邪恶，经常在宫门外用猪、牛、羊三牲祭祀董卓。每次见到献帝或称“明陛下”，或称“明帝”，向献帝数说郭汜的不法行径，献帝也顺从他的意思回答他。李傕很高兴，自以为颇得天子的欢心。

闰五月初九日己卯，献帝派谒者仆射皇甫郦为李傕、郭汜调解。皇甫郦先到郭汜那里，郭汜听从诏命。然后去李傕那里，李傕不肯听从，说：“郭多，一个盗马贼罢了，怎敢与我平起平坐呢，一定要杀掉他！您察看一下我的谋略和兵众，能否足以办掉郭多？郭多又劫持公卿为人质，所作所为如此，而您还想辅佐他吗！”皇甫郦说：“近的说，董卓很强盛，将军是知道的。吕布受他的恩惠却要谋害他，转眼之间，董卓就身首异处，这是因为他有勇无谋。如今将军您身为上将，享受国家的荣宠，郭汜劫持公卿而将军胁迫天子，哪个轻哪个重呢！张济和郭汜有智谋，杨奉只不过是白波贼的头目罢了，他尚且明白将军的行为不对，将军虽然宠信他，他终究不会被你所用的。”李傕呵斥皇甫郦，令他出去。皇甫郦出来，到了宫禁门口，报告献帝“李傕不肯接受诏命，言辞不恭顺”。献帝害怕李傕听到，急令皇甫郦离开。李傕派遣虎贲王昌去把皇甫郦喊回，想杀死他。王昌知道皇甫郦忠贞正直，放走了他，回来答复李傕说“没有追上”。

闰五月十一日辛巳，任命车骑将军李傕为大司马，位在三公之上。

治在今陕西宝鸡东。⑱² 州里人：犹言同乡人。韩遂、樊稠皆凉州人，故称州里人。⑱³ 交马：犹言交颈。谓两匹马头相交，以喻马上二人近距离接触。⑱⁴ 关：指函谷关，在今河南新安东。⑱⁵ 索：求。⑱⁶ 疑贰：猜疑而生异心。⑱⁷ 间：离间。⑱⁸ 馈：赠送。⑱⁹ 豉：豆豉。⑲⁰ 擿：通“摘”。选取。⑲¹ 一栖不两雄：鸟类止息叫栖。此用雄鸡作比喻，意谓两雄鸡同栖一处，必然相斗。《韩非子·扬权》说：“一栖两雄，其斗嗰嗰。”⑲² 粪汁：古人认为粪汁解众毒。⑲³ 幸：古时称皇帝所至为幸。⑲⁴ 丙寅：三月二十五日。⑲⁵ 乘：古代一车四马为一乘。⑲⁶ 乘舆：皇帝所乘车，指代皇帝。⑲⁷ 居民：疑二字误倒。⑲⁸ 质：人质。⑲⁹ 懑：愤怒。⑳⁰ 甲子：四月壬申朔，无甲子，当从《后汉书》卷九《献帝纪》作“甲午”，亦即四月二十三日。⑳¹ 伏氏：名寿，琅邪东武（今山东诸城）人，初平元年（公元一九〇年）入宫为贵人，此时立为皇后。曾密令其父伏完除曹操，建安十九年（公元二一四年）事泄，被曹操所废而死。传见《后汉书》卷十下。⑳² 完：伏后父伏

完，东汉初大司徒伏湛之八世孙，袭爵不其侯。娶汉桓帝女安阳公主，为侍中，后又为执金吾、辅国将军、中散大夫、屯骑校尉。建安十四年（公元二〇九年）卒。事附见《后汉书》卷十下《伏皇后纪》。㉓飨公卿：宴请公卿。㉔国家：指皇帝。㉕中郎将：官名，东汉位次于将军的统兵将领。㉖丙申：四月二十五日。㉗帘帷：帘子及帷幔。㉘贯：射穿。㉙然："燃"的本字。燃烧。㉚坞：土堡；小城。当时李傕、郭汜皆在长安城中各自筑坞。此北坞亦在长安城中。㉛具：一头牛的整个骨架为一具。㉜朝晡上飰：意谓早晚有人奉上皇帝的饮食。朝，早晨。晡，黄昏。飰，即"饭"。㉝诘责：责问。㉞池阳：县名，县治在今陕西泾阳西北。㉟黄白城：在池阳县。当时李傕封为池阳侯，故欲挟持汉献帝至黄白城。㊱睚眦之隙：小小的怨恨。睚眦，横眉瞪眼。㊲千钧

【原文】

吕布将薛兰、李封屯巨野㊳，曹操攻之。布救兰等，不胜而走，操遂斩兰等。操军㊴乘氏，以陶谦已死，欲遂取徐州，还乃定布。荀彧曰："昔高祖保关中㊵，光武据河内㊶，皆深根固本以制天下，进足以胜敌，退足以坚守，故虽有困败而终济大业。将军本以兖州首事，平山东之难㊷，百姓无不归心悦服。且河、济㊸，天下之要地也，今虽残坏，犹易以自保，是亦将军之关中、河内也，不可以不先定。今已破李封、薛兰，若分兵东击陈宫，宫必不敢西顾，以其间㊹勒兵[4]收熟麦，约食㊺畜谷㊻，一举而布可破也。破布，然后南结扬州㊼，共讨袁术，以临淮、泗。若舍布而东，多留兵则不足用，少留兵则民皆保城，不得樵采㊽。布乘虚寇暴，民心益危。唯鄄城[5]、范、卫㊾可全，其余非己之有，是无兖州也。若徐州不定，将军当安所归乎！且陶谦虽死，徐州未易亡也。彼惩往年之败，将惧而结亲㊿，相为表里。今东方皆已收麦，必坚壁清野以待将军，攻之不拔，略之无获，不出十日，则十万之众，未战而先[6]自困耳。前讨徐州，威罚实行[251]，其子弟念父兄之耻，必人自为守，无降心，就[252]能破之，尚不可有也。夫事固[7]有弃此取彼者，以大易小可也，以安易危可也，权一时之势，不患本之不固可也。今三者莫利，惟[253][8]将军熟虑之。"操乃止。

之雠：意谓深仇大恨。钧，古代三十斤为一钧。㉘凶：《易·大过·上六》，“过涉灭顶，凶”。意谓涉于危难过深，会招致灭顶之灾，故为凶。㉙巫觋：古人称能以舞降神的男人为觋，女人为巫。㉚厌胜：巫觋以咒语制伏邪恶。㉛三牲：牛、羊、豕三牲祭品。㉜省门：宫门。㉝无状：犹言不像样，无礼貌。㉞良：深。㉟闰月：据《长历》，兴平二年闰五月。㊱己卯：闰五月初九。㊲郭多：郭汜的小名。㊳方略：计谋策略。㊴苟：随便。㊵左右：佐佑，辅助之意。㊶图：谋害。㊷斯须：片刻。㊸荷：承受。㊹亟：赶快；急速。㊺虎贲：勇士。㊻辛巳：闰五月十一日。㊼大司马：官名，汉武帝置大司马代替太尉，东汉光武帝又罢大司马置太尉。汉灵帝末年又并置大司马与太尉。现又以李傕为大司马，并明确位在三公之上。

【语译】

吕布的将领薛兰、李封屯驻巨野，曹操进攻巨野。吕布援救薛兰等，没有取胜，退走，曹操杀死了薛兰等人。曹操驻军乘氏县，因为陶谦已死，想乘机取徐州，然后回军平定吕布。荀彧说：“从前高祖保住关中，光武据守河内，都是为了稳固根本之地来控制天下，进足以胜敌，退足以固守，所以虽有危困失败却终于成就大业。将军您本来是从兖州起兵，平定了山东的祸乱，老百姓无不心悦诚服。再说处于黄河、济水之间的兖州，是天下的战略要地，如今虽然残破，还是容易据以自保的，这也是将军的‘关中’‘河内’啊，不可以不首先安定。现在已经攻破李封、薛兰，如果分兵东击陈宫，陈宫一定不敢顾及西面，趁这个时机率兵收割成熟的麦子，节省食物，积累粮谷，这样可以一举击败吕布。打败了吕布，然后与南边扬州的刘繇联盟，共同征讨袁术，就可以兵临淮水、泗水。如果丢开吕布而东征，留守兵多了则东征兵力不够用，留守兵少了则州民只顾保守城池，不能去砍柴采收野物。吕布将乘虚来侵掠，民心就更感危急。只有鄄城、范县、濮阳可以保全，其他的地方就不归我们所有，这等于丢了兖州。如果徐州不能平定，将军哪里有归身之所呢！再说陶谦虽然死了，徐州仍然不易被攻破。他们会吸取往年失败的教训，将因惧怕而亲密团结，相互支援。如今东部都已经收完麦子，一定会坚壁清野来对付将军。如果徐州城攻不下，抢夺无获，不出十天，则十万大军，还未交战就先自陷于困境。前次讨伐徐州，施行严厉的惩罚，徐州的子弟感念父兄的耻辱，一定人自为守，不会有投降之心，即使攻下了徐州，也是守不住的。事情本来就有舍此取彼的选择，以大换小也可以，以安换危也可以，权衡一时的形势，在不用担忧根基不牢固的前提下才可行。现在这三个方面对我们都不利，希望将军深思熟虑。”于是曹操才作罢。

布复从东缗㉔与陈宫将万余人来战。操兵皆出收麦，在者不能㉕千人，屯营㉖不固。屯西有大堤，其南树木幽深。操隐兵堤里，出半兵堤外。布益进，乃令轻兵挑战，既合，伏兵乃悉乘堤㉗，步骑并进[9]，大破之，追至其营而还。布夜走，操复攻拔定陶，分兵平诸县。布东奔刘备，张邈从布，使其弟超将家属保雍丘㉘。

布初见备，甚尊敬之，谓备曰："我与卿同边地人㉙也。布见关东起兵，欲诛董卓。布杀卓东出，关东诸将无安㉚布者，皆欲杀布耳。"请备于帐中，坐妇床上，令妇向拜，酌酒饮食，名备为弟。备见布语言无常㉛，外然之而内不悦。

【段旨】

以上为第五段，写吕布不敌曹操，兵败归依刘备。

【注释】

㉓8巨野：县名，县治在今山东巨野南。㉓9军：驻军。㉔0高祖保关中：汉高祖刘邦与项羽争天下时，令萧何守卫关中。㉔1光武据河内：汉光武帝刘秀经营河北时，令寇恂据守河内。㉔2平山东之难：指鲍信等迎曹操领兖州牧，曹操遂破青州黄巾军。㉔3河、济：指兖州，因古九州之兖州，东南有济水，西北为黄河。㉔4间：空隙。㉔5约食：节约食物。㉔6畜谷：储备粮食。畜，同"蓄"。㉔7结扬州：谓联合刘繇。当时袁术虽已据有扬州（治所寿春，今安徽寿县），而汉朝廷却任命刘繇为扬州刺史（移治所于曲阿，今江苏丹阳）。㉔8樵采：打柴采摘野物。㉔9卫：指濮阳，因濮阳古属卫国地。㉕0结亲：紧密结合。㉕1威罚实行：指兴平元年（公元一九四年）曹操攻打徐州，大肆屠杀。㉕2就：纵使；

【原文】

李傕、郭汜相攻连月，死者以万数。六月，傕将杨奉谋杀傕，事泄，遂将兵叛傕，傕众稍衰。庚午㉜，镇东将军张济自陕㉝至，欲和傕、汜，迁乘舆权㉞幸弘农㉟。帝亦思旧京，遣使宣谕㊱，十反，汜、

吕布又和陈宫率领一万多人从东缗县来交战。曹操的士兵都出外收割麦子，留在军营的不到千人，营垒不牢固。军营西边有一条大堤，大堤南边树林茂密幽深。曹操把士兵一半埋伏在堤内，另一半暴露在堤外。等吕布更加逼近时，曹操才下令轻装部队挑战，一经交战，堤内伏兵便全部登上大堤，步兵、骑兵一起前进，大败吕布，一直追击到吕布的大本营前才撤回。吕布连夜逃走，曹操又攻下了定陶，分兵平定各县。吕布向东投奔刘备，张邈随从吕布，让他的弟弟张超护送家属保卫雍丘。

吕布初见刘备，十分尊敬他，对刘备说："我吕布和您同是边地人。我看到关东起兵，想要除掉董卓。所以我就杀死了董卓东出函谷关，可是关东众将领没有一个肯接纳我，都想杀掉我。"吕布邀请刘备到自己的军帐中，坐在妻子的床上，要妻子向刘备下拜行礼，设酒宴饮食，称刘备为弟。刘备见吕布语无伦次，虽然表面上点头称是，而内心却不高兴。

即使。㉕③惟：表示希望。㉕④东缗：县名，县治在今山东金乡东北。㉕⑤不能：不及；不到。㉕⑥屯营：营寨。㉕⑦乘堤：登堤。㉕⑧雍丘：县名，县治在今河南杞县。㉕⑨同边地人：吕布为五原郡（治今内蒙古包头西北）人，刘备为涿郡（治今河北涿州）人，以中原而论，皆为北部边地人。㉖⓪安：容纳。㉖①无常：无伦次。

【校记】

［4］勒兵：原无此二字。据章钰校，甲十一行本、乙十一行本、孔天胤本皆有此二字，张敦仁《通鉴刊本识误》同，今据补。［5］鄄城：原误作"甄城"。《三国志》卷十《魏书·荀彧传》作"鄄城"，不误。可参阅上卷"鄄城"校记。［6］先：据章钰校，甲十一行本、乙十一行本皆无此字。［7］固：原作"故"。据章钰校，甲十一行本、乙十一行本皆作"固"，今据改。〖按〗《三国志》卷十《魏书·荀彧传》亦作"固"。［8］惟：据章钰校，甲十一行本、乙十一行本皆作"愿"。［9］进：原作"追"。据章钰校，甲十一行本、乙十一行本、孔天胤本皆作"进"，熊罗宿《胡刻资治通鉴校字记》同，今据改。

【语译】

李傕、郭汜一连几个月相互攻打，死人数以万计。六月，李傕部将杨奉谋划杀死李傕，事情泄露，杨奉于是率兵背叛了李傕，李傕的军队逐渐衰败。庚午日，镇东将军张济从陕县赶来，想促成李傕、郭汜和解，把天子暂且迁到弘农。献帝也怀

傕许和，欲质其爱子。傕妻爱其男，和计未定，而羌、胡数来窥[267]省门，曰："天子在此中邪？李将军许我宫人，今皆何在？"帝患之，使侍中刘艾谓宣义将军[268]贾诩[269]曰："卿前奉职公忠，故仍升荣宠。今羌、胡满路，宜思方略。"诩乃召羌、胡大帅[270]饮食[271]之，许以封赏。羌、胡皆引去，傕由此单弱。于是复有言和解之计者，傕乃从之，各以女为质。

秋，七月甲子[272]，车驾出宣平门[273]，当渡桥，汜兵数百人遮桥[274]，曰："此天子非也？"车不得前。傕兵数百人，皆持大戟在乘舆车前，兵欲交，侍中刘艾大呼曰："是天子也！"使侍中杨琦高举车帷，帝曰："诸兵[10]何敢迫近至尊邪！"汜兵乃却。既渡桥，士众皆称万岁。夜到霸陵[275]，从者皆饥，张济赋给[276]各有差。傕出屯池阳。

丙寅[277]，以张济为票骑将军[278]，开府如三公；郭汜为车骑将军[279]，杨定为后将军[280]，杨奉为兴义将军[281]，皆封列侯。又以故牛辅部曲董承为安集将军。

郭汜欲令车驾幸高陵[282]，公卿及济以为宜幸弘农，大会议之，不决。帝遣使谕汜曰："弘农近郊庙，勿有疑也。"汜不从。帝遂终日不食。汜闻之，曰："可且幸近县。"八月甲辰[283]，车驾幸新丰[284]。丙子[285]，郭汜复谋胁帝还都郿[286]，侍中种辑知之，密告杨定、董承、杨奉，令会新丰。郭汜自知谋泄，乃弃军入南山[287]。

曹操围雍丘，张邈诣袁术求救，未至，为其下所杀。

冬，十月，以曹操为兖州牧[288]。

戊戌[289]，郭汜党夏育、高硕等谋胁乘舆西行。侍中刘艾见火起不止，请帝出幸一营[290]以避火。杨定、董承将兵迎天子幸杨奉营。夏育等勒兵欲止乘舆，杨定、杨奉力战，破之，乃得出。壬寅[291]，行幸华阴[292]。

宁辑将军[293]段煨[294]具服御[295]及公卿已下资储[296]，欲上幸其营。煨与杨定有隙，定党种辑、左灵言煨欲反，太尉杨彪、司徒赵温、侍中刘艾、尚书梁绍皆曰："段煨不反，臣等敢以死保。"董承、杨定胁弘农督邮[297]令言郭汜来在煨营。帝疑之，乃露次[298]于道南。

丁未[299]，杨奉、董承、杨定将攻煨，使种辑、左灵请帝为诏。帝

念旧京洛阳，派使者向他们宣读谕旨，如此经过十次来回，郭汜、李傕才答应和解，两人互相送爱子作为人质。李傕的妻子疼爱儿子，致使和解的事没法定下来。而这时羌人、胡人多次来到皇宫门前窥探，询问：“天子在这里面吗？李将军许诺给我们的宫女，她们都在哪里？”献帝十分忧虑，派侍中刘艾对宣义将军贾诩说：“因你以前任职秉公忠直，所以提升职位、享受荣宠。如今满路都是羌人、胡人，应想个解决的办法。”贾诩于是召集羌人、胡人的大首领，给他们好吃好喝，许愿给他们封赏。羌人、胡人于是都离去，李傕从此变得势单力薄。这时又有人提起和解一事，李傕才同意了，与郭汜一起都以女儿作为人质。

秋，七月甲子日，天子出了宣平门，正要过桥，郭汜的几百名士兵在桥头遮拦，问道：“这是不是天子？”天子的车驾不得前行。李傕的几百名士兵，都手握大戟在御车前面，准备交战，侍中刘艾大喊道：“这就是天子！”让侍中杨琦高高地掀起车帘，献帝说：“各位士兵怎敢逼近天子！”郭汜的士兵才退却。过了桥，官兵们都高呼万岁。夜晚到达霸陵，随从都饿了，张济依据不同身份供给饮食。李傕出京屯驻池阳。

丙寅日，任命张济为骠骑将军，和三公一样开设府署；任命郭汜为车骑将军，杨定为后将军，杨奉为兴义将军，都封为列侯。又任命前牛辅部属董承为安集将军。

郭汜想让献帝到高陵，公卿和张济认为献帝应该到弘农，开大会讨论，没有做出决定。献帝派使者晓谕郭汜，说：“弘农接近洛阳的郊庙，不要有什么怀疑。”郭汜不听从。献帝于是整天绝食。郭汜听到了，说：“可以暂时进驻附近的县。”八月初六日甲辰，献帝到达新丰。丙子日，郭汜又谋划胁迫献帝返回来定都郿县，侍中种辑探知此事，密告杨定、董承、杨奉，要他们到新丰会合。郭汜自知阴谋泄露，于是丢弃部队逃入南山。

曹操围困雍丘，张邈到袁术那里求救，还没到达，被他的部下杀死。

冬，十月，任命曹操为兖州牧。

十月初一日戊戌，郭汜的同党夏育、高硕等阴谋胁迫献帝西行。侍中刘艾见献帝所住的军营大火不止，请献帝出来到另一军营避火。杨定、董承领兵迎接天子临幸杨奉军营。夏育等部署兵力想阻止献帝转移，杨定、杨奉奋力苦战，打败了夏育，献帝才得以出营。初五日壬寅，献帝前行到达华阴。

宁辑将军段煨置办好御用衣服车辆等用品，以及公卿以下官吏所需的物资储备，希望天子巡幸他的军营。段煨和杨定有仇怨，杨定的党羽种辑、左灵放言段煨想造反，太尉杨彪、司徒赵温、侍中刘艾、尚书梁绍都说：“段煨不会造反，臣等敢以性命担保。”董承、杨定胁迫弘农郡督邮，让他上报说郭汜已经来到段煨营中。献帝心生疑惑，于是在大路南边的野外露宿。

十月初十日丁未，杨奉、董承、杨定将要攻打段煨，派种辑、左灵请求献帝下

曰："煨罪未著[300]，奉等攻之，而欲令朕有诏邪！"辑固请，至夜半，犹弗听。奉等乃辄攻煨营，十余日不下。煨供给御膳[301]，禀赡百官[302]，无有二意。诏使侍中、尚书告谕定等，令与煨和解，定等奉诏还营。

李傕、郭汜悔令车驾东，闻定攻煨，相招共救之，因欲劫帝而西。杨定闻傕、汜至，欲还蓝田[303]，为汜所遮，单骑亡走荆州[304]。张济与杨奉、董承不相平，乃复与傕、汜合。十二月，帝幸弘农，张济、李傕、郭汜共追乘舆，大战于弘农东涧[305]。承、奉军败，百官士卒死者不可胜数，弃御物、符策[306]、典籍[307]，略无所遗。射声校尉[308]沮儁被创[309]坠马，傕谓左右曰："尚可活否？"儁骂之曰："汝等凶逆，逼劫天子，使公卿被害，宫人流离，乱臣贼子，未有如此也！"傕乃杀之。

壬申[310]，帝露次曹阳[311]。承、奉乃谲[312]傕等与连和，而密遣间使[313]至河东[314]，招故白波帅李乐、韩暹、胡才及南匈奴右贤王去卑，并率其众数千骑来，与承、奉共击傕等，大破之，斩首数千级。

于是董承等以新破傕等，可复东引。庚申[315]，车驾发东[316]，董承、李乐卫乘舆，胡才、杨奉、韩暹、匈奴右贤王于后为拒。傕等复来战，奉等大败，死者甚于东涧。光禄勋[11]邓渊、廷尉宣播、少府田芬、大司农张义皆死。司徒赵温、太常王绛、卫尉周忠、司隶校尉管郃为傕所遮，欲杀之，贾诩曰："此皆大臣，卿奈何害之！"乃止。李乐曰："事急矣，陛下宜御马。"上曰："不可舍百官而去，此何辜哉！"兵相连缀四十里，方得至陕，乃结营自守。

时残破之余，虎贲、羽林[317]不满百人。傕、汜兵绕营叫呼，吏士失色，各有分散之意。李乐惧，欲令车驾御船过砥柱[318]，出孟津[319]。杨彪以为河道险难，非万乘[320]所宜乘，乃使李乐夜渡，潜具船，举火为应。上与公卿步出营，皇后兄伏德扶后，一手挟绢十匹。董承使符节令[321]孙徽从人间斫之，杀旁侍者，血溅后衣。河岸高十余丈，不得下，乃以绢为辇[322]，使人居前负帝，余皆匍匐[323]而下，或从上自投，冠帻[324]皆坏。既至河边，士卒争赴舟，董承、李乐以戈击之，手指于舟中可掬[325]。帝乃御船，同济者，皇后及杨彪以下才数十人，其宫女及吏民不得渡者，皆为兵所掠夺，衣服俱尽，发亦被截，冻死者不可胜计。

诏。献帝说:“段煨的罪行没有显现出来,杨奉等人攻击他,却还要朕写诏书吗!”种辑坚请,直到半夜,献帝仍然不应允。于是杨奉等就攻击段煨的军营,十几天拿不下。段煨照样供应皇帝的御膳和百官的食物,并没有二心。献帝下诏派侍中、尚书向杨定等宣读圣谕,命令他们与段煨和解,杨定等接受诏令返回军营。

李傕、郭汜后悔让天子东行,听说杨定攻打段煨,二人互相招呼一起救驾,想乘机劫持献帝西行。杨定得知李傕、郭汜来了,想返回蓝田,被郭汜阻拦,于是只身单骑逃奔荆州。张济与杨奉、董承不和,于是又与李傕、郭汜联合。十二月,献帝到达弘农,张济、李傕、郭汜一起追赶天子,在弘农的东涧发生大战。董承、杨奉的军队战败,百官士兵被杀死的不计其数,丢弃御用物品、符信书策、典章图籍,所剩无几。射声校尉沮儁受伤落马,李傕问身边的人说:“还能活吗?”沮儁大骂李傕说:“你们这帮凶恶的叛逆贼子,强迫劫持天子,使公卿被杀,宫人流离失所,历来的乱臣贼子,也没有像你们这样的!”李傕于是杀死了他。

壬申日,献帝在曹阳露宿。董承、杨奉假装与李傕等联系和好,而暗地派使者到河东,招来前白波军的首领李乐、韩暹、胡才以及南匈奴右贤王去卑,一起率领他们的几千名骑兵前来,与董承、杨奉共同攻打李傕等,把李傕等打得大败,斩首数千级。

这时董承等认为刚刚打败李傕等人,可以再率军东行。十二月二十四日庚申,天子出发东行,董承、李乐护卫御驾,胡才、杨奉、韩暹、匈奴右贤王殿后。李傕等又来交战,杨奉等大败,被杀的人数超过了东涧之战。光禄勋邓渊、廷尉宣播、少府田芬、大司农张义都被杀。司徒赵温、太常王绛、卫尉周忠、司隶校尉管郃被李傕拦截,李傕要杀他们,贾诩说:“这些人都是朝廷大臣,您怎么能伤害他们!”李傕才罢手。李乐说:“情况危急,陛下应当乘马。”献帝说:“不能抛弃百官逃走,他们有什么罪!”兵众断断续续连接四十里,才到达陕县,于是筑营防守。

大败之后,残留的虎贲、羽林等禁卫军不到百人。李傕、郭汜的士兵围绕着营地大呼小叫,官兵面无人色,有各自逃散之意。李乐恐惧,想让献帝乘船渡过砥柱石,从孟津上岸。杨彪认为这段河道艰险,天子不应乘渡。于是派李乐连夜渡河,暗中准备船只,举火把为信号。献帝和公卿徒步出营,皇后的哥哥伏德搀着皇后,一手挟着十匹绢。董承派符节令孙徽在人丛中去砍伏德,结果杀死了旁边的侍从,鲜血溅到皇后的衣服上。河岸高十几丈,献帝下不去,便用丝绢扎成乘辇,让人在前面背负献帝,其余的人都匍匐地上向下滑,有的人从上面跳下去,帽子和发巾都摔坏了。到了河边,士兵们争先恐后地去抓船舷,董承、李乐用戈砍他们的手,船中的断指可随手捧起。献帝坐上船,一起渡河的只有皇后以及杨彪以下几十个人,那些宫女以及官民没能渡河的,都遭到乱兵的抢夺,衣服被剥光,头发也被割断,冻死的人不计其数。卫尉士孙瑞被李傕杀死。

卫尉士孙瑞为傕所杀。

傕见河北有火，遣骑候之，适[326]见上渡河，呼曰："汝等将天子去邪！"董承惧射之[327]，以被为幔[328]。既到大阳[329]，幸李乐营。河内太守张杨[330]使数千人负米来贡饷[331]。乙亥[332]，帝御牛车，幸安邑[333]，河东太守王邑奉献绵帛，悉赋[334]公卿以下。封邑为列侯，拜胡才为征东将军[335]，张杨为安国将军[336]，皆假节开府。其垒壁群帅[337]竞求拜职，刻印不给，至乃以锥画之。

乘舆居棘篱[338]中，门户无关闭。天子与群臣会，兵士伏篱上观，互相镇压[339]以为笑。

帝又遣太仆韩融至弘农与傕、汜等连和，傕乃放遣公卿百官，颇归所掠宫人及乘舆器服。已而粮谷尽，宫人皆食菜果。

乙卯[340]，张杨自野王[341]来朝，谋以乘舆还雒阳。诸将不听，杨复还野王。

是时，长安城空四十余日，强者四散，羸[342]者相食，二三年间，关中无复人迹。

沮授说袁绍曰："将军累叶[343]台辅[344]，世济忠义。今朝廷播越[345]，宗庙残毁，观诸州郡虽外托义兵，内实相图，未有忧存社稷恤民之意。今州域[346]粗定，兵强士附，西迎大驾，即宫邺都[347]，挟天子而令诸侯，畜士马以讨不庭[348]，谁能御之！"颍川郭图、淳于琼曰："汉室陵迟[349]，为日久矣；今欲兴之，不亦难乎！且英雄并起，各据州郡，连徒聚众，动[350]有万计，所谓秦失其鹿，先得者王[351]。今迎天子自近，动辄表闻，从之则权轻，违之则拒命，非计之善者也。"授曰："今迎朝廷，于义为得，于时为宜，若不早定，必有先之者矣。"绍不从。

【段旨】

以上为第六段，写献帝东归，历尽磨难，终于渡过黄河，脱离了李傕、郭汜的掌控，驻跸河东。

李傕看见黄河北岸有火光，派骑兵去侦察，正好看见献帝乘船渡河，大声呼喊："你们要把天子弄走吗！"董承担心被射，就用被子当围幔。到达大阳，献帝巡幸李乐的军营。河内太守张杨派几千人背着米来贡献粮饷。十二月乙亥日，献帝乘坐牛车，到达安邑，河东太守王邑奉献丝绵和绸缎，献帝全部赐给公卿以下的官吏。于是封王邑为列侯，任命胡才为征东将军，张杨为安国将军，都授符节，开设府署。军营中的众头领都竞相求取官职，刻的官印供不应求，甚至用锥子来刻画。

献帝居住在四周以荆棘为篱笆的房子中，窗门都关不上。天子与群臣朝会，士兵们趴在篱笆上观看，相互叠压取笑。

献帝又派太仆韩融到弘农与李傕、郭汜等和解，李傕便释放了被扣押的公卿百官，归还了许多被抢去的宫女以及御用的车辆器物。不久粮谷没有了，宫女都吃野菜野果。

十二月十九日乙卯，张杨从野王县赶来朝见天子，谋划让皇帝回归洛阳。各位将领不听从，张杨又回到野王。

这时，长安城空了四十多天，身体强壮的人四处逃散，病弱的人互以为食，两三年间，关中不再有人迹。

沮授劝袁绍说："将军家几代人为国家重臣，历代忠义。如今天子流离，宗庙残破毁坏，考察各个州郡，虽然表面上托名义兵，实际骨子里相互图谋，没有拯救国家抚恤百姓的念头。现今冀州大体安定，军队强盛，士民归附，如果西去迎接天子，定都邺城，挟持天子以号令诸侯，蓄养兵马讨伐不臣服之人，谁能抵抗！"颍川人郭图、淳于琼说："汉室衰微，为时已久；如今想让它复兴，不是太难了吗！况且英雄四起，各自占据州郡，招徒聚众，动辄兵众数以万计，这正是所谓秦朝丢了天下，先得到的为王。如今把天子迎到身边，动不动就得上表请示，顺从的话，则自己的权力变轻，违背的话，则是反抗圣命，这不是好计谋。"沮授说："如今迎取天子，既合道义，时机也相宜，如果不早作决定，一定有捷足先登的人。"袁绍不听从。

【注释】

㉖② 庚午：六月庚子朔，庚午疑为七月初一日。㉖③ 陕：县名，县治在今河南三门峡市陕州区。㉖④ 权：暂且。㉖⑤ 弘农：县名，县治在今河南灵宝北。㉖⑥ 宣谕：传布解说。㉖⑦ 窥：窃视。㉖⑧ 宣义将军：官名，暂时设置的将军名号。㉖⑨ 贾诩：字文和，武威姑臧（今甘肃武威）人，有智计，善筹策。先事董卓，卓败后又从李傕，又托身段煨，后从张绣。诩劝张绣归服曹操，诩亦得重用。曹胜袁绍，破韩遂、马超，贾诩之策划为

多。诩又劝曹丕崇德尽孝，以得太子之位。又阻止曹丕伐吴、蜀。后病逝。传见《三国志》卷十。(270)大帅：少数民族之头领。(271)饮食：请吃喝。(272)甲子：七月庚午朔，无甲子。(273)宣平门：当时长安城东城墙最北面的门。(274)遮桥：在桥头阻拦，不准过桥。(275)霸陵：县名，县治在今陕西西安东北。(276)赋给：谓分给食物。(277)丙寅：七月庚午朔，无丙寅。(278)票骑将军："票"又写作"骠"，官名，位次于大将军。(279)车骑将军：官名，位次于骠骑将军，掌京师兵卫与边防屯警。(280)后将军：官名，位次于上卿，与前、左、右将军皆掌京师兵卫与边防屯警。(281)兴义将军：官名，临时所置之将军名号。杨奉为白波军首领，现又护卫汉献帝，故朝廷以"兴义"为其将军名号。(282)高陵：县名，县治在今陕西西安市高陵区西南。(283)甲辰：八月初六。(284)新丰：县名，县治在今陕西西安市临潼区东北。(285)丙子：八月己亥朔，无丙子。(286)郿：县名，县治在今陕西眉县东北。(287)南山：汉代新丰县之骊山西接终南山，时人称之为南山。(288)兖州牧：初平三年鲍信等人已推举曹操为兖州刺史，现朝廷才正式任命他为兖州牧。(289)戊戌：十月初一。(290)一营：当时郭汜、杨定、董承、杨奉皆自立营，刘艾不敢直言何营，故请汉献帝任去一营。(291)壬寅：十月初五。(292)华阴：县名，县治在今陕西华阴。(293)宁辑将军：官名，暂时设置的将军名号。(294)段煨：凉州将之一。董卓死后，段煨归依朝廷，以将军屯华阳，不掳掠，修农事，后官至光禄大夫，以善终。(295)服御：指备办皇帝所用的衣服车马等各种物资。(296)资储：储备的物资。(297)督邮：官名，汉代郡太守的重要属吏，职责是代表太守督察各县，宣达教令，兼管狱讼捕亡等事。郡有分为二部、四部或五部者，每部各有一督邮。(298)露次：在野外露宿。(299)丁未：十月初十。(300)著：显露。(301)御膳：皇帝的膳食。(302)禀赡百官：供给百官食物。(303)蓝田：县名，县治在今陕西蓝田西。(304)荆州：州名，东汉初治所汉寿，在今湖南常德东北。后来，曹操、孙权都设荆州，曹治襄阳，孙治江陵。(305)大战于弘农东涧：《后汉书》卷九《献帝纪》将此事系于十一月庚午（初三），而《通鉴》系于十二月，可能另有所据。(306)符策：符，铜虎符、竹使符之类，皇帝赐予将领、使臣之凭证。策，皇帝书写诏命等的简策。(307)典籍：指宫中图书及尚书台的档案等。(308)射声校尉：官名，东汉北军五校尉之一，掌宿卫兵。(309)被创：受伤。(310)壬申：十二月丁酉朔，无壬申。若按《后汉书》卷九《献帝纪》作十一月壬申，则为十一月初五日。(311)曹阳：涧名，

【原文】

初，丹阳朱治[352]尝为孙坚校尉，见袁术政德不立，劝孙策归取江东[353]。时吴景攻樊能、张英等，岁余不克。策说术曰："家有旧恩在东，愿助舅[354]讨横江，横江拔，因投本土[355]召募，可得三万兵，以佐

又称七里涧，在今河南灵宝东。⑶⑿谲：哄骗。⒀间使：伺间隙而行的使者，亦即从小路秘密行走的使者。⒁河东：郡名，治所安邑，在今山西夏县西北。⒂庚申：十二月二十四日。⒃发东：谓自曹阳涧出发向东而行。⒄虎贲、羽林：皆为皇帝的禁卫军。⒅砥柱：山名，原在今河南三门峡市东北黄河中，因山在水中若柱，故名砥柱。又名三门山，因河水至此分流，包山而过，形成三门，南名鬼门，中名神门，北名人门。现已炸毁。⒆孟津：津渡名，在今河南孟州南。⒇万乘：指皇帝。㉑符节令：官名，属少府，符节台之长官，主管符节事，凡朝廷遣使，掌授符节。㉒以绢为辇：用丝绢扎成背人的兜，权当车辇。㉓匍匐：伏地而行。㉔帻：包头巾。㉕掬：以手捧。㉖适：恰好。㉗董承惧射之：董承惧怕李傕兵用箭射他们。㉘幔：围幔，此处用以挡箭。㉙大阳：县名，县治在今山西平陆西南。㉚张杨：字稚叔，云中（治所在今内蒙古托克托东北）人，董卓专权时，为建义将军、河内太守。汉献帝至安邑，任命为安国将军，封晋阳侯。后又为大司马，被部下所杀。传见《三国志》卷八。㉛饷：军粮。㉜乙亥：十二月丁酉朔，无乙亥。㉝安邑：县名，县治在今山西夏县西北。㉞赋：分给。㉟征东将军：官名，汉代将军之一。在汉代，征东、征西、征南、征北诸将军与杂号将军同，曹魏以后，则四征为上。㊱安国将军：官名，东汉杂号将军之一，其称号始于此时。㊲垒壁群帅：当时聚集兵力筑壁垒以自保的武装豪强首领。㊳棘篱：用荆棘围成的篱笆墙。㊴镇压：叠压。㊵乙卯：十二月十九日。㊶野王：县名，县治在今河南沁阳。㊷羸：病弱。㊸累叶：累世。㊹台辅：指三公宰相。㊺播越：流亡。㊻州域：指冀州之域。㊼即宫邺都：在邺都建立皇宫。㊽不庭：不朝于王廷，即不服从朝廷。㊾陵迟：衰微。㊿动：动辄；往往。(351)秦失其鹿二句：《汉书》卷四十五《蒯通传》载，蒯通曰："秦失其鹿，天下共逐之，高材者先得。"鹿，比喻政权。

【校记】

［10］兵：原作"君"。据章钰校，甲十一行本、乙十一行本皆作"兵"，今据改。［11］勋：原无此字。据章钰校，甲十一行本、乙十一行本、孔天胤本皆有此字，张瑛《通鉴校勘记》同，今据补。

【语译】

当初，丹阳人朱治曾任孙坚的校尉，看到袁术不行德政，就劝孙策回去占据江东。这时，吴景正进攻樊能、张英等，一年多不能取胜。孙策劝袁术说："我家对江东人有旧恩，我希望帮助舅舅征讨横江，攻占横江，随即回到本土招募兵员，可以

明使君定天下。”术知其恨[356]，而以刘繇据曲阿，王朗在会稽[357]，谓策未必能定，乃许之。表策为折冲校尉[358]，将兵千余人，骑数十匹，行收兵。比[359]至历阳，众五六千。时周瑜从父尚为丹阳太守，瑜将兵迎之，仍[360]助以资粮。策大喜，曰：“吾得卿，谐[361]也！”进攻横江、当利，皆拔之，樊能、张英败走。

策渡江转斗，所向皆破，莫敢当其锋者。百姓闻孙郎至，皆失魂魄，长吏[362]委[363]城郭，窜伏山草[364]。及策至，军士奉令，不敢虏略，鸡犬菜茹[365]，一无所犯，民乃大悦，竞以牛酒劳军。策为人美姿颜，能笑语，性[12]阔达[366]听受[367]，善于用人，是以士民见者莫不尽心，乐为致死。

策攻刘繇牛渚[368]营，尽得邸阁[369]粮谷战具。时彭城相薛礼、下邳相丹阳笮融依繇为盟主，礼据秣陵[370]城，融屯县南，策皆击破之。又破繇别将于梅陵[371]，转攻湖孰[372]、江乘[373]，皆下之，进击繇于曲阿。

繇同郡太史慈[374]时自东莱[375]来省繇。会策至，或劝繇可以慈为大将。繇曰：“我若用子义，许子将[376]不当笑我邪！”但使慈侦视[377]轻重。时独与一骑卒[378]遇策于神亭[379]，策从骑十三，皆坚旧将辽西韩当[380]、零陵黄盖[381]辈也。慈便前斗，正与策对。策刺慈马，而擥[382]得慈项上手戟，慈亦得策兜鍪[383]。会两家兵骑并各来赴，于是解散。

繇与策战，兵败，走丹徒[384]。策入曲阿，劳赐将士，发恩布令，告谕诸县：“其刘繇、笮融等故乡部曲来降首[385]者，一无所问。乐从军者，一身行[386]，复除门户[387]，不乐者不强。”旬日之间，四面云集，得见[388]兵二万余人，马千余匹，威震江东。

丙辰[389]，袁术表策行殄寇将军[390]。策将吕范言于策曰：“今将军事业日大，士众日盛，而纲纪[391]犹有不整者，范愿暂领都督[392]，佐将军部分[393]之。”策曰：“子衡[394]既士大夫，加手下已有大众，立功于外[395]，岂宜复屈小职，知[396]军中细事乎？”范曰：“不然。今舍本土而托将军者，非为妻子也，欲济世务也。譬犹同舟涉海，一事不牢，即俱受其败。此亦范计，非但将军也。”策笑，无以答。范出，便释褠[397]，着袴褶[398]，执鞭诣阁下启事，自称领都督。策乃授传[399]，委以众事。由是军中肃睦，威禁大行。

得到三万士兵，用来佐助英明的使君平定天下。”袁术知道孙策心怀不满，而因有刘繇占据曲阿，王朗守卫会稽，以为孙策未必能平定他们，于是答应了他的要求。上表举荐孙策为折冲校尉，率兵一千多人，骑兵几十名，沿途招收兵马。等到进至历阳，兵众已有五六千人。当时周瑜的堂伯周尚任丹阳太守，周瑜率兵迎接孙策，便以军资、粮食相助。孙策大喜，说："我得到你，事业成功了！”孙策进攻横江、当利，全都攻了下来，樊能、张英战败逃走。

孙策渡江转战，所向披靡，没人敢抵挡他的锋芒。百姓听说孙郎来了，都魂飞魄散，县长县令抛弃城郭，窜匿深山草丛中。等孙策到来，官兵遵命，不敢抢掠，鸡犬菜蔬，秋毫不犯。民众非常高兴，争着拿牛肉和美酒慰劳军队。孙策这人容貌英俊，善谈笑，性情豁达大度，听取别人的意见，善于用人，因此官绅和百姓，见过他的人莫不愿尽心尽力，乐意为他卖命。

孙策进攻刘繇在牛渚的营地，获得了仓库里的全部粮食和作战用具。当时彭城国相薛礼、下邳国相丹阳人笮融都依靠刘繇为盟主，薛礼据守秣陵城，笮融驻军秣陵县南，孙策把他们全都打败。又在梅陵打败刘繇的别将，转而攻湖孰、江乘，全都攻克，进兵攻打盘踞在曲阿的刘繇。

刘繇的同郡人太史慈这时从东莱来看望刘繇，正值孙策率兵到来，有人劝刘繇可任命太史慈为大将。刘繇说："我若用子义，许劭难道不嘲笑我吗！”只派太史慈去侦察敌情的虚实。有一天太史慈独身带了一个骑兵在神亭与孙策突然遭遇，孙策身后跟着十三名骑兵，都是孙坚的旧将辽西人韩当、零陵人黄盖一类的人。太史慈上前交战，正和孙策相对。孙策刺中太史慈的马，并摘取他脖子后面插的手戟，太史慈也摘得孙策的头盔。这时双方的步兵、骑兵一起赶来，于是双方各自散去。

刘繇与孙策交战，兵败，逃往丹徒。孙策进入曲阿，慰问赏赐将士，下令施恩，告知各县："凡是刘繇、笮融等同乡部属来归降的，一律不追究。愿意继续当兵的，一人从军，免除全家赋税劳役，不愿再当兵的也不勉强。”十日之间，应召者四面云集，得到现成的士兵两万多人，马一千多匹，孙策威震江东。

十二月二十日丙辰，袁术上表推举孙策代理殄寇将军。孙策部将吕范向孙策进言说："如今将军的事业日益扩大，军队日益强盛，可是军纪尚不完备，我愿暂时兼任都督，辅佐将军整治。”孙策说："你已经是士大夫，加上手下已有大军，又在外立功，怎么能让你再屈就小官，掌管军中的小事呢？”吕范说："不是这样。如今我离开家乡而托身于将军，不是为了妻子儿女，而是要成就救世大业。好比同坐一条船渡海一样，一件事情不牢靠，大家立即共遭灭顶之灾。这也是为我自身打算，不仅仅是为了将军。”孙策微笑，无言以对。吕范出来，便脱下单衣，穿上骑士之服，提起马鞭到孙策的台阶下请示，自称都督。于是孙策授予符信，委任各种事务。从此军中严肃和睦，军令畅行。

策以张纮[400]为正议校尉[401]，彭城张昭[402]为长史，常令一人居守，一人从征讨，及广陵秦松、陈端等亦参与谋谟。策待昭以师友之礼，文武之事，一以委昭。昭每得北方士大夫书疏，专归美于昭。策闻之，欢笑曰："昔管子[403]相齐，一则仲父，二则仲父，而桓公为霸者宗。今子布贤，我能用之，其功名独不在我乎！"

袁术以从弟胤为丹阳太守。周尚、周瑜皆还寿春。

刘繇自丹徒将奔会稽，许劭曰："会稽富实，策之所贪，且穷[404]在海隅，不可往也。不如豫章[405]，北连豫壤[406]，西接荆州，若收合吏民，遣使贡献，与曹兖州[407]相闻，虽有袁公路隔在其间[408]，其人豺狼，不能久也。足下受王命，孟德、景升[409]必相救济。"繇从之。

初，陶谦以笮融为下邳[410]相，使督广陵[411]、下邳、彭城[412]粮运。融遂断三郡委输[413]以自入，大起浮屠[414]祠，课[415]人诵读佛经，招致旁郡好佛者至五千余户。每浴佛[416]，辄多设饮食，布席于路，经数十里，费以钜亿计[417]。及曹操击破陶谦，徐土不安，融乃将男女万口走广陵，广陵太守赵昱待以宾礼。先是彭城相薛礼为陶谦所逼，屯秣陵。融利[418]广陵资货，遂乘酒酣[419]杀昱，放兵大掠，因过江依礼，既而复杀之。

刘繇使豫章太守朱皓攻袁术所用太守诸葛玄[420]，玄退保西城[421]。及繇溯[422]江西上，驻于彭泽[423]，使融助皓攻玄。许劭谓繇曰："笮融出军，不顾名义者也。朱文明[424]喜推诚以信人，宜[13]使密防之。"融到，果诈杀皓，代领郡事。繇进讨融，融败走，入山，为民所杀。诏以前太傅掾华歆为豫章太守。

丹阳都尉朱治逐吴郡太守许贡而据其郡，贡南依山贼严白虎[425]。

【段旨】

以上为第七段，写孙策年少英雄，借袁术之势经营江东，连战皆捷，威名大振。

孙策任命张纮为正议校尉，彭城人张昭为长史，常常令他两人一个留守，一个跟随出征。广陵人秦松、陈端等也参与谋划。孙策以师友的礼节对待张昭，把文武事务，一概委托他。张昭每每得到北方士大夫的书信，信中把江东的政绩都归功于张昭。孙策听到后，很高兴地说："从前管仲任齐国的宰相，齐桓公左也靠仲父，右也靠仲父，因而齐桓公终于成为五霸之首。如今张昭贤明，我能任用他，他的功名难道不是由我而得吗!"

袁术任堂弟袁胤为丹阳太守。周尚、周瑜都返回寿春。

刘繇将从丹徒逃奔会稽郡，许劭说："会稽富足殷实，是孙策贪恋的地方，而且它僻处海角，不可到那里去。不如到豫章郡，它的北部与豫州接壤，西部和荆州相连，如果收拢那里的官民，派使者向朝廷进贡，和曹兖州联系，虽然有袁术在中间相隔，但他性如豺狼，不会长久。您是朝廷的命官，曹操、刘表一定会来救助。"刘繇听从了。

当初，陶谦任命笮融为下邳相，派他督理广陵、下邳、彭城的粮运。笮融就截留这三郡的委运物资归己所有，大规模兴造佛寺，督促民众诵读佛经，招来附近各郡的佛教徒达五千多户。每次浴佛节，总要备办许多饮食，在路边摆设宴席，绵延几十里，费用以万亿计。等到曹操击退陶谦，徐州不安定，笮融于是率领男女万人逃至广陵，广陵太守赵昱待以宾客之礼。此前彭城相薛礼被陶谦逼迫，屯驻秣陵。笮融贪图广陵的财富，就趁酒兴正浓时杀了赵昱，纵兵大肆抢劫，乘势渡过长江投靠薛礼，不久又杀了薛礼。

刘繇派豫章太守朱皓攻打袁术所委任的太守诸葛玄，诸葛玄退保西城。等到刘繇溯江西上，进驻彭泽，便派笮融帮助朱皓攻打诸葛玄。许劭对刘繇说："笮融出兵，不顾名节信义。朱皓喜欢推心置腹以取信于人，应让朱皓严加防御。"笮融到后，果然用诈骗的手段杀了朱皓，自己代理豫章郡守。刘繇进兵征讨笮融，笮融战败逃走，遁入山中，被山民杀死。献帝下诏任命前太傅掾华歆为豫章太守。

丹阳郡都尉朱治驱逐吴郡太守许贡占据了吴郡，许贡南去投靠山贼严白虎。

【注释】

㉜朱治：字君理，丹阳故鄣（今浙江安吉西北）人，初随孙坚，为督军校尉。孙坚死后，又助孙策，领吴郡太守。孙策死，又助孙权，为安国将军，封故鄣侯。传见《三国志》卷五十六。㉝江东：地区名，大体而言，长江自西向东流，有江南、江北之称。而长江东流至今安徽境，则偏北斜流，至江苏镇江市又东流而下，这段江水由西南向东北偏斜，古人便称这段江水东岸之地为江东，即长江以南的苏、浙、皖一带；西岸之地

为江西，即皖北和淮河下游一带。㉟㉞舅：吴景为孙策之舅。㉟㉟本土：孙策为吴郡人，因指江东为本土。㉟㊱术知其恨：指袁术先许孙策为九江及庐江太守，事后又不兑现，孙策引以为恨。㉟㊲会稽：郡名，治所山阴，在今浙江绍兴。㉟㊳折冲校尉：官名，校尉为统兵之中级武官，折冲为其名号。㉟㊴比：及；等到。㊱⓪仍：与“乃”通。㊱①谐：成功。㊱②长吏：汉代称秩六百石以上之吏为长吏，又称县丞、尉秩四百石至二百石者为长吏。汉代县令、县长秩为千石至三百石，此处之长吏，即指县令、县长。㊱③委：放弃。㊱④山草：谓深山茂草。㊱⑤菜茹：菜蔬。㊱⑥阔达：豁达，不拘小节。㊱⑦听受：善于听取接受别人的意见。㊱⑧牛渚：山名，又名牛渚圻，在今安徽马鞍山市西南长江边，山之北部突入江中，名采石矶，形势险要，自古为大江南北之重要渡口，为兵家必争之地。㊱⑨邸阁：屯积军粮或物资的仓库。㊲⓪秣陵：县名，县治在今江苏南京南。㊲①梅陵：地名，在今安徽芜湖市境内。㊲②湖孰：侯国名，国治在今江苏南京市江宁区东南湖熟镇。㊲③江乘：县名，县治在今江苏句容北六十里。㊲④太史慈：字子义，东莱黄县（今山东龙口东南）人，初随刘繇，后被孙策所执，遂归孙策，为折冲中郎将、建昌都尉。孙权时，仍统领南方。传见《三国志》卷四十九。㊲⑤东莱：郡名，治所在今山东龙口。㊲⑥许子将：许劭字子将，以品评人物著称于世。㊲⑦侦视：暗中察看。㊲⑧卒：通“猝”。㊲⑨神亭：乡亭名，在汉代丹阳县内。汉代丹阳县治在今安徽当涂东五十里之小丹阳。㊳⓪韩当：字公义，辽西令支（今河北迁安西）人，初随孙坚，为别部司马。孙坚死后随孙策，为校尉。孙权时，与周瑜等拒破曹操。后为昭武将军，封石城侯。传见《三国志》卷五十五。㊳①黄盖：字公覆，零陵泉陵（今湖南永州）人，初随孙坚，为别部司马。孙坚死，又随孙策。孙权时，与周瑜等拒曹操，建议用火攻，大破曹操于赤壁，为武锋中郎将、武陵太守。传见《三国志》卷五十五。㊳②擥：同“揽”。夺取。㊳③兜鍪：头盔。㊳④丹徒：县名，县治在今江苏镇江市东南。㊳⑤降首：降服。㊳⑥一身行：一人从军而行。㊳⑦复除门户：免除全家的赋役。㊳⑧见：“现”的本字。㊳⑨丙辰：十二月二十日。㊴⓪殄寇将军：官名，属杂号将军。殄寇之号始于此时。㊴①纲纪：法纪；法度。㊴②都督：东汉末军事长官或领兵将帅之官名，领兵多少和职权大小并不固定。㊴③部分：处分；部署。㊴④子衡：吕范字子衡。㊴⑤立功于外：指吕范以前为宛陵令时，曾攻破丹阳地方武装。㊴⑥知：掌管，如知县、知府然。㊴⑦释褠：脱去单衣。㊴⑧着袴褶：着，穿上。袴褶，便于骑马的一种军服。㊴⑨传：符

【原文】

张超在雍丘，曹操围之急。超曰：“惟臧洪[426]当来救吾。”众曰：“袁、曹方睦，洪为袁所表用，必不败好以招祸。”超曰：“子源天下

信。㊵张纮：字子纲，广陵（治所在今江苏扬州）人，初随孙策，从讨丹阳。后孙策令其奉章至许都，朝廷留为侍御史。孙策死后，曹操又遣之辅孙权，为长史。传见《三国志》卷五十三。㊶正议校尉：官名，校尉为统兵之中级武官。正议为其名号。㊷张昭（公元一五六至二三六年）：字子布，彭城（治所在今江苏徐州）人，汉末避乱过江，依附孙策，为长史、抚军中郎将，深为孙策所倚重。孙策死，又辅孙权，复为长史、军师。赤壁战前主降曹操，为孙权所不满。官至辅吴将军。传见《三国志》卷五十二。㊸管子：管仲，名夷吾，春秋时人，辅佐齐桓公，深得桓公信重，尊之为仲父，委以政事。某次，主管官吏之官请桓公委任官吏，桓公说："以告仲父。"该官又再请桓公定夺，桓公还是说："以告仲父。"在旁的一人感慨地说："一则告仲父，二则告仲父，易哉为君！"事见刘向《新序·杂事四》。由于齐桓公信用管仲，齐国因而富强，桓公亦得成为春秋第一霸主。㊹穷：极远。㊺豫章：郡名，治所南昌，在今江西南昌。㊻豫壤：豫州边界。㊼曹兖州：指曹操，曹操时为兖州牧。㊽袁公路隔在其间：袁公路即袁术。豫章郡在长江之南，豫、兖二州在淮河之北，而当时袁术据有淮南之地，故说隔在其间。㊾孟德、景升：曹操字孟德，刘表字景升。㊿下邳：王国名，治所下邳县，在今江苏睢宁西北。(411)广陵：郡名，治所广陵县，在今江苏扬州。(412)彭城：王国名，治所彭城县，在今江苏徐州。(413)委输：以物置于车船上叫委，再转运至他处交卸叫输。委输即运送。(414)浮屠：又写作"浮图"，即"佛陀"之梵语译音。(415)课：督促。(416)浴佛：佛教传说释迦牟尼佛于四月八日诞生时，有九条龙口吐香水洗浴佛身，故每逢佛诞生日，佛教徒便举行浴佛典礼。(417)钜亿计：谓以万亿计算。(418)利：贪利；贪图。(419)酒酣：饮酒酣畅之时。(420)诸葛玄：诸葛亮之叔父，当时被袁术任命为豫章太守，而汉朝廷却任命朱皓为太守。(421)西城：在当时南昌县西。(422)溯：逆流而上。(423)彭泽：县名。县治在今江西湖口东南。(424)朱文明：朱皓字文明。(425)严白虎：啸聚吴郡之南的地方武装豪强首领。

【校记】

［12］性：原无此字。据章钰校，甲十一行本、乙十一行本、孔天胤本皆有此字，张敦仁《通鉴刊本识误》同，今据补。［13］宜：原作"更"。据章钰校，甲十一行本、乙十一行本、孔天胤本皆作"宜"，张瑛《通鉴校勘记》同，今据改。

【语译】

张超在雍丘，曹操加紧围攻。张超说："只有臧洪会来救我。"大家说："袁绍、曹操正相和睦，而臧洪是被袁绍表荐任用的人，他一定不会败坏袁、曹的和好来招

义士，终不背本，但恐见制强力，不相及耳。”洪时为东郡太守，徒跣[427]号泣，从绍请兵，将赴其难，绍不与。请自率所领以行，亦不许。雍丘遂溃，张超自杀，操夷其三族。

洪由是怨绍，绝不与通。绍兴兵围之，历年不下。绍令洪邑人陈琳[428]以书喻之，洪复书曰：“仆[429]小人也，本乏志用，中因行役[430]，蒙主人[431]倾盖[432]，恩深分厚，遂窃大州[433]，宁乐今日自还接刃乎！当受任之初，自谓究竟[434]大事，共尊王室。岂悟本州[435]被侵，郡将[436]遘厄[437]，请师见拒，辞行被拘，使洪故君遂至沦灭，区区微节，无所获申，岂得复全交友之道、重亏忠孝之名乎！斯所以忍悲挥戈，收泪告绝。行矣孔璋，足下徼利于境外，臧洪投命于君亲；吾子[438]托身于盟主[439]，臧洪策名于长安[440]；子谓余身死而名灭，仆亦笑子生而无闻焉。”

绍见洪书，知无降意，增兵急攻。城中粮谷已尽，外无强救，洪自度[441]必不免，呼将吏士民谓曰：“袁氏无道，所图不轨，且不救洪郡将，洪于大义，不得不死；念诸君无事，空与此祸，可先城未败，将妻子出。”皆垂泣曰：“明府[442]与袁氏本无怨隙，今为本朝郡将之故，自致残困，吏民何忍当舍明府去也！”初尚掘鼠煮筋角，后无可复食者。主簿启[443]内厨[444]米三升，请稍以为𫗴粥[445]。洪叹曰：“何能独甘此邪！”使作薄糜[446]，遍班[447]士众，又杀其爱妾，以食[448]将士。将士咸流涕，无能仰视者。男女七八千人，相枕而死，莫有离叛者。城陷，生执洪。绍大会诸将，见洪，谓曰：“臧洪，何相负若此！今日服未？”洪据地瞋目曰：“诸袁事汉，四世五公[449]，可谓受恩。今王室衰弱，无扶翼之意，欲因际会[450]，希冀[451]非望[452]，多杀忠良，以立奸威。洪亲见呼张陈留[453]为兄，则洪府君亦宜为弟，同共戮力，为国除害，奈何拥众观人屠灭！惜洪[14]力劣，不能推刃[454]为天下报仇，何谓服乎！”绍本爱洪，意欲令屈服，原[455]之，见洪辞切，知终不为己用，乃杀之。

洪邑人陈容少亲慕洪，时在绍坐，起谓绍曰：“将军举大事，欲为天下除暴，而先诛忠义，岂合天意！臧洪发举为郡将，奈何杀之！”绍惭，使人牵出，谓曰：“汝非臧洪俦[456]，空复尔为[457]！”容顾曰：“仁义

惹祸患。”张超说：“臧子源是天下的义士，始终不会背离初衷；只是担心他被强力所制，不能前来罢了。”臧洪当时任东郡太守，赤脚徒步放声痛哭，向袁绍请求出兵，要率军去解救张超的危难，袁绍不给他发兵。臧洪请求率领自己所属的军队前去，袁绍也不答应。于是雍丘失守，张超自杀，曹操灭了张超的三族。

臧洪因此怨恨袁绍，断绝关系不与袁绍来往。袁绍举兵包围了臧洪，连年攻不下来。袁绍命臧洪的同乡陈琳写信给臧洪，晓以利害，臧洪回信说：“我是一个小人物，本没有志向，中因入仕为官，承蒙袁绍倾盖相交，恩情深厚，于是窃据一州，难道我乐意今天和袁绍兵戎相见吗！当初受任之时，我自以为能成就大业，共同拥戴王室。哪里想到本州被侵占，郡守张超遭遇危难，我请求出兵被拒绝，辞行又遭拘留，致使我的故主被消灭，我这微不足道的节义都不得伸张，哪里还能顾全交友之道、再次损害忠孝的名节呢！这就是我忍住悲伤挥戈上阵，擦干泪水毅然与袁绍决绝的原因。走你的吧，孔璋，你去各地追逐财利，臧洪我效命于朝廷；你投靠盟主袁绍，臧洪我列名于朝班。你认为我会身死名裂，我也嘲笑你活着却默默无闻。”

袁绍见到臧洪的书信，知道他没有归降的想法，增派军队加紧围攻。城中的粮食已经耗尽，外面没有强兵救援，臧洪自料不能幸免，召集将士官民，对他们说：“袁绍没有道义，图谋不轨，而且不肯救援郡守张超，我臧洪出于大义，不得不死；想到你们诸位凭空卷入这场灾祸，你们可在城破之前，带着妻子儿女出城。”大家都流泪哭泣道：“明府您与袁绍本来没有怨仇，如今为了本朝太守的缘故，自己招致了困窘，我等吏民怎忍心抛下英明的府君而逃走！”城中起初还能挖老鼠煮筋角来充饥，后来再没有什么可吃的了。主簿打开郡守私家厨房取出三升米，请求做一些稠粥。臧洪叹了口气说：“我怎能独自享用呢！”命做成稀粥，普遍分给士兵和民众，又杀了自己的爱妾，拿来给将士们吃。将士们都流下眼泪，不能仰视。男女七八千人，相互枕藉而死，没有一个叛离的。城池被攻陷，活捉了臧洪。袁绍会集各位将领，看到臧洪，对他说：“臧洪，为什么如此辜负我！今天服不服？”臧洪坐在地上瞪着眼睛说：“袁氏诸人效力汉朝，四代人有五人出任三公，可说是享受了朝廷的洪恩。如今皇室衰弱，你却没有扶持的意念，反而想趁此机会，图谋不轨，滥杀忠良，用来建立你奸邪的淫威。我亲眼见你称呼张邈为兄，那么也应该称张超为弟，本应同心协力，为国除害，怎么能拥兵看着他人遭杀害！只恨我势单力薄，不能挥刀为天下人报仇，还说什么服不服呢！”袁绍本来喜欢臧洪，想让他屈从后原谅他，看到臧洪言真意切，知道他终究不会被自己所用，于是把他杀了。

臧洪的同县人陈容从小敬慕臧洪，此时也在座，起身对袁绍说：“将军兴举大事，要为天下除暴，却先杀忠义之士，岂能合乎天意！臧洪的举动是为了郡守张超，怎么能杀他！”袁绍羞愧，命人把陈容拖出去，对他说：“你不是臧洪的同类人，凭空

岂有常，蹈之则君子，背之则小人。今日宁与臧洪同日而死，不与将军同日而生也。”遂复见杀，在坐无不叹息，窃相谓曰：“如何一日杀二烈士[458]！”

【段旨】

以上为第八段，写袁绍迂腐，因信守袁曹同盟，不救张超，逼反臧洪，自毁长城，在纵横捭阖中输了曹操一着。

【注释】

㊻臧洪：字子源，广陵射阳（今江苏淮安东南）人，袁绍表任为东郡太守。张超被曹操所围，洪得知，向袁绍请兵往救，袁绍不肯，张超遂被曹操灭族，洪因与袁绍矛盾，后被袁绍所杀。传见《三国志》卷七、《后汉书》卷五十八。427徒跣：赤脚步行。428陈琳：字孔璋，广陵人，与臧洪同郡。初为何进主簿，何进败，避难于冀州，又为袁绍所用，主典文书，后归曹操，仍典理文书。善文学，为建安七子之一。事附见《三国志》卷二十一《魏书·王粲传》。429仆：自我之谦称。430行役：为官的谦虚说法。431主人：指袁绍。432倾盖：谓初交即有情谊。433大州：指青州。袁绍曾使臧洪领青州刺史。434究竟：成就。435本州：犹言本土。436郡将：郡守。因郡守兼领军事，故有此称。此郡将指

【原文】

公孙瓒既杀刘虞，尽有幽州[459]之地，志气益盛，恃其才力，不恤百姓，记过忘善，睚眦[460]必报。衣冠[461]善士，名在其右[462]者，必以法害之；有材秀[463]者，必抑困使在穷苦之地。或问其故，瓒曰：“衣冠皆自以职分当贵，不谢人惠。”故所宠爱，类多商贩、庸儿[464]，与为兄弟，或结婚姻，所在侵暴，百姓怨之。

刘虞从事[465]渔阳[466]鲜于辅[467]等合率州兵欲共报仇，以燕国阎柔素有恩信，推为乌桓司马[468]。柔招诱胡、汉数万人，与瓒所置渔阳太守邹丹战于潞[469]北，斩丹等四千余级。乌桓峭王[470]亦率种人及鲜卑七千余骑，随辅南迎虞子和与袁绍将麴义，合兵十万，共攻瓒，破瓒于鲍

如此作为！”陈容回头说：“仁义哪有常规，践行它的就是君子，违背它的就是小人。今天宁肯和臧洪同日而死，不愿与将军同日而生。”于是也被杀害，在座的人无不叹息，私下相互议论说：“怎么可以在一天内杀了两位烈士！”

张超。㊹遘厄：遇到灾难。㊺吾子：“你”的亲近称呼。㊻盟主：指袁绍。袁绍曾为讨董卓的关东军之盟主。㊼长安：时汉献帝在长安。㊽度：揣度；推测。㊾明府：汉代人尊称郡守为府君，亦称明府君，简称明府。此称臧洪。㊿启：拿出；动用。内厨：官员的私厨。饘粥：稠粥。薄糜：稀粥。班：分发。食：拿食物给人吃。四世五公：袁氏自袁安至袁逢、袁隗共四代，其中有四人为三公，一人为上公，故为四世五公。际会：时机。希冀：希望；企图。非望：犹“非冀”，指非分的企图。张陈留：指张超之兄张邈。张邈前为陈留太守。推刃：以刀一进一出叫推刃，比喻仇恨极深。原：原谅；恕免。俦：同类。尔为：如此作为。烈士：坚贞不屈的刚强义士。

【校记】

［14］惜洪：原二字互倒。据章钰校，甲十一行本、乙十一行本、孔天胤本皆作“惜洪”，今从改。

【语译】

公孙瓒杀掉刘虞后，占有了全部幽州地域，趾高气扬，依恃自己的才能和武力，不体恤百姓，只记住他人的过失，却忘却他人的长处，连瞪他一眼这样小小的怨恨也一定要报复。凡官宦名士，名望在他之上的，必定枉法陷害；有才干出众的人，一定加以贬抑打压使之处于穷困之境。有人问他缘故，公孙瓒说：“官宦名士都自认为命当富贵，不感激别人的恩惠。”所以被他宠爱的人，大多是些商贩、市井小民，和他们结为兄弟，或缔结姻缘，所到之处，侵暴抢夺，百姓怨恨他们。

刘虞的从事渔阳人鲜于辅等人联合率领州兵，想共同为刘虞报仇，因燕国人阎柔一向有恩德信义，就推举他为乌桓司马。阎柔招诱胡人、汉人几万人马，与公孙瓒所设置的渔阳太守邹丹在潞县的北面交战，杀死邹丹等四千多人。乌桓峭王也率同族人和鲜卑人共七千多名骑兵，跟随鲜于辅南下迎接刘虞的儿子刘和与袁绍部将

丘㊆，斩首二万余级。于是代郡㊇、广阳㊈、上谷㊉、右北平㊊各杀瓒所置长吏，复与鲜于辅、刘和兵合，瓒军屡败。

先是有童谣曰："燕南垂，赵北际，中央不合大如砺，唯有此中可避世。"瓒自谓易⑯地当之，遂徙镇易，为围堑十重，于堑里筑京⑰，皆高五六丈，为楼其上；中堑为京，特高十丈，自居焉。以铁为门，斥去左右，男人七岁以上不得入门，专与姬妾居。其文簿、书记皆汲⑱而上之。令妇人习为大声，使闻数百步，以传宣教令。疏远宾客，无所亲信。谋臣猛将，稍稍⑲乖散。自此之后，希复攻战。或问其故，瓒曰："我昔驱畔胡⑳于塞表，扫黄巾于孟津㉑，当此之时，谓天下指麾㉒可定。至于今日，兵革方始，观此，非我所决，不如休兵力耕，以救凶年。兵法，百楼不攻。今吾诸营楼橹㉓数十重，积谷三百万斛，食尽此谷，足以待天下之事矣。"

南单于於扶罗死，弟呼厨泉立，居于平阳㉔。

【段旨】

以上为第九段，写公孙瓒经营幽州。

【注释】

⑮⑨幽州：州名，东汉幽州治所在蓟县（今北京城西南），辖境大致为今北京市、河北北部、山西东北部、辽宁大部、天津之一部。⑯⑩睚眦：怒目而视。此指小怨小仇。⑯①衣冠：指官宦人家。⑯②右：上。⑯③材秀：才干优秀。⑯④庸儿：市井小民。⑯⑤从事：官名，东汉州牧刺史的佐吏，有别驾从事史、治中从事史、兵曹从事史、部从事史等，均可简称从事。⑯⑥渔阳：郡名，治所渔阳县，在今北京市密云西南。⑯⑦鲜于辅：渔阳人，初为幽州牧刘虞从事，后投曹操为左度辽将军。魏文帝即位，任辅国将军。⑯⑧乌桓司马：官名，东汉置有护乌桓校尉一人，管理各地乌桓。乌桓校尉之佐吏有二司马。⑯⑨潞：县名，县治在今北京市通州区东。⑰⑩峭王：东汉末，辽东属国之乌桓大人苏仆延自称峭王。⑰①鲍丘：水名，源于塞外，流经今北京、天津入海。上游即今潮河，下游略与今白河平行南流，折东南循今蓟运河下游入海。刘和破公孙瓒即在此。⑰②代郡：治所高柳，在今山西阳高西南。⑰③广阳：郡名，治所蓟县，在今北京城西南。⑰④上谷：郡名，

麹义，会合十万兵马，共同进攻公孙瓒，在鲍丘打败公孙瓒，斩首两万多。于是代郡、广阳郡、上谷郡、右北平郡都各自杀掉公孙瓒所设置的官吏，又与鲜于辅、刘和的兵马会合，公孙瓒的军队屡遭失败。

此前有童谣说："燕国南陲，赵国北界，中间不合拢，空隙大如磨刀石，只有在这空隙中可以避世。"公孙瓒自认为易县就是这避世之地，于是迁州治到易县，在四周挖出十道堑壕，在堑壕里筑起高丘，每座都有五六丈高，在高丘上修筑楼台；在中间的堑壕中也筑高丘，特高十丈，公孙瓒居住在这里。用铁做门，撤去身边的人，七岁以上的男子不准进门，只和妻妾住在里面。文书、报告都用绳索吊上去。命令妇女练习大声喊话，使声音能传到几百步远，用来传达命令。疏远宾客，没有亲信。谋臣猛将，逐渐背离。从此之后，很少再出征攻战。有人问他这是什么缘故，公孙瓒说："从前我在塞外驱逐叛逆的胡人，在孟津横扫黄巾军，在那个时候，我以为天下挥手之间可以平定。至于今日，战争似乎刚刚开始，看此情形，平定天下不是由我来决定的，不如休养兵士，尽力耕作，度过荒年。兵法上说，百层高楼不可攻打。如今我各军营的楼台几十层，积蓄谷物三百万斛，吃完这些粮食，足以等到天下太平之时了。"

南单于於扶罗死了，於扶罗的弟弟呼厨泉继立为南单于，居留在平阳。

治所沮阳，在今河北怀来东南。㊼右北平：郡名，治所土垠，在今河北唐山丰润区东南。㊽易：县名，县治在今河北雄县西北。㊾京：人工所筑的高丘。㊿汲：谓用绳索自下往上引。⑷⑺⑼稍稍：渐渐；逐渐。⑷⑻⑽畔胡：指辽西乌桓丘力居等。汉灵帝光和中，渔阳人张纯引诱丘力居等反叛，以后就不断攻掠东北诸郡。中平五年张纯、丘力居等又攻掠幽、冀、青、徐四州，朝廷诏公孙瓒出击，张纯等大败。畔，通"叛"。⑷⑻⑴扫黄巾于孟津：指初平二年（公元一九一年）公孙瓒击破青州黄巾军于孟津。⑷⑻⑵指麾：同"指挥"。招手的动作，比喻时间短。⑷⑻⑶楼橹：古时军中用以瞭望敌军的无顶盖之高楼。⑷⑻⑷平阳：县名，县治在今山西临汾西南。

【研析】

本卷着重研析曹孙刘三家的兴起。东汉豪强地主集团分为两个阶层。一是世代官僚地主，史称世族地主，又称世家大族。他们世代为高官，经学传世，在中央和地方都有着坚固的势力。如汝南袁氏四世五公，弘农杨氏四世四公，颍川荀氏世为"冠冕"。他们的门生故吏遍天下，在政治上有很大的号召力。二是地方豪强地主，主要是大商贾兼并土地形成豪强，史称庶族地主。他们有大量的田产，奴婢以千计，但在政治上受世族地主的压抑。曹操家族是沛国谯县的大豪强，属于宦官集团的大官僚，其父曹嵩曾官至太尉，但仍是庶族地主。所以曹操在政治上的号召力不如世族地主的代表人物袁绍、袁术兄弟强，初起时不能与二袁匹敌。二袁利用他们的政治号召力，在东汉末最早萌动了觊觎汉室之心，成为祸首，这是他们在政治上失败的一个重要因素。曹操、孙权、刘备都是庶族地主的代表人物，大乱初起时他们还想扶持汉室，建立功名；后来看到汉室不可复兴，仍然各自打着效忠汉室的旗号收揽人心，终于鼎立三分。此外，世族地主集团多谋士，庶族地主集团多武将。世族地主军阀排斥庶族地主，他们手下缺乏能征惯战之将，军队战斗力不强，在混乱中极易被消灭。曹孙刘三家都以庶族地主和平民出身的战将为骨干，又广延世族智士，得到两个阶层豪强地主集团的支持，所以在混战中越战越强，刘备更是屡仆屡起。认识东汉末豪强地主集团的割据性，把握两个阶层的军阀具有重要的意义。

曹操崛起于乱世。曹操字孟德，一名吉利，小字阿瞒，沛国谯县人。汉谯县，即今安徽北部的亳州市。曹操生于公元一五五年，死于公元二二〇年，享年六十六岁。他二十岁时被举为孝廉，初仕郎官，登上政治舞台，想立功封侯，此其本志。公元一九〇年，曹操三十六岁，陈留起兵讨董卓，在风云突变的汉末乱世中，纵横驰骋三十年。他“挟天子以令诸侯”，统一了北方，是奠定三国鼎立的第一人物。乱世造就了曹操，培养了他的野心。时人评为“治世之能臣，乱世之奸雄”。

曹操出身于宦官集团的大官僚大地主豪强大族。他的祖父曹腾是历事安帝、顺帝、冲帝、质帝、桓帝五朝的大宦官，位至中常侍，桓帝封为费亭侯。曹操父亲曹嵩是曹腾的养子，出自夏侯氏。《曹瞒传》和《世语》都说他是夏侯惇的叔父，即曹操与夏侯惇是叔伯兄弟。所以曹氏、夏侯氏两族非常亲密，两姓子弟为曹操起家的骨干。

曹腾是大宦官，恩荫曹嵩仕途一帆风顺，历官司隶校尉、大司农等，灵帝卖官，曹嵩花了一亿钱买得太尉高官，可见家产之豪富。曹氏家族在汉末做京官和地方官的不只曹嵩一人。曹腾弟曹褒官至颍川太守，褒子曹炽官至侍中、长水校尉。曹炽是曹仁之父。曹腾侄儿曹鼎官至尚书令，另一堂侄官至吴郡太守。这些人都是家财万贯，僮仆上百人。曹鼎侄儿曹洪家财甚至超过曹操，所豢养的家兵达千余人之多。曹氏家族在政治上和经济上都是显赫的大豪强，给曹操的仕途带来顺风，但宦官出身仍属寒门，被官僚士大夫看不起。公元二〇〇年官渡之战时，袁绍发布的讨操檄文就称曹嵩为“乞丐携养”，诋毁曹操为“赘阉遗丑”。因此曹操不免也有自卑感，这对于曹操所走的道路，以及执政都产生了复杂而微妙的影响。

公元一八九年，大将军何进与袁绍谋诛宦官，曹操参决机要。曹操出身于宦官集团却走着反宦官的道路，由此表现了他的不凡。曹操要在政治上崭露头角，必须侧身于世族名士行列。所以他矫情饰志，力争赢得世族地主集团的支持。梁国桥玄、南阳何颙都十分器重他。桥玄官至太尉，称曹操为“命世之才”，并以妻子相托。

公元二一〇年末，曹操曾发布“明志令”，称他青年时期希望天下太平，做一个清官，或归隐故里，秋夏读书，冬春射猎。后做典军校尉，想为国家讨贼立功，西征韩遂，死后立一墓碑，刻上“汉故征西将军曹侯之墓”，这就是他的本志。从曹操步入仕途的所作所为来看，这是符合实情的。曹操想以个人的努力来立功封侯，洗刷“赘阉遗丑”的污名，成为一个汉家忠臣。由于董卓构难，形势导致曹操走上了另一条道路，那就是逐鹿中原，与敌竞争，称孤道寡，建立曹氏基业。

曹氏、夏侯氏的豪强资本，加之曹操个人的筹策善计，曹氏集团很快在北方乱世中崛起。

刘备转战北方。刘备字玄德，涿郡涿县（今河北涿州）人。生于公元一六一年，死于公元二二三年，享年六十三岁。

刘备是三国时期杰出的政治家，深为曹操所忌服。如果将刘备与曹操、孙权作比较，他经历了更为艰难曲折的道路，可以说是屡仆屡起，九折臂而终成良医。刘备从微贱到发迹，直至建立蜀国，既不像孙权那样有父兄之业相承，也没有像曹操那样有雄厚的政治经济实力而起家。刘备一无所有，只有依靠自己的主观努力，借乱世而成英雄。

刘备的祖先是西汉景帝之子中山靖王刘胜，所以称“帝室之胄”。但支系疏远，家世没落，至刘备这一代已到了织席贩鞋为生的地步。公元一八四年黄巾起义时，刘备二十四岁。他招兵买马，要趁此机会建功立名，改变贫困地位。因打仗立功出仕，后来官至高唐县（今山东高唐东）令。关东诸侯起兵讨伐董卓，刘备也领兵参加。不久被青州黄巾军打败，就投奔幽州军阀、同窗师兄公孙瓒。公孙瓒表请刘备为别部司马，为青州刺史田楷助手，对抗冀州袁绍，不久改任平原相。

刘备由于出身寒微，威名不著，与关羽、张飞结义起兵，转战十年，位不过县令。关、张二人却始终不离左右。公孙瓒部将真定人赵云也倾心与刘备相结。刘备宽厚待人，能得人死力。公元一九四年，曹操第二次东征徐州，陶谦向公孙瓒告急，刘备奉命救陶谦，正式脱离了公孙瓒集团。这一年冬，陶谦病死，他的部属共推刘备为徐州牧，刘备再三谦让。下邳人陈登，字符龙，时为广陵太守，颇有才干，他看不起一般的士人武将，但十分敬重刘备。他劝刘备说：“我们可以替你集合步骑十万，你用这支军队，进可以辅助天子、安抚百姓，退可以据州自守，这是一个好机会，应该听从我们的主张。”北海相孔融也劝刘备：“今天的事势，人民拥护有才干的人。错过这个机会，后悔莫及。”刘备多年来一直颠沛流离，他何尝不想做州牧。他的谦让是为了争取人心，尤其是需要陈登这样的人来支持。陈登发话，刘备非常高兴地接了官印，出任徐州牧，有了自己的一席之地。

刘备坐领徐州，得到了袁绍和曹操的认可。袁绍对徐州派来的使者说：“刘玄德弘雅有信义，现在徐州人士拥戴他，真是一个恰当的人选。”曹操为了稳住兖州东部边境的局势，并利用刘备对抗袁术，对刘备也采取了笼络的策略。公元一九六年，曹操迎献帝都许后，以天子名义拜刘备为镇东将军，封宜城亭侯。刘备在中原日益显赫起来。

孙氏兴起于江东。三国时吴国的开国之主孙权，十九岁承父兄之业，克平暴乱，历尽艰险，终于创立了吴国。孙权既是承父兄之业，也就是说孙氏集团的兴起，奠基人是孙权之父孙坚和孙权之兄孙策。孙坚仗义扶持汉室，而使孙氏名声冠江南；孙策创业江东，才使孙权有了承继的基业。孙权父兄三世创业，孙氏集团终于兴起于江东。

孙坚字文台，吴郡富春（今浙江富阳）人。《三国志》记载孙坚是春秋时兵法家孙武之后，陈寿用的是“盖”词，意思是传说、大概是。可能这是孙氏发迹以后的附会，因孙氏世系无考。现在当地人传说，孙坚之父是瓜农出身，或许可信。总之孙坚出身最寒微，孙氏基业完全是自身努力创立的，没有任何凭借。孙坚仗义讨董卓可以说是孙氏赢得人心的最初根基。可惜由于孙坚误投袁术，奉袁术为主，公元一九一年，袁术与刘表争荆州，孙坚为先锋，连败刘表大将黄祖，黄祖退入襄阳。在进围襄阳时，孙坚轻骑到前沿阵地侦察敌情，被流矢所中，死于湖北岘山，时年三十七岁。

孙策字伯符，孙坚长子，一表人才，好笑语，人称孙郎。孙坚死时，孙策只有十七岁。公元一九五年，孙策二十岁，领兵征江东，人称小霸王。霸王是秦末项羽的称号。项羽力能扛鼎，率领江东八千子弟打天下，英勇无敌，所向披靡。项羽性情爽直而粗暴，果于杀戮，人人闻之胆寒。这些特点孙策都具备了，小霸王之称，当之无愧。

孙坚得人，程普、黄盖、韩当、朱治等都是他的旧部。孙坚死后，其众由孙策堂兄孙贲率领投靠袁术。孙策携母往投舅父丹阳太守吴景。孙策聪明英武，好结交朋友，声名远播。舒县（今安徽舒城）人周瑜与孙策同年，慕名来访，一见如故，两人结为生死之交。孙策到了舒县，在周瑜资助下，招募部曲六七百人。公元一九四年，孙策率众投附占据寿春的袁术，希望从袁术那里讨还父亲的旧部。

孙策在寿春，很受袁术赏识，表荐为怀义校尉。公元一九五年，孙策的舅父吴景被扬州刺史刘繇赶出，双方在横江津一带相持不下。孙策趁机对袁术说：“我父亲在江东有威望，我想到江南招募，可得三万精兵，帮助舅父打退敌人，再来替主公效劳。”袁术也知道孙策怀恨想离去，他认为刘繇在曲阿，王朗在会稽，孙策未必能成功，就把孙坚旧部将士千余人交给孙策指挥，并表荐孙策为折冲校尉。

袁术放虎归山，孙策如鱼得水。孙策出寿春时只有千余人马，他沿途招募军队，由于纪律严明，行至历阳（今安徽和县），已拥众五六千人。这时周瑜领兵来迎，孙策力量更为壮大，开始向东南进军，攻击扬州刺史刘繇。

孙策打仗，总是一马当先。敌方将士一听孙郎来了，大都失魂落魄。小儿啼哭，大人说："孙郎来了。"小儿即不敢啼，威名如此。孙策颁下军令，士兵不得掳夺民间财物，"鸡犬菜茹，一无所犯"，受到百姓欢迎。他还优待刘繇降卒，愿从军的，免除家庭赋税徭役，不愿从军的也不强迫。这样一来，不仅刘繇部众不少投奔孙策，而且四方士众云集，半个月功夫，孙策队伍扩大到两万人，马千余匹，"威震江东，形势转盛"。

当时江东各地，豪强林立，地方宗族部伍，各不统属，主要有吴郡太守许贡、会稽太守王朗，以及地方豪强如乌程邹他、钱铜，吴郡严白虎，前合浦太守王晟及自称吴郡太守驻屯海西的陈瑀等。孙策采取先打弱敌、后打强敌的策略，首先扫荡地方豪强，即先打小敌邹他、钱铜、王晟等，然后拔掉严白虎、陈瑀。三四年间，东灭吴郡太守许贡，降服会稽太守王朗、豫章太守华歆，聚众三万余人，将领除孙坚旧部程普、黄盖、韩当外，又收聚了周瑜、蒋钦、周泰、董袭、凌操等人，谋士有张昭、张纮、秦松等。俨然大家气象。

东汉末太尉乔玄有两女，皆天姿国色，称大乔、小乔。孙策娶了大乔，周瑜娶了小乔。

曹孙刘三家集团兴起，各自招纳天下豪杰，导致东汉末人才三分，这是三国鼎立形成的最重要的原因。

卷第六十二　汉纪五十四

起柔兆困敦（丙子，公元一九六年），尽著雍摄提格（戊寅，公元一九八年），凡三年。

【题解】

本卷记事起公元一九六年，迄公元一九八年，凡三年，当汉献帝建安元年至三年，是中原十年大混战（公元一九一至二〇〇年）的中段。这一时期，袁绍与曹操联手争战，袁绍战河北，曹操战河南，两大集团在扫灭群雄中逐渐胜出。袁绍大致兼并了河北四州：冀、并、青、幽，到公元一九八年，只有公孙瓒还在幽州挣扎。曹操在河南，迁汉献帝到许县，挟天子以令诸侯，在政治上占了制高点，曹操又在许下屯田，保证了军资，因此，优势更为明显。曹操两次南下荆州，挫败张绣，到公元一九八年，已东灭吕布。西边关中，曹操任锺繇为司隶校尉，督关中诸将，以天子名义招抚马腾、韩遂，西边无事。徐州刘备遭吕布暗算，丢了徐州，投靠了曹操。曹操亦占有河南兖、豫、司、徐四州，足可以与袁绍抗衡。袁绍、曹操两人势力发展，矛盾也在加深。建安二年两人争大将军之位，一山不能容二虎的形势已初露端倪。袁术在淮南，妄自称帝，众叛亲离，又遭曹操连续打击，势力大衰，坐以待毙。孙策脱离袁术，争战江东，败刘繇，灭严白虎等土豪，又得周瑜之助，势力大增，在江东已是一枝独秀。

【原文】

孝献皇帝丁

建安元年（丙子，公元一九六年）

春，正月癸酉①，大赦，改元②。

董承、张杨欲以天子还雒阳，杨奉、李乐不欲，由是诸将更相疑贰。二月，韩暹攻董承，承奔野王③。韩暹屯闻喜④，胡才、杨奉之坞乡⑤。胡才欲攻韩暹，上使人喻止之。

汝南、颍川黄巾何仪等拥众附袁术，曹操击破之。

张杨使董承先缮修雒阳宫。太仆赵岐为承说刘表，使遣兵诣雒阳，助修宫室。军资委输⑥，前后不绝。

夏，五月丙寅⑦，帝遣使至杨奉、李乐、韩暹营，求送至雒阳，奉等从诏。六月乙未⑧，车驾幸闻喜。

【语译】

孝献皇帝丁

建安元年（丙子，公元一九六年）

春，正月初七日癸酉，大赦天下，改换年号。

董承、张杨想把天子迁回洛阳，杨奉、李乐不愿意，因此导致众将领更相互猜疑，怀有二心。二月，韩暹攻击董承，董承逃向野王县。韩暹进兵屯驻闻喜，胡才、杨奉到坞乡。胡才想攻击韩暹，皇上派人晓谕，加以制止。

汝南、颍川的黄巾军何仪等率众归附袁术，曹操打败了他们。

张杨派董承先去修缮洛阳的官殿。太仆赵岐替董承劝说刘表，让刘表派兵到洛阳，帮助修缮宫室。刘表向洛阳运输军用物资，前后源源不断。

夏，五月初二日丙寅，献帝派使者到杨奉、李乐、韩暹的军营，要求他们护送自己到洛阳，杨奉等接受诏令。六月初一日乙未，天子驾至闻喜。

袁术攻刘备以争徐州，备使司马⑨张飞守下邳⑩，自将拒术于盱眙⑪、淮阴⑫，相持经月，更有胜负。下邳相曹豹，陶谦故将也，与张飞相失⑬，飞杀之，城中乖乱⑭。袁术与吕布书，劝令袭下邳，许助以军粮。布大喜，引军水陆东下，备中郎将⑮丹阳许耽开门迎之。张飞败走，布虏备妻子及将吏家口。备闻之，引还。比至下邳，兵溃。备收余兵东取广陵，与袁术战，又败，屯于海西⑯，饥饿困踧⑰，吏士相食，从事东海麋竺[1]以家财助军。备请降于布，布亦忿袁术运粮不继，乃召备，复以为豫州刺史，与并势击术，使屯小沛⑱。

布自称徐州牧。布将河内郝萌夜攻布，布科头⑲袒衣⑳，走诣都督高顺㉑营。顺即严兵入府讨之，萌败走。比明㉒，萌将曹性击斩萌。

【段旨】

以上为第一段，写刘备遭反复无常的小人吕布偷袭，一失徐州。

【注释】

①癸酉：正月初七。②改元：公元一九六年，正月初七，汉献帝改兴平年号为建安。③野王：县名，县治在今河南沁阳。当时野王为张杨驻屯地。④闻喜：县名，县治在今山西闻喜。⑤坞乡：地名，在当时缑氏县内。缑氏县治在今河南洛阳市偃师区南。⑥委输：运送。⑦丙寅：五月初二。⑧乙未：六月初一。⑨司马：官名，将军军府之官，综理军府事，并参与军事谋划。⑩下邳：县名，县治在今江苏睢宁西北。下邳

【原文】

庚子㉓，杨奉、韩暹奉帝东还㉔，张杨以粮迎道路。

秋，七月甲子㉕，车驾至雒阳，幸故中常侍赵忠宅。丁丑㉖，大赦。

八月辛丑㉗，幸南宫杨安殿㉘。张杨以为己功，故名其殿曰杨安。

袁术攻打刘备，以争夺徐州，刘备派司马张飞留守下邳，自己率兵在盱眙、淮阴抵抗袁术，相持个把月，互有胜负。下邳相曹豹是陶谦的旧将，与张飞不和，张飞杀了曹豹，城中发生叛乱。袁术给吕布写信，劝他袭击下邳，答应资助他军粮。吕布大喜，率军水陆两路东下，刘备的中郎将丹阳人许耽打开下邳城门迎接吕布。张飞战败逃走，吕布俘虏了刘备的妻子儿女，以及将领官吏们的家眷。刘备闻讯，率军回救。等赶到下邳时，军队溃败。刘备收拾残兵向东攻取广陵，与袁术交战，又被打败，屯驻海西，饥饿困窘，官兵相食。徐州从事东海人麋竺拿出自家财物资助军需。刘备请求归降吕布，吕布也恼恨袁术没有继续运粮，于是召请刘备，又委任他为豫州刺史，与他合力攻击袁术，派刘备驻守小沛。

吕布自称为徐州牧。吕布部将河内人郝萌乘夜攻击吕布，吕布披头散发、衣衫不整，逃到都督高顺的军营，高顺立即整饬兵马，攻入州府讨伐郝萌，郝萌战败逃走。到天亮时，郝萌的部将曹性杀死郝萌。

县又为下邳封国治所。⑪盱眙：县名，县治在今江苏盱眙东北。⑫淮阴：县名，县治在今江苏淮安市淮阴区。⑬相失：彼此失和。⑭乖乱：混乱；叛乱。⑮中郎将：官名，东汉位次于将军的统兵将领。⑯海西：县名，县治在今江苏灌南县南。⑰蹴：通“蹙”。紧迫。⑱小沛：即沛县，县治在今江苏沛县。因当时沛县属沛国，而沛国之治所在相县（今安徽濉溪县西北），故时人就称沛县为小沛。⑲科头：不戴冠，外露发髻。元代江东人犹谓露髻为“科头”。⑳袒衣：披衣露体。㉑高顺：吕布麾下著名部将，有勇有谋，惜其投主不明，未尽其才。公元一九八年，吕布失败，高顺亦被害。㉒比明：至天亮。

【校记】

［1］麋竺：原作“縻竺”。今据严衍《通鉴补》改作“麋竺”。

【语译】

六月初六日庚子，杨奉、韩暹护卫天子东回洛阳，张杨运送粮食在路上迎接。

秋，七月初一日甲子，天子车驾到达洛阳，天子住在前中常侍赵忠的旧宅。十四日丁丑，大赦天下。

八月初八日辛丑，献帝住进南宫杨安殿。张杨归功于自己，所以名其殿为杨安

杨谓诸将曰："天子当与天下共之，朝廷自有公卿大臣，杨当出捍[29]外难[30]。"遂还野王，杨奉亦出屯梁[31]，韩暹、董承并留宿卫。

癸卯[32]，以安国将军张杨为大司马[33]，杨奉为车骑将军[34]，韩暹为大将军[35]、领[36]司隶校尉[37]，皆假节钺[38]。

是时宫室烧尽，百官披荆棘，依墙壁间。州郡各拥强兵，委输不至，群僚饥乏，尚书郎[39]以下自出采稆[40]，或饥死墙壁间，或为兵士所杀。

袁术以谶[41]言"代汉者当涂高"，自云名字应之[42]。又以袁氏出陈[43]，为舜后[44]，以黄代赤，德运之次[45]，遂有僭逆之谋。闻孙坚得传国玺[46]，拘坚妻而夺之。及闻天子败于曹阳[47]，乃会群下议称尊号，众莫敢对。主簿[48]阎象进曰："昔周自后稷[49]至于文王，积德累功，参分天下有其二[50]，犹服事殷。明公虽奕世[51]克昌，未若有周之盛，汉室虽微，未若殷纣之暴也。"术默然。

术聘处士[52]张范，范不往，使其弟承谢之。术谓承曰："孤以土地之广，士民之众，欲徼福[53]齐桓[54]，拟迹高祖[55]，何如？"承曰："在德不在强。夫用德以同天下之欲，虽由匹夫之资而兴霸王之功，不足为难。若苟欲僭拟[56]，干时[57]而动，众之所弃，谁能兴之！"术不悦。

孙策闻之，与术书曰："成汤讨桀，称'有夏多罪[58]'，武王伐纣，曰'殷有重罚[59]'。此二主者，虽有圣德，假使时无失道之过，无由逼而取也。今主上非有恶于天下，徒以幼小[60]，胁于强臣，异于汤、武之时也。且董卓贪淫骄陵[61]，志无纪极[62]，至于废主自兴，亦犹未也，而天下同心疾之，况效尤[63]而甚焉者乎！又闻幼主明智聪敏，有夙成[64]之德。天下虽未被其恩，咸归心焉。使君五世[65]相承，为汉宰辅，荣宠之盛，莫与为比，宜效忠守节，以报王室，则旦、奭[66]之美，率土所望也。时人多惑图纬[67]之言，妄牵非类之文，苟[68]以悦主为美，不顾成败之计，古今所慎，可不孰虑[69]！忠言逆耳，驳议致憎[70]，苟[71]有益于尊明[72]，无所敢辞！"术始自以为有淮南之众，料策必与己合，及得其书，愁沮[73]发疾。既不纳其言，策遂与之绝。

殿。张杨对众将领说："天子应当与全天下的人共同治理国家，朝廷的事自有公卿大臣来处理，我张杨应当出京去抵御外患。"于是回到野王，杨奉也出京驻守梁县，韩暹、董承两人一起留下负责警卫。

初十日癸卯，朝廷委任安国将军张杨为大司马，杨奉出任车骑将军，韩暹出任大将军、兼任司隶校尉，三人都授予节钺。

当时，宫室烧光，百官披荆斩棘，栖身残垣断壁间。州郡各自拥有强兵，不向朝廷运送物资，百官饥困，尚书郎以下官吏自己出城采摘野生谷物，有的就饿死在残垣断壁间，有的被士兵杀死。

袁术根据谶言有"代汉者当涂高"，便认为自己的名字应验了谶语，又认为袁氏出于陈国，是舜的后代，以黄色替代赤色，是五德运行的次序，于是袁术萌发篡位叛逆的阴谋。他听说孙坚得到传国玉玺，就拘捕孙坚的妻子抢走了玉玺。等听到天子在曹阳兵败，就召集部下商量称帝之事，部下没人敢应对。主簿阎象进言说："过去周朝从后稷到文王，积德累功，三分天下有其二，仍然臣服殷朝。明公您家虽然累世显赫，但不如周朝那样昌盛，汉室虽然衰败，但不像殷纣王那样残暴。"袁术沉默不语。

袁术聘用隐士张范，张范不来，只派他的弟弟张承来表示谢意。袁术对张承说："孤拥有广阔的土地，众多的兵士和百姓，想求福于齐桓公，模仿高祖，怎么样?"张承说："获取天下在德不在强。推行仁德来顺应天下人的意愿，即使出身于平头百姓，却创建霸王的功业，并不算难事。如果想僭越篡位，违背时事而行动，是众人所弃，谁能使他兴旺呢!"袁术很不高兴。

孙策听到此事，写信给袁术说："商汤讨伐夏桀，宣称'夏朝多罪'，周武王征讨商纣，说'殷有重罪'。这两位君主，虽然有圣德，假使当时夏桀、商纣没有犯下丧失道义的罪过，也没有理由强迫取代他们。如今皇上没有对天下人犯下罪过，只是因为幼小，被强势的臣子所逼，不同于商汤、周武的时代。再说董卓贪婪荒淫，骄横凌人，欲望无边，至于废主自立，也都还没有，这样尚且遭到天下人的同仇敌忾，何况效法他而比他更过分的人呢！又听说年幼的君主聪明，有早成之品德。天下人虽然没有蒙受他的恩泽，但都倾心归附他。使君您家五代相承，为汉朝的宰辅，蒙受恩宠的深厚，没有谁能相比，理应效忠朝廷严守臣节，用以报答王室，那么您将获得周公旦、召公奭那样的美名，被天下人所仰望。现在许多人被图谶纬书的谣言所迷惑，妄自援引毫不相干的文句，牵强附会，以取悦主人为美，不考虑成败得失，这是古今都慎重的事，怎能不深思熟虑！忠言逆耳，异议会招致憎恨，但如果有利于明公您的话，我不敢推辞!"袁术起初自认为有淮南众多兵士和百姓，料想孙策一定会与自己投合，等得到孙策的书信后，就忧愁沮丧而发病。孙策看到袁术既然不采用他的意见，于是与袁术断交。

曹操在许⑭，谋迎天子。众以为“山东未定，韩暹、杨奉负功恣睢⑮，未可卒制⑯。”荀彧曰：“昔晋文公纳周襄王而诸侯景从⑰，汉高祖为义帝缟素而天下归心⑱。自天子蒙尘⑲，将军首唱⑳义兵，徒以㉑山东扰乱，未遑㉒远赴。今銮驾㉓旋轸㉔，东京㉕榛芜㉖，义士有存本之思，兆民㉗怀感旧之哀。诚因此时，奉主上以从人望，大顺也；秉至公以服天下，大略也；扶弘义以致英俊，大德也。四方虽有逆节㉘，其何能为！韩暹、杨奉，安足恤㉙哉！若不时定，使豪杰生心，后虽为虑，亦无及矣。”操乃遣扬武中郎将㉚曹洪㉛将兵西迎天子。董承等据险拒之，洪不得进。

议郎董昭㉜以杨奉兵马最强而少党援，作操书㉝与奉曰：“吾与㉞将军闻名慕义，便推赤心㉟。今将军拔万乘㊱之艰难，反之旧都，翼佐之功，超世无畴㊲，何其休㊳哉！方今群凶猾夏㊴，四海未宁，神器㊵至重，事在维辅㊶；必须众贤，以清王轨㊷，诚非一人所能独建㊸。心腹四支，实相恃赖，一物不备，则有阙㊹焉。将军当为内主，吾为外援，今吾有粮，将军有兵，有无相通，足以相济，死生契阔㊺，相与共之。”奉得书喜悦，语诸将军曰：“兖州诸军近在许耳，有兵有粮，国家所当依仰也。”遂共表操为镇东将军㊻，袭父爵费亭侯㊼。

韩暹矜功专恣㊽，董承患之，因潜召操，操乃将兵诣雒阳。既至，奏韩暹、张杨之罪。暹惧诛，单骑奔杨奉。帝以暹、杨有翼车驾之功，诏一切勿问。辛亥㊾，以曹操领司隶校尉、录尚书事㊿。操于是诛尚书冯硕等三人[111]，讨有罪也；封卫将军董承等十三人[112]为列侯，赏有功也；赠射声校尉沮儁为弘农太守，矜[113]死节也。

操引董昭并坐[114]，问曰：“今孤来此，当施何计？”昭曰：“将军兴义兵，以诛暴乱，入朝天子，辅翼王室，此五霸[2]之功也。此下诸将，人殊意异，未必服从。今留匡弼[115]，事势不便，惟有移驾幸许耳。然朝廷播越[116]，新还旧京，远近跂望[117]，冀[118]一朝获安，今复徙驾，不厌[119]众心。夫行非常之事，乃有非常之功，愿将军算其多者[120]。”操曰：“此孤本志也。杨奉近在梁耳，闻其兵精，得无为孤累[121]乎？”

曹操在许县，谋划迎接天子。大家认为“山东尚未平定，韩暹、杨奉自恃有功，放肆暴虐，不可能很快制伏”。荀彧说：“从前晋文公迎纳周襄王而诸侯如影随形，汉高祖为义帝服丧而使天下人诚心归附。自从天子流亡在外，将军最先倡义兴兵，只因山东战乱，来不及远赴迎驾。如今天子车驾掉头回返，东京荒芜，忠义之士都有保存国本的心愿，亿万百姓都有感怀故旧的悲情。真的能趁此时机，奉迎主上，以顺从百姓的愿望，这是大顺民心的行动；秉持大公之心以征服天下，这是最高的谋略；匡扶大义来招纳英俊之材，这是最大的德政。各地虽然有叛逆之人，他们能有什么作为！韩暹、杨奉，哪值得忧虑！如果不抓住时机作决定，将使英雄豪杰产生异心，事后再来考虑，就来不及了。”曹操于是派扬武中郎将曹洪率兵西迎天子。董承等据险抗拒，曹洪不能西进。

议郎董昭认为杨奉兵马最强却少同党外援，仿曹操的笔体写信劝杨奉说：“我赞许将军名闻于世，敬慕信义，便推诚相交。如今将军解救天子于艰难之中，返回旧京，辅佐的功劳，盖世无双，是多么美好啊！如今群凶搅乱华夏，四海不得安宁，天子地位至关重要，事事需要大臣的辅佐；必须有众多的贤明之士，来清除君王事业上的障碍，这确实不是一个人就能单独建立的功业。心腹和四肢，确需相互依赖，有一样不具备，就有缺陷。将军应当在内主持朝廷事务，我在外作为援助，如今我有粮食，将军有兵众，互通有无，就足以互补而成功，生死辛劳，一起承担。”杨奉得到信很高兴，对各位将军说：“曹操各军近在许县，有兵有粮，国家应当依赖他。”于是杨奉与众将一起上表推举曹操为镇东将军，承袭他父亲费亭侯的爵位。

韩暹自恃有功，专横霸道，成为董承的心病，因而秘密召来曹操，于是曹操率兵前往洛阳。到达后，上奏韩暹、张杨的罪行。韩暹惧怕被杀，只身单骑逃奔杨奉。献帝鉴于韩暹、张杨有护驾之功，下诏一切不予追究。八月十八日辛亥，任命曹操为司隶校尉、录尚书事。于是曹操处死尚书冯硕等三人，这是惩罚有罪的人；册封卫将军董承等十三人为列侯，这是赏赐有功的人；追赠射声校尉沮儁为弘农太守，这是优恤守节而死的人。

曹操拉着董昭与自己并坐，问道：“如今我来到这里，应该有什么计议？”董昭说：“将军兴起义兵，诛除暴乱，入京朝见天子，辅佐王室，这是春秋五霸的功业。现在这里的各个将领，各自有不同的意向，未必能服从您。如今留在洛阳辅佐天子，形势不利，只有迁移天子到许县才行。可是天子流亡，最近才返回旧京，远近都踮起脚尖希望尽快获得安定，现在又要迁走天子，不能满足朝野的愿望。不过，要干不同寻常的事情，才有不同寻常的功业，希望将军考虑怎样做最为有利。”曹操说：“这是我本来所想的。杨奉近在梁县，听说他的军队精良，会不会成为我的障碍？”

昭曰："奉少党援，心相凭结[122]，镇东、费亭之事[123]，皆奉所定，宜时遣使厚遗[124]答谢，以安其意。说'京都无粮，欲车驾暂幸鲁阳[125]，鲁阳近许，转运稍易，可无县乏[126]之忧'。奉为人勇而寡虑，必不见疑，比使往来，足以定计，奉何能为累！"操曰："善！"即遣使诣奉。庚申[127]，车驾出轘辕[128]而东，遂迁都许。己巳[129]，幸曹操营，以操为大将军，封武平侯。始立宗庙社稷[130]于许。

【段旨】

以上为第二段，写曹操迎献帝都许。

【注释】

㉓庚子：六月初六日。㉔东还：东回洛阳。㉕甲子：七月初一日。㉖丁丑：七月十四日。㉗辛丑：八月初八日。㉘杨安殿：东汉都城洛阳的宫殿名，在今河南洛阳东郊。㉙捍：抵御。㉚外难：外患。此指朝外犯上的人。㉛梁：县名，县治在今河南汝州西。㉜癸卯：八月初十日。㉝大司马：官名，汉武帝置大司马代替太尉，东汉光武帝又罢大司马置太尉，汉灵帝末年又并置大司马与太尉。㉞车骑将军：官名，位次于大将军与骠骑将军，掌京师兵卫、边防屯警。㉟大将军：官名，为将军的最高称号，掌统兵征伐。东汉时位在三公上，为朝廷执政者，但不常设。㊱领：兼任。㊲司隶校尉：官名，掌纠察京都百官违法者，并治所辖各郡，相当于州刺史。㊳假节钺：假，授予之意。节钺，符节与斧钺，代表皇帝使命的信物。假节钺，即授予行使皇帝命令的权力。㊴尚书郎：官名，东汉之制，取孝廉之有才能者入尚书台，初入台称守尚书郎中，满一年称尚书郎，三年称侍郎，主作文书起草。㊵稆：野生谷类。㊶谶：预言未来事象的隐语。㊷名字应之：袁术字公路。"术"有邑中道路之意，而"涂"也有道路之意，袁术便自以为他的名和字都与谶言相应。㊸袁氏出陈：袁氏为春秋陈国大夫辕涛涂之后。㊹舜后：西周初封舜之后人妫满于陈，即春秋时的陈国。㊺以黄代赤二句：秦汉时人以金、木、水、火、土五行相生相克之说来附会王朝的命运，称为五德。又称五行相生相克的运行规律为德运。袁术当时采用五行相生说，即木生火、火生土、土生金、金生水、水生木。汉代又有汉为火德之说，而火为赤色，土为黄色，故袁术就以黄代赤为德运的次序。㊻孙坚得传国玺：初平二年（公元一九一年）孙坚进兵洛阳击败吕布后，在洛阳城南甄官署井中拾得传国玺。㊼天子败于曹阳：兴平二年（公元一九五年）汉献帝从长安东迁，至曹阳涧被李傕军所败。㊽主簿：官名，汉代中央及郡县官署皆置主簿，以

董昭说："杨奉缺少党援，一心想与我们结交，任命您为镇东将军、册封您为费亭侯的事情，都是杨奉决定的。应该及时派使者送厚礼答谢，使他安心。就说'京都无粮，想让天子暂到鲁阳，鲁阳靠近许县，运送粮食比较容易，这样可免粮食缺乏的忧虑'。杨奉这个人勇猛缺心眼儿，一定不会被怀疑，在使者往来交涉的间隙，完全可以定下大计，杨奉怎么能成为障碍呢！"曹操说："好！"立即派使者去见杨奉。八月二十七日庚申，天子的车驾驶出轘辕关向东，于是迁都许县。己巳日，天子巡幸曹操的军营，任命曹操为大将军，封武平侯。开始在许都建造宗庙社稷。

典领文书，办理事务。㊾后稷：周人之始祖，名弃，尧舜时为农官。㊿参分天下有其二：殷商末，周文王施行德政，诸侯多归附，而仍服事殷商。孔子曾说："三分天下有其二，以服事殷。周之德其可谓至德也已矣。"（《论语·泰伯》）参，通"三"。51奕世：累世。52处士：未做官的士人。53徼福：求福。54齐桓：春秋时的第一霸主齐桓公。55拟迹高祖：模仿汉高祖刘邦事迹。56僭拟：谓超越本分，自比于居上位者。57干时：违背时势。58有夏多罪：此语见《尚书·汤誓》。59殷有重罚：此语《史记》卷四《周本纪》作"殷有重罪"。60徒以幼小：仅由于幼小。61骄陵：傲慢凌人。62纪极：终极；极限。63效尤：仿效错误。64夙成：早成。65五世：指袁安、袁京、袁汤、袁逢、袁术五代。66旦、奭：指西周初年的周公旦与召公奭，二人辅佐周王，声望极高。67图纬：即图谶与纬书，亦即谶书与纬书。谶书预言未来事象，有文有图。纬书附会儒家经典，亦预言未来事象。68苟：随便。69孰虑：仔细考虑。孰，通"熟"。70驳议致憎：谓提出异议会招致憎恨。71苟：如果。72尊明：尊敬的明使君。对袁术之尊称。73愁沮：忧愁失望。74许：县名，后来魏文帝改名许昌，县治在今河南许昌东。75负功恣睢：仗恃其功而放肆蛮横。76卒制：很快制伏。卒，通"猝"，很快。77晋文公纳周襄王而诸侯景从：春秋时，周襄王与母弟王子带（又称太叔、叔带）有矛盾，襄王出奔郑。狐偃谓晋文公曰："求诸侯莫如勤王，诸侯信之，且大义也。"文公遂迎襄王返王城，并杀王子带于隰城。由是诸侯服从，遂定霸业。事见《左传》僖公二十四年、二十五年。景，"影"本字。78汉高祖为义帝缟素而天下归心：按"汉"字不当有，荀彧为汉人，言语中不应有"汉高祖"之称，《三国志》卷十《魏书·荀彧传》即作"高祖"，《后汉书》卷七十《荀彧传》也作"汉高祖"，亦不当。缟素，丧服。古时丧服为白色，故以缟素称丧服。汉高祖刘邦入关灭秦后，按楚怀王之命当在关中为王，项羽因此不满怀王，名尊怀王为义帝，实不奉行其命，不久又派人杀义帝。刘邦定关中后，遂东渡黄河，三老董公劝刘邦为义帝发丧，刘邦遂缟素东伐，终取天下。事见《汉书》卷一《高帝纪上》。79蒙尘：蒙被尘土，指皇帝流亡在外。80唱：倡导。81徒以：仅因。82未遑：没有工夫。83銮驾：皇帝

之车驾。⑧④ 旋轸：谓掉转车头。轸，车后横木。⑧⑤ 东京：指洛阳。⑧⑥ 榛芜：荒芜。⑧⑦ 兆民：亿万之民，即黎民大众。兆，一万亿。⑧⑧ 逆节：指反朝廷之人。⑧⑨ 恤：忧虑。⑨⓪ 扬武中郎将：官名，东汉位次于将军的统兵将领称中郎将，扬武为其名号。⑨① 曹洪：字子廉，曹操之从弟，随曹操起兵，累有战功。汉献帝迁许后，为厉锋将军、都护将军等。曹魏建立后，为骠骑将军，封都阳侯。传见《三国志》卷九。⑨② 董昭：字公仁，济阴定陶（今山东菏泽市定陶区西北）人，助曹操迁汉献帝于许，为河南尹、冀州牧。又助曹操为魏公、魏王。曹魏时，为侍中、卫尉、司徒。传见《三国志》卷十四。⑨③ 作操书：仿曹操的笔体写信。⑨④ 与：赞许；欣赏。⑨⑤ 推赤心：出于赤心，真心诚意。⑨⑥ 万乘：指皇帝。⑨⑦ 畴：同类。⑨⑧ 休：美善。⑨⑨ 猾夏：扰乱中原。夏，华夏，指代中原。⑩⓪ 神器：指皇帝位。⑩① 维辅：辅佐。维，语词。⑩② 清王轨：清除君王路上的障碍。即扫除奸凶。⑩③ 独建：独力支撑；独力建功。⑩④ 阙：通“缺”。缺失；缺陷。⑩⑤ 契阔：忧劳；勤苦。⑩⑥ 镇东将军：官名，东汉之杂号将军。⑩⑦ 费亭侯：曹操祖父曹腾，汉桓帝时封费亭侯，后来曹操之父曹嵩袭封，今曹操又袭封。⑩⑧ 矜功专恣：自恃其功而专擅放肆。⑩⑨ 辛亥：八月十八日。⑪⓪ 录尚书事：东汉以来，政归尚书，录尚书事即总揽朝政。录，总领之意。⑪① 三人：据《后汉纪》，被诛的还有议郎侯祈、侍中壶崇（《后汉书》卷九《献帝

【原文】

孙策将取会稽，吴人严白虎[131]等众各万余人，处处屯聚，诸将欲先击白虎等。策曰：“白虎等群盗，非有大志，此成禽[132]耳。”遂引兵渡浙江[133]。会稽功曹[134]虞翻[135]说太守王朗[136]曰：“策善用兵，不如避之。”朗不从，发兵拒策于固陵[137]。

策数渡水战，不能克。策叔父静说策曰：“朗负阻城守，难可卒拔。查渎[138]南去此数十里，宜从彼据其内，所谓攻其无备，出其不意者也。”策从之。夜，多然[139]火为疑兵，分军投查渎道，袭高迁[140]屯。朗大惊，遣故丹阳太守周昕等帅兵逆战。策破昕等，斩之。朗遁走，虞翻追随营护朗，浮海至东冶[141]。策追击，大破之，朗乃诣策降。

策自领会稽太守，复命虞翻为功曹，待以交友之礼。策好游猎，翻谏曰：“明府喜轻出微行[142]，从官不暇严[143]，吏卒常苦之。夫君人者不重则不威[144]，故白龙鱼服，困于豫且[145]，白蛇自放，刘季害之[146]，愿少留意。”策曰：“君言是也。”然不能改。

纪》作"台崇")等，不止三人。⑫ 十三人：据《后汉纪》，十三人是：卫将军董承、辅国将军伏完、侍中丁冲、种辑、尚书仆射锺繇、尚书郭溥、御史中丞董芬、彭城相刘艾、左冯翊韩斌、东莱太守杨众、罗邵、伏德、赵蕤。⑬ 矜：优恤。沮儁于兴平二年（公元一九五年）东涧之战中被李傕所杀。⑭ 操引董昭并坐：曹操请董昭与自己同列而坐。引，拉着；请。并坐，表示以平等礼敬待客人。⑮ 匡弼：辅助。⑯ 播越：流亡。⑰ 跂望：举踵翘望。⑱ 冀：希望。⑲ 厌：通"餍"。满足。⑳ 多者：谓利多者。㉑ 累：拖累。㉒ 心相凭结：指杨奉一心想结交曹操引为依靠。㉓ 镇东、费亭之事：指诏命曹操为镇东将军，袭爵费亭侯的事。㉔ 厚遗：丰厚的馈赠。㉕ 鲁阳：县名，县治在今河南鲁山县。㉖ 县乏：匮乏。县，"悬"本字。㉗ 庚申：八月二十七日。㉘ 轘辕：关名，在今河南洛阳市偃师区东南。㉙ 己巳：八月甲午朔，无己巳。此己巳当为九月之己巳，即九月初七。《三国志》卷一《武帝纪》云"九月车驾出轘辕而东"，而轘辕至许县尚有三百多里，亦需数日才能到达。㉚ 社稷：社，土神。稷，谷神。古代帝王必立社稷祭祀。

【校记】

［2］霸：据章钰校，甲十一行本、乙十一行本皆作"伯"。〖按〗二字通。

【语译】

孙策将要攻取会稽，吴郡人严白虎等各拥部众一万多人，处处屯兵聚守，众将领想首先攻击严白虎等。孙策说："严白虎等一群蟊贼，胸无大志，此一战就可擒获他们。"于是率军渡过浙江。会稽郡功曹虞翻劝告太守王朗说："孙策善于用兵，不如避开他。"王朗不听，发兵在固陵抵抗孙策。

孙策几次渡水作战，不能取胜。孙策的叔父孙静对孙策说："王朗据险城守，难以很快攻下。查渎地处这里以南几十里，应从那里攻入敌人的内部，这就是所说的攻其不备，出其不意。"孙策听从了孙静的意见。夜里，燃起许多火把作为疑兵，分出一支部队向查渎道进发，偷袭王朗在高迁的屯驻地。王朗大惊，派前丹阳太守周昕等率兵迎战。孙策击败周昕等，把他们杀死。王朗潜逃，虞翻追随保护王朗，乘船渡海到东冶。孙策乘胜追击，大败王朗，于是王朗到孙策那里归降。

孙策自己兼任会稽太守，重新任命虞翻为功曹，用朋友的礼节接待他。孙策好游猎，虞翻劝诫他说："明府您喜欢轻装微服出行，随行的官员来不及准备行装，士兵们也常以为苦。作为君临百姓的人，不自重就没有威严，所以白龙变化为鱼，被渔夫豫且射伤；白蛇随便行动，被刘邦杀掉，希望您稍加注意。"孙策说："你说得对。"但行动上没有改变。

九月，司徒淳于嘉、太尉杨彪、司空张喜皆罢。

车驾之东迁也，杨奉自梁欲邀之，不及。冬，十月，曹操征奉，奉南奔袁术，遂攻其梁屯，拔之。

诏书下袁绍，责以“地广兵多，而专自树党[147]；不闻勤王[148]之师，但擅相讨伐[149]”。绍上书深自陈愬[150]。戊辰[151]，以绍为太尉，封邺侯。绍耻班[152]在曹操下，怒曰：“曹操当死数矣，我辄救存之[153]，今乃挟天子以令我乎！”表辞不受。操惧，请以大将军让绍。丙戌[154]，以操为司空，行[155]车骑将军事。

操以荀彧为侍中，守[156]尚书令[157]。操问彧以策谋之士，彧荐其从子蜀郡太守攸[158]及颍川郭嘉[159]。操征攸为尚书[160]，与语，大悦，曰：“公达[161]，非常人也，吾得与之计事，天下当何忧哉！”以为军师[162]。

初，郭嘉往见袁绍，绍甚敬礼之，居数十日，谓绍谋臣辛评、郭图曰：“夫智者审于量主，故百全而功名可立。袁公徒欲[163]效周公之下士，而不知用人之机[164]，多端寡要[165]，好谋无决，欲与共济天下大难，定霸王之业，难矣！吾将更举[166]而[3]求主，子[167]盍[168]去乎？”二人曰：“袁氏有恩德于天下，人多归之，且今最强，去将何之？”嘉知其不寤[169]，不复言，遂去之。操召见，与论天下事，喜曰：“使孤成大业者，必此人也。”嘉出，亦喜曰：“真吾主也！”操表嘉为司空祭酒[170]。

操以山阳满宠[171]为许令，操从弟洪[172]有宾客在许界[173]数犯法，宠收治之。洪书报[174]宠，宠不听。洪以白操，操召许主者[175]，宠知将欲原[176]客，乃速杀之。操喜曰：“当事不当尔邪[177]！”

【段旨】

以上为第三段，写孙策定会稽，与袁术决裂。曹操在许都站稳脚跟，招纳人才，荀攸、郭嘉、满宠受到重用。袁绍与曹操争大将军之位，初现裂痕。

九月，司徒淳于嘉、太尉杨彪、司空张喜，都被免职。

天子车驾东迁到许县时，杨奉从梁县出兵想加以拦截，没有追上。冬，十月，曹操征伐杨奉，杨奉南逃投奔袁术，于是攻打杨奉在梁县的屯驻地，攻克了该地。

天子下诏给袁绍，责备他“地广兵多，而一心树立自己的党羽；没听说你出动过勤王之师，只是擅自互相攻伐”。袁绍上奏竭力为自己辩护。十一月初七日戊辰，朝廷任命袁绍为太尉，封邺侯。袁绍耻于位次在曹操之下，发怒说：“曹操好几次差点死亡，每次都是我救了他，如今却劫持天子对我发号施令！”上表辞谢，不接受任命。曹操惧怕，请求把大将军的职位让给袁绍。二十五日丙戌，任命曹操为司空，代理车骑将军事务。

曹操任命荀彧为侍中，兼任尚书令。曹操向荀彧询问有智谋的人士，荀彧推荐他的侄儿蜀郡太守荀攸和颍川人郭嘉。曹操征聘荀攸为尚书，跟他交谈，非常高兴，说：“荀公达，不是一般的人才，我能够和他共商大计，天下还有什么可担心的！”任命荀攸为军师。

起初，郭嘉前去拜见袁绍，袁绍对他十分礼敬。郭嘉住了几十天，对袁绍的谋臣辛评、郭图说：“明智的人要审慎地选对主人，因此才能万事周全建立功名。袁公只是想模仿周公礼贤下士，却不懂得用人的机宜，多头办事却抓不住要点，喜欢谋划却不能决断，想和他共同拯救天下大难，建立霸王功业，太难了！我将重新选择主人，你们何不离开他？”两人回答道：“袁绍对天下有恩德，百姓大多归附他，而且现在势力最强，离开他到哪里去呢？”郭嘉知道他们执迷不悟，不再多说，于是离去。曹操召见郭嘉，与他议论天下大事，高兴地说：“能使我成就大业的，一定就是这个人。”郭嘉出来，也高兴地说：“这才是我真正的主人！”曹操上表荐用郭嘉为司空祭酒。

曹操任命山阳人满宠为许县令，曹操的堂弟曹洪有门客在许县境内屡次犯法，满宠抓捕后惩治他。曹洪写信给满宠求情，满宠不听。曹洪将此事报告曹操，曹操召见许县的主事官吏，满宠明白曹操想要宽恕这位门客，便赶快杀掉门客，曹操高兴地说：“当事者难道不该这样处置吗！”

【注释】

⑬¹ 严白虎：东汉末吴郡乌程（今浙江湖州市吴兴区南）人，当地强族，拥众称霸一方，建安二年（公元一九七年）为孙策所破。⑬² 成禽：被擒获。禽，通“擒”。⑬³ 浙江：水名，即今钱塘江。⑬⁴ 功曹：官名，即功曹史，为郡守之主要佐吏，除分掌人事外，还参与一郡政务。⑬⁵ 虞翻：字仲翔，会稽余姚（今浙江余姚）人，初为王朗郡功曹，继归孙策。复为功曹，后为富春长。孙策死后，孙权以之为都尉，因多次冒犯孙权，被流徙

交州，以教学为业，曾训注《老子》《论语》《国语》。传见《三国志》卷五十七。⑬⑥王朗：字景兴，东海郯县（今山东郯城西北）人，尝为会稽太守，为孙策所破，后归朝廷，为谏议大夫、御史大夫等。曹魏时官至三公，封兰陵侯。曾注《易》《春秋》《孝经》等。传见《三国志》卷十三。⑬⑦固陵：地名，在东汉余暨县境，即今浙江杭州萧山区西。⑬⑧查渎：亦在东汉之余暨县境，即今浙江杭州萧山区西南。⑬⑨然："燃"本字。⑭⓪高迁：地名，亦在东汉余暨县境。⑭①东治：县名，东汉末改东侯官为东治，县治在今福建福州。⑭②微行：便装出行，不使人知其尊贵身份。⑭③不暇严：来不及准备行装。为避汉明帝刘庄之讳，改"庄"为"严"。同音字"装"亦避为"严"。⑭④不重则不威：不自重则无威严。⑭⑤白龙鱼服二句：春秋时，吴王想去民间饮酒，伍子胥以为不可，并举例说："以前天帝之白龙在清泠水中变为鱼，被宋国渔人豫且射中其目。白龙便上告天帝。天帝说鱼本来就是给人射的，豫且有什么罪呢？"伍子胥进一步阐发说："白龙如不变鱼，豫且就不会射他。今大王要去民间饮酒，恐怕会有豫且之害。"吴王便停止了行动，事见《说苑·正谏》。⑭⑥白蛇自放二句：刘季即刘邦。秦末，刘邦为亭长，替县里送刑徒往骊山，途中某夜，刘邦释放刑徒而醉饮，行路中，遇一大蛇当道，刘邦拔剑将蛇斩为两段，行数里，刘邦困卧道旁。后有人至斩蛇处，见一老妇啼哭，问何故啼哭？老妇说："吾子白帝子也，化为蛇，当道，今者赤帝子斩之，故哭。"事见《汉书》卷一《高帝纪上》。⑭⑦树党：指袁绍以其子袁谭为青州刺史、袁熙为幽州刺史，外甥高幹为并州刺史。⑭⑧勤王：援救帝王。⑭⑨擅相讨伐：指袁绍攻讨公孙瓒。⑮⓪愬：通"诉"，诉说。⑮①戊辰：十月癸巳朔，无戊辰。当为十一月戊辰，亦即十一月初七。⑮②班：位；位次。⑮③救存之：指曹操在荥阳汴水被董卓将徐荣打败后，继收兵从袁绍于河内，袁绍又表荐他为东郡太守。又吕布袭取兖州后，袁绍复与曹操联合，兵援曹操讨吕布。⑮④丙戌：十一

【原文】

北海太守孔融，负其高气⑰⑧，志在靖难⑰⑨，而才疏意广⑱⓪，讫⑱①无成功。高谈清教⑱②，盈溢官曹，辞气清[4]雅⑱③，可玩而诵，论事考实，难可悉行。但⑱④能张磔⑱⑤网罗，而目理⑱⑥甚疏。造次⑱⑦能得人心，久久亦不愿附也。其所任用，好奇取异，多剽轻⑱⑧小才。至于尊事名儒郑玄⑱⑨，执子孙礼，易其乡名曰郑公乡，及清俊之士⑲⓪左承祖、刘义逊等，皆备在座席而已，不与论政事，曰："此民望⑲①，不可失也。"

黄巾来寇，融战败，走保都昌⑲②。时袁、曹、公孙首尾相连，融兵

月二十五日。⑮行：摄行；代理。⑯守：兼任。⑰尚书令：官名，尚书台之长官，东汉政归尚书，尚书令遂为总揽朝政之首脑。⑱攸：荀攸，荀彧之侄。字公达，为曹操重要谋臣。荀攸与荀彧同传，见《三国志》卷十。⑲郭嘉（公元一七〇至二〇七年）：字奉孝，颍川阳翟（今河南禹州）人。初投袁绍，以袁绍难于成事而离去。后由荀彧推荐给曹操，为司空军师祭酒，多谋善断，为曹操所信重。传见《三国志》卷十四。⑯尚书：官名，东汉分六曹尚书，助理皇帝处理政务，尚书令为其长官。⑯公达：曹操呼荀攸之字，以示敬重。⑯军师：官名，掌监察军务。⑯徒欲：只想。徒，只。⑯机：机宜；关键。⑯多端寡要：多头办事，不知轻重。多端，指大小事都要管。寡要，抓不住重点。⑯更举：改弦更辙，重新选择。⑯子：你们。⑯盍：何不。⑯寤：通“悟”。醒悟；理解。⑰司空祭酒：官名，据《三国志》当作“司空军师祭酒”。祭酒本是尊敬的称号，古代宴会祭祀时，要由一位德高望重的长者先举酒致祭，称为祭酒。后来就以祭酒为官名。曹操为司空，设置司空军师祭酒，职责是参谋军事。⑰满宠（？至公元二四二年）：字伯宁，山阳昌邑（今山东金乡西北）人，曹操执政时，为许令，秉公执法，不避亲贵。魏明帝时为豫州刺史、征东将军，镇守东南，累立功勋。官至太尉，封昌邑侯。传见《三国志》卷二十六。⑰洪：曹洪，曹操从弟，字子廉。曹操讨董卓，兵败荥阳，赖洪冒死相救得脱。洪从操征伐，多有战功，官至厉锋将军。文帝即位，为卫将军，明帝时，转骠骑将军。传见《三国志》卷九。⑰许界：许都境内。⑰报：告诉。⑰主者：主管其事的官吏。⑰原：宽容。⑰当事不当尔邪：此句意为“当事者难道不应当这样处置吗”。

【校记】

[3] 而：据章钰校，甲十一行本、乙十一行本皆作“以”。

【语译】

北海太守孔融，自恃才高气盛，立志要平定祸乱，但是志大才疏，终究未能成功。清谈高雅的教义，充斥官场，文章清新优雅，可供玩味传诵，但将其议论付诸实践，很难一一实行。只事铺张网罗，但细目条理漏洞百出。仓促之时能得人心，时间长了人们便不愿依附。他所用的人，喜欢标新立异，大多是些轻浮小有才华的人。至于尊奉名儒郑玄，用子孙的礼节侍奉他，把郑玄的家乡改名为“郑公乡”，那些清雅俊逸的士人左承祖、刘义逊等，都备位上宾之席，却不跟他们谈论政事，说：“这些是百姓所仰慕的人物，不能失去。”

黄巾军来侵犯，孔融战败，退保都昌县。当时袁绍、曹操、公孙瓒首尾相连，

弱粮寡，孤立一隅，不与相通。左承祖劝融宜自托强国[193]，融不听而杀之，刘义逊弃去。青州刺史袁谭[194]攻融，自春至夏，战士所余才[5]数百人，流矢交集。而融犹隐几[195]读书，谈笑自若。城夜陷，乃奔东山[196]，妻子为谭所虏。曹操与融有旧，征为将作大匠[197]。

袁谭初至青州，其土自河[198]而西，不过平原[199]。谭北排田楷[200]，东破孔融，威惠甚著。其后信任群小，肆志奢淫，声望遂衰。

中平以来，天下乱离，民弃农业，诸军并起，率[201]乏粮谷，无终岁之计，饥则寇掠，饱则弃余，瓦解流离，无敌自破者不可胜数。袁绍在河北，军人仰[202]食桑椹[203]。袁术在江淮，取给蒲蠃[204]，民多相食，州里萧条。羽林监[205]枣祗请建置屯田[206]，曹操从之。以祗为屯田都尉[207]，以骑都尉任峻[208]为典农中郎将[209]，募民屯田许下[210]，得谷百万斛。于是州郡例置田官，所在积谷，仓廪皆满。故操征伐四方，无运粮之劳，遂能兼并群雄。军国之饶，起于祗而成于峻。

袁术畏吕布为己害，乃为子求婚，布复许之。术遣将纪灵等步骑三万攻刘备，备求救于布。诸将谓布曰："将军常欲杀刘备，今可假手于术。"布曰："不然。术若破备，则北连泰山[211]诸将，吾为在术围中，不得不救也。"便率步骑千余驰往赴之。灵等闻布至，皆敛兵而止。布屯沛城西南，遣铃下[212]请灵等。灵等亦请布，布往就之，与备共饮食。布谓灵等曰："玄德[213]，布弟也，为诸君所困，故来救之。布性不喜合斗，喜解斗耳。"乃令军候[214]植戟于营门，布弯弓顾曰："诸君观布射戟小支[215]，中者当各解兵，不中可留决斗。"布即一发，正中戟支。灵等皆惊言："将军天威也！"明日复欢会，然后各罢。

备合兵得万余人，布恶之，自出兵攻备。备败走，归曹操，操厚遇之，以为豫州牧。或[216]谓操曰："备有英雄之志，今不早图[217]，后必为患。"操以问郭嘉，嘉曰："有是。然公起义兵，为百姓除暴，推诚杖信以招俊杰，犹惧其未也。今备有英雄名，以穷[218]归己而害之，是以害贤为名也。如此，则智士将自疑，回心择主，公谁与定天下乎！夫除一人之患，以沮四海之望，安危之机[219]也，不可不察。"

孔融兵力薄弱粮食匮乏，孤立一方，不与袁、曹等往来。左承祖劝孔融应依附强势集团，孔融不听反而杀了左承祖，刘义逊抛弃孔融而去。青州刺史袁谭攻击孔融，从春到夏，孔融的战士只剩下几百人，流矢乱飞。但孔融仍然靠着案几读书，谈笑风生。城池夜里陷落，于是孔融逃往东山，妻子儿女被袁谭抓获。曹操和孔融是旧交，便征聘孔融为将作大匠。

袁谭刚到青州时，他拥有的地盘从黄河往西不超过平原县。袁谭向北排挤田楷，向东打败孔融，一时威望和惠政很出名。后来他信任一帮小人，放肆跋扈，骄奢淫逸，于是声望衰落。

中平以来，天下分裂，百姓废弃农业，各地军兵四起，大都粮食匮乏，没有长远打算，饿了就去抢夺，饱了就抛弃剩余之物，瓦解流散，没遇到敌人便自行败落的不可胜数。袁绍在河北，军人依靠桑椹充饥。袁术在江淮，军人采食蒲草蛤蚌，民多相食，州郡乡里，一派萧条。羽林监枣祗请求建立屯田制度，曹操听从了这个建议。任命枣祗为屯田都尉，派骑都尉任峻为典农中郎将，招募百姓在许县一带屯田，当年获得谷物一百万斛。于是各州郡循例设置田官，所有屯田之地都聚积谷物，装满了仓库。故而曹操四处征战，没有运粮的劳苦，因而能吞并群雄。军队和国家的富足，起始于枣祗，大功告成于任峻。

袁术惧怕吕布成为自己的祸害，于是为自己的儿子向吕布求娶，吕布允许了。袁术派部将纪灵等率领步骑兵三万进攻刘备，刘备向吕布求救。众将领对吕布说："将军一直想杀掉刘备，现在正可以借袁术之手来实现。"吕布说："不是这样。袁术如果打败刘备，那么，袁术就可和北边泰山的各位将领联手，我就会陷入袁术的包围中，所以不得不救援。"于是率领步骑兵一千多人火速赶去救援刘备。纪灵等听说吕布来到，都收兵停战。吕布屯驻在沛城西南，派仆役去请纪灵等。纪灵等也来请吕布，吕布去了，他和刘备一起进餐。吕布对纪灵等说："玄德是我的弟弟，被诸位围困，所以前来救援他。吕布生性不喜欢打斗，只喜欢调解争斗。"于是让军侯官在军营门口竖一柄铁戟，吕布拉开弓回头说："诸位看我射戟头上的小支，射中了应当各自罢兵，射不中可留下来决斗。"吕布随即射出一箭，正中戟支。纪灵等都大为吃惊地说："将军真是天赋的神威！"第二天他们又欢聚，然后各自罢兵。

刘备集合兵众得到一万多人，吕布很厌恶，亲自出兵攻击刘备。刘备战败逃走，归附曹操，曹操待他很优厚，任他为豫州牧。有人对曹操说："刘备怀有英雄的志向，现在不趁早将他除去，必为后患。"曹操就此事询问郭嘉，郭嘉说："是这个道理。可是明公您兴起义兵，是为百姓除暴，拿出诚心凭借信义来招纳俊杰，还担心他们不来。现今刘备有英雄的名望，因为走投无路来投靠您，若害了他，将留下杀害贤人的恶名。如果这样，那么智谋之士将各自心怀疑虑，心回意转，去选择新的主人，那您与谁去平定天下呢！除掉一个可能成为后患的人，而使天下人失望，这可是安危存亡的关键，

操笑曰："君得之矣！"遂益其兵，给粮食，使东至沛，收散兵以图吕布。

初，备在豫州，举陈郡袁涣[220]为茂才[221]。涣为吕布所留，布欲使涣作书骂辱备，涣不可，再三强之，不许。布大怒，以兵[222]胁涣曰："为之则生，不为则死！"涣颜色不变，笑而应之曰："涣闻唯德可以辱人，不闻以骂！使彼固君子邪，且不耻将军之言；彼诚小人邪，将复将军之意[223]，则辱在此不在于彼。且涣他日之事刘将军，犹今日之事将军也，如一旦去此，复骂将军，可乎？"布惭而止。

【段旨】

以上为第四段，写曹操在许都挟天子以令诸侯，势力渐盛，孔融失北海，刘备失徐州，两人均投靠曹操。为长远计，曹操在许下屯田，当年获利。

【注释】

⑱高气：才高气盛。今语言之，自高自大。⑲靖难：平定祸乱。⑳才疏意广：志大才疏。⑱讫：终；至今。⑱清教：谓高雅的言教。⑱清雅：高洁文雅。⑱但：仅；只。⑱张磔：张开。⑱目理：细目条理。⑱造次：仓促；急遽。⑱剽轻：轻浮；华而不实。⑱郑玄（公元一二七至二〇〇年）：字康成，北海高密（今山东高密西南）人，东汉末大经学家，博通群经及历算，以教学著述为业，称为纯儒，齐鲁间皆以之为宗师。著作甚多，遍及群经，总计百余万言。传见《后汉书》卷三十五。⑲清俊之士：清雅俊逸的士人。⑲民望：百姓仰望的人。⑲都昌：县名，县治在今山东昌邑西。⑲强国：指兵强势大的军阀。⑲袁谭：袁绍长子，为青州刺史。袁绍死后，不得继承父位，因与其弟袁尚产生矛盾。起初二人尚能联合抗击曹操，后自相攻击，被曹操分别击破而亡。事附见《三国志》卷六《魏书·袁绍传》、《后汉书》卷七十四《袁绍传》。⑲隐几：靠着几案。⑲东山：都昌县之东山。⑲将作大匠：官名，掌宫室、宗庙、陵墓及其他土木营建。⑲河：黄河。⑲平原：郡名，治所平原县，在今山东平原县西南。⑳田楷：公孙瓒所任命的青州刺史。⑳率：大多。⑳仰：依赖；依靠。⑳桑椹：桑树果实。⑳蒲嬴：蚌蛤之属。⑳羽林监：官名，汉代官制有羽林左右监各一人，左监主羽林左骑，右监主羽林右骑，皆为皇

不可不明察。”曹操笑着说：“你说对了！”于是增益刘备的兵力，供应粮食，让他东进至小沛，搜集散兵游勇来图谋吕布。

起初，刘备在豫州时，推举陈郡人袁涣为茂才。袁涣被吕布扣留，吕布想让袁涣写信辱骂刘备，袁涣不答应，吕布再三强迫他，仍不答应。吕布大怒，用兵器威胁袁涣说：“写就活命，不写就死！”袁涣面不改色，笑着回应说：“我听说只有德义可以羞辱人，没有听说用辱骂的办法！倘使刘备是个君子，将不以将军的辱骂为耻；如果刘备真是一个小人，他就会以牙还牙，那么受辱的是将军而不是刘备。况且日后我去侍奉刘将军，就像今天我侍奉将军一样，如果我一旦离开这里，回头来辱骂将军，可以吗？”吕布惭愧，只好作罢。

帝禁卫军，属光禄勋。㉖屯田：汉代已有屯田制，但都是军屯，即士兵战时打仗，平时耕种。枣祗建置的此种屯田，是按军事组织的民屯。其办法是：组织农民开垦荒地，其收获物按规定的比例交给国家；屯田农民不属地方官管辖，属专设的屯田官管理，又带有军事性质。㉗屯田都尉：官名，曹操初屯田时设置，管理屯田事务。㉘任峻（？至公元二〇四年）：字伯达，河南中牟（今河南中牟东）人，当曹操起兵入中牟后，遂率众归曹操，为骑都尉。曹操实行屯田后，为典农中郎将，后官至长水校尉。传见《三国志》卷十六。㉙典农中郎将：曹操实行屯田制设置的郡级官员，执掌屯田民的农业生产、民政和田租。秩二千石。因曹操施行的民屯是承袭两汉的军屯，故屯田民也用军事编制，屯田官也用军职名称。㉚许下：许县附近。㉛泰山：郡名，治所奉高，在今山东泰安东北。当时臧霸、孙观、吴敦、尹礼、昌豨等各聚兵于泰山。㉜铃下：门卒；仆役。㉝玄德：刘备字玄德。㉞军候：官名，军中维持军纪的军官。㉟小支：戟为古代合戈矛为一体的兵器，矛的部分可以直刺，戈的部分可以横击，小支当为横击部分的尾部。㊱或：有人。㊲图：设法除掉。㊳穷：困厄。㊴机：关键。㊵袁涣：字曜卿，陈郡扶乐（今河南太康西北）人，初从袁术与吕布，后归曹操，为谏议大夫、丞相军师祭酒。传见《三国志》卷十一。㊶茂才：东汉荐举人才的科目之一。原本称秀才，东汉避光武帝刘秀之讳，改称茂才。㊷兵：兵器。㊸复将军之意：以其人之道还治其人之身，即以牙还牙。

【校记】

［4］清：据章钰校，甲十一行本、乙十一行本、孔天胤本皆作“温”，熊罗宿《胡刻资治通鉴校字记》同。［5］才：据章钰校，甲十一行本、乙十一行本皆作“裁”。〖按〗二字通。

【原文】

张济自关中引兵入荆州[224]界，攻穰城[225]，为流矢所中死。荆州官属皆贺，刘表曰："济以穷[226]来，主人[227]无礼[228]，至于交锋。此非牧[229]意，牧受吊，不受贺也。"使人纳其众，众闻之喜，皆归心焉。济族子建忠将军[230]绣[231]代领其众，屯宛[232]。

初，帝既出长安，宣威将军[233]贾诩[234]上还印绶，往依段煨于华阴[235]。诩素知名，为煨军所望，煨礼奉甚备。诩潜谋归张绣，或曰："煨待君厚矣，君去安之！"诩曰："煨性多疑，有忌诩意。礼虽厚，不可恃久，将为所图。我去必喜，又望吾结大援于外，必厚吾妻子。绣无谋主，亦愿得诩，则家与身必俱全矣。"诩遂往，绣执子孙礼，煨果善视其家。诩说绣附于刘表，绣从之。诩往见表，表以客礼待之。诩曰："表，平世三公才也。不见事变，多疑无决，无能为也。"

刘表爱民养士，从容自保，境内无事，关西[236]、兖、豫学士归之者以千数。表乃起立学校，讲明经术，命故雅乐郎[237]河南杜夔[238]作雅乐[239]。乐备，表欲庭观之。夔曰："今将军号不为天子，合乐而庭作之，无乃不可乎！"表乃止。

平原祢衡[240]，少有才辩，而尚气刚傲，孔融荐之于曹操。衡骂辱操，操怒，谓融曰："祢衡竖子[241]，孤杀之犹雀鼠耳！顾[242]此人素有虚名，远近将谓孤不能容之。"乃送与刘表，表延礼以为上宾。衡称表之美盈口，而好讥贬其左右，于是左右因形而谮之曰："衡称将军之仁，西伯[243]不过也。唯以为不能断，终不济[244]者，必由此也。"其言实指表短，而非衡所言也。表由是怒，以江夏太守黄祖性急，送衡与之，祖亦善待焉。后衡众辱祖，祖杀之。

【语译】

张济从关中率领军队进入荆州境内，攻打穰城时，被流箭射中而死。荆州的官吏都向刘表庆贺，刘表说："张济因穷途末路而来荆州，作为当地主人的官兵对他无礼，以至于互相交战。这不是我的本意，我接受吊唁，不接受庆贺。"刘表于是派人去接纳张济的部队，张济的部队听到后很高兴，全都诚心归服。张济的族子建忠将军张绣代领部队，屯驻宛城。

当初，献帝离开长安之后，宣威将军贾诩向朝廷奉还印绶，去华阴投靠段煨。贾诩素有名气，为段煨军中将士所仰望，段煨对他礼遇十分周到。贾诩暗中谋划归附张绣。有人说："段煨对你够优厚了，你离开去哪里呢!"贾诩说："段煨生性多疑，有猜忌我的意思。礼遇虽优，但不可久恃，我将会被他谋害。我离去他一定高兴，他又希望我为他联络强大的外力援助，一定会厚待我的妻子儿女。张绣没有出谋划策的人，他也愿意得到我，那么我和我的家属一定都能保全。"贾诩于是往投张绣，张绣用子孙的礼节侍奉贾诩，段煨果然也很好地照顾贾诩的家属。贾诩劝张绣归附刘表，张绣听从了。贾诩去见刘表，刘表用宾客的礼仪接待贾诩。贾诩认为："刘表在太平盛世是三公之才。但他看不到事机的变化，遇事多疑不能决断，不会有什么作为。"

刘表爱护百姓优养士人，从容自保，境内没有战事，关西、兖州、豫州归附他的学者数以千计。刘表于是建立学校，讲授经术，命前雅乐郎河南人杜夔制作雅乐。雅乐齐备了，刘表想在庭中观赏演奏。杜夔说："现在将军还不是天子，在庭中合奏雅乐，恐怕不行吧!"刘表便停止了。

平原人祢衡从小有才善辩，但盛气凌人，刚愎骄傲，孔融把他荐举给曹操。祢衡谩骂曹操，曹操大怒，对孔融说："祢衡这小子，我要杀他如同杀麻雀老鼠一样！考虑到此人一向有虚名，担心远近的人会说我不能容人。"于是曹操把祢衡送给刘表，刘表厚礼待为上宾。祢衡满口赞美刘表，却喜欢讥刺贬损刘表左右的人。于是刘表左右的人乘机诬陷祢衡，说："祢衡称颂将军的仁德，西伯也不能超过。只是认为将军您处事不能决断，最终不能成功，一定是由于这一点。"这话事实上指出了刘表的短处，但不是祢衡讲的。刘表因此怀恨，因江夏太守黄祖性情急躁，刘表就把祢衡送给黄祖，黄祖本来也善待祢衡。后来祢衡当众侮辱黄祖，黄祖就把他杀了。

【段旨】

以上为第五段，写刘表在荆州爱民养士，从容自保。曹操借刀杀人，假刘表、黄祖之手杀害了祢衡。

【注释】

㉔荆州：汉代十三刺史部之一，治汉寿（今湖南常德东北）。辖当今湖北、湖南与河南南阳地区及信阳地区，以及贵州、广西、广东之一部。㉕穰城：县名，县治在今河南邓州。㉖穷：困顿；窘蹙。㉗主人：指荆州当地的官兵。㉘无礼：非礼的举动。㉙牧：刘表自称。㉚建忠将军：官名，东汉末之杂号将军。㉛绣：张济族子张绣。初随张济，张济死后，代领其众，归附于刘表。曹操下荆州，降曹操，后复叛。官渡之战，又归降曹操，有功，为破羌将军，封侯。传见《三国志》卷八。㉜宛：县名，县治在今河南南

【原文】

二年（丁丑，公元一九七年）

春，正月，曹操讨张绣，军于淯水[245]，绣举众降。操纳张济之妻，绣恨之；又以金与绣骁将[246]胡车儿，绣闻而疑惧，袭击操军，杀操长子昂。操中流矢，败走。校尉[247]典韦[248]与绣力战，左右死伤略尽，韦被数十创[249]。绣兵前搏[250]之，韦双挟两人击杀之，瞋目大骂而死。操收散兵，还住舞阴[251]。绣率骑来追，操击破之。绣走还穰，复与刘表合。

是时诸军大乱，平虏校尉[252]泰山于禁[253]独整众而还。道逢青州兵[254]劫掠人，禁数其罪而击之。青州兵走，诣操。禁既至，先立营垒，不时[255]谒操。或谓禁："青州兵已诉君矣，宜促诣公辨之。"禁曰："今贼在后，追至无时，不先为备，何以待敌！且公聪明，谮诉[256]何缘得行！"徐凿堑安营讫，乃入谒，具陈其状。操悦，谓禁曰："淯水之难，吾犹狼狈，将军在乱能整，讨暴[257]坚垒，有不可动之节，虽古名将，何以加之！"于是录[258]禁前后功，封益寿亭侯。操引军还许。

袁绍与操书，辞语骄慢[259]。操谓荀彧、郭嘉曰："今将讨不义而力

阳。㉝宣威将军：官名，东汉末之杂号将军。㉞贾诩：字文和，武威姑臧（今甘肃武威）人。有智计，是典型的战国策士，朝三暮四。初从董卓，董卓败后从李傕，后又从段煨，又从张绣，后随张绣归曹操。魏国建，又劝曹丕尽孝道以争太子之位。传见《三国志》卷十。㉟华阴：县名，县治在今陕西华阴。㊱关西：地区名，指函谷关以西之地。㊲雅乐郎：官名，太乐令属官，典掌雅乐。㊳杜夔：字公良，河南郡（治所在今河南洛阳）人，善音律，初为雅乐郎，因中原战乱，避地荆州，为刘表所用。曹操得荆州，以之为军谋祭酒，参太乐事。曹魏初为太乐令、协律都尉。传见《三国志》卷二十九。㊴雅乐：古代帝王用于郊庙朝会之正乐。㊵祢衡（公元一七三至一九八年）：字正平，平原般县（今山东宁津东南）人，善文学，有才辩。建安初至许都，曹操召为鼓吏，因辱骂曹操被送与荆州刘表，终为黄祖所杀。传见《后汉书》卷八十下。㊶竖子：轻蔑之语，犹言“这小子”。㊷顾：但。㊸西伯：即周文王。文王在商纣时为西伯。㊹济：成功。

【语译】

二年（丁丑，公元一九七年）

春，正月，曹操征讨张绣，驻军淯水，张绣率军投降。曹操纳娶了张济的妻子，张绣怀恨曹操；曹操又送金子给张绣的猛将胡车儿，张绣听到后疑虑恐惧，便袭击曹操的军队，杀了曹操的长子曹昂。曹操被流箭射中，战败逃走。校尉典韦与张绣奋战，典韦左右的人死伤殆尽，典韦受伤几十处。张绣的士兵向前与他搏斗，典韦用胳膊夹住两个敌兵作武器击杀前来的敌人，睁大眼睛大骂而死。曹操搜集逃散的士兵，回军驻屯舞阴。张绣率兵来追赶，曹操打败了张绣。张绣逃回穰县，又与刘表联合。

当时曹操各军大乱，只有平虏校尉泰山人于禁率领的队伍完整回来。路上碰到青州兵抢掠百姓，于禁谴责他们的罪行并攻打他们。青州兵逃走，到曹操那里告状。于禁到后，首先安营筑垒，没有马上拜见曹操。有人对于禁说：“青州兵控告了你，应该赶快去见曹公辩白。”于禁说：“现在贼寇就在后边，随时可能追来，不先做好防备，凭什么抵抗敌人！况且曹公是聪明人，诬告在他那里怎么行得通！”于是从容地挖好壕沟，安好营寨后，才去拜见曹操，详细陈述了事情的原委。曹操很高兴，对于禁说：“淯水的惨败，我尚且狼狈不堪，将军在混乱中能保持部队完整，又能讨伐暴虐的乱兵，巩固营垒，有不可撼动的气节，即便是古代的名将，又哪能超过你呢！”于是论列于禁前前后后的功劳，封他为益寿亭侯。曹操率军回到许县。

袁绍写信给曹操，言语傲慢。曹操对荀彧、郭嘉说：“现今我想去征讨不义的袁

不敌，何如？”对曰：“刘、项之不敌，公所知也。汉祖惟智胜项羽，故羽虽强，终为所禽[260]。今绍有十败，公有十胜，绍虽强，无能为也。绍繁礼多仪；公体任[261]自然，此道[262]胜也。绍以逆动[263]；公奉顺以率天下[264]，此义[265]胜也。桓、灵以来，政失于宽[266]，绍以宽济宽，故不摄[267]；公纠之以猛[268]，而[6]上下知制[269]，此治胜也。绍外宽内忌[270]，用人而疑之，所任唯亲戚子弟；公外易简[271]而内机明[272]，用人无疑，唯才所宜，不间远近[273]，此度[274]胜也。绍多谋少决，失在后事[275]；公得策辄行，应变无穷[276]，此谋胜也。绍高议揖让[277]以收名誉，士之好言饰外[278]者多归之；公以至心[279]待人，不为虚美，士之忠正远见而有实者[280]皆愿为用，此德[281]胜也。绍见人饥寒，恤念[282]之，形于颜色[283]，其所不见，虑或不及；公于目前小事，时有所忽，至于大事，与四海[284]接[285]，恩之所加，皆过其望[286]，虽所不见，虑无不周，此仁[287]胜也。绍大臣争权，谗言惑乱；公御下以道，浸润[288]不行，此明胜也。绍是非不可知；公所是进之以礼，所不是正之以法，此文[289]胜也。绍好为虚势[290]，不知兵要[291]；公以少克众，用兵如神，军人恃之，敌人畏之，此武[292]胜也。”操笑曰：“如卿所言，孤何德以堪[293]之！”嘉又曰：“绍方北击公孙瓒，可因其远征，东取吕布。若绍为寇，布为之援，此深害也。”彧曰：“不先取吕布，河北未易图也。”操曰：“然。吾所惑[294]者，又恐绍侵扰关中，西乱羌、胡，南诱蜀、汉[295]，是我独以兖、豫抗天下六分之五也，为将奈何？”彧曰：“关中将帅以十数，莫能相一，唯韩遂、马腾最强。彼见山东[296]方争，必各拥众自保。今若抚以恩德，遣使连和，虽不能久安，比[297]公安定山东，足以不动。侍中[298]、尚书仆射[299]锺繇[300]有智谋，若属以西事[301]，公无忧矣。”操乃表繇以侍中守[302]司隶校尉，持节[303]督[304]关中诸军，特使不拘科制[305]。繇至长安，移[306]书腾、遂等，为陈祸福，腾、遂各遣子入侍[307]。

绍，但力量不敌，怎么办?”郭嘉回答说:“刘邦不敌项羽，明公您是知道的。汉高祖唯有智谋胜过项羽，所以项羽虽然强盛，终被刘邦擒获。如今袁绍有十个失败的条件，明公您却有十个取胜的条件，袁绍虽然势力强大，也无能为力。袁绍礼仪烦琐；明公您任其自然，这是在为人之道上胜过袁绍。袁绍逆天下而行动；明公您奉顺天子来统领天下，这是在道义上胜过袁绍。自桓帝、灵帝以来，政治失于宽缓，袁绍用宽缓来拯救宽缓，所以不能控制局势；明公您用威猛加以纠正，而上下明了法令制度，这是在治法上胜过袁绍。袁绍外表上宽厚而内心猜忌，任用人而又怀疑，所用的只有亲戚子弟；明公您外表平易而心中精明，用人不疑，按才能安排相宜职位，不分亲疏远近，这是在气度上胜过袁绍。袁绍谋划多决断少，他的失误在于决断滞后；明公您有了计谋就雷厉风行，随机应变变化无穷，这是在谋略上胜过袁绍。袁绍清谈高论，待人谦恭以沽名钓誉，士人中喜欢清谈修饰外表的多去归顺他；明公您以赤诚之心待人，不追求表面的虚美，士人中忠诚正直而有远见富于真才实学的人都愿被您所用，这是在品德修养上胜过袁绍。袁绍见人饥寒，就抚恤关怀，怜悯之情表现在脸上，他看不到的事情，就考虑不到；明公您对眼前的小事，常有忽略，至于大事，与天下人交往，给予的恩惠，都超过了本人的希望，即使是眼前看不到的事情，也虑无不周，这是在仁爱上胜过袁绍。袁绍的大臣们争权夺利，相互诬陷，惑乱视听；明公您用道义驾驭部下，谗言诬陷行不通，这是在明智上胜过袁绍。袁绍不知道是非；明公您所肯定的人就按礼进用，您所否定的人就按法律加以惩治，这是在文治上胜过袁绍。袁绍喜欢虚张声势，不懂得用兵的要领；明公您以少胜多，用兵如神，您的兵将依恃您，您的敌人惧怕您，这是在武略上胜过袁绍。”曹操笑着说:“如你所说，我有何德何才能担当得起!”郭嘉又说:“袁绍正在北面攻打公孙瓒，可乘他远征的机会，向东攻取吕布。如果袁绍来侵扰，吕布做他的援手，这将是很大的祸害。”荀彧说:“不先攻破吕布，河北就不容易攻取。”曹操说:“是这样。我所疑惑的，又是担心袁绍侵扰关中，西乱羌、胡之地，南诱蜀、汉，这样我仅以兖州、豫州之地来对抗天下六分之五的地区，这该怎么办?”荀彧说:“关中的将领数以十计，没有人能统一，其中只有韩遂、马腾力量最强。他们看到山东正在争斗，一定各自拥兵自保。现在要是用恩德安抚，派使者与他们联合，虽然不能保证长期安定，但等到明公您平定山东时，完全可以不动。侍中、尚书仆射锺繇有智慧谋略，如把西边的事务托付给他，明公您就没有什么忧虑的了。”曹操于是上表推荐锺繇为侍中兼司隶校尉，持符节督理关中各军，特许他不拘常法行事。锺繇到了长安，发公文给马腾、韩遂等，给他们分析祸福，于是马腾、韩遂各派自己的儿子入京侍奉皇上。

【段旨】

以上为第六段，曹操南征张绣受挫，袁绍投书威逼，曹操意志低沉。郭嘉论曹操优于袁绍有十胜之德，以坚其克敌之志。

【注释】

(245)淯水：水名，即今陕西白河，流经当时宛县南。(246)骁将：猛将。(247)校尉：官名，东汉统兵的中级武官。(248)典韦：曹操贴身警卫的部将。陈留郡己吾县（今河南宁陵西南）人，作战英勇，因功拜为都尉。传见《三国志》卷十八。(249)创：伤。(250)搏：肉搏。(251)舞阴：县名，县治在今河南泌阳西北。(252)平虏校尉：官名，校尉为东汉统兵的中级武官，平虏为其名号。(253)于禁：字文则，泰山巨平（今山东泰安西南）人，初归曹操于兖州，屡立战功，封益寿亭侯，官至左将军。曹仁被关羽围攻于樊城，于禁救援曹仁，被水淹而降关羽。曹魏初返回，惭恨而死。传见《三国志》卷十七。(254)青州兵：曹操将改编的青州黄巾军称为青州兵。(255)不时：不立即。(256)谮诉：打小报告；背后说坏话。(257)讨暴：指打击青州兵劫掠人者。(258)录：论列。(259)辞语骄慢：言语傲慢。(260)禽：通“擒”。捉。(261)体任：听任。指本性率真。(262)道：为人之道；做人原则。这里着重指人的本性、个性。(263)逆动：逆天下而动。指袁绍以臣违抗天子之命。(264)奉顺以率天下：谓曹操奉戴汉献帝以统率天下。(265)义：道义。指曹操挟天子以令诸侯，在政治上占了制高点。(266)宽：政治宽缓。指法制松弛。(267)摄：控制。(268)猛：法治刚猛。(269)制：法令制度；规章纪律。(270)外宽内忌：外表宽厚，内心猜疑。忌，猜疑、狠心。(271)易简：平易近人，不摆架子；随和。(272)机明：精明。(273)不间远近：不分亲疏。间，分别、距离。远，指疏远

【原文】

袁术称帝于寿春，自称仲家[308]，以九江[309]太守为淮南尹，置公卿百官，郊祀天地。沛相陈珪[310]，球[311]弟子也，少与术游。术以书召珪，又劫质其子，期[312]必致珪。珪答书曰：“曹将军兴复典刑[313]，将拨平[314]凶慝[315]，以为足下当戮力同心，匡翼汉室；而阴谋不轨，以身试祸，欲吾营私阿附，有死不能也。”术欲以故兖州刺史金尚为太尉，尚不许而逃去，术杀之。

三月，诏将作大匠孔融持节拜袁绍大将军，兼督冀、青、幽、并四州。

的外人。近，指亲近的人。㉗④度：器度；度量。㉗⑤失在后事：迟后一步，办事决疑，总是不能当机而行，错失时机。㉗⑥应变无穷：随机应变的办法多，应对突发事变的能力强。㉗⑦揖让：谦让。㉗⑧好言饰外：喜欢清谈修饰外表。㉗⑨至心：诚心。㉘⓪有实者：有真才实学的人。㉘①德：品德。㉘②恤念：抚恤关怀。㉘③形于颜色：怜悯之情表现在脸面上。㉘④四海：天下；全国。㉘⑤接：交接；待人接物。㉘⑥望：希望；期望。㉘⑦仁：仁爱，指普遍的爱心。㉘⑧浸润：指谗言。《论语·颜渊》："浸润之谮。"郑玄注云："谮人之言，如水之浸润，渐以成之。"后世因以浸润指谗言。㉘⑨文：文治；教化。㉙⓪虚势：虚张声势。㉙①兵要：用兵的诀窍、要领。㉙②武：武略。㉙③堪：胜任。㉙④惑：疑惑；疑问。㉙⑤蜀、汉：指蜀郡与汉中郡。蜀郡治所成都，在今四川成都中心。汉中郡治所南郑，在今陕西汉中。㉙⑥山东：泛指崤山以东之地。㉙⑦比：及；等到。㉙⑧侍中：官名。职在侍从皇帝，应对顾问。㉙⑨尚书仆射：官名，东汉之尚书仆射为尚书令之副手，越到后来职权越重，到东汉末年，便分置左、右仆射。㉚⓪钟繇：字符常，颍川长社（今河南长葛东）人，曹魏大臣，著名书法家。历仕曹操、文帝、明帝三朝。钟繇经营关中，招集流散，使生产恢复，为曹操提供兵马，独当一面，立下大功，曹魏建立，历官廷尉、太尉、太傅，最后封定陵侯。传见《三国志》卷十一。㉚①西事：指安集关中之事。㉚②守：兼任。㉚③持节：执符节。节，符节，古代使臣执以示信的凭证。以后持节变为官名。曹魏时，加重地方大员的权力，依权力的大小又有使持节、持节、假节之分。㉚④督：管理；监控。㉚⑤科制：法令。㉚⑥移：送。㉚⑦入侍：谓入朝廷侍候皇帝，实即作为人质。

【校记】

［6］而：原无此字。据章钰校，乙十一行本有此字，今据补。

【语译】

袁术在寿春称帝，自号"仲家"，任命九江太守为淮南尹，设置公卿百官，在郊外举行祭祀天地的典礼。沛相陈珪，是陈球弟弟的儿子，年轻时和袁术交游。袁术写信征召陈珪，又劫持他的儿子作为人质，期望把陈珪一定招来。陈珪回信说："曹将军复兴旧法，将扫除凶恶，我认为你会同心协力，辅佐汉室；而你却图谋不轨，以身试法，想让我贪图私利依附你，我宁死也不能这样。"袁术想任命前兖州刺史金尚为太尉，金尚不答应而逃走，袁术杀死了他。

三月，诏命将作大匠孔融持节封拜袁绍为大将军，兼管冀、青、幽、并四州事务。

夏，五月，蝗。

袁术遣使者韩胤以称帝事告吕布，因求迎妇，布遣女随之。陈珪恐徐、扬合从[316]，为难未已[317]，往说布曰："曹公奉迎天子，辅赞[318]国政，将军宜与协同策谋，共存大计。今与袁术结昏[319]，必受不义之名，将有累卵之危矣。"布亦怨术初不己受[320]也，女已在涂，乃追还绝昏，械送韩胤，枭首[321]许市。

陈珪欲使子登[322]诣曹操，布固不肯。会诏以布为左将军，操复遗布手书，深加尉[323]纳。布大喜，即遣登奉章谢恩，并答操书。登见操，因陈布勇而无谋，轻于去就，宜早图之。操曰："布狼子野心，诚难久养，非卿莫究其情伪[324]。"即增珪秩[325]中二千石[326]，拜登广陵太守。临别，操执登手曰："东方之事，便以相付。"令阴合部众[327]以为内应。

始，布因登求徐州牧不得，登还，布怒，拔戟斫几[328]曰："卿父劝吾协同曹操，绝婚公路[329]，今吾所求无获，而卿父子并显重，但[330]为卿所卖耳！"登不为动容，徐对之曰："登见曹公言：'养将军譬如养虎，当饱其肉，不饱则将噬[331]人。'公曰：'不如卿言，譬如养鹰，饥即为用，饱则飏[332]去。'其言如此。"布意乃解。

袁术遣其大将张勋、桥蕤等与韩暹、杨奉连势，步骑数万趣[333]下邳，七道攻布。布时有兵三千，马四百匹，惧其不敌，谓陈珪曰："今致术军，卿之由也，为之奈何？"珪曰："暹、奉与术，卒合[334]之师耳，谋无素定[335]，不能相维。子登策之，比于连鸡，势不俱栖[336]，立可离也。"布用珪策，与暹、奉书曰："二将军亲拔大驾，而布手杀董卓，俱立功名，今奈何与袁术同为贼乎！不如相与并力破术，为国除害。"且许悉以术军资与之。暹、奉大喜，即回计从布。布进军，去勋营百步，暹、奉兵同时叫呼，并到勋营。勋等散走，布兵追击，斩其将十人首，所杀伤堕水死者殆[337]尽。布因与暹、奉合军向寿春，水陆并进，到钟离[338]，所过虏掠[7]，还渡淮北，留书辱术。术自将步骑五千扬兵[339]淮上，布骑皆于水北大咍笑[340]之而还。

泰山贼帅臧霸[341]袭琅邪[342]相萧建于莒[343]，破之。霸得建资实，许以

夏，五月，发生蝗灾。

袁术派使者韩胤把称帝的事通告吕布，乘机要求迎娶儿媳，吕布令女儿跟随韩胤去淮南。陈珪担心徐州、扬州联合，会造成无穷的祸患，便去游说吕布，说：“曹公奉迎天子，辅佐国政，将军您应和曹公同心协力谋划，一起议定国家大事。如今你和袁术联姻，一定会蒙受不义的名声，将有累卵一样的危险。”吕布也怨恨袁术当初没有收容自己，女儿已在路上，于是追回女儿，断绝和袁术家的婚事，押送韩胤交给曹操，在许都闹市上枭首示众。

陈珪想让儿子陈登到曹操那里，吕布坚决不肯放。适逢诏令任命吕布为左将军，曹操又送给吕布亲笔信，对他大力抚慰。吕布大喜，立即派陈登呈奉奏章谢恩，并回复曹操的来信。陈登见了曹操，乘机陈述吕布有勇无谋，把去就看得很轻，应及早除去他。曹操说：“吕布狼子野心，确实很难长时间豢养，没有你谁能洞察出他的真伪。”立即将陈珪的秩位增至中二千石，任陈登为广陵太守。临行时，曹操拉着陈登的手说：“东边的事就委托你了。”命他暗中纠合部众来作为内应。

当初，吕布要陈登到了许都为自己争求徐州牧，没能得逞，陈登回来，吕布大怒，拔出铁戟砍向案几说：“你父亲劝我协同曹操，断绝与袁术的婚约，如今我所求无得，而你们父子一齐位显权重，只是我被你们出卖了！”陈登不动声色，慢慢地对他说：“我见到曹公时说：‘豢养将军如同养虎，要用肉来喂饱它，吃不饱就要吃人。’曹公说：‘不是你说的那样，譬如养鹰，只有它饿了才能为人所用，吃饱了它就会飞扬而去。’他就是这样说的。”于是吕布的怒气才消解了。

袁术派遣他的大将张勋、桥蕤等跟韩暹、杨奉联合，步兵、骑兵有数万之众直奔下邳，分七路攻击吕布。吕布这时只有三千士兵，马四百匹，害怕自己不能抵抗，对陈珪说：“今天招致袁术大军，完全是由于你，怎么办呢？”陈珪说：“韩暹、杨奉和袁术只是仓促凑合的部队罢了，并不是早就谋划好的，不能互相维持。我的儿子陈登料定，他们有如两只公鸡，势不能同栖一枝，很快就会离散。”吕布采纳陈珪的计谋，写信给韩暹、杨奉说：“二位将军亲自护送天子大驾返回东都，我则亲手杀死董卓，我们都为朝廷立了大功，如今你们怎么和袁术一起做贼呢！不如我们合力击败袁术，为国除害。”并许诺把袁术的军用物资悉数送给他们。韩暹、杨奉大喜，立刻改变计划听从吕布。吕布进军，离张勋军营百步时，韩暹、杨奉的士兵一起大声叫喊，冲向张勋的军营。张勋等逃散，吕布的军队追击，斩杀了十员大将，士兵大都被杀伤落水而死。吕布乘势和韩、杨合兵杀向寿春，水陆并进，到达钟离县，一路上抢劫掠夺，然后回军渡至淮水北岸，留下书信辱骂袁术。袁术亲率步兵、骑兵五千人在淮河南岸耀武扬威，吕布骑兵都在淮河北岸大声嘲笑，然后回军。

泰山贼寇头目臧霸在莒县偷袭琅邪相萧建，打败了萧建。臧霸缴获了萧建的

赂布而未送。布自往求之，其督将高顺谏曰："将军威名宣播，远近所畏，何求不得，而自行求赂！万一不克[344]，岂不损邪！"布不从。既至莒，霸等不测往意，固守拒之，无获而还。

顺为人清白有威严，少言辞，所将七百余兵，号令整齐，每战必克，名"陷陈营"。布后疏顺，以魏续有内外之亲，夺其兵以与续；及当攻战，则复令顺将，顺亦终无恨意。布性决易[345]，所为无常，顺每谏曰："将军举动，不肯详思，忽有失得，动辄言误，误岂可数乎！"布知其忠而不能从。

曹操遣议郎王诵以诏书拜孙策为骑都尉[346]，袭爵乌程侯[347]，领会稽太守，使与吕布及吴郡太守陈瑀共讨袁术。策欲得将军号以自重，诵便承制[348]假[349]策明汉将军[350]。

策治严[351]，行到钱唐[352]，瑀阴图袭策，潜结祖郎、严白虎等，使为内应。策觉之，遣其将吕范、徐逸攻瑀于海西[353]。瑀败，单骑奔袁绍。

初，陈王宠[354]有勇，善弩射。黄巾贼起，宠治兵自守，国人畏之，不敢离叛。国相会稽骆俊素有威恩，是时王侯无复租禄，而数见虏夺，或并日而食，转死沟壑。而陈独富强，邻郡人多归之，有众十余万。及州郡兵起，宠率众屯阳夏[355]，自称辅汉大将军。袁术求粮于陈，骆俊拒绝之。术忿恚[356]，遣客诈杀俊及宠，陈由是破败。

秋，九月，司空曹操东征袁术。术闻操来，弃军走，留其将桥蕤等于蕲阳[357]以拒操。操击破蕤等，皆斩之。术走渡淮，时天旱岁荒，士民冻馁，术由是遂衰。

【段旨】

以上为第七段，写袁术称帝于淮南，招降吕布，由于陈珪离间，拆散袁吕合纵，袁术势孤，遭曹操攻击而衰败。

物资财富，答应贿赂吕布却没有送来。吕布亲自去索取，他的督将高顺劝谏说："将军威名远扬，远近敬畏，要什么没有得不到的，哪能自己去索取！万一得不到，岂不对您有损吗！"吕布不听从。到莒县后，臧霸等猜不透吕布的来意，固守抗拒，吕布一无所得空手而回。

高顺为人清廉而有威严，沉默寡言，所统领的七百多名士兵，号令严整，每战必胜，被称为"陷阵营"。后来吕布疏远高顺，因为魏续是自己的亲戚，就夺取高顺的兵权交给魏续；到了打仗时，又重新命令高顺领兵，高顺也始终没有怀恨。吕布生性易变，举止无常，高顺常常劝谏他说："将军的举止行动，不肯加以深思，每当有所失误，动不动就说自己错了，错误哪能一犯再犯呢！"吕布知道高顺出于忠诚，却不能接受他的意见。

曹操派议郎王诵以诏书封拜孙策为骑都尉，承袭父爵乌程侯，兼任会稽太守，让孙策与吕布以及吴郡太守陈瑀共同征讨袁术。孙策想得到将军的名号，借以自重，王诵就以天子名义授予孙策为明汉将军。

孙策整理行装，行军到钱唐。陈瑀阴谋偷袭孙策，于是暗中勾结祖郎、严白虎等，让他们做内应。孙策发觉阴谋，派部将吕范、徐逸在海西攻打陈瑀。陈瑀战败，只身单骑投奔袁绍。

起初，陈王刘宠有勇力，擅射弓弩。黄巾贼起事，刘宠整军自守，国人畏惧他，不敢叛离。国相会稽人骆俊一向有恩威，这时王侯不再有租赋俸禄收入，反而常常被抢夺，有时两天吃一餐，辗转死于沟壑。而只有陈国富强，邻郡人民多来归附，拥有部众十多万。等到州郡兵起事时，刘宠率领军队驻守阳夏，自称辅汉大将军。袁术向陈国求粮，骆俊拒绝了他。袁术愤恨，派人用欺诈的手段杀死骆俊和刘宠，陈国从此衰败。

秋，九月，司空曹操东征袁术。袁术听说曹操到来，弃军逃走，留下他的将领桥蕤等在蕲阳抵抗曹操。曹操打败桥蕤等，把他们全部杀死。袁术逃走渡过淮河，这时天旱岁饥，士民饥寒交迫，袁术从此便衰落了。

【注释】

⑱仲家：第二个皇帝。古时天子称家。袁术称帝，中原有汉献帝，故袁术自称"仲家"。⑲九江：郡名，东汉末九江郡治所在寿春，即今安徽寿县。汉代国都所在之郡称尹，其长官也称尹，故袁术改称九江太守为淮南尹以示为京畿。⑳陈珪：字汉瑜，东汉末下邳维浦（今江苏涟水县西）人。时任沛相，阻止袁术、吕布合纵，深得曹操信任，

加秩中二千石。㉛球：陈球，陈珪之伯父，字伯真。东汉大臣，官至太尉。与司徒刘郃谋诛宦官事泄，下狱死。㉜期：希望。㉝典刑：常规旧法。㉞拨平：扫平。㉟凶慝：凶恶奸邪之人。㊱徐、扬合从：指吕布与袁术联合。当时吕布在徐州，袁术据扬州，南北联合，故称合从。㊲未已：未止；没完没了。㊳辅赞：辅助。㊴昏："婚"本字。㊵布亦怨术初不己受：初平三年（公元一九二年）李傕杀王允，吕布惧诛逃出长安投归袁术，袁术不纳，吕布逃归河内张杨。不己受，指袁术不收容自己。㉑枭首：斩头悬挂木上示众。㉒子登：陈珪之子陈登，字符龙，在广陵有威名，曾为伏波将军。事附见《三国志》卷七《魏书·吕布传》。㉓尉：通"慰"。安慰。㉔情伪：真假。㉕秩：官吏的俸禄。㉖中二千石：汉代郡守与王国相之秩为二千石，中二千石则为九卿之秩。㉗阴合部众：暗中结集部队。㉘几：几案。㉙公路：袁术字公路。㉚但：只是；恐怕是。㉛噬：吞食。㉜飏：飞扬。㉝趣：趋赴。㉞卒合：仓促聚合，即乌合。卒，通"猝"。仓猝。㉟谋无素定：谓其谋划不是平素所拟定，而是临时凑合的。㊱势不俱栖：势必不能栖息在一处。㊲殆：几乎。㊳钟离：侯国名，治所在今安徽凤阳东。㊴扬兵：显示兵威。㊵哈笑：嗤笑。㊶臧霸：字宣高，泰山华县（今山东费县东北）人，初与孙观等聚

【原文】

操辟陈国何夔[358]为掾[359]，问以袁术何如，对曰："天之所助者顺，人之所助者信。术无信顺之实，而望天人之助，其可得乎！"操曰："为国失贤则亡，君不为术所用，亡，不亦宜乎！"操性严，掾属公事往往加杖。夔常蓄毒药，誓死无辱，是以终不见及。

沛国许褚[360]勇力绝人，聚少年及宗族数千家，坚壁以御外寇，淮、汝、陈、梁[361]间皆畏惮之。操徇淮、汝，褚以众归操。操曰："此吾樊哙[362]也！"即日拜都尉[363]，引入宿卫，诸从褚侠客，皆以为虎士[364]焉。

故太尉杨彪与袁术昏姻[365]，曹操恶之，诬云欲图废立，奏收下狱，劾以大逆。将作大匠孔融闻之，不及朝服[366]，往见操曰："杨公四世清德[367]，海内所瞻。《周书》，父子兄弟，罪不相及，况以袁氏归罪杨公乎！"操曰："此国家[368]之意。"融曰："假使成王[369]杀邵公，周公可得言

众于开阳（今山东临沂北）。曹操讨吕布，霸等助布，吕布败后，为曹操所得。后为琅邪相、徐州刺史、镇东将军等。曹魏初，封良成侯。传见《三国志》卷十八。㉜琅邪：王国名，治所开阳，在今山东临沂北。㉝莒：县名，县治在今山东莒县。㉞克：成功。㉟决易：谓决定轻率，欠思考。㊱骑都尉：官名，掌羽林骑兵。㊲乌程侯：汉灵帝中平四年（公元一八七年）封孙策父坚为乌程侯，至此朝廷始命孙策袭爵。㊳承制：秉承皇帝旨意，即以皇帝名义发号施令。㊴假：授予。㊵明汉将军：此时暂置的将军名号，意谓明于尊崇汉室。㊶治严：即"治装"，整理行装。㊷钱唐：地名，西汉时钱唐为县，东汉时省入余杭，其地在今浙江杭州境。㊸海西：县名，县治在今江苏灌南县南。㊹陈王宠：汉明帝子陈敬王刘羡之曾孙。陈国治所陈县，在今河南淮阳。㊺阳夏：县名，县治在今河南太康。㊻忿恚：愤怒。㊼蕲阳：即蕲县。按《水经·淮水注》说："蕲水又东南迳蕲县。"蕲县在蕲水之北，故汉末三国时又称为蕲阳。蕲县治所在今安徽宿松南。

【校记】

［7］掠：据章钰校，甲十一行本、乙十一行本皆作"略"。

【语译】

曹操征辟陈国人何夔为掾属，向他询问袁术是怎样的人。何夔回答说："上天帮助的是能顺应时代的人，百姓帮助的是值得信赖的人，袁术没有守信用和顺应时代的实际行动，却希望得到上天和百姓的帮助，那怎么可能得到呢！"曹操说："治理国家失去贤人就会灭亡，您不被袁术所用，他的灭亡不是应该的吗！"曹操性情严厉，掾属们常常因公事被杖打。何夔常常身藏毒药，誓死不受杖辱，因此始终没有被杖打。

沛国人许褚勇猛过人，聚集一帮青年以及宗族数千家，修筑坚固的壁垒以抵抗外敌侵扰，淮南、汝南、陈国、梁国一带的人都畏惧他。曹操征讨淮南、汝南，许褚率众归属曹操。曹操说："这是我的樊哙！"当天任命他为都尉，引入府中当值宿警卫，那些追随许褚的侠客，都成为如虎的卫士。

前太尉杨彪和袁术有姻亲关系，曹操很讨厌杨彪，诬陷杨彪阴谋废立天子，上奏收捕杨彪下狱，以大逆不道的罪行控告他。将作大匠孔融听说此事后，来不及穿朝服，就前往拜见曹操说："杨公四代清廉有德行，被天下人所敬慕。《周书》说，父子兄弟，罪不相牵，何况是因袁氏的缘故归罪于杨公呢！"曹操说："这是天子的意思。"孔融说："假如周成王要杀邵公，周公可以推说不知情吗！"曹操命许县令满宠

不知邪!”操使许令满宠按[370]彪狱，融与尚书令荀彧皆属[371]宠曰:“但当受辞，勿加考掠[372]。”宠一无所报，考讯如法。数日，求见操，言之曰:“杨彪考讯，无他辞语。此人有名海内，若罪不明白，必大失民望，窃为明公惜之。”操即日赦出彪。初，彧、融闻宠考掠彪，皆怒。及因此得出，乃更善宠。彪见汉室衰微，政在曹氏，遂称脚挛[373]，积十余年不行，由是得免于祸。

马日磾丧[374]至京师，朝廷议欲加礼。孔融曰:“日磾以上公[375]之尊，秉髦节[376]之使，而曲媚奸臣[377]，为所牵率[378]，王室大臣，岂得以见胁为辞！圣上哀矜旧臣，未忍追按[379]，不宜加礼。”朝廷从之。金尚丧至京师，诏百官吊祭，拜其子玮为郎中。

冬，十一月，曹操复攻张绣，拔湖阳[380]，禽刘表将邓济。又攻舞阴，下之。

韩暹、杨奉在下邳，寇掠徐、扬间，军饥饿，辞吕布，欲诣荆州，布不听。奉知刘备与布有宿憾，私与备相闻，欲共击布，备阳[381]许之。奉引军诣沛，备请奉入城，饮食未半，于座上缚奉，斩之。暹失奉，孤特[382]，与十余骑归并州，为杼秋[383]令张宣所杀。胡才、李乐留河东，才为怨家所杀，乐自病死。郭汜为其将伍习所杀。

颍川杜袭[384]、赵俨[385]、繁钦[386]避乱荆州，刘表俱待以宾礼。钦数见奇于表，袭喻之曰:“吾所以与子俱来者，徒[387]欲全身以待时耳，岂谓刘牧当为拨乱之主而规长者[388]委身哉！子若见能不已，非吾徒也，吾与子绝矣。”钦慨然曰:“请敬受命!”及曹操迎天子都许，俨谓钦曰:“曹镇东必能匡济华夏，吾知归矣。”遂还诣操，操以俨为朗陵长[389]。

阳安都尉[390]江夏李通[391]妻伯父犯法，俨收治，致之大辟。时杀生之柄，决于牧守，通妻子号泣以请其命。通曰:“方与曹公戮力，义不以私废公。”嘉俨执宪[392]不阿，与为亲交。

审理杨彪的案件，孔融和尚书令荀彧都嘱咐满宠说："只可记录口供，不得用刑拷打。"满宠一句话也不回复，按刑法拷打审讯。几天后，满宠求见曹操，对曹操说："杨彪经过拷打审讯，什么也没说。此人天下闻名，如果不明不白就定罪，一定会大失民心，我替明公你感到可惜。"曹操当天就释放了杨彪。起初，荀彧、孔融听到满宠拷打杨彪，都很生气。等到杨彪因被拷打而得以出狱时，才对满宠更为亲近。杨彪看到汉室衰微，政权落在曹氏手里，便声称腿脚痉挛，长达十多年不能行走，因此得以免祸。

马日磾的灵柩到了京城，朝廷商量治丧要提高礼仪规格。孔融说："马日磾居上公的尊位，是持旄节的使臣，却千方百计地献媚奸臣，受奸臣控制，身为王室大臣，怎么可以用被威胁为托词！圣上体恤旧臣，不忍心追究，但也不应该提高礼仪规格。"朝廷接受了孔融的意见。金尚的灵柩到达京城，诏令百官吊祭，还任命他的儿子金玮为郎中。

冬，十一月，曹操再次进军攻打张绣，攻占了湖阳，活捉了刘表部将邓济。又攻打舞阴，攻了下来。

韩暹、杨奉驻军下邳，掠夺徐、扬二州一带，士兵饥饿，杨奉向吕布辞别，想去荆州，吕布不答应。杨奉知道刘备和吕布有旧怨，私下和刘备通气，想共同攻打吕布，刘备假装同意。杨奉率军至沛县，刘备请杨奉入城，酒宴不到一半，就在座位上捆绑了杨奉，把他杀死。韩暹失去杨奉，非常孤立，带了十几个骑兵返回并州，被杼秋县令张宣杀死。胡才、李乐留在河东，胡才被仇家杀死，李乐病死。郭汜被他的部将伍习杀死。

颍川人杜袭、赵俨、繁钦到荆州避乱，刘表都待以宾客之礼。繁钦多次被刘表啧啧称奇，杜袭劝告繁钦说："我之所以和你一起来，只是想保全性命以等待时机，怎么会认为刘表是拨乱反正之主而劝你委身于他呢！你如果不断地显示才能，就和我不是一类人，我就跟你断绝关系。"繁钦感叹地说："我恭敬地接受你的劝告！"等到曹操奉迎天子建都许县时，赵俨对繁钦说："曹镇东一定能拯救华夏，我知道归宿了。"于是回到许都拜见曹操，曹操任命赵俨为朗陵县县长。

阳安都尉江夏人李通妻子的伯父犯法，赵俨收捕了他，定为死刑。当时生杀大权，决定于州牧郡守，李通的妻子儿女号啕大哭地向李通请求救伯父一命，李通说："我正和曹公竭力为国，按道义断不可以私情废公法。"他嘉许赵俨执法不阿，同他结为朋友。

【段旨】

以上为第八段，写曹操在许都招纳文武之才，何夔、许褚、杜袭、赵俨、繁钦、李通等均为曹操所举用。

【注释】

㊳何夔：字叔龙，陈国阳夏人，初为曹操掾属，继为长广、乐安太守，后为魏国太子少傅。传见《三国志》卷十二。㊴掾：汉代长官属下的佐治官吏。㊵许褚：字仲康，沛国谯县（今安徽亳州）人，健壮魁梧，勇力过人，聚众归曹操后，长期为曹操的侍从警卫。曾任校尉、武卫中郎将，曹魏时为武卫将军。传见《三国志》卷十八。㊶淮、汝、陈、梁：指淮南（即九江）、汝南、陈国、梁国四郡国。㊷樊哙：汉高祖刘邦之猛将。㊸都尉：官名，东汉于边郡关塞之地设都尉，职如太守。其他都尉为临时设置的一级领兵将领。此都尉领曹操之警卫兵。㊹虎士：曹操之警卫人员。㊺杨彪与袁术昏姻：《后汉书》卷五十四《杨彪传》谓杨彪子脩为袁术之甥，则杨彪娶袁氏女为妻。㊻不及朝服：来不及穿朝服。㊼四世清德：指杨震、秉、赐、彪四代皆以清廉著称。㊽国家：指皇帝。㊾成王：周成王。周成王时，周公旦、邵（召）公奭皆为辅佐。㊿按：审理。[371]属：托付。[372]考掠：拷打。考，通“拷”。[373]挛：抽搐病，即手脚蜷曲不能伸开的

【原文】

三年（戊寅，公元一九八年）

春，正月，曹操还许。三月，将复击张绣。荀攸曰：“绣与刘表相恃为强，然绣以游军仰[393]食于表，表不能供也，势必乖离。不如缓军以待之，可诱而致也。若急之，其势必相救。”操不从，围绣于穰。

夏，四月，使谒者仆射[394]裴茂诏关中诸将段煨等讨李傕，夷其三族。以煨为安南将军[395]，封阌乡侯。

初，袁绍每得诏书，患其有不便于己者，欲移天子自近，使说曹操以许下埤湿[396]，雒阳残破，宜徙都鄄城[397]以就全实[398]。操拒之。田丰说绍曰：“徙都之计，既不克[399]从，宜早图许，奉迎天子，动[400]托诏书，号令海内，此算之上者。不尔[401]，终为人所禽，虽悔无益也。”绍不从。

病。㉞马日磾丧：马日磾于兴平元年（公元一九四年）奉命出使寿春，袁术夺其使节，并扣留不放，日磾忿病而死。㉟上公：马日磾为太傅，是为上公。㊱髦节：用旄牛尾装饰的符节，为高级使臣所持。髦，即旄。㊲奸臣：指袁术。㊳牵率：控制。㊴追按：生前未治的罪，死后加以追究。㊵湖阳：县名，县治在今河南唐河县南。㊶阳：通"佯"。假装。㊷孤特：孤单。㊸杼秋：县名，县治在今安徽砀山县东。㊹杜袭：字子绪，颍川定陵（今河南舞阴北）人，初避乱至荆州，后归曹操，历任西鄂长、丞相军祭酒、魏国侍中等。传见《三国志》卷二十三。㊺赵俨：字伯然，颍川阳翟（今河南禹州）人，初与杜袭、繁钦避乱荆州，建安二年（公元一九七年）归曹操，历任朗陵长、丞相主簿、扶风太守。曹魏时为大司农、征西将军、骠骑将军、司空。传见《三国志》卷二十三。㊻繁钦：字休伯，颍川（治所在今河南禹州）人，初与赵俨等避乱荆州，后归曹操，官至丞相主簿。长于书记，又善诗赋，为建安时期邺下文学集团的重要成员。事附见《三国志》卷二十一《魏书·王粲传》。㊼徒：仅；只。㊽规长者：规劝有道德的人。㊾朗陵长：朗陵县县长。朗陵，县名，县治在今河南确山县西南。长，汉制，县的长官万户以上的大县称令，万户以下的小县称长。㊿阳安都尉：阳安原为县，汉末一度辖朗陵县，设都尉一人，相当于郡太守，故阳安又称为郡，但不久又废郡复为县。阳安县治所在今河南确山县东北。(391)李通：字文达，江夏平春（今河南信阳西北）人，建安初率众归曹操，为阳安都尉、汝南太守。传见《三国志》卷十八。(392)宪：法令。

【语译】

三年（戊寅，公元一九八年）

春，正月，曹操返回许都。三月，曹操要再次攻打张绣。荀攸说："张绣和刘表相互依靠而势力强大，但张绣是支游兵，仰仗刘表的供给，刘表如果不能供给，势必分离。不如暂缓出兵以等待变化，可采用引诱的办法招致张绣。如果急于出兵，他们势必相互援救。"曹操不听，在穰城包围了张绣。

夏，四月，朝廷派谒者仆射裴茂奉诏命令关中各将领段煨等讨伐李傕，灭了李傕的三族。于是朝廷任命段煨为安南将军，封阌乡侯。

起初，袁绍每次接到诏书，便担忧其中有不利于自己的内容，想迁移天子靠近自己，就派使者去游说曹操，说许县低洼潮湿，洛阳又残破不堪，应该迁都鄄城，来到安全殷实的地方。曹操拒绝了。田丰劝袁绍说："迁都之计，既然不能被接受，应该及早图谋许县，奉迎天子，这样，动不动就托名诏书来号令天下，这是策略中的上策。不然的话，终将被人擒获，纵然后悔也毫无用处。"袁绍不听从。

会绍亡卒诣操，云田丰劝绍袭许。操解穰围而还，张绣率众追之。五月，刘表遣兵救绣，屯于安众[402]，守险以绝军后。操与荀彧书曰："吾到安众，破绣必矣。"及到安众，操军前后受敌，操乃夜凿险伪遁。表、绣悉军来追，操纵奇兵步骑夹攻，大破之。他日，或问操："前策贼必破，何也?"操曰："虏遏吾归师[403]，而与吾死地[404]，吾是以知胜矣。"

绣之追操也，贾诩止之曰："不可追也，追必败。"绣不听，进兵交战，大败而还。诩登城谓绣曰："促[405]更追之，更战必胜。"绣谢曰："不用公言，以至于此。今已败，奈何复追?"诩曰："兵势有变，促追之!"绣素信诩言，遂收散卒更追，合战，果以胜还。乃问诩曰："绣以精兵追退军，而公曰必败，以败卒击胜兵，而公曰必克，悉如公言，何也?"诩曰："此易知耳。将军虽善用兵，非曹公敌也。曹公军新退，必自断后，故知必败。曹公攻将军，既无失策，力未尽而一朝引退，必国内有故[406]也。已破将军，必轻军速进，留诸将断后。诸将虽勇，非将军敌，故虽用败兵而战必胜也。"绣乃服。

【段旨】

以上为第九段，写曹操第二次南征张绣，因传言袁绍南下，曹操匆忙撤军，不胜而归。

【原文】

吕布复与袁术通，遣其中郎将高顺及北地太守雁门张辽[407]攻刘备。曹操遣将军夏侯惇救之，为顺等所败。秋，九月，顺等破沛城，虏备

时逢袁绍的逃兵来见曹操，说田丰劝袁绍偷袭许县。曹操便解除对穰城的包围而回军，张绣率军追击。五月，刘表派军救援张绣，驻军安众，据守险要，切断了曹军的归路。曹操写信给荀彧说："我到了安众，一定能打败张绣。"等曹军到安众，前后受到夹击，于是曹操趁夜开凿险道，假装要逃跑。刘表、张绣率领全军来追赶，曹操出动奇兵，骑兵、步兵夹击，大败刘表、张绣。后来，荀彧问曹操："你事前预料敌军必败，根据是什么？"曹操说："敌人阻断我回师，置我于死地，我因此断定我军一定能取胜。"

张绣去追击曹操的时候，贾诩劝止说："不可追击，追击必败。"张绣不听从，进军交战，大败而回。贾诩登上城楼对张绣说："赶紧再去追赶，再战一定取胜。"张绣谢绝说："我没有听从你的话，以致落到这个地步。现在已经打了败仗，怎么能再去追赶？"贾诩说："战争的形势发生了变化，要赶紧追击！"张绣一向信服贾诩的话，于是搜集散兵再去追赶，两军交战，果然得胜而返。张绣便向贾诩说："我用精兵追击后退之兵，而你说必败，我用败兵追击取胜之兵，而你却说必胜，结果一切正如你所说的，这是什么原因呢？"贾诩说："这容易明白，将军您虽然善于用兵，但不是曹公的对手。曹公的军队开始撤退时，他一定亲自断后，所以知道您一定会吃败仗。因为曹公攻击将军，既然没有失策，也没有用尽全力而突然撤退，一定是国内发生变故。曹操已经打败了将军，他一定轻装急速回军，留下诸位将领断后。诸位将领虽然勇猛，但不是将军您的对手，所以您虽然用败兵追击也一定能取胜。"张绣这才佩服贾诩。

【注释】

㊴㊈仰：依靠；依赖。㊴㊉谒者仆射：官名，谒者台长官，主管谒者。谒者掌宾赞受事及上章报问。㊴㊄安南将军：官名，东汉杂号将军之一。㊴㊅埤湿：低下潮湿。㊴㊆鄄城：县名，县治在今山东鄄城北。为古代黄河边上的军事重地。㊴㊇以就全实：迁至安全殷实的地方。以就，即来就。全实，安全殷实。㊴㊈克：能。㊵⓪动：动辄；常常。㊵①不尔：不如此。㊵②安众：侯国名，治所在今河南镇平东南。㊵③遏吾归师：遏，阻挡。《孙子·军争》说："归师勿遏。"㊵④死地：不疾战则死亡之地。《孙子·九地》说："投之亡地然后存，陷之死地然后生。"㊵⑤促：速；赶快。㊵⑥故：谓变故。

【语译】

吕布又与袁术来往，派他的中郎将高顺及北地太守雁门人张辽攻打刘备。曹操派将军夏侯惇救援刘备，被高顺等打败。秋，九月，高顺等攻破沛县城，俘获了刘

妻子，备单身走。

曹操欲自击布，诸将皆曰："刘表、张绣在后，而远袭吕布，其危必也。"荀攸曰："表、绣新破，势不敢动。布骁猛，又恃袁术，若从横⑱淮、泗间⑲，豪杰必应之。今乘其初叛，众心未一，往可破也。"操曰："善！"比行，泰山屯帅臧霸、孙观、吴敦、尹礼、昌豨等皆附于布。操与刘备遇于梁⑩，进至彭城⑪。陈宫谓布："宜逆击⑫之，以逸击[8]劳，无不克也。"布曰："不如待其来攻[9]，蹙著泗水中。"冬，十月，操屠彭城。广陵太守陈登率郡兵为操先驱，进至下邳。布自将屡与操战，皆大败，还保城，不敢出。

操遗⑬布书，为陈祸福。布惧，欲降。陈宫曰："曹操远来，势不能久。将军若以步骑出屯于外，宫将余众闭守于内，若向将军，宫引兵而攻其背；若但攻城，则将军救于外。不过旬月⑭，操军食尽，击之可破也。"布然之，欲使宫与高顺守城，自将骑断操粮道。布妻谓布曰："宫、顺素不和，将军一出，宫、顺必不同心共城守也。如有蹉跌⑮，将军当于何自立乎！且曹氏待公台⑯如赤子，犹舍⑰而归我。今将军厚公台不过曹氏，而欲委⑱全城，捐⑲妻子，孤军远出，若一旦有变，妾岂得复为将军妻哉！"布乃止，潜遣其官属许汜、王楷求救于袁术。术曰："布不与我女，理自当败，何为复来？"汜、楷曰："明上⑳今不救布，为自败耳。布破，明上亦破也。"术乃严兵为布作声援。布恐术为女不至，故不遣救兵，以绵缠女身缚著马上，夜自送女出，与操守兵相触，格射㉑不得过，复还城[10]。

河内太守张杨素与布善，欲救之，不能，乃出兵东市㉒，遥为之势。十一月，杨将杨丑杀杨以应操。别将眭固复杀丑，将其众北合袁绍。杨性仁和，无威刑，下人谋反发觉，对之涕泣，辄原不问，故及于难。

操掘堑围下邳，积久，士卒疲敝，欲还。荀攸、郭嘉曰："吕布勇而无谋，今屡战皆北㉓，锐气衰矣。三军以将为主，主衰则军无奋意。陈宫有智而迟，今及布气之未复，宫谋之未定，急攻之，布可拔也。"乃引沂、泗㉔灌城。月余，布益困迫，临城谓操军士曰："卿曹无相

备的妻儿，刘备单身逃走。

曹操想亲自率军攻打吕布，众将领都说："刘表、张绣在背后，而长途奔袭去攻击吕布，一定很危险。"荀攸说："刘表、张绣刚被打败，势必不敢轻举妄动。吕布骁勇凶猛，又依仗袁术，如果纵横于淮河、泗水一带，豪杰们一定会响应他。现在趁他刚刚叛变，军心不一致，前去进攻一定可以打败他。"曹操说："好！"在曹操出征时，泰山地区的土匪头目臧霸、孙观、吴敦、尹礼、昌豨等都归附吕布。曹操和刘备在梁国相遇，前进到彭城。陈宫对吕布说："应当迎击曹操，以逸击劳，可以无所不胜。"吕布说："不如等他们前来进攻，把他们逼到泗水中。"冬，十月，曹操屠灭彭城。广陵太守陈登率领郡兵为曹军先锋，进至下邳。吕布亲自率军多次与曹操交战，皆大败，退保下邳城，不敢出兵。

曹操写信给吕布，给他陈述祸福得失。吕布恐惧，打算投降。陈宫说："曹操从远处来，势不能久。将军如果率领步兵、骑兵出城在外驻守，我率领余部在城内闭门防守。如果曹操攻向将军，我率兵攻打他的背后；如果曹操只是攻城，将军则在外救援。不出一个月，曹操军粮用尽，这时出战就可以打败曹军。"吕布同意，想让陈宫和高顺守城，自己率领骑兵切断曹军运粮通道。吕布的妻子对吕布说："陈宫、高顺一向不和，将军一出城，陈宫、高顺一定不会同心协力共守城池。如有失误，将军该到哪里立身呢！况且曹操对待陈宫像照顾婴儿一样，他陈宫尚且抛弃曹操归属我们，现在将军厚待陈宫没有超过曹操，却要把全城托付给他，抛弃妻儿，孤军远出，如一旦发生变故，我还能再做你的妻子吗！"于是吕布作罢，暗地里派他的部下许汜、王楷去向袁术求救。袁术说："吕布不把女儿送给我，理应失败，为什么又来求助于我？"许汜、王楷说："明上您现在不救吕布，当然他是自取灭亡。若吕布被打败，明上您也将被打败。"袁术于是整顿兵马，为吕布作声援。吕布担心袁术因自己未送女儿前去，就不派援兵；于是用绸缎裹住女儿身体捆在马上，夜里亲自护送女儿出城，与曹操的守军相遇，双方格斗互射，吕布无法通过，又退回城里。

河内太守张杨一向和吕布交好，想去救援，力量不够，于是出兵到野王县东市，遥作声援之势。十一月，张杨部将杨丑杀死张杨以响应曹操。张杨的另一个部将眭固又杀死杨丑，率领他的部众向北会合袁绍。张杨性格仁厚宽和，不施严刑，部下谋反被察觉，便向张杨流泪乞求，往往原谅不加追究，因此遭遇祸难。

曹操掘壕沟围困下邳，时间长久，士兵疲困，曹操打算撤军。荀攸、郭嘉说："吕布有勇无谋，现在屡战屡败，锐气衰竭，三军以将帅为主，主帅气衰兵士就没有斗志。陈宫有智谋但行事迟缓，现在趁吕布锐气还未恢复，陈宫谋略尚未确定，加紧攻击，吕布就可以被战胜了。"曹军于是决沂水、泗水灌城。一个多月，吕布更加困迫，就登上城墙对曹操的兵士喊话："你们不要围困我了，我将向明公投降自

困我，我当自首于明公。”陈宫曰：“逆贼曹操，何等明公！今日降之，若卵投石，岂可得全也！”

布将侯成亡其名马，已而复得之。诸将合礼以贺成，成分酒肉先入献布。布怒曰：“布禁酒而卿等酝酿，为欲因酒共谋布邪！”成忿惧。十二月癸酉㊺㊺，成与诸将宋宪、魏续等共执陈宫、高顺，率其众降。布与麾下登白门楼㊻，兵围之急，布令左右取其首诣操，左右不忍，乃下降。

布见操曰：“今日已往㊼，天下定矣！”操曰：“何以言之？”布曰：“明公之所患不过于布，今已服矣。若令布将骑，明公将步，天下不足定也。”顾谓刘备曰：“玄德，卿为坐上客，我为降虏，绳缚我急㊽，独不可一言邪？”操笑曰：“缚虎不得不急。”乃命缓布缚。刘备曰：“不可。明公不见吕布事丁建阳㊾、董太师㊿乎！”操颔[431]之。布目备曰：“大耳儿[432]，最叵[433]信！”

操谓陈宫曰：“公台平生自谓智有余，今竟何如？”宫指布曰：“是子不用宫言，以至于此。若其见从，亦未必为禽也。”操曰：“奈卿老母何？”宫曰：“宫闻以孝治天下者，不害人之亲。老母存否，在明公，不在宫也。”操曰：“奈卿妻子何？”宫曰：“宫闻施仁政于天下者，不绝人之祀。妻子存否，在明公，不在宫也。”操未复言。宫请就刑，遂出，不顾，操为之泣涕，并布、顺皆缢杀之，传首许市。操召陈宫之母，养之终其身，嫁宫女，抚视其家，皆厚于初。

前尚书令陈纪[434]、纪子群[435]在布军中，操皆礼用[11]之。张辽将其众降，拜中郎将。臧霸自亡匿，操募索得之，使霸招吴敦、尹礼、孙观等，皆诣操降。操乃分琅邪、东海为城阳[436]、利城[437]、昌虑[438]郡，悉以霸等为守、相。

初，操在兖州，以徐翕、毛晖为将。及兖州乱，翕、晖皆叛。兖州既定，翕、晖亡命投霸。操语刘备，令霸送二首。霸谓备曰：“霸所以能自立者，以不为此也。霸受主公生全之恩，不敢违命。然王霸之君，可以义告，愿将军为之辞。”备以霸言白操，操叹息谓霸曰：“此古人之事，而君能行之，孤之愿也。”皆以翕、晖为郡守。陈登以功加

首。”陈宫说：“叛贼曹操，算什么明公！今日投降他，如同以卵击石，怎么能保全性命！”

吕布部将侯成丢了名马，不久又找到了。众将领合伙送礼向侯成祝贺，侯成分出一份酒肉首先献给吕布，吕布生气地说：“我下令禁酒而你们却酿酒，莫非是想乘饮酒之机一起谋害我吗！”侯成又气又怕。十二月二十四日癸酉，侯成和宋宪、魏续等将领一同抓捕了陈宫、高顺，率领部众投降曹操。吕布和他的下属登上白门楼，曹操的士兵紧急围攻，吕布命身边的人砍下他的头去见曹操，左右的人不忍心，于是下楼投降。

吕布见到曹操说：“从今以后，天下就平定了！”曹操说：“你根据什么这样说？”吕布说：“明公你的心头之患不过是我吕布，今天我已降伏了。如果命我统率骑兵，明公你统率步兵，平定天下就不成问题了。”吕布又回头对刘备说：“玄德，你是座上客，我是归降的俘虏，绳子把我捆得太紧，难道你就不能替我说一句话吗？”曹操笑着说：“捆老虎不能不紧。”于是命部下给吕布松绑。刘备说：“不可。明公你难道没听说吕布是如何对待丁建阳、董太师的吗！”曹操点头称是。吕布注视着刘备说：“大耳朵小子，最不可信！”

曹操对陈宫说：“公台平生自以为智谋有余，现在究竟怎么样？”陈宫指着吕布说：“是这小子不听我的话，才落到这个地步。如果我的意见被听从，也未必被擒获。”曹操说：“你老母亲怎么办？”陈宫说：“我听说用孝道治理天下的人，不杀人的至亲。我老母亲的生死由明公决定，不由我决定。”曹操说：“你的妻子儿女怎么办？”陈宫说：“我听说施仁政于天下的人，不会绝人之后。妻子儿女的生死也由明公决定，不由我决定。”曹操没有再说话。陈宫请求受刑，便走了出去，头也不回，曹操为他流泪，把他连同吕布、高顺一起绞死，将他们的首级传送到许都的街市上示众。曹操召来陈宫的母亲，赡养终身，替陈宫嫁了女儿，抚恤照顾陈宫的家属，都比当初还优厚。

前尚书令陈纪、陈纪的儿子陈群在吕布的军中，曹操都以礼任用。张辽率领部下归降，被任命为中郎将。臧霸躲藏起来，曹操悬赏捉到了他，就派臧霸去招徕吴敦、尹礼、孙观等人，这些人都来向曹操投降。曹操于是把琅邪、东海分为城阳、利城、昌虑三个郡，全部任用臧霸等人为郡守和国相。

当初，曹操在兖州时，用徐翕、毛晖为将。等到兖州动乱时，徐翕、毛晖又都背叛。兖州平定后，徐翕、毛晖逃命投靠臧霸。曹操请刘备传话，命臧霸送来徐、毛二人的首级。臧霸对刘备说：“我之所以能自立，就是因为不干这样的事。我蒙受主公您不杀之恩，不敢违抗命令。然而王霸之君，可以用道义告谕，希望将军为我说几句话。”刘备把臧霸的话禀报曹操，曹操感慨地对臧霸说：“这是古人所崇尚的事情，而你能去实行它，这也是我所希望的。”曹操把徐翕、毛晖都任用为郡守。陈登

伏波将军[439]。

刘表与袁绍深相结约。治中[440]邓羲谏表，表曰："内不失贡职[441]，外不背盟主，此天下之达义也，治中独何怪乎？"羲乃辞疾而退。

长沙太守张羡性屈强，表不礼焉。郡人桓阶说羡举长沙[442]、零陵[443]、桂阳[444]三郡以拒表，遣使附于曹操，羡从之。

【段旨】

以上为第十段，写曹操讨灭吕布。

【注释】

⑰张辽：字文远，雁门马邑（今山西朔州）人，初随丁原、董卓、吕布，吕布败后归曹操，遂为曹操之得力战将，屡立战功，为荡寇将军、征东将军、前将军等。曹魏初，封晋阳侯。传见《三国志》卷十七。[408]从横：驰骋。[409]淮、泗间：淮水、泗水间，亦即下邳、广陵一带。[410]梁：王国名，治所睢阳，在今河南商丘南。[411]彭城：王国名，治所彭城县，在今江苏徐州。[412]逆击：迎击。[413]遗：给予。[414]旬月：一整月。[415]蹉跌：失足，栽跟斗。喻失误。[416]公台：陈宫字公台。[417]舍：舍弃。[418]委：托付。[419]捐：舍弃。[420]明上：当时袁术已称帝，故许汜等称他为明上。[421]格射：击射。[422]东市：指野王之东市。时张杨驻屯野王。[423]北：败北；失败。[424]沂、泗：沂水与泗水皆流经下邳县，泗水向东南流，经过下邳县西；沂水向南流，在下邳县西流入泗水，故曹操引二水灌下邳城。[425]癸酉：十二月二十四日。[426]白门楼：下邳城之南门。[427]今日已往：犹言从今以后。[428]急：紧。[429]丁建阳：丁原字建阳。吕布初为丁原部下，后被董卓引诱，遂杀丁原而归董卓。[430]董太师：即董卓。董卓曾为太师。吕布归董卓后，最后又杀死董卓。[431]颔：点头。[432]大耳儿：指刘备。刘备耳大。[433]叵：不可。[434]陈纪：字符方，颍川

【原文】

孙策遣其正议校尉[445]张纮献方物，曹操欲抚纳之，表策为讨逆将军[446]，封吴侯，以弟女配策弟匡，又为子彰取孙贲女，礼辟策弟权、翊，以张纮为侍御史[447]。

因功加衔伏波将军。

刘表和袁绍密切深交。治中邓羲劝谏刘表，刘表说："我内不失朝贡之职守，外不背弃盟主，这是天下通行的道义，治中你有什么好责怪的？"邓羲于是称病隐退。

长沙太守张羡性格倔强，刘表对他不以礼相待。同郡人桓阶劝张羡凭借长沙、零陵、桂阳三郡来对抗刘表，并派使者去向曹操表示归服，张羡听从了桓阶的意见。

许县（今河南许昌东）人，有盛名。董卓执政时，曾为侍中、尚书令。传见《后汉书》卷六十二。㊺群：陈纪之子陈群（？至公元二三六年），字长文，初为刘备别驾，后归曹操，为司空掾。曹丕执政时为尚书，建置九品中正制。曹魏初，为镇军大将军，领中护军，录尚书事。魏明帝时为司空，封颍阴侯。传见《三国志》卷二十二。436城阳：郡名，西汉时为城阳国。东汉并入北海国，这时曹操又分置城阳郡，治所东武县，在今山东诸城。437利城：郡名，汉代为县，这时曹操设为郡，治所在今江苏连云港市赣榆区西。438昌虑：郡名，汉代为县，这时曹操设为郡，治所在今山东滕州东南。439伏波将军：官名，东汉的杂号将军。440治中：官名，即治中从事史，州牧刺史的主要佐吏，职责是居中治事，主从曹文书。441贡职：向朝廷贡献的职责。442长沙：郡名，治所临湘，在今湖南长沙。443零陵：郡名，治所泉陵，在今湖南永州市零陵区。444桂阳：郡名，治所郴县，在今湖南郴州。

【校记】

［8］击：原作"待"。据章钰校，甲十一行本、乙十一行本皆作"击"，今据改。［9］攻：原无此字。据章钰校，甲十一行本、乙十一行本、孔天胤本皆有此字，张瑛《通鉴校勘记》同，今据补。［10］城：据章钰校，乙十一行本无此字，孔天胤本"城"下有"内"字。［11］礼用：据章钰校，乙十一行本"礼"字下有"而"字，与"用"字合刻在一个字位置。

【语译】

孙策派他的正议校尉张纮向朝廷贡献土产，曹操想安抚拉拢孙策，就上表推举孙策为讨逆将军，封为吴侯，把自己弟弟的女儿许配给孙策的弟弟孙匡，又为自己的儿子曹彰娶了孙贲的女儿，以礼征辟孙策的弟弟孙权、孙翊，任命张纮为侍御史。

袁术以周瑜为居巢[448]长，以临淮鲁肃[449]为东城长。瑜、肃知术终无所成，皆弃官渡江从孙策。策以瑜为建威中郎将，肃因家于曲阿[450]。

曹操表征王朗，策遣朗还。操以朗为谏议大夫[451]，参司空军事[452]。

袁术遣间使[453]赍印绶与丹阳宗帅[454]祖郎等，使激动山越[455]，共图孙策。刘繇之奔豫章[456]也，太史慈遁于芜湖[457]山中，自称丹阳太守。策已定宣城[458]以东，惟泾[459]以西六县未服，慈因进住泾县，大为山越所附。于是策自将讨祖郎于陵阳[460]，禽之。策谓郎曰："尔昔袭孤，斫孤马鞍。今创军立事，除弃宿恨，惟取能用，与天下通耳，非但汝，汝勿恐怖。"郎叩头谢罪，即破械，署门下贼曹[461]。又讨太史慈于勇里[462]，禽之，解缚，捉其手曰："宁识神亭时[463]邪？若卿尔时得我云何？"慈曰："未可量也。"策大笑曰："今日之事，当与卿共之。闻卿有烈义[464]，天下智士也，但所托[465]未得其人耳。孤是卿知己，勿忧不如意也。"即署门下督[466]。军还，祖郎、太史慈俱在前导，军人以为荣。

会刘繇卒于豫章，士众万余人，欲奉豫章太守华歆[467]为主。歆以为因时擅命[468]，非人臣所宜；众守之连月，卒谢遣之，其众未有所附。策命太史慈往抚安之，谓慈曰："刘牧往责吾为袁氏攻庐江[469]，吾先君[470]兵数千人，尽在公路许[471]。吾志在立事，安得不屈意于公路而[12]求之乎？其后不遵臣节[472]，谏之不从。丈夫义交，苟有大故，不得不离，吾交求公路及绝之本末如此，恨不及其生时[473]与共论辩也。今儿子[474]在豫章，卿往视之，并宣孤意于其部曲，部曲乐来者与俱来，不乐来者且安慰之；并观华子鱼[475]所以牧御方规[476]何如。卿须几兵，多少随意。"慈曰："慈有不赦之罪，将军量同桓、文[477]，当尽死以报德。今并息兵，兵不宜多，将数十人足矣。"左右皆曰："慈必北去不还。"策曰："子义[478]舍我，当复从谁！"饯送昌门[479]，把腕别曰："何时能还？"答曰："不过六十日。"慈行，议者犹纷纭言遣之非计。策曰："诸君勿复言，孤断之详矣。太史子义虽气勇有胆烈，然非纵横之人[480]，其心秉道义，重然诺，一以意许知己，死亡不相负，诸君勿忧也。"慈果如期而反，

袁术任周瑜为居巢县长，任临淮人鲁肃为东城县长。周瑜、鲁肃知道袁术最终会一事无成，都丢弃官职渡过长江追随孙策。孙策任命周瑜为建威中郎将，鲁肃便在曲阿安家。

曹操上表征召王朗，孙策遣送王朗回到京师。曹操任命王朗为谏议大夫，参司空军事。

袁术派密使携带印绶给丹阳郡地方首领祖郎等人，让他们鼓动山越人，一起图谋孙策。刘繇投奔豫章郡时，太史慈逃遁于芜湖山中，自称丹阳郡太守。孙策已平定宣城以东地区，只有泾县以西的六县没有征服，太史慈乘机驻军泾县，山越人大多归附他。于是孙策亲自率兵到陵阳讨伐祖郎，活捉了他。孙策对祖郎说："从前你袭击我，砍我的马鞍。现今我创立军队兴建大业，抛开旧恨，只求能为我所用的人，对天下人都是如此，不仅只是你，你不要害怕。"祖郎磕头认罪，孙策立刻除去他的枷锁，任他为门下贼曹。孙策又去勇里讨伐太史慈，活捉了他，孙策为他解开绳索，握住他的手说："还记得神亭相遇的事情吗？倘若你当时捉住我该怎么办？"太史慈说："不可思量。"孙策大笑说："今天的大业，我要和你一起奋斗。听说你刚烈守义，是天下的智士，只是投靠的人不合适罢了。我是你的知己，不要担心不合你的心意。"立即任命他为门下督。军队回师，祖郎、太史慈都在前面引导，军人们都引以为荣。

适逢刘繇死在豫章，留下部众一万多人，想拥戴豫章太守华歆为主君。华歆认为乘时专权，不是人臣应做的；部众一连几个月守卫在华歆身边，华歆最终还是辞谢遣散他们，这些部众无所归附。孙策命太史慈前去安抚他们。对太史慈说："刘繇从前责备我为袁术攻打庐江，那时，先父留下的几千人马都在袁术手里。我志在建功立业，怎么能不向袁术屈膝索求先父的人马呢？后来袁术不守臣节，我劝谏他，他不听从。大丈夫以道义结交，如果有大节出了问题，不得不分道扬镳，我有求于袁术而结交以及与他断绝关系的始末就是这样，遗憾的是未能在刘繇生前与他一起论辩此事。如今他的儿子在豫章，你去探望他，并向他的部属宣达我的意思，他的部属愿意来的跟你一起来，不愿意来的就加以安慰；你还要考察一下华歆的治理方法如何。你需要多少士兵，随你决定。"太史慈说："我太史慈有不可饶恕的罪行，将军的度量和齐桓公、晋文公一样，我当以死来回报你的恩德。如今正在休战，兵不宜多，带几十个人就足够了。"孙策左右的人都说："太史慈北去一定一去不返。"孙策说："太史慈如果背弃我，又当跟从谁呢！"孙策在昌门为太史慈饯行，他握着太史慈的手腕告别说："何时能回来？"太史慈回答说："不超过六十天。"太史慈走后，议论的人还纷纷说派遣太史慈是失策。孙策说："诸位别再说了，我的决定是经过缜密思考的。太史慈虽然勇猛刚烈有胆识，但不是朝秦暮楚的人，他笃信道义，说话算数，一旦为知己许下意愿，至死也不会背叛，诸位不必忧虑。"太史慈果然按期返回，

谓策曰："华子鱼，良德也，然无他方规，自守而已。又，丹阳僮芝自擅庐陵⁴⁸¹，番阳⁴⁸²民帅别立宗部⁴⁸³，言'我已别立郡海昏⁴⁸⁴、上缭⁴⁸⁵，不受发召'；子鱼但睹视之而已。"策拊掌大笑，遂有兼并之志。

袁绍连年攻公孙瓒，不能克，以书谕之，欲相与释憾连和。瓒不答，而增修守备，谓长史⁴⁸⁶太原关靖曰："当今四方虎争，无有能坐吾城下相守经年者明矣，袁本初其若我何！"绍于是大兴兵以攻瓒。先是瓒别将有为敌所围者，瓒不救，曰："救一人，使后将恃救，不肯力战。"及绍来攻，瓒南界别营，自度守则不能自固，又知必不见救，或降或溃。绍军径至其门⁴⁸⁷，瓒遣子续请救于黑山诸帅⁴⁸⁸，而欲自将突骑出傍西山⁴⁸⁹，拥黑山之众侵掠冀州，横断绍后。关靖谏曰："今将军将士莫不怀瓦解之心，所以犹能相守者，顾恋其居处老少，而恃将军为主故耳。坚守旷日，或可使绍自退。若舍之而出，后无镇重，易京⁴⁹⁰之危，可立待也。"瓒乃止。绍渐相攻逼，瓒众日蹙⁴⁹¹。

【段旨】

以上为第十一段，写孙策在江东收降太史慈，势力日盛。袁绍在幽州困迫公孙瓒。

【注释】

㊺正议校尉：孙策所设之职官名，掌议论之事。㊻讨逆将军：官名，属杂号将军，为此时创置。㊼侍御史：官名，掌察举非法，受公卿群吏奏事，有违失者则举劾。㊽居巢：县名，县治在今安徽巢湖市东北。㊾鲁肃（公元一七二至二一七年）：字子敬，临淮东城（今安徽定远东南）人，初被袁术命为东城长，因见袁术不足成事，遂与周瑜渡江从孙策，后为孙权所敬重。建安十三年（公元二〇八年）曹操率军南下，肃与周瑜主战，并建议联合刘备共同抗曹，为孙权所采纳。又助周瑜大破曹军于赤壁。官拜偏将军、横江将军等。传见《三国志》卷五十四。㊿曲阿：县名，县治在今江苏丹阳。51谏议大夫：官名，属光禄勋，掌议论。52参司空军事：官名，曹操始置，得参与曹操之军事谋划。以后魏、晋之参军事，位望皆重。53间使：秘密派出的使者。54宗帅：地方土著豪强以宗族为中心组成的武装集团首领。55山越：分布于江淮以南山中的越人及逃入山中

他对孙策说："华歆，是有美德的人，但没有其他什么方略，只是自守而已。另外，丹阳人僮芝在庐陵专权自立，番阳的土豪另立宗部，说'我已在海昏上缭另立一郡，不听从豫章郡的号令'；华歆只能眼睁睁地看着而已。"孙策拍掌大笑，于是产生了兼并的念头。

袁绍连年攻打公孙瓒，不能取胜，就写信劝谕公孙瓒，想相互尽释前嫌联合起来。公孙瓒不回答，反而加强防守，对长史太原人关靖说："当今四方如虎相争，没有能坐在我的城下与我对峙几年的，这是很明白的事，袁绍能把我怎么样！"袁绍于是大举发兵攻打公孙瓒。在此之前，公孙瓒的将领中有一个被敌围困，公孙瓒不去救援，并说："救了一人，就使得后来的将领依恃有救援，不肯拼力奋战。"等到袁绍来进攻，公孙瓒南界的各个军营，自知守不住，又知道一定不会被救援，于是有的归降，有的溃退。袁绍的军队径直到达易京城门，公孙瓒派儿子公孙续向黑山军各位首领求救，并想亲自率领突击骑兵出城，沿着西山，率领黑山军队侵扰冀州，切断袁绍的退路。关靖劝阻说："如今您的将士无不怀有瓦解离散之心，之所以还能一心固守，只是顾念他们家中的老少，故而依靠将军为主罢了。坚守城池，旷日持久，或许可让袁绍自动退兵。如果将军抛弃他们出城，后方没有坐镇的领袖，易京的危难就立等可待了。"公孙瓒这才作罢。袁绍的部队逐渐进逼，公孙瓒的部队日益困窘。

的土著汉人，汉魏之际总称之为山越。㊻豫章：郡名，治所南昌，在今江西南昌。㊼芜湖：县名，治所在今安徽芜湖市西南。㊽宣城：西汉为县，东汉省。其旧县治在今安徽南陵东。㊾泾：县名，县治在今安徽泾县西。㊿陵阳：县名，县治在今安徽石台东北。(461)贼曹：官名，汉代中央公府及地方郡府皆置有贼曹，主治盗贼等事。(462)勇里：地名，在当时泾县境。(463)神亭时：指兴平二年（公元一九五年）刘繇使太史慈侦察孙策实力，于丹阳神亭与孙策相遇，二人交斗，孙策夺得太史慈手戟，太史慈亦夺得孙策兜鍪。(464)有烈义：指太史慈为东莱郡奏曹史时，郡与州有矛盾，都到中央互相告状，太史慈奉郡命至洛阳时，州使奉章已先到，太史慈遂诈取州章而毁去。又孔融被青州黄巾军围困时，太史慈自告奋勇突围赴刘备请兵。此二事在当时人看来，皆为烈义之举。(465)所托：指太史慈依托于刘繇。(466)门下督：汉制，各郡均设门下督，主兵卫。(467)华歆：字子鱼，平原高唐（今山东禹城西南）人。献帝初为议郎，后为豫章太守。曹操征孙权，以歆为军师。魏文帝即王位，歆为相国。文帝即帝位，歆为司徒。明帝时为太尉。卒谥敬侯。(468)擅命：指不经朝廷命令而擅自行事。(469)刘牧往责吾为袁氏攻庐江：刘牧，指刘繇。兴平元年（公元一九四年）朝廷任命刘繇为扬州牧，当时袁术已占据扬州治所寿春，刘繇遂屯曲阿。不久孙策进攻庐江，刘繇很害怕，恐被袁、孙所吞并，便责问孙

策。⑰先君：指其父孙坚。⑪公路许：公路，袁术字公路。许，处所、所在。⑫不遵臣节：指袁术称帝事。⑬生时：指刘繇在世时。⑭儿子：指刘繇之子。⑮华子鱼：华歆字子鱼。⑯牧御方规：统治的方略规划。⑰桓、文：指齐桓公与晋文公。⑱子义：太史慈字子义。⑲昌门：吴县城之西门。⑳纵横之人：战国时纵横家游说列国，朝秦暮楚，故以此比喻不守信义的人。㉑庐陵：县名，县治在今江西泰和西北。㉒番阳：县名，县治在今江西鄱阳东。㉓宗部：当地土著豪强以宗族为中心而组成的武装集团。㉔海昏：侯国名，治所在今江西永修。㉕上缭：地名，在海昏县内。㉖长史：官名，为将军之属官，总理将军幕府事。㉗门：指易县之门。㉘黑山诸帅：即以太行山区为根据地的黑山军首领张燕等。㉙西山：在当时易县之西。㉚易京：公孙瓒在易县城西筑京（人工所筑高丘），称为易京。易县在今河北雄县西北。㉛蹙：紧迫；困窘。

【校记】

[12] 而：据章钰校，甲十一行本、乙十一行本皆作“以”。

【研析】

本卷值得研析的有三大问题：曹操挟天子以令诸侯之利弊；曹操屯田许下之功过；刘备为何轻易丢失徐州。次第评说。

第一，曹操挟天子以令诸侯之利弊。汉献帝刘协是董卓扶植的一个傀儡，有皇帝之名而无皇帝之实。但皇帝在古代是国家的象征，谁充当他的保护人，谁也就掌握了国家的最高权力，在政治上有发号施令之权，史称“挟天子以令诸侯”。当汉家天子大旗还没有完全倒下的时候，逐鹿中原，一是抢地盘，二是争皇帝，所以董卓、李傕、郭汜等紧紧抓住汉献帝不放，故能为祸两京。曹操在角逐中，凭借他的智谋和对时机的掌握，赢得了“挟天子以令诸侯”的胜利。

献帝东归，只有两个人有能力争夺皇帝，一是袁绍，二是曹操。河内张杨是倒向袁绍的。当献帝路过河内，袁绍谋士沮授向袁绍献计说：“我们赶快把献帝接到邺城来，这样就可以挟天子以令诸侯，蓄士马以讨叛逆，谁能抵挡呢？”袁绍的另一谋士郭图反对说：“现在英雄并起，各据州郡，正所谓‘秦失其鹿，先得者王’。如果把献帝迎到身边，一举一动都要向他请示，听从则权轻，不听为拒命，没有什么好处。”沮授说：“迎接天子，符合道义，现在时机正好，错过了一定有人抢先。”袁绍听不进沮授的建议，让张杨放走了献帝，果然被曹操抢了先，袁绍后悔不及。

迎接献帝，“挟天子以令诸侯”是其利，而人臣事君，听之则权轻，不听则为拒命，脱不了奸臣的帽子，这就是弊。曹操挟天子得到了汉献帝这张招牌的好处，却也落下了权奸的骂名。但两者相较，还是“挟天子以令诸侯”更有实惠。因为夺取胜利是眼前的事，而身后名是未来的事。这个账，袁绍也会算，但他还是输给了曹操，至少有三个原因。其一，袁绍的机权干略，不如曹操。郭嘉论袁绍与曹操相比，曹操有十胜，袁绍有十败，语或夸张，而事实不容否认。其二，袁绍个性外宽内忌，刚愎自用，不辨忠奸，见事迟疑，少谋寡断，焉能不败。其三，袁绍过早野心膨胀，要取代汉朝，这也是不迎献帝的原因。曹操是随着事业的发展，野心不断膨胀，汉献帝东归时，曹操还有辅汉之心，荀彧等人辅佐曹操，亦志在兴复汉室。兴复汉室的这一共同点，也是曹操果决行动的一个原因。

第二，曹操屯田许下之功过。用兵打仗，粮秣先行，因此解决粮食问题是逐鹿中原和巩固政权的经国大计。曹操陈留起兵之后，就经常苦恼粮食问题。他汴水失利，到扬州募兵，因粮食问题，新兵哗变；他东征陶谦，因粮食不足中途退兵；他与吕布争兖州，也一度因粮食不足，只好罢兵自守。这时程昱从自己所辖三县筹得三天军粮，里面还掺有人肉干。曹操到洛阳迎献帝，因粮食吃光，将士们险些饿死，幸亏新郑令杨沛拿出储存的桑椹干来充饥，才渡过危难。许多小军阀只知烧杀抢掠，不知存抚百姓，由于粮食缺乏而瓦解流离，无敌自破。袁绍军在河北，以桑椹为食；袁术在江淮，取食蒲蠃；刘备在广陵，饥饿困败，军吏士卒人相食。要生存就得生产粮食。公元一九二年，毛玠就提出“修耕植，蓄军资”，这是社会的迫切问题。随后东阿令枣祗组织军民生产，支援了曹操与吕布争夺兖州。但是靠一般手段，且耕且战，或鼓励农民发展生产，都不能解决大规模军需的燃眉之急。只有大规模屯田，把大量流民或归降的黄巾民众组织起来，密集劳动，才是解决粮食的有效方法。公元一九六年，曹操定都许昌以后，伴随新都建设，曹操采纳枣祗和韩浩的建议，在许下试行屯田，任命枣祗为典农都尉，主持其事，当年得谷数百万斛，获得成功。接着，所在州郡例置田官，设置郡级的典农中郎将主持其事。招募流民，组织生产，推广屯田。其后，吴、蜀两国为了解决军粮，也都进行了屯田。屯田成了三国时期招抚流亡的主要形式。

曹操屯田，作为一项国家恢复经济的重大政策加以执行。曹操在《屯田令》中说：“夫定国之术，在于强兵足食。秦人以急农兼天下，孝武以屯田定西域，此先代之良式也。”秦人，指秦孝公用商鞅变法，奖励耕战。孝武，指汉武帝屯田西域。良式，好的榜样。曹操以秦孝公、汉武帝为榜样，用屯田方式“修耕植以蓄军资”是一个有远见的战略措施。史称，曹操屯田，“征伐四方，无运粮之劳，遂兼灭群贼，克平天下”。后来曹操打败袁绍，追思枣祗之功，下令褒奖。由于枣祗已死，曹操封其子枣处中。由此可见，屯田对曹操事业的兴起和发展起了重要作用。公元二一三年，曹操在淮河两岸地区推广军屯，规模更大，生产效率也比民屯高。

曹操兴屯田，安抚了流亡，恢复了生产，增强了实力，在当时起了进步作用。但屯田的实质，不是为了民生，而是用高强度的国家机器迫使贫民为生产军粮而使组织的农民农奴化，从而加深了人身依附，是一种历史的倒退。由于汉末社会大混乱，生产大破坏，人口锐减而又大量流亡，在这一特殊历史条件下，军事化的屯田才得以施行，带有必然性。随着三国鼎立，国家政治稳定，社会秩序恢复，倒退的农奴式生产不合时宜。咸熙元年（公元二六四年），司马昭为了争取民心，废除了民屯。

第三，刘备为何轻易失徐州。刘备是三国时期杰出的政治家，深为曹操所忌惮。如果将刘备与曹操、孙权做比较，刘备经历了更为艰难曲折的道路，可以说是屡仆屡起，九折臂而成良医。刘备从微贱到发迹，直至建立蜀汉，既不像孙权那样有父兄之业相承，也没有像曹操那样靠雄厚的政治经济实力而起家。刘备一无所有，只有依靠自己的主观努力，借乱世而成英雄。

刘备字玄德，涿郡涿县（今河北涿州）人。刘备祖先是西汉景帝之子中山靖王刘胜的后代，所以史称“帝室之胄”。《三国演义》叙家谱，说刘备辈分是汉献帝之叔，故称皇叔，这是小说家的说法。据《三国志·先主传》记载，刘备是中山靖王刘胜之子刘贞的后代。刘贞封涿县陆亭侯，早在汉武帝元鼎五年（公元前一一二年）坐酎金失侯，家世衰落。刘备祖父刘雄、父刘弘只做过地方小官。刘雄举孝廉，官至东郡范县令。刘备早年丧父，已沦落到与母亲卖鞋织席为业。所以刘备初起之时，名微众寡，只是依附军阀征战。初投公孙瓒，做到平原相。公元一九四年，曹操东征陶谦，公孙瓒派刘备率兵救援陶谦，这一年冬，陶谦忧死，临终让徐州牧给刘备，刘备不敢接受，由于当地大族陈登支持，刘备才敢接受徐州牧。

东汉豪强地主集团分为两个阶层。一是世代官僚地主，史称世族地主，又称世家大族。如汝南袁代四世五公，颍川荀氏世为“冠冕”。他们的门生故吏遍天下，在政治上有很大的号召力，所以袁绍、袁术一起事就兵强马壮。二是地方豪强地主，主要是大商贾，或地方大姓，史称庶族地主。如曹操家族是沛国谯县的大豪强，属于宦官集团的大官僚。曹操本人历官洛阳北部尉、顿丘令、济南相、议郎、典军校尉，与袁绍为盟兄弟，所以有能力逐鹿中原。刘备家世寒微，与关羽、张飞结义起兵，可以说是行伍出身，所以在中原转战十年，位不过县令。由于关羽、张飞皆万人之敌，刘备信义素著，所以才有机会坐领徐州，得到了袁绍和曹操的承认。公元一九六年，曹操迎献帝都许，为了稳住兖州东部边境的局势，借刘备来挡住吕布、袁术，于是以天子名义拜刘备为镇东将军，封宜城亭侯。刘备的名字，在中原日益显赫起来。

由于历史的原因，世族地主集团多智士，庶族地主集团多武将。世族地主集团排斥庶族，他们手下缺乏能征惯战之将，军队战斗力不强，在军阀混战中极易被消灭。曹操、孙权、刘备三家都以庶族地主和平民出身的战将为骨干，又广延智士，得到两个阶层豪强地主的支持，所以在混战中越战越强。而当时逐鹿中原的刘备，在北方始终没得到世族地主集团的支持，身边无谋臣，所以遭吕布暗算，徐州得之易也失之易。后来刘备归依刘表，在荆州请得诸葛亮出山，又得到庞统辅佐，有了谋臣，又有荆州世族的支持，刘备才得以兴盛。这是后话，这里不多说。

卷第六十三　汉纪五十五

起屠维单阏（己卯，公元一九九年），尽上章执徐（庚辰，公元二〇〇年），凡二年。

【题解】

本卷记事起公元一九九年，迄公元二〇〇年，凡二年，当汉献帝建安四年、五年。两年间军阀混乱的局面发生了重大变化。中原十年大混乱的局面伴随袁曹官渡之战的结果落定，曹胜袁败，基本结束了混乱局面，北方统一形势的大局已定，曹操独大，不可以与之争锋。刘备第二次得徐州，旋即丢失，已不能在北方立足。南方，淮南袁术已被消灭，孙策平定江东。在袁曹官渡两强相斗正酣之际，南方形势也发生了重大变化，孙策被仇家所杀，年仅二十岁的孙权继承父兄之业，临危受命，举贤任能，果决平叛，站稳了脚跟，一股新兴力量崛起。刘表趁曹操不暇南顾，清除了亲曹派异端，攻杀长沙太守张羡，巩固了对江南的统治。西部关中局势稳定。汉中张鲁脱离益州刘璋的控制，又多了一个割据者，但无关大局。

【原文】

孝献皇帝戊

建安四年（己卯，公元一九九年）

春，三月[1]，黑山贼[2]帅张燕与公孙续率兵十万，三道救之。未至，瓒密使行人①赍书告续，使引五千铁骑于北隰②之中，起火为应，瓒欲自内出战。绍候③得其书，如期举火。瓒以为救至，遂出战。绍设伏击之，瓒大败，复还自守。绍为地道，穿其楼下，施木柱④之。度足达半，便烧之，楼辄倾倒，稍至京中⑤。瓒自计必无全，乃悉缢其姊妹、妻子，然后引火自焚。绍趣⑥兵登台，斩之。田楷战死。关靖叹曰："前若不止将军自行，未必不济。吾闻君子陷人危，必同其难，岂可以独生乎！"策马赴绍军而死。续为屠各⑦所杀。

【语译】

孝献皇帝戊

建安四年（己卯，公元一九九年）

春，三月，黑山贼头领张燕与公孙续率军十万，分三路救援公孙瓒。援兵尚未到达，公孙瓒秘密派遣使者带着书信告诉公孙续，让他率领五千铁骑在北边的低洼地带，以举火为信号，公孙瓒打算从城内出战。袁绍的侦察兵得到了这封信，依照信中约定的时间举火。公孙瓒以为救兵到了，于是出战。袁绍设置伏兵袭击公孙瓒，公孙瓒大败，又回城自守。袁绍挖掘地道，直通到城墙楼下，用木柱顶住。估算已到城楼的一半，就烧毁木柱，城楼顷刻倒塌，逐渐攻到公孙瓒居住的中京。公孙瓒自料势必不能保全，就把自己的姐妹、妻子儿女统统勒死，然后燃火自焚，袁绍督促士兵登上楼台，砍了公孙瓒的头。田楷也战死。关靖叹息说："先前如果不阻止将军率军出城，未必不可挽救。我听说君子使人陷入危难，一定要有难同当。我怎么可以独自活命呢！"于是扬鞭催马冲入袁绍军中奋战而死。公孙续被屠各部落杀死。

渔阳田豫[8]说太守鲜于辅曰："曹氏奉天子以令诸侯，终能定天下，宜早从之。"辅乃率其众以奉王命。诏以辅为建忠将军，都督幽州六郡。

初，乌桓[9]王丘力居死，子楼班年少，从子蹋顿[10]有武略，代立，总摄上谷大人[11]难楼、辽东大人苏仆延、右北平大人乌延等。袁绍攻公孙瓒，蹋顿以乌桓助之。瓒灭，绍承制皆赐蹋顿、难楼、苏仆延、乌延等单于印绶。又以阎柔[12]得乌桓心，因加宠慰，以安北边。其后难楼、苏仆延奉楼班为单于，以蹋顿为王，然蹋顿犹秉[13]计策。

【段旨】

以上为第一段，写乌桓助袁绍灭公孙瓒，为后来曹操北征三郡乌桓伏笔。

【注释】

①行人：使者。②北隰：北面低洼之地。③候：侦候；侦探。④柱：支撑。⑤京中：公孙瓒所筑京的中心部分，特高十丈，为他自己居住之所。⑥趣：催促。⑦屠各：少数民族名，为匈奴之一支。⑧田豫：字国让，渔阳雍奴（今天津市武清区北）人，初为公孙瓒之东州令，后归曹操，为朗陵令和弋阳、南阳太守等。曹魏中为振威将军、并州刺史等。传见《三国志》卷二十六。⑨乌桓：部族名，一作乌丸。是东胡族的一支，活动于今内蒙古阿鲁科尔沁旗以北，即大兴安岭山脉南端。后迁至上谷、渔阳、右北平、

【原文】

眭固屯射犬[14]，夏，四月，曹操进军临河，使将军史涣[15]、曹仁渡河击之。仁，操从弟也。固自将兵北诣袁绍求救，与涣、仁遇于犬城[16]，涣、仁击斩之。操遂济河，围射犬。射犬降，操还军敖仓[17]。

初，操在兖州举魏种孝廉。兖州叛，操曰："唯魏种且不弃孤。"及闻种走，操怒曰："种不南走越[18]、北走胡[19]，不置汝[20]也！"既下射犬，生禽种，操曰："唯其才也。"释其缚而用之，以为河内太守，属以河北事。

渔阳人田豫劝太守鲜于辅说：“曹操挟天子以令诸侯，最终能平定天下，应该趁早归附他。”于是鲜于辅率领部众归附朝廷。诏书任命鲜于辅为建忠将军，都督幽州六郡的事务。

当初，乌桓王丘力居死时，他的儿子楼班年纪还小，侄儿蹋顿有军事才能，代替楼班继承王位，总领上谷大人难楼、辽东大人苏仆延、右北平大人乌延等。袁绍进攻公孙瓒，蹋顿率领乌桓人帮助袁绍。公孙瓒既灭，袁绍以朝廷的名义赐给蹋顿、难楼、苏仆延、乌延等单于印绶。由于阎柔深得乌桓民心，袁绍特别加以恩宠抚慰，以此来安定北部边境。后来难楼、苏仆延等拥戴楼班为单于，而以蹋顿为王，但蹋顿仍掌握着制定政令计谋的大权。

辽东、辽西等地。⑩蹋顿：乌桓族首领。助袁绍破公孙瓒，受单于印绶。后曹操征乌桓，战败被杀。事附见《三国志》卷三十《魏书·乌丸传》。⑪大人：乌桓渠帅之称。有勇健能理决斗讼者，推为大人。⑫阎柔：曹魏大臣，广阳（今北京市西南）人，年少流落于乌桓，熟习乌桓事务，东汉末，阎柔借乌桓之力杀乌桓校尉邢举而自代，助袁绍破公孙瓒。后归曹操，拜为乌桓校尉，从操征三郡乌桓，因功封关内侯。文帝时为度辽将军，爵特进。⑬秉：把持；控制。

【校记】

［1］三月：原无此二字。据章钰校，甲十一行本、乙十一行本皆有此二字，张敦仁《通鉴刊本识误》同，今据补。［2］贼：据章钰校，甲十一行本、乙十一行本皆无此字。

【语译】

眭固驻扎射犬，夏，四月，曹操进军，兵临黄河，派将军史涣、曹仁渡河攻击眭固。曹仁，是曹操的堂弟。眭固亲自率兵北去到袁绍那里求救，在犬城与史涣、曹仁遭遇，史涣、曹仁进击并杀了眭固。曹操便渡过黄河，围攻射犬。射犬投降，曹操回军敖仓。

起初，曹操在兖州时举荐魏种为孝廉。兖州反叛，曹操说：“只有魏种不会背弃我。”等到听说魏种也逃跑了，曹操愤怒地说：“你魏种只要不南逃到越地，北逃到胡地，我就不放过你！”攻下射犬后，活捉了魏种，曹操说：“只是他太有才了。”就为他松绑并任用他，任为河内太守，把黄河以北的事委托给他。

以卫将军董承为车骑将军[21]。

袁术既称帝，淫侈滋甚，媵御[22]数百，无不兼罗纨[23]，厌[24]粱肉[25]，自下饥困，莫之收恤。既而资实空尽，不能自立，乃烧宫室，奔其部曲陈简、雷薄于灊山[26]，复为简等所拒。遂大穷[27]，士卒散走，忧懑[28]不知所为，乃遣使归帝号于从兄绍曰："禄去汉室久矣，袁氏受命当王，符瑞[29]炳然。今君拥有四州[30]，人户百万，谨归大命，君其兴之！"袁谭自青州迎术，欲从下邳[31]北过。曹操遣刘备及将军清河朱灵[32]邀[33]之，术不得过，复走寿春[34]。六月，至江亭[35]，坐簀床[36]而叹曰："袁术乃至是乎！"因愤慨结病，欧[37]血死。术从弟胤畏曹操，不敢居寿春，率其部曲奉术柩及妻子奔庐江太守刘勋于皖[38]城。故广陵太守徐璆得传国玺[39]，献之。

【段旨】

以上为第二段，写袁术之死，东汉末第三号大军阀陨落。

【注释】

⑭射犬：城邑名，一作射犬聚。故址在今河南修武西南。⑮史涣：字公刘，与曹操同乡。曹操初起时，即随从曹操，为中军校尉，常监诸将征伐，官至中领军。事附见《三国志》卷九《魏书·夏侯惇传》。⑯犬城：地址未详，当在射犬之北。⑰敖仓：仓库名，在今河南荥阳东北山上，下临黄河，秦时所筑。⑱越：古代南方的部族称为越或粤，其支系众多，有百越（百粤）之称，散居于今广东、广西、福建和浙江的部分地区。⑲胡：泛指北方匈奴等少数部族。⑳不置汝：不放过你；不饶恕你。㉑车骑将

【原文】

袁绍既克公孙瓒，心益骄，贡御稀简[40]。主簿[41]耿包密白绍[42]，宜应天人，称尊号。绍以包白事示军府。僚属皆言包妖妄，宜诛，绍不得已，杀包以自解。

任命卫将军董承为车骑将军。

袁术称帝后，更加荒淫奢侈，侍妾数百人，无不是身穿绫罗绸缎，饱食美味佳肴，部下饥饿困窘，没有人抚恤收容。不久袁术的财物消耗一空，无法自立，于是焚烧宫室，投奔在灊山的部属陈简、雷薄，又被陈简等拒绝。这时袁术已穷途末路，士兵四散逃走，他忧愁烦懑，不知所措，于是派使者把帝号送给堂兄袁绍，说："汉室失去天下已经很久了，袁氏受天命理当称王，符瑞征兆已非常明显。如今你拥有四州，民户百万，我恭敬地将大位赠送给你，你就努力振兴吧！"袁谭从青州来迎接袁术，想从下邳的北边经过。曹操派刘备及将军清河人朱灵来截击袁术，袁术无法通过，又逃回寿春。六月，来到江亭，坐在竹床上感叹说："我袁术竟沦落到这个地步！"因忧愤生病，吐血而死。袁术堂弟袁胤畏惧曹操，不敢住在寿春，率领部下护送袁术的灵柩以及自己的妻子儿女投奔在皖城的庐江太守刘勋。前广陵太守徐璆获得传国玉玺，献给了朝廷。

军：官名，位次于骠骑将军，掌京师兵卫与边防屯警。㉒媵御：侍妾。㉓罗纨：名贵丝织品。罗为质地软，织有椒眼纹的丝织品。纨为白色细绢。㉔厌：谓过于满足而厌弃。㉕粱肉：谓美食佳肴。㉖灊山：灊为县名，县治在今安徽霍山县东北。县里有天柱山，即灊山。㉗穷：困厄。㉘忧懑：忧愁烦闷。㉙符瑞：又称符命、符应，谓天降祥瑞之物以为人君受命之兆。㉚四州：指冀、青、幽、并四州。㉛下邳：县名，县治在今江苏睢宁西北。㉜朱灵：字文博，清河（治所在今河北清河县东南）人，初为袁绍将领，后归曹操，因功授横海将军。魏文帝时官至后将军。事附见《三国志》卷十七《魏书·徐晃传》。㉝邀：阻截。㉞寿春：县名，县治在今安徽寿县。㉟江亭：地名，距寿春八十里。㊱箦床：无席之竹编床。㊲欧：通"呕"。呕吐。㊳皖：县名，县治在今安徽潜山。㊴传国玺：孙坚于初平二年（公元一九一年）在洛阳甄官井中拾得传国玺，后来袁术拘逼孙坚妻而夺取，现由徐璆获得而献给朝廷。

【语译】

袁绍灭了公孙瓒以后，心里更加骄横，进献朝廷的贡物稀少。主簿耿包秘密地进言袁绍，应顺天命应人心，自称帝号。袁绍把耿包的建议示知军府官员看，官员们都说耿包妖言狂妄，应该斩首。袁绍迫不得已，杀了耿包来为自己解脱。

绍简[43]精兵十万、骑万匹，欲以攻许。沮授谏曰："近讨公孙瓒，师出历年[44]，百姓疲敝，仓库无积，未可动也。宜务农息民，先遣使献捷天子。若不得通，乃表曹操隔我王路[45]，然后进屯黎阳[46]，渐营河南[47]，益[48]作舟船，缮修器械，分遣精骑抄其边鄙[49]，令彼不得安，我取其逸，如此可坐定也。"郭图、审配曰："以明公之神武，引河朔[50]之强众，以伐曹操，易如覆手[51]，何必乃尔！"授曰："夫救乱诛暴，谓之义兵；恃众凭强，谓之骄兵；义者无敌，骄者先灭。曹操奉天子以令天下，今举师南向，于义则违。且庙胜之策[52]，不在强弱。曹操法令既行，士卒精练，非公孙瓒坐而受攻者也。今弃万安之术而兴无名[53]之师，窃为公惧之。"图、配曰："武王伐纣，不为不义；况兵加曹操，而云无名！且以公今日之强，将士思奋，不及时以定大业，所谓'天与不取，反受其咎[54]'，此越之所以霸，吴之所以灭也。监军[55]之计在于持牢[56]，而非见时知几[57]之变也。"绍纳图言。图等因是谮授曰："授监统内外，威震三军，若其浸[58]盛，何以制之！夫臣与主同者亡，此《黄石》[59]之所忌也。且御众于外，不宜知内。"绍乃分授所统为三都督，使授及郭图、淳于琼各典一军。骑都尉清河崔琰[60]谏曰："天子在许，民望助顺，不可攻也。"绍不从。

许下诸将闻绍将攻许，皆惧。曹操曰："吾知绍之为人，志大而智小，色厉[61]而胆薄[62]，忌克[63]而少威，兵多而分画不明，将骄而政令不壹，土地虽广，粮食虽丰，适足以为吾奉[64]也。"孔融谓荀彧曰："绍地广兵强，田丰、许攸智士也为之谋，审配、逢纪忠臣也，任其事，颜良、文丑勇将也，统其兵，殆[65]难克乎！"彧曰："绍兵虽多而法不整，田丰刚[66]而犯上，许攸贪而不治，审配专[67]而无谋，逢纪果而自用[68]。此数人者，势不相容，必生内变。颜良、文丑，一夫之勇耳，可一战而禽也。"

秋，八月，操进军黎阳，使臧霸等将精兵入青州以捍[69]东方，留于禁屯河上。九月，操还许，分兵守官渡[70]。

袁绍遣人招张绣，并与贾诩书结好。绣欲许之，诩于绣坐上，显谓绍使曰："归谢袁本初[71]，兄弟不能相容[72]，而能容天下国士[73]乎！"绣惊惧曰："何至于此！"窃谓诩曰："若此，当何归？"诩曰："不如从曹公。"

袁绍挑选十万精兵、万匹马，准备进攻许县。沮授劝谏说：“最近讨伐公孙瓒，连年出兵，百姓疲惫，仓库没有积蓄，不可兴师动众。应当致力于农业，使百姓休养生息，先派使者向天子进贡战利品。如果路途不能通行，就上表弹劾曹操阻断我们与天子的交通之路，然后驻守黎阳，逐渐向黄河南岸发展，多造船只，修缮武器装备，分派精锐骑兵去抄掠曹操属地的边境，让他不得安宁，我们以逸待劳，这样就可以稳坐而平定天下了。”郭图、审配说：“以明公的神武，率领河朔的强兵，去征伐曹操，易如反掌，何必这样！”沮授说：“拯救乱世，诛除暴虐，叫作义兵；依赖人多势强，叫作骄兵；义兵无敌，骄兵先亡。曹操尊奉天子以令天下，如今我们兴兵南下，就违反了道义。况且克敌制胜在谋略，不在兵力强弱。曹操法令得到推行，士兵精锐，不是像公孙瓒那样坐着挨打的人。如今我们抛弃万全之策而发动无名之师，我为主公担惊受怕。”郭图、审配说：“周武王征伐商纣，不能说不合道义；何况是讨伐曹操，怎能说是师出无名！再说以明公现在这样强盛，将士都思奋发，不趁时来完成大业，这叫作‘上天赐予而不取，反而会遭受祸殃’，这正是越国称霸、吴国灭亡的原因。监军的计策在于稳妥，而非见机而作的权变。”袁绍采纳了郭图的意见。郭图等趁机诋毁沮授说：“沮授统领内外，威震三军，如果他的权力逐渐强大，怎么控制他！臣下和君主威福相同就会灭亡，这是《黄石》兵书中最忌讳的。况且率领军队在外的人，不应当干预朝内事务。”袁绍于是把沮授统帅的军队分给三个都督来统制，让沮授和郭图、淳于琼各统一军。骑都尉清河人崔琰劝阻说：“天子在许县，民众期望辅助天子，不可去攻打。”袁绍不听。

许县的众将领听说袁绍将要进攻许县，都很害怕。曹操说：“我了解袁绍的为人，志向大而智力弱，外表强硬而内心怯懦，嫉妒刻薄而缺少威严，兵士众多而组织不严明，将领骄横而政令不统一，土地虽广，粮食虽丰足，正好可以供奉给我。”孔融对荀彧说：“袁绍地广兵强，田丰、许攸这些智士为他谋划；审配、逢纪这样的忠臣为他办事；颜良、文丑这样的勇将为他统兵，大概难以战胜吧！”荀彧说：“袁绍兵马虽多却军纪不严，田丰刚直而好犯上，许攸贪婪而不治理政务，审配专权而没有谋略，逢纪果敢而自以为是。这几个人一定互不相容，内部必然会发生变故。颜良、文丑，不过是匹夫之勇罢了，一战就能擒获他们。”

秋，八月，曹操进军黎阳，派臧霸等率领精兵进入青州以捍卫东方，留下于禁驻守在黄河边。九月，曹操回到许县，分兵驻守官渡。

袁绍派使者去招降张绣，并给贾诩写信愿结为好友。张绣想答应袁绍的要求，贾诩在张绣的座席上公然对袁绍的使臣说：“请回去代我谢绝袁本初，他们兄弟尚且不能相容，还能容纳天下俊杰之士吗！”张绣惊惧地说：“何至于这样！”悄悄对贾诩说：“如果这样，应该归附谁呢？”贾诩说：“不如归顺曹公。”张绣说：

绣曰："袁强曹弱，又先与曹为雠，从之如何？"诩曰："此乃所以宜从也。夫曹公奉天子以令天下，其宜从一也。绍强盛，我以少众从之，必不以我为重；曹公众弱，其得我必喜，其宜从二也。夫有霸王之志者，固将释私怨，以明德于四海，其宜从三也。愿将军无疑！"冬，十一月，绣率众降曹操。操执绣手，与欢宴，为子均取绣女，拜扬武将军[74]，表诩为执金吾[75]，封都亭侯[76]。

关中[77]诸将以袁、曹方争，皆中立顾望。凉州牧韦端[78]使从事天水杨阜[79]诣许，阜还，关右[80]诸将问："袁、曹胜败孰在？"阜曰："袁公宽而不断，好谋而少决。不断则无威，少决则后事[81]。今虽强，终不能成大业。曹公有雄才远略，决机无疑，法一而兵精，能用度外之人[82]，所任各尽其力，必能济大事者也。"

曹操使治书侍御史[83]河东卫觊[84]镇抚关中，时四方大有还民，关中诸将多引为部曲。觊书与荀彧曰："关中膏腴之地，顷遭荒乱，人民流入荆州者十万余家，闻本土安宁，皆企望[85]思归。而归者无以自业，诸将各竞招怀以为部曲，郡县贫弱，不能与争。兵家遂强，一旦变动，必有后忧。夫盐，国之大宝也，乱来放散[86]，宜如旧置使者监卖，以其直益[87]市[88]犁牛，若有归民，以供给之，勤耕积粟以丰殖关中，远民闻之，必日夜竞还。又使司隶校尉[89]留治关中以为之主，则诸将日削，官民日盛，此强本弱敌之利也。"彧以白操，操从之。始遣谒者仆射[90]监盐官，司隶校尉治弘农[91]，关中由是服从。

袁绍使人求助于刘表，表许之而竟不至，亦不援曹操。从事中郎[92]南阳韩嵩、别驾[93]零陵刘先说表曰："今两雄相持，天下之重在于将军。若欲有为，起乘其敝可也；如其不然，固将择所宜从。岂可拥甲十万，坐观成败，求援而不能助，见贤而不肯归！此两怨必集于将军，恐不得中立矣。曹操善用兵，贤俊多归之，其势必举袁绍，然后移兵以向江、汉，恐将军不能御也。今之胜计[94]，莫若举荆州以附曹操，操必重德将军，长享福祚，垂之后嗣，此万全之策也。"蒯越亦劝之，表狐疑不断[95]，乃遣嵩诣许，曰："今天下未知所定，而曹操拥天

"袁绍强曹操弱，我又先与曹操结怨，怎么可以归顺他呢？"贾诩说："这就是应该归顺曹公的理由。曹公拥戴天子来号令天下，这是归顺的第一条理由。袁绍强大，我们以很少的兵众去归顺他，他必然不会重视我们；而曹公兵弱，他得到我们的支持必然很高兴，这是归顺的第二条理由。有霸王志向的人，一定会抛开私怨，向天下表明他的宽容之德，这是归顺的第三条理由。希望将军不要迟疑！"冬，十一月，张绣率领部众归降曹操。曹操拉着张绣的手，跟他同桌欢宴，曹操为儿子曹均娶了张绣的女儿，任命张绣为扬武将军，上表推荐贾诩为执金吾，册封为都亭侯。

关中各位将领鉴于袁绍、曹操正在争斗，全都中立观望。凉州牧韦端派从事天水人杨阜到许县，杨阜返回，关西各位将领问他："袁、曹两方谁胜谁败呢？"杨阜说："袁绍宽厚却不果断，好谋划却少决断。不果断就没有威望，少决断就错过时机。现在虽然强大，最终不能成就大业。曹公有雄才大略，处事果断毫不迟疑，法令统一而士兵精锐，能不拘常格用人，所任用的人各尽其力，他是必能成大事的人。"

曹操派治书侍御史河东人卫觊镇抚关中，当时从四面八方返回大量难民，关中各位将领大多将他们收编为部众。卫觊写信给荀彧说："关中是富足的地方，最近遭受饥荒战乱，百姓流入荆州的有十多万家，现在听到本土已经安定，都盼望回返。而回返的人无法自谋生业，各位将领竞相招收为部众，郡县贫弱，不能跟他们竞争。于是拥兵的将领势力壮大，一旦发生变乱骚动，必有后患。食盐是国家的一大宝物，战乱以来管理松弛。应当按照以前的制度，设置盐官监卖，用所获的收益来购买犁和耕牛，如果有回归的百姓，就供给他们，让他们勤劳耕耘积蓄粮食，使关中丰饶，远方的流民听说之后，一定会日夜兼程争相回乡。再派司隶校尉留下来，成为治理关中的主管，那么各位将领的势力就会日益削弱，官府和百姓的力量就会日益强盛，这是增强根本、削弱敌人的有利办法。"荀彧把卫觊的建议上报曹操，曹操采纳了这一建议，开始派遣谒者仆射为主管盐政的官员，司隶校尉在弘农设立官署，关中从此服从朝廷的治理。

袁绍派人向刘表求助，刘表许诺而援军始终未到，也不援救曹操。从事中郎南阳人韩嵩、别驾零陵人刘先劝谏刘表说："现在两雄相持，天下的重心就掌握在将军手里。如果想有所作为，就可以趁他们两败俱伤时起兵；如果不想这样，本该选择合适的一方归顺。怎么能拥兵十万，坐观成败，一方求援而不能相助，看到贤人而不肯归属呢！这样，两家的怨仇一定会集中到将军身上，那时恐怕不能中立了。曹操善于用兵，贤人俊杰大多归服他，他势必能打败袁绍，然后向江、汉地区进兵，恐怕将军就抵挡不住了。如今最好的策略，莫过于以荆州归附曹操，曹操必然会感谢将军的大德，将军可以长享福禄，传至后代，这是万全之策。"蒯越也劝导刘表，刘表迟疑不决，于是派韩嵩到许县，并对他说："如今不知谁能平定天下，而曹操拥

子都许，君为我观其衅[96]。”嵩曰：“圣达节，次守节[97]。嵩，守节者也。夫君臣名定，以死守之。今策名委质[98]，唯将军所命，虽赴汤蹈火，死无辞也。以嵩观之，曹公必得志于天下。将军能上顺天子，下归曹公，使嵩可也。如其犹豫，嵩至京师，天子假[99]嵩一职，不获辞命[100]，则成天子之臣，将军之故吏耳。在君为君，则嵩守天子之命，义不得复为将军死也。惟加重思[101]，无为负[102]嵩！”表以为惮使[103]，强之。至许，诏拜嵩侍中、零陵太守。及还，盛称朝廷、曹公之德，劝表遣子入侍。表大怒，以为怀贰[104]，大会寮属，陈兵，持节[105]，将斩之，数[106]曰：“韩嵩敢怀贰邪！”众皆恐，欲令嵩谢。嵩不为动容[107]，徐谓表曰：“将军负嵩，嵩不负将军！”具陈前言。表妻蔡氏谏曰：“韩嵩，楚国之望[108]也；且其言直[109]，诛之无辞[110]。”表犹怒，考杀从行者，知无他意，乃弗诛而囚之。

【段旨】

以上为第三段，写袁绍骄矜，不合时宜地发动官渡之战。袁曹双方展开外交攻势，曹操赢得关中归附、张绣归降、荆州刘表中立，解除了后顾之忧。袁绍外交，一无所获，此一回合败下阵来。

【注释】

㊵贡御稀简：进贡皇帝的物品，次数减少，贡物也少。简，粗与少两义皆有。㊶主簿：官名，汉代中央及郡县官署皆置此官，以典领文书，办理庶务。㊷密白绍：指耿包秘密向袁绍进言称帝之事。㊸简：选择。㊹历年：连年。㊺王路：谓供奉天子之路。㊻黎阳：县名，县治在今河南浚县东。是东汉以来的军事重镇。㊼河南：大河以南，司、豫、徐、兖等州之地，此为曹操统治区。㊽益：增加。㊾边鄙：近边界的地方。㊿河朔：河北。此指河北袁绍统治区，冀、并、青、幽等州。51覆手：反掌。喻其容易。52庙胜之策：古代帝王遇大事，必告于宗庙，议于明堂。如遇战争，则须于庙堂之上制定克敌制胜之策略，这就称为庙胜之策。53无名：谓无讨伐有罪之名。即师出无名。54天与不取二句：此范蠡对越王勾践之言。越王勾践被吴国打败后，屈服求和，刻苦图强，后乘吴国耗损兵力于北方齐、晋，起兵大破吴国，将吴王夫差困于姑

戴天子定都许县，你去为我观察一下虚实。”韩嵩说：“圣人对节义可以通权达变，次等的只能遵守节义。我是一个属于守节的人。一旦君臣名分确定，就只能以死守之。如今我作为将军的属下，只听从将军的命令，虽赴汤蹈火，誓死不辞。依我观察，曹公一定能平定天下。将军能上顺天子，下归曹公，派我去可以。如果将军犹豫，我到达京城，天子授予我一个职务，又推辞不得，我就成了天子的臣子，也就是将军的故吏罢了。在君主身边任职就要为君主效命，那么我韩嵩只能遵守天子的命令，按道义就不能再为将军效命了。希望将军深思熟虑，不要辜负我韩嵩！”刘表认为韩嵩害怕出使，就强迫他去。韩嵩到了许都，诏书任韩嵩为侍中、零陵太守。等到韩嵩回到荆州，极力称颂朝廷和曹公的盛德，劝刘表派儿子入京侍奉天子。刘表大怒，认为韩嵩怀有二心，召集全体部属，陈列兵刃，手持符节，将要斩杀韩嵩，刘表责备说：“韩嵩，你竟敢怀有二心！”大家都很恐惧，想让韩嵩谢罪。韩嵩面不改色，从容地对刘表说：“是将军辜负了我，我没有辜负将军！”详细陈述了前面讲过的话。刘表的妻子蔡氏劝阻说：“韩嵩是楚国有声望的人；而且他的话很正直，杀他没有说辞。”刘表还是生气，就拷问诛杀韩嵩的随行人员，弄清了韩嵩并无其他想法，才没有杀他，把他囚禁起来。

苏之山。夫差遣使求和，勾践欲允许，范蠡即劝勾践说：“会稽之事，天以越赐吴，吴不取。今天以吴赐越，越其可逆天乎……且夫天与弗取，反受其咎。”遂继续进兵灭吴，越国称霸。事见《史记》卷四十一《越王勾践世家》。㊺监军：指沮授。当时袁绍使沮授监护诸将，故称之为监军。㊻持牢：把稳固守；稳妥。㊼几：谓机宜。㊽浸：逐渐。㊾黄石：兵书名。㊿崔琰：字季珪，清河东武城（今山东武城西北）人，初从袁绍，为骑都尉。曹操破冀州后，辟为别驾从事，后又为丞相东西曹掾属，主持选举，后被人谗毁，自杀于狱中。传见《三国志》卷十二。61色厉：外表厉害；脸色强硬。62胆薄：胆量小。63忌克：嫉妒刻薄。64适足以为吾奉：正好作为送给我的礼物。65殆：大概。66刚：刚直。67专：专擅。68果而自用：果敢而自以为是；刚愎自用。69捍：抵御。70官渡：地名，在今河南中牟东北。71袁本初：袁绍字本初。72兄弟不能相容：指袁绍与袁术有矛盾，互不兼容。73国士：全国推尊的人士，即天下俊杰之士。74扬武将军：官名，东汉杂号将军之一。75执金吾：官名，掌督巡宫外，维护皇宫周围及京都的治安。76都亭侯：东汉封爵之一，低于都乡侯，高于关内侯。77关中：古地区名，指函谷关以西之地。78韦端：东汉末京北（今西安）人，凉州刺史，后征为太仆。79杨阜：字义山，天水冀县（今甘肃甘谷县东南）人，初为州吏，后被曹操任命为金城太守及武都太守。魏明帝时为将作大匠、少府，曾多次上书明帝，谏阻奢侈浪费。传见《三国

志》卷二十五。⑳关右：地区名，指函谷关以西之地。㉑后事：思虑决策落在事势的后面。此指错过时机。㉒能用度外之人：能任用常格之外的人，亦即用人不拘常格。㉓治书侍御史：官名，掌以法律评判疑狱是非。㉔卫觊：字伯儒，河东安邑（今山西夏县西北）人，以才学著称。初为曹操司空掾属、治书侍御史，后为尚书，与王粲主持整理典章制度。曹魏时仍为尚书。善为文，撰述凡数十篇，又著有《魏官仪》。传见《三国志》卷二十一。㉕企望：盼望。㉖放散：谓管理松弛。㉗直益：谓监卖盐所获的收益。直，通“值”。㉘市：购买。㉙司隶校尉：官名，掌纠察京都百官违法者，并治所辖各郡，相当于州刺史。⑳谒者仆射：官名，谒者台长官，主管谒者。谒者掌宾赞受事及上章报问。㉑弘农：县名，县治在今河南灵宝北。〖按〗当时的司隶校尉为锺繇，锺繇实治洛阳，现为了招抚关中，暂移治弘农。㉒从事中郎：官名，为将军之属官，职责是参谋议

【原文】

扬州[111]贼帅郑宝欲略[112]居民以赴江表[113]，以淮南刘晔[114]，高族名人，欲劫之使唱此谋，晔患之。会曹操遣使诣州，有所案问，晔要[115]与归家。宝来候使者，晔留与宴饮，手刃杀之，斩其首以令宝军曰：“曹公有令，敢有动者，与宝同罪！”其众数千人皆詟服[116]，推晔为主。晔以其众与庐江太守刘勋，勋怪其故，晔曰：“宝无法制，其众素以钞略[117]为利。仆[118]宿无资[119]，而整齐之，必怀怨难久，故以相与耳。”勋以袁术部曲众多，不能赡[120]，遣从弟偕求米于上缭诸宗帅[121]，不能满数[122]，偕召勋使袭之。

孙策恶勋兵强，伪卑辞以事勋，曰：“上缭宗民数欺鄙郡，欲击之，路不便。上缭甚富实，愿君伐之，请出兵以为外援。”且以珠宝、葛越[123]赂勋。勋大喜，外内尽贺，刘晔独否，勋问其故，对曰：“上缭虽小，城坚池深，攻难守易，不可旬日[124]而举也。兵疲于外而国内虚，策乘虚袭我，则后不能独守。是将军进屈于敌，退无所归。若军必出，祸今至矣。”勋不听，遂伐上缭。至海昏，宗帅知之，皆空壁逃迁，勋了无[125]所得。时策引兵西击黄祖，行及石城[126]，闻勋在海昏，策乃分遣从兄贲、辅将八千人屯彭泽[127]，自与领江夏太守周瑜将二万人袭

论。此处指镇南将军刘表的从事中郎。⑬ 别驾：官名，即别驾从事史，州牧刺史的主要佐吏，主领众事。州牧刺史巡行各地时，别乘传车从行，故名别驾。⑭ 胜计：谓最好的计策。⑮ 狐疑不断：怀疑犹豫而无决断。⑯ 衅：破绽；过错。⑰ 圣达节二句：此春秋以前之古语，见《左传》成公十五年。意谓圣人所为，上下进退皆合于节义；其次者，则只能按照常规保守节义而已。⑱ 策名委质：出仕为官之意。策名，书名于策。古时始为官，必先书其名于策。委质，即献礼物。古时出仕为官，须献贽于君庭。质，通"贽"。礼物。⑲ 假：授予。⑩ 不获辞命：意谓得不到天子遣返荆州回复之命。⑪ 重思：再三思考。⑫ 负：辜负。⑬ 惮使：谓惧怕出使去许都。⑭ 怀贰：有二心；不忠诚。⑮ 持节：握执朝廷赐予的符节，表示将要诛杀人。⑯ 数：责备。⑰ 动容：改容貌；变脸色。⑱ 望：声望。此谓有声誉之人。⑲ 直：正直有理。⑩ 无辞：没有理由；没有说辞。

【语译】

扬州的贼寇首领郑宝想把居民掳掠到长江以南，他认为淮南人刘晔是皇族名人，便想劫持刘晔，让他倡导这一谋划，刘晔为此而忧虑。适逢曹操派使者到扬州，有案件要调查，刘晔邀请使者和自己一起回家。郑宝前来问候使者，刘晔就留郑宝一起宴饮，亲手杀了郑宝，砍下郑宝的头，命令郑宝的部众说："曹公有令，敢有妄动的，与郑宝同罪！"郑宝部众几千人都被镇服了，推举刘晔为他们的主帅。刘晔把郑宝的部众交给庐江太守刘勋，刘勋感到奇怪，问刘晔是为什么。刘晔说："郑宝无法无天，他的部众向来以抢掠获得财利。我一向没有资财，却要整顿他们，他们一定会心怀怨恨，难以持久，所以把他们送给你了。"刘勋因收容袁术的部众太多，不能赡养，于是派堂弟刘偕去上缭向各个宗党首领求助米粮，没能满足所求的数量，于是刘偕召请刘勋派兵攻击他们。

孙策厌恶刘勋兵力强盛，伪装谦卑来侍奉刘勋，说："上缭宗党部众屡次欺压本郡，我想攻击他们，只是道路不便。上缭很富足，希望你出兵征伐，我请求出兵作为你的外援。"并且用珠宝、葛布贿赂刘勋。刘勋大喜，内外都来庆贺，只有刘晔一人不道贺，刘勋问他什么原因，刘晔回答说："上缭地方虽小，但城墙坚固，壕沟很深，易守难攻，不可能十天攻下来。军队在外征战疲惫而境内空虚，孙策乘虚袭击我，那么后方就不能自守。这样一来，将军前进受到敌人阻击，后退没有立足之地。如果军队一定要出动，灾难就随之而来。"刘勋不听从，于是出兵征伐上缭。兵到海昏，宗党首领得知，留下空空的壁垒，逃往他处，刘勋一无所获。这时孙策率兵西进攻击黄祖，来到石城，听说刘勋在海昏，孙策于是分派堂兄孙贲、孙辅率领八千

皖城[128]，克之，得术、勋妻子及部曲三万余人。表汝南李术为庐江[129]太守，给兵三千人以守皖城，皆徙所得民东诣吴[130]。勋还至彭泽，孙贲、孙辅邀击，破之。勋走保流沂[131]，求救于黄祖，祖遣其子射率船军五千人助勋。策复就攻勋，大破之。勋北归曹操，射亦遁走。

策收得勋兵二千余人，船千艘，遂进击黄祖。十二月辛亥[132]，策军至沙羡[133]，刘表遣从子虎及南阳韩晞[3]将长矛五千来救祖。甲寅[134]，策与战，大破之，斩晞。祖脱身走，获其妻子及船六千艘，士卒杀溺死者数万人。

策盛兵将徇豫章[135]，屯于椒丘[136]，谓功曹虞翻曰："华子鱼[137]自有名字[138]，然非吾敌也。若不开门让城，金鼓一震，不得无所伤害。卿便在前，具宣孤意。"翻乃往见华歆曰："窃闻明府与鄙郡[139]故王府君[140]齐名中州，海内所宗，虽在东垂[141]，常怀瞻仰。"歆曰："孤不如王会稽。"翻复曰："不审豫章资粮器仗，士民勇果，孰与鄙郡？"歆曰："大不如也。"翻曰："明府言不如王会稽，谦光[142]之谭[143]耳；精兵不如会稽，实如尊教。孙讨逆[144]智略超世，用兵如神，前走[145]刘扬州[146]，君所亲见，南定鄙郡，亦君所闻也。今欲守孤城，自料资粮，已知不足，不早为计，悔无及也。今大军已次椒丘，仆便还去，明日日中迎檄[147]不到者，与君辞矣。"歆曰："久在江表，常欲北归，孙会稽[148]来，吾便去也。"乃夜作檄，明旦，遣吏赍迎。策便进军，歆葛巾[149]迎策。策谓歆曰："府君年德名望，远近所归，策年幼稚，宜修[150]子弟之礼。"便向歆拜，礼为上宾。

孙盛[151]曰："歆既无夷[152]、皓[153]韬邈[154]之风，又失王臣匪躬之操[155]，桡心[156]于邪儒[157]之说，交臂[158]于陵肆之徒[159]，位夺节堕，咎孰大焉！"

策分豫章为庐陵郡[160]，以孙贲为豫章太守，孙辅[161]为庐陵太守。会僮芝[162]病，辅遂进取庐陵，留周瑜镇巴丘[163]。

孙策之克皖城也，抚视袁术妻子，及入豫章，收载刘繇丧，善遇其家，士大夫以是称之。

人屯驻彭泽，自己和兼任江夏太守的周瑜率领两万人偷袭并攻下皖城，俘获了袁术、刘勋的妻子儿女以及部众三万多人。孙策上表推荐汝南人李术为庐江太守，拨给他三千人守卫皖城，把所俘获的百姓全部东迁到吴郡。刘勋返回彭泽，孙贲、孙辅出兵截击，打败了刘勋。刘勋退保流沂，向黄祖求援，黄祖派儿子黄射率领水军五千人救助刘勋。孙策再来攻打刘勋，刘勋大败。刘勋向北归顺曹操，黄射也逃走了。

孙策收取了刘勋士兵二千多人，船只千艘，于是进兵攻击黄祖。十二月初八日辛亥，孙策的军队到达沙羡，刘表派侄子刘虎和南阳人韩晞率领长矛兵五千人来救援黄祖。十一日甲寅，孙策与他们交战，大败敌军，杀死韩晞，黄祖逃走，俘获了黄祖的妻子儿女及其船只六千艘，士兵被杀死、淹死的有几万人。

孙策以强大的兵力准备略地豫章，部队驻扎在椒丘，孙策对功曹虞翻说："华子鱼虽有名气，但不是我的对手。如果他不开门让城，战鼓一旦敲响，不会没有伤害。你现在前往，全面传达我的意思。"虞翻就去见华歆，说："我听说明府您和本郡前任太守王朗在中州齐名，是海内所崇拜的人物，我虞翻虽然身在东部边陲，心中常怀敬仰之情。"华歆说："我不如会稽太守王朗。"虞翻又说："不知豫章郡的物资粮草、武器装备、民众的果敢猛勇，跟本郡会稽相比，谁强?"华歆说："远远不如。"虞翻说："您说不如会稽太守王朗，这是谦逊的说法；您说精兵不如会稽郡，确实像您说的。孙策智慧谋略超世，用兵如神，先前他驱走刘繇，是您亲眼看到的，向南平定本郡会稽，也是您所知道的。如今您想坚守孤城，自己估量物资粮草的数量，明知不足，如不早想出路，后悔就来不及了。现今孙策的大军已进驻椒丘，我就要回去了，如果明天中午接不到您的回答檄文，我就与您告别了。"华歆说："久居江南，一直想北归，孙策一来，我就离去。"于是连夜写好檄文，第二天早上，派官吏带着檄文去迎接孙策。孙策便进军，华歆戴着葛巾迎接孙策。孙策对华歆说："府君您年高德厚望重，远近归服，我年幼无知，该行子弟之礼。"就向华歆下拜，尊礼他为上宾。

> 孙盛说："华歆既无伯夷、四皓隐居遁世的遗风，又无朝廷臣子舍身尽忠的节操，屈从于邪儒虞翻的游说之辞，交结孙策那样的狂妄之徒，以致职位被夺，名节堕地，罪过还有比这更大的吗!"

孙策分出豫章郡的一部分置为庐陵郡，任孙贲为豫章太守，孙辅为庐陵太守。正逢僮芝生病，孙辅于是进军攻取庐陵，留下周瑜驻守巴丘。

孙策攻克皖城之后，探视安抚袁术的妻子儿女，等他进入豫章，又殓送刘繇的灵柩回乡，善待刘繇的家属，士大夫因此称赞他。

会稽功曹[164]魏腾尝迕[165]策意，策将杀之。众忧恐，计无所出。策母吴夫人倚大井谓策曰："汝新造江南，其事未集，方当优贤礼士，舍过录功。魏功曹在公尽规[166]，汝今日杀之，则明日人皆叛汝。吾不忍见祸之及，当先投此井中耳！"策大惊，遽[167]释腾。

初，吴郡太守会稽盛宪举高岱孝廉[168]，许贡来领郡，岱将宪避难于营帅许昭家。乌程邹佗、钱铜及嘉兴王晟等各聚众万余或数千人，不附孙策。策引兵扑讨，皆破之，进攻严白虎。白虎兵败，奔余杭[169]，投许昭。程普[170]请击昭，策曰："许昭有义于旧君[171]，有诚于故友[172]，此丈夫之志也。"乃舍[173]之。

【段旨】

以上为第四段，写孙策平定庐江、豫章、会稽三郡，在袁曹官渡之战前夕，据有了江东六郡之地。

【注释】

⑪ 扬州：汉代十三刺史部之一。东汉治所在历阳（今安徽和县），末年移治寿春（今安徽合肥）。辖境当今安徽淮水和江苏长江以南以及江西、浙江、福建，还有湖北、河南部分地区。⑫ 略：掳掠。⑬ 江表：江南。古人从中原看长江以南，称为江外或江表。⑭ 刘晔：字子扬，淮南成德（今安徽寿县东南）人，汉武帝子阜陵王刘延的后代，有名于扬州。归曹操后，为司空仓曹掾、丞相主簿。曹魏初为侍中，多献策谋，为魏文帝所信重。魏明帝时为太中大夫、大鸿胪，亦得信重。传见《三国志》卷十四。⑮ 要：邀约。⑯ 詟服：畏惧而屈服。⑰ 钞略：抢劫。⑱ 仆：自我谦称。⑲ 宿无资：谓一向没有资财。胡三省注云："谓先无名位为之资也。"不可信据。上文明言刘晔为"高族名人"，出于汉之宗室，不得言"无名位"。资，资财。⑳ 赡：供给。㉑ 宗帅：宗民之头领。宗民是当时以宗族聚居的土著人民，且多为越族，又多居于山中，故又称之为山越。㉒ 不能满数：不能满足所求之数。㉓ 葛越：当时南方产的一种草纤维布，又称葛布。㉔ 旬日：十日。㉕ 了无：全无。㉖ 石城：县名，县治在今安徽马鞍山市东南。㉗ 彭泽：县名，县治在今江西湖口东。㉘ 皖城：皖县之城。故治在今安徽潜山。㉙ 庐江：郡名，治所本在舒县（今安徽庐江县西南），刘勋为太守，便移治所于皖县，在今安徽潜山。㉚ 吴：郡名，治所吴县，在今江苏苏州。㉛ 流沂：地名，在今湖北大冶东。㉜ 辛亥：十二月初八日。㉝ 沙

会稽郡功曹魏腾曾经违背孙策的意愿，孙策将要杀死他。众人忧惧，拿不出好办法。孙策的母亲吴夫人倚靠水井的围栏对孙策说：“你就近取得江南，事业还未成功，正应礼贤下士，不计以前的过错，录用有功的人才。魏功曹秉公尽职，你今天杀了他，那么明天人们都会背叛你。我不忍心看到灾难临头，现在就先跳进这口井里！”孙策大惊，马上释放了魏腾。

当初，吴郡太守会稽人盛宪举荐高岱为孝廉，许贡来接管吴郡，高岱护送盛宪到营帅许昭家中避难。乌程人邹佗、钱铜以及嘉兴人王晟等，各聚众一万多或几千人，不归附孙策。孙策率兵征讨，都将他们打败，又进攻严白虎。严白虎兵败，逃奔余杭，投靠许昭。程普请求攻击许昭，孙策说：“许昭对我过去的主人盛宪有情义，对待我的老朋友严白虎诚挚，这体现了大丈夫的心志。”于是孙策放过了许昭。

美：县名，县治在今湖北武汉市武昌区西南。⑬⑭ 甲寅：十二月十一日。⑬⑮ 豫章：郡名，治所南昌，在今江西南昌。⑬⑯ 椒丘：地名，在当时南昌县北。⑬⑰ 华子鱼：华歆字子鱼。⑬⑱ 自有名字：犹言自有名声，亦即谓闻名于世。⑬⑲ 鄙郡：指会稽郡，虞翻为会稽人，故谦称为鄙郡。⑭⓪ 王府君：指会稽太守王朗。⑭① 垂：通“陲”。边境。⑭② 谦光：谓谦逊礼让。⑭③ 谭：通“谈”。⑭④ 孙讨逆：即孙策。时孙策为讨逆将军。⑭⑤ 走：赶走。⑭⑥ 刘扬州：指刘繇。刘繇前为扬州刺史。⑭⑦ 檄：官文书之一种。此指华歆之文书。⑭⑧ 孙会稽：指孙策，孙策时为会稽太守。⑭⑨ 葛巾：以葛布制成的头巾。⑮⓪ 修：遵循。⑮① 孙盛：字安国，东晋人，著有《魏氏春秋》《晋阳秋》《异同杂语》等，对三国人物及事件多有评说。传见《晋书》卷八十二。⑮② 夷：指伯夷，孤竹君长子，殷商末年，与弟叔齐投奔周，因劝阻周武王伐纣，未被武王接受，遂逃隐于首阳山，不食周粟而死。传见《史记》卷六十一。⑮③ 皓：指商山四皓。西汉初年，东园公、绮里季、夏黄公、角里先生等四人，年皆八十余，以汉高祖刘邦傲慢侮人，遂不愿为汉臣，逃隐于商山。事附见《史记》卷五十五《留侯世家》。⑮④ 韬邈：隐匿之意。⑮⑤ 匪躬之操：谓尽忠而不顾身的节操。《易·蹇·六二》云：“王臣蹇蹇，匪躬之故。”孔颖达疏：“尽忠于君，匪以私身之故而不往济君，故曰匪躬之故。”⑮⑥ 桡心：屈从。⑮⑦ 邪儒：指虞翻。⑮⑧ 交臂：拱手，表示恭敬。⑮⑨ 陵肆之徒：指孙策。陵肆，横行霸道。⑯⓪ 庐陵郡：治所即庐陵县，后孙策又改称为高昌县，县治在今江西吉安南。⑯① 孙辅：字国仪，孙贲之弟。初随孙策征讨，为扬武校尉。后为平南将军，领交州刺史。恐孙权不能保江东，谋通曹操，被孙权所废。传见《三国志》卷五十一。⑯② 僮芝：东汉末丹阳（今属江苏）人，诈称诏书自领庐陵太守，为孙辅所破。⑯③ 巴丘：县名，县治在今湖南岳阳。⑯④ 功曹：官名，即功曹史，郡守之主

要佐吏，除分掌人事外，还参与一郡政务。⑯ 迕：违背。⑯ 规：谋划。⑯ 遽：疾速。⑯ 孝廉：汉代举用人才的主要科目，被举之人，应孝顺父母，行为清廉。⑯ 余杭：县名，县治在今浙江杭州市余杭区。⑰ 程普：字德谋，右北平土垠（今河北唐山市丰润区东）人，初从孙坚征伐，孙坚死后，复从孙策，屡立战功。为荡寇中郎将，领零陵太守。孙策死后，又与张昭等辅孙权，为裨将军，领江夏太守。传见《三国志》卷五十五。⑰ 有义于旧君：指许昭解救了太守盛宪的危难。⑰ 有诚于故友：指许昭帮助旧友严白虎。⑰ 舍：放弃。

【原文】

曹操复屯官渡[174]。操常从士[175]徐他等谋杀操，入操帐，见校尉[176]许褚，色变，褚觉而杀之。

初，车骑将军董承称受帝衣带中密诏，与刘备谋诛曹操。操从容谓备曰："今天下英雄，惟使君[177]与操耳，本初之徒，不足数也。"备方食，失匕箸[178]。值天雷震，备因曰："圣人云'迅雷风烈必变[179]'，良有以也。"遂与承及长水校尉[180]种辑、将军吴子兰、王服等同谋。会操遣备与朱灵邀[181]袁术，程昱、郭嘉、董昭皆谏曰："备不可遣也。"操悔，追之，不及。术既南走，朱灵等还。备遂杀徐州刺史车胄，留关羽守下邳，行[182]太守事，身还小沛。东海[183]贼昌豨[184]及郡县多叛操为备。备众数万人，遣使与袁绍连兵。操遣司空长史沛国刘岱、中郎将扶风王忠击之，不克。备谓岱等曰："使汝百人来，无如我何。曹公自来，未可知耳[185]。"

【段旨】

以上为第五段，写刘备第二次得徐州。由于刘备低估曹操的应变能力，认为曹操不会从官渡抽身来争徐州，为其失败伏笔。

【注释】

⑰ 曹操复屯官渡：曹操于建安四年（公元一九九年）八月进兵河北黎阳，留于禁屯河南重要渡口延津，令东郡太守刘延在白马布防，置主力于官渡，严阵以待袁绍来犯。九月还许，至是十二月由许返回官渡。⑰ 常从士：指经常随从的警卫人员。⑰ 校尉：汉

【校记】

[3] 韩晞：原误作“韩睎”，下文同。据章钰校，甲十一行本、乙十一行本皆作“韩晞”，熊罗宿《胡刻资治通鉴校字记》同，今据校正。〖按〗《三国志》卷四十六《吴书·孙破虏讨逆传》引《江表传》亦作“韩晞”。

【语译】

曹操又屯兵官渡。曹操身边的侍从徐他等想谋杀曹操，进了曹操的营帐，看到校尉许褚，脸色大变，许褚察觉，就把他们杀了。

起初，车骑将军董承自称接受了献帝藏在衣带中的密诏，策划与刘备一起谋杀曹操。曹操从容不迫地对刘备说：“如今天下的英雄，只有使君你和我，袁绍之流，是不算数的。”刘备正在吃饭，吓得手中的汤匙和筷子都掉在地上。正值天上雷电轰鸣，刘备便乘机说：“圣人说‘迅雷和狂风一定会使人脸色骤变’，这话确实是有根据的。”于是和董承以及长水校尉种辑、将军吴子兰、王服等一起谋划。正巧曹操派刘备和朱灵去截击袁术，程昱、郭嘉、董昭都劝谏曹操，说：“不可派刘备去。”曹操后悔，派人去追，没有追上。袁术南逃之后，朱灵等率军返回许都。刘备于是杀死徐州刺史车胄，留下关羽驻守下邳，代理太守之职，自己回到小沛。东海贼寇头目昌豨以及附近的郡县大多背叛曹操投靠刘备。刘备拥有几万人马，便派使者与袁绍联合。曹操派司空长史沛国人刘岱、中郎将扶风人王忠进兵攻击刘备，未能取胜。刘备对刘岱等人说：“派你这样的一百人前来，也不能把我怎么样。如果曹操亲自来，就不得而知了。”

制，军中设校尉，领一校兵，位在将军之下，都尉之上。⑰使君：汉时称刺史为使君。此时刘备为豫州刺史兼领徐州刺史，故云。⑱失匕箸：刘备以为曹操说他是英雄，是将要图害他，故吃惊失落匙筷。匕，汤匙。箸，筷子。⑲迅雷风烈必变：此语引自《论语·乡党》，谓孔子在迅雷和烈风之时一定会改变容态。⑳长水校尉：官名，东汉北军五校尉之一，掌宿卫兵。㉑邀：截击。㉒行：代理。㉓东海：郡名，治所郯县，在今山东郯城西北。㉔昌豨：《三国志》卷三十二《蜀书·先主传》作“昌霸”，则昌豨即昌霸。㉕曹公自来二句：刘备此言，暗示了他的两种心理。一是畏惧曹操，二是低估曹操的应变能力，认为曹操不会自来。结果曹操亲征，刘备张皇失措。

【原文】

五年（庚辰，公元二〇〇年）

春，正月，董承谋泄⑱。壬子⑱，曹操杀承及王服、种辑，皆夷三族⑱。

操欲自讨刘备，诸将皆曰："与公争天下者，袁绍也。今绍方来而弃之东⑱，绍乘人后，若何？"操曰："刘备，人杰也，今不击，必为后患。"郭嘉曰："绍性迟而多疑，来必不速。备新起，众心未附，急击之，必败。"操师遂东。冀州别驾田丰说袁绍曰："曹操与刘备连兵⑲，未可卒⑲解，公举军而袭其后，可一往而定。"绍辞以子疾，未得行。丰举杖击地曰："嗟乎！遭⑲难遇之时，而以婴儿⑲病失其会⑲，惜哉，事去矣！"

曹操击刘备，破之，获其妻子；进拔下邳，禽⑲关羽；又击昌豨，破之。备奔青州⑲，因袁谭以归袁绍。绍闻备至，身[4]去邺二百里迎之。驻月余，所亡⑲士卒稍稍⑲归之。

【段旨】

以上为第六段，写刘备第二次失徐州。由于刘备在袁曹官渡之战，袁绍尚未进军之时，为了与袁绍争政治制高点，过早拿出衣带诏讨汉贼曹操，曹操全力灭火，袁绍按兵不救，刘备与袁绍两人鹬蚌相争，二人皆失，渔人曹操得利。

【注释】

⑱董承谋泄：董承受汉献帝衣带诏讨汉贼曹操，由于刘备在徐州宣布而泄密，董承等被曹操诛杀。⑱壬子：正月甲戌朔，无壬子，当从《后汉书》卷九《献帝纪》作"壬午"，即正月初九。⑱三族：一般指父族、母族、妻族。⑱绍方来而弃之东：谓袁绍正

【原文】

曹操还军官渡⑲，绍乃议攻许。田丰曰："曹操既破刘备，则许下非复空虚。且操善用兵，变化无方⑳，众虽少，未可轻也，今不如以久

【语译】

五年（庚辰，公元二〇〇年）

春，正月，董承的谋划泄露。壬子日，曹操杀死董承以及王服、种辑，都诛灭三族。

曹操想亲自讨伐刘备，各位将领都说："跟您争夺天下的是袁绍。如今袁绍正要来进犯而您却弃之不顾去东征刘备，袁绍乘机攻击我们的背后，该怎么办？"曹操说："刘备是人中的豪杰，现在不去击灭他，一定会成为后患。"郭嘉说："袁绍生性迟钝且又多疑，他前来一定不会很快。刘备刚刚兴起，部众还没有心服，快速攻打他，他必败。"于是曹操率军东征。冀州别驾田丰劝袁绍说："曹操与刘备作战，不可能很快解决战斗，明公挥军袭击曹操的背后，可一举而平定。"袁绍以儿子生病为托词，没有行动。田丰举手杖击地说："唉！碰上这千载难逢的机会，却因为婴儿的病而错失良机，真是可惜啊，大事完了！"

曹操进攻刘备，打败了他，俘获了他的妻子儿女；又进而攻占了下邳，活捉关羽；又出击昌豨，将他打败。刘备逃奔青州，通过袁谭归附袁绍。袁绍听说刘备到来，离开邺城二百里亲自去迎接。刘备驻留一个多月，逃散的士兵才逐渐回来。

带兵来进攻，曹操却要放弃反击而东征刘备。方来，指正要来，实际未来。⑲⓪连兵：谓交兵、交战。⑲①卒：通"猝"。很快。⑲②遭：逢。⑲③婴儿：时袁绍诸子已长成人，无婴儿。田丰此言婴儿，是气话，意谓为了一个小小儿子错失了决战取胜的机会，实在不值。若婴儿是实指，或袁绍其他小妾所生，就更不值。⑲④会：机会。⑲⑤禽：通"擒"。捉住。⑲⑥青州：州名，治所临淄，在今山东淄博北。⑲⑦亡：逃散。⑲⑧稍稍：逐渐。

【校记】

［4］身：原无此字。据章钰校，甲十一行本、乙十一行本皆有此字，张敦仁《通鉴刊本识误》同，今据补。

【语译】

曹操率军回到官渡，袁绍便商议进攻许都。田丰说："曹操已经打败了刘备，那么许都就不再空虚了。况且曹操善于用兵，变化没有规则，兵众虽少，不可轻视，

持之。将军据山河之固，拥四州[201]之众，外结英雄，内修农战，然后简[202]其精锐，分为奇兵[203]，乘虚迭[204]出以扰河南，救右则击其左，救左则击其右，使敌疲于奔命，民不得安业。我未劳而彼已困，不及三年，可坐克也。今释庙胜之策，而决成败于一战，若不如志，悔无及也。”绍不从。丰强谏忤绍，绍以为沮众，械系[205]之。于是移檄[206]州郡，数操罪恶。二月，进军黎阳。

沮授临行，会其宗族，散资财以与之，曰：“势存则威无不加，势亡则不保一身，哀哉！”其弟宗曰：“曹操士马不敌，君何惧焉！”授曰：“以曹操之明略，又挟天子以为资，我虽克伯珪[207]，众实疲敝，而主骄将忲[208]，军之破败，在此举矣。扬雄有言：‘六国蚩蚩，为嬴弱姬[209]。’其今之谓乎！”

振威将军[210]程昱以七百兵守鄄城，曹操欲益昱兵二千，昱不肯，曰：“袁绍拥十万众，自以所向无前，今见昱少兵，必轻易，不来攻。若益昱兵，过则不可不攻，攻之必克，徒两损其势，愿公无疑。”绍闻昱兵少，果不往。操谓贾诩曰：“程昱之胆，过于贲、育[211]矣。”

袁绍遣其将颜良攻东郡太守刘延于白马[212]。沮授曰：“良性促狭[213]，虽骁勇，不可独任。”绍不听。夏，四月，曹操北救刘延。荀攸曰：“今兵少不敌，必分其势乃可。公到延津[214]，若将渡兵向其后者，绍必西应之；然后轻兵袭白马，掩[215]其不备，颜良可禽也。”操从之。绍闻兵渡，即分兵西邀[216]之。操乃引军兼行[217]趣[218]白马，未至十余里，良大惊，来逆战[219]。操使张辽、关羽先登[220]击之。羽望见良麾盖[221]，策[222]马刺良于万众之中，斩其首而还，绍军莫能当者。遂解白马之围，徙其民，循河而西。

绍渡河追之。沮授谏曰：“胜负变化，不可不详。今宜留屯延津，分兵官渡。若其克获，还迎[223]不晚。设其有难，众弗可还。”绍弗从。授临济叹曰：“上盈其志，下务其功，悠悠黄河，吾其济乎？”遂以疾辞。绍不许而意恨之，复省其所部，并属郭图。

绍军至延津南，操勒兵驻营南阪[224]下，使登垒望之，曰：

现今不如与他长久相持。将军凭借山河险固，拥有四州的民众，对外交结英雄豪杰，对内推行农耕备战，然后挑选精锐的士兵，分为多支奇兵，寻找敌方空虚之地轮番出击，用以骚乱黄河以南的地区，敌方救右边我军就袭击其左边，敌方救左边就击其右边，使敌人疲于奔命，百姓不能安居乐业。我方没付出辛劳而敌方已经疲惫不堪，不过三年，可坐而取胜。如今放弃克敌制胜的谋略，而凭一战来决定成败，如果不能如愿，后悔就来不及了。”袁绍不听从。田丰强力劝阻，触犯了袁绍，袁绍认为田丰沮丧众心，给他戴上刑具关进监狱。于是向各州郡发布檄文，历数曹操的罪恶。二月，进军黎阳。

沮授临行，集合他的宗族，把财产散发给他们，说：“得势时威权无所不在，失势时自身难保，可悲啊！”他的弟弟沮宗说：“曹操的兵马敌不过我军，你怕什么呢！”沮授说：“凭曹操的英明谋略，加上挟天子作为资本，我军虽然击败了公孙瓒，但部队确实疲劳了，而且主君骄傲，将领奢侈，部队的败毁，就在此一举了。扬雄曾经说过：‘六国扰扰攘攘，结果是帮助了秦国，削弱了周室。’说的就是今天这样的情形呀！”

振威将军程昱率领七百士兵驻守鄄城，曹操要给他增加两千士兵，程昱不肯接受，说：“袁绍拥有十万部众，自以为所向无敌，现在看到我兵少，一定会轻视，不来进攻。如果给我增加士兵，袁绍经过时就不可能不来进攻，而且一定能攻下，这样就白白地损失了你我两处的兵力，希望你不要疑虑。”袁绍听说程昱兵少，果然不去进攻。曹操对贾诩说：“程昱的胆量超过了孟贲和夏育。”

袁绍派遣他的大将颜良在白马进攻东郡太守刘延。沮授说：“颜良性情急躁、器量狭窄，虽然猛勇，但不可独当一面。”袁绍不听从。夏，四月，曹操北进救援刘延。荀攸说：“现在我们兵少，不是敌人的对手，一定要分散敌人的兵势才行。明公您到达延津，伪装将要渡过黄河偷袭袁绍后方的样子，袁绍必定会率军向西回应；然后明公您率领轻兵袭击白马，攻其不备，颜良就会被擒获了。”曹操听从了。袁绍听说曹军渡河，立即分兵向西截击。曹操于是率军日夜兼程奔赴白马，离白马十多里时，颜良大惊，前来迎战。曹操派张辽、关羽为先锋进击颜良。关羽看到颜良的麾盖，策马在万人丛中杀了颜良，砍下他的人头返回。袁绍的士兵没有人能抵挡关羽。终于解除白马之围，迁移当地百姓，沿着黄河西行。

袁绍要渡河追击。沮授劝阻说：“胜败变化之机，不可不详慎地考量。现在应该留守延津，分兵到官渡。如果先头部队攻取了官渡，再回来迎接驻守的大军渡河也不迟。如果全军进发遭遇大难，大军就回不来了。”袁绍不听。沮授临渡河时感慨地说：“主上志得意满，部下急于立功，长长的黄河呀，我还要渡过去吗？”于是称病辞职，袁绍不准许，心里怀恨沮授，又减少他所辖的部众，归郭图统领。

袁军进至延津的南面，曹操部署兵众在南阪扎营，派人登上营垒瞭望袁军，报

“可㉕五六百骑。”有顷，复白：“骑稍多，步兵不可胜数。”操曰：“勿复白。”令骑解鞍放马。是时，白马辎重㉖就道。诸将以为敌骑多，不如还保营。荀攸曰：“此所以饵㉗敌，如何去之！”操顾攸而笑。绍骑将文丑与刘备将五六千骑前后至，诸将复白“可上马”。操曰：“未也。”有顷，骑至稍多，或分趣辎重。操曰：“可矣。”乃皆上马。时骑不满六百，遂纵兵击，大破之，斩丑。丑与颜良，皆绍名将也，再战悉禽之，绍军夺气㉘。

初，操壮关羽之为人，而察其心神无久留之意，使张辽以其情问之。羽叹曰：“吾极知曹公待我厚，然吾受刘将军恩，誓以共死，不可背之。吾终不留，要当㉙立效以报曹公乃去耳。”辽以羽言报操，操义之。及羽杀颜良，操知其必去，重加赏赐。羽尽封其所赐，拜书告辞，而奔刘备于袁军㉚。左右欲追之，操曰：“彼各为其主，勿追也。”

操还军官渡，阎柔遣使诣操，操以柔为乌桓校尉㉛。鲜于辅身见操于官渡，操以辅为右度辽将军㉜，还镇幽土㉝。

【段旨】

以上为第七段，写袁绍进军官渡，曹操迎击，斩杀袁绍先锋大将颜良、文丑。这是袁曹官渡决战之前的序战，北军失利，士气受损。

【注释】

⑲曹操还军官渡：指曹操东征刘备得胜，从徐州返回官渡。⑳无方：没有一定之规。㉑四州：指冀、青、幽、并四州。㉒简：选择。㉓奇兵：乘敌不备而突袭的部队。㉔迭：轮流。㉕械系：加脚镣手铐等刑具囚禁起来。㉖檄：此为声讨之文书，为陈琳所作。全文见《三国志》卷六《魏书·袁绍传》裴松之注引《魏氏春秋》。《文选》亦录载此文，题为陈孔璋《为袁绍檄豫州》，文字与《魏氏春秋》所载稍异。㉗伯珪：公孙瓒字伯珪。㉘忲：奢侈。㉙六国蚩蚩二句：此为扬雄《法言·重黎》之文。蚩蚩，谓混乱纷扰。嬴，秦姓。姬，周姓。意思是说，六国之混乱纷扰，使秦国强大而削弱了周室，

告说："大约有五六百名骑兵。"过了一会儿，又报告说："骑兵稍稍增加，步兵不计其数。"曹操说："不要再报告了。"命令骑兵卸下马鞍，放马吃草。这时，从白马起运的辎重已经上路。各位将领认为敌人骑兵多，不如退还保卫营寨。荀攸说："这是用来引诱敌人的，怎么能离开阵地呢！"曹操回头看着荀攸会心而笑。袁绍的骑将文丑和刘备率领五六千骑兵前后赶到，各位将领又报告说"可以上马了"。曹操说："还不到时候。"过了一会儿，敌人骑兵来得更多了，有的分兵奔向辎重。曹操说："可以上马了。"于是全都上马。这时曹操的骑兵不到六百，曹操纵兵攻击袁军，把袁军打得大败，斩杀了文丑。文丑和颜良，都是袁绍的名将，两次交战把他们都杀死了。袁军士气衰退。

起初，曹操钦佩关羽的为人，但仔细考察发现他的内心没有久留的意思，便派张辽根据真实情况询问关羽。关羽叹息说："我很清楚曹公待我优厚，然而我受过刘备的恩德，发誓和他同生死，不可背叛。我最终不会留下，我必当立功来报答曹公，然后再离去。"张辽把关羽的话回报曹操，曹操佩服关羽的义气。等到关羽杀死颜良，曹操知道他一定要离去，就重加赏赐。关羽把曹操的全部赏赐封好，留下告辞书信，就去投奔袁绍军中的刘备。曹操左右的人要去追赶，曹操说："他是各为其主，不要追赶。"

曹操率军回到官渡，阎柔派使者来见曹操，曹操任命阎柔为乌桓校尉。鲜于辅亲自到官渡拜见曹操，曹操任命他为右度辽将军，回去镇守幽州。

终于都被秦国吞并。㉑⓪振威将军：官名，东汉杂号将军之一。㉑①贲、育：指孟贲、夏育，皆为古时有名的勇士。㉑②白马：县名，县治在河南滑县东。在当时的黄河南岸，其北岸是黎阳。㉑③促狭：犹言急躁，器量狭窄。㉑④延津：渡口名，是当时黄河的重要渡口，在今河南新乡东南，在当时白马、黎阳之西。㉑⑤掩：袭击。㉑⑥邀：截击。㉑⑦兼行：兼程而行。㉑⑧趣：趋赴。㉑⑨逆战：迎战。㉒⓪先登：先接战。㉒①麾盖：旗帜之顶。也指仪仗中的旗与伞。㉒②策：鞭击。㉒③还迎：谓还迎留屯延津的大军。㉒④南阪：白马山南之阪。阪，山坡、斜坡。㉒⑤可：大概；大约。㉒⑥辎重：军粮、器械、材料等军用物资。㉒⑦饵：引诱。㉒⑧夺气：震惊恐惧而丧失胆气。㉒⑨要当：总当；必当。㉓⓪袁军：袁绍之军。㉓①乌桓校尉：即护乌桓校尉，官名。东汉沿西汉所置，以管辖各地乌桓。㉓②右度辽将军：官名。汉代置度辽将军监护南匈奴，现曹操置右度辽将军则为镇抚幽州。㉓③幽土：幽州，幽州之境土。

【原文】

广陵太守陈登治射阳[234]，孙策西击黄祖，登诱严白虎余党，图为后害。策还击登，军到丹徒[235]，须待运粮。初，策杀吴郡太守许贡，贡奴客潜民间，欲为贡报雠。策性好猎，数出驱驰，所乘马精骏[236]，从骑绝不能及，卒遇贡客三人，射策中颊[237]，后骑寻至，皆刺杀之。策创甚，召张昭等谓曰："中国方乱，以吴、越[238]之众，三江[239]之固，足以观成败，公等善相[240]吾弟。"呼权，佩[241]以印绶，谓曰："举江东之众，决机[242]于两陈之间，与天下争衡[243]，卿不如我。举贤任能，各尽其心以保江东，我不如卿。"丙午[244]，策卒，时年二十六。

权悲号，未视事。张昭曰："孝廉[245]！此宁哭时邪！"乃改易权服，扶令上马，使出巡军。昭率僚属，上表朝廷，下移属城，中外将校，各令奉职。周瑜自巴丘将兵赴丧，遂留吴，以中护军[246]与张昭共掌众事。时策虽有会稽[247]、吴郡、丹阳[248]、豫章、庐江[249]、庐陵，然深险之地，犹未尽从；流寓之士，皆以安危去就为意，未有君臣之固。而张昭、周瑜等谓权可与共成大业，遂委心而服事焉。

秋，七月，立皇子冯为南阳王。壬午[250]，冯薨。

汝南黄巾刘辟等叛曹操应袁绍，绍遣刘备将兵助辟，郡县多应之。绍遣使拜阳安都尉[251]李通为征南将军[252]，刘表亦阴招之，通皆拒焉。或劝通从绍，通按剑叱之曰："曹公明哲，必定天下，绍虽强盛，终为之虏耳。吾以死不贰[253]。"即斩绍使，送印绶诣操。

通急录[254]户调[255]，朗陵长赵俨见通曰："方今诸郡并叛，独阳安怀附[256]，复趣[257]收其绵绢，小人乐乱，无乃不可乎？"通曰："公与袁绍相持甚急，左右郡县背叛乃尔，若绵绢不调送[258]，观听者必谓我顾望，有所须待也。"俨曰："诚亦如君虑，然当权其轻重。小[259]缓调，当为君释此患。"乃书与荀彧曰："今阳安郡百姓困穷，邻城并叛，易用倾荡[260]，乃一方安危之机[261]也。且此郡人执守忠节，在险不贰，以为国家宜垂慰抚，而更急敛绵绢，何以劝[262]善！"彧即白操，悉以绵

【语译】

广陵太守陈登在射阳设立郡府，孙策向西进攻黄祖，陈登引诱严白虎的余党，企图让他们祸害孙策后方。孙策回军攻打陈登，部队到达丹徒，等待粮食运来。起初，孙策杀死吴郡太守许贡，许贡的奴仆门客潜藏民间，想要为许贡报仇。孙策喜欢游猎，经常策马飞奔，他骑的马精良骏逸，随从的马跟不上。有一次突然遭遇许贡的三名门客，他们射中了孙策的面颊，后面的侍从骑士不一会儿赶来，三名门客全被刺死。孙策伤势很重，便召来张昭等人，对他们说："中原正战乱，凭借吴、越的人口众多，三江的险固，完全可以坐观成败，你们要好好辅佐我的弟弟。"于是又把孙权唤来，给他佩戴上印绶，对他说："率领江东的部众，决胜于两军阵前，进而与天下英雄争胜负，你不如我。选用贤才，使用能人，使他们各尽心力保有江东，我不如你。"四月初四日丙午，孙策去世，这时他才二十六岁。

孙权悲痛号哭，不理军政事务。张昭说："孝廉！现在难道是哭的时候吗！"于是让孙权脱下丧服，扶他上马，让他出外巡视各军。张昭率领官属，上表奏报天子，下公文通告所属各城，内外将校，命令各尽其职。周瑜从巴丘带兵前来奔丧，就留在吴郡，以中护军的身份，和张昭一起管理各种事务。当时孙策虽拥有会稽、吴郡、丹阳、豫章、庐江、庐陵等郡，但深远险峻的地区，仍没有全部归顺；流亡寓居的士大夫都首先考虑个人安危来决定去留，与孙家没有固定的君臣关系。但张昭、周瑜等认为孙权可以和他们共同成就大业，于是忠心服侍孙权。

秋，七月，册立皇子刘冯为南阳王。十二日壬午，南阳王刘冯死去。

汝南黄巾军刘辟等叛离曹操响应袁绍，袁绍派刘备率兵援助刘辟，很多郡县响应。袁绍派使者任命阳安都尉李通为征南将军，刘表也暗中拉拢他，李通都拒绝了。有人劝李通归顺袁绍，李通按剑斥责说："曹公英明睿智，必能平定天下，袁绍虽然势力强盛，最终会成为曹公的俘虏。我至死不生二心。"随即杀死袁绍的使者，把袁绍给他的印绶送给了曹操。

李通紧急征收户税绵绢，朗陵县县长赵俨谒见李通说："如今各郡都叛离了，只有阳安感怀顺服朝廷，又紧急征收户税绵绢，小人乐于作乱，这样恐怕不行吧？"李通说："曹公和袁绍正激烈对峙，周围的郡县又如此背叛，如果户税绵绢不调送曹公，旁观者一定会认为我左右观望，有所等待。"赵俨说："确实如你考虑的那样，但应衡量事物的轻重。你稍微缓一点征收，我为你解除这个忧患。"于是写信给荀彧说："如今阳安郡百姓穷困，附近各城都已叛变，阳安郡很容易因此而动荡倾覆，这是关系到一方安危的关键时刻。再说阳安郡的人坚守忠节，在危险面前不怀二心，我认为国家应该加以抚慰，却紧急征收绵绢，这将如何来鼓励人们向善呢！"荀彧即刻转告曹操，于是把征收的绵绢全部还给百姓，上上下下都很高兴，

绢还民，上下欢喜，郡内遂安。通击群贼瞿恭等，皆破之，遂定淮、汝㉖³之地。

时操制新科㉖⁴，下州郡，颇增严峻，而调绵绢方急。长广㉖⁵太守何夔言于操曰："先王辨九服㉖⁶之赋以殊㉖⁷远近，制三典㉖⁸之刑以平治乱。愚以为此郡宜依远域新邦之典，其民间小事，使长吏㉖⁹临时随宜，上不背正法，下以顺百姓之心，比及三年，民安其业，然后乃可齐之以法也。"操从之。

刘备略汝、颍㉗⁰之间，自许以南，吏民不安，曹操患之。曹仁曰："南方以大军[5]方有目前急，其势不能相救，刘备以强兵临之，其背叛故宜也。备新将绍兵，未能得其用，击之，可破也。"操乃使仁将骑击备，破走之，尽复收诸叛县而还。

备还至绍军，阴欲离绍，乃说绍南连刘表。绍遣备将本兵㉗¹复至汝南㉗²，与贼龚都等合，众数千人。曹操遣将蔡杨击之，为备所杀。

袁绍军阳武㉗³，沮授说绍曰："北兵虽众，而劲果不及南，南军谷少，而资储不如北；南幸㉗⁴于急战，北利在缓师。宜徐持久，旷以日月。"绍不从。八月，绍进营稍前，依沙埴㉗⁵为屯，东西数十里。操亦分营与相当。

【段旨】

以上为第八段，写袁曹两军对峙官渡。

【注释】

㉞射阳：县名，县治在今江苏淮安东南。㉟丹徒：县名，县治在今江苏镇江市东南。㊱精骏：精良骏逸。㊲中颊：射中脸的侧面。㊳吴、越：指江东地区。其地古为吴国、越国之地。㊴三江：指吴松江、钱塘江、浦阳江。㊵相：辅助。㊶佩：佩带；系带。㊷机：谓机宜，即依据时机所采取的适宜决策。㊸争衡：谓在角逐中较量胜负。㊹丙午：四月初四日。㊺孝廉：孙权十五岁即为阳羡长，不久，吴郡太守朱治又举他为孝廉。㊻中护军：官名，典掌禁军，出征时督护诸将，位高权重。㊼会稽：郡名，治所山阴，在今浙江绍兴。㊽丹阳：郡名，治所宛陵，在今安徽宣城。㊾庐江：郡

阳安郡也更为安定。李通攻击群贼瞿恭等，把他们都打败了，于是平定了淮水、汝水地区。

这时曹操制定了新的法令，下到州郡，增加了许多严厉的条款，而且征收户税绵绢也很紧急。长广太守何夔向曹操进言说："古代的君王制定九等的赋税，用来区分远近，制定三典的刑法，用来评定治世和乱世。我认为长广郡应按照新归附的边远地区执行较宽松的政策，至于民间小事，可让地方长官临时合理处置，上不违背朝廷正式法律，下可顺应百姓的心意，行至三年，百姓各安其业，然后才能用法律来约束他们。"曹操听从了他的建议。

刘备攻打汝水、颍水一带，从许都以南，官民不得安宁，曹操为此担忧。曹仁说："南方认为目前大军正与袁绍激战，势必不能去救援，刘备强兵临境，南方背叛是在情理之中的。刘备刚刚统领袁绍的部众，还不能为他所用，我们去攻打，可以击败他。"曹操就派曹仁率领骑兵攻打刘备，刘备战败逃走，曹仁又收复全部叛离的各县后回师。

刘备回到袁绍军中，暗中打算离开袁绍，就劝说袁绍与南方的刘表联合。袁绍派刘备率领他原来的部众，又来到汝南，与贼寇龚都等联合，部众达到数千人。曹操派部将蔡杨攻击刘备，被刘备杀死。

袁绍驻军阳武，沮授劝袁绍说："北军虽然人数众多，但勇猛刚劲不如南军，南军粮少，而且储备不如北军；南军利于速战，北军利于延缓战期。所以我方应该缓慢而持久，拖延时日。"袁绍不听从。八月，袁绍把军营稍稍向前推进，依靠沙丘驻守，东西连绵几十里。曹军也分地扎营，与袁军的营垒相持。

名，治所本在舒县，在今安徽庐江县西南。建安四年（公元一九九年）刘勋移治所于皖县，在今安徽潜山。㊿ 壬午：七月十二日。[251] 阳安都尉：阳安原为县，汉末一度辖朗陵县，设都尉一人，相当于郡太守，故阳安又称为郡，但不久又废郡复为县。阳安县在今河南确山县东北。[252] 征南将军：官名，东汉杂号将军之一。[253] 贰：二心；异心。[254] 录：征收。[255] 户调：按户征收绵绢的赋税。[256] 怀附：感怀顺服朝廷。[257] 趣：通"促"。仓促；紧急。[258] 调送：征发运送。[259] 小：通"少"。稍微。[260] 易用倾荡：容易因此而动荡倾覆。[261] 机：关键。[262] 劝：鼓励。[263] 淮、汝：淮水与汝水，即今淮河与汝河。[264] 科：法令。[265] 长广：长广原为县，属东莱郡，县治在今山东莱阳东。曹操遣乐进入青州后，新设为郡。[266] 九服：相传古代天子将所住京都以外的地方，按远近分为九等，称为九服。京都所在之方圆千里地叫王畿，此外方圆五百里为一服，依此类推，有侯服、甸服、男服、采服、卫服、蛮服、夷服、镇服、藩服，见《周礼·夏官·职方氏》。[267] 殊：区

别。㉖8三典：相传古代治理不同国家所用的轻、中、重三类刑法。《周礼·秋官·大司寇》说："掌建邦之三典，以佐王刑（治理）邦国……一曰刑新国，用轻典；二曰刑平国，用中典；三曰刑乱国，用重典。"[269]长吏：指县令长。[270]汝、颍：汝水与颍水，即今汝河与颍河。[271]本兵：谓刘备本来拥有的兵众。[272]汝南：郡名，治所平舆，在今河南平舆北。[273]阳武：县名，县治在今河南原阳东南。[274]幸：希望。[275]塠：同"堆"。

【原文】

九月庚午朔，日有食之。

曹操出兵与袁绍战，不胜，复还，坚壁。绍为高橹[276]，起土山，射营中，营中皆蒙楯[277]而行。操乃为霹雳车[278]，发石以击绍楼，皆破。绍复为地道攻操，操辄于内为长堑以拒之。操众少粮尽，士卒疲乏，百姓困于征赋，多叛归绍者。操患之，与荀彧书，议欲还许，以致绍师[279]。彧报曰："绍悉众聚官渡，欲与公决胜败。公以至弱当至强，若不能制，必为所乘，是天下之大机[280]也。且绍，布衣之雄耳，能聚人而不能用。以公之神武[281]明哲，而辅以大顺[282]，何向而不济[283]！今谷食虽少，未若楚、汉[284]在荥阳[285]、成皋[286]间也。是时刘、项莫肯先退[287]者，以为先退则势屈也。公以十分居一之众[288]，画地而守之，扼其喉而不得进，已半年矣。情见势竭，必将有变。此用奇之时，不可失也。"操从之，乃坚壁持之。

操见运者，抚之曰："却[289]十五日为汝破绍，不复劳汝矣！"绍运谷车数千乘至官渡，荀攸言于操曰："绍运车旦暮[290]至，其将韩猛锐而轻敌，击可破也。"操曰："谁可使者？"攸曰："徐晃[291]可。"乃遣偏将军[292]河东徐晃与史涣邀击猛，破走之，烧其辎重。

冬，十月，绍复遣车运谷，使其将淳于琼等将兵万余人送之，宿绍营北四十里。沮授说绍："可遣蒋奇别为支军[293]于表[294]，以绝曹操之钞[295]。"绍不从。

许攸曰："曹操兵少而悉师拒我，许下余守，势必空弱。若分遣轻军星行[296]掩袭，许可拔也。许拔，则奉迎天子以讨操，操成禽矣。如

【校记】

［5］大军：原作“大将军”。据章钰校，甲十一行本、乙十一行本皆无“将”字，今据删。

【语译】

九月初一日庚午，发生日食。

曹操出兵与袁绍交战，没有取胜，又撤回去，坚守营垒。袁绍建造高高的望楼，堆起土山，居高向曹操营中射箭，营中的人都顶着盾牌行走。于是曹操制造霹雳车，发射石块来攻击袁绍的望楼，望楼全部被摧毁。袁绍又挖地道攻击曹操，曹操就在营内挖长长的深沟来对抗。曹操兵少粮尽，士兵疲乏，百姓被赋税困扰，很多人叛离曹操归附袁绍。曹操很担忧，写信给荀彧，商议想回许都，用这个办法来引诱袁绍的军队。荀彧回信说：“袁绍将全部人马聚集到官渡，想与您一决胜负。明公您用最弱之军抵抗了最强之师，如果不能制伏敌人，就一定会被敌人控制，这是夺取天下的关键所在。况且袁绍只是百姓中的英雄罢了，能够聚集人才却不能使用。凭明公您的神武和明智，再加上顺应天子的名位，指向哪里都不会不成功！如今粮食虽少，还没到楚、汉在荥阳、成皋之间对峙的困难地步。那时刘邦、项羽谁也不肯先撤退，认为先撤退就屈居下风。明公您用只有袁军十分之一的兵力，划出界线坚守，扼住袁军的咽喉，使他们不得前进，已经坚持半年了。情势发展到最后阶段，一定会发生变化，这是出奇制胜的时机，不可失去。”曹操听从了荀彧的意见，于是坚守壁垒与袁军对峙。

曹操看到运粮的人，安慰他们说：“再过十五天，为你们打败了袁绍，就不再辛苦你们了！”袁绍数千辆运粮车到达官渡。荀攸向曹操进言道：“袁绍的运粮车队很快就要到了，押运的将领韩猛精锐却轻敌，攻击他就可以破敌。”曹操问：“派谁合适呢？”荀攸说：“徐晃可以。”于是派偏将军河东人徐晃和史涣截击韩猛，韩猛败走，曹军放火烧了袁军的辎重。

冬，十月，袁绍又派车辆运粮，让他的将领淳于琼等人率兵一万多人护送，宿营在袁绍大营的北面四十里。沮授劝说袁绍：“可派蒋奇另组一支队护在运粮车队的外围，以杜绝曹操来抄掠。”袁绍不听从。

许攸说：“曹操兵少而全军来抗拒我，许都由剩余的少量部队守卫，势必空虚。如果分派轻兵星夜偷袭，可以攻占许都。占领许都后，就奉迎天子征讨曹操，曹操

其未溃，可令首尾奔命，破之必也。”绍不从，曰：“吾要当先取操。”会攸家犯法，审配收系[297]之。攸怒，遂奔操。

操闻攸来，跣[298]出迎之，抚掌[299]笑曰：“子卿远来[300]，吾事济矣！”既入坐，谓操曰：“袁氏军盛，何以待之？今有几粮乎？”操曰：“尚可支一岁。”攸曰：“无是，更言之！”又曰：“可支半岁。”攸曰：“足下不欲破袁氏邪？何言之不实也！”操曰：“向言戏之耳，其实可一月，为之奈何？”攸曰：“公孤军独守，外无救援，而粮谷已尽，此危急之日也。袁氏辎重万余乘，在故市[301]、乌巢[302]，屯军无严备。若以轻兵袭之，不意而至，燔[303]其积聚，不过三日，袁氏自败也。”操大喜，乃留曹洪、荀攸守营，自将步骑五千人，皆用袁军旗帜，衔枚[304]，缚马口[305]，夜从间道[306]出，人抱束薪，所历道有问者，语之曰：“袁公恐曹操钞略后军，遣兵以益备[307]。”闻者信以为然，皆自若。既至，围屯，大放火，营中惊乱。会明，琼等望见操兵少，出陈[308]门外，操急击之。琼退保营，操遂攻之。

绍闻操击琼，谓其子谭曰：“就[309]操破琼，吾拔其营，彼固无所归矣。”乃使其将高览、张郃[310]等攻操营。郃曰：“曹公精兵往，必破琼等。琼等破，则事去矣，请先往救之。”郭图固请攻操营。郃曰：“曹公营固，攻之必不拔。若琼等见禽，吾属尽为虏矣。”绍但遣轻骑救琼，而以重兵攻操营，不能下。

绍骑至乌巢，操左右或言：“贼骑稍近[311]，请分兵拒之。”操怒曰：“贼在背后乃白！”士卒皆殊死[312]战，遂大破之，斩琼等，尽燔其粮谷，杀[6]士卒千余人，皆取其鼻，牛马割唇舌，以示绍军，绍军将士皆恟惧[313]。郭图惭其计之失，复谮张郃于绍曰：“郃快[314]军败。”郃忿惧，遂与高览焚攻具，诣操营降。曹洪疑不敢受，荀攸曰：“郃计画不用，怒而来奔，君有何疑！”乃受之。

于是绍军惊扰，大溃。绍及谭等幅巾[315]乘马，与八百骑渡河[316]。操追之不及，尽收其辎重、图书[317]、珍宝。余众降者，操尽阬[318]之，前后所杀七万余人。

沮授不及[319]绍渡，为操军所执，乃大呼曰：“授不降也，为所执

就会被活捉。即使敌军未溃败，也可让他们前后奔命，这样一定能够打败他。”袁绍不听从，说：“我定要先攻取曹操。”时逢许攸的家人犯法，审配将其逮捕。许攸一怒之下，就投奔了曹操。

曹操听说许攸来投，来不及穿鞋光着脚出去迎接，拍掌大笑说：“子远来，我的事业就可成功了！”入座后，许攸对曹操说：“袁军强盛，怎么对付他？现在有多少粮食？”曹操说：“还可以应付一年。”许攸说：“没那么多，您再说！”曹操又说：“可应付半年。”许攸说：“您不想打败袁绍吗？为什么不讲实话！”曹操说：“刚才说的是玩笑话，其实只可应付一个月，该怎么办呢？”许攸说：“您孤军独守，外无救援，而粮食已尽，这是危险的时刻。袁绍辎重有一万多车，存放在故市、乌巢，守卫的军队防备不严。如果派轻兵偷袭，出其不意地到达，烧毁他们积聚的粮草，不出三天，袁绍自然溃败。”曹操大喜，于是留下曹洪、荀攸防守军营，亲自率步兵骑兵五千人装扮成袁军，全部使用袁军的旗帜，士兵衔枚，战马勒口，趁夜从小道出发，每人抱一捆柴草，所经路上若有人盘问，就告诉他说：“袁公担心曹操抄后路，派兵来加强守备。”听的人信以为真，都照常行事。到达乌巢后，包围营寨，大肆放火，营中惊恐混乱。直至天亮，淳于琼等看到曹操兵少，就率军出营布阵，曹操紧急攻击，淳于琼退保军营，曹操便攻打军营。

袁绍听说曹操进攻淳于琼，对他儿子袁谭说：“即便曹操击败淳于琼，而我攻占他的军营，他就无处可归了。”于是派他的将领高览、张郃等攻击曹操的军营。张郃说：“曹操率精锐士兵前往，一定能击败淳于琼等。淳于琼等被打败，那大事就完了，请先去救助淳于琼。”郭图坚请攻击曹操军营。张郃说：“曹公的军营坚固，一定不能攻下。如果淳于琼等被擒获，我们这些人都将成为俘虏了。”袁绍只派轻骑兵救援淳于琼，而用重兵攻打曹操军营，未能攻下。

袁绍的骑兵到了乌巢，曹操身边有的人说：“贼人的骑兵渐渐靠近，请分兵抵抗。”曹操愤怒地说：“贼人到了我们身后，再报告！”士兵们都拼死奋战，于是大破敌军，斩杀了淳于琼等，烧毁袁军的所有粮食，杀死袁军士兵一千多人，都割下他们的鼻子，又割下牛马的嘴唇和舌头，拿来出示给袁绍的部众看，袁军将士全都震动惊惧。郭图对自己的计谋失误感到羞愧，又在袁绍面前诋毁张郃说：“张郃对我军失败幸灾乐祸。”张郃又气又怕，于是和高览放火烧掉进攻的器械，到曹营归降。曹洪怀疑不敢接受，荀攸说：“张郃因计谋不被采纳，一怒之下来投奔，你有什么可怀疑的！”于是接受了投降。

这时袁绍的部众惊惧混乱，大规模溃散。袁绍和袁谭等头上只裹着幅巾乘马与八百名骑兵渡过黄河。曹操没有追赶上，缴获了袁军所有的辎重、图书、珍宝。其余投降的袁军，全部活埋，前后杀了七万多人。

沮授未赶上和袁绍一起渡河，被曹军俘获，便大叫着说：“我沮授不是归降，是

耳!”操与之有旧，迎谓曰：“分野[320]殊异，遂用圮绝[321]，不图今日乃相禽也!”授曰：“冀州[322]失策，自取奔北[323]。授知力俱困[324]，宜其见禽。”操曰：“本初[325]无谋，不相[326]用计。今丧乱未定，方当与君图之。”授曰：“叔父母弟，县命袁氏[327]，若蒙公灵[328]，速死为福。”操叹曰：“孤早相得，天下不足虑也。”遂赦而厚遇焉。授寻[329]谋归袁氏，操乃杀之。

操收绍书中，得许下及军中人书，皆焚之，曰：“当绍之强，孤犹不能自保，况众人乎!”

冀州城邑多降于操。袁绍走至黎阳北岸，入其将军蒋义渠营，把其手曰：“孤以首领[330]相付矣!”义渠避帐[331]而处之，使宣号令。众闻绍在，稍复归之。

或谓田丰曰：“君必见重矣。”丰曰：“公貌宽而内忌[332]，不亮[333]吾忠，而吾数以至言[334]迕[335]之，若胜而喜，犹能赦[7]我，今战败而恚，内忌将发，吾不望生。”绍军士皆拊膺[336]泣曰：“向令[337]田丰在，此必不至于败。”绍谓逢纪曰：“冀州诸人闻吾军败，皆当念吾；惟田别驾前谏止吾，与众不同，吾亦惭之。”纪曰：“丰闻将军之退，拊手[338]大笑，喜其言之中也。”绍于是谓僚属曰：“吾不用田丰言，果为所笑。”遂杀之。初，曹操闻丰不从戎[339]，喜曰：“绍必败矣!”及绍奔遁，复曰：“向使绍用其别驾计，尚未可知也。”

审配二子为操所禽，绍将孟岱言于绍曰：“配在位专政，族大兵强，且二子在南，必怀反计。”郭图、辛评亦以为然。绍遂以岱为监军[340]，代配守邺。护军[341]逢纪素与配不睦，绍以问之。纪曰：“配天性烈直[342]，每慕古人之节，必不以二子在南为不义也，愿公勿疑。”绍曰：“君不恶之邪?”纪曰：“先所争者，私情也；今所陈者，国事也。”绍曰：“善!”乃不废配，配由是更与纪亲。冀州城邑叛绍者，绍稍复击定之。

绍为人宽雅[343]，有局度[344]，喜怒不形[345]于色[346]，而性矜愎自高[347]，短于从善，故至于败。

被擒获而已!”曹操与沮授原有交情，亲自迎接，对他说:“地域上的差异，使我们相互阻隔，想不到今天你被我抓获!”沮授说:“袁绍失策，自取败逃，我沮授智力和力量都已困竭，应该被擒。”曹操说:“袁绍没有谋略，不用你的计谋。现今战乱没有平定，正当和你一起谋划。”沮授说:“我的叔父和母亲弟弟，命悬袁绍之手，如蒙您神明关照，让我快点死去，这是我的福气。”曹操叹息说:“我如早点得到你，取得天下就不在话下。”于是赦免沮授，给予优厚的待遇。不久，沮授谋划回归袁绍那方，曹操就杀掉了他。

曹操在收缴的袁绍书信中，得到许都和军队中一些人写给袁绍的信，全都烧掉，说:“袁绍强盛的时候，我尚且不能自保，何况众人呢!”

冀州的城邑纷纷归降曹操。袁绍逃到黎阳北岸，逃入他的部将蒋义渠的军营，拉着他的手说:“我把我的脑袋托付给你了!”蒋义渠腾出营帐让袁绍住下，让他发号施令。部众们听说袁绍还在，渐渐又来归附。

有人对田丰说:“你一定会被重用。”田丰说:“袁绍表面上宽容却内心猜忌，不相信我的忠心，而我多次以真心话冒犯他，如果胜利了他自然高兴，或许能赦免我；现在战败了，他一定愧恨，就会生猜忌之心，我不能指望活命了。”袁绍的将士都捶胸哭泣说:“以前如果田丰在，此战一定不致失败。”袁绍对逢纪说:“冀州众人听说我军失败，都应该牵挂我；只有田丰在战前劝阻过我，与众不同，我也自感羞愧。”逢纪说:“田丰听说将军败退，拍掌大笑，庆幸他说中了。”袁绍于是对部属说:“我不用田丰的计策，果然被他嘲笑。”于是杀了田丰。起初，曹操听说田丰没有随军出征，高兴地说:“袁绍必败!”等到袁绍败逃，又说:“假如先前袁绍采用田丰的计策，还不知结果如何。”

审配的两个儿子被曹操抓获，袁绍的部将孟岱向袁绍进言说:“审配在职时独揽大权，族大兵强，而且他的两个儿子在南方，一定怀有反叛的打算。”郭图、辛评也认为是这样。于是袁绍任命孟岱为监军，代替审配守卫邺城。护军逢纪一向与审配不和，袁绍以审配的事询问逢纪。逢纪说:“审配天性刚烈正直，常常敬慕古人的气节，一定不会因为两个儿子在南方做出不义的事情，希望明公不要多疑。”袁绍说:“你不是憎恶审配吗?”逢纪说:“我与他先前的争执，是出于私情；现在所讲的，是国家大事。”袁绍说:“很好!”于是不废黜审配，审配从此与逢纪的关系日益亲近。冀州城邑背叛袁绍的，袁绍又逐渐平定了他们。

袁绍为人宽容娴雅，有器量，喜怒不形于色，但生性刚愎自用，难以从善，所以招致失败。

【段旨】

以上为第九段，写袁绍与曹操官渡决战，袁绍大败。

【注释】

[276] 橹：顶部无覆盖的望楼。[277] 楯：盾牌。[278] 霹雳车：用机械原理将石块发射出去的炮车，因其声响很大，故称为霹雳车。霹雳，极大雷声。[279] 致绍师：意谓引来袁绍的军队，使之疲劳再加攻击。[280] 大机：谓成败的关键。[281] 神武：聪明威武。[282] 大顺：指以天子之名义讨伐叛者。[283] 济：成功。[284] 楚、汉：指秦末之楚王项羽、汉王刘邦。[285] 荥阳：县名，县治在今河南荥阳东北。[286] 成皋：县名，县治在今河南荥阳汜水镇西。[287] 刘、项莫肯先退：秦末，刘邦与项羽争天下时，曾在荥阳、成皋间相持很久，最初双方皆不肯退兵，后项羽与刘邦约，中分天下，鸿沟以西为汉地，以东为楚地，项羽因而退兵，刘邦遂乘机进取，终败项羽。[288] 公以十分居一之众：谓曹操之兵力太少，只有袁绍军队的十分之一。[289] 却：且；再。[290] 旦暮：指时间短促，犹言很快、即将。[291] 徐晃（？至公元二二七年）：字公明，河东杨县（今山西洪洞东南）人，初为郡吏，又从杨奉，为骑都尉。后从曹操，为裨将军。官渡之战中破颜良、文丑，为偏将军。后屡从曹操征伐有功，为横野将军、平寇将军。曹魏时为右将军，封阳平侯。传见《三国志》卷十七。[292] 偏将军：官名，东汉杂号将军之一。[293] 支军：主力军以外的部队。[294] 表：外围。[295] 钞：掠取。[296] 星行：披星而行。言其赶路急迫。[297] 收系：收捕囚禁。[298] 跣：光着脚。[299] 抚掌：拍掌。[300] 子卿远来：许攸字子远。中华书局标点本《三国志》卷一《魏书·武帝纪》注引《曹瞒传》已校正为“子远卿来”，当从。[301] 故市：地名，在当时酸枣县乌巢泽之北，即在今河南延津界。[302] 乌巢：湖泽名，在今河南延津东南。[303] 燔：烧。[304] 衔枚：古代军队夜袭敌人时，为防止出声，令士兵口里横衔一小棍，称为衔枚。[305] 缚马口：为防

【原文】

冬，十月辛亥[348]，有星孛[349]于大梁[350]。

庐江太守李术[351]攻杀扬州刺史严象，庐江梅乾、雷绪、陈兰等各聚众数万在江淮间，曹操表沛国刘馥[352]为扬州刺史。时扬州独有九江[353]，馥单马造合肥[354]空城，建立州治[355]，招怀乾、绪等，皆贡献相继。数年中，恩化大行，流民归者以万数。于是广屯田，兴陂堨[356]。官民有畜[357]，乃聚诸生[358]，立学校。又高为城垒，多积木石，以修战守之备。

止马叫，把马口缚住。㉛⑥间道：小路。㉛⑦益备：加强防备。㉛⑧陈：通“阵”。㉛⑨就：即使。⑩张郃：字儁乂，河间鄚县（今河北任丘北）人，初属韩馥，继归袁绍。为宁国中郎将。官渡之战中投归曹操，为偏将军。后多次征讨，屡立战功，为荡寇将军。曹魏时官至车骑将军，封鄚侯。传见《三国志》卷十七。⑪稍近：渐近。⑫殊死：拼死；决死。⑬恟惧：震动恐惧。⑭快：乐；高兴。⑮幅巾：古代男子用绢一幅束发，称为幅巾。袁绍、袁谭等人“幅巾”，即不戴冠，仅用幅巾束首。⑯河：黄河。⑰图书：此处指各种地图、簿册等。⑱阬：坑杀；活埋。⑲不及：没有赶上。⑳分野：古代将天空星辰分为十二次，与地上州、郡国的位置相对应，称为分野。并认为天象之变化是反映人间变化的。曹操此言的主要意思是说明地区的不同与隔绝。㉑圮绝：隔绝；断绝。㉒冀州：指袁绍。㉓奔北：败逃；失败。㉔知力俱困：智谋与力量皆穷尽。知，通“智”。㉕本初：袁绍字本初。㉖相：共同。㉗县命袁氏：谓命运掌握在袁氏手里。县，“悬”本字。㉘灵：神明。㉙寻：接着。㉚首领：头颅。㉛避帐：让出营帐。㉜貌宽而内忌：表面宽宏大量而内心忌妒刻薄。㉝不亮：不明白；不相信。㉞至言：真诚有理之言。㉟迕：违背；触犯。㊱拊膺：捶胸。㊲向令：假使。㊳拊手：拍手；拍掌。㊴丰不从戎：指田丰被袁绍囚禁而不能从军。㊵监军：官名。临时派遣监督军队之官。㊶护军：官名。负责监护协调各将领之关系。㊷烈直：刚烈正直。㊸宽雅：宽容娴雅。㊹局度：犹言器量、气度。㊺形：表露。㊻色：面色。㊼矜愎自高：刚愎自用。

【校记】

［6］杀：原无此字。据章钰校，甲十一行本、乙十一行本、孔天胤本皆有此字，张敦仁《通鉴刊本识误》同，今据补。［7］赦：原作“救”。据章钰校，乙十一行本、孔天胤本皆作“赦”，张敦仁《通鉴刊本识误》同，今据改。

【语译】

冬，十月十二日辛亥，有彗星出现在大梁星空区域。

庐江太守李术攻打并杀死扬州刺史严象，庐江人梅乾、雷绪、陈兰等人在江淮一带各自聚集部众数万人，曹操上表推荐沛国人刘馥为扬州刺史。当时曹操属下的扬州只辖有九江一郡，刘馥单枪匹马到合肥这座空城，建立州府，招徕梅乾、雷绪等人，他们都不断向朝廷进贡。数年之间，大力推行恩德教化，归附的流民数以万计。于是推广屯田，兴建池塘渠堰。官府百姓有了储蓄，便招收士子，设立学校。又高筑城墙堡垒，积聚大量木材石料，用来修造作战和守卫的设备。

曹操闻孙策死，欲因丧伐之。侍御史张纮[359]谏曰："乘人之丧，既非古义，若其不克，成雠弃好，不如因而厚之。"操即表权为讨虏将军[360]，领[361]会稽太守。

操欲令纮辅权内附，乃以纮为会稽东部都尉[362]。纮至吴，太夫人[363]以权年少，委纮与张昭共辅之。纮思惟补察，知无不为。太夫人问扬武都尉[364]会稽董袭[365]曰："江东可保不[366]？"袭曰："江东有山川之固，而讨逆明府[367]恩德在民，讨虏[368]承基，大小用命，张昭秉[369]众事，袭等为爪牙[370]，此地利人和之时也，万无所忧。"权遣张纮之部[371]，或以纮本受北任[372]，嫌[373]其志趣不止于此，权不以介意[374]。

鲁肃将北还，周瑜止之，因荐肃于权，曰："肃才宜佐时，当广求其比[375]以成功业。"权即见肃，与语，悦之。宾退，独引肃合榻[376]对饮，曰："今汉室倾危，孤思有桓、文之功[377]，君何以佐之？"肃曰："昔高帝[378]欲尊事义帝[379]而不获者，以项羽为害也。今之曹操，犹昔项羽，将军何由得为桓、文乎！肃窃料之，汉室不可复兴，曹操不可卒[380]除。为将军计，惟有保守江东，以观天下之衅[381]耳。若因北方多务[382]，剿除黄祖，进伐刘表，竟长江所极，据而有之[383]，此王业也。"权曰："今尽力一方，冀[384]以辅汉耳，此言非所及也。"张昭毁肃年少粗疏，权益贵重之，赏赐储偫[385]，富拟其旧[386]。

权料[387]诸小将兵少而用薄者，并合之。别部司马[388]汝南吕蒙[389]军容鲜整[390]，士卒练习[391]。权大悦，增其兵，宠任之。

功曹骆统[392]劝权尊贤接士，勤求损益[393]，飨赐之日，人人别进[394]，问其燥湿[395]，加以密意[396]，诱谕使言，察其志趣，权纳用焉。统，俊之子也。

庐陵太守孙辅恐权不能保江东，阴遣人赍书呼曹操。行人以告，权悉斩辅亲近[397]，分其部曲，徙辅置东[398]。

曹操表征华歆为议郎[399]、参司空军事。

庐江太守李术不肯事权，而多纳其亡叛。权以状白曹操，曰："严刺史昔为公所用，而李术害之，肆其无道，宜速诛灭。今术必复诡说

曹操听到孙策死了，想乘机征伐孙权。侍御史张纮劝谏说：“乘人的丧事发动进攻，不合乎古代道义，如果不能攻克，就会弃好成仇，不如趁机厚待他。”曹操就上表推荐孙权为讨虏将军，兼任会稽太守。

曹操想让张纮辅助孙权归附朝廷，于是任命张纮为会稽东部都尉。张纮到达吴郡，孙权的母亲鉴于孙权年纪小，委托张纮和张昭共同辅佐孙权。张纮认真思考，补救失察，认定应办的事无不全力去办。孙权的母亲问扬武都尉会稽人董袭说：“江东可以保住吗？”董袭说：“江东有可以坚守的山川，而且讨逆将军在民间广施恩德，讨虏将军继承基业，大小百官听命，张昭总理众务，我等作为助手，这正是地利人和最好的时候，万事都不用担心。”孙权派张纮到会稽郡上任，有人认为张纮是北方朝廷任命的官员，恐怕他的心志不在这里，孙权并不介意。

鲁肃准备北归，周瑜阻止了他，乘机把鲁肃推荐给孙权，说：“鲁肃的才能适宜辅佐时局，应广招像他这样的人才来成就功业。”孙权立即召见鲁肃，与他交谈，非常高兴。宾客退下，孙权单独留下鲁肃，和他并榻对饮，孙权说：“如今汉家江山危在旦夕，我想建立齐桓公、晋文公那样的功业，你用什么策略来辅佐我？”鲁肃说：“从前高祖刘邦想尊奉义帝却未能如愿，是因为项羽捣乱。今天的曹操，犹如昔日的项羽，将军如何能有齐桓公、晋文公的作为呢！我私下预料，汉室不可能复兴，曹操不可能很快除掉。为将军着想，只有保住江东，观察天下形势的变化。如果趁北方多事，剿灭黄祖，进伐刘表，长江首尾，全线据为己有，这就是霸王的功业了。”孙权说：“如今我全力保住一方土地，期望以此来辅佐汉室而已，你说的这些不是我能做到的。”张昭诋毁鲁肃年轻虑事粗疏，孙权却更加看重鲁肃，赏赐给他的财物储备，与旧时的富有程度一样。

孙权清理那些兵少而作用不大的小将，把他们统领的军队合并。别部司马汝南人吕蒙军容鲜亮整齐，士兵训练有素。孙权很高兴，给他增加兵力，宠爱重用他。

功曹骆统劝孙权尊贤纳士，经常向他们寻求为政的得失，在宴饮赏赐之时，分别接见每一个人，询问生活居处情况，加强亲密关系，引导大家发表意见，观察他们的志趣，孙权采纳了骆统的建议。骆统，是骆俊的儿子。

庐陵太守孙辅担心孙权不能保住江东，暗中派人带信叫曹操南下。送信的人把这件事报告给了孙权，孙权杀掉孙辅的所有亲信，分散他的部众，把孙辅流放到吴郡的东部。

曹操上表征召华歆任议郎、参司空军事。

庐江太守李术不肯侍奉孙权，而且收容了许多背叛孙权的逃亡者。孙权把这些情况报告曹操，说：“刺史严象，从前是您任用的人，而李术却杀了他，行为放纵无道，应该赶快除掉。现在李术一定会又用诡诈之词向您求救。明公您像伊尹一样居

求救。明公居阿衡之任[400]，海内所瞻，愿敕执事，勿复听受。”因举兵攻术于皖城。术求救于操，操不救。遂屠其城，枭[401]术首，徙其部曲二万余人。

刘表攻张羡[402]，连年不下。曹操方与袁绍相拒，未暇救之。羡病死，长沙复立其子怿。表攻怿及零、桂[403]，皆平之。于是表地方数千里，带甲十余万，遂不供职贡[404]，郊祀天地[405]，居处服用，僭拟乘舆[406]焉。

张鲁以刘璋暗懦[407]，不复承顺，袭别部司马张脩[408]，杀之而并其众。璋怒，杀鲁母及弟。鲁遂据汉中，与璋为敌。璋遣中郎将庞羲击之，不克。璋以羲为巴郡[409]太守，屯阆中[410]以御鲁。羲辄召汉昌[411]賨民[412]为兵，或构[413]羲于璋，璋疑之。赵韪数谏不从，亦恚恨。

初，南阳[414]、三辅[415]民流入益州者数万家，刘焉悉收以为兵，名曰东州兵。璋性宽柔，无威略，东州人侵暴旧民，璋不能禁。赵韪素得人心，因益州士民之怨，遂作乱，引兵数万攻璋。厚赂荆州[416]，与之连和，蜀郡[417]、广汉[418]、犍为[419]皆应之。

【段旨】

以上为第十段，写孙权承父兄之业统领江东，招贤平叛，士民归附。刘表平叛，固有荆州。张鲁据汉中。

【注释】

㊽辛亥：十月十二日。㊾孛：即彗星。㊿大梁：星次名，为十二星次之一，与黄道十二宫之金牛宫相当，在二十八宿为胃、昴、毕三宿。[351]李术：孙策所置的庐江太守。[352]刘馥（？至公元二〇八年）：字符颖，沛国相县（今安徽濉溪县西北）人，汉末避乱扬州，建安初，说服袁术将戚寄等共归曹操，曹操表荐为扬州刺史。赴任后，创立学校，兴修水利，广开屯田，人民得以安居乐业。传见《三国志》卷十五。[353]扬州独有九江：当时扬州的庐江、丹阳、会稽、吴、豫章等郡皆属孙氏，刘馥为刺史，仅有九江一郡。汉末九江郡的治所寿春，在今安徽寿县。[354]合肥：侯国名，治所在今安徽合肥。[355]州治：东汉末扬州刺史的治所在寿春，现刘馥移于合肥。[356]陂堨：蓄水的堰

天下重任，为海内所景仰，希望明公您命令左右，不要再听从李术的话。”孙权于是发兵皖城攻击李术。李术向曹操求救，曹操不救。于是孙权屠灭皖城，把李术枭首示众，调迁他的部众两万多人。

刘表进攻张羡，连年没能攻破。曹操正与袁绍对峙，无暇救援张羡。张羡病死，长沙郡人又拥立他的儿子张怿。刘表进攻张怿以及零陵、桂阳两郡，全部平定。这时刘表的地盘方圆几千里，拥兵十多万，便不向朝廷贡纳方物，在郊外祭祀天地，住处服饰用具超越本分、模仿天子。

张鲁认为刘璋愚昧懦弱，不再归顺，袭击别部司马张脩，杀了张脩吞并了他的部众。刘璋愤怒，杀了张鲁的母亲和弟弟。于是张鲁占据汉中，与刘璋为敌。刘璋派中郎将庞羲攻击张鲁，没有取胜。刘璋任命庞羲为巴郡太守，驻军阆中以抵御张鲁。庞羲就招募汉昌县的賨民为兵，有人在刘璋面前诬陷庞羲，刘璋开始怀疑庞羲。赵韪多次劝说刘璋，刘璋不听，于是心生怨恨。

起初，南阳、三辅的百姓流入益州的有几万家，刘焉全部收编，称为东州兵。刘璋生性宽厚柔弱，没有威严谋略，东州人欺凌暴虐当地的土著居民，刘璋不能禁止。赵韪一向深得人心，利用益州士民对刘璋的怨恨，便犯上作乱，率领几万兵众攻击刘璋。赵韪厚礼贿赂荆州的刘表，与他联合，蜀郡、广汉、犍为等郡都起兵响应。

塘。㊲畜：通“蓄”。358诸生：东汉时称太学生为诸生。359侍御史张纮：建安三年（公元一九八年）孙策遣张纮至许都贡献方物，朝廷遂留为侍御史。侍御史，官名，掌察举非法，受公卿群吏奏事，有违失者则举劾。360讨虏将军：官名，为此时创置的杂号将军。361领：兼任。362会稽东部都尉：东汉于会稽郡置东部都尉，职如太守。汉末治所句章，在今浙江余姚东南。363太夫人：孙权之母吴夫人。364扬武都尉：官名，东汉于边郡关塞之地设都尉，职如太守。其他都尉为临时设置的一级领兵将领。此扬武都尉为孙策所置的领兵将领。365董袭：字符代，会稽余姚（今浙江余姚）人，勇武过人，孙策入会稽时，投归孙策，为别部司马、扬武都尉。孙策死后又随孙权，数从征讨，屡立战功，为威越校尉、偏将军。传见《三国志》卷五十五。366不：通“否”。367讨逆明府：指孙策。因孙策为讨逆将军、会稽太守，故称。汉代人尊称太守为明府。368讨虏：指孙权。孙权为讨虏将军。369秉：操持。370爪牙：指武将。371之部：前往任职之地。此谓前往会稽东部。372受北任：指受许都朝廷之任。373嫌：怀疑。374介意：放在心上。375比：谓类似者。376合榻：将两人用的几案合起来。榻，几案。377桓、文之功：指春秋时齐桓公、晋文公尊王称霸之功。378高帝：指汉高祖刘邦。379义帝：秦末农民起事时，项

梁立楚怀王孙熊心为怀王。灭秦后，项羽尊怀王为义帝。不久又将义帝杀害。㊳⓪卒：通“猝”。很快。㊳①衅：衅隙；破绽。㊳②多务：多事，谓多变故。㊳③竟长江所极二句：谓占据全部长江流域。㊳④冀：希望。㊳⑤储偫：储备。㊳⑥富拟其旧：谓类似鲁肃家旧有之富裕。㊳⑦料：清理。㊳⑧别部司马：官名。东汉时，大将军领营五部，部有校尉一人，军司马一人，其别营领属为别部司马，领兵多少没有一定。汉末，有些杂号将军也置别部司马以领兵。㊳⑨吕蒙（公元一七八至二一九年）：字子明，汝南富陂（今安徽阜南县东南）人，少年渡江，依姐夫邓当。邓当为孙策部将，死后，孙策使蒙领其兵，为别部司马。孙策死后，又从孙权攻占各地，任横野中郎将。后随周瑜、程普等大破曹操于赤壁，为偏将军。鲁肃死后，又代领其军，袭破关羽，占有荆州，封孱陵侯。传见《三国志》卷五十四。㊴⓪鲜整：鲜亮整齐。㊴①练习：经过操练、实战；训练有素。㊴②骆统（公元一九三至二二八年）：字公绪，会稽乌程（今浙江义乌）人，初代理乌程相，治理有方，孙权召为功曹，又为建忠中郎将。凌统死后，复领其兵。后随陆逊大破蜀军，为偏将军。多陈善议，为孙权所重。传见《三国志》卷五十七。㊴③损益：利弊得失。㊴④别进：个别召进。㊴⑤问其燥湿：谓问其生活居处情况。㊴⑥密意：亲切关怀。㊴⑦斩辅亲近：孙辅为孙权从兄，故斩其亲近之人而不及辅。㊴⑧东：指吴郡东部。㊴⑨议郎：官名，郎官之一种，属光禄勋，但不入值宿卫，得参与朝政议论。㊵⓪居阿衡之任：谓居于辅助帝王、主持国政之地位。阿衡，即商初之伊尹，名挚，助汤伐桀有功，商朝建立后，继续辅助商汤，主持国政，汤尊之为阿衡。㊵①枭：把人头悬于木上。㊵②张羡：原为刘表所辖之长沙太守，于建安三年举长沙、零陵、桂阳三郡抗拒刘表。㊵③零、桂：即零陵郡与桂阳郡。零陵郡治所在泉陵，在今湖南永州市零陵区。桂阳郡治所在郴县，在今湖南郴州。㊵④职贡：指应向朝廷贡纳的方物。㊵⑤郊祀天地：古代帝王于郊外祭祀天地之大典。㊵⑥僭拟乘舆：超越本分类比于天子。㊵⑦暗懦：愚昧而懦弱。㊵⑧张脩：刘璋之别部司马。初平二年（公元一九一年），刘焉遣督义司马张鲁、别部司马张脩合兵袭杀汉中太守苏固，张鲁、张脩因驻汉中。㊵⑨巴郡：治所江州，在今重庆市南岸区。庞羲为太守，迁至阆中。㊶⓪阆中：县名，县治在今四川阆中。㊶①汉昌：县名，汉和帝时始置，县治在今四川巴中。㊶②賨民：古代居于渠江、嘉陵江流域的一支少数民族，又称板楯蛮，因秦汉时他们所缴纳的赋叫賨，因而称他们为賨民。㊶③构：构陷；诬陷。㊶④南阳：郡名，治所宛县，在今河南南阳。㊶⑤三辅：地区名，汉代称京兆尹、左冯翊、右扶风为三辅。相当于以今西安为中心的陕西中部地区。㊶⑥荆州：指刘表。㊶⑦蜀郡：治所成都，在今四川成都市中心。㊶⑧广汉：郡名，治所雒县，在今四川广汉北。㊶⑨犍为：郡名，治所武阳，在今四川眉山市彭山区东北。

【研析】

本卷记载的最大事件是袁曹官渡之战，也是值得研析的一个历史重大课题。官渡之战是袁曹势力消长的转折点。当时袁强曹弱，而交战结果，袁败曹胜。曹操此役以少胜众，在中国战争史上写下了辉煌的一笔。人们要问：曹操为何能以弱抗强？袁绍本有取胜之道，他为何不救刘备，夹击曹操？胜败兵家常事，一时雄杰的袁绍，为何一蹶不振？研析这些问题，将带给我们深刻的启迪。

袁绍发动官渡之战不合时宜。公元二〇〇年二月，袁绍发布讨伐曹操的檄文，列举曹操进兵河内、图谋不轨的罪状。此时袁绍刚刚结束与公孙瓒的数年激战，不顾士众疲劳，不听谋臣劝谏，立即发动讨伐许都之战，简选精兵十万，骑万匹，大举南向。曹操迎战，袁曹相遇于官渡，史称官渡之战。袁曹双方的有识之士，都预言袁绍必败，因为袁绍急于南向，不是时机。袁绍智勇双全的大将沮授认为，袁军连年征战，“百姓疲惫，仓库无积”；且曹操奉迎天子，建宫许都，袁军南向，“于义则违”，即师出无名。沮授建议，休整士卒，缮治器械，派出少量游兵骚扰河南，造成“彼不得安，我取其逸”的战略，“如此可以不战而胜”。但袁绍听不进去，田丰进谏，他甚至把田丰投入监狱。是什么原因使得袁绍不取稳操胜券的战略而要立即与曹操决一雌雄呢？原因有四：第一，是天无二日，人无二王，袁曹两人都是雄猜者，随着势力的膨胀而外亲内疏，明争暗斗，公开破裂是迟早的事。第二，是袁绍所并河北冀、并、青、幽四州，战乱没有河南司、豫、兖、徐惨烈，袁绍的实力强于曹操，特别是打败公孙瓒之后，骄傲自大，他要乘胜扩大战果，忘了将士连年征战的疲劳。第三，袁绍与曹操结盟，处处遭曹操暗算，特别是曹操进兵河内，插足自己的地盘，而且是乘人之危，袁绍与公孙瓒决战正酣，曹操给自己背上来了一刀，袁绍被激怒，急于向曹操兴师问罪而冒进，犯了兵家之大忌。第四，是想打败曹操，自己挟天子以令诸侯，甚至是取汉室而代之。这时袁绍的野心比曹操还要大，他曾经讽喻耿包陈说天命，可见袁绍想当皇帝的欲望已到发昏的地步。袁绍的野心，路人皆知，所以他在外交上节节失利。游说关西，关西接受朝廷节制。拉拢张绣，张绣反而投曹。联盟刘表，刘表坐观成败。只有一个刘备打出衣带诏，堂堂讨逆，袁绍又气愤刘备抢先倡义，见死不救，丧失了战机。这表现了袁绍不识大体，不顾大局，气度偏狭，焉能不败？

曹操人杰，非袁绍能敌。袁曹两人相较，郭嘉有袁绍十败、曹操十胜之说，大体得当。曹操取胜，其主要方面，有四大原因。其一，曹操机权干略，高袁一筹。就以官渡之战为例，曹操进兵河内，占了地利和实利，挑起了袁曹的公开对立，而又把发动战争的责任转嫁到袁绍身上，确实是道高一尺，先赢一着。两军对峙官渡，后勤保障，极其重要。先是曹操派徐晃烧了袁军官渡前线的几千车军粮，袁绍又重新从河北运粮一万多车屯于官渡大营北面的乌巢（在今河南延津）。曹操亲率步骑五千，乘夜赶到乌巢，攻寨烧粮。在这存亡千钧一发之际，袁绍得知曹操偷袭乌巢，却执意只派少数人去援救，而以重兵去劫曹军大营。结果袁军攻打曹军营垒不利，而乌巢的军粮被曹操烧光。袁军军心动摇，全线溃退。其二，曹操个性奸诈，袁绍重义，不是曹操对手。袁曹结盟，划分势力范围，袁绍战河北，曹操战河南，两个背靠背合力作战，扫灭群雄，获得了极大的成功。公元一九四年，曹操部将陈宫和陈留太守张邈反叛曹操，迎接吕布入兖州。曹操向袁绍告急，袁绍派大将朱灵引兵救援。事后曹操招诱朱灵投归，挖了袁绍的墙脚。袁绍手下大将臧洪，文武双全，替袁绍打下青州，袁绍让其子袁谭守青州，徙臧洪为东郡太守。公元一九六年，曹操攻围张超，张超与臧洪是结盟兄弟，臧洪要救张超，袁绍不许，逼反臧洪，袁绍兴兵攻围臧洪一年有余，才破杀了臧洪，既使自己痛失一臂，又贻误了剿灭公孙瓒的时机，大为失计。反观曹操，“宁我负人，毋人负我”，有利可图，绝不放过。曹操进兵河内，背后捅刀子，就是生动的例证。袁曹两人相较，袁绍是君子，曹操是小人。君子与小人斗，小人常胜，君子常败。其三，曹操大度，善于用人，因此能得人死力。徐晃、张辽，来自敌垒，投曹后都能效死力。袁绍偏狭，用人好猜忌，又忠奸不分，自己把人才推到了曹操一边。谋士许攸，战将张郃、高览，皆因遭猜忌和被诬陷，临阵倒戈，要了袁绍的命。其四，曹操有识，不耻下问而善听忠言。官渡之战每到关键时刻，曹操就向荀彧、郭嘉问计，得策即行，与袁绍的拒谏饰非形成鲜明对比。

袁绍也是英雄。《后汉书·袁绍传》注引《献帝春秋》的记载，袁绍病死，冀州的老百姓奔走相告，街头巷尾，到处是哭声，好像死了亲人一样。当时的老百姓把袁绍看作一个英雄，而且是不应当死的英雄，难道百姓们都错了吗？有人说这是史家的编造，你怎么看呢？曹操灭了袁谭，袁尚、袁熙兄弟二人逃奔乌桓，河北士民相随十余万，说明袁绍生前能宽仁待众以及对北边民族的和解政策起了一定的作用。但是袁曹相斗，袁绍失败了，曹操胜利了，这有着多方面的原因。袁绍失败的主要原因有三：一是他个人的谋略智计，气质权术不是曹操对手；二是他外宽内忌，刚愎自用，不能容忍人才而取长补短，官渡之战形成以个人之智力对曹氏集团之群士，哪有不败之理；三是个人心胸狭窄，袁绍官渡败后，不思更张，反而变本加厉忌刻人才，冤杀田丰，气愤忧死。袁绍死后，又无良辅协调二子，被曹操所利用，于是袁绍集团不可避免地覆亡了。

袁绍失败了，但他鹰扬河朔的业绩替曹操统一北方开辟了道路，仍不失为汉末的一个英雄人物。

卷第六十四　汉纪五十六

起重光大荒落（辛巳，公元二〇一年），尽旃蒙作噩（乙酉，公元二〇五年），凡五年。

【题解】

本卷记事起公元二〇一年，迄公元二〇五年，凡五年，当汉献帝建安六年至建安十年。这五年是官渡之战后，现存各大军阀调整战略、对内平叛、对外观望、重新洗牌的时期，没有大战役发生，全国形势，相对平静。荆州无事，刘表继续保境安民。江东孙权、益州刘璋、汉中张鲁，平定内乱，巩固区域统治。孙权拒绝曹操征质，分庭抗礼。北方仍是激烈的征战地区。官渡之战后，由于袁绍忧死，刘备退出逐鹿中原，南依刘表，中原叱咤风云的英雄只剩了一个曹操。袁绍废长立幼，导致袁氏兄弟相残，曹操趁机各个击破，先破袁尚，后灭袁谭，高幹归降，完成了对北方的统一。建安十年，高幹复叛，引发河东骚乱，迟滞了曹操北征乌桓，但无损北方大局。

【原文】

孝献皇帝己

建安六年（辛巳，公元二〇一年）

春，三月丁卯朔[①]，日有食之。

曹操就谷[②]于安民[③]。以袁绍新破，欲以其间[④]击刘表。荀彧曰："绍既新败，其众离心，宜乘其困，遂定之。而欲远师[⑤]江、汉[⑥]，若绍收其余烬[⑦]，乘虚以出人后，则公事去矣。"操乃止。夏，四月，操扬兵[⑧]河[⑨]上，击袁绍仓亭[⑩]军，破之。秋，九月，操还许。

操自击刘备于汝南[⑪]，备奔刘表，龚都等皆散。表闻备至，自出郊迎，以上宾礼待之，益[⑫]其兵，使屯新野[⑬]。备在荆州数年，尝于表坐起至厕，慨然流涕。表怪，问备，备曰："平常身不离鞍，髀[⑭]肉皆消。今不复骑，髀里[⑮]肉生。日月如流，老将至矣，而功业不建，是以悲耳。"

【语译】

孝献皇帝己

建安六年（辛巳，公元二〇一年）

春，三月丁卯朔，发生日食。

曹操移军到粮食充足的安民亭一带。曹操鉴于袁绍刚被打败，想利用这段时间攻击刘表。荀彧说："袁绍战败之后，他的部众离心离德，应趁他危困平定他。而您却想出军远征江、汉，如果袁绍搜集他的残余部众，乘虚出现在我们的后方，那么您的事业就完了。"曹操这才作罢。夏，四月，曹操在黄河边炫耀武力，攻击在仓亭驻守的袁军，将其打败。秋，九月，曹操回到许都。

曹操亲自率军在汝南进攻刘备，刘备逃奔刘表，龚都等全都逃散。刘表听说刘备到来，亲自到郊外迎接，用上宾的礼仪接待刘备，给他增加兵力，让他驻守新野。刘备在荆州住了几年，有一次他在刘表客座上起身去厕所时，慨然流泪。刘表感到奇怪，询问刘备，刘备说："平常身不离马鞍，大腿上的肉都消下去了。如今不再骑马，大腿内侧的肉又长了出来。日月如流水，我都快老了，而功业还没有建立，所以悲从中来。"

曹操遣夏侯渊、张辽围昌豨于东海[16]，数月，粮尽，议引军还。辽谓渊曰："数日已来，每行诸围，豨辄属目[17]视辽，又其射矢更稀。此必豨计犹豫，故不力战。辽欲挑[18]与语，傥[19]可诱也。"乃使谓豨曰："公有命，使辽传之。"豨果下与辽语。辽为说操神武[20]，方以德怀[21]四方，先附者受大赏，豨乃许降。辽遂单身上三公山[22]，入豨家，拜妻子。豨欢喜，随辽诣操，操遣豨还。

赵韪围刘璋于成都，东州人恐见诛灭，相与力战，韪遂败退，追至江州[23]，杀之。庞羲惧，遣吏程祁宣旨于其父汉昌令畿，索賨兵。畿曰："郡合部曲，本不为乱，纵[24]有谗谀，要在尽诚。若遂怀异志，不敢闻命。"羲更使祁说之，畿曰："我受牧恩，当为尽节；汝为郡吏，自宜效力。不义之事，有死不为。"羲怒，使人谓畿曰："不从太守，祸将及家！"畿曰："乐羊食子[25]，非无父子之恩，大义然也。今虽羹祁以赐畿，畿啜之矣！"羲乃厚谢于璋。璋擢[26]畿为江阳[27]太守。

朝廷闻益州乱，以五官中郎将[28]牛亶为益州刺史。征璋为卿[29]，不至。

张鲁以鬼道[30]教民，使病者自首其过[31]，为之请祷；实无益于治病，然小人昏愚，竞共事之。犯法者三原[32]，然后乃行刑。不置长吏[33]，皆以祭酒[34]为治。民、夷便乐之，流移寄在其地者，不敢不奉其道。后遂袭取巴郡，朝廷力不能征，遂就宠[35]鲁为镇民中郎将[36]，领[37]汉宁[38]太守，通贡献而已。

民有地中得玉印者，群下[39]欲尊鲁为汉宁王。功曹[40]巴西阎圃谏曰："汉川[41]之民，户出十万，财富土沃，四面险固。上匡天子，则为桓、文[42]，次及窦融[43]，不失富贵。今承制[44]署置[45]，势足斩断[46]，不烦于王[47]。愿且不称，勿为祸先。"鲁从之。

曹操派夏侯渊、张辽在东海包围昌豨，几个月后，粮食告尽，就打算率军返回。张辽对夏侯渊说："多日以来，每次巡视外围阵地，昌豨的目光总是注视着我，他的箭也射得稀少了。这一定是昌豨心中犹豫，所以不全力奋战。我想挑逗和他对话，也许可以诱使他归降。"于是派人去对昌豨说："曹公有令，让张辽传达给你。"昌豨果然下城与张辽交谈。张辽就对他陈说曹操的神武，现正以恩德招徕四方，先归降的可受重赏，昌豨便答应归降。张辽就独自一人上了三公山，到昌豨家里，拜会昌豨的妻子儿女。昌豨满心欢喜，跟随张辽到曹操那里，曹操派昌豨返回。

赵韪在成都包围了刘璋，东州人惧怕被消灭，就互相鼓励拼力奋战，于是赵韪战败退走，在江州被追上遇害。庞羲恐惧，派吏役程祁向他的父亲汉昌县令程畿宣明朝廷旨意，索求賨兵。程畿说："郡里集合军队，原本不是犯上作乱，即使有谗言诽谤，也要竭尽忠诚。如果因此怀疑我有二心，我不敢听命。"庞羲再次派程祁去劝说程畿，程畿说："我受州牧刘璋的恩惠，自当为他尽忠；你作为庞羲的郡吏，自当为他效力。不合乎道义的事情，宁死不做。"庞羲大怒，派人对程畿说："不服从太守，就将祸及全家！"程畿说："从前乐羊吃他儿子的肉，并非没有父子恩情，是为了大义才这样做的。现在即使把程祁煮成肉汤来赐给我，我也会喝下去！"庞羲便向刘璋深表歉意。刘璋提拔程畿为江阳太守。

朝廷听说益州局面混乱，任五官中郎将牛亶为益州刺史。征召刘璋为朝廷列卿，刘璋不应召进朝。

张鲁用鬼神信仰教诲民众，让病人忏悔自己的过失，为病人祈祷，实际上无益于治病。然而无知小民昏聩愚昧，竞相侍奉他。他对犯法的人原谅三次，然后才执行刑罚。不设立长官，全都以祭酒来治理。民众与夷人感到方便愉快，流落寄居于此地的人，不敢不信奉他的鬼道。后来张鲁袭取了巴郡，朝廷无力去征讨，于是因势恩赐他为镇民中郎将，兼任汉宁太守，张鲁只是向朝廷进献贡物而已。

有百姓在地下获得玉印，张鲁的部众想尊奉张鲁为汉宁王。功曹巴西人阎圃劝谏说："汉川的民众，有十多万户，富于资财，土地肥沃，四面地势险固。您上可匡扶天子，成就齐桓公、晋文公那样的功业，其次也可做窦融那样的人，不失富贵。如今秉承天子的诏命设官任职，其势足以专断一切，不需称王。希望您暂且不要称王，不要成为罪魁祸首。"张鲁听从了阎圃的意见。

【段旨】

以上为第一段，写官渡之战后各方重新蓄积力量。曹操治乱徐州，刘备南依刘表，益州刘璋、汉中张鲁，保境安民。

【注释】

①三月丁卯朔：三月朔日为丁酉，二月朔日为丁卯。据此三月应为二月之误。朔，初一日。②就谷：谓移兵到谷多之处，就地取得给养。③安民：地名，东汉东平国寿张县西有安民亭，亭北又有安民山，寿张县治在今山东东平西南。④间：间隙。⑤远师：出军远征。⑥江、汉：长江与汉水，指荆州。⑦烬：物体燃烧后剩下的部分。此喻袁绍残余之众。⑧扬兵：炫耀兵力。⑨河：黄河。⑩仓亭：即仓亭津，古黄河渡口。在今河南范县东北。⑪汝南：郡名，治所平舆，在今河南平舆北。⑫益：增加。⑬新野：县名，县治在今河南新野。⑭髀：大腿。⑮髀里：大腿内侧。⑯东海：郡名，治所郯县，在今山东郯城西北。⑰属目：注目；注视。⑱挑：挑逗；打动。⑲傥：同“倘”。或许。⑳神武：聪明威武。㉑怀：安抚。㉒三公山：在当时郯县境内。㉓江州：县名，县治在今重庆市南岸区。㉔纵：即使。㉕乐羊食子：乐羊，战国时魏将。魏文侯令乐羊率兵攻中山，当时乐羊之子正在中山，乐羊受命而不顾，中山人因烹其子，并将其汤送与乐羊，

【原文】

七年（壬午，公元二〇二年）

春，正月，曹操军[48]谯[49]，遂至浚仪[50]，治睢阳渠[51]。遣使以太牢[52]祀桥玄[53]。进军官渡。

袁绍自军败，惭愤，发病呕血。夏，五月，薨。

初，绍有三子，谭、熙、尚。绍后妻刘氏爱尚，数称于绍，绍欲以为后[54]，而未显[55]言之。乃以谭继兄[56]后，出为青州刺史。沮授谏曰：“世称万人逐兔[57]，一人获之，贪者悉止，分定故也。谭，长子，当为嗣，而斥使居外，祸其始此矣。”绍曰：“吾欲令诸子各据一州，以视其能。”于是以中子熙为幽州刺史，外甥高幹为并州刺史。

逄纪、审配素为谭所疾，辛评、郭图皆附于谭，而与配、纪有隙[58]。及绍薨，众以谭长，欲立之。配等恐谭立而评等为害，遂矫绍遗命，奉尚为嗣。谭至，不得立，自称车骑将军[59]，屯黎阳。尚少与之兵，而使逄纪随之。谭求益[60]兵，审配等又议不与。谭怒，杀逄纪。秋，九月，曹操渡河攻谭，谭告急于尚。尚留审配守邺[61]，自将助谭，

乐羊仍饮之，终于降服中山。事见《战国策·魏策一》。㉖擢：提拔。㉗江阳：郡名，刘璋分犍为郡所置。治所江阳县，在今四川泸州。㉘五官中郎将：官名，汉于光禄勋下置五官、左、右三署中郎将，统领皇帝侍卫军。㉙卿：指中央政府的九卿。㉚鬼道：指五斗米道。初入道者称为“鬼卒”。㉛自首其过：主动坦白自己的过失。㉜原：原谅；恕免。㉝长吏：指县官。㉞祭酒：张鲁在汉中创立政教合一的政权，其政权中最高统治者称“师君”，以下皆称“祭酒”或“治头大祭酒”。㉟宠：宠命；恩赐任命。㊱镇民中郎将：官名，中郎将为东汉位次于将军的统兵将领，镇民为其名号。㊲领：兼任。㊳汉宁：郡名，即汉中郡，以后建安二十年又复称汉中。汉宁之称盖始于此时。治所在南郑，在今陕西汉中。㊴群下：谓张鲁的手下人。㊵功曹：官名，即功曹史，郡守之主要佐吏，除分掌人事外，还参与一郡政务。㊶汉川：即汉中。㊷桓、文：春秋五霸中的齐桓公与晋文公。㊸窦融：东汉人，新莽末年曾割据河西五郡，后归降汉光武帝刘秀，以功封安丰侯，任大司农。传见《后汉书》卷二十三。㊹承制：秉承皇帝之命。㊺署置：设置官员。㊻斩断：专断。㊼王：称王；为王。

【语译】

七年（壬午，公元二〇二年）

春，正月，曹操驻军谯县，于是到达浚仪县，修治睢阳渠。曹操派使者用太牢祭祀桥玄。进军官渡。

袁绍自从在官渡战败后，愧恨交加，生病吐血。夏，五月，逝世。

当初，袁绍有三个儿子，袁谭、袁熙、袁尚。袁绍的后妻刘氏偏爱袁尚，多次在袁绍面前夸奖他，袁绍想把袁尚作为自己的继承人，但没有公开说明。于是袁绍把袁谭过继给自己的哥哥，将他外任为青州刺史。沮授劝谏说：“世人称，一万人追赶一只兔子，有一个人抓到兔子，其他想得到兔子的人只好作罢，这是名分已定的缘故。袁谭，是长子，理应作为继承人，却把他排斥到外地居住，祸难就要从这件事开始了。”袁绍说：“我想让儿子们各自占据一州，以此考察他们的能力。”于是任二儿子袁熙为幽州刺史，外甥高幹为并州刺史。

逄纪、审配一向被袁谭嫉恨，辛评、郭图都依附袁谭，而和审配、逄纪有矛盾。袁绍去世后，众人认为袁谭是长子，想拥立他。审配等害怕袁谭继立后受到辛评等人的迫害，就假托袁绍的遗嘱，拥立袁尚为继承人。袁谭来到冀州，不能继位，便自称为车骑将军，驻守黎阳。袁尚只给他很少的兵力，而且派逄纪跟随监视他。袁谭请求增加兵力，审配等商量后又不给。袁谭发怒，杀死逄纪。秋，九月，曹操渡过黄河攻打袁谭，袁谭向袁尚告急。袁尚留审配守邺城，亲自率兵援助袁谭，与曹

与操相拒。连战，谭、尚数败，退而固守。

尚遣所置河东[62]太守郭援与高幹、匈奴南单于共攻河东，发使与关中诸将马腾等连兵，腾等阴许之，援所经城邑皆下。河东郡吏贾逵[63]守绛[64]，援攻之急，城将溃，父老与援约，不害逵乃降，援许之。援欲使逵为将，以兵[65]劫[66]之，逵不动。左右引逵使叩头，逵叱之曰："安有国家长吏[67]为贼叩头！"援怒，将斩之，或伏其上以救之。绛吏民闻将杀逵，皆乘城呼曰："负约杀我贤君，宁俱死耳！"乃囚于壶关[68]，著[69]土窖中，盖以车轮。逵谓守者曰："此间无健儿[70]邪，而使义士死此中乎？"有祝公道者，适[71]闻其言，乃夜往，盗引出逵，折械[72]遣去，不语其姓名。

曹操使司隶校尉锺繇围南单于于平阳[73]，未拔而援[1]至。繇使新丰[74]令冯翊张既[75]说马腾，为言利害。腾疑未决，傅幹说腾曰："古人有言：'顺道[2]者昌，逆德者亡[76]。'曹公奉天子诛暴乱，法明政治，上下用命，可谓顺道矣。袁氏恃其强大，背弃王命，驱胡虏以陵[77]中国，可谓逆德矣。今将军既事有道，不尽其力[3]，阴怀两端[78]，欲以坐观成败。吾恐成败既定，奉辞[79]责罪，将军先为诛首矣！"于是腾惧。幹因曰："智者转祸为福。今曹公与袁氏相持，而高幹、郭援合攻河东，曹公虽有万全之计，不能禁河东之不危也。将军诚能引兵讨援，内外击之[80]，其势必举[81]。是将军一举[82]断袁氏之臂，解一方之急，曹公必重德将军，将军功名无与比矣。"腾乃遣子超将兵万余人与繇会。

初，诸将以郭援众盛，欲释平阳去。锺繇曰："袁氏方强，援之来，关中阴与之通，所以未悉叛者，顾吾威名故耳。若弃而去，示之以弱，所在之民，谁非寇雠，纵吾欲归，其得至乎！此为未战先自败[83]也。且援刚愎[84]好胜，必易[85]吾军，若渡汾[86]为营，及其未济击之，可大克也。"援至，果径前渡汾。众止之，不从。济水未半，繇击，大破之。战罢，众人皆言援死而不得其首。援，繇之甥也。晚后，马超校尉[87]南安庞德[88]于鞬[89]中出一头，繇见之而哭。德谢繇，繇曰："援虽我甥，乃国贼也，卿何谢之有！"南单于遂降。

操两军对峙。连续交战，袁谭、袁尚多次战败，撤退坚守城池。

袁尚派自己任命的河东太守郭援和高幹、匈奴南单于合力进攻河东郡，派出使者与关中各位将领马腾等联合，马腾等暗中答应，郭援攻下所经过的城邑。河东郡吏贾逵试守绛邑长，郭援紧急攻城，县城即将陷落，城中父老与郭援约定，不杀害贾逵就归降，郭援答应了。郭援想让贾逵当部将，用兵刃胁迫他，贾逵不为所动，左右按贾逵让他磕头，贾逵斥责他们说："哪有国家的官吏给贼寇磕头的！"郭援大怒，要杀死贾逵，有人就伏在贾逵身上救护他。绛县的官民听说将要杀死贾逵，都登上城头大喊："违背约定杀掉我们贤明的县长，我们宁愿和他一起死！"于是郭援把贾逵囚禁在壶关土窖中，用车轮盖住。贾逵对看守他的人说："难道这里没有行侠仗义的人吗，而让义士死在地窖中？"有个叫祝公道的人，恰好听到贾逵的话，就在夜里前往，偷偷地把贾逵引出了土窖，折断枷锁，放走了他，没有说出自己的姓名。

曹操派司隶校尉锺繇在平阳包围南匈奴单于，还没有攻下而敌人的救兵到来。锺繇派新丰县令冯翊人张既劝说马腾，为他说明利害。马腾犹豫不决，傅幹劝马腾说："古人有这样一句话：'顺道者昌，逆德者亡。'曹公尊奉天子，诛除暴乱，法纪严明，政事得到治理，上下听命，这就是顺道。袁氏恃其强大，背弃君王的命令，驱使胡人来侵扰中国，这就是逆德。如今将军已经服侍有道的曹公，没有尽心尽力，却暗中脚踏两条船，想坐观成败。我担心成败定了之后，曹公奉天子之命来追究你的罪责，将军就会首先被诛杀啊！"马腾很害怕。傅幹乘机进言说："有智慧的人能转祸为福。如今曹公与袁氏对峙，而高幹、郭援合力进攻河东郡，曹公纵然有万全之计，也不能禁绝河东郡不出现危险。将军如能率兵征讨郭援，内外夹击，势必成功。将军的这一举动斩断了袁氏的臂膀，解除了一方的危急，曹公一定会深深地感激将军的恩德，将军的功名将无与伦比。"马腾于是派儿子马超率兵一万多人与锺繇会合。

起初，各位将领认为郭援兵力强盛，想放弃平阳离去。锺繇说："袁氏力量正强，郭援到来，关中众将领暗中与郭援交通，他们之所以没有全部背叛，是顾虑我的威名的缘故。如果弃之离去，正表明我们虚弱，我们所在之地的民众，谁都会成为我们的仇敌，即使我们想再回来，能回得来吗！这就是尚未交战先自溃败。而且郭援刚愎自用，一定会轻视我军，如果他要渡过汾水扎营，等他的部众还没有渡过时出击，可以大胜。"郭援到来，果然直接前进要渡过汾河。众人劝阻，他不听从。郭援部众渡河还不到一半，锺繇出击，大败敌军。战斗结束后，众人都说郭援已死，但未得到他的首级。郭援，是锺繇的外甥。稍后，马超的校尉南安人庞德从装弓箭的袋中拿出一颗人头，锺繇看见便哭泣起来。庞德向锺繇表示歉意，锺繇说："郭援虽然是我的外甥，但他是国家的叛贼，你有什么可道歉的！"南匈奴单于于是投降。

【段旨】

以上为第二段，写袁绍忧死，其废长立幼，为袁氏兄弟相残埋下伏笔。

【注释】

㊽军：驻军。㊾谯：县名，县治在今安徽亳州。㊿浚仪：县名，县治在今河南开封。(51)睢阳渠：水名，在今河南商丘南。(52)太牢：古时祭祀，用牛、羊、猪三牲作祭品，称太牢，有时也专指牛一种。(53)祀桥玄：桥玄在曹操年少未为官时就器重曹操，曹操感其知遇，故祭祀他。(54)后：嗣子。袁绍想废长立幼，就把袁谭过继给自己已死无后的哥哥作为嗣子。实际是剥夺袁谭的宗子地位，为立袁尚扫清道路。(55)显：公开；明确。(56)兄：盖指袁成已死之子。袁绍本袁逢之庶子，过继与伯父袁成为子。大概袁成早有子已死，袁绍就称袁成已死之子为兄。(57)世称万人逐兔：《慎子·内篇》说："一兔走，百人逐之，非一兔足为百人分也，由未定也。……积兔在市，行者不顾，非不欲兔也，分已定矣。分已定，人虽鄙不争。"(58)隙：间隙；矛盾。(59)自称车骑将军：袁绍初起兵讨董卓时，即自称车骑将军，故袁谭也以之自称。(60)益：增加。(61)邺：县名，县治在今河北临漳西南。为袁氏据河北之治所。(62)河东：郡名，治所安邑，在今山西夏县西北。(63)贾逵：字梁道，河东襄陵（今山西临汾东南）人，初为郡吏及县令、长，曹操征马超时，为弘农太守，后为丞相主簿。曹魏初，为豫州刺史，治理有方，魏文帝称之为"真刺史"，命天下刺史效法豫州，加建威将军。传见《三国志》卷十五。(64)守绛：试为绛邑长。《三国志·魏书·贾逵传》作"守绛邑长"。守，试守、试职。绛，绛邑，县名，在今山西曲沃东。(65)兵：兵器。(66)劫：威胁；强迫。(67)长吏：县令长。(68)壶关：县名，县治在今山西长治北。(69)著：置。(70)健儿：壮士。(71)适：正好。(72)械：刑具。(73)平阳：

【原文】

刘表使刘备北侵，至叶(90)，曹操遣夏侯惇、于禁等拒之。备一旦烧屯去，惇等追之。裨将军(91)巨鹿李典(92)曰："贼无故退，疑必有伏。南道窄狭，草木深，不可追也。"惇等不听，使典留守而追之，果入伏里，兵大败。典往救之，备乃退。

曹操下书责孙权任子(93)。权召群僚会议，张昭、秦松等犹豫不决。权引周瑜诣吴夫人前定议，瑜曰："昔楚国初封，不满百里之地。继嗣贤能，广土开境，遂据荆、扬，至于南海[4]，传业延祚，九百余年(94)。

县名，县治在今山西临汾西南。当时匈奴南单于呼厨泉即居平阳。⑭新丰：县名，县治在今陕西西安市临潼区东北。⑮张既（？至公元二二三年）：字德容，冯翊高陵（今陕西西安市高陵区西南）人，初为新丰令，治绩为三辅第一。又为京兆尹，亦有治绩。后为雍州刺史，曹魏初又为凉州刺史。在二州十余年，政绩卓著，封西乡侯。传见《三国志》卷十五。⑯顺德者昌二句：此为先秦古语，秦末新城三老董公向刘邦言谈中就曾引用此语。⑰陵：通“凌”。侵侮。⑱阴怀两端：指既附于曹操，又与袁氏暗通。⑲奉辞：谓奉天子之命。⑳内外击之：谓河东之兵击郭援于内，马腾之兵攻郭援于外。㉑举：攻克。㉒举：举动；行动。㉓未战先自败：意思是说，如果放弃攻打平阳，回兵以避郭援，则马腾等关中诸将必叛，要想回到司隶校尉治所，也不可能，是不战而自取败。㉔刚愎：傲慢而固执。㉕易：轻视。㉖汾：汾水，流经平阳县东。㉗校尉：官名，东汉统兵的中级武官。㉘庞德：字令明，南安狟道（又作“豲道”，在今甘肃陇西县东南渭水东岸）人，初从马腾为将，后随马超奔汉中从张鲁。曹操定汉中后，随众降曹操，拜立义将军。后从曹仁屯樊，关羽攻樊，被俘杀。传见《三国志》卷十八。㉙鞬：盛弓之袋。

【校记】

［1］援：原作“救”。据章钰校，甲十一行本、乙十一行本、孔天胤本皆作“援”，熊罗宿《胡刻资治通鉴校字记》同，今从改。［2］顺道：原作“顺德”。据章钰校，甲十一行本、乙十一行本、孔天胤本皆作“顺道”，熊罗宿《胡刻资治通鉴校字记》同，今从改。〖按〗下文有曹公“可谓顺道矣”之语，当以“顺道”二字为是。［3］不尽其力：原无此四字。据章钰校，甲十一行本、乙十一行本、孔天胤本皆有此四字，张敦仁《通鉴刊本识误》、张瑛《通鉴校勘记》同，今据补。

【语译】

刘表派刘备侵扰北方，到达叶县，曹操派夏侯惇、于禁等抵抗刘备。刘备忽然烧毁军营撤走，夏侯惇等去追赶他。裨将军巨鹿人李典说：“贼人无故退却，我怀疑定有埋伏。南边的道路狭窄，草木深密，不可追击。”夏侯惇等不听，让李典留守而自己率兵追赶刘备，果然陷入埋伏，军队惨败。李典前往救援，刘备才退去。

曹操给孙权发去公文要孙权派儿子作为人质。孙权召集群僚会商，张昭、秦松等犹豫不决。孙权拉着周瑜到自己母亲吴夫人面前商定这件事，周瑜说：“从前楚国初封，属地方圆不到百里。后继的子孙贤明能干，拓展疆域，于是据有荆州、扬州，南边到达南海，传承基业延续封爵，前后九百多年。如今将军继承父兄的余业，拥

今将军承父兄⑮余资，兼六郡⑯之众，兵精粮多，将士用命，铸山为铜，煮海为盐，境内富饶，人不思乱，有何逼[5]迫而欲送质⑰？质一入，不得不与曹氏相首尾⑱；与相首尾，则命召不得不往。如此，便见制于人也。极不过一侯印，仆从十余人，车数乘，马数匹，岂与南面称孤⑲同哉！不如勿遣，徐观其变。若曹氏能率义⑳以正天下，将军事之未晚；若图为暴乱，彼自亡之不暇，焉能害人！"吴夫人曰："公瑾㉑议是也。公瑾与伯符㉒同年，小一月耳，我视之如子也，汝其兄事之。"遂不送质。

【段旨】

以上为第三段，写孙权拒绝征质，与曹操分庭抗礼。

【注释】

⑩ 叶：县名，县治在今河南叶县南。⑪ 裨将军：官名，东汉之杂号将军。⑫ 巨鹿李典：李典为山阳巨野人，巨野在今山东巨野南。典字曼成，初平中率宗人部曲随曹操攻打黄巾军，屡从曹操征讨，为裨将军、捕虏将军。后迁宗人部曲三千余口居邺，受到曹操嘉奖，为破虏将军。传见《三国志》卷十八。⑬ 任子：派儿子作为人质。⑭ 九百余年：周成王封楚国始祖熊绎于楚（居丹阳，在今湖北秭归东南），子孙后代不断扩张，遂

【原文】

八年（癸未，公元二〇三年）

春，二月，曹操攻黎阳，与袁谭、袁尚战于城下，谭、尚败走，还邺。夏，四月，操追至邺，收其麦。诸将欲乘胜遂攻之，郭嘉曰："袁绍爱此二子，莫适立㉓也。今权力相侔㉔，各有党与㉕，急之则相保㉖，缓之则争心生㉗。不如南向荆州，以待其变，变成而后击之，可一举定也。"操曰："善！"五月，操还许，留其将贾信屯黎阳。

谭谓尚曰："我铠甲不精，故前为曹操所败。今操军退，人怀归志，

有六郡的民众，兵精粮多，将士听命，开山采铜，煮海水制盐，境内富饶，民不思乱，有什么被逼无奈的事迫使你想送人质？人质一旦送去，那就不得不与曹操首尾相随；与曹操相首尾，那时曹操下令征召将军，你就不得不去。这样一来，就要受人控制，最多不过得到一枚侯印，十几个仆人，几辆车，几匹马，怎能与称王同日而语呢！不如不送人质，慢慢观察时局的变化。如果曹操能遵守道义来治理天下，将军再侍奉他也不晚；如果他图谋暴乱，他自己逃命都来不及，又怎能害人呢！”吴夫人说：“公瑾的话是对的，公瑾和伯符同年，只小一个月，我把他看成自己的儿子，你要把他作为兄长来侍奉。”于是就不送人质。

拥有荆、扬至南海之地，至楚王负刍时被秦所灭，前后经历约九百余年。㊺父兄：指孙权父孙坚、兄孙策。㊻六郡：指江东六郡，即会稽、吴、丹阳、豫章、庐陵、庐江等郡。㊼质：人质。㊽相首尾：共首尾，即追随服从之意。㊾南面称孤：即称王之意。古代帝王例皆坐北面南受臣下朝拜，故南面为王，北面为臣。⑩率义：遵守道义。⑩公瑾：周瑜字公瑾。⑩伯符：孙策字伯符。

【校记】

［4］至于南海：原无此四字。据章钰校，甲十一行本、乙十一行本、孔天胤本皆有此四字，张瑛《通鉴校勘记》同，今据补。［5］逼：据章钰校，甲十一行本、乙十一行本皆作“逼”。〖按〗二字同。

【语译】

八年（癸未，公元二〇三年）

春，二月，曹操进攻黎阳，与袁谭、袁尚在黎阳城下交战，袁谭、袁尚战败逃走，返回邺城。夏，四月，曹操追至邺城，收割了邺城地区的小麦。众将领想要乘胜进攻邺城，郭嘉说：“袁绍爱这两个儿子，不知立谁为接班人。如今两人权力相当，各有党羽，局势危急时他们就会互相保护，情况缓和时就出现争斗之心。我军不如南向攻荆州，以等待他们之间的变化，变化之后再攻打他们，可一举平定。”曹操说：“很好！”五月，曹操返回许都，留下部将贾信屯驻黎阳。

袁谭对袁尚说：“我的部队铠甲不精，所以先前被曹操打败。现在曹军撤退，

及其未济，出兵掩[108]之，可令大溃，此策不可失也。”尚疑之，既不益兵，又不易甲。谭大怒，郭图、辛评因谓谭曰：“使先公出将军为兄后者，皆审配之谋也。”谭遂引兵攻尚，战于门外[109]。谭败，引兵还南皮[110]。

别驾[111]北海王脩[112]率吏民自青州往救谭。谭欲更还攻尚，脩曰：“兄弟者，左右手也。譬人将斗而断其右手，曰‘我必胜’，其可乎？夫弃兄弟而不亲，天下其谁亲之！彼谗人离间骨肉，以求一朝之利，愿塞耳勿听也。若斩佞臣[113]数人，复相亲睦，以御四方，可横行于天下。”谭不从。谭将刘询起兵漯阴[114]以叛谭，诸城皆应之。谭叹曰：“今举州皆叛，岂孤之不德邪？”王脩曰：“东莱[115]太守管统，虽在海表，此人不反，必来。”后十余日，统果弃其妻子来赴谭，妻子为贼所杀。谭更以统为乐安[116]太守。

秋，八月，操击刘表，军于西平[117]。

袁尚自将攻袁谭，大破之。谭奔平原[118]，婴城[119]固守。尚围之急，谭遣辛评弟毗[120]诣曹操请救。

刘表以书谏谭曰：“君子违难不适雠国[121]，交绝不出恶声[122]，况忘先人[123]之雠，弃亲戚之好，而为万世之戒，遗同盟[124]之耻哉！若冀州[125]有不弟[126]之傲，仁君[127]当降志辱身，以济事为务，事定之后，使天下平其曲直，不亦为高义邪！”又与尚书曰：“金、木、水、火，以刚柔相济[128]，然后克[129]得其和，能为民用。今[6]青州[130]天性峭急[131]，迷于曲直。仁君[132]度数[133]弘广，绰然有余，当以大包小，以优容劣，先除曹操以卒[134]先公之恨，事定之后，乃议曲直之计，不亦善乎！若迷而不反，则胡夷将有讥诮[135]之言，况我同盟，复能戮力[136]为君之役哉！此韩卢、东郭自困于前，而遗田父之获[137]者也。”谭、尚皆不从。

辛毗至西平见曹操，致谭意。群下[138]多以为刘表强，宜先平之，谭、尚不足忧也。荀攸曰：“天下方有事，而刘表坐保江、汉之间，其无四方之志可知矣。袁氏据四州[139]之地，带甲数十万，绍以宽厚得众心，使[140]二子和睦以守其成业，则天下之难未息也。今兄弟遘恶[141]，其势不两全。若有所并则力专，力专则难图[142]也。及其乱而取之，天下定矣，此时[143]不可失也。”操从之。

兵众思归心切，等他们还没有渡过黄河时，出兵袭击他们，可使敌军大败，这一策略不可错失。”袁尚表示怀疑，既不给袁谭增兵，也不改换精良铠甲。袁谭大怒，郭图、辛评乘机对袁谭说：“促使你已故的父亲把你过继给伯父的，全是审配的主意。”袁谭于是率兵攻击袁尚，在邺城门外大战，袁谭战败，率兵退回南皮县。

青州别驾北海人王脩率领吏民从青州去救援袁谭，袁谭想回头再去攻打袁尚，王脩说：“兄弟好比是左右手。好比一个人将要去打斗却砍断自己的右手说‘我一定能胜’，可以吗？抛开兄弟而不亲近，天下还有谁可亲近！那些谄媚小人离间他人骨肉亲情，以此来求得一时的利益，希望你堵住耳朵不要听。如果杀掉几个奸邪的臣属，兄弟重新亲睦，以此驾驭四方，就可以横行于天下。”袁谭不听从。袁谭部将刘询在漯阴起兵背叛袁谭，各城全都响应。袁谭叹息说：“现在全州的人都反叛了，难道是因为我没有德行吗？”王脩说：“东莱太守管统，虽远在海边，这个人不会反叛，一定前来。”十几天后，管统果然抛弃妻子儿女来追随袁谭，管统的妻儿被叛贼杀掉。袁谭改任管统为乐安太守。

秋，八月，曹操进攻刘表，驻军西平县。

袁尚亲自率兵攻打袁谭，大败袁谭。袁谭逃往平原县，环城固守。袁尚加紧围攻，袁谭派辛评的弟弟辛毗到曹操那里请求救兵。

刘表写信劝谏袁谭说：“君子避难也不到敌国去，交情断绝也不出恶语，更何况是忘记先人的深仇，抛弃亲戚的情好，去做万世引以为戒、使同盟者都感到羞耻的事呢！如果袁尚傲慢不尊重兄长，仁厚的君子应当忍辱负重，以成就事业为要务，事成之后，让天下人评定曲直，不也是高尚的道义吗！”刘表又写信给袁尚说：“金、木、水、火，以刚柔相济，才能够和谐，被人利用。如今袁谭天性严酷急躁，迷于是非曲直。仁厚的君子宽宏大量，容纳他绰绰有余，应当以大包小，以优容劣，先除掉曹操来消除你们先人的遗恨，事定之后，再来议论是非曲直，不也是高风亮德吗！如果迷途而不知返，那么胡人、夷人就将有嘲讽的言论，何况我们这些同盟者，还能全力为你效劳吗！这正是良犬韩卢、狡兔东郭自相困逼，而被老农捕获的原因。”袁谭、袁尚都不听从。

辛毗到西平拜见曹操，向他转达袁谭的心意。曹操部下大多认为刘表力量强盛，应该先平定他，袁谭、袁尚不值得担心。荀攸说：“天下正值多事之时，而刘表坐保江、汉一带，可知他没有兼并天下的大志。袁氏占领四州之地，拥有数十万兵马，袁绍因宽厚获得众人之心，假如他的两个儿子和睦相处来保守已有的基业，那么天下的灾祸就难以平息了。如今他们兄弟结怨，势不两立。如果有一方被兼并，力量就会专一，力量专一就难对付了。趁他们内乱而攻取他们，天下就平定了，这样的时机不可失去。”曹操接受了荀攸的建议。

后数日，操更欲先平荆州，使谭、尚自相敝。辛毗望操色⑭，知有变，以语郭嘉。嘉白操，操谓毗曰："谭必可信，尚必可克不⑮？"毗对曰："明公无问信与诈也，直⑯当论其势耳。袁氏本兄弟相伐，非谓他人能间其间，乃谓天下可定于己⑰也。今一旦求救于明公，此可知也⑱。显甫⑲见显思⑳困而不能取，此力竭也。兵革败于外㉑，谋臣诛于内㉒，兄弟谗阋㉓，国分为二，连年战伐，介胄㉔生虮虱㉕，加以旱蝗，饥馑并臻㉖；天灾应于上，人事困于下，民无愚智，皆知土崩瓦解，此乃天亡尚之时也。今往攻邺，尚不还救，即不能自守；还救，即谭踵其后。以明公之威，应困穷之敌㉗，击疲敝之寇㉘，无异迅风之振秋叶矣。天以尚与明公，明公不取而伐荆州。荆州丰乐，国未有衅㉙。仲虺有言，'取乱侮亡'㉚。方今二袁不务远略而内相图，可谓乱矣。居者无食，行者无粮，可谓亡矣。朝不谋夕，民命靡㉛继，而不绥㉜之，欲待他年，他年或登㉝，又自知亡而改修厥㉞德，失所以用兵之要矣。今因其请救而抚之，利莫大焉。且四方之寇，莫大于河北，河北平，则六军㉟盛而天下震矣。"操曰："善！"乃许谭平㊱。

冬，十月，操至黎阳。尚闻操渡河，乃释平原还邺。尚将吕旷、高翔畔㊲归曹操，谭复阴刻将军印以假旷、翔。操知谭诈，乃为子整聘[7]谭女以安之，而引军还。

孙权西伐黄祖，破其舟军，惟城未克，而山寇㊳复动。权还，过豫章㊴，使征虏中郎将㊵吕范平鄱阳㊶、会稽㊷，荡寇中郎将㊸程普讨乐安㊹，建昌都尉㊺太史慈领海昏㊻，以别部司马黄盖、韩当、周泰㊼、吕蒙等守剧县令长㊽，讨山越，悉平之。建安㊾、汉兴㊿、南平[181]民作乱，聚众各万余人。权使南部都尉[182]会稽贺齐[183]进讨，皆平之，复立县邑，料[184]出兵万人。拜齐平东校尉。

几天后，曹操改变主意想先平定荆州，让袁谭、袁尚自相残杀。辛毗观察曹操的脸色，知道事情有变，就告诉了郭嘉。郭嘉禀报曹操，曹操对辛毗说："袁谭一定可信，袁尚一定能被打败吗？"辛毗回答说："明公不要管他是诚信还是欺诈，只当讨论他们各自的情势。袁氏本是兄弟相互攻伐，并不认为别人能乘机加以利用，只认为自己就可以平定天下。如今袁谭突然向明公您求救，可知他已势竭途穷。袁尚看到袁谭陷入困境却不能攻取，这表明他已势衰力竭了。军队在外吃败仗，谋臣在内被诛杀，兄弟内讧，地盘一分为二，连年攻战征伐，将士们的甲胄里长了虱子，加上旱灾蝗灾，饥荒灾害一并发生；上有天灾报应，下有人祸困扰，百姓不论智愚，都明白袁氏要土崩瓦解了，这是上天要灭亡袁尚的时候啊。现在去攻打邺城，袁尚若不回军救援，邺城就不能自守；袁尚若回军救援，袁谭会尾追其后。凭借明公的威武，对付穷困的敌人，打击疲惫的贼寇，无异于疾风扫秋叶一样。上天把袁尚交给明公您，明公您却不接受而想去讨伐荆州。荆州年丰民乐，国家没有裂痕可乘。仲虺说过，'攻取乱国，欺侮行将灭亡之国'。现今二袁不考虑长远的战略而内部自相残杀，可说是混乱了。居家的人没有食物，行路的人没有干粮，可说是灭亡的征兆了。朝不保夕，百姓生命难以延续，您不去安抚平定，想等待来年，来年或许丰收，加上袁氏兄弟自己认识到要被灭亡而改过修德，那就会丧失用兵的最佳时机。现在利用袁谭的求援而加以安抚，没有比这更有利的了。何况四方的敌寇，没有比占据黄河以北的袁氏更强大的了，平定了河北，那么朝廷的军队就会更强大而使天下震动。"曹操说："很好！"于是答应袁谭媾和请援的要求。

冬，十月，曹操到达黎阳。袁尚听说曹操渡过黄河，就解除对平原的包围返回邺城。袁尚部将吕旷、高翔叛变归降曹操，袁谭又暗中刻好将军的官印送给吕旷、高翔。曹操知道袁谭的诡计，就为儿子曹整聘娶袁谭的女儿，以此安抚袁谭，然后率军返回。

孙权向西讨伐黄祖，打败他的水军，只有城池没攻克，而这时山贼再次骚动。孙权回军，经过豫章郡，派征虏中郎将吕范平定鄱阳、会稽，派荡寇中郎将程普讨伐乐安，建昌都尉太史慈任海昏县代理县令，任命别部司马黄盖、韩当、周泰、吕蒙等兼任繁剧难治诸县的县令、县长，讨伐山越，全部平定。建安、汉兴、南平三县的百姓作乱，各聚众一万多人。孙权派南部都尉会稽人贺齐进军征讨，全都平定了，重建县城，挑选出士兵一万人。任命贺齐为平东校尉。

【段旨】

以上为第四段，写袁氏兄弟相残，曹操渔人得利。孙权镇抚山越。

【注释】

⑩莫适立：意谓没有确立谁为接班人。⑭侔：相等。⑮各有党与：指袁谭有辛评、郭图等，袁尚有审配等。⑯急之则相保：局势危急时袁谭、袁尚就相互保护。⑰缓之则争心生：局势缓和时袁谭、袁尚之间就出现争斗之心。⑱掩：掩袭；袭击。⑲门外：指邺城门外。⑩南皮：县名，县治在今河北南皮东北。⑪别驾：官名，即别驾从事史，州牧刺史的主要佐吏，主领众事。州牧刺史巡行各地时，别乘传车从行，故名别驾。此别驾为袁谭之别驾。⑫王脩：字叔治，北海营陵（今山东昌乐东南）人，初为北海相孔融之佐吏、县令，多次解救孔融之危。袁谭为青州刺史时，辟为治中从事史与别驾从事史。曹操破杀袁谭后，遂归曹操，为司空掾、魏郡太守、奉常等。传见《三国志》卷十一。⑬佞臣：奸邪而被宠幸之臣。⑭漯阴：县名，县治在今山东临邑西。⑮东莱：郡名，治所黄县，在今山东龙口东南。⑯乐安：郡名，治所临济，在今山东高青西南。⑰西平：县名，县治在今河南西平西。⑱平原：郡名，治所平原县，在今山东平原县西南。⑲婴城：环城。⑳毗：辛毗，字佐治，颍川阳翟（今河南禹州）人，初随兄辛评从袁绍，袁绍死后在袁谭部。后受袁谭命出使曹操，曹操因表荐为议郎，又为丞相长史。曹魏初为侍中，魏明帝时为卫尉。司马懿与诸葛亮对垒渭滨，毗为大将军军师，使持节节度诸军，虽司马懿亦不能违犯。传见《三国志》卷二十五。㉑君子违难不适雠国：此为《左传》哀公八年载公山不狃之言。意思是说君子逃避危难也不到仇怨之国去。㉒交绝不出恶声：此为《史记·乐毅列传》载乐毅《报遗燕惠王书》中之言。意思是说君子即使交情断绝，也不说对方的坏话。㉓先人：指袁绍。㉔同盟：刘表与袁绍同盟。㉕冀州：指袁尚。当时袁尚据有冀州。㉖不弟：没有遵守做弟弟的道德。㉗仁君：对袁谭之尊称。㉘金、木、水、火，以刚柔相济：谓金、木、水、火相互依赖才能为人所用。如金属斧头能伐木，但斧头之手柄却须木制；水能灭火，但水要烹饪食物，又必须依赖于火。㉙克：能。㉚青州：指袁谭。当时袁谭据有青州。㉛峭急：严厉急躁。㉜仁君：对袁尚之尊称。㉝度数：度量。㉞卒：结束；消除。㉟讥诮：议论讽刺。㊱戮力：并力。㊲韩卢、东郭自困于前，而遗田父之获：战国时淳于髡对齐威王说：有一只快犬名叫韩子卢，又有一只狡兔名叫东郭逡，韩子卢追逐东郭逡，环绕山三座，翻越山五重，兔拼命地跑在前，犬拼死地追于后，最后皆疲惫而死。田父见到，毫不费力地就得了犬和兔。事见《战国策·齐策三》。㊳群下：指曹操部下。㊴四州：冀、幽、青、并四州。㊵使：假如。㊶遘恶：结下仇怨。遘，通“构”。构成；造成。㊷力专则难图：意谓袁谭、袁尚相争，必有一方吞并另一方，则力专一，曹操就难以对付。㊸时：时机。㊹色：脸色；神态。㊺不：通“否”。㊻直：仅；只。㊼谓天下可

定于己：意思是说，袁谭、袁尚最初相攻时，认为其他人不会插手其间，只要把青州、冀州合并一起，就能乘势平定天下。⑭⑧今一旦求救于明公二句：谓袁谭突然向曹操求救，这可以知道他已困惫无力。⑭⑨显甫：袁尚字显甫。⑮⓪显思：袁谭字显思。⑮①兵革败于外：指袁绍官渡之败。⑮②谋臣诛于内：指田丰、逢纪等被诛杀。⑮③谗阋：因谗言而内讧。⑮④介胄：即甲胄，铠甲与头盔。⑮⑤虮虱：虱，寄生人体吸血的一种小昆虫。虱所生之卵为虮。⑮⑥臻：至；到达。⑮⑦困穷之敌：指袁谭。⑮⑧疲敝之寇：指袁尚。⑮⑨衅：缝隙；裂痕。⑯⓪仲虺有言二句：仲虺，人名，商汤初之左相，曾向汤解释流放夏桀一事，《尚书》以之为《仲虺之诰》。"取乱侮亡"即《仲虺之诰》中语，今存伪古文《尚书》亦载。此言意思是说，混乱之国可以将它取下，有灭亡迹象之国可以欺负它。⑯①靡：无。⑯②绥：安抚。⑯③登：谷物成熟叫登。此指丰收。⑯④厥：其。⑯⑤六军：天子有六军。⑯⑥平：讲和。⑯⑦畔：通"叛"。背叛。⑯⑧山寇：指山越，散居丹阳、豫章、庐陵等郡。⑯⑨豫章：郡名，治所南昌，在今江西南昌。⑰⓪征虏中郎将：官名，中郎将为东汉位次于将军的统兵将领，征虏为其称号。⑰①鄱阳：县名，县治在今江西鄱阳东。⑰②会稽：从地理看，"会稽"二字当为衍文。⑰③荡寇中郎将：官名，孙权所置位次于将军的统兵将领。⑰④乐安：县名，县治在今江西德兴东。⑰⑤建昌都尉：官名，东汉于边郡关塞之地设都尉，职如太守。建昌本为县，属豫章郡，县治在今江西奉新西。孙策分豫章郡之建昌、海昏等六县，以太史慈为都尉，治所在海昏县，在今江西永修。⑰⑥海昏：县名，汉置。昏，原作"昬"，唐人避唐太宗讳改为昏。故治在今江西永修东。⑰⑦周泰：字幼平，九江下蔡（今安徽凤台）人，初随孙策，数有战功，为别部司马。孙权在宣城被山越包围，赖泰而免难，后以泰为平虏将军，又为奋威将军，封陵阳侯。传见《三国志》卷五十五。⑰⑧剧县令长：黄盖为石城长，韩当为乐安长，周泰为宜春长，吕蒙为广德长，因各县皆当山越要冲，艰剧难治，故称为剧县。⑰⑨建安：县名，县治在今福建建瓯。⑱⓪汉兴：县名，县治在今福建浦城。⑱①南平：县名，县治在今福建南平西南。⑱②南部都尉：即会稽南部都尉，治所在建安。⑱③贺齐：字公苗，会稽山阴（今浙江绍兴）人，郡吏，孙策至会稽后，被举为孝廉，为永宁长。后多次平定地方武装势力，为孙权所信重。加偏将军，为新都郡太守。后又为安东将军、后将军、徐州牧等。传见《三国志》卷六十。⑱④料：挑选。

【校记】

［6］今：原无此字。据章钰校，甲十一行本、乙十一行本、孔天胤本皆有此字，张敦仁《通鉴刊本识误》同，今据补。［7］聘：据章钰校，甲十一行本、乙十一行本皆作"娉"。〖按〗二字通。

【原文】

九年（甲申，公元二〇四年）

春，正月，曹操济河，遏淇水入白沟[185]，以通粮道。

二月，袁尚复攻袁谭于平原，留其将审配、苏由守邺。曹操进军至洹水[186]，苏由欲为内应，谋泄，出奔操。操进至邺，为土山、地道以攻之。尚武安[187]长尹楷屯毛城[188]，以通上党[189]粮道。夏，四月，操留曹洪攻邺，自将击楷，破之而还。又击尚将沮鹄于邯郸[190]，拔之。

易阳[191]令韩范、涉[192]长梁岐皆举县降。徐晃言于操曰："二袁未破，诸城未下者倾耳而听，宜旌赏[193]二县，以示诸城。"操从之，范、岐皆赐爵关内侯[194]。黑山贼帅张燕遣使求助，操拜平北将军[195]。

五月，操毁土山、地道，凿堑[196]围城，周回四十里。初令浅，示若可越。配望见，笑之，不出争利。操一夜浚之，广深二丈，引漳水[197]以灌之，城中饿死者过半。

秋，七月，尚将兵万余人还救邺，未到，欲令审配知外动止，先使主簿[198]巨鹿李孚[199]入城。孚斫问事杖[200]，系著马边，自著平上帻[201]，将三骑，投暮[202]诣邺下。自称都督[203]，历北围，循[204]表[205]而东，步步呵责[206]守围将士，随轻重行其罚。遂历操营前，至南围，当章门[207]，复责怒守围者，收缚之。因开其围，驰到城下，呼城上人。城上人以绳引，孚得入。配等见孚，悲喜，鼓噪[208]称万岁。守围者以状闻，操笑曰："此非徒[209]得入也，方且[210]复出。"孚知外围益急，不可复冒，乃请配悉出城中老弱以省谷，夜，简别[211]数千人，皆使持白幡[212]，从三门[213]并出降。孚复将三骑作降人服，随辈夜出，突围得去。

尚兵既至，诸将皆以为："此归师，人自为战，不如避之。"操曰："尚从大道来，当避之。若循西山[214]来者，此成禽耳。"尚果循西山来，东至阳平亭，去邺十七里，临滏水[215]为营。夜，举火以示城中，城中亦举火相应。配出兵城北，欲与尚对决围。操逆击之，败还，尚

【语译】

九年（甲申，公元二〇四年）

春，正月，曹操渡过黄河，筑堤坝遏引淇水流入白沟，用来沟通运粮的水道。

二月，袁尚再次在平原攻打袁谭，留下他的部将审配、苏由守卫邺城。曹操进军到洹水，苏由准备作为内应，预谋泄露，出城投奔曹操。曹操进军到邺城，堆土山、挖地道来攻打邺城。袁尚的武安县长尹楷屯驻毛城，打通通向上党的运粮道路。夏，四月，曹操留下曹洪攻击邺城，自己率兵攻打尹楷，打败尹楷后回师。又在邯郸攻打袁尚部将沮鹄，攻占了邯郸。

易阳县令韩范、涉县县长梁岐都献出县城向曹操投降。徐晃向曹操说："二袁尚未击败，那些没有被攻下城池的官吏们都在侧耳倾听投诚者的情况，应当表扬奖赏易阳、涉县这两个县的官吏，以此展示给其他县城的人看。"曹操听从了这个意见，韩范、梁岐都被赐爵关内侯。黑山贼首领张燕派使者求助于曹操，曹操任命张燕为平北将军。

五月，曹操摧毁土山、地道，挖壕沟围城，壕沟周长四十里。开始时让挖得很浅，看起来好像可以越过。审配看到，感到好笑，因而不出兵争胜。曹军在一夜之间将壕沟挖至深宽各两丈，引来漳水灌满，城中饿死的人超过了一半。

秋，七月，袁尚率兵一万多人回救邺城，尚未到达，他想让审配了解城外的动静，就先派主簿巨鹿人李孚进城，李孚砍木为拷打士兵的刑杖，绑在马旁，自己头上戴着武官的头巾，率领三名骑士，趁夜色来到邺城城下。他自称是都督，巡视北边的围城阵地，沿着围城的标志向东走，步步呵斥守围的将士，根据他们所犯过失的轻重予以惩罚。于是路过曹操的军营前，到达南边的围城阵地，正对邺城章门，又怒斥守围的将士，把他们捆绑起来。然后乘机冲开包围圈，飞奔到城下，呼叫城上的士兵。城上的士兵用绳子把他们牵引上去，李孚等得以进城。审配等见到李孚，悲喜交加，擂鼓呐喊高呼万岁。围困邺城的将士向曹操报告李孚进城的情况，曹操笑着说："这些人不仅能够进城，而且正要出来。"李孚也知道外面包围得更加严密，不能再冒充曹军，就请审配把全城的老弱病残都放出去，以便节约粮食。夜里，挑出几千人，让他们都手持白旗，从三个城门一起出去投降。李孚又率领原来的三名骑士，身上穿着和其他投降人一样的衣服，随从这些人中乘夜出城，突围而去。

袁尚的部队已到达邺城，曹军各位将领都认为："这是回来救援的部队，人自为战，不如避开他们。"曹操说："袁尚若从大路来，应当避开他。如果是沿着西山而来，这就要被我们俘获了。"袁尚果然沿着西山前来，东进到阳平亭，距邺城十七里，临滏水扎营。夜里，袁尚军举起火把，示意城中守军，城中守军也举火把回应。审配从城北出兵，想和袁尚夹击突围。曹操迎击审配，审配战败退回城中，袁尚也

亦破走，依曲漳[216]为营，操遂围之。未合，尚惧，遣使求降。操不听，围之益急。尚夜遁，保祁山[217]，操复进围之。尚将马延、张顗等临陈[218]降，众大溃，尚奔中山[219]。尽收其辎重，得尚印绶、节钺[220]及衣物，以示城中，城中崩沮[221]。审配令士卒曰："坚守死战！操军疲矣，幽州[222]方至，何忧无主！"操出行围[223]，配伏弩射之，几中。

配兄子荣为东门校尉，八月戊寅[224]，荣夜开门内[225]操兵。配拒战城中，操兵生获之。辛评家系[226]邺狱，辛毗驰往，欲解之，已悉为配所杀。操兵缚配诣帐下，毗逆以马鞭击其头，骂之曰："奴，汝今日真死矣！"配顾曰："狗辈，正由汝曹破我冀州，恨不得杀汝也；且汝今日能杀生我邪[227]！"有顷，操引见，谓配曰："曩日[228]孤之行围，何弩之多也！"配曰："犹恨其少！"操曰："卿忠于袁氏，亦自不得不尔。"意欲活之。配意气壮烈，终无桡辞[229]，而辛毗等号哭不已，遂斩之。冀州人张子谦先降，素与配不善，笑谓配曰："正南[230]，卿竟何如我？"配厉声曰："汝为降虏，审配为忠臣，虽死，岂羡汝生邪！"临行刑，叱持兵者[231]令北向，曰："我君在北[232]也。"操乃临祀绍墓，哭之流涕。慰劳绍妻，还其家人宝物，赐杂缯絮[233]，禀食之[234]。

初，袁绍与操共起兵，绍问操曰："若事不辑[235]，则方面何所可据？"操曰："足下[236]意以为何如？"绍曰："吾南据河，北阻燕、代[237]，兼戎狄[238]之众，南向以争天下，庶[239]可以济[240]乎！"操曰："吾任天下之智力，以道御[241]之，无所不可。"

九月，诏以操领冀州牧，操让还兖州。

【段旨】

以上为第五段，写曹操大败袁尚，攻克冀州。

战败逃走，背依曲漳扎营，曹操于是包围了袁尚。还没有合围，袁尚恐惧，派使者求降。曹操不许，更加紧围攻。袁尚乘夜逃走，退保祁山，曹操又进军包围袁尚。袁尚部将马延、张颉等临阵投降，士兵大量溃散，袁尚逃奔中山。曹军收缴了袁军的所有辎重，获得袁尚的印绶、符节、斧钺以及衣物，用它向邺城守军展示，城中守军斗志瓦解。审配命令士兵说："坚守死战！曹军已经疲惫，袁熙就要赶到，何必担心没有主公！"曹操巡视围城的阵地，审配埋伏强弩射他，差点射中。

审配哥哥的儿子审荣任东门校尉，八月初二日戊寅，夜里审荣打开城门放曹军进城。审配在城中抵抗，曹军活捉了审配。辛评的家属被关在邺城监狱，辛毗奔驰前往，想解救他们，但已被审配全部杀死。曹军捆绑审配押到曹操的军帐下，辛毗迎面用马鞭抽打审配的脑袋，大骂审配："奴才，你今天死定了！"审配回头对他说："狗东西，正是你们这帮家伙毁了我的冀州，恨不得杀了你；再说你现在有权力决定我的生死吗！"过了一会儿，曹操引见审配，对审配说："前几天我巡视围城阵地时，怎么有那么多弓弩啊！"审配说："我还遗憾太少了！"曹操说："你忠于袁氏，自然也不得不这样。"曹操想让审配活下来。审配意气壮烈，始终没有一句屈服的话，而辛毗等人则号哭不止，曹操便杀死了审配。冀州人张子谦先归降了曹操，他一向与审配不和，笑着对审配说："审正南，你跟我比究竟怎么样？"审配厉声道："你是降贼，我审配是忠臣，即使死了，哪里会羡慕你苟且偷生！"临刑时，斥令持刀行刑的人让他面向北边，说："我的君主在北面。"曹操亲临袁绍墓前祭祀，痛哭流涕。慰问袁绍的妻子，退还袁绍家里的财宝，赏给彩色的绸缎丝絮，并供给官粮。

起初，袁绍和曹操共同起兵，袁绍问曹操说："如果事业不成功，那么什么地方可以占据呢？"曹操说："您意下如何？"袁绍说："我南据黄河，北倚燕、代，兼有戎狄的兵众，向南面争夺天下，大概可以成功吧！"曹操说："我任用天下的智慧和力量，用道义来驾驭他们，占据什么地方都可以。"

九月，朝廷下诏任命曹操兼任冀州牧；曹操让出兖州牧一职。

【注释】

⑱⑤遏淇水入白沟：白沟本为一小河，在今河南浚县西，下接内黄以下的古清河。淇水，原为黄河支流，由今浚县西南八十里宿胥对岸流入黄河。曹操进攻袁尚，为便于通粮运，遂于淇水入黄河之口，用大枋木作堰以断流，使其东入白沟。此后，上起枋堰，下包括今河北威县以南的清河，皆称白沟。⑱⑥洹水：流经邺县西南。⑱⑦武安：县名，县治在今河北武安西南。⑱⑧毛城：地名，在今河北涉县西。⑱⑨上党：郡名，治所本在长子，在今山西长子西，董卓作乱，移至壶关，在今山西长治北。⑲⓪邯郸：县名，县

治在今河北邯郸。[191] 易阳：县名，县治在今河北永年西。[192] 涉：县名，县治在今河北涉县西北。[193] 旌赏：表彰奖赏。[194] 关内侯：汉代封爵之一种，次于列侯，只有俸禄而无封地。[195] 平北将军：官名，此时新置的杂号将军。[196] 堑：壕沟。[197] 漳水：流经当时邺县之西，即今漳河。[198] 主簿：官名，汉代中央及郡县官署皆置此官，以典领文书，办理事务。[199] 李孚：字子宪，巨鹿（治所在今河北宁晋西南）人，初从袁尚，为主簿。袁尚失败后，又从袁谭为主簿。袁谭死后，投归曹操，为解县长、司隶校尉、阳平太守等。事附见《三国志》卷十五《魏书·贾逵传》裴松之注引《魏略》。[200] 问事杖：即问事所用的杖。问事，杖刑时负责行杖的卒役。[201] 平上帻：汉末魏晋时武官所戴的头巾，因帻上平坦，故名。[202] 投暮：趁夜色。[203] 都督：统兵的将领。[204] 循：沿着。[205] 表：围城所立的标志。[206] 呵责：呵斥；怒责。[207] 章门：邺城有七门，正南门叫章门，又叫中阳门。[208] 鼓噪：击鼓呼叫。[209] 徒：只。[210] 方且：正将；正要。[211] 简别：辨别选择。[212] 白幡：白旗。[213] 三门：指邺城南面的三道门，即凤阳门、中阳门、广阳门。[214] 西山：指邺城以西今山西与河北交界处的太行山脉。也有人认为，西山指太行山脉中的鼓山。[215] 滏

【原文】

初，袁尚遣从事[242]安平牵招[243]至上党[244]督军粮，未还，尚走中山。招说高幹以并州迎尚，并力观变，幹不从。招乃东诣曹操，操复以为冀州从事，又辟崔琰[245]为别驾。操谓琰曰：“昨按户籍，可得三十万众，故为大州也。”琰对曰：“今九州幅裂，二袁兄弟亲寻干戈[246]，冀方蒸庶[247]，暴骨原野，未闻王师存问风俗，救其涂炭[248]，而校计甲兵，唯此为先，斯岂鄙州士女所望于明公哉！”操改容谢之。

许攸恃功骄嫚，尝于众坐呼操小字曰：“某甲[249]，卿非我，不得冀州也！”操笑曰：“汝言是也。”然内不乐，后竟杀之。

冬，十月，有星孛于东井[250]。

高幹以并州[251]降，操复以幹为并州刺史。

曹操之围邺也，袁谭复背之，略取甘陵[252]、安平[253]、勃海[254]、河间[255]。攻袁尚于中山，尚败，走故安[256]，从袁熙。谭悉收其众，还屯龙凑[257]。操与谭书，责以负约，与之绝婚。女还，然后进讨。十二月，操军其门[258]，谭拔平原，走保南皮，临清河[259]而屯。操入平原，略定诸县。

水：即今滏阳河，经河北临漳西。㉑曲漳：漳水转弯处。㉑祁山：在当时邺县之南，约在今河南安阳西。《三国志》卷六《魏书·袁绍传》中“祁山”又作“滥口”。清代学者谢锺英说：“按当时兵势，祁山即滥口，一地两名。”见《补三国疆域志补注》。㉑陈：通“阵”。㉑中山：王国名，治所卢奴，在今河北定州。㉒节钺：符节、斧钺。符节示信，斧钺行刑。职位权力的象征物。㉒崩沮：崩溃；瓦解。㉒幽州：指代袁熙。㉒行围：巡视围城阵地；巡行。㉒戊寅：八月初二日。㉒内：通“纳”。㉒系：拘禁。㉒汝今日能杀生我邪：你今日能杀我或使我生存吗。言外之意，能杀我或使我生存的是曹操，而不是你辛毗。㉒曩日：往日。㉒桡辞：屈服的言辞。㉓正南：审配字正南。㉓持兵者：执兵器行刑者。㉓我君在北：指袁尚逃奔在北。㉓缯絮：缯，丝织品的总称。絮，丝絮。㉓禀食之：用公粮供养他们。㉓辑：成功。㉓足下：古代对人的敬称。㉓燕、代：春秋二国名。其地相当于今河北北部和山西东北部一带。㉓戎狄：古代称西方的游牧部族为戎，北方的游牧部族为狄。这里泛指乌桓、鲜卑、南匈奴等。㉓庶：或许。㉔济：成功。㉔御：驾驭。

【语译】

起初，袁尚派从事安平人牵招到上党郡督办军粮，还没有回来，袁尚已逃到中山。牵招劝说高幹以并州之地迎接袁尚，合并力量等待时局的变化，高幹不听从。牵招就东去前往曹操那里，曹操又任命牵招为冀州从事，还征辟崔琰为别驾。曹操对崔琰说：“昨天我查阅了户籍，可以得到三十万人，所以冀州是一个大州。”崔琰回答说：“如今九州分裂，二袁兄弟同室操戈，冀州百姓，暴骨原野，没有听说天子的军队存问民间疾苦，救民于水火之中，却去计算丁壮数目，而且首先考虑这一问题，这哪里是我冀州男女百姓对明公的期望啊！”曹操改变脸色向崔琰道歉。

许攸恃功傲慢自大，曾经在大庭广众之下直呼曹操的小名，说：“阿瞒，你不是靠我，得不到冀州！”曹操笑着说：“你说得对。”可是心里不高兴，后来终于杀了他。

冬，十月，有孛星出现在东井星区。

高幹率并州投降曹操，曹操又任命高幹为并州刺史。

曹操围攻邺城的时候，袁谭又叛离曹操，攻取甘陵、安平、勃海、河间。袁谭在中山攻击袁尚，袁尚战败，逃到故安，追随袁熙。袁谭收编了袁尚的全部兵众，回军屯守龙凑。曹操写信给袁谭，责备他违约，与他断绝姻亲关系。女儿回来后，进军讨伐。十二月，曹军屯驻其门。袁谭攻下平原，退守南皮县，在清河岸边驻守。曹操攻入平原，平定周围的各县。

曹操表公孙度为武威将军㉖⓪，封永宁乡侯㉖①。度曰："我王辽东，何永宁也！"藏印绶于武库㉖②。是岁，度卒，子康㉖③嗣位，以永宁乡侯封其弟恭㉖④。

操以牵招尝为袁氏领乌桓，遣诣柳城㉖⑤，抚慰乌桓。值峭王㉖⑥严㉖⑦五千骑欲助袁谭，又，公孙康遣使韩忠假峭王单于印绶。峭王大会群长㉖⑧，忠亦在坐。峭王问招："昔袁公言受天子之命，假㉖⑨我为单于。今曹公复言当更白天子，假我真单于，辽东复持印绶来。如此，谁当为正？"招答曰："昔袁公承制㉗⓪，得有所拜假。中间违错㉗①天子命，曹公代之，言当白天子，更假真单于是也[8]。辽东下郡，何得擅称拜假也！"忠曰："我辽东在沧海之东，拥兵百余万，又有扶余㉗②、濊貊㉗③之用。当今之势，强者为右㉗④，曹操何得独为是也！"招呵忠曰："曹公允恭明哲㉗⑤，翼戴㉗⑥天子，伐叛柔服㉗⑦，宁静四海。汝君臣顽嚚㉗⑧，今恃险远，背违王命，欲擅拜假，侮弄神器㉗⑨；方当屠戮，何敢慢易㉘⓪咎毁㉘①大人㉘②！"便捉忠头顿筑㉘③，拔刀欲斩之。峭王惊怖，徒跣㉘④抱招，以救请忠，左右失色。招乃还坐，为峭王等说成败之效，祸福所归；皆下席跪伏，敬受敕教㉘⑤，便辞辽东之使，罢所严骑。

【段旨】

以上为第六段，写牵招奉使安辑乌桓，不辱朝命。

【注释】

㉔② 从事：官名，东汉州牧刺史的佐吏，有别驾从事史、治中从事史、兵曹从事史、部从事史等，均可简称从事。㉔③ 牵招：字子经，安平观津（今河北武邑东南）人，初从袁绍，为督军从事，并统领乌桓骑兵。袁绍死后，又从袁尚。袁尚败后，乃投归曹操。后从曹操征乌桓，为护乌桓校尉。曹魏初为雁门太守，在郡十三年，大兴学校，开凿水利，甚有政绩。传见《三国志》卷二十六。㉔④ 上党：郡名，治所在今山西壶关。㉔⑤ 崔琰：字季珪，清河东武城（今山东武城西北）人。郑玄学生，通《论语》、"韩诗"。袁绍据河北，任骑都尉。后归曹操，为别驾从事。魏国立，任尚书中尉，以罪被杀。传见《三国志》卷十二。㉔⑥ 寻干戈：使用干戈，即战争之意。㉔⑦ 蒸庶：众庶；百姓。《诗

曹操上表推荐公孙度为武威将军，封为永宁乡侯。公孙度说："我在辽东称王，稀罕什么永宁乡侯！"把印绶藏在武器库里。这一年，公孙度死去，他的儿子公孙康继位，就把永宁乡侯封给他的弟弟公孙恭。

曹操鉴于牵招曾为袁氏管理过乌桓事务，就派他到柳城，安抚乌桓。正碰上乌桓峭王装备了五千骑兵，准备帮助袁谭。同时，公孙康派使者韩忠颁给峭王单于印绶。峭王召集部落酋长大会，韩忠也在座。峭王问牵招："以前袁绍说受天子之命，封我为单于。现在曹公又说还要上奏天子，封我为真单于，辽东又派使者送印绶来。这样，哪一家的任命才是正当合法呢？"牵招回答说："以前袁公秉承天子旨意，有权任官封爵。中间袁公违背了天子的旨意，曹公取而代之，因而曹公说要再次奏报天子，封你为真单于。辽东只不过是中国的下等郡，怎么能擅自封拜呢！"韩忠说："我们辽东在沧海之东，拥兵一百余万，又有扶余、濊貊人为我所用。当今的形势，强者为上，曹操怎么能专擅此事呢！"牵招呵斥韩忠说："曹公诚信、谦恭、开明、睿智，辅佐天子，征伐叛逆，安抚顺从的人，安定四海。你们君臣冥顽不化，如今倚仗地势险要僻远，违反朝廷之命，想擅自封拜，亵渎国家权力，正该诛除格杀，怎敢侮辱诋毁曹大人！"就按住韩忠的头往地上撞，抽刀要杀他。峭王惊恐，光着脚上前抱住牵招，护救韩忠，左右的人大惊失色。牵招这才回到座位上，向峭王等陈述成败得失、祸福结局；于是满座人都离开席位跪拜在地，敬受戒教，峭王便拒绝了辽东的使者，整装的骑兵停止出发。

经·烝民》郑笺："蒸，众也。"蒸，同"烝"。㉔⑧涂炭：比喻困苦的境地，如在泥中火中。涂，泥。炭，火。㉔⑨某甲：史书避讳之词。曹操一名吉利，小字阿瞒，许攸呼曹操小字，当为"阿瞒"。㉕⓪东井：星名，即井宿，为二十八宿之一，由双子座八星组成。㉕①并州：州名，为汉武帝所置十三刺史部之一。辖地当今山西大部和内蒙古、河北的一部。东汉治晋阳，即今山西太原西南。后辖境扩大，还包括今陕西北部及河套地区。㉕②甘陵：王国名，治所甘陵县，在今山东临清东。㉕③安平：王国名，治所信都，在今河北衡水市冀州区。㉕④勃海：郡名，治所南皮，在今河北南皮北。㉕⑤河间：王国名，治所乐成，在今河北献县东南。㉕⑥故安：县名，县治在今河北易县东南。㉕⑦龙凑：地名，在今山东平原县南。㉕⑧军其门：驻军于其门。其门，平原县境内的地名，今地不详。㉕⑨清河：水名，流经南皮西。㉖⓪武威将军：官名，为东汉之杂号将军。㉖①乡侯：汉代封爵之一种，位在县侯下，亭侯上，食邑为乡。㉖②武库：指辽东郡之武器库。㉖③康：公孙康。公孙度死后，康继承其位。后袁尚等逃奔辽东，康斩其首送曹操，以功为左将军，封襄平侯。传见《三国志》卷八。㉖④恭：公孙恭。公孙康死后，其子晃、渊皆

小，众立恭为辽东太守。曹丕为帝之后，以恭为车骑将军，封平郭侯，后被公孙渊所胁夺。传见《三国志》卷八。㉖⑤柳城：旧县名，西汉为县，属辽西郡，东汉省。旧县治在今辽宁朝阳南。㉖⑥峭王：辽东属国乌桓首领苏仆延自称峭王。㉖⑦严：即“装”字，装备。此避明帝刘庄讳改。㉖⑧群长：指乌桓各部落之长。㉖⑨假：授。㉗⓪承制：秉承皇帝的意旨。㉗①违错：违背。㉗②扶余：古族名，居于松花江流域一带，其地肥沃，宜于耕种，故以农业为主。东汉时，与汉王朝关系密切。公孙度据辽东，曾将宗女嫁扶余王，关系更为密切。㉗③濊貊：古代少数民族名，其族依濊水而居，故称濊貊。濊水在今辽宁凤城以

【原文】

丹阳大都督[286]妫览、郡丞[287]戴员杀太守孙翊。将军孙河[288]屯京城[289]，驰赴宛陵[290]，览、员复杀之，遣人迎扬州刺史刘馥，令住历阳[291]，以丹阳[292]应之。

览入居军府中，欲逼取翊妻徐氏。徐氏绐[293]之曰：“乞须晦日[294]设祭除服[295]，然后听命。”览许之。徐氏潜使所亲语翊亲近旧将孙高、傅婴等与共图[296]览，高、婴涕泣许诺，密呼翊时侍养者[297]二十余人与盟誓合谋。到晦日，设祭。徐氏哭泣尽哀，毕，乃除服，薰香沐浴，言笑懽悦。大小凄怆[298]，怪其如此。览密觇[299]，无复疑意。徐氏呼高、婴置户内，使人召览入。徐氏出户拜览，适[300]得一拜，徐大呼：“二君可起！”高、婴俱出，共杀览，余人即就外杀员。徐氏乃还缞绖[301]，奉览、员首以祭翊墓，举军震骇。

孙权闻乱，从椒丘[302]还。至丹阳，悉族诛览、员余党，擢[303]高、婴为牙门[304]，其余赏赐有差。

河子韶，年十七，收河余众屯京城。权引军归吴，夜至京城下营，试攻惊之。兵皆乘城[305]，传檄备警，欢声[306]动地，颇射外人。权使晓喻[307]，乃止。明日见韶，拜承烈校尉[308]，统河部曲[309]。

东。㉔右：上。㉕允恭明哲：诚信、谦恭、开明、睿智。㉖翼戴：辅助拥戴。㉗柔服：安抚服从者。㉘顽嚚：顽固不化。㉙神器：此指帝王的权力。㉚慢易：轻侮。㉛咎毁：仇视诽谤。㉜大人：指曹操。㉝顿筑：指按头碰地。㉞徒跣：光着脚。指事件突发，峭王来不及穿鞋。㉟敕教：告诫之言。

【校记】

［8］是也：原无此二字。据章钰校，甲十一行本、乙十一行本皆有此二字，今据补。

【语译】

丹阳郡的大都督妫览、郡丞戴员杀了太守孙翊。将军孙河驻守京城，闻讯后驰赴郡治宛陵，妫览、戴员又杀了孙河，派人迎请扬州刺史刘馥，让刘馥留居历阳，妫览、戴员则以丹阳与刘馥呼应。

妫览住进太守的军府中，想强迫娶孙翊的妻子徐氏。徐氏骗他说："请求等到月底最后一天，我祭奠丈夫脱去丧服后，然后听从你。"妫览同意了。徐氏秘密派亲信告知孙翊亲近的旧将孙高、傅婴等和她一起策划除去妫览，孙高、傅婴流着眼泪答应了，两人秘密找来孙翊生前侍候他而供养的二十多人，一起盟誓合谋。到了月底最后一天，设礼祭祀。徐氏痛哭尽哀，祭奠结束，就脱去丧服，熏香沐浴，谈笑欢快。府中大小莫不悲痛伤心，对徐氏的如此举止感到惊讶。妫览也偷偷观察，不再怀疑。徐氏呼唤孙高、傅婴藏在门后，派人请妫览进来。徐氏出门拜见妫览，只拜了一拜，徐氏就大声呼喊："二位可以行动了！"孙高、傅婴一齐奔出，合力杀死妫览，其余的人立刻到外面杀死戴员。徐氏于是重新穿上丧服，把妫览、戴员的人头呈送孙翊的墓前祭奠，全军为之震骇。

孙权得知变乱的消息，从椒丘回军，到了丹阳，把妫览、戴员的余党全部灭族，提拔孙高、傅婴为牙门将，其余的按照不同的等级加以赏赐。

孙河的儿子孙韶，十七岁，搜聚孙河的余部屯驻京城。孙权率军返回吴郡，夜里到京城的城下扎营，派军试探性进攻，使孙韶惊惧。孙韶的士兵都登上城墙，传达军令，严加守备，喧哗声动地，很多箭射向城外。孙权派人解释，才停止放箭。第二天孙权召见孙韶，任命他为承烈校尉，统领孙河的部众。

【段旨】

以上为第七段，写孙权整顿江东内乱。

【注释】

㉘⁶大都督：当为丹阳郡的统兵将领。㉘⁷郡丞：辅佐郡守之官。㉘⁸孙河：字伯海，吴郡（治今江苏苏州）人，本姓俞，孙策赐姓孙。历事孙坚、孙策为将军，为孙权领庐江太守，屯京城。至是为妫览、戴员所害。㉘⁹京城：县名，即汉代的丹徒县，孙权自吴（今苏州）迁于此，改称京城，又称京口，在今江苏镇江市东南。㉙⁰宛陵：县名，县治在

【原文】

十年（乙酉，公元二〇五年）

春，正月，曹操攻南皮，袁谭出战，士卒多死。操欲缓之，议郎[310]曹纯[311]曰："今县师[312]深入，难以持久；若进不能克，退必丧威。"乃自执桴[313]鼓以率攻者，遂克之。谭出走，追斩之。

李孚自称冀州主簿，求见操，曰："今城中强弱相陵[314]，人心扰乱，以为宜令新降为内所识信者宣传明教。"操即使孚往入城，告谕吏民，使各安故业，不得相侵，城中乃安。操于是斩郭图等及其妻子。

袁谭使王脩运粮于乐安[315]，闻谭急，将所领兵往赴之。至高密[316]，闻谭死，下马号哭，曰："无君焉归！"遂诣曹操，乞收葬谭尸。操许之，复使脩还乐安，督军粮。谭所部诸城皆服，唯乐安太守管统不下。操命脩取统首。脩以统亡国忠臣，解其缚，使诣操，操悦而赦之，辟脩为司空掾[317]。

郭嘉说操多辟青、冀、幽、并名士以为掾属，使人心归附，操从之。官渡之战，袁绍使陈琳[318]为檄书，数[319]操罪恶，连及家世，极其丑诋[320]。及袁氏败，琳归操，操曰："卿昔为本初移书，但可罪状孤身，何乃上及父祖[321]邪！"琳谢罪，操释之，使与陈留阮瑀[322]俱管记室[323]。

先是，渔阳王松据涿郡[324]，郡人刘放[325]说松以地归操，操辟放参司空军事。

袁熙为其将焦触、张南所攻，与尚俱奔辽西乌桓。触自号幽州刺史，驱率诸郡太守令长，背袁向曹，陈兵数万，杀白马而盟，令曰：

今安徽宣城。㉑历阳：侯国名，治所在今安徽和县。㉒丹阳：郡名，治所即宛陵。㉓绐：欺骗。㉔晦日：农历每月的最后一日。㉕除服：除去丧服。㉖图：谓谋杀。㉗侍养者：谓侍候孙翊又受孙翊丰厚的给养者。㉘凄怆：悲哀伤痛。㉙密觇：秘密地察看。㉚适：仅；只。㉛缞绖：丧服。㉜椒丘：地名，在今江西南昌市新建区北。㉝擢：提拔。㉞牙门：即牙门将，领兵的下级军官。㉟乘城：登城。㊱欢声：喧哗声。㊲晓喻：告诉解释。㊳承烈校尉：官名，校尉为东汉统兵的中级武官。㊴部曲：军队。

【语译】

十年（乙酉，公元二〇五年）

春，正月，曹操进攻南皮，袁谭出城迎战，曹军士兵死亡很多。曹操想暂缓进攻，议郎曹纯说："现在孤军深入，难以持久；如果进攻不能取胜，撤退一定会丧失军威。"曹操于是亲自操起鼓槌击鼓，以此率领将士进攻，终于攻下南皮。袁谭出城逃走，被曹军追上杀死。

李孚自称冀州主簿，求见曹操，说："如今城中强弱相侵，人心动乱，我认为应派刚归降而又能让城中人所认可信服的人去传达您英明的指令。"曹操当即派李孚进城，晓谕官民，让他们各安旧业，不许相互侵凌，城中才安定下来。曹操于是杀了郭图等及其妻子儿女。

袁谭派王脩从乐安运送军粮，王脩得知袁谭处境危急，率领所统领的部众赶去救援。到达高密，得知袁谭已死，下马痛哭，说："没了主君，我投奔哪里呢！"于是去往曹操那里，请求收葬袁谭的尸体。曹操允许了，又让王脩返回乐安，督办军粮。袁谭所属的各城全都降服，只有乐安太守管统不降。曹操命令王脩去取管统的首级。王脩认为管统是亡国的忠臣，就为他松绑，让管统去见曹操，曹操很高兴，赦免了他，举荐王脩为司空掾。

郭嘉劝曹操多任用青、冀、幽、并四州的名士为属官，使人心归附，曹操听从了。官渡之战时，袁绍命陈琳写征伐曹操的檄文，历数曹操的罪恶，连及曹操的家世，极尽丑化诽谤之能事。等到袁绍失败，陈琳归降曹操，曹操说："你先前为袁绍所作檄书，只应数落我的罪状，怎么能向上牵连到我的父亲和祖父呢！"陈琳谢罪，曹操赦免了他，让他和陈留人阮瑀一起管掌记室之职。

在此之前，渔阳人王松占领了涿郡，郡人刘放劝说王松率地归降曹操，曹操任命刘放为参司空军事。

袁熙被他的部将焦触、张南攻击，和袁尚一起逃到辽西郡的乌桓部落。焦触自称幽州刺史，驱使各郡太守和各县的县令县长叛离袁氏，归附曹操，陈兵数万人，

“敢违者斩!”众莫敢仰视，各以次歃[326]。别驾代郡韩珩[327]曰:“吾受袁公父子厚恩，今其破亡，智不能救，勇不能死，于义阙矣。若乃北面曹氏[328]，所不能为也。”一坐为珩失色。触曰:“夫举大事，当立大义，事之济否，不待一人。可卒[329]珩志，以厉[330]事君。”乃舍之。触等遂降曹操，皆封为列侯[331]。

夏，四月，黑山贼帅张燕率其众十余万降，封安国亭侯。

故安赵犊、霍奴等杀幽州刺史及涿郡太守，三郡[332]乌桓攻鲜于辅于犷平[333]。秋，八月，操讨犊等，斩之，乃渡潞水[334]救犷平，乌桓走出塞。

【段旨】

以上为第八段，写曹操灭袁谭，河北悉平。

【注释】

⑩议郎：官名，郎官之一种，属光禄勋，但不入值宿卫，得参与朝政议论。⑪曹纯：字子和，曹仁之弟。从曹操攻南皮，其部下斩袁谭首，又从曹操北征三郡乌桓，其部下又获蹋顿，以前后功封高陵亭侯。传见《三国志》卷九。⑫县师：深入敌境而无后援之孤军。县，“悬”本字。⑬桴：通“枹”。鼓槌。⑭陵：通“凌”。侵侮。⑮乐安：郡名，治所临济，在今山东高青西北。⑯高密：县名，县治在今山东高密西南。⑰司空掾：官名，司空的僚属。⑱陈琳（？至公元二一七年）：字孔璋，广陵（今江苏扬州）人，初为何进主簿，后归曹操为司空军谋祭酒。有文才，为建安七子之一。传见《三国志》卷二十一。⑲数：责备；数说。⑳丑诋：毁谤；诬蔑。㉑上及父祖:《三国志》卷六《魏书·袁绍传》注引《魏氏春秋》载陈琳为袁绍所作檄文，其中涉及曹操父祖之言有:“祖父腾，故中常侍，与左悺、徐璜并作妖孽，饕餮放横，伤化虐民。父嵩，乞匄携

【原文】

冬，十月，高幹闻操讨乌桓，复以并州叛，执上党太守，举兵守壶关口[335]，操遣其将乐进[336]、李典击之。河内张晟，众万余人，寇崤、

杀白马盟誓，命令道："敢违抗的人斩首!"众人没有敢抬头仰视的，各人按顺序饮血盟誓。别驾代郡人韩珩说："我蒙受袁公父子的厚恩，如今他们已经败亡，我的智慧不能挽救，没勇气殉死，道义已经有亏。但是北面臣服曹氏，我是不能做的。"满座的人为韩珩的言论惊恐失色。焦触说："凡是做大事，应当倡立道义，事情的成败，不在乎一个人。可以成全韩珩的志向，以鼓励侍奉君主的人。"于是放走了韩珩。焦触等人投降曹操，都被封为列侯。

夏，四月，黑山贼首领张燕率领部众十几万人投降，被封为安国亭侯。

故安人赵犊、霍奴等杀死幽州刺史和涿郡太守，三郡乌桓在犷平攻击鲜于辅。秋，八月，曹操征讨并杀死赵犊等人，于是渡过潞水救援犷平，乌桓部众逃往塞外。

养，因赃假位，舆金辇璧，输货权门，窃盗鼎司，倾覆重器。操赘阉遗丑，本无令德。"《文选》亦载此文，题作《为袁绍檄豫州》，文与《魏氏春秋》所载稍有差异。㉒阮瑀（？至公元二一二年）：字符瑜，陈留（治所在今河南开封东南）人，与陈琳并为曹操司空军谋祭酒，管记室，军国书檄多出于二人。有文才，为建安七子之一。传附见《三国志》卷二十一《魏书·王粲传》。㉓记室：官名，东汉置，诸王三公及大将军府皆设有记室令史，掌章表书记文檄。㉔涿郡：郡名，治所在今河北涿州。㉕刘放（？至公元二五〇年）：字子弃，涿郡方城（今河北固安南）人，投归曹操后，历任主簿、记室、郃阳令等，又与孙资同为魏国秘书郎。魏文帝改秘书为中书，放与孙资即为中书监、令，同掌机要。魏明帝即位后，对二人更加宠任，同加散骑常侍，后又加侍中、光禄大夫，放封为方城侯，孙资为中都侯。后二人助司马懿掌握魏政权有功，死后皆得佳谥。传见《三国志》卷十四。㉖歃：吸饮；饮血盟誓。㉗韩珩：字子佩，代郡（治所在今山西阳高）人，事袁绍父子，任别驾。袁氏灭，不受曹操征辟，卒于家。㉘北面曹氏：谓臣服于曹氏。㉙卒：完成；成全。㉚厉："励"本字。鼓励。㉛列侯：汉代分爵为二十级，列侯位最高。列侯功大者食县，为侯国，功小者食乡亭。㉜三郡：指辽西、辽东、右北平三郡。㉝犷平：县名，县治在今北京市密云东北。㉞潞水：即今河北白河。

【语译】

冬，十月，高幹得知曹操征讨乌桓，又据守并州叛乱，逮捕了上党郡太守，发兵把守壶关口，曹操派部将乐进、李典进攻高幹。河内人张晟有部众一万多人，侵

渑[337]间，弘农张琰起兵以应之。

河东太守王邑被征，郡掾[338]卫固及中郎将[339]范先等诣司隶校尉锺繇，请留之，繇不许。固等外以请邑为名，而内实与高幹通谋。曹操谓荀彧曰："关西诸将，外服内贰[340]，张晟寇乱殽[341]、渑，南通刘表，固等因之，将为深害。当今河东，天下之要地[342]也，君为我举贤才以镇之。"彧曰："西平[343]太守京兆杜畿[344]，勇足以当难，智足以应变。"操乃以畿为河东太守。锺繇促王邑交符[345]。邑佩印绶，径从河北[346]诣许自归[347]。

卫固等使兵数千人绝陕津[348]，杜畿至，数月不得渡。操遣夏侯惇讨固等，未至，畿曰："河东有三万户，非皆欲为乱也。今兵迫之急，欲为善者无主，必惧而听于固。固等势专，必以死战[9]。讨之不胜，为难未已[349]；讨之而胜，是残一郡之民也。且固等未显绝王命，外以请故君为名，必不害新君。吾单车直往，出其不意，固为人多计而无断，必伪受吾，吾得居郡一月，以计縻[350]之，足矣。"遂诡道[351]从郖津[352]度。

范先欲杀畿以威众，且观畿去就，于门下斩杀主簿以下三十余人，畿举动自若。于是固曰："杀之无损，徒有恶名，且制之在我。"遂奉之。畿谓固、先曰："卫、范，河东之望也，吾仰成[353]而已。然君臣有定义，成败同之，大事当共平议。"以固为都督[354]，行丞[355]事，领功曹；将校吏兵三千余人，皆范先督之。固等喜，虽阳[356]事畿，不以为意。固欲大发兵[357]，畿患之，说固曰："今大发兵，众情必扰，不如徐以赀[358]募兵。"固以为然，从之，得兵甚少。畿又喻固等曰："人情顾家，诸将掾史，可分遣休息，急缓[359]召之不难。"固等恶逆众心，又从之。于是善人在外，阴为己援，恶人分散，各还其家。

会白骑[360]攻东垣[361]，高幹入濩泽[362]。畿知诸县附己，乃出，单将数十骑，赴坚壁而守之。吏民多举城[363]助畿者，比[364]数十日，得四千余人。固等与高幹、张晟共攻畿，不下，略诸县，无所得。曹操使议郎张既西征关中诸将马腾等，皆引兵会击晟等，破之，斩固、琰等首，其余党与皆赦之。

于是杜畿治河东，务崇宽惠。民有辞讼，畿为陈义理，遣归谛

扰崤山、渑池一带，弘农人张琰起兵响应张晟。

河东郡太守王邑受到朝廷征召，郡掾卫固和中郎将范先等去司隶校尉锺繇那里，请求留下王邑，锺繇不答应。卫固等表面上以请留王邑为借口，而暗中却与高幹通谋。曹操对荀彧说："关西的各位将领，外表服从却内怀二心，张晟掳掠崤山、渑池一带，南与刘表联络，卫固等趁机反叛，将会成为大害。当今的河东，是天下的冲要之地，请你为我推举贤才来镇守。"荀彧说："西平太守京兆人杜畿，他的勇气足以担当危难，他的智慧足以应付事变。"曹操就任命杜畿为河东太守。锺繇催促王邑交出郡守符节。王邑佩戴着印绶，直接从河北县前往许都自首。

卫固等派兵数千人阻断陕津渡口，杜畿到达，几个月不能渡河。曹操派夏侯惇讨伐卫固等，夏侯惇还没到达，杜畿说："河东有三万户民众，不是都想叛乱。现今被叛兵逼得太紧，想从善的人没有领头的，必定会因恐惧而听命于卫固，这样卫固等人就因势专断，必定拼命死战。如果讨伐他不能取胜，灾难就没完没了；如果讨伐取胜，这就意味着残害一郡的百姓。况且卫固等还没有公开拒绝王命，表面上是以请留任原太守为名，必然不会杀害新太守。我单刀直入，出其不意，卫固为人计谋多而无决断力，一定假意接待我，我能在郡中住一个月，用计笼络他，事情完全可以成功了。"于是杜畿走秘密通道从郖津渡过了黄河。

范先想杀掉杜畿来威镇部众，就先观察杜畿的动向，在郡府门前杀死主簿以下三十多人，杜畿的行动自如，于是卫固说："杀了杜畿对曹操无损，只会有恶名声，况且如何控制他全在于我。"于是奉杜畿为太守。杜畿对卫固、范先说："卫家、范家是河东的望族，我只不过坐享其成罢了。然而君臣有确定的名分，成功或失败都要共同承担，大事应共同商量。"杜畿任命卫固为都督，署理郡丞事务，兼任功曹；将校官兵三千多人，都由范先统领。卫固等人十分高兴，虽然表面上侍奉杜畿，实际上不把他放在心上。卫固想大量征兵，杜畿担忧这件事，劝卫固说："现在大量征兵，必然民心骚动，不如慢慢地用钱来招募士兵。"卫固认为很对，同意了，但募到的士兵很少。杜畿又开导卫固等人说："人情都恋家，各位将领和属官，可以让他们分别休息，有急事再召他们也不难。"卫固等人害怕违反众人的意愿，又同意了。于是善良的人大多留下在外任事，这些人暗中成为杜畿的援手，恶人被分散，各回自己的家。

恰巧黑山军张白骑攻打东垣，高幹进入濩泽。杜畿知道河东各县归附自己，于是出城，只身率领几十名骑兵，奔赴坚固的壁垒据守。各地官民大都倾城出动援助杜畿，到了几十天，得到四千多人。卫固等和高幹、张晟一起攻击杜畿，不能攻克，掳掠各县，一无所获。曹操派议郎张既西去征召关中众将领马腾等，全都率兵来会攻打张晟等，把张晟等打败了，斩下卫固、张琰等人的首级，其余的党羽都被赦免。

于是杜畿治理河东，一心推行宽厚仁惠的政策。百姓有来打官司告状的，杜畿

思[365]之，父老皆自相责怒，不敢讼。劝耕桑，课畜牧，百姓家家丰实。然后兴学校，举孝弟[366]，修戎事[367]，讲武备，河东遂安。畿在河东十六年，常为天下最[368]。

【段旨】

以上为第九段，写高幹据并州叛，曹操委派杜畿安集河东。

【注释】

㉟壶关口：即壶口关，在今山西长治东南壶口山下。此地山川相错，地形如壶，故名。㊱乐进（？至公元二一八年）：字文谦，阳平卫国（今河南清丰）人，初从曹操为帐下吏，屡从征战，后为折冲将军、右将军等。传见《三国志》卷十七。㊲崤、渑：崤，指崤山，在今河南洛宁西北。渑，指渑池水，在今河南宜阳西。㊳郡掾：官名，汉代郡守之下分曹治事，掾是郡府各曹主要负责人的通称，如主记掾、录事掾、仓曹掾、督邮掾、金曹掾、市掾等。㊴中郎将：官名，东汉职位次于将军的统兵将领。㊵内贰：内怀二心。㊶殽：同“崤”。㊷天下之要地：河东郡治所安邑，在今山西夏县西北。当时高幹据并州，马腾、韩遂等据关中，往来交通皆由河东，故为天下之要地。㊸西平：郡名，汉献帝建安中，分金城郡置西平郡；又分临羌县置西都县，为西平郡治所。西都县治在今青海西宁。㊹杜畿：字伯侯，京兆杜陵（今陕西西安市长安区东南）人，初为郡吏，荀彧推荐于曹操，曹操以之为司空司直、护羌校尉、西平太守、河东太守等。为政崇尚宽惠，奖励耕牧，又重教化，兴学校，在郡十六年，治绩为全国之最。曹魏初为司

【原文】

秘书监[369]、侍中[370]荀悦[371]作《申鉴》[372]五篇，奏之。悦，爽之兄子也。时政在曹氏[373]，天子恭己[374]。悦志在献替[375]，而谋无所用，故作是书。其大略曰：“为政之术，先屏[376]四患[377]，乃崇[378]五政[379]。伪[380]乱俗，私[381]坏法，放[382]越轨，奢[383]败制，四者不除，则政末[384]由行矣，是谓四患。兴农桑以养其生，审[385]好恶以正其俗，宣文教以章[386]其化，立武备以秉[387]其威，明赏罚以统其法，是谓五政。人不畏死，不可惧以罪[388]，人不乐生，

为他们陈述道义事理，让他们回家仔细思量，父老们都各自怒责自己，不敢去告状。杜畿鼓励农耕蚕桑，督促发展畜牧业，百姓家家富足殷实。然后兴办学校，举荐孝悌，整饬军务，讲习武事，于是河东郡社会安定。杜畿在河东郡十六年，政绩常常是天下之最。

隶校尉、尚书仆射。传见《三国志》卷十六。㉟符：任郡守的符节。㊱河北：县名，县治在今山西芮城东北。㊲自归：自行归罪；自首。㊳陕津：渡口名，又名茅津，黄河渡口之一，在陕县之北。陕县治所在今河南三门峡市陕州区。㊴未已：没有了结。㊵縻：笼络。㊶诡道：隐秘道路；小道。㊷郖津：渡口名，黄河渡口之一，在今河南灵宝西北。㊸仰成：仰仗成功。喻坐享其成。㊹都督：官名，此为领郡兵之官。㊺丞：即郡丞，为郡守府中地位最高的佐吏。杜畿以卫固为都督、郡丞、功曹，表面上是把郡的军政大权交给了卫固。㊻阳：表面。㊼发兵：此指征发、征召兵众。㊽赀：钱财。㊾急缓：偏义复词，紧急之意。㊿白骑：黑山军张白骑。(361)东垣：即垣县，县治在今山西垣曲西。(362)濩泽：侯国名，治所在今山西阳城西。(363)举城：谓举河东郡所属之县城。(364)比：及；到了。(365)谛思：仔细思考。(366)孝弟：孝顺父母，敬爱兄长。汉代有孝弟力田的选举科目，被选举者得为郡县中掌教化的乡官。(367)戎事：军事。(368)最：最高；最大。此指政绩第一。

【校记】

［9］必以死战：原无此四字。据章钰校，甲十一行本、乙十一行本、孔天胤本皆有此四字，张敦仁《通鉴刊本识误》同，今据补。

【语译】

秘书监、侍中荀悦撰写了《申鉴》五篇，奏报天子。荀悦，是荀爽哥哥的儿子。当时朝廷大权掌握在曹操手中，天子只不过是南面端坐罢了。荀悦志在诤言进谏，但他的谋略无处施展，所以撰写此书。该书的大要说："治理政事的路数，首先是摒弃四患，然后提倡五政。虚伪扰乱风俗，营私毁坏法纪，放纵就会越轨，奢靡败坏制度，这四种行为不清除，政事就无法推行，这就是四患。振兴农桑以养育众生，明辨好恶以端正民俗，宣扬文教以昭明教化，建立武备以秉持武威，分明赏罚以统一法令，这就是五政。人若不怕死，不可用罪罚来恐吓他；人若不乐生，

不可劝[389]以善。故在上者，先丰民财以定其志[390]，是谓养生[391]。善恶要乎功罪，毁誉效于准验，听言责事，举名察实，无或[392]诈伪以荡[393]众心。故俗无奸怪，民无淫风，是谓正俗。荣辱者，赏罚之精华也，故礼教荣辱以加君子，化其情也，桎梏[394]鞭扑[395]以加小人，化其形[396]也。若教化[397]之废，推中人[398]而坠于小人之域，教化之行，引中人而纳于君子之涂，是谓章化[399]。在上者必有武备以戒不虞[400]，安居则寄之内政[401]，有事则用之军旅，是谓秉威[402]。赏罚，政之柄也。人主不妄[403]赏，非爱其财也，赏妄行，则善不劝矣。不妄罚，非矜[404]其人也，罚妄行，则恶不惩[405]矣。赏不劝，谓之止善，罚不惩，谓之纵恶。在上者能不止下为善，不纵下为恶，则国法立矣，是谓统法[406]。四患既独[407]，五政又立，行之以诚，守之以固，简而不怠，疏而不失，垂拱[408]揖让[409]，而海内[410]平矣。”

【段旨】

以上为第十段，摘载荀悦所作《申鉴》有关政体和时事的内容，委婉地表达自己的政治主张，用以讥刺曹操的专权。

【注释】

⑲秘书监：官名，汉桓帝时始置，掌图书典籍。⑳侍中：官名，职在侍从皇帝，应对顾问。㉑荀悦（公元一四八至二〇九年）：字仲豫，颍川颍阴（今河南许昌）人，少好学，善解《春秋》。后应曹操征召，为黄门侍郎、秘书监、侍中等。汉献帝以《汉书》繁重难读，命其改写。悦依《左传》体裁，改撰成《汉纪》三十卷，时人称之为“辞约事详”。又撰《申鉴》五篇，阐述他对政治社会的主张。传见《后汉书》卷六十二。㉒《申鉴》：书名，共五篇，荀悦所作的政论。五篇题目，一曰政体，二曰时事，三曰俗嫌，四曰杂言上，五曰杂言下。《通鉴》摘引的是《政体篇》和《时事篇》的内容。㉓时政在曹氏：当时政权在曹操手中。㉔恭己：《论语·卫灵公》：“无为而治者，其舜也与？夫何为哉？恭己正南面而已。”这段话的本意是说，舜用官得当，故可无为而治，自己所要做的，仅庄严端正地坐朝廷罢了。后世则以帝王不问政事或大权旁落于权臣为“恭

不可用向善来勉励他。所以在上层的统治者，要先使百姓的财物丰富，以此安定民心，这就叫养众生。善恶要用功罪来衡量，毁誉要用实效来检验。听其言而责其行事，循名而察实，就不会惑于诈伪而动摇民心。因此世俗没有奸诈怪异，民间没有荒淫之风，这就是正俗。荣辱是赏罚的升华，所以用礼教荣辱来约束君子，感化他的心灵，用枷锁和鞭笞来惩罚小人，改变他的行为。如果教化被废弃，就是把中等的人推向小人的境地；如果教化得到施行，引导中等的人走向君子之路，这就叫彰明教化。在上层的统治者一定要有武备以预防意外，和平时用于内政，战乱时用于军事，这就叫秉持威武。赏罚是行政的关键。君主不滥赏，并不是吝惜钱财。施行滥赏，善行就得不到鼓励。不乱罚，并不是怜悯恶人，如果乱罚，恶行就得不到惩罚。赏赐不能产生鼓励作用，就是阻止行善；刑罚不能产生惩罚作用，就是纵容作恶。在上层的统治者能够做到不阻止下面行善，不纵容下面作恶，那么法制就确立了，这就叫统一法令。四患既被摒除，五政又得到确立，就要诚心推行，坚持固守，简约但不懈怠，疏阔但不遗漏，君主只须垂衣拱手，谦让无为，天下就达到太平之治了。”

己”。㊆献替：“献可替否”之略语，即进献可行者，除去不可行者。亦即诤言进谏之意。㊇屏：除去；排除。㊈四患：四大乱政的积弊。即下文所说的一伪乱俗，二私坏法，三放越轨，四奢败制。㊉崇：尊崇；提倡。㊊五政：实施五大新政。即下文所说的一兴农桑、二审好恶、三宣文教、四立武备、五明赏罚。㊋伪：虚假。此指浮华的风俗习惯。㊌私：徇私；谋私。㊍放：放纵；不遵法度。㊎奢：奢靡；讲排场。㊏末：无；没有。㊐审：明辨。㊑章：明。㊒秉：握；执。㊓惧以罪：用罪罚来使人畏惧。㊔劝：勉励。㊕定其志：稳定民心。㊖养生：养育生民。㊗或：通“惑”。迷惑。㊘荡：动荡；摇动。㊙桎梏：刑具。脚镣手铐。㊚扑：刑具。鞭棍。㊛化其形：使其行为规范。化，感化而形成行为的规范。形，形象；行为。㊜教化：用教育的方法使之成为风气。㊝推中人：迫使中等的人。中人，中等的人，指可以为善，也可以为恶的人。㊞章化：彰明教化。章，通“彰”。㊟不虞：没有预料到的事。㊠内政：国政；国内的政治。㊡秉威：牢牢把握权威。此指维护天子的威严。㊢妄：乱；随便。㊣矜：怜悯；怜惜。㊤惩：惩戒。㊥统法：指法令一统。㊦独：除去。㊧垂拱：指天子垂衣拱手，意即无为而治。㊨揖让：拱手作揖。旧时友人相见的礼仪。此谓天子谦让无为。㊩海内：天下；全国。

【研析】

本卷研析三事：一是袁氏兄弟相残；二是益州赵韪反叛刘璋；三是荀悦作《申鉴》。

袁氏兄弟相残。袁绍生年，史无明载，但从他二十弱冠为濮阳长，随后守丧六年，归隐洛阳，举为大将军掾的事迹推断，官渡之战袁绍四十二三岁，略与曹操相当，依相关材料推定，约生于公元一五八年，官渡败北，正步入不惑的盛壮之年。可是官渡战后只两年袁绍就吐血而死。这是因为官渡失败，注定了袁绍政治上的彻底覆灭。袁绍虽死，而祸犹未已。袁谭、袁尚兄弟不睦，互相攻杀，给曹操分化瓦解、各个击破提供了可乘之机。

袁绍有三个儿子，依次为谭、熙、尚。又有外甥高幹。绍留末子在身边，却把其他几个放在外任，各据一州。长子袁谭为青州刺史，次子袁熙为幽州刺史，外甥高幹为并州刺史。袁绍如此安排诸子，口头上冠冕堂皇，让诸子各据一州以观其能，其实偏爱之情益显。因为袁尚被留在身边，所据之州，即冀州，明显的是定为继承人，废嫡立庶，废长立幼，乱了宗法制度，不可避免地要引起内乱。军中各有彼此，以谭、尚为首分裂为两派。审配、逢纪矫绍遗命，奉袁尚为冀州牧，郭图、辛评拥护袁谭以长争位。兄弟火并，曹操坐收渔人之利。公元二〇五年，曹操破冀州，灭袁谭，北上幽州，袁尚、袁熙率残部入乌桓。公元二〇六年又灭高幹。袁绍统治河北，极有声望，因此幽、冀吏民追随袁尚、袁熙者十余万户，有可能成为二袁东山再起的凭借。公元二〇七年北征乌桓，迫使辽东太守公孙康斩二袁。至此袁氏家族便彻底覆灭了。

宗法制度不是万灵药，但宗法制度是维系家天下的理论基础，谁破坏了它，谁就要遭到祸殃。袁绍自食恶果，而殷鉴不远，荆州刘表又继其后，才略不世出的曹操也险些重蹈覆辙。感情与理性的矛盾，是剪不断、理还乱，英雄也难免。

赵韪反叛刘璋。刘焉入蜀，收容南郡、三辅逃入益州的数万家难民，全部编为部曲，称“东州兵团”，用以作为自己的统治基础。东州集团的吏士也被大量起用。赵韪，东汉末官吏，曾为太仓令。赵韪追随刘焉入蜀，为东州集团上层大吏。刘焉死后，赵韪拥戴刘璋，任征东中郎将。由于刘璋宽仁，缺少威严，纵容东州人暴虐益州土著，赵韪拍案而起，倒向益州土著，率领军民反叛刘璋，蜀郡、广汉、犍为等郡纷纷响应，很快队伍壮大达数万人。赵韪外连刘表，领兵进围成都。由于东州人害怕益州人报复遭到屠杀，拼死力战，赵韪战败，向东撤退。东州兵紧追赵韪，赵韪在江州（今重庆市）被追及，送了性命。这件事暴露了益州地区政权基础不牢，益州土著的利益被外来人分享，而且外来人还占了上风，矛盾不可调和。中央政权稳固尚可维持，一旦削弱，矛盾立现。后来刘备入蜀，又带了一个荆州集团。诸葛亮《前出师表》，向后主所荐人才，一共七人，六人是荆州人士，只有张裔一人是益州土著。贤如诸葛亮，也未能大胆起用益州土著，这是形势使然。公元二六三年邓艾入蜀，光禄大夫巴西人谯周建言投降，邓艾不战而下成都。蜀汉政权，基础不固，所以最先灭亡。由赵韪事件，可以观之矣。

荀悦作《申鉴》。荀悦是东汉末著名史学家，他长于《春秋》，精熟编年史体。汉献帝读《汉书》，繁重难读，命荀悦删摘《汉书》，荀悦便依《左氏传》体例，改写为编年体《汉纪》三十卷，号称名著，时人评为“辞约事详”。荀悦是尊奉儒家传统的，维护汉献帝的权威，不满曹操专横跋扈，但他手无寸铁，只能在舆论上做点文章，而且荀悦也没有孔融那样的胆量，不敢公然与曹操叫阵，连一点讽喻的锐气也没有，所以只能拐弯抹角以政论形式来表达自己的主张，说什么去四患、立五政，对于一个傀儡皇帝，无异于痴人说梦；对于权臣曹操，更是对牛弹琴。荀悦的《申鉴》是不合时宜的空论，在当时没有什么影响，曹操也装聋作哑，随它去。

卷第六十五　汉纪五十七

起柔兆阉茂（丙戌，公元二〇六年），尽著雍困敦（戊子，公元二〇八年），凡三年。

【题解】

本卷记事起公元二〇六年，迄公元二〇八年，凡三年，当汉献帝建安十一年至建安十三年。三年间，神州大地又起大波澜，历史发生重大转折，三分天下的序幕伴随赤壁大战而拉开。北方曹操灭高幹，平定三郡乌桓，灭袁尚、袁熙，扫除了袁氏残余势力，巩固了北方的统治，没有了后顾之忧，于是掉转矛头，大举南下，志欲一鼓荡平江南。曹操南下，第一步就是要夺取荆州。江东孙权，此时也已巩固了对江东的统治，抢先于曹操在公元二〇八年春发动了争荆州之战，一举歼灭了替荆州防守东大门江夏的黄祖，同时也报了杀父之仇。南依刘表的刘备，在公元二〇七年三顾茅庐，请得诸葛亮出山辅佐，诸葛亮献隆中对策，规划三分，第一步也是要夺取荆州。公元二〇八年的赤壁之战，就是曹孙刘三家争夺荆州之战。结果，三分荆州，于是三分天下的序幕由此拉开。

【原文】

孝献皇帝庚

建安十一年（丙戌，公元二〇六年）

春，正月，有星孛①于北斗②。

曹操自将击高幹，留其世子③丕④守邺，使别驾从事⑤崔琰⑥傅⑦之。操围壶关⑧，三月，壶关降。高幹自入匈奴求救，单于不受。幹独与数骑亡，欲南奔荆州⑨。上洛⑩都尉⑪王琰捕斩之，并州悉平。

曹操使陈郡梁习⑫以别部司马领并州刺史。时荒乱之余，胡狄⑬雄张⑭，吏民亡叛入其部落，兵家⑮拥众，各为寇害。习到官，诱喻招纳，皆礼召其豪右，稍稍⑯荐举，使诣幕府。豪右已尽，次发诸丁强以为义从⑰。又因大军出征，令诸将分请以为勇力。吏兵已去之后，稍移其家，前后送邺⑱，凡数万口，其不从命者，兴兵致讨，斩首千数，降附者万计。

【语译】

孝献皇帝庚

建安十一年（丙戌，公元二〇六年）

春，正月，有孛星出现在北斗星区。

曹操亲自率军攻打高幹，留下他的世子曹丕守卫邺城，派别驾从事崔琰辅佐曹丕。曹操包围壶关，三月，壶关投降。高幹亲自到匈奴请求援救，单于不接纳他。高幹独自和几名骑兵逃走，想向南投奔荆州。上洛县都尉王琰把他逮捕杀死了，并州全部平定。

曹操委派陈郡人梁习以别部司马的身份兼任并州刺史。当时，兵荒马乱之后，胡人、狄人势盛雄强，官民逃亡反叛进入胡人、狄人部落，各地豪强拥有部众，各自为害一方。梁习到任后，用诱导、劝谕等手段加以招抚，对于地方豪强都以礼征召，有少数人逐渐得到荐举，让他们到州府里任职。这些豪强招抚完了，就以次征发强壮的青年当兵为义从。又乘大军出征，命令诸将领分别请领这些义从作为勇士。等官兵离去之后，逐步迁移他们的家属，前后送往邺城的，共有几万人，那些不听从命令的，派兵去讨伐，被杀头的数以千计，投降归附的数以万计。

单于[19]恭顺，名王[20]稽颡[21]，服事供职，同于编户[22]。边境肃清，百姓布野，勤劝农桑，令行禁止[23]。长老称咏，以为自所闻识，刺史未有如习者。习乃贡达名士避地州界者河内常林[24]、杨俊[25]、王象[26]、荀纬[27]及太原王凌[28]之徒，操悉以为县长，后皆显名于世。

初，山阳仲长统[29]游学至并州，过高幹，幹善遇之，访以世事。统谓幹曰："君有雄志而无雄材，好士而不能择人，所以为君深戒也。"幹雅自多[30]，不悦统言，统遂去之。幹死，荀彧举统为尚书郎[31]。著论曰《昌言》[32]，其言治乱，略曰："豪杰之当天命者，未始有天下之分[33]者也。无天下之分，故战争者竞[34]起焉。角[35]智者皆穷[36]，角力者皆负[37]，形不堪复伉[38]，势不足复校[39]，乃始羁首系颈[40]，就我之衔绁[41]耳。及继体[42]之时，豪杰之心既绝，士民之志已定，贵有常家，尊在一人。当此之时，虽下愚之才居之，犹能使恩同天地，威侔[43]鬼神，周、孔[44]数千，无所复角其圣，贲、育[45]百万，无所复奋其勇矣。彼后嗣之愚主，见天下莫敢与之违，自谓若天地之不可亡也，乃奔其私嗜，骋其邪欲，君臣宣淫[46]，上下同恶，荒废庶政[47]，弃忘人物。信任亲爱者，尽佞谄容说[48]之人也；宠贵隆丰[49]者，尽后妃姬妾之家也。遂至熬天下之脂膏，斫[50]生民之骨髓，怨毒[51]无聊[52]，祸乱并起，中国扰攘[53]，四夷侵叛，土崩瓦解，一朝而去，昔之为我哺乳[54]之子孙者，今尽是我饮血之寇雠[55]也。至于运[56]徙势去，犹不觉悟者，岂非富贵生不仁[57]，沉溺[58]致愚疾邪！存亡以之迭代[59]，治乱从此周复[60]，天道常然[61]之大数[62]也。"

秋，七月，武威[63]太守张猛[64]杀雍州[65]刺史邯郸商，州兵讨诛之。猛，奂之子也。

八月，曹操东讨海贼管承，至淳于[66]，遣将乐进、李典击破之，承走入海岛。

昌豨复叛，操遣于禁讨斩之。

是岁，立故琅邪王容子熙[67]为琅邪王，齐、北海、阜陵、下邳、常山、甘陵、济阴、平原八国[68]皆除。

乌桓乘天下乱，略有汉民十余万户，袁绍皆立其酋豪[69]为单于，

单于态度恭顺，部落各王伏地叩拜，任事尽职，和在户籍的百姓一样。边境安宁，百姓遍布田野，梁习鼓励农桑，令行禁止。老人们称颂，认为在自己的所见所闻中，刺史没有一个像梁习这样的。于是梁习把在并州境内避难的名士河内人常林、杨俊、王象、荀纬以及太原人王凌等一类人物，贡献给朝廷，曹操全部任命为县长，后来都扬名于世。

起初，山阳人仲长统游学到并州，过访高幹，高幹待他很好，向他询问社会情状。仲长统对高幹说："你有雄心壮志但没有雄才大略，喜欢士人但不能择人而任，这是我认为你要深深引以为戒的。"高幹向来很自负，不喜欢仲长统的话，仲长统于是离去。高幹死后，荀彧推荐仲长统为尚书郎。仲长统撰有《昌言》一书，论治乱兴衰，大意是说："膺受天命的豪杰，并不一定是拥有天下名分的人。没有拥有天下的名分，所以用战争的手段争取的人竞相起兵。智力较量者都穷尽了智力，力气较量者都失败了，到了形势不能再抗衡，力量不可再较量时，才以绳系颈，就范听命。等到帝王即位，豪杰们已经绝望，民心已经安定，富贵之家常在，至尊只有一人。这个时候，即使是下愚的蠢材处在至尊的地位，也能使他的恩德和天地一样，威力与鬼神等同，即便有数千个周公、孔子，也无法再较量他们的圣明，有百万个孟贲、夏育，也无法再显扬他们的勇力。那些后继的愚蠢君主，看到天下没有谁敢违抗他，自以为君位如天地一样不会丧失，于是放纵嗜好，膨胀邪欲，君臣公开淫乐，上下一同作恶，荒废朝政，废弃人才。被信任亲近的，都是些奸佞谄媚的人；荣宠、富贵、尊崇、丰裕的，尽是那些嫔妃之家，以至于熬尽天下膏脂，凿取百姓骨髓，怨声载道，民不聊生，灾祸战乱，一时俱起，中国纷扰，四夷侵扰，朝廷土崩瓦解，大厦一朝倒塌，从前那些被我养育的子孙，如今都是饮我血的仇敌。到了气数已尽，大势已去，还不能觉悟的人，难道不是由于富贵滋生麻木不仁，沉溺导致愚昧的结果吗！朝代兴亡因此而更替，治乱从此周而复始，这是天道运行总的规律。"

秋，七月，武威太守张猛杀死雍州刺史邯郸商，雍州的官兵杀死张猛。张猛，是张奂的儿子。

八月，曹操东进讨伐海盗管承，到达淳于县，派部将乐进、李典打败了管承，管承逃进海岛。

昌豨又叛乱，曹操派于禁讨伐并斩杀了他。

这一年，册立前琅邪王刘容的儿子刘熙为琅邪王。废除齐、北海、阜陵、下邳、常山、甘陵、济阴、平原八国。

乌桓趁天下混乱，掳掠汉民十多万户，袁绍把他们各部落的酋长都立为单于，

以家人子⑩为己女妻⑪焉。辽西⑫乌桓蹋顿⑬尤强，为绍所厚，故尚兄弟归之，数入塞为寇，欲助尚复故地。曹操将击之，凿平虏渠⑭、泉州渠⑮以通运。

孙权击山贼麻、保二屯⑯，平之。

【段旨】

以上为第一段，写曹操灭高幹，凿平虏渠、泉州渠为北征乌桓、扫荡袁氏残余做准备。摘载仲长统《昌言》。

【注释】

①孛：即彗星。②北斗：星名，由北方的天枢、天璇、天玑、天权、玉衡、开阳、摇光（或作瑶光）等七星组成，形如斗，故名北斗。即今大熊星座的七颗较亮的星。③世子：帝王和诸侯的嫡子。④丕：曹丕（公元一八七至二二六年），字子桓，曹操次子。曾为汉五官中郎将、副丞相。曹操死，袭位为魏王。不久代汉称帝，建立魏朝，国都洛阳。史称魏文帝，公元二二〇至二二六年在位。他爱好文学，曾著《典论·论文》，对我国文学批评的发展有所贡献。纪见《三国志》卷二。⑤别驾从事：官名，州牧刺史的主要佐吏，主领众事。州牧刺史巡行各地时，别乘传车从行，故名别驾。⑥崔琰：字季珪，东汉末清河东武城（今山东武城西北）人，曾为袁绍骑都尉。袁氏灭，曹操辟琰为冀州别驾从事，官至中尉。建安二十一年，因言获罪，被曹操赐死。传见《三国志》卷十二。⑦傅：辅佐。⑧壶关：即壶口关，在今山西长治东南壶口山下。此地山川相错，地形如壶，故名。⑨奔荆州：投靠荆州刘表。⑩上洛：县名，县治在今陕西商南县。⑪都尉：官名，东汉于边郡关塞之地设都尉，职如太守。上洛虽非边郡，但西北有峣关，为险塞之地，故置都尉。⑫梁习（？至公元二三〇年）：字子虞，陈郡柘县（今河南柘城北）人，初为郡吏，曹操为司空时，辟召为漳长，又历为乘氏、海西、下邳等县令，皆有治名。曹操败高幹后，习以别部司马兼并州刺史。至并州后，刚柔兼施，威恩并用，匈奴及大家豪右皆顺从听命。又设置屯田，奖励农耕，为百姓所称颂。在并州二十余年，治绩常为全国之最。魏明帝初为大司农。传见《三国志》卷十五。⑬胡狄：此指在并州的匈奴人。⑭雄张：势盛雄强之意。⑮兵家：指大家豪右拥兵自保者。⑯稍稍：渐渐。⑰义从：谓自愿归附从军者。⑱邺：县名，县治在今河北临漳西南。曹操击败袁氏占有冀州后，虽然汉献帝所在的许县仍为国都，但曹操长期住于邺，从这里控制朝廷及全国。⑲单于：匈奴君长之称号。⑳名王：匈奴诸部之王。㉑稽颡：古时一种跪

把奴仆的女儿冒充自己的女儿嫁给单于。辽西乌桓酋长蹋顿尤其强大，受到袁绍的厚待，所以袁尚兄弟去投奔蹋顿，他们多次进入塞内侵掠，想帮助袁尚收复旧地。曹操将要率兵攻打他们，开凿平虏渠、泉州渠来沟通运道。

孙权攻击山贼的麻、保两屯，把两屯平定了。

拜礼，拜时头额触地，于丧礼或请罪、投降时行之。此谓匈奴各部王皆投降归顺。㉒编户：编入民籍之人户。㉓令行禁止：谓命令，人们就执行；禁令，人们就停止。㉔常林：字伯槐，河内温县（今河南温县西南）人，被梁习荐举后，曹操任用为南和长，又为博陵太守、幽州刺史，皆有治绩。曹魏初为少府、大司农。魏明帝时为光禄勋、太常，封高阳乡侯。传见《三国志》卷二十三。㉕杨俊：字季才，河内获嘉（今河南新乡西南）人，曹操召任为曲梁长，后又为安陵令、南阳太守，皆有治绩。又善识拔人才。魏国建立后，为中尉。后因对曹操称赞曹植，为曹丕所恨。曹丕称帝后，被迫自杀。传见《三国志》卷二十三。㉖王象：字羲伯，河内（治所怀县，在今河南武陟西南）人，少为仆隶，为人牧羊，遇杨俊而得赎。建安中为曹丕所礼遇。曹丕称帝后，为散骑侍郎、常侍，封列侯。受诏撰《皇览》，经数岁而成。因才学出众，当时称之为儒宗。事详见《三国志》二十三《魏书·杨俊传》与裴松之注引《魏略》。㉗荀纬：字公高，河内人，建安中为军谋掾、魏太子庶子，后又为散骑常侍、越骑校尉。有文才，为时人所重。事附见《三国志》卷二十一《魏书·王粲传》与注引荀勖《文章叙录》。㉘王凌（？至公元二五一年）：字彦云，太原祁县（今山西祁县东南）人，初为发干长，又为中山太守，皆有治绩。魏文帝初，为散骑常侍、兖州刺史，后历任青、扬、豫等州刺史，皆得军民之欢心。齐王芳正始初，为征东将军、假节都督扬州诸军事，封南乡侯。后反对司马懿执政，被迫自杀。传见《三国志》卷二十八。㉙仲长统（公元一八〇至二二〇年）：字公理，山阳高平（今山东微山县西北）人，好学博识，不愿仕宦。后为尚书令荀彧荐举，为尚书郎，参丞相军事。对古今政治措施及当代时弊多所指责，因著《昌言》三十四篇。传见《后汉书》卷四十九。㉚自多：自满；自负。㉛尚书郎：官名，东汉之制，取孝廉之有才能者入尚书台，初入台称守尚书郎中，满一年称尚书郎，三年称尚书侍郎，主作文书起草。㉜《昌言》：书名。意谓当理之言。㉝分：名分。㉞竞：争。㉟角：较量。㊱穷：困厄。㊲负：败。㊳伉：抗衡。㊴校：较量。㊵羁首系颈：用绳索套在头颈上，表示投降。㊶衔绁：管束；统治。衔，马嚼子。绁，缰绳。㊷继体：谓继帝王之位。㊸侔：相等。㊹周、孔：指周公、孔子。㊺贲、育：指孟贲、夏育，古代著名的勇士。㊻宣淫：公开淫荡。㊼庶政：各种政事。指朝政。㊽容说：逢迎以取悦于上。说，通“悦”。㊾隆丰：极丰富。㊿斫：凿取。51怨毒：怨恨。52无聊：无所依赖。53扰攘：混乱；纷

乱。54 哺乳：养育之意。55 寇雠：仇敌。56 运：运气；气数。57 不仁：麻木；失去知觉。指对治乱漠不关心。58 沉溺：沉迷不悟之意。59 迭代：更替。60 周复：循环。61 常然：恒久如此。62 大数：犹今言规律。63 武威：郡名，治所姑臧，在今甘肃武威。64 张猛：字叔威，本敦煌渊泉（今甘肃瓜州县东）人，父张奂于汉桓帝时为武威太守，治绩卓著。后又为护匈奴中郎将，降服匈奴、乌桓。汉献帝初，以河西四郡置雍州，任邯郸商为刺史，张猛为武威太守。二人有矛盾，猛遂杀商。事附见《三国志》卷十八《魏书·庞淯传》与裴松之注引《典略》。65 雍州：州名，汉献帝兴平元年分凉州河西四郡置雍州，治所长安，在今陕西西安。66 淳于：县名，县治在今山东安丘东北。67 熙：刘熙，汉光武帝第十一子，琅邪孝王刘京之后代。其父刘容死后，琅邪国绝。而刘容在世时，曾遣其弟刘邈至长安贡献，当时曹操在东郡，刘邈对朝廷盛称曹操之忠诚，故曹操感报刘容，复立其子熙为琅邪王。至建安二十一年，刘熙谋欲至江东，被曹操所杀，国亦除。事附见《后汉书》卷四十二《光武十王列传》。68 八国：皆汉宗室之后代。齐，汉

【原文】

十二年（丁亥，公元二〇七年）

春，二月，曹操自淳于还邺。丁酉[77]，操奏封大功臣二十余人，皆为列侯。因表万岁亭侯荀彧功状，三月，增封彧千户。又欲授以三公，彧使荀攸深自陈让，至于十数，乃止。

曹操将击乌桓，诸将皆曰："袁尚亡虏耳，夷狄贪而无亲，岂能为尚用。今深入征之，刘备必说刘表以袭许，万一为变，事不可悔。"郭嘉曰："公虽威震天下，胡[78]恃其远，必不设备，因其无备，卒然[79][1]击之，可破灭也。且袁绍有恩于民夷[80]，而尚兄弟生存。今四州之民，徒以威附，德施未加，舍[81]而南征，尚因乌桓之资[82]，招其死主之臣[83]，胡人一动，民夷俱应，以生蹋顿之心，成觊觎[84]之计，恐青、冀非己之有也。表坐谈客[85]耳，自知才不足以御备，重任之则恐不能制，轻任之则备不为用，虽虚国[86]远征，公无忧矣。"操从之。行至易[87]，郭嘉曰："兵贵神速。今千里袭人，辎重[88]多，难以趋利[89]。且彼闻之，必为备。不如留辎重，轻兵兼道以出，掩其不意[90]。"

初，袁绍数遣使召田畴于无终[91]，又即授将军印，使安辑[92]所统，

光武帝兄武王刘缜之后。北海，刘缜少子靖王刘兴之后。阜陵，汉光武帝子质王刘延之后。下邳，汉明帝子惠王刘衍之后。常山，汉明帝子顷王刘昞之后。甘陵，汉章帝子清河孝王刘庆之后。济阴，本汉明帝子悼王刘长之国，刘长死于汉章帝时，无子国除。据《后汉书》，此“济阴”当是“济北”。济北，章帝子惠王刘寿之后。平原，汉和帝子怀王刘胜始封，刘胜死后无子，又以河间王刘开之子继之。㊾ 酋豪：部落首领。㊿ 家人子：奴仆之女。(71) 妻：以女嫁人。(72) 辽西：郡名，治所阳乐，在今辽宁义县西。(73) 蹋顿：辽西乌桓大人丘力居之从子。丘力居死后，子楼班年小，蹋顿就代立。后被曹操所杀。事附见《三国志》卷三十《魏书·乌丸传》、《后汉书》卷九十《乌桓传》。(74) 平虏渠：上起当时之呼沲河，下入派水。呼沲河，即今河北之滹沱河。派水，上游即今沙河，下游循大清河至天津入海。(75) 泉州渠：因渠道南起泉州县（今天津市武清区东南）境，故名。渠水上承潞河，即今天津市区一带的海河，下入鲍丘水，合口处在今天津市宝坻区境内。(76) 麻、保二屯：麻屯在今湖北嘉鱼西。保屯与麻屯相近。

【语译】

十二年（丁亥，公元二〇七年）

春，二月，曹操从淳于县返回邺城。初五日丁酉，曹操上奏封赏建有大功的臣子二十多人，都封为列侯。并上表称颂万岁亭侯荀彧的功劳，三月，增封荀彧一千户。又要授给荀彧三公之位，荀彧派荀攸去向曹操转达自己推让的深切心愿，来往十多次，曹操才作罢。

曹操将要攻打乌桓，诸位将领都说：“袁尚只不过是个逃亡的敌人罢了，夷狄贪婪而无亲情，怎能被袁尚利用。现在深入征讨，刘备一定劝说刘表率兵袭击许都，万一发生变乱，事情就不可后悔。”郭嘉说：“明公虽然威震天下，胡人依仗他们地处偏远，一定不设防，乘其不备，突然袭击，可以打败歼灭他们。况且袁绍对百姓和夷狄都有恩惠，而袁尚兄弟还活着。如今四州的民众，只是迫于武力威慑而归附，我们的恩德尚未施及他们，如果放过他们而南征，袁尚利用乌桓的势力，招聚愿为主子卖命的臣属，胡人一出动，百姓夷狄一起响应，致使蹋顿萌发野心，妄生非分的想法，这样，恐怕青州、冀州就不属我们所有了。刘表只不过是一个坐而论道的清客，他自知才能不足以控制刘备，重用刘备担心不能驾驭，轻用刘备则刘备不为所用，即使倾国远征，明公也不必担心。”曹操听从了郭嘉的意见。大军行进到易县，郭嘉说：“兵贵神速。现在千里奔袭打击敌人，辎重太多，难以逐利。而且他们听到消息，一定严加防备。不如留下辎重，部队轻装兼程前进，打他个出其不意。”

起初，袁绍多次派使者到无终征召田畴，还就地授予田畴将军印，让他安抚所

畴皆拒之。及曹操定冀州，河间邢颙[93]谓畴曰：“黄巾起来，二十余年，海内鼎沸，百姓流离。今闻曹公法令严。民厌[94]乱矣，乱极则平，请以身先。”遂装[95]还乡里。畴曰：“邢颙，天民之先觉[96]者也。”操以颙为冀州从事[97]。畴忿乌桓多杀其本郡冠盖[98]，意欲讨之而力未能。操遣使辟畴，畴戒其门下趣[99]治严[100]。门人[101]曰：“昔袁公慕君，礼命[102]五至[103]，君义不屈，今曹公使一来而君若恐弗及者，何也？”畴笑曰：“此非君所识也。”遂随使者到军，拜为蓨[104]令，随军次[105]无终。

时方夏水雨[106]，而滨海洿下[107]，泞[108]滞不通，虏亦遮守[109]蹊要[110]，军不得进。操患之，以问田畴，畴曰：“此道秋夏每常有水，浅不通车马，深不载舟船，为难久矣。旧北平郡治在平冈[111]，道出卢龙[112]，达于柳城[113]。自建武[114]以来，陷坏断绝，垂二百载，而尚有微径可从。今虏将以大军当由无终，不得进而退，懈弛无备。若嘿回军，从卢龙口越白檀[115]之险，出空虚之地，路近而便，掩[116]其不备，蹋顿可不战而禽也。”操曰：“善！”乃引军还，而署[117]大木表[118]于水侧路傍，曰：“方今夏暑，道路不通，且俟秋冬，乃复进军。”虏候骑[119]见之，诚以为大军去也。

操令畴将其众为乡导[120]，上徐无山[121]，堑[122]山堙[123]谷，五百余里，经白檀，历平冈，涉鲜卑庭[124]，东指柳城。未至二百里，虏乃知之。尚、熙与蹋顿及辽西单于楼班[125]、右北平单于能臣抵之[126]等将数万骑逆[127]军。八月，操登白狼山[128]，卒[129]与虏遇，众甚盛。操车重[130]在后，被甲[131]者少，左右皆惧。操登高，望虏阵不整，乃纵兵击之，使张辽为前[2]锋。虏众大崩，斩蹋顿及名王已下，胡、汉降者二十余万口。

辽东[132]单于速仆丸[133]与尚、熙奔辽东[134]太守公孙康，其众尚有数千骑。或劝操遂击之，操曰：“吾方使康斩送尚、熙首，不烦兵矣。”九月，操引兵自柳城还。公孙康欲取尚、熙以为功，乃先置精勇于厩[135]中，然后请尚、熙入，未及坐，康叱伏兵禽之，遂斩尚、熙，并速仆丸首送之。诸将或问操：“公还而康斩尚、熙，何也？”操曰：“彼素畏尚、熙，吾急之则并力，缓之则自相图，其势然也。”操枭尚首[136]，令三军：“敢有哭之者斩！”牵招[137]独设祭悲哭。操义之，举为茂才[138]。

统部众，田畴都拒绝了。等到曹操平定了冀州，河间人邢颙对田畴说:“黄巾军起事以来，二十多年，天下动荡，百姓流离失所。现在听说曹公法令很严。人民厌恶战乱，乱到极点就要回归太平，请允许我先行一步。”于是邢颙整装回到乡里。田畴说:“邢颙，是生民中的先知先觉者。”曹操任命邢颙为冀州从事。田畴愤恨乌桓杀死许多本郡的名士，想去讨伐却力量不够。曹操派使者征召田畴，田畴告诫他的弟子赶快整理行装。弟子说:“从前袁公敬慕你，五次来礼聘，你都守义不屈，现在曹公的使者一来，你好像是恐怕赶不及的样子，为什么?”田畴笑着说:“这不是你所能理解的。”田畴于是随使者到曹操军中，曹操任命他为蓨县令，随军驻扎无终县。

此时正是夏天，发水下雨而沿海地势低洼，道路泥泞不通，敌人又扼守交通要道，军队不得前进。曹操为此犯愁，就去问田畴，田畴说:“这条道路在秋夏两季常有积水，水浅也不能通车马，水深又不能行船，这个困难存在很久了。过去北平郡治所设在平冈，通过卢龙塞，就到达柳城。从光武帝建武以来，这条道路崩塌断绝，将近两百年了，但还有小路可行。现在敌人认为我们大军应该经由无终，无法行进就要撤退，因此懈怠没有防备。如果我们悄悄回军，从卢龙口越过白檀险阻，出现在没有设防的空虚之地，路近而方便，攻其不备，蹋顿可不战而被擒获。”曹操说:“很好!”于是率军回转，而在水边路旁竖起大木牌，上写:“现正当夏季暑热，道路不通，且待秋冬，再次进军。”敌人的侦察骑兵见到木牌，果真以为大军撤走了。

曹操命令田畴率领他的部众为向导，登上徐无山，开山填谷，五百多里，经过白檀，通过平冈，穿过鲜卑族部落的王庭，向东直向柳城。距柳城不到二百里时，敌人才发觉。袁尚、袁熙和蹋顿以及辽西单于楼班、右北平单于能臣抵之等，率领数万骑兵迎击曹军。八月，曹操登上白狼山，突然和敌军遭遇，敌兵极多。曹操的辎重在大军后面，穿铠甲的士兵很少，左右的人都很害怕。曹操登上高处，望见敌人阵列不整，于是纵兵攻击，派张辽为前锋。敌军溃败，斩杀了蹋顿和那些有名的王爵以下的敌人，胡人、汉人投降的有二十多万。

辽东单于速仆丸和袁尚、袁熙投奔辽东太守公孙康，他们的部下还有数千骑兵。有人劝曹操乘胜追击，曹操说:“我正考虑让公孙康杀掉袁尚和袁熙，并把他们的首级送来，无须出兵。”九月，曹操率军从柳城回师。公孙康想擒取袁尚、袁熙来立功，于是事先在马棚里埋伏精兵勇士，然后请袁尚、袁熙进来，还未坐定，公孙康喝令伏兵捉拿了他们，于是杀死袁尚、袁熙和速仆丸，把他们的首级一并送给曹操。众将领问曹操:“明公您回军后，公孙康才杀袁尚、袁熙，为什么呢?”曹操说:“公孙康一向畏惧袁尚、袁熙，我们进军把他们逼急了，他们就会联合；我们放松了，他们就会自相残杀，形势就是这样。”曹操把袁尚的首级悬挂起来示众，命令三军:“敢有为他哭丧的，斩!”只有牵招设祭悲哭。曹操认为他讲义气，推荐为茂才。

时天寒且旱，二百里无水，军又乏食，杀马数千匹以为粮，凿地入三十余丈方得水。既还，科问[139]前谏者。众莫知其故，人人皆惧。操皆厚赏之，曰："孤前行，乘危以徼幸，虽得之，天所佐也，顾[140]不可以为常。诸君之谏，万安之计，是以相赏，后勿难言之。"

【段旨】

以上为第二段，写曹操平定乌桓，灭袁尚、袁熙，彻底清除袁氏残余。

【注释】

⑺丁酉：二月初五日。⑻胡：指乌桓。⑼卒然：即猝然。⑽民夷：指汉人与乌桓人。⑾舍：放弃。⑿资：资助。⒀死主之臣：为主尽死之臣。⒁觊觎：非分的希望。⒂坐谈客：谓坐而论道，空谈无才的人。⒃虚国：指国家军队全部出动，后方空虚。⒄易：县名，县治在今河北雄县西北。⒅辎重：军中之器械、粮草、材料等物资。⒆趋利：追逐胜利。⒇掩其不意：乘其不备而袭取。(91)无终：县名，县治在今天津市蓟州区。(92)安辑：安抚。(93)邢颙（？至公元二二三年）：字子昂，河间鄚县（今河北任丘北）人，初不受公府召辟，与田畴交游，后应曹操之召，为冀州从事，又为司空掾。以德行著称，为平原侯家丞、太子少傅、太傅等。魏文帝初，为侍中、尚书仆射、司隶校尉、太常等。传见《三国志》卷十二。(94)厌：憎恶。(95)装：整理行装。(96)先觉：先知。指先知天命，投归明主。(97)从事：官名，东汉州牧刺史的佐吏，有别驾从事史、治中从事史、兵曹从事史、部从事史等，均可简称从事。(98)冠盖：冠，礼帽。盖，车盖。官吏士人之服饰车乘，借指官吏士人。(99)趣：通"促"。赶快；急速。(100)治严：即治装，整理行装。东汉避明帝刘庄讳，改"装"为"严"。(101)门人：门客；依附者。(102)礼命：以礼相聘，加以任命。(103)五至：五次到达。五，非实指，谓多次。(104)蓨：县名，县治在今河北景县南。(105)次：驻扎。(106)水雨：发水下雨。(107)洿下：低下。(108)泞：泥泞。(109)遮守：扼守阻拦。(110)蹊要：道路要害处。(111)平冈：旧县名，西汉时，为右北平郡治所，东汉取消。县治在今辽宁喀喇沁左翼蒙古族自治县境内。(112)卢龙：即卢龙塞。在今河北喜峰口一带，土色黑，山形似龙，故名卢龙。古时有塞道，自今天津市蓟州区东北经遵化，循滦河（古名濡水）河谷出塞，折东趋大凌河流域，是河北平原通向东北塞外的一条交通

这时天寒干旱，方圆二百里无水，军队又缺乏食物，于是杀了几千匹马来作为食物，挖地三十多丈才见水。军队还朝以后，曹操查询先前劝阻出兵人的姓名。众人不知道其中的缘故，人人都很害怕。曹操对查出的人全都厚赏，说："我先前出兵，是在危急时的侥幸冒险，虽然获胜，是上天所佑，但不能作为常规。诸位的劝阻，是万全之策，因此加以赏赐，以后不要害怕进言。"

要道。⑬ 柳城：旧县名，西汉时属辽西郡，东汉取消。县治在今辽宁朝阳南。⑭ 建武：东汉光武帝年号（公元二五至五六年）。⑮ 白檀：旧县名，西汉属渔阳郡，东汉取消。县治在今河北承德西南，古北口东北，滦河之滨。⑯ 掩：袭取。⑰ 署：题字。⑱ 表：标志。⑲ 候骑：侦察兵。⑳ 乡导：同"向导"。㉑ 徐无山：右北平郡徐无县有徐无山，在今河北遵化东。㉒ 堑：挖掘。㉓ 堙：填塞。㉔ 鲜卑庭：鲜卑族君长的住所。㉕ 楼班：辽西乌桓大人丘力居之子。丘力居死后，楼班因年小，由从兄蹋顿代立。楼班年长后，由峭王等奉立为单于，蹋顿为王，后在辽东被公孙康所杀。事附见《三国志》卷三十《魏书·乌丸传》、《后汉书》卷九十《乌桓传》。㉖ 能臣抵之：人名，据《三国志》卷三十《魏书·乌丸传》与《后汉书》卷九十《乌桓传》，右北平单于是乌延，不是能臣抵之。代郡乌丸有能臣抵，盖即能臣抵之。㉗ 逆：抗拒。㉘ 白狼山：即今辽宁喀喇沁左翼蒙古族自治县东三十里之白鹿山。㉙ 卒：同"猝"。突然。㉚ 车重：即辎重。㉛ 被甲：穿铠甲的人。即战士。被，穿着。㉜ 辽东：指辽东属国，治所昌辽，在今辽宁义县。㉝ 速仆丸：即苏仆延，辽东属国的乌桓大人，有众千余落，自称峭王。袁绍假称汉献帝之命，以之为单于。后在辽东被公孙康所杀。事附见《三国志》卷三十《魏书·乌丸传》、《后汉书》卷九十《乌桓传》。㉞ 辽东：辽东郡治所襄平，在今辽宁辽阳。㉟ 厩：马棚。㊱ 枭尚首：悬袁尚之头于木上以示众。㊲ 牵招：原为袁绍、袁尚的从事史。㊳ 茂才：汉代举荐士人科目之一。原称秀才，即才学优秀者。东汉时避光武帝刘秀讳，改称茂才。㊴ 科问：清理、追查。㊵ 顾：但。

【校记】

［1］然：原作"破"。据章钰校，甲十一行本、乙十一行本、孔天胤本皆作"然"，张敦仁《通鉴刊本识误》同，今据改。［2］前：据章钰校，甲十一行本、乙十一行本皆作"先"。

【原文】

冬，十月辛卯[141]，有星孛于鹑尾[142]。

乙巳[143]，黄巾杀济南王赟[144]。

十一月，曹操至易水[145]，乌桓单于代郡[146]普富卢、上郡[147]那楼皆来贺。

师还，论功行赏，以五百户封田畴为亭侯[148]。畴曰："吾始为刘公[149]报仇，率众遁逃，志义不立，反以为利，非本志也。"固让不受。操知其至心[150]，许而不夺。

操之北伐也，刘备说刘表袭许，表不能用。及闻操还，表谓备曰："不用君言，故为失此大会[151]。"备曰："今天下分裂，日寻[152]干戈[153]，事会[154]之来，岂有终极乎？若能应之于后者，则此未足为恨也。"

是岁，孙权西击黄祖，虏其人民而还。

权母吴氏疾笃[155]，引见张昭等，属[156]以后事而卒。

初，琅邪诸葛亮[157]寓居襄阳隆中，每自比管仲[158]、乐毅[159]，时人莫之许[160]也，惟颍川徐庶与崔州平谓为信然[161]。州平，烈之子也。

刘备在荆州，访士于襄阳司马徽，徽曰："儒生俗士，岂识时务，识时务者在乎俊杰。此间自有伏龙[162]、凤雏[163]。"备问为谁，曰："诸葛孔明、庞士元[164]也。"徐庶见备于新野[165]，备器[166]之。庶谓备曰："诸葛孔明，卧龙也。将军岂愿见之乎？"备曰："君与俱来。"庶曰："此人可就见[167]，不可屈致[168]也，将军宜枉驾[169]顾[170]之。"

备由是诣[171]亮，凡三往，乃见，因屏[172]人曰："汉室倾颓，奸臣[173]窃命[174]。孤不度[175]德量力，欲信[176]大义[177]于天下，而智术浅短，遂用猖蹶[178]，至于今日。然志犹未已，君谓计将安出？"亮曰："今曹操已拥百万之众，挟天子而令诸侯，此诚不可与争锋。孙权据有江东，已历三世，国险而民附，贤能为之用，此可与为援而不可图也。荆州北据汉、沔[179]，利尽南海[180]，东连吴、会[181]，西通巴、蜀[182]，此用武之国，而其主不能守，此殆天所以资将军也。益州[183]险塞，沃野千里，天府[184]之土。刘璋暗弱[185]，张鲁在北，民殷国富而不知存恤[186]，智能之士思得明君。将军既帝室之胄[187]，信义著于四海，若跨有荆、益，保其岩阻，

【语译】

冬，十月初三日辛卯，有孛星出现在鹑尾星区。

十七日乙巳，黄巾军杀死济南王刘赟。

十一月，曹操到达易水，乌桓代郡部落单于普富卢、上郡部落单于那楼都来恭贺。

曹操班师回来，论功行赏，用五百户封田畴为亭侯。田畴说："我起初是为刘虞报仇，带领部众逃走，我的忠义之志尚未实现，反以此获利，这不是我的本意。"坚决推让不受。曹操知道他出于至诚，就顺从了，没有强迫他改变志向。

在曹操北征之时，刘备劝说刘表袭击许都，刘表没有采用。等到得知曹操班师回还，刘表对刘备说："没有采纳你的意见，所以失去了大好机会。"刘备说："现在天下分裂，天天在打仗，机会的到来，哪有终极之时呢？如能抓住以后的机会，这次失去机会也就不足遗憾了。"

这一年，孙权向西攻击黄祖，劫掠黄祖的民众得胜而归。

孙权母亲吴氏病重，她召见了张昭等人，嘱托完后事即去世了。

起初，琅邪人诸葛亮寄居在襄阳隆中，经常自比管仲、乐毅，当时没有谁认同，只有颍川人徐庶和崔州平认为确实如此。崔州平，是崔烈的儿子。

刘备在荆州时，向襄阳人司马徽访求贤士，司马徽说："儒生俗士，哪里识时务，识时务的人才是俊杰。本地就有卧龙、凤雏。"刘备问是谁，司马徽说："诸葛孔明和庞士元啊。"徐庶到新野拜见刘备，刘备十分器重他。徐庶对刘备说："诸葛孔明是卧龙，将军愿意见他吗？"刘备说："请你和他一起来。"徐庶说："这个人只可以去拜访他，而不能召他前来，将军应当屈驾去看望他。"

刘备于是去拜访诸葛亮，前后去了三次，才见到他，于是避开左右的人说："汉室江山倾危，奸臣窃取权柄。我不度德量力，想为天下伸张大义，但智谋浅薄，因此遭受挫折，直到今天。但是我的志向没有改变，先生有什么计策？"诸葛亮说："如今曹操已经拥有百万大军，挟天子以令诸侯，你确实不能与他相争。孙权据有江东，已经历三代，地势险峻而民众归附，贤能之士被他任用，这只能和他互为援手而不能图谋他。荆州北面依靠汉水、沔水，可利用之地直达南海，东面接连吴郡、会稽，西面通向巴郡、蜀郡，这是一块用武之地，而它的主人不能守卫，这大概是上天以此地资助将军。益州险要，沃野千里，是天府之地。刘璋昏庸懦弱，张鲁在北面虎视眈眈，百姓殷实国家富裕却不知道体恤，有智慧才能的人盼望得到开明的君主。将军既然是皇室的后裔，信义传闻四海，如果拥有荆州、益州，依靠它的险要，

抚和戎、越⑱，结好孙权，内修政治，外观时变，则霸业可成，汉室可兴矣。”备曰：“善！”于是与亮情好日密。关羽、张飞不悦，备解之曰：“孤之有孔明，犹鱼之有水也，愿诸君勿复言。”羽、飞乃止。

司马徽⑲清雅有知人之鉴，同县庞德公⑳素有重名，徽兄事之。诸葛亮每至德公家，独拜床下，德公初㉑不令止。德公从子统，少时朴钝㉒，未有识者，惟德公与徽重之。德公尝谓孔明为卧龙，士元为凤雏，德操㉓为水鉴，故德操与刘备语而称之。

【段旨】

以上为第三段，写刘备三顾茅庐，诸葛亮发表隆中对，替刘备谋划天下三分。

【注释】

⑭辛卯：十月初三。⑭鹑尾：星次名，南方有井、鬼、柳、星、张、翼、轸七宿，称朱鸟七宿。首位之井、鬼二宿称鹑首，中部之柳、星、张三宿称鹑火，尾部之翼、轸二宿称鹑尾。⑭乙巳：十月十七日。⑭济南王赟：河间孝王刘开之第五代孙。汉灵帝时，立其父刘康为济南王，以奉灵帝父孝仁皇刘长祀。刘康死，刘赟继位。事附见《后汉书》卷五十五。⑭易水：发源于今河北易县西，东流至定兴西南，合于拒马河。⑭代郡：治所高柳，在今山西阳高西南。⑭上郡：旧郡名，西汉时为郡，治所肤施，在今陕西榆林东南。东汉初尚置，汉安帝以后，由于羌族、南匈奴、乌桓等少数民族之进入，郡遂时迁时废，至汉末全废，后于建安十八年又一度复置。⑭亭侯：汉制，列侯功大者食禄县、邑，小者食禄乡、亭。食禄于亭者称亭侯。⑭刘公：指刘虞。刘虞于初平中辟田畴为从事史，使往长安上职贡。田畴得章报返幽州时，刘虞已被公孙瓒所杀。田畴遂矢志为刘虞报仇。⑮至心：至诚之心。⑮大会：大好机会。⑮寻：使用。⑮干戈：兵器的通称。此指战争。⑮事会：事机。⑮疾笃：病重。⑮属：托付。⑮诸葛亮（公元一八一至二三四年）：字孔明，琅邪郡阳都（今山东沂南县南）人，建安初，隐居于南阳邓县之隆中（今湖北襄阳西），知识渊博，留心世事，被称为卧龙。后接受刘备之请，成了刘备的主要谋士。随即帮助刘备联合孙权抗击曹操，取得了赤壁之战的胜利。辅佐刘备占领荆、益二州，建立了蜀汉政权。刘备称帝，诸葛亮为丞相。刘禅即位，封武乡侯，领益州牧，总揽一切政事。多次北伐，终因积劳成疾，死于军中。传见《三国志》卷三十

安抚融和戎族、越族，与孙权交好，对内修明政治，对外观察时变，霸王之业就可以成功，汉室就可以复兴了。”刘备说：“很好!”于是与诸葛亮友情日益亲密。关羽、张飞很不高兴，刘备向他们解释说：“我得到了孔明，犹如鱼儿有了水一样，希望你们不要再说了。”关羽、张飞这才作罢。

司马徽高洁文雅，有知人之明。同县人庞德公一向有大名，司马徽把他当兄长服侍。诸葛亮每次到庞德公家，都独自在床下拜见，庞德公一点也不阻止。庞德公的侄子庞统，小时候质朴迟钝，没有人了解他，只有庞德公和司马徽器重他。庞德公曾经说诸葛亮是卧龙，庞统是凤雏，司马徽是水鉴，因此司马徽与刘备谈话时，称颂诸葛亮和庞统。

五。⑱管仲：春秋时人，助齐桓公富国强兵，成为春秋第一霸主。⑲乐毅：战国时燕将，曾受燕昭王之命，率军击破齐国，先后攻下七十余城，因功封为昌国君。⑳莫之许：即莫许之，谓没有人同意诸葛亮的自比。许，同意、承认。⑪信然：确实如此。⑫伏龙：卧龙。龙为古代传说中藏于深山、善于变化、能兴云致雨的神异动物。卧龙，指未出山之龙，用以比喻隐居或尚未露头角的杰出人才。此指诸葛亮。⑬凤雏：凤为古代传说中的瑞鸟。凤雏，幼凤，比喻杰出人才。此指庞统。⑭庞士元（公元一七九至二一四年）：名统，襄阳（治所在今湖北襄阳）人，博学多识，初与诸葛亮齐名，被称为凤雏。刘备得荆州后，以之为谋士，与诸葛亮同任军师中郎将。后随刘备入蜀，建议进兵成都，在攻雒城时中流矢而死。传见《三国志》卷三十七。⑮新野：县名，县治在今河南新野。⑯器：器重。⑰就见：前往拜见。⑱屈致：屈其志节而招致。⑲枉驾：屈驾，谓亲往拜访。⑳顾：看望。㉑诣：去；到。㉒屏：退避。㉓奸臣：指曹操。㉔窃命：指盗用皇帝的权柄。㉕度：揣量。㉖信：通“伸”。伸张。㉗大义：指铲除奸臣，挽救汉室。㉘猖蹶：谓挫折、挫败。㉙汉、沔：汉水、沔水。汉水出陕西宁强嶓冢山后称漾水，流经沔县后称沔水，再流经褒城合褒水后，始称汉水。⑱南海：东汉之荆州跨有今两广一带，接近南海。⑱吴、会：吴郡与会稽郡，泛指江东地区。⑱巴、蜀：巴郡与蜀郡。⑱益州：州名，刘焉统治末期徙治成都，在今四川成都。⑱天府：天然宝库，指物产富饶。古人认为西蜀沃野千里，无水旱灾害，物产富饶，不知饥馑，故为天府。⑱暗弱：愚昧懦弱。⑱存恤：慰问救济。⑱胄：后裔。⑱戎、越：指西部的氐羌诸族与南方的少数民族。⑱司马徽：字德操，颍川（治今河南许昌）人，东汉末名士，号水镜先生，善知人。推荐诸葛亮、庞统佐刘备。⑲庞德公：东汉末隐士。襄阳（今属湖北）人，善知人，称诸葛亮为卧龙，称庞统为凤雏。居襄阳岘山之南，拒刘表征召。后隐于鹿门山。⑲初：一点也不。⑲朴钝：质朴迟钝。⑲德操：司马徽字德操。

【原文】

十三年（戊子，公元二〇八年）

春，正月，司徒赵温辟曹操子丕。操表“温辟臣子弟，选举故不以实[194]”，策免之。

曹操还邺，作玄武池以肄[195]舟师。

初，巴郡甘宁[196]将僮客[197]八百人归刘表，表儒人，不习军事，宁观表事势终必无成，恐一朝众散，并受其祸，欲东入吴。黄祖在夏口[198]，军不得过，乃留，依祖三年，祖以凡人畜[199]之。孙权击祖，祖军败走，权校尉[200]凌操将兵急追之。宁善射，将兵在后，射杀操，祖由是得免。军罢，还营，待宁如初。祖都督苏飞数荐宁，祖不用。宁欲去，恐不免，飞乃白祖，以宁为邾[201]长。宁遂亡奔孙权，周瑜、吕蒙共荐达之。权礼异[202]，同于旧臣。

宁献策于权曰：“今汉祚[203]日微，曹操终为篡盗。南荆[204]之地，山川形便[205]，诚国之西势[206]也。宁观刘表，虑既不远，儿子又劣，非能承业传基者也。至尊[207]当早图之，不可后操[208]。图之之计，宜先取黄祖。祖今昏耄[209]已甚，财谷并乏，左右贪纵，吏士心怨，舟船战具，顿废[210]不修，怠于耕农，军无法伍。至尊今往，其破可必。一破祖军，鼓行而西，据楚关[211]，大势弥[212]广，即可渐规[213]巴、蜀矣。”权深纳之。张昭时在坐，难[214]曰：“今吴下业业[215]，若军果行，恐必致乱。”宁谓昭曰：“国家以萧何之任[216]付君，君居守而忧乱，奚[217]以希慕[218]古人乎！”权举酒属[219]宁曰：“兴霸，今年行讨，如此酒矣，决以付卿。卿但当勉建方略，令必克祖，则卿之功，何嫌张长史[220]之言乎！”

权遂西击黄祖。祖横两蒙冲[221]挟守沔口[222]，以栟闾[223]大绁[224]系石为矴[225]，上有千人，以弩交射，飞矢雨下，军不得前。偏将军[226]董袭[227]与别部司马[228]凌统[229]俱为前部，各将敢死百人，人被两铠，乘大舸[230]，突入蒙冲里。袭身以刀断两绁，蒙冲乃横流，大兵遂进。祖令都督陈就以水军逆战。平北都尉吕蒙勒前锋，亲枭就首，于是将士乘胜，水陆并进，傅[231]其城，尽锐攻之，遂屠其城。祖挺身[232]走，追斩之，虏其男女数万口。

【语译】

十三年（戊子，公元二〇八年）

春，正月，司徒赵温征辟曹操的儿子曹丕。曹操上表说“赵温征辟臣的子弟，选举竟然名不副实”，请皇帝下诏罢免了赵温。

曹操回到邺城，开挖玄武池训练水军。

起初，巴郡人甘宁率领家奴八百人归附刘表，刘表是个文人，不熟习军事，甘宁考察刘表的行事及客观形势，认为他将一事无成，担心一旦部众散离，自己也一起受害，想东入吴郡。黄祖驻军夏口，甘宁的军队无法通过，便留了下来。依靠黄祖三年，黄祖把甘宁当作一般人对待。孙权进攻黄祖，黄祖军败逃走，孙权的校尉凌操率兵紧急追击。甘宁擅长射箭，领兵断后，射死凌操，黄祖才得以幸免。收军回营，黄祖对待甘宁还和以前一样。黄祖的都督苏飞多次推荐甘宁，黄祖仍不任用。甘宁想离去，担心不免于祸，于是苏飞向黄祖报告，任命甘宁为邾县长。甘宁便逃走投奔孙权，周瑜、吕蒙一起推荐他。孙权对甘宁特别优礼，跟旧臣们一样。

甘宁向孙权献策说：“现今汉室的国运日益衰微，曹操终将成为篡位的强盗。南方荆州地区，山川形势便利，确实便于作为国家西边的屏障。我看刘表，既没有深谋远虑，他儿子又庸劣，不是能够承传基业的人。您应当尽早除掉他，别落在曹操的后面。若计划除掉他，应先消灭黄祖。黄祖已年迈昏庸到了极点，财物粮食都缺乏，左右的人贪婪纵欲，官兵们心生怨恨，舟船战具，残破不修，荒废农耕，军无法纪。您现今前去，一定可以打败他。一旦打败黄祖的军队，就大张旗鼓地向西进军，占据楚关，势力更加壮大，就可以逐步谋取巴蜀了。”孙权深表赞同。张昭当时在座，责难甘宁说：“如今吴郡人心惶惶，如果大军真的出动，恐怕会招致祸乱。”甘宁对张昭说：“国家把萧何那样的重任交给你，你留守而忧心祸乱，这样怎能仰慕古人呢！”孙权举杯向甘宁敬酒说：“兴霸，今年西行征讨，就如同这杯酒，我决定把它交给你了。你只须全心谋划方略，务必打败黄祖，那就是你的功劳，何必顾忌张长史的话呢！”

孙权于是西进攻击黄祖。黄祖用两艘艨艟战舰横断沔口，用棕榈大绳把战舰系在石墩上，船上有一千人，用弩交替射击，箭如雨下，吴军不能前进。偏将军董袭和别部司马凌统俱为前锋，各自率领敢死队一百人，每人穿双重铠甲，乘坐大船，冲入两艘艨艟战舰之间，董袭亲自用刀砍断系船的两条绳子，艨艟战舰失控横流，大军便向前进军。黄祖命令都督陈就率领水军迎战。平北都尉吕蒙督领前锋，亲手杀死陈就并枭首示众，于是将士乘胜水陆并进，迫近黄祖的城池，吴军出动全部精锐攻城，终于屠灭其城。黄祖脱身逃走，被追上杀死，俘获男女数万人。

权先作两函，欲以盛祖及苏飞首。权为诸将置酒，甘宁下席叩头，血涕交流，为权言飞畴昔旧恩[233]，“宁不值[234]飞，固已捐骸[235]于沟壑，不得致命于麾下[236]。今飞罪当夷戮，特从将军乞其首领。”权感其言，谓曰：“今为君置之，若走去何？”宁曰：“飞免分裂之祸，受更生之恩，逐之尚必不走，岂当图亡[237]哉！若尔[238]，宁头当代入函。”权乃赦之。凌统怨宁杀其父操，常欲杀宁。权命统不得雠之，令宁将兵屯于他所。

【段旨】

以上为第四段，写孙权抢先发动争夺荆州之战，一举灭掉镇守荆州东大门江夏的黄祖。

【注释】

⑲④选举故不以实：汉顺帝时，曾有诏书禁止侍中、尚书、中臣（中朝臣）子弟为吏。赵温辟曹丕为掾吏，致使曹操不满，上表批评赵温选举竟然与实不符。⑲⑤肄：练习。⑲⑥甘宁（？至公元二一五年）：字兴霸，巴郡临江（今重庆市忠县）人，初依刘表，不被重用，遂至江东投身孙权，受到重视。曾从周瑜破曹操，攻曹仁，又从吕蒙拒关羽，以功为西陵太守、折冲将军。后从孙权攻合肥，临阵战死。传见《三国志》卷五十五。⑲⑦僮客：家奴。⑲⑧夏口：地名，即今湖北汉口，汉水入长江处。古时汉水自襄阳以下又称夏水，故入江处称夏口。⑲⑨畜：养。⑳⓪校尉：官名，东汉统兵的中级武官。㉑鄳：县名，在今湖北黄冈西北。㉒礼异：礼遇特别优异。㉓汉祚：汉朝政权；汉朝国运。㉔南荆：即荆州。从全国而论，荆州在南，故称南荆。㉕形便：形势便利。攻之不可得，守之不可夺，此谓形便。㉖西势：谓荆州在江东之西，据上流之形势。㉗至尊：对孙权的尊称。㉘不可后操：谓谋取荆州不可后于曹操，不然，曹操必先夺取。㉙昏耄：昏乱。㉚顿废：坏废。㉛楚关：即捍关，春秋时楚肃王建以拒蜀之关，故又名楚关。在今湖北长阳土家族自治县西。㉜弥：益；更加。㉝规：谋划。㉞难：质问；责难。㉟业业：畏惧的

【原文】

夏，六月，罢三公官，复置丞相、御史大夫[239]。癸巳[240]，以曹操为丞相。操以冀州别驾从事崔琰为丞相西曹掾[241]，司空东曹掾陈留毛

孙权先做好两个盒子，想用来盛黄祖和苏飞的首级。孙权为诸位将领备好酒筵，甘宁离席向孙权磕头，鲜血和泪水交流。甘宁向孙权诉说以前苏飞对他的旧恩：“我甘宁若不遇上苏飞，肯定早已抛尸沟壑，也不能在您手下效命了。如今苏飞罪该灭族，我特向将军请求他的首级。”孙权被甘宁的话感动了，对甘宁说：“现在为你放了他，如果他逃走怎么办?”甘宁说：“苏飞免除了身首异处之祸，蒙受您再生的恩德，赶他尚且不肯走，哪会图谋逃亡呢！如果发生这种事情，我甘愿把我的人头代他入盒。”于是孙权赦免了苏飞。凌统怨恨甘宁射杀他的父亲凌操，时常想杀掉甘宁。孙权命令凌统不得仇恨甘宁，派甘宁领兵驻守其他地方。

样子。㉖萧何之任：萧何于秦末助刘邦起义，楚汉战争中固守关中，负责输送士卒粮饷。萧何之任，即指留守之任。事见《史记》卷五十三、《汉书》卷三十九本传。㉗奚：何。㉘希慕：仰慕。㉙属：托付。㉚张长史：即张昭。张昭时为孙权长史。长史为孙权僚佐之长，权极重。㉛蒙冲：古代的战船。其制法是用生牛皮蒙船覆背，两厢开掣棹孔，左右前后有弩窗矛穴，使敌人不能靠近，矢石不能伤。㉜沔口：地名，即今湖北汉口。因汉水上游称沔水，故入江处亦称沔口。㉝栟闾：即棕榈，亦写作“棕榈”，木名，其皮可剥下做绳索。㉞绁：绳索。㉟矴：停船时用以固定船身位置的石墩。㊱偏将军：官名，东汉的杂号将军。㊲董袭：字符代，会稽余姚（今属浙江）人，孙吴大将，从孙权讨黄祖，率敢死队百人，击杀黄祖。后从孙权至濡须击曹军，夜遇暴风，船覆而死。传见《三国志》卷五十五。㊳别部司马：官名，东汉时，大将军领营五部，部有校尉一人，军司马一人，其别营领属为别部司马，领兵多少没有一定。汉末，有些杂号将军也置别部司马以领兵。㊴凌统：字公绩，吴郡余杭（今浙江杭州市余杭区）人，父凌操，先后从孙策、孙权，勇于冲锋陷阵，死于阵中。孙权因以统为别部司马，仍领父兵。统亦勇猛善战，从周瑜等破曹操，攻曹仁，先后为校尉、荡寇中郎将、偏将军等。传见《三国志》卷五十五。㊵舸：大船。㊶傅：迫近。㊷挺身：抽身；脱身。㊸旧恩：指苏飞向黄祖荐甘宁，又设法使甘宁至江东。㊹值：遇上。㊺捐骸：谓身死。㊻麾下：对孙权的敬称。㊼亡：逃亡。㊽若尔：假使如此。

(注号依次为216—238)

【语译】

夏，六月，撤销三公之职，复设丞相、御史大夫。初九日癸巳，任命曹操为丞相。曹操任命冀州人别驾从事崔琰为丞相西曹掾，司空东曹掾陈留人毛玠为丞相东

玠[242]为丞相东曹掾，元城令河内司马朗[243]为主簿，弟懿[244]为文学掾[245]，冀州主簿卢毓[246]为法曹议令史[247]。毓，植之子也。

琰、玠并典选举，其所举用皆清正之士，虽于时有盛名而行不由本者，终莫得进。拔敦实[248]，斥华伪[249]，进冲逊[250]，抑阿党[251]。由是天下之士莫不以廉节自励，虽贵宠之臣，舆服不敢过度；至乃长吏还者，垢面羸衣[252]，独乘柴车；军吏入府，朝服徒行。吏洁于上，俗移于下。操闻之，叹曰："用人如此，使天下人自治，吾复何为哉！"

司马懿少聪达[253]，多大略。崔琰谓其兄朗曰："君弟聪亮[254]明允[255]，刚断[256]英特[257]，非子所及也！"操闻而辟之，懿辞以风痹[258]。操怒，欲收之。懿惧，就职。

操使张辽屯长社[259]，临发，军中有谋反者。夜，惊乱起火，一军尽扰。辽谓左右曰："勿动！是不一营尽反，必有造变者[260]，欲以惊动人耳。"乃令军中："其不反者安坐。"辽将亲兵数十人中陈而立。有顷，皆定，即得首谋者，杀之。

辽在长社，于禁屯颍阴[261]，乐进屯阳翟[262]，三将任气[263]，多共[264]不协。操使司空主簿[265]赵俨[266]并参三军[267]，每事训谕，遂相亲睦。

初，前将军[268]马腾与镇西将军[269]韩遂结为异姓兄弟，后以部曲[270]相侵，更为雠敌。朝廷使司隶校尉锺繇、凉州刺史韦端和解之，征腾入屯槐里[271]。曹操将征荆州，使张既说腾，令释部曲还朝，腾许之。已而更犹豫，既恐其为变，乃移[272]诸县促储偫[273]，二千石郊迎。腾不得已，发东[274]。操表腾为卫尉[275]，以其子超[276]为偏将军，统其众，悉徙其家属诣邺。

秋，七月，曹操南击刘表。

八月丁未[277]，以光禄勋山阳郗虑[278]为御史大夫。

壬子[279]，太中大夫[280]孔融弃市[281]。融恃其才望，数戏侮[282]曹操，发辞偏宕[283]，多致乖忤[284]。操以融名重天下，外相容忍而内甚嫌之。融又上书，"宜准古王畿之制，千里寰内不以封建诸侯[285]。"操疑融所论建渐广，益惮之。融与郗虑有隙[286]，虑承操风旨[287]，构成其罪，令丞相军谋祭酒[288]路粹[289]奏："融昔在北海[290]，见王室不静，而招合徒众，欲规[291]不轨。

曹掾，元城县令河内人司马朗为主簿，司马朗的弟弟司马懿为文学掾，冀州主簿卢毓为法曹议令史。卢毓，是卢植的儿子。

崔琰、毛玠共同掌管选举，他们所选拔任用的都是清廉正直的人士，那些在当时有很高的名声而行为不遵守基本道德的人，始终得不到进用。选拔敦厚朴实的人，斥退浮华虚伪的人，进用谦虚恭顺的人，贬抑结党营私的人。因此天下之士无不以清廉的节操来勉励自己，即使是显贵受尊宠的大臣，车马服饰也不敢超过制度的规定；甚至地方官员回乡，蓬头垢面，穿一身普通旧衣，独自乘一辆柴车；武官文吏进入官府，穿着朝服徒步上班。上层当官的清廉自洁，下层的百姓移风易俗。曹操知道后，感慨地说："这样用人，使天下人人自治，还需要我做什么呢！"

司马懿少时聪慧明达，有雄才大略。崔琰对他的哥哥司马朗说："你的弟弟清明诚实，刚毅果决，不是你能赶得上的！"曹操听说后，征召司马懿，司马懿借口风湿病而谢绝，曹操很生气，要逮捕他。司马懿害怕了，才去就职。

曹操派张辽驻守长社，临出发时，军中有人谋反。夜里，军营中惊乱起火，全军骚乱。张辽对左右的人说："不要乱动！这不是一营的人全都造反，一定有带头闹事的人，想以此来惊动军心罢了。"就向军中下令："不造反的安坐别动。"张辽率领亲兵几十人站在军阵的中央。一会儿，全军安定，立刻抓获主谋者，杀死了他。

张辽在长社，于禁屯颍阴，乐进驻阳翟，三位将领都意气用事，彼此不和。曹操派司空主簿赵俨同时参与三军的事务，经常对他们进行训示开导，于是三位将领亲密和睦。

起初，前将军马腾与镇西将军韩遂结拜为异姓兄弟，后来因为部下相互侵犯，变成仇敌。朝廷派司隶校尉锺繇、凉州刺史韦端从中和解。征调马腾进驻槐里。曹操将要征伐荆州，派张既劝说马腾，让他交出兵权回朝，马腾同意了。不久又犹豫，张既担心他发动变乱，就下文让各县加紧物资储备，二千石的官员到郊外迎接。马腾不得已，向东出发入朝。曹操上表荐举马腾为卫尉，任命他的儿子马超为偏将军，统领马腾的部众，把马腾的家属都迁到邺城。

秋，七月，曹操南下攻击刘表。

八月二十四日丁未，任命光禄勋山阳人郗虑为御史大夫。

八月二十九日壬子，太中大夫孔融被弃市。孔融依仗他的才华名望，屡次嘲弄侮辱曹操，出语偏激，多次顶撞曹操。曹操因为孔融名重天下，表面上虽然容忍，内心却非常厌恶。孔融又上书，说："应按照古代的王畿制度，京城千里以内之地不可分封诸侯。"曹操担心孔融议论的内容逐渐扩大，内心更加忌惮。孔融和郗虑有矛盾，郗虑秉承曹操旨意，捏造孔融的罪名，命令丞相军谋祭酒路粹上奏说："从前孔融在北海国，看到汉家天下不稳，就召聚徒众图谋不轨。后来和孙权的使者谈话时，

及与孙权使语，谤讪[292]朝廷。又前与白衣[293]祢衡跌荡[294]放言[295]，更相赞扬，衡谓融曰'仲尼[296]不死'，融答'颜回[297]复生'，大逆不道，宜极重诛。"操遂收融，并其妻子皆杀之。

初，京兆脂习[298]与融善，每戒融刚直太过，必罹[299]世患。及融死，许下莫敢收者。习往抚尸曰："文举[300]舍我死，吾何用生为！"操收习，欲杀之，既而赦之。

【段旨】

以上为第五段，写曹操罢三公官，复置丞相，辟举人才，征召关西马腾入京，杀孔融，为大举南下做准备。

【注释】

㉓⑨复置丞相、御史大夫：西汉初，虽然丞相、御史大夫、太尉称为三公，但丞相却是辅助皇帝、综理一切政务的长官，是中央政府的最高官吏。御史大夫虽为丞相之副，但其地位、禄秩却不如丞相。故西汉初，实为丞相制。至汉哀帝时，改丞相为大司徒，御史大夫为大司空，太尉为大司马，此为三公并列共掌大政的三公制。东汉时，又以司徒、司空、太尉为三公，虽然此时政归尚书，但名义上仍以三公为最高执政者。现曹操罢黜三公，复置丞相、御史大夫，是恢复西汉初的丞相制，而曹操又为丞相，遂总揽朝政大权。㉔⓪癸巳：六月初九。㉔①丞相西曹掾：官名，曹操为丞相后，下设东、西曹掾，主持选举事务。西曹掾主管府吏署用，东曹掾主管二千石长吏迁除及军吏。㉔②毛玠：字孝先，陈留平丘（今河南长垣西）人，初为曹操兖州治中从事史，即建议曹操"宜奉天子以令不臣"。曹操为司空与丞相后，玠为东曹掾，与崔琰并典选举，所举皆清正之士。魏国初建，为尚书仆射，仍典选举。传见《三国志》卷十二。㉔③司马朗（公元一七一至二一七年）：字伯达，河内温县（今河南温县西南）人，初受曹操召辟，为司空掾，又为成皋令、当阳长、元城令，后又为兖州刺史，所在"政化大行，百姓称之"。传见《三国志》卷十五。㉔④懿：司马懿（公元一七九至二五一年），字仲达，司马朗之弟。曹操为丞相后，辟为文学掾，又为主簿。多谋略，善权变。后为太子中庶子，为曹丕所信重。曹魏初，为侍中、尚书右仆射。魏明帝时，为大将军，多次率军与诸葛亮对抗。魏明帝死时，与曹爽共受遗诏辅少帝曹芳。后杀曹爽，独专朝政。其子司马师、司马昭相继专权。至其孙司马炎遂代魏称帝，建立晋朝，追尊他为宣帝。传见《晋

诽谤朝廷。再者，先前和白丁祢衡一起，行为不羁，言语放荡，互相吹捧，祢衡说孔融是‘仲尼不死’，孔融说祢衡是‘颜回复生’，大逆不道，应处以极刑。”曹操于是逮捕孔融，连同他的妻子儿女一起都杀了。

起初，京兆人脂习与孔融友好，时常告诫孔融太过刚直，定会遭受灾祸。到孔融死时，许都没有人敢为他收尸。脂习前去抚摸着孔融的尸体说：“文举你舍我死去，我还活着干什么！”曹操逮捕脂习，想杀了他，不久赦免了他。

书》卷一。㉔⑤文学掾：亦称文学，汉州郡职司教育的学官。东汉末王国、丞相府亦置此官。㉔⑥卢毓（？至公元二五七年）：字子家，涿郡涿县（今河北涿州）人，父植，有名于世。毓初为冀州主簿，后为丞相法曹议令史。曹魏初，为黄门侍郎，又为梁、谯、安平、广平等郡太守，皆有惠政。魏明帝时，为吏部尚书，主选举。高贵乡公即位后，为司空，封容城侯。传见《三国志》卷二十二。㉔⑦法曹议令史：法曹主邮驿科程事，时公府诸曹皆置议令史。㉔⑧敦实：敦厚朴实。㉔⑨华伪：浮华虚伪。㉕⓪冲逊：谦虚恭顺。㉕①阿党：阿谀党附。㉕②羸衣：普通旧衣。㉕③聪达：聪慧明达。㉕④聪亮：犹言明慧。㉕⑤明允：清明诚实。㉕⑥刚断：刚毅果断。㉕⑦英特：谓英伟出众。㉕⑧风痹：肢体疼痛或麻木的风湿病。㉕⑨长社：县名，治所在今河南长葛东。㉖⓪造变者：带头闹事的人。㉖①颍阴：县名，县治在今河南许昌。㉖②阳翟：县名，县治在今河南禹州。㉖③任气：意气用事。㉖④共：谓相互。㉖⑤司空主簿：官名，汉代中央及郡县官署皆置主簿，以典领文书，办理事务。司空主簿即司空府的主簿。㉖⑥赵俨：字伯然，颍川阳翟（今河南禹州）人，曹魏大臣。历仕曹操、文帝、明帝、齐王芳，官至司空。传见《三国志》卷二十三。㉖⑦三军：全军。春秋时大国有上中下三军，后世遂以三军统称全军。㉖⑧前将军：官名，位次于上卿，与后将军及左、右将军掌京师兵卫和边防屯警。㉖⑨镇西将军：官名，东汉杂号将军之一。㉗⓪部曲：军队。㉗①槐里：县名，县治在今陕西兴平东南。㉗②移：官文书之一种。㉗③储偫：存备，指存备供应马腾的物品。㉗④发东：谓出发向东入朝。㉗⑤卫尉：官名，汉九卿之一，掌宫门警卫及宫中巡逻。㉗⑥超：马超（公元一七六至二二二年），字孟起，右扶风茂陵（今陕西兴平东北）人，初随父腾起兵凉州，曹操征腾入朝后，超为偏将军继领父兵，并与韩遂和好。后与韩遂联合打击曹操，在潼关为操所败，又还据凉州。后被杨阜所逐，因入汉中依张鲁，继又投归刘备，为左将军。蜀汉建立后，为骠骑将军。传见《三国志》卷三十六。㉗⑦丁未：八月二十四日。㉗⑧郗虑：字鸿豫，山阳高平（今山东微山县西北）人，建安初为侍中，后为光禄勋、御史大夫。事附见《三国志》卷一《魏书·武帝纪》与裴松之注引《续汉书》。㉗⑨壬子：八月二十九日。㉘⓪太中大夫：官

名，属光禄勋，掌议论。㉘①弃市：古代在闹市执行死刑，陈尸街头示众，称为弃市。㉘②戏侮：嘲弄侮辱。㉘③偏宕：谓偏激放纵，超出常规。㉘④乖忤：相抵触。㉘⑤千里寰内不以封建诸侯：《周礼·夏官·职方氏》说："方千里曰王畿。"即是说，京城周围方千里之地为国王的领地，不用以封建诸侯。孔融之言盖本此。当时曹操的据点在邺，如按孔融之说，曹操就不能以邺为据点，故使曹操畏惧。㉘⑥隙：间隙；矛盾。㉘⑦风旨：谓从观察而领会的旨意。㉘⑧丞相军谋祭酒：官名，曹操为丞相后新设置的职官，职责是参谋军事。㉘⑨路粹：字文蔚，陈留（治所在今河南开封）人，建安初为尚书郎，后为军谋祭酒，与陈琳、阮瑀

【原文】

初，刘表二子，琦、琮。表为琮娶其后妻蔡氏之侄，蔡氏遂爱琮而恶琦；表妻弟蔡瑁、外甥张允并得幸于表，日相与毁琦而誉[301]琮。琦不自宁，与诸葛亮谋自安之术，亮不对。后乃共升高楼，因令去梯，谓亮曰："今日上不至天，下不至地，言出子口，而入吾耳，可以言未?"亮曰："君不见申生[302]在内而危，重耳居外而安乎?"琦意感悟，阴规出计。会黄祖死，琦求代其任，表乃以琦为江夏[303]太守。表病甚，琦归省疾[304]。瑁、允恐其见表而父子相感，更有托后之意，乃谓琦曰："将军命君抚临江夏，其任至重。今释众擅来，必见谴怒[305]。伤亲之欢，重增其疾，非孝敬之道也。"遂遏[306]于户外，使不得见，琦流涕而去。表卒，瑁、允等遂以琮为嗣。琮以侯印授琦，琦怒，投之地，将因奔丧作难。会曹操军至，琦奔江南。

章陵[307]太守蒯越及东曹掾[308]傅巽[309]等劝刘琮降操，曰："逆顺有大体[310]，强弱有定势。以人臣而拒人主，逆道也；以新造之楚[311]而御中国，必危也；以刘备而敌曹公，不当[312]也。三者皆短，将何以待敌?且将军自料何如刘备?若备不足御曹公，则虽全楚不能以自存也；若足御曹公，则备不为将军下也。"琮从之。九月，操至新野[313]，琮遂举州降，以节[314]迎操。诸将皆疑其诈，娄圭[315]曰："天下扰攘[3]，各贪王命以自重，今以节来，是必至诚。"操遂进兵。

时刘备屯樊[316]，琮不敢告备，备久之乃觉，遣所亲问琮，琮令

等掌管记室，后又为秘书令。善为文。事附见《三国志》卷二十一《魏书·王粲传》与裴松之注引《典略》。㉚融昔在北海：指孔融建安初为北海相。㉑规：谋划。㉒谤讪：毁谤。㉓白衣：指未做官之人。㉔跌荡：谓行为放纵。㉕放言：放纵言谈。㉖仲尼：孔子名丘，字仲尼。㉗颜回：即颜渊，名回，字子渊。孔子的学生，德行学业均优秀，深得孔子之赞许。㉘脂习：字符升，京兆（治所在今陕西西安西北）人，为太医令，与孔融亲善。曹魏初，以其年老，赐为中散大夫。事附见《三国志》卷十一《魏书·王脩传》裴松之注引《魏略·纯固传》。㉙罹：遭受。㉚文举：孔融字文举。

【语译】

当初，刘表有两个儿子刘琦和刘琮。刘表为刘琮娶了后妻蔡氏的侄女，蔡氏于是喜欢刘琮而讨厌刘琦；刘表的妻弟蔡瑁、外甥张允都得到刘表的宠幸，他们每天都竞相诽谤刘琦而称誉刘琮。刘琦心中不安，和诸葛亮谋划保全自己的办法，诸葛亮不回答。后来和诸葛亮一起登上高楼，令人撤去楼梯，对诸葛亮说："现在上不着天，下不着地，话从你口中说出，进入我的耳朵，可以讲了吧？"诸葛亮说："你难道不知道申生在国内遭危难，重耳居国外得平安吗？"刘琦心中领悟，暗中谋划外出的办法。正逢黄祖被杀，刘琦请求代替黄祖的职位，刘表就任命刘琦为江夏太守。刘表病重，刘琦回来探望病情。蔡瑁、张允担心刘琦见到刘表会触动父子之情，使刘表产生托付后事的心意，就对刘琦说："将军命你镇抚江夏，这个责任十分重大。如今你离开部众擅自前来，一定会遭到愤怒的谴责，伤害父子的感情，加重他的病情，这不是孝敬之道。"便把刘琦阻挡在门外，使他见不到刘表，刘琦流泪离去。刘表去世，蔡瑁、张允等就拥立刘琮继位。刘琮把侯印授给刘琦，刘琦愤怒，把侯印扔到地上，准备趁奔丧的机会发难。正碰上曹操大军到来，刘琦就投奔江南。

章陵太守蒯越和东曹掾傅巽等劝刘琮归降曹操，说："叛逆与顺从有个大原则，强大与弱小有一定的形势。以臣子的地位对抗君主，就是大逆不道；拿刚刚占领的荆州抵御中原朝廷，必定危险；依赖刘备去对抗曹操，不是对手。这三方面都处于劣势，将凭什么来对付敌人？而且将军自己估量，你与刘备相比如何呢？如果刘备都不足以抵御曹公，那么即使竭尽荆州的全力也不能自存；如果刘备足以抵抗曹公，那么刘备就不会甘居将军之下了。"刘琮听从了。九月，曹操到新野，刘琮就献出荆州归降，手持州牧符节迎接曹操。曹军将领都怀疑刘琮有诈，娄圭说："天下纷乱，各自贪求朝廷任命以自重，现在持符节来迎，这一定是真心诚意。"于是曹操才进军。

当时刘备驻守樊城，刘琮不敢告诉刘备，过了许久刘备才发觉，就派亲信询问

其[4]官属宋忠诣备宣旨。时曹操已在宛[317]，备乃大惊骇，谓忠曰："卿诸人作事如此，不早相语，今祸至方告我，不亦太剧[318]乎！"引刀向忠曰："今断卿头，不足以解忿，亦耻丈夫临别复杀卿辈！"遣忠去。乃呼部曲共议，或劝备攻琮，荆州可得。备曰："刘荆州临亡托我以孤遗[319]，背信自济，吾所不为，死何面目以见刘荆州乎！"备将其众去，过襄阳[320]，驻马呼琮。琮惧，不能起。琮左右及荆州人多归备。备过辞表墓，涕泣而去。比到当阳[321]，众十余万人，辎重数千两，日行十余里。别遣关羽乘船数百艘，使会江陵[322]。或谓备曰："宜速行保江陵，今虽拥大众，被甲者少，若曹公兵至，何以拒之！"备曰："夫济大事必以人为本，今人归吾，吾何忍弃去！"

> 习凿齿论曰："刘玄德[323]虽颠沛[324]险难而信义愈明，势逼事危而言不失道。追景升[325]之顾[326]，则情感三军；恋赴义之士[327]，则甘与同败，终济大业，不亦宜乎！"

刘琮将王威说琮曰："曹操闻将军既降，刘备已走，必懈弛无备，轻行单进。若给威奇兵数千，徼[328]之于险，操可获也。获操，即威震四海，非徒保守今日而已。"琮不纳。

操以江陵有军实[329]，恐刘备据之，乃释辎重，轻军到襄阳。闻备已过，操将精骑五千急追之，一日一夜行三百余里，及于当阳之长坂[330]。备弃妻子，与诸葛亮、张飞、赵云等数十骑走，操大获其人众辎重。

徐庶母为操所获。庶辞备，指其心曰："本欲与将军共图王霸之业者，以此方寸[331]之地也。今已失老母，方寸乱矣，无益于事，请从此别。"遂诣操。

张飞将二十骑拒后。飞据水断桥，瞋目[332]横矛曰："身[333]是张益德[334]也，可来共决死！"操兵无敢近者。

或谓备："赵云已北走。"备以手戟擿[335]之，曰："子龙不弃我走也。"顷之，云身抱备子禅[336]，与关羽船会，得济沔，遇刘琦众万余人，与俱到夏口。

刘琮，刘琮命令他的属官宋忠到刘备那里说明自己的意思。此时曹操已在宛城，刘备这才大为惊惧，对宋忠说："你们这些人做事怎么这样，为何不早点告知，现在大祸临头了才告诉我，不也太过分了吗！"刘备抽出刀来指向宋忠说："现在即便砍断你的头，也不足以消我心头之恨，大丈夫也耻于在离别时还杀死你们这些人！"便打发宋忠离去。于是刘备召集部属共同商量，有人劝刘备攻打刘琮，可以得到荆州。刘备说："刘表临死时托孤于我，背信弃义、成就自己的事业，这种事我不能干，真这样我死后有什么脸面去见刘表呢！"刘备率领他的部众离开了樊城，路过襄阳时，停下马来大声呼喊刘琮。刘琮很害怕，不能起立。刘琮左右的人和荆州百姓大多追随刘备。刘备路过刘表坟墓，向他告别，哭泣而去。等行进到当阳时，已有部众十几万人，辎重几千辆，每天只能行十余里。于是另派关羽率领几百艘船，让他到江陵会合。有人对刘备说："应迅速行进去守卫江陵，如今虽然拥有大量的部众，但穿铠甲的兵士少，如果曹公的部队追来，我们怎么抵抗！"刘备说："凡是成大事，一定要以民为本，现在百姓随从我，我怎忍心抛弃他们离去！"

习凿齿评论说："刘玄德虽然在颠沛流离、危险艰难之中，信义却更加鲜明，形势迫蹙、事情危急但言谈不离道义。他怀念刘景升的临终托付，真情感动了三军，爱恋追求大义的人士，这些人就心甘情愿和他胜败在一起，他最终成就了大业，不也是应当的吗！"

刘琮部将王威劝刘琮说："曹操得知将军已经归降，刘备已经逃走，必然松懈没有防备，就单独轻装挺进。若拨给我数千奇兵，在地势险要的地方截击，就可以抓获曹操。抓获了曹操，就威震四海，不仅仅是保守现状了。"刘琮不采纳。

曹操鉴于江陵有军用储备，担心刘备占领它，于是留下辎重，军队轻装到达襄阳。曹操听说刘备已过了襄阳，就亲率五千精锐骑兵急速追击，一日一夜行军三百多里，在当阳县的长坂追上了刘备。刘备丢弃了妻子儿女，和诸葛亮、张飞、赵云等几十人骑马逃走，曹操缴获了大量的人马辎重。

徐庶的母亲被曹操抓获。徐庶向刘备告辞，指着自己的心说："本想和将军共谋霸业，全凭这颗心。现在失去母亲，我方寸已乱，留下来也无益于事，请允许我就此告别。"于是投奔曹操。

张飞率领二十名骑兵断后。张飞据守岸边，拆断桥梁，瞪大眼睛横着长矛大声喊道："我就是张益德，谁来跟我决一死战！"曹操士兵没有敢靠近他的。

有人对刘备说："赵云已经向北逃走。"刘备用手戟掷向那人，说："赵子龙不会弃我而逃。"不一会儿，赵云抱着刘备的儿子刘禅，与关羽的船队相会，得以渡过沔水，遇上刘琦部队一万多人，和刘琦一起到达夏口。

【段旨】

以上为第六段，写曹操兵不血刃得荆州，刘备南走江陵，被曹操追及，兵败当阳县长坂。

【注释】

㉛誉：称赞。㉜申生：春秋时晋献公的太子。晋献公宠爱骊姬，而骊姬欲立己子，故谮毁申生，申生被迫自缢而死。申生弟重耳得知后，惧而出奔国外。在国外流亡了十九年后，回国立为国君，是为晋文公。事附见《史记》卷三十九《晋世家》。㉝江夏：郡名，原治所安陆，在今湖北安陆。刘表以黄祖为江夏太守，治所沙羡，在今武汉市武昌区西南。黄祖死后，刘琦为江夏太守，治所夏口，即今武汉市汉口。㉞省疾：探望病人。㉟谴怒：责备而生怒。㊱遏：阻止。㊲章陵：郡名，章陵本为县，县治在今湖北枣阳东。当时始置为郡，设太守。㊳东曹掾：即丞相东曹掾。㊴傅巽：字公悌，初为尚书郎，又为丞相东曹掾，以劝刘琮有功，赐爵关内侯。事附见《三国志》卷六《魏书·刘表传》裴松之注引《傅子》。㊵大体：大原则。㊶新造之楚：楚，指荆州，因荆州古为楚国地。刘表据荆州不久，故为新造。㊷当：抵敌。㊸新野：县名，县治在今河南新野。㊹节：符节。刘表为镇南将军、荆州牧时所受朝廷的符节。㊺娄圭：字子伯。

【原文】

曹操进军江陵，以刘琮为青州刺史，封列侯，并蒯越等，侯者凡十五人。释韩嵩之囚，待以交友之礼，使条品[337]州人优劣，皆擢而用之。以嵩为大鸿胪[338]，蒯越为光禄勋[339]，刘先为尚书[340]，邓羲为侍中[341]。

荆州大将南阳文聘[342]别屯在外，琮之降也，呼聘，欲与俱。聘曰："聘不能全州，当待罪而已！"操济汉，聘乃诣操。操曰："来何迟邪？"聘曰："先日不能辅弼刘荆州以奉国家，荆州虽没，常愿据守汉川[343]，保全土境，生不负于孤弱[344]，死无愧于地下[345]。而计不在己，以至于此，实怀悲惭，无颜早见耳。"遂歔欷[346]流涕。操为之怆然[347]，字谓之曰："仲业，卿真忠臣也。"厚礼待之，使统本兵，为江夏[348]太守。

初，袁绍在冀州，遣使迎汝南[349]士大夫。西平和洽[350]以为："冀州投归曹操后，常参与军国大计之谋议。事附见《三国志》卷十二《魏书·崔琰传》裴松之注引《魏略》《吴书》。316樊：即樊城，在襄阳北，与襄阳隔汉水相对，在今湖北襄阳。317宛：县名，县治在今河南南阳。318剧：甚；过分。319孤遗：父母去世后遗留下来的子女。此指刘琮。320襄阳：县名，县治在今湖北襄阳。321当阳：县名，县治在今湖北当阳东。322江陵：县名，南郡治所，县治在今湖北江陵。323刘玄德：刘备字玄德。324颠沛：倾覆；仆倒。325景升：刘表字景升。326顾：谓临终之托付。327赴义之士：指追随刘备的荆州人士。328徼：拦截。329军实：粮草、器械等物资。330长坂：地名，在今湖北当阳东北。331方寸：指心。古人认为思想的器官是心。332瞋目：犹言怒目。333身：我。334张益德：张飞字益德。335擿：通"掷"。投掷。336禅：刘禅（公元二〇七至二七一年），字公嗣，小字阿斗，刘备之子。刘备称帝后，立为太子。刘备死后，继位为帝，公元二二三至二六三年在位。初期由诸葛亮辅政，政治较好。诸葛亮死后，因信任宦官黄皓，朝政日趋腐败。魏军攻入蜀后，被迫出降。后被封为安乐公。传见《三国志》卷二十三。

【校记】

[3]攘：原作"扰"。据章钰校，甲十一行本、乙十一行本皆作"攘"，今据改。[4]其：原无此字。据章钰校，甲十一行本、乙十一行本皆有此字，今据补。

【语译】

曹操进军江陵，任命刘琮为青州刺史，封为列侯，连同蒯越等，共十五人被封为侯。曹操把韩嵩从监狱里放出来，待以朋友之礼，让他品评荆州人士的优劣，都加以提拔任用。以韩嵩为大鸿胪，蒯越为光禄勋，刘先为尚书，邓羲为侍中。

刘琮的大将南阳人文聘驻军在外，刘琮投降的时候，招呼文聘，想和他一起归降。文聘说："我文聘不能保全荆州，应当等待处置！"曹操渡过汉水，文聘才去拜见曹操。曹操说："你为什么这么晚才来？"文聘说："以前我未能辅佐刘表侍奉朝廷，刘表虽然去世，我常常希望驻守汉川，保卫荆州疆土，活着不辜负孤弱的刘琮，死了也无愧于地下的刘表。但是决策权不在我，以至于此，心里确实悲伤羞愧，没有脸面早来拜见。"于是哀泣流泪。曹操也为之怆然，称呼他的表字，说："仲业，你真是个忠臣。"对他厚礼相待，让他统领原来的部众，任命他为江夏太守。

起初，袁绍在冀州时，派使者迎请汝南郡的士大夫。西平人和洽认为："冀州地土平民强，英杰所利，四战之地[5]，不如荆州土险民弱，易依倚也。”遂从刘表，表以上客待之。洽曰：“所以不从本初㉛，辟㉜争地也。昏世之主，不可黩近㉝，久而不去，谗慝㉞将兴。”遂南之武陵㉟。表辟南阳刘望之为从事，而其友二人皆以谗毁为表所诛，望之又以正谏不合，投传㊱告归。望之弟廙㊲谓望之曰：“赵杀鸣犊，仲尼回轮㊳。今兄既不能法㊴柳下惠㊵和光同尘㊶于内，则宜模㊷范蠡㊸迁化㊹于外，坐而自绝于时，殆不可也。”望之不从，寻复见害，廙奔扬州㊺。南阳韩暨㊻避袁术之命，徙居山都山㊼。刘表又辟之，遂遁居孱陵㊽，表深恨之。暨惧，应命，除宜城㊾长。河东裴潜㊿亦为表所礼重，潜私谓王畅之孙[6]粲(371)及河内司马芝(372)曰：“刘牧非霸王之才，乃欲西伯(373)自处，其败无日矣！”遂南适(374)长沙(375)。于是操以暨为丞相士曹属(376)，潜参丞相军事(377)，洽、廙、粲皆为掾属(378)，芝为菅(379)令，从人望也。

【段旨】

以上为第七段，写曹操安抚荆州，优礼归降将士和官吏，大行封赏，举拔士人。

【注释】

(337)条品：谓品评人物。(338)大鸿胪：官名，汉九卿之一，掌宾礼。凡附属的少数民族及诸王入朝、迎送、朝会、封授等皆掌管。(339)光禄勋：官名，汉九卿之一，掌领宿卫侍从之官。(340)尚书：官名，东汉分六曹尚书，助理皇帝处理政务，尚书令为其长官。(341)侍中：官名，职在侍从皇帝，应对顾问。(342)文聘：字仲业，南阳宛县（今河南南阳）人，初为刘表大将，后归曹操，为江夏太守。与乐进击关羽有功，为讨逆将军。曹魏初，为后将军，封新野侯。传见《三国志》卷十八。(343)汉川：汉水。(344)孤弱：指刘琮。(345)地下：指刘表。(346)歔欷：哀叹抽泣声。(347)怆然：悲伤。(348)江夏：郡名，文聘为太守的治所与以前不同，其治所在安陆，在今湖北安陆北。(349)汝南：郡名，治所平舆，在今河南平舆北。(350)和洽：字阳士，汝南西平（今河南西平西）人，初至荆州依刘表，曹操得荆州后，辟为丞相掾属。后为侍中、郎中令。曹丕称帝后，为光禄勋。魏明帝时为太常，封西陵乡侯。传见《三国志》卷二十三。(351)本初：袁绍字本初。(352)辟：通“避”，躲势平坦，百姓强悍，利于英雄豪杰的角逐，是四面可以作战的地方，不如荆州地势险要，百姓柔弱，容易依靠。”于是追随刘表，刘表待为上宾。和洽说：“我之所以不追随袁绍，是为了避开兵家必争之地。乱世昏君，不可亲近，久留不去，谗言将起。”于是和洽南往武陵。刘表征召南阳人刘望之为从事，而他的两个朋友都因遭到谗言诽谤被刘表杀害，刘望之又因为直言正谏，与刘表不合，弃官回乡。刘望之的弟弟刘廙对刘望之说：“赵简子杀了窦鸣犊，孔子中途调转车头。如今兄长你既不能效法柳下惠在国内随世浮沉，就应该学习范蠡迁徙乱世之外，你却坐家自绝于时事，大概不行吧。”刘望之不听，不久就被杀害，刘廙投奔扬州。南阳人韩暨逃避袁术的征召，迁居到山都山。刘表又征召他，于是逃居孱陵，刘表对他甚为痛恨。韩暨惧怕，接受了征召，被任命为宜城县长。河东人裴潜也得到刘表的礼遇敬重，裴潜私下对王畅的孙子王粲和河内人司马芝说：“刘表不是霸王之才，却想以周文王自居，他不久就会失败！”于是南往长沙。此时，曹操任命韩暨为丞相士曹属，裴潜参丞相军事，和洽、刘廙、王粲都为掾属，司马芝为菅县令，以此顺应民心。

避。㉝黩近：谓接近而被玷污。㉞谗慝：恶言恶意。㉟武陵：郡名，治所临沅，在今湖南常德。㊱投传：投，扔。传，符信。扔弃符信，即谓弃官。㊲廙：刘廙（？至公元二二一年），字恭嗣，南阳安众（今河南镇平东南）人，兄刘望之被刘表杀害后，惧奔扬州，遂投曹操，为丞相掾属，又为五官将文学。魏国建立后，为黄门侍郎。曾著书数十篇，皆传于世。传见《三国志》卷二十一。㊳赵杀鸣犊二句：仲尼，孔子。孔子将西至晋国见赵简子，至黄河边听说晋国的窦鸣犊与舜华已被赵简子所杀，孔子对河叹息，决定返回。子贡不明其因，便询问孔子。孔子解释说：“窦鸣犊与舜华是晋国之贤大夫，当赵简子未执政时，须二人帮助其执政，而他执政后，即杀此二人。我曾听说，剖胎杀幼畜，则麒麟不至郊；竭泽而渔，则蛟龙不调合阴阳；覆鸟巢毁其卵，则凤凰不飞翔。鸟兽对不义之事尚知躲避，何况我呢！”遂返回。事见《史记》卷四十七《孔子世家》。㊴法：效法。㊵柳下惠：春秋时鲁大夫展禽，因食邑柳下，死后谥惠，故称柳下惠。据说他任士师（狱官）时，三次被罢黜而不离去。当他在任时，不得意自满，被罢黜时，也不埋怨灰心，皆固守其道，不因荣辱而改变立场。事附见《论语·微子》与《孟子·万章下》。㊶和光同尘：将光荣和尘浊同样看待。㊷模：仿效；效法。㊸范蠡：春秋末越国大夫，助越王勾践灭吴后，离越出游，至齐国，称鸱夷子皮。至陶（今山东菏泽市定陶区西北），称陶朱公。事附见《史记》卷一百二十九《货殖列传》。㊹迁化：迁徙变化。㊺扬州：州名，汉末治所在寿春，在今安徽寿县。㊻韩暨（？至公元二三八年）：字公至，南阳堵阳（今河南方城东）人，初为刘表之宜城长，曹操平荆州后，辟

为丞相士曹属，后为监冶谒者，用水排（水力鼓风炉）代替马排和人排，功效提高三倍。在职七年，器用充实。魏文帝时为太常，封南乡亭侯。魏明帝时，官至司徒。传见《三国志》卷二十四。㊱山都山：山都县之山。山都县治所在今湖北襄阳西北。㊳孱陵：县名，县治在今湖北公安南。㊴宜城：县名，县治在今湖北宜城南。㊵裴潜（？至公元二四四年）：字文行，河东闻喜（今山西闻喜）人，初避乱至荆州，曹操得荆州后，为参丞相军事，又为仓曹属。后任代郡太守、兖州刺史，皆有治绩。曹魏初，为散骑常侍，又为魏郡、颍川典农中郎将，荆州刺史。魏明帝时，为尚书、大司农、尚书令，封清阳亭侯。传见《三国志》卷二十三。㊶粲：王粲（公元一七七至二一七年），字仲宣，山阳高平（今山东微山县西北）人，曾祖父龚、祖父畅皆为汉三公。粲于初平中避乱至荆州依刘表，而未得重用。曹操得荆州后，为丞相掾，后又为军谋祭酒等。博学多识，无所不知，尤善于文学，诗、赋、文皆长，为建安七子之冠，所著诗、赋、论、议近六十篇。建安二十一年随曹操征吴，次年春疾疫流行，于道中病卒。传见《三国志》卷二十

【原文】

冬，十月癸未朔[380]，日有食之。

初，鲁肃闻刘表卒，言于孙权曰："荆州与国邻接，江山险固，沃野万里，士民殷富，若据而有之，此帝王之资也。今刘表新亡，二子[381]不协，军中诸将，各有彼此[382]。刘备天下枭雄[383]，与操有隙[384]，寄寓于表，表恶[385]其能而不能用也。若备与彼协心，上下齐同，则宜抚安，与结盟好；如有离违[386]，宜别图之，以济大事。肃请得奉命吊[387]表二子，并慰劳其军中用事者[388]，及说备使抚表众，同心一意，共治[389]曹操，备必喜而从命。如其克谐[390]，天下可定也。今不速往，恐为操所先。"权即遣肃行。

到夏口，闻操已向荆州，晨夜兼道[391]。比[392]至南郡[393]，而琮已降，备南走。肃径迎之，与备会于当阳长坂。肃宣权旨，论天下事势，致殷勤[394]之意，且问备曰："豫州[395]今欲何至？"备曰："与苍梧[396]太守吴巨有旧，欲往投之。"肃曰："孙讨虏[397]聪明仁惠，敬贤礼士，江表英豪咸归附之，已据有六郡，兵精粮多，足以立事。今为君计，莫若遣

一。㊲司马芝：字之华，河内温县（今河南温县西南）人，初避乱至荆州，后归曹操，为菅长，以整治豪强著称。又为甘陵、沛郡、阳平太守，皆有治绩。曹魏初，为河南尹，抑强扶弱，私请不行。魏明帝时，为大司农。传见《三国志》卷十二。㊳西伯：即周文王。殷商末，周文王为西伯，得到多数诸侯国的拥戴。㊴适：往。㊵长沙：郡名，治所临湘，在今湖南长沙。㊶丞相士曹属：官名，丞相府之属官，为曹操所设置。㊷参丞相军事：官名，曹操为丞相后，于丞相府设有参军事一职，以参与军事谋划。㊸掾属：官名，汉代公府有掾有属，均为公府喉舌。㊹菅：县名，县治在今山东济南市章丘区西北。

【校记】

［5］四战之地：原无此四字。据章钰校，甲十一行本、乙十一行本皆有此四字，今据补。［6］孙：原作"子"。张敦仁《通鉴刊本识误》作"孙"，今据改。〖按〗《三国志》卷二十一《魏书·王粲传》载，粲为畅之孙。

【语译】

冬，十月初一日癸未，发生日食。

起初，鲁肃得知刘表死了，向孙权进言说："荆州和我们的国土相邻接，山川险固，沃野万里，官民富足，如果我们占有它，这是成就帝王大业的资本。如今刘表刚死，两个儿子不和睦，军中各位将领，分别拥护刘琮或刘琦。刘备是天下的英雄，与曹操有怨仇，寄居在刘表那里，刘表忌恨刘备的才干，所以不重用他。如果刘备与刘氏兄弟同心协力，上下一致，就应当去安抚，与他们结成盟友；如果他们离心离德，应当另想办法消灭他们，来成就大业。我请求奉命去向刘表的两个儿子吊丧，并慰问他们军中的主管将领，并说服刘备让他安抚刘表的部众，同心同意，共同对付曹操，刘备一定乐于从命。如果事情能协调好，天下可以平定了。现在不赶快去，恐怕被曹操抢先。"孙权立刻派鲁肃出行。

鲁肃到了夏口，听说曹操已向荆州进兵，便昼夜兼程。等到达南郡，刘琮已经投降，刘备向南逃走。鲁肃径直迎向刘备，与刘备在当阳长坂相会。鲁肃说明孙权的意图，论述天下形势，对刘备殷勤致意，并且问刘备："豫州现在准备去哪里？"刘备说："我和苍梧太守吴巨是老交情，打算去投靠他。"鲁肃说："孙讨虏聪明仁惠，敬重贤才礼遇士人，江东的英雄豪杰都归附他，现已据有六郡，兵精粮足，足以建

腹心自结于东，以共济世业[398]。而欲投吴巨，巨是凡人，偏在远郡，行将为人所并，岂足托乎！”备甚悦。肃又谓诸葛亮曰：“我，子瑜[399]友也。”即共定交。子瑜者，亮兄瑾也，避乱江东，为孙权长史。备用肃计，进住[400]鄂县[401]之樊口[402]。

曹操自江陵将顺江东下。诸葛亮谓刘备曰：“事急矣，请奉命求救于孙将军。”遂与鲁肃俱诣孙权。亮见权于柴桑[403]，说权曰：“海内大乱，将军起兵江东，刘豫州收众汉南，与曹操共争天下。今操芟夷[404]大难[405]，略已平矣，遂破荆州，威震四海。英雄无用武之地，故豫州遁逃至此。愿将军量力而处之，若能以吴、越之众与中国抗衡，不如早与之绝；若不能，何不按兵束甲，北面而事之[406]。今将军外托服从之名，而内怀犹豫之计，事急而不断，祸至无日矣。”权曰：“苟如君言，刘豫州何不遂事之乎？”亮曰：“田横[407]，齐之壮士耳，犹守义不辱，况刘豫州王室之胄[408]，英才盖世，众士慕仰，若水之归海。若事之不济[409]，此乃天也，安能复为之下乎！”权勃然[410]曰：“吾不能举全吴之地，十万之众，受制于人。吾计决矣！非刘豫州莫可以当曹操者。然豫州新败之后，安能抗此难乎？”亮曰：“豫州军虽败于长坂，今战士还者及关羽水军精甲万人，刘琦合江夏战士亦不下万人。曹操之众，远来疲敝，闻追豫州，轻骑一日一夜行三百余里，此所谓‘强弩之末，势不能穿鲁缟[411]’者也。故《兵法》忌之，曰‘必蹶上将军[412]’。且北方之人，不习水战；又荆州之民附操者，逼兵势耳，非心服也。今将军诚能命猛将统兵数万，与豫州协规同力，破操军必矣。操军破，必北还，如此，则荆、吴[413]之势强，鼎足之形成矣。成败之机，在于今日！”权大悦，与其群下谋之。

是时，曹操遗[414]权书曰：“近者奉辞伐罪[415]，旌麾[416]南指，刘琮束手[417]。今治水军八十万众，方与将军会猎[418]于吴。”权以示群[7]下，莫不响震[419]失色。长史[420]张昭等曰：“曹公，豺虎也，挟天子以征四方，动以朝廷为辞，今日拒之，事更不顺。且将军大势可以拒操者，长江也，今操得荆州，奄[421]有其地，刘表治水军，蒙冲斗舰[422]乃以

立大业。眼下为您着想，不如派亲信去与江东结交，一起成就大业。而您想投靠的吴巨，他只是一个普通人，地处偏远的边郡，即将被人吞并，哪里足以托身呢！”刘备听后很高兴。鲁肃又对诸葛亮说：“我是诸葛子瑜的朋友。”两人于是定交。子瑜是诸葛亮的哥哥诸葛瑾，避乱江东，任孙权的长史。刘备采用鲁肃的计议，驻军鄂县的樊口。

曹操从江陵将要顺长江东下。诸葛亮对刘备说：“情况紧急，我请求奉您之命向孙将军求救。”诸葛亮于是和鲁肃一起到孙权那里。诸葛亮在柴桑拜见孙权，劝孙权说：“天下大乱，将军在江东起兵，刘豫州在汉南聚众，与曹操共同争夺天下。如今曹操在北方平定大难，大致已经平定，随即又攻下荆州，威震四海。致使英雄无用武之地，故而刘豫州逃到这里。希望将军估计自己的力量做出选择，如果吴、越的部众能与中原抗衡，那就不如早点与曹操断绝关系；如果不能，何不解除武装，北面称臣。现在将军表面上假托服从朝廷之名，内心却首鼠两端，情况紧急而不决断，大祸就不日而至了。”孙权说：“如果真像你说的那样，刘豫州为什么不向曹操称臣呢？”诸葛亮说：“田横，只不过是齐国的壮士罢了，尚且坚守节义不受屈辱，何况刘豫州是王室的后裔，且英才盖世，众士仰慕，如同流水归向大海。如果事业不能成功，这是天意，怎么能屈居曹操之下呢！”孙权勃然大怒说：“我不能拿全吴的土地，十万兵众，受制于他人。我的决心已经下定！除了刘豫州没有能抵挡曹操的人。可是刘豫州刚刚失败，哪有能力抵抗这场灾难呢？”诸葛亮说：“刘豫州的军队虽然在长坂战败，但现在回归的兵士加上关羽的水军仍有精兵一万人，刘琦聚集江夏的兵士也不下一万人。曹操的部众，远道而来，已疲惫不堪，听说为追击刘豫州，轻骑兵一日一夜行军三百多里，这正是所谓‘强弩之末，穿不透鲁地的素绢’。所以《兵法》忌讳，说‘必定会让上将军遭挫败’。而且北方人不熟悉水战；还有荆州的民众之所以归附曹操，是被武力所逼迫罢了，不是真心服从。现在将军如能命猛将统兵数万，与刘豫州同心协力，一定能打败曹军。曹军被打败，必定退回北方，如果这样，荆、吴的势力就强大起来，三足鼎立的形势便形成了。成败的关键，就在今天！”孙权非常高兴，就和他的部属谋议此事。

这时，曹操派人送信给孙权，说：“近来奉天子之命讨伐叛逆，帅旗指向南面，刘琮束手投降。现在训练水军八十万之众，将和将军在吴地会猎。”孙权把信拿给群臣看，个个如同惊雷轰顶，脸色大变。长史张昭等说：“曹公是豺狼虎豹，挟天子征讨四方，动不动就说是朝廷的旨意，现在抵抗他，事情就更加名不正而行不顺。况且将军用来抵抗曹操最有利的地形就是长江，现在曹操得到荆州，占领了这块地方，刘表训练的水军，艨艟战舰就数以千计，曹操调动全部战船顺江东下，加上步兵，

千数，操悉浮以沿江，兼有步兵，水陆俱下，此为长江之险已与我共之矣，而势力众寡又不可论，愚谓大计不如迎之。”鲁肃独不言。权起更衣[423]，肃追于宇下[424]。权知其意，执肃手曰：“卿欲何言？”肃曰：“向[425]察众人之议，专欲误将军，不足与图大事。今肃可迎操耳，如将军不可也。何以言之？今肃迎操，操当以肃还付乡党[426]，品[427]其名位，犹不失下曹从事[428]，乘犊车[429]，从吏卒[430]，交游士林[431]，累官[432]故不失州郡也。将军迎操，欲安所归[433]乎？愿早定大计，莫用众人之议也。”权叹息曰：“诸人持议，甚失孤望。今卿廓开[434]大计，正与孤同。”

【段旨】

以上为第八段，写鲁肃与诸葛亮定计，以结盟说孙权，曹操东下逼使孙权下决心，推动了孙刘结盟。

【注释】

㊳⓪ 癸未朔：十月初一日。㊳① 二子：指刘琦、刘琮。㊳② 各有彼此：谓诸将中有的支持刘琦，有的拥护刘琮。㊳③ 枭雄：骁悍雄杰的人物。㊳④ 与操有隙：指刘备曾与董承等合谋诛曹操而未成。㊳⑤ 恶：嫉恨。㊳⑥ 离违：背离；离心离德。㊳⑦ 吊：慰问丧家。㊳⑧ 用事者：当权者。㊳⑨ 治：对付。㊴⓪ 克谐：能协调好。㊴① 兼道：兼程。㊴② 比：及。㊴③ 南郡：郡名，治所江陵，在今湖北江陵。㊴④ 殷勤：亲切的情意。㊴⑤ 豫州：指代刘备。因刘备曾为豫州牧。㊴⑥ 苍梧：郡名，治所广信，在今广西梧州。㊴⑦ 孙讨虏：指孙权。孙权为讨虏将军。㊴⑧ 世业：犹言大业、大事。㊴⑨ 子瑜：诸葛瑾（公元一七四至二四一年），字子瑜，琅邪阳都（今山东沂南县南）人，诸葛亮之兄。因避乱至江东，为孙权所礼遇，任孙权长史，后为绥南将军，代吕蒙领南郡太守，又为左将军，封宛陵侯。孙权称帝后，为大将军。传见《三国志》卷五十二。㊵⓪ 住：驻扎。㊵① 鄂县：县治在今湖北鄂州。㊵② 樊口：在鄂州西，与黄冈隔江相对。㊵③ 柴桑：县名，县治在今江西九江市西南。㊵④ 芟夷：削除。㊵⑤ 大难：指袁术、吕布、袁绍等势力。㊵⑥ 北面而事之：指投降曹操，向他称臣。㊵⑦ 田横：战国末齐国的宗室。楚汉相争时，自立为齐王。汉灭楚后，田横率领五百人逃入海岛。汉高帝刘邦使人召他，说：“田横来，大者王，小者乃侯耳。不来，且举兵

水陆并进，这样，所谓长江天险，曹操已和我们共有了，而且兵力的众寡又不能相提并论，我们以为最好的办法是迎降曹操。”只有鲁肃一言不发。孙权起身上厕所，鲁肃追赶到屋檐下，孙权知道他的用意，就握着鲁肃的手说：“你想说什么？”鲁肃说：“刚才我考察了一下众人的言论，纯粹是误导将军，这些人不足以共谋大事。现在我鲁肃可以迎降曹操，像将军这种身份的人就不行。为什么这么说呢？现在我鲁肃迎降曹操，曹操会把我交还乡里，评定我的名声和地位，至少还可以当一个下曹从事，可以乘坐牛车，有吏卒跟随，交结名流贤士，一步一步还能升至州郡的长官。将军迎降曹操，想归身何处呢？希望早点确定大计，切莫听从众人的议论。”孙权感叹地说：“那些人的议论，让我太失望，现在你阐述的大计，正与我的想法相同。”

加诛焉。”田横乃与其客二人共赴洛阳。将至，对其客说：“横始与汉王俱南面称孤，今汉王为天子，而横乃为亡虏而北面事之，其耻固已甚矣。”遂自杀。事附见《史记》卷九十四《田儋列传》。⑱胄：后代。⑲济：成功。⑳勃然：发怒变色。㊶强弩之末二句：古人常语。《史记·韩长孺列传》：“强弩极矢不能穿鲁缟。”《汉书·韩安国传》：“强弩之末，力不能入鲁缟。”鲁缟，鲁地所产的素绢，以轻薄著称。㊷必蹶上将军：《孙子·军争》：“五十里而争利，则蹶上将军。”蹶，挫败。㊸荆、吴：荆指刘备，吴指孙权。㊹遗：送。㊺奉辞伐罪：谓奉朝廷之命，讨伐有罪之人。㊻旌麾：帅旗。㊼束手：谓投降。㊽会猎：会合打猎。战争的喻语。㊾响震：谓如听巨响而震惊。㊿长史：官名，将军属官，总理将军幕府事。㊶奄：通“掩”。覆盖，此谓占据。㊷斗舰：古代战船。其船上设有高三尺左右的挡墙，挡墙下开掣棹孔。船内五尺，又建棚，与挡墙齐。棚上又建挡墙，上无覆背，前后左右立牙旗、幡帜、金鼓。㊸更衣：上厕所。古代帝王换衣休息处备有厕所，宾主入厕，即托言更衣。㊹宇下：屋檐下。㊺向：先前。㊻乡党：乡里；家乡。㊼品：评定。东汉时选拔人才，多由乡里评定其高下。㊽下曹从事：诸曹从事史中之最下者。㊾犊车：牛车。东汉末，皇帝及士大夫常乘牛车。㊿从吏卒：跟随吏卒。㊶士林：文士阶层。㊷累官：积功升官。㊸欲安所归：想要得到什么结局。归，归宿、结局。㊹廓开：阐述。

【校记】

［7］群：原作“臣”。据章钰校，甲十一行本、乙十一行本、孔天胤本皆作“群”，今据改。

【原文】

时周瑜受使至番阳[435]，肃劝权召瑜还。瑜至，谓权曰："操虽托名汉相，其实汉贼也。将军以神武雄才，兼仗父兄之烈[436]，割据江东，地方数千里，兵精足用，英雄乐业[437]，当横行天下，为汉家除残去秽[438]；况操自送死，而可迎之邪！请为将军筹之，今北土未平，马超、韩遂尚在关西[439]，为操后患。而操舍鞍马，仗[440]舟楫[441]，与吴、越争衡；今又[8]盛寒，马无藁草[442]；驱中国[443]士众远涉江湖之间，不习水土，必生疾病。此数者用兵之患[444]也，而操皆冒行之。将军禽操，宜在今日。瑜请得精兵数万人，进住夏口，保为将军破之。"权曰："老贼欲废汉自立久矣，徒忌[445]二袁[446]、吕布、刘表与孤耳。今数雄已灭，惟孤尚存。孤与老贼势不两立，君言当击，甚与孤合，此天以君授孤也。"因拔刀斫[447]前奏案[448]，曰："诸将吏敢复有言当迎操者，与此案同！"乃罢会。

是夜，瑜复见权，曰："诸人徒见操书言水步八十万而各恐慑[449]，不复料其虚实，便开[450]此议[451]，甚无谓[452]也。今以实校之，彼所将中国人不过十五六万，且已久疲，所得表众亦极[453]七八万耳，尚怀狐疑[454]。夫以疲病之卒御狐疑之众，众数虽多，甚未足畏。瑜得精兵五万，自足制之，愿将军勿虑。"权抚[455]其背曰："公瑾，卿言至此，甚合孤心。子布[456]、元表[457]诸人，各顾妻子，挟持私虑，深失所望。独卿与子敬[458]与孤同耳，此天以卿二人赞[459]孤也。五万兵难卒合[460]，已选三万人，船粮战具俱办。卿与子敬、程公[461]便在前发，孤当续发人众，多载资粮，为卿后援。卿能办之者诚决[462]，邂逅不如意[463]，便还就孤，孤当与孟德决[464]之。"遂以周瑜、程普为左右督[465]，将兵与备并力逆操，以鲁肃为赞军校尉[466]，助画方略。

刘备在樊口，日[467]遣逻吏[468]于水次[469]候望权军。吏望见瑜船，驰往白备，备遣人慰劳之。瑜曰："有军任，不可得[470]委署[471]，傥能屈威[472]，诚副其所望。"备乃乘单舸[473]往见瑜，问[9]曰："今拒曹公，深为得计。战卒有几？"瑜曰："三万人。"备曰："恨少。"瑜曰："此自足

【语译】

这时周瑜受派来到番阳，鲁肃劝孙权召周瑜回来。周瑜回来后，对孙权说："曹操虽然名义上是汉朝宰相，实际是汉室的窃国大盗。将军凭着神武雄才，再依凭父兄的基业，割据江东，纵横数千里，兵精足以够用，英雄豪杰乐于建功立业，应当横扫天下，为汉朝除残去秽，况且曹操自来送死，怎么可以迎降他呢！请让我为将军筹划一下吧，现在北方境内还未平定，马超、韩遂尚在关西，这是曹操的后患。而曹操抛开骑兵，依仗水军，跟吴、越人一争高下；眼下正是寒冬，战马没有草料；驱赶中原的士兵远赴南方的江湖之间，水土不服，一定会生病。这几方面都是用兵的大忌，而曹操都冒险行事。将军擒获曹操，应该就在今天。我请求统领数万精兵，进驻夏口，保证为将军打败曹军。"孙权说："老贼想废汉自立已经很久了，只是顾忌袁氏兄弟、吕布、刘表和我罢了。如今那几位英雄已被歼灭，只有我还在。我和老贼势不两立，你说应当迎击，同我的心意完全相合，这是上天把你赐给我啊。"孙权乘势拔出佩刀砍向面前的几案，大声说："各将官敢有再说应当迎降曹操的，跟这张几案一样!"于是散会。

当天夜晚，周瑜又见孙权，说："诸位只是看到曹操信中说拥有水军步兵八十万而自相恐吓，不再去分辨它的虚实，就提出迎降曹操这一建议，实在是没有道理。现在据实核对，曹操率领的中原士兵不过十五六万，而且已经很疲困，所得到的刘表部众最多也就七八万人，而且还都心存疑虑。用疲惫的兵众去控制疑虑的部众，人数虽然众多，也不值得害怕。我周瑜只要得到精兵五万，就足够制服敌人，请将军不必忧虑。"孙权拍着周瑜的背说："公瑾，你说到这里，很合我的心意。张昭、秦松诸人，各自眷顾妻子儿女，怀有私心，让人大失所望。只有你和鲁肃与我同心，这是上天派你们二人来帮助我。五万名兵士难以一时聚结，我已经挑选了三万人，船只、粮食、武器装备都备齐了。你和鲁肃、程普在前出发，我将继续调发人马，多运辎重粮草，作为你的后援。你能抵抗住曹操，诚然是决胜之机，如果出现不如意的情况，就回到我这里，我将跟曹操决一雌雄。"于是孙权任命周瑜、程普为左右督，率兵与刘备合力迎击曹操，任命鲁肃为赞军校尉，帮助制订战略方案。

刘备驻屯樊口，每天派巡逻兵到江边眺望，等候孙权的军队。巡逻兵看到了周瑜的船队，飞驰回营报告刘备，刘备派人慰劳周瑜。周瑜说："我军务在身，不能离开，倘若刘豫州能屈驾光临，诚然是我所希望的。"刘备于是乘一艘小船去见周瑜，问道："如今抵抗曹公，是很正确的决策。你有多少战士?"周瑜说："三万人。"刘备

用，豫州但观瑜破之。”备欲呼鲁肃等共会语，瑜曰：“受命不得妄委署，若欲见子敬，可别过之。”备深愧喜[474]。

进，与操遇于赤壁[475]。

【段旨】

以上为第九段，写孙权大将周瑜主战，分析曹军虚实，坚定了孙权抗击曹操的决心。双方相遇于赤壁。

【注释】

㊵番阳：县名，县治在今江西鄱阳东。㊶烈：功业。㊷乐业：乐于建功立业。㊸除残去秽：谓诛除凶恶奸邪之人。即指诛除曹操。㊹关西：地区名，指函谷关以西之地。㊺仗：依凭。㊻舟楫：船只。㊼藁草：喂马的饲草。㊽中国：指中原。㊾患：此处指忌讳、大忌。㊿徒忌：只畏惧。[446]二袁：指袁绍、袁术。[447]斫：砍。[448]奏案：批阅奏章的几案。[449]恐慑：恐惧。[450]开：谓陈说、提出。[451]此议：指投降曹操之议。[452]无谓：没有道理。[453]极：最多。[454]狐疑：犹豫不决。此指刘表的军队是被迫而降，并非真心拥护曹操，故有犹豫观望之心，不会出力死战。[455]抚：以手轻按。[456]子布：张昭字子布。[457]元表：《三国志》卷五十四《吴书·周瑜传》裴松之注引《江表传》作“文表”，当是。秦松字文表。[458]子敬：鲁肃字子敬。[459]赞：辅佐；帮助。[460]卒合：很快结集。卒，通“猝”。很快。[461]程公：程普。当时江东诸将中程普年最长，人们皆称之为

【原文】

时操军众已有疾疫，初一交战，操军不利，引次[476]江北。瑜等在南岸，瑜部将黄盖曰：“今寇众我寡，难与持久。操军方连船舰，首尾相接，可烧而走[477]也。”乃取蒙冲斗舰十艘，载燥荻[478]枯柴，灌油其中，裹以帷幕，上建旌旗，豫备走舸[479]，系于其尾。先以书遗[480]操，诈云欲降。时东南风急，盖以十舰最著前，中江举帆，余船以次俱进。操军吏士皆出营立观，指言盖降。去北军二里余，同时发火。火烈风猛，船往如箭，

说：“可惜少了点。”周瑜说：“已足够用了，刘豫州你就看我如何打败曹军吧。”刘备想叫来鲁肃等共同商议，周瑜说：“他有军务在身不能擅离职守，如果想见他，你可以另找时间去拜访他。”刘备听了这话深感惭愧又为之高兴。

周瑜进军，与曹操在赤壁相遇。

程公。㊽能办之者诚决：谓能抵抗住曹操，诚然是决战之机。㊾邂逅不如意：如果碰上不如意的情况（即失败）。㊿决：决战。督：统兵大将。赞军校尉：官名，孙权设置的参谋军事之官。日：谓每天。逻吏：巡逻官吏。水次：水边。不可得：不可能。委署：委弃职守，犹言擅离职守。屈威：谓委屈尊严前来相见。单舸：单独一艘船。备深愧喜：指刘备为呼鲁肃之不恰当而深感惭愧，又为周瑜之军纪严明而甚喜悦。赤壁：山名，在江汉流域一带，可以称为赤壁者有五处，但曾为古战场之赤壁在何处，古今聚讼纷纭。大体说来有三种不同意见：一是根据《括地志》《通典》《元和郡县志》等，认为赤壁在湖北赤壁，与乌林隔江相对（又有说在嘉鱼者，其实均指一地，因政区常有变化。赤壁属嘉鱼时，在县城西南；属赤壁时，在西北。二十世纪五十年代以来，赤壁即属赤壁县）。二是根据《水经注》，认为赤壁即武昌西南的赤几山。三是近来有力主黄州说者，他们根据苏东坡所说的黄州赤壁，再证以其他记载，认为赤壁即黄州之赤鼻山。但结合当时战况来看，赤壁在今湖北赤壁西北之说较为可信。

【校记】

［8］今又：据章钰校，甲十一行本、乙十一行本二字皆互乙。［9］问：原无此字。据章钰校，甲十一行本、乙十一行本、孔天胤本皆有此字，今据补。

【语译】

当时曹操的兵众中已有疾病发生，刚一开战，曹军失利，退军停驻江北。周瑜驻军江南，周瑜的部将黄盖说：“如今敌众我寡，难以持久。曹军正在把船舰连在一起，首尾相接，可用火攻打跑它。”于是调取艨艟战舰十艘，载着干荻和枯柴，把油灌在里面，外面裹上帷幕，插上旌旗，预备好快船，系在战舰船尾。黄盖先写信给曹操，谎称想投降。这时东南风劲吹，黄盖指挥十艘艨艟舰行驶在最前面，到江心升起风帆，其余的船依次前行。曹军官兵都出营站立观看，用手指着来船说是黄盖来投降。距江北曹军二里多路时，同时点火，火烈风猛，船行如箭，

烧尽北船，延及岸上营落[481]。顷之[482]，烟炎[483]张天[484]，人马烧溺死者甚众。瑜等率轻锐继其后，雷[485]鼓大震[10]，北军大坏[486]。操引军从华容道[487]步走，遇泥泞[488]，道不通，天又大风，悉使羸兵[489]负草填之，骑乃得过。羸兵为人马所蹈藉[490]，陷泥中，死者甚众。刘备、周瑜水陆并进，追操至南郡。时操军兼以饥疫，死者太半。操乃留征南将军[491]曹仁、横野将军[492]徐晃守江陵，折冲将军[493]乐进守襄阳，引军北还。

周瑜、程普将数万众，与曹仁隔江未战。甘宁请先径进取夷陵[494]。往，即得其城，因入守之。益州将袭肃举军降，周瑜表以肃兵益横野中郎将[495]吕蒙。蒙盛称“肃有胆用，且慕化远来，于义宜益，不宜夺也。”权善其言，还肃兵。曹仁遣兵围甘宁，宁困急，求救于周瑜。诸将以为兵少不足分，吕蒙谓周瑜、程普曰：“留凌公绩[496]于江陵，蒙与君行，解围释急，势亦不久，蒙保公绩能十日守也。”瑜从之，大破仁兵于夷陵，获马三百匹而还。于是将士形势自倍，瑜乃渡江，屯北岸，与仁相拒。十二月，孙权自将围合肥[497]。使张昭攻九江之当涂[498]，不克。

刘备表刘琦为荆州刺史，引兵南徇[499]四郡，武陵太守金旋、长沙太守韩玄、桂阳[500]太守赵范、零陵[501]太守刘度皆降。庐江[502]营帅[503]雷绪率部曲数万口归备。备以诸葛亮为军师中郎将[504]，使督零陵、桂阳、长沙三郡，调其赋税以充军实。以偏将军赵云领[505]桂阳太守。

益州牧刘璋[506]闻曹操克荆州，遣别驾张松[507]致敬于操。松为人短小[508]放荡[509]，然识达[510]精果[511]。操时已定荆州，走[512]刘备，不复存录[513]松。主簿杨脩[514]白操辟松，操不纳。松以此怨，归，劝刘璋绝操，与刘备相结，璋从之。

习凿齿论曰：“昔齐桓一矜其功而叛者九国[515]，曹操暂自骄伐[516]而天下三分，皆勤之于数十年之内而弃之于俯仰之顷[517]，岂不惜乎！”

烧光了北面的敌船，大火一直延烧到岸上的军营。顷刻之间，火光满天，人马被烧死淹死的很多，周瑜等率领轻装精锐部队紧跟其后，鼓声震天，曹军大败。曹操率军从华容道徒步逃走，遇上道路泥泞，道路不通，这时天上又刮起了大风，曹操命令疲弱兵卒背草垫路，骑兵才得以通过。疲弱兵卒被人马践踏，陷入泥潭中，很多人死去。刘备、周瑜水陆并进，追击曹操直到南郡。这时曹军又饿又病，死者过半。曹操就留下征南将军曹仁、横野将军徐晃守卫江陵，折冲将军乐进驻守襄阳，自己率军回到北方。

周瑜、程普率领数万部众，与曹仁隔江对峙，还没有开战。甘宁请求先直接进军夷陵。于是他率军前往，立即攻下夷陵城，便进城防守。益州将领袭肃率军来降，周瑜上表把袭肃的部众增加给横野中郎将吕蒙。吕蒙称赞："袭肃有胆识，况且又是仰慕归化远道来降，按道义应增加他的部众，不应剥夺他的部众。"孙权认为吕蒙的话说得好，归还袭肃的部众。曹仁派军包围甘宁，甘宁被围困，形势危急，向周瑜求救。各将领认为兵员太少不够分派增援，吕蒙对周瑜、程普说："把凌统留在江陵，我与你们同去解围救急，这种情势不需多长时间，我保证凌统能坚守十天。"周瑜听从了吕蒙的建议，在夷陵大败曹仁的军队，缴获战马三百匹后回师。于是将士士气倍增，周瑜便渡过长江，驻军北岸，与曹仁对峙。十二月，孙权亲自率兵包围了合肥。派张昭进攻九江的当涂，没能攻下。

刘备上表推举刘琦为荆州刺史，带兵向南攻取四郡，武陵太守金旋、长沙太守韩玄、桂阳太守赵范、零陵太守刘度全都投降。庐江营帅雷绪率领部众数万人归顺刘备。刘备任命诸葛亮为军师中郎将，让他督领零陵、桂阳、长沙三郡，征调三郡的赋税用来充实军备。委派偏将军赵云兼任桂阳太守。

益州牧刘璋听说曹操攻下荆州，派别驾张松向曹操致意。张松身材矮小，行为放浪，但见识通达、精明果断。曹操当时已平定荆州，赶走了刘备，不再关心对张松的录用。主簿杨脩劝曹操征用张松，曹操没有采纳。张松因此心生怨恨，回到成都，就劝刘璋与曹操断绝关系，与刘备结成同盟，刘璋听从了。

习凿齿评论说："从前齐桓公一时夸耀功劳而九国叛离，曹操顷刻骄傲自夸而天下三分，都是几十年辛勤经营的大业而毁弃于旦夕之间，岂不可惜！"

【段旨】

以上为第十段，写赤壁之战，曹操战败北还，荆州三分，曹孙刘各占其一，因此三分天下的序幕，由此拉开。

【注释】

⑯次：停驻。⑰走：谓使曹军逃走。⑱荻：与芦苇相似的一种草本植物。⑲走舸：一种轻快战船。船边有挡墙，以防敌人兵器，还设有金鼓旗帜。船中划船者多，战士少，往返极迅速。⑳遗：赠予。㉑营落：军营。㉒顷之：不久。㉓炎：通“焰”，火光。㉔张天：满天。张，布满、弥漫。㉕雷：通“擂”，敲击。㉖坏：败。㉗华容道：从此道可至华容县。华容县治所在今湖北监利。㉘泥泞：淤积的烂泥。㉙羸兵：疲弱之兵。㉚蹈藉：践踏。㉛征南将军：官名，汉代将军名号之一。在汉代，征东、征西、征南、征北诸将军与杂号将军同，曹魏以后，则此四者为上。㉜横野将军：官名，东汉之杂号将军。㉝折冲将军：官名，属杂号将军，始置于此时。㉞夷陵：县名，县治在今湖北宜昌东南。㉟横野中郎将：官名，横野本为将军之号，因吕蒙的资历尚浅，故低一等，为中郎将。㊱凌公绩：凌统字公绩。㊲合肥：县名，县治在今安徽合肥。曹操所置扬州刺史的治所即在合肥，而当时扬州治所已移至寿春。㊳当涂：县名，县治在今安徽怀远东南。㊴徇：夺取；攻占。㊵桂阳：郡名，治所郴县，在今湖南郴州。㊶零陵：郡名，治所泉陵，在今湖南永州市零陵区。㊷庐江：郡名，治所本在舒县，在今安徽庐江县西南。建安四年刘勋移治所于皖县，在今安徽潜山。㊸营帅：当地武装集团的首领。㊹军师中郎将：官名，当时由于军事的需要，曹操已设置军师祭酒，现刘备又设置军师中郎将。

【原文】

曹操追念田畴功，恨前听其让，曰：“是成一人之志，而亏王法大制也。”乃复以前爵封畴[518]。畴上疏陈诚，以死自誓。操不听，欲引拜之，至于数四[519]，终不受。有司[520]劾畴[521]：“狷介[522]违道[523]，苟立小节，宜免官加刑。”操下世子[524]及大臣博议[525]。世子丕以“畴同于子文辞禄[526]，申胥逃赏[527]，宜勿夺以优其节。”尚书荀彧、司隶校尉锺繇亦以为可听。操犹欲侯[528]之。畴素与夏侯惇善，操使惇自以其情喻之[529]。惇就畴宿而劝之。畴揣知其指[530]，不复发言。惇临去，固邀畴，畴曰：“畴，负义逃窜之人[531]耳，蒙恩全活，为幸多矣，岂可卖卢龙之塞以易赏禄哉！纵[532]国私[533]畴，畴独不愧于心乎！将军雅[534]知畴者，犹复如此，若必不得已，请愿效死[535]，刎首于前。”言未卒，涕泣横流。惇具以答操，操喟然[536]，知不可屈，乃拜为议郎[537]。

但军师祭酒只参谋军事，不掌兵权，而军师中郎将却握兵权。⑤⓪⑤领：兼任。⑤⓪⑥刘璋（？至公元二一九年）：字季玉，江夏竟陵（今湖北潜江市西北）人，继其父刘焉为益州牧。建安十六年迎刘备入蜀，使击张鲁。而刘备却回军成都，璋开城出降，被安置于南郡公安（今湖北公安西北）。建安二十四年孙权夺取荆州，又以他为益州牧，驻秭归（今湖北秭归），不久病卒。传见《三国志》卷三十一。⑤⓪⑦张松：蜀郡（治今四川成都）人，益州别驾从事。说璋迎刘备入蜀击张鲁，又助备取成都，被其兄所害。⑤⓪⑧短小：矮小。⑤⓪⑨放荡：恣意放任，没有检束。⑤①⓪识达：见识通达。⑤①①精果：精明果断。⑤①②走：赶走。⑤①③存录：关心录用。⑤①④杨脩（公元一七五至二一九年）：字德祖，弘农华阴（今陕西华阴）人，杨彪之子。好学多才，为曹操丞相主簿。自魏太子以下，并争与交好，而脩特与曹植亲善。后曹操忌其才，又以其为袁术之甥，恐为后患，便借故杀了他。传见《后汉书》卷五十四、《三国志》卷十九《魏书·陈思王植传》与裴松之注引《典略》。⑤①⑤齐桓一矜其功而叛者九国：公元前六五一年齐桓公大会诸侯于葵丘（今河南兰考东），《公羊传》僖公十一年说，齐桓公在盟会上矜夸其功，于是诸侯“叛者九国”。⑤①⑥骄伐：高傲自夸。⑤①⑦俯仰之顷：霎时之间。言其时间极短。

【校记】

［10］震：据章钰校，甲十一行本、乙十一行本、孔天胤本皆作“进”。

【语译】

曹操追念田畴的功劳，后悔以前听从了田畴的推让，说：“这是成全了一人的志向，而使国家的法令制度受到损伤。”于是又用以前的爵位册封田畴。田畴上疏表达自己诚心，发誓宁死不受。曹操不同意，想引荐拜官，以至于往返多次，田畴始终不受。有关部门弹劾田畴说：“田畴拘谨自守，违逆大道，只顾个人小节，应免除官职，加以刑罚。”曹操把这事交付世子和大臣们广泛讨论。世子曹丕认为：“田畴的行为，跟从前楚国的子文推辞俸禄、申包胥逃避赏赐一样，应该不要改变他的志向，表彰他的节操。”尚书荀彧、司隶校尉锺繇也认为可任其自便。曹操仍想给田畴封侯。田畴一向跟夏侯惇友善，曹操就派夏侯惇去以朋友的角度劝说田畴。夏侯惇到田畴的住处劝说田畴。田畴知道他的来意，不再说话。夏侯惇临走时，坚请田畴受命，田畴说：“我田畴只是个负义逃难的人罢了，蒙恩保全了性命，已经是很幸运了，怎么能靠出卖卢龙塞来交换封赏俸禄呢！纵使朝廷偏爱我田畴，难道我就不有愧于心吗！将军是一向了解我的，还要这样来逼迫我，如果实在不得已，希望以死相报，在你面前自刎。”话没说完，已经泪流满面。夏侯惇把情况如实报告曹操，曹操喟然慨叹，知道田畴不会屈从，于是任命他为议郎。

操幼子仓舒卒，操伤惜之甚。司空掾邴原[538]女早亡，操欲求与仓舒合葬，原辞曰："嫁殇[539]，非礼[540]也。原之所以自容于明公，公之所以待原者，以能守训典[541]而不易也。若听明公之命，则是凡庸也，明公焉以为哉！"操乃止。

孙权使威武中郎将[542]贺齐[543]讨丹阳黟[544]、歙[545]贼。黟帅陈仆、祖山等二万户屯林历山[546]，四面壁立，不可得攻，军住经月。齐阴募轻捷士，于隐险处，夜以铁戈拓山潜上，县[547]布以援[548]下人。得上者百余人，令分布四面，鸣鼓角[549]。贼大惊，守路者皆逆走，还依众。大军因是得上，大破之。权乃分其地为新都郡[550]，以齐为太守。

【段旨】

以上为第十一段，写田畴辞封，邴原守义，孙权镇抚山越。

【注释】

⑱前爵封畴：指建安十二年曹操欲封田畴为亭侯。⑲数四：多次。⑳有司：官吏。古代设官分职，事有专司，故称有司。㉑劾畴：弹劾、揭发田畴拒封的罪状。㉒狷介：此谓拘谨自守，不明大义。㉓违道：谓违抗封爵是违逆君臣大道。㉔世子：诸侯王之嫡子称世子。此指曹丕。㉕博议：由众多朝臣廷议，广泛征求意见。㉖子文辞禄：子文，春秋楚人。在楚成王时，子文曾三次为令尹（楚国最高行政长官），却毫无积蓄，甚至连吃饭都有困难，早上吃了晚上就没有。楚成王知道后，便每天早上派人给子文送去食物。但楚成王每次给子文的俸禄，子文总是辞而不受。有人就问子文："人生求富，子逃之，何也？"子文回答说："从政（当官）者以庇（庇护）人也。人多旷（穷乏）者，而我取富焉。是勤（劳苦）人以自封（封殖）也，死无日矣。我逃死，非逃富也。"事见《后汉书·何敞传》李贤注引《国语》。㉗申胥逃赏：申胥，即申包胥，春秋楚人。吴国伐楚，攻入郢都，楚昭王出奔，申包胥入秦求救。秦哀公不肯出兵，申包胥遂立于秦庭哭泣，七日七夜不绝声。秦哀公为之感动，出兵救楚。吴兵退后，楚昭王返还郢都，封赏有功者，申包胥说："吾为君也，非为身也。"遂逃赏。事见《左传》定公三、四、五年。㉘侯：用作动词，封侯。㉙使惇自以其情喻之：谓使夏侯惇从自己友情的角度去劝谕田畴，不要透露是受曹操的差遣。㉚揣知其指：谓田畴揣测知道夏侯惇是受了曹操的差遣。㉛负义逃窜之人：田畴谓自己不能为刘虞报仇而逃入徐无山中。㉜纵：即

曹操的小儿子曹仓舒死了，曹操非常痛心。司空掾邴原的女儿早逝，曹操想请求把她与仓舒合葬。邴原拒绝说："冥婚合葬，不合礼制。我邴原之所以能为明公所容，明公之所以厚待我邴原，是因为我能遵守古训圣典而不改变。如果听从明公的命令，那么就是凡夫俗子了，明公您为什么这么做呢！"曹操只好作罢。

孙权派威武中郎将贺齐征讨丹阳郡黟县、歙县的贼寇。黟县贼帅陈仆、祖山等率领两万户驻屯林历山，四周峭壁，无法进攻，军队屯驻了一个来月。贺齐暗地招募身手灵敏的壮士，在隐蔽险要的地方，夜里用铁戈开凿岩缝秘密上山，然后悬下布条把下面的人拉上去。能够上去的有一百多人，让他们散布在四面，擂响战鼓，吹起号角。贼寇大惊，把守路口的人都往回跑，依附贼众。贺齐的大军于是得以上山，大破贼寇。孙权于是把黟、歙两县分为六个县，设立新都郡，任命贺齐做太守。

使。㉝私：偏爱；照顾。㉞雅：一向。㉟效死：以死报效。㊱喟然：感叹貌。㊲议郎：官名，郎官之一种，属光禄勋，但不入值宿卫，得参与朝政议论。㊳邴原：字根矩，北海朱虚（今山东临朐东）人，曹操为司空，任原为东阁祭酒，历官丞相征事、五官将长史。传见《三国志》卷十一。㊴殇：人未成年而死称殇。㊵非礼：谓生时未为配偶，而死后合葬，于礼不合，故称非礼。㊶训典：先圣明王之礼制法则。㊷威武中郎将：官名，中郎将为位次将军的统兵将领。威武为其称号。㊸贺齐：字公苗，会稽山阴（今浙江绍兴）人，孙吴大将，官至后将军，假节领徐州牧。传见《三国志》卷六十。㊹黟：县名，县治在今安徽黟县东。㊺歙：县名，县治在今安徽歙县。㊻林历山：在今黟县南。㊼县："悬"本字。㊽援：拉引。㊾鸣鼓角：击战鼓，吹号角。㊿新都郡：孙权从歙县分出始新、新定、犁阳、休阳四县，与原歙、黟二县共六县，合为新都郡。郡治所在始新县，在今浙江淳安西。

【研析】

本卷最值得研析的，有两个大题目，一是隆中对策，再是赤壁之战。

隆中对策。刘备在未得诸葛亮之前，转战了二十多年，先后依附过公孙瓒、陶谦、曹操、袁绍、刘表，两次得徐州，又两次失掉徐州，没有立锥之地，势单力薄，寄人篱下，屯驻新野。公元二〇七年，刘备在徐庶与司马徽的推荐下，"三顾茅庐"请出了诸葛亮，事业才有了转机。可以说没有诸葛亮，就没有蜀汉。如此重要的人物出场，正是小说家的用武之地。《三国演义》重笔描写，刘备、关羽、张飞一行，从年底直到来年阳春三月，历时数月，"凡三往"，才见到了诸葛亮。第三次，刘备到了茅庐，进了草堂，又值诸葛亮正在睡眠，刘备不忍惊醒，又立等了数个时辰，气得张飞要放火烧房子。诸葛亮其实是故意观察，考验刘备的诚心，就如同战国时魏公子请侯嬴，侯嬴故意如市井怠慢魏公子一样。诸葛亮摆够了架子，才肯相见，刘备也礼敬之极。当时诸葛亮二十七岁，刘备已四十七岁，不仅整整大了二十岁，而且是一个饱经风霜，身为帝室之胄的大人物。刘备并不因诸葛亮年轻而怠慢，他思贤若渴，推心置腹，诚问当今时势。诸葛亮也真被感动了，幸遇明主，把满肚子才学，和盘托出。这一君臣相知的场面，“三顾茅庐”的故事，成为中国历史上明主求贤的经典故事流传下来。小说家的悬拟与遥情想象，人们深信不疑。

诸葛亮的《隆中对策》分析大势说：“曹操已拥兵百万，‘挟天子以令诸侯’，实在不可同他争锋。孙权占据江东，已经历了三代，地险民附，又有贤能之士为他效劳。因此，江东只可联合，而不可去谋取。”那么，刘备的出路在哪里呢？“荆州四通八达，是一个用武的地方。刘表却没有能力守住它，这大概是上天留给将军的凭借吧！还有益州，地势险要，沃野千里，号称天府之国，汉高祖就是凭借这块地方建立了帝业。但益州之主刘璋昏庸无能，加上北面张鲁的威胁，不知道怎样治理。那里的智能之士，都希望得到一个贤明的君主。将军如果你占有了荆益，据险防守，西和诸戎，南抚夷越，外结孙权，内修政理，天下一旦有变，就可两路出击。荆州之师直捣宛洛，益州之众北出关中。到那时，老百姓谁能不带着好饭美酒欢迎你呢？如果真能这样，那么将军的事业可以成功，衰颓的汉朝就可以复兴了。”

一般认为，诸葛亮的《隆中对策》预见了天下三分，这是不对的。如果是“预见”，那就是说天下三分是“必然”。纵观中国历代兴亡交替，都是旧王朝衰落，天下大乱，群雄割据混斗，能者得鹿，一统天下，诞生新王朝。东汉末群雄纷争，经过三国鼎立而后统一，在中国历史上只有一次，说明它是偶然。因此，三国鼎立是人为的规划。诸葛亮的《隆中对策》人为规划了三分局面。三国鼎立的形成有多种因素。首先是汉末人才三分，曹操没有笼尽天下英雄，例如诸葛亮、庞统就不北上投曹操。人才三分是第一要素。其次，曹操、刘备、孙权，都是人杰，正是棋逢对手，谁也吃不掉谁。再次，地理三分，长江天险，划分南北，荆州居长江中游，截分长江上下游，刘表、刘璋的经营给刘备保留了用武之地。诸葛亮正是看到了这样的形势发展，利用古代天时、地利、人和三要素做形势分析，才得出了天下可以三分的蓝图。此时，江东恰好有个鲁肃，也看到了这张蓝图，向孙权提出，于是有鲁肃与诸葛亮的葛鲁之谋，孙权又是一个识时务的俊杰，有了他的赞同，才有了孙刘联盟。赤壁之战，曹操又犯了错误，不听从程昱、贾诩等谋士的建言，冒进赤壁，推动了孙刘联盟。诸多因素在赤壁之战中交错，于是拉开了天下三分的序幕。

诸葛亮规划三分的透彻分析，使刘备顿开茅塞，十分高兴。刘备诚恳地请诸葛亮出山辅佐，诸葛亮慨然允诺。二十七岁的诸葛亮走上了政治征途。

诸葛亮一到刘备军中，立即着手扩编军队。他建议刘备用清查游户的办法，迅速把几千人的部队扩大到几万人，成为以后转战各地建立蜀汉的基本力量。

赤壁之战。此战孙刘联军以少胜众，以弱胜强，起关键作用的是两个人。一是诸葛亮临危受命，出使江东达成了孙刘联盟；一是周瑜临危受命，统兵出战，打败了曹操。两者缺一不可。曹操奉辞伐罪，以顺讨逆，政治上占了上风。周瑜可以打出“操虽托名汉相，其实汉贼”的旗号，则孙权抗击曹操是清君侧。但打出这个旗号，没有刘备参加是名不正、言不顺的。由于刘备受衣带诏讨贼，有了刘备，曹操就成了汉贼。此外，刘备在荆州驻屯六七年，很有人望，联军有了刘备，曹操所得荆州之兵，就成了狐疑之众，大大丧失战斗力。这正如孙权所说：“非刘豫州莫可当操者。”但孙刘素未有交道，而且孙权志在夺荆州，所以《隆中对策》提出刘备联孙抗曹，只是一厢情愿的事。恰恰是历史变化，出人意料，由于曹操兵不血刃下荆州，志得意满，盲目东下发动赤壁之战。曹操给孙权送去了战书。当时曹操声威远播，江东震动。孙权柴桑行营中，一片主和声。孙权在和与战之间犹豫不决，眼看江东自身难保。在这危急时刻，诸葛亮受命出使江东，订立同盟，共拒曹操，实际上是引江东之兵击退曹操，为刘备夺荆州。这是多么艰难的使命？若果孙权降曹，诸葛亮将被扣为人质，成为曹操的俘虏。诸葛亮冒难而行，并圆满地完成了使命。孙权答应结盟，打败曹操，荆州归刘，这显示了诸葛亮不平凡的外交才干。

诸葛亮在江东是如何说动孙权的呢？他针对孙权观望不决的态度，分析形势，智激孙权。诸葛亮说：“现在曹操已统一了北方，又攻破了荆州，提兵对着江东而来。孙将军考虑一下自己的力量，如果能够对抗曹操，就应马上和他断绝关系；如不能对敌，趁早投降。现在孙将军外托服从之名，内心却犹豫不决，紧急关头做不出决断，大祸就要来临了。”孙权听了很不高兴，一下变了脸色，带刺讥讽说：“照你说来，刘备为何不投降呢？”诸葛亮趁势接着话茬说：“刘将军是大汉王室的后代，英才盖世，天下士人仰慕他就像江河归大海一样。如果事业不成，只是天意，刘将军哪能跪拜在曹操脚下呢？”诸葛亮这一席话既是激使孙权振奋，同时又是警告孙权不能屈抑刘备。要联合必须是平等的联合，共抗曹操，就要承认刘备是荆州的主人。诸葛亮最后分析敌我友三方实力，指出共拒曹操的胜利前景。曹军虽众，远来疲惫，已成强弩之末。刘备尚有精甲两万，又是荆州人望，是一支不可轻视的力量。诸葛亮说：“孙将军如能派猛将统兵数万，和刘将军同心协力，一定能够打败曹操。曹操兵败必然北逃，到那时，刘孙两家势力增强，鼎足的局面就形成了。成败之机，在于今日。”孙权英睿明智，大敌当前，他认识到“除了刘备，再也没有人敢与曹操抗衡了”，不得不做出让步，同意鼎足三分，发兵拒操。赤壁战后，孙权履行了诺言，借荆州给刘备。曹操听到这消息，大吃一惊，他正在写字，不知不觉地把笔掉落在地上。

赤壁之战，孙刘联军统帅是周瑜。当年周瑜三十四岁，风华正茂，建立赤壁大捷的奇功，春风得意可知。宋代大诗人苏东坡《赤壁怀古》盛赞周瑜赤壁建功，说："遥想公瑾当年，小乔初嫁了，雄姿英发。羽扇纶巾，谈笑间、樯橹灰飞烟灭。"羽扇纶巾，是何等的风流儒雅。戏剧舞台上，常见摇羽扇的诸葛亮，其实这是苏东坡赞周瑜的形象，艺术家移花接木，换到了诸葛亮身上。

曹操东下，给孙权下战书，号称八十万众。孙权帐下，以张昭为首的文臣认为曹操挟天子以令诸侯，不可抗拒，极力主张投降。结论是只有投降这一条路。张昭既是文臣之首，他的主张代表了多数人的心情。周瑜挺身而出，力排众议，驳斥了这种投降的论调。他首先指出，"操虽托名汉相，其实汉贼也"。既然是汉贼，那么为汉王朝讨贼，自然是正义之师。这在政治上与精神上建立了支柱，在理论上名正言顺，有了根据，以此号召天下，可以取得更广泛的支持。从眼前来说，正是鼓舞士气、同仇敌忾、为孙氏政权效死而战的机会，是一个立场的大问题。接着他说："将军以神武雄才，兼仗父兄之烈，割据江东，地方数千里，兵精足用，英雄乐业，当横行天下，为汉家除残去秽；况操自送死，而可迎之邪！"周瑜这番话，正是针对孙权及群臣胆怯心理而发的。但这并未完全解除孙权的担忧。接着他又指出操军不利的四个方面：一、北土未安，操有后患；二、北方步卒，不习水战；三、战线太长，供应不济；四、北兵不习水土，必生疾病。周瑜透过了曹军强大的表面现象，洞悉了曹军虚弱的本质，故而得出了正确的结论："此数者用兵之患也，而操皆冒行之。将军禽操，宜在今日。瑜请得精兵数万人，进住夏口，保为将军破之。"孙权听了周瑜精辟的分析，解除了顾虑，信心倍增，精神大振，说："孤与老贼势不两立。"猛地拔出佩刀向奏案斫去，大声说："诸将吏敢复有言当迎操者，与此案同！"孙权表明了自己的决心，并决定联合刘备，共破曹操。

为了坚定孙权的拒曹决心，周瑜单独面见孙权，进一步分析双方的力量对比。周瑜说："曹操下战书，声称八十万，完全是虚张声势，就把张子布等吓住了。实际上，曹操只有十五六万人，已经十分疲乏，所得七八万荆州水军，尚未心服。曹操用疲病之卒，驱赶着狐疑之众来和东吴较量，是自来送死。主公给我五万精兵，就足以对付曹操了。"周瑜这一席话使孙权彻底安下心来，他说："五万兵一时难以聚合，你先领三万兵前去对敌，我领大军继后。"孙权于是任命周瑜为左督，程普为右督，领兵三万，与曹军在赤壁隔江对峙。

周瑜认为以少胜众只可智取，不可力敌。他趁曹军初到水上，还不习水战，且又在进行中没有准备应战，突然向曹军发起了进攻，打了一个胜仗。初战胜利，大大鼓舞了江东士气。曹操停止前进，把大军收缩在江北，又下令把战船用铁链连接起来，在上边加紧训练士卒。周瑜又用黄盖诈降计，火攻曹军。曹军此役损失惨重，只得退回北方。孙刘联军经过了一年的征战，刘备得了江南四郡，孙权占了江北的南郡、江夏郡，曹操保有襄阳郡，曹孙刘三分荆州，三国鼎立的局面初步形成。

卷第六十六　汉纪五十八

起屠维赤奋若（己丑，公元二〇九年），尽昭阳大荒落（癸巳，公元二一三年），凡五年。

【题解】

本卷记事起公元二〇九年，迄公元二一三年，凡五年，当汉献帝建安十四年至建安十八年。赤壁战后，曹孙刘三家三分荆州。刘备入吴借得南郡，壮大了势力，孙刘进入联盟的蜜月期，南北势均，三方又忙于内务，故五年间没有大的战役。孙权建立巩固了江北防线，收服了岭南地区。曹操破关西马超、韩遂，平息河北关中民变，巩固了对北方的统治，加紧了代汉步伐。曹操加九锡，封魏公，增邑冀州，荀彧不满，予以逼杀。刘备入蜀，从葭萌回军攻取益州。

【原文】

孝献皇帝辛

建安十四年（己丑，公元二〇九年）

春，三月，曹操军至谯①。

孙权围合肥②，久不下，权率轻骑欲身往突敌，长史③张纮谏曰："夫兵④者凶器，战者危事也。今麾下⑤恃盛壮之气，忽强暴之虏，三军之众，莫不寒心。虽斩将搴旗⑥，威震敌场，此乃偏将之任，非主将之宜也。愿抑贲、育⑦之勇，怀霸王之计。"权乃止。

曹操遣将军张喜将兵解围，久而未至。扬州别驾⑧楚国蒋济⑨密白刺史，伪得喜书，云步骑四万已到雩娄⑩，遣主簿⑪迎喜。三部⑫使赍书语城中守将，一部得入城，二部为权兵所得。权信之，遽⑬烧围走。

【语译】

孝献皇帝辛

建安十四年（己丑，公元二〇九年）

春，三月，曹操的军队到达谯县。

孙权包围合肥，长时间攻不下，孙权想亲自率领轻骑兵突击敌阵，长史张纮劝谏说："兵器是凶器，战争是危险的事情，现今将军您凭着一股盛壮的勇气，忽视强暴的敌人，全军将士，没有不寒心的。将军即使斩杀了敌将、夺取了敌方军旗，威震敌军，这只不过是偏将的任务，而不是主将应该做的。希望将军能抑制自己像孟贲、夏育那样的勇气，而心怀霸王的大计。"孙权这才作罢。

曹操派将军张喜领兵去解合肥之围，过了很久仍未到达。扬州别驾楚国人蒋济秘密地向刺史建议，假称得到张喜的书信，说有步兵、骑兵四万人已经到达雩娄县，派出主簿去迎接张喜。又派了三批使者带着这封书信去通知城中守将，只有一批人得以进城，另外两批人被孙权的部下抓获，孙权相信了这个假情报，匆忙烧毁了围城的营寨，撤走了。

秋，七月，曹操引水军自涡[14]入淮，出肥水[15]，军合肥，开芍陂[16]屯田。

冬，十月，荆州地震。

十二月，操军还谯。

庐江人陈兰、梅成据灊[17]、六[18]叛，操遣荡寇将军[19]张辽讨斩之，因使辽与乐进、李典等将七千余人屯合肥。

周瑜攻曹仁岁余，所杀伤甚众，仁委[20]城走。权以瑜领南郡太守，屯据江陵，程普领江夏太守，治沙羡[21]，吕范领彭泽[22]太守，吕蒙领寻阳[23]令。刘备表权行车骑将军[24]，领徐州牧。会刘琦卒，权以备领荆州牧，周瑜分南岸地[25]以给备。备立营于油口[26]，改名公安[27]。

权以妹妻[28]备。妹[29]才捷刚猛，有诸兄风，侍婢百余人，皆执刀侍立。备每入，心常凛凛[30]。

曹操密遣九江蒋幹往说周瑜。幹以才辨独步[31]于江、淮之间，乃布衣葛巾[32]，自托私行诣瑜。瑜出迎之，立谓幹曰："子翼[33]良苦[34]，远涉江湖，为曹氏作说客邪？"因延[35]幹，与周观营中，行视仓库、军资、器仗讫，还饮宴，示之侍者、服饰、珍玩之物，因谓幹曰："丈夫处世，遇知己之主，外[36]托君臣之义，内结骨肉之恩，言行计从，祸福共之，假使苏、张[37]更生，能移其意乎！"幹但笑，终无所言。还白操，称瑜雅量高致，非言辞所能间也。

丞相掾[38]和洽言于曹操曰："天下之人，材德各殊，不可以一节[39]取也。俭素过中[40]，自以处身则可，以此格物[41]，所失或多。今朝廷之议，吏有著新衣、乘好车者，谓之不清；形容不饰、衣裘敝坏者，谓之廉洁。至令士大夫故污辱其衣[42]，藏其舆服[43]；朝府大吏，或自挈[44]壶飧[45]以入官寺[46]。夫立教观俗，贵处中庸[47]，为可继也。今崇一概难堪之行以检[48]殊涂，勉[49]而为之，必有疲瘁。古之大教，务在通人情而已，凡激诡[50]之行，则容隐伪矣。"操善之。

秋，七月，曹操率领水军从涡水进入淮水，从肥水上岸，驻兵合肥，开垦芍陂，实行屯田。

冬，十月，荆州发生地震。

十二月，曹操率军回到谯县。

庐江人陈兰、梅成占据灊县、六安叛乱，曹操派荡寇将军张辽去讨伐，斩杀了陈兰等人。于是派张辽和乐进、李典等率领七千多人驻守合肥。

周瑜攻打曹仁一年多，杀伤很多曹军，曹仁弃城逃走。孙权派周瑜兼任南郡太守，屯踞江陵，程普兼任江夏太守，在沙羡设置郡府，吕范兼任彭泽太守，吕蒙兼任寻阳县令。刘备上表推举孙权代行车骑将军事务，兼任徐州牧。这时赶上刘琦去世，孙权推举刘备兼任荆州牧，周瑜把长江南岸的地方分给刘备。刘备在油口扎营，将此地改名为公安。

孙权把妹妹嫁给刘备。孙权的妹妹才思敏捷，性情刚猛，有兄长的风度，侍女奴婢一百多人，都带刀侍立左右。刘备每入内室，常胆战心惊。

曹操秘密派九江人蒋幹前往游说周瑜。蒋幹以才辨在江淮一带独一无二。蒋幹身穿布衣，头戴葛巾，自称是个人行动去看望周瑜。周瑜出门迎接他，站着对蒋幹说："子翼真是辛苦你了，远涉江湖，是来为曹操做说客吧?"就把蒋幹迎入帐中，陪着蒋幹一起遍观军营，巡视仓库、军需物资、武器装备，然后回帐设宴招待，向蒋幹展示侍者、服饰以及珍奇玩物，趁机对蒋幹说："大丈夫立世，能遇上知己的君主，对外托名君臣关系，对内却结骨肉之情，言听计从，祸福同当，即使苏秦、张仪再生，能说动他的心意吗!"蒋幹只是笑，始终没有说话。他返回向曹操报告，称赞周瑜宏阔大度，志向高远，不是言语所能离间的。

丞相掾和洽进言曹操说："天下的人，才能和品德不同，不可用一个标准来取舍。简朴过度，用来约束自身是可以的，但用此标准去衡量一切人，就会失去许多人才。如今朝廷的论议中，官吏中有穿新衣、乘用好车的，就被认为是不清廉；外表不加修饰，穿着破衣烂衫的，就被认为是廉洁。以致使士大夫故意弄脏自己的衣服，藏起车马、服饰；朝廷的高位大官，有的自己携带饮食到办公的官署。说到兴立教化察视民俗，最好采取中庸之道，这样才可继续实行。现在推崇统一让人难以忍受的标准，并用这个标准来衡量各种不同的人，勉强地实施，最后必定使人疲惫不堪。古代教化的最高原则，务求通达人情罢了，凡是过激诡谲的言行，往往包藏隐秘虚伪的东西。"曹操非常赞赏和洽的观点。

【段旨】

以上为第一段，写赤壁战后，孙权扩大战果，北进合肥，未能取胜。孙刘联盟进入蜜月，刘备招亲孙氏。曹操派蒋幹游说周瑜，未能得志。

【注释】

①至谯：指曹操从赤壁还至谯。谯，县名，县治在今安徽亳州。②合肥：县名，县治在今安徽合肥。③长史：官名，将军之属官，职责是总理将军幕府事。④兵：兵器；武器。⑤麾下：对统帅的敬称。⑥斩将搴旗：斩杀敌将，拔取敌旗。⑦贲、育：孟贲、夏育，皆古代著名的勇士。⑧别驾：官名，即别驾从事史，州牧刺史的主要佐吏，主领众事。州牧刺史巡行各地时，别乘传车从行，故名别驾。⑨蒋济（？至公元二四九年）：字子通，楚国平阿（今安徽怀远西）人，初为郡吏、州别驾，后为曹操丞相主簿、西曹属。魏文帝初，为东中郎将、散骑常侍。魏明帝时为护军将军，对时政之弊端有所谏言。齐王芳时，为领军将军、太尉。传见《三国志》卷十四。⑩雩娄：县名，县治在今河南商城东北。⑪主簿：官名，汉代中央及郡县官署皆置主簿，以典领文书，办理事务。⑫三部：三批。⑬遽：匆忙。⑭涡：水名，涡水古为蒗荡渠支流，经今河南扶沟东，又东南流至今安徽怀远入淮河。⑮肥水：源出今安徽合肥紫蓬山，北流二十里分为二，一东流入巢湖，一北流至寿县入淮河。⑯芍陂：在今安徽寿县南，因淠水经白芍亭

【原文】

十五年（庚寅，公元二一〇年）

春，下令曰："孟公绰为赵、魏老则优，不可以为滕、薛大夫[51]。若必廉士而后可用，则齐桓其何以霸世[52]！二三子[53]其佐我明扬仄陋[54]，唯才是举，吾得而用之。"

二月乙巳朔[55]，日有食之。

冬，曹操作铜爵台[56]于邺。

十二月己亥[57]，操下令曰："孤始举孝廉[58]，自以本非岩穴知名之士[59]，恐为世人之所凡愚[60]，欲好作政教以立名誉。故在济南，除残去秽[61]，平心选举。以是为强豪所忿，恐致家祸，故以病还乡里[62]。时年纪尚少，乃于谯东五十里筑精舍[63]，欲秋夏读书，冬春射猎，为二十年规，

东与附近诸水积而成湖，故名。春秋时楚相孙叔敖所创建，周围一百多里，灌溉附近万顷良田，以后历代时常修治，为古代淮南著名水利工程。今安丰塘为残存的部分。⑰灊：县名，县治在今安徽霍山县东北。⑱六：县名，县治在今安徽六安北。⑲荡寇将军：官名，东汉杂号将军之一种。⑳委：放弃。㉑沙羡：县名，县治在今湖北武汉市武昌区西。㉒彭泽：郡名，孙权所置，治所即彭泽县，在今江西彭泽。㉓寻阳：县名，县治在今湖北黄梅西南。㉔车骑将军：官名，位次于骠骑将军，掌京师兵卫与边防屯警。㉕南岸地：指荆江之南岸地区，即零陵、桂阳、武陵、长沙等四郡之地。㉖油口：又名油江口。古油水入长江之口，故名。在今湖北公安北。东汉末建安十四年（公元二〇九年），刘备领荆州牧，立营于此，时人称为“左公”，因置县改名公安。㉗公安：县名，县治在今湖北公安。㉘妻：以女嫁人。㉙妹：孙权妹，史未载其名。民间传说其名为孙尚香。嫁刘备后，史称孙夫人。㉚凛凛：恐惧貌。㉛独步：谓独一无二，一时无双。㉜葛巾：葛布制成的头巾，尊卑皆用。㉝子翼：蒋幹字子翼。㉞良苦：真是辛苦。㉟延：引进；接待。㊱外：表面上，指对公。下文“内”，指对私。㊲苏、张：指战国时的苏秦、张仪，皆以游说著称，先后以合纵连横之术游说各国君主。㊳丞相掾：官名，丞相府的属官。㊴一节：一个规格；一个标准。㊵过中：过分；过度。㊶格物：要求人；衡量人。㊷污辱其衣：将其衣服弄脏弄坏。㊸舆服：指好车丽服。㊹挈：提拿。㊺壶飧：壶盛的饭。㊻官寺：官府。㊼中庸：不偏不倚；中正适宜。㊽检：约束；限制。㊾勉：勉强。㊿激诡：谓矫情立异。

【语译】

十五年（庚寅，公元二一〇年）

春，曹操下令说：“若让孟公绰做晋国赵、魏两家的家臣之长还是行有余力的，但不可以担任滕、薛两个小国的大夫。如果一定要廉洁之士才能使用，那么齐桓公凭什么称霸于世呢！诸位要帮助我，发现、推荐那些出身寒微的人才，只要有才能就可推举，让我能够任用他们。”

二月初一日乙巳，发生日食。

冬，曹操在邺城建造铜雀台。

十二月己亥日，曹操下令说：“我当初被举荐为孝廉，自认为本不是隐居岩穴的知名人士，恐怕世人把我当成凡愚之辈对待，想好好地管理政务、推行教化来树立自己的名誉。所以在济南国，消除残暴，罢免污吏，公平地选举人才。因此被豪强怨恨，怕给家人招来祸害，所以托病返回乡里。当时年纪还轻，就在谯县城东五十里修建书斋，想秋夏时读书，冬春时打猎，制订了二十年的规划，等待天下清平时

待天下清乃出仕耳。然不能得如意，征为典军校尉⑭，意遂更欲为国家讨贼立功，使题墓道⑮言‘汉故征西将军曹侯之墓’，此其志也。而遭值董卓之难，兴举义兵⑯。后领兖州，破降黄巾三十万众⑰；又讨击袁术，使穷沮⑱而死；摧破袁绍，枭⑲其二子⑳；复定刘表，遂平天下。身为宰相，人臣之贵已极，意望已过矣。设使国家无有孤，不知当几人称帝，几人称王。或者人见孤强盛，又性不信天命，恐妄相忖度㉑，言有不逊㉒之志，每用耿耿㉓，故为诸君陈道此言，皆肝鬲㉔之要也。然欲孤便尔委捐㉕所典兵众以还执事㉖，归就武平侯国，实不可也。何者？诚恐已离兵为人所祸，既为子孙计，又已败则国家倾危，是以不得慕虚名而处实祸也。然兼封[1]四县，食户三万，何德堪之！江湖未静㉗，不可让位。至于邑土，可得而辞。今上还阳夏㉘、柘㉙、苦㉚三县，户二万，但食武平万户，且以分损㉛谤议，少减㉜孤之责也。”

【段旨】

以上为第二段，写曹操下“举贤令”和“明志令”。

【注释】

㉑孟公绰为赵、魏老则优二句：这是孔子的话，见《论语·宪问》。孟公绰是春秋鲁国的大夫。赵、魏，是春秋晋国之卿。滕、薛，春秋二小国。大夫，是担任国政者。老，是家臣之长。优，有余。赵、魏二卿的家臣之长，望尊事简，滕、薛虽小国，而大夫任重事繁。孟公绰大概是廉静寡欲而短于才干之人，所以做赵、魏元老则有余，而做滕、薛大夫则不可。这是说人的德才各有长短，不可求全责备，而要人尽其才。㉒齐桓其何以霸世：此指齐桓公任用管仲而称霸诸侯。管仲少时贫困，与鲍叔牙合伙经商，及分财利，管仲欺鲍叔牙而多取。后管仲辅佐齐桓公成为霸主，管仲生活奢侈，富拟公室，故有不廉之名。㉓二三子：曹操左右的人，此为曹操称其僚属，犹言诸位。㉔明扬仄陋：语出《尚书·尧典》“明明扬仄陋”。上“明”谓明察，下“明”谓贵戚。扬，举。仄，通“侧”。仄陋，指微贱者。意谓悉举贵戚及微贱隐匿者。而曹操此令所说的“明扬仄陋”，则强调明察荐举出身微贱的人，省去了第二个“明”字。㉕乙巳朔：二月初一日。㉖铜爵台：爵，通“雀”。故又写作“铜雀台”。台高十丈，有屋一百间，在楼顶铸有一丈五尺高的大铜雀。遗址在今河北临漳西。㉗己亥：十二月辛丑朔，无己亥日，疑

再出来做官。但未能如愿，被征为典军校尉，于是改变想法，要为国家讨伐叛贼建立功勋，使人在我的墓碑上题写‘汉故征西将军曹侯之墓’，这就是我当时的志向。但遭遇董卓之难，我就兴举义兵。后来任兖州刺史，打败收降了三十万黄巾军；又讨伐攻打袁术，使他穷困沮丧而死；摧败袁绍，将他的两个儿子斩杀；又平定了刘表，进而平定了天下。我身为宰相，作为人臣地位尊贵已达到极点，超过了我的愿望。假使国家没有我，不知将有几人称帝，几人称王。有的人看到我强盛，我又生性不信天命，恐怕被胡乱猜度，说我有不臣之心，我每每因此耿耿于怀，所以向诸位陈述这些话，都是我的肺腑之言。然而想要我随便放弃所统领的军队，交还给有关部门，回到我的封地武平侯国，实在是不可行的。为什么？我确实担心放弃了兵权会遭人祸害，我这样做既是为子孙着想，又担心我失败了会给国家带来覆灭的危险，因此不能慕求虚名而身受实祸。但封给我的四个县，食邑三万户，我有什么功德能配得上呢！现在天下还不太平，不可让位。至于食邑封土，是可以辞让的。现在我交还阳夏、柘、苦三个县，两万户，只食武平的一万户，姑且以此减轻对我的诽谤，稍微减少我的罪责。”

记载有误。㊿8孝廉：汉代举用人才的主要科目。被举之人名义上须孝顺父母，行为清廉。㊾岩穴知名之士：指隐居未做官，而已闻名于世的士人。㊿恐为世人之所凡愚：恐怕自己被世人作为平凡愚拙之辈来看待。61除残去秽：指曹操为济南国相时，国内之县令大多阿附贵戚，贪赃枉法，曹操遂奏免其大多数，于是违法乱纪之人都逃离了，境内大治。62以病还乡里：称病还乡里。63精舍：书斋。64典军校尉：官名，汉灵帝中平五年（公元一八八年）置西园八校尉，典军校尉是其中之一。65墓道：墓前之神道。此指墓前的石碑。66兴举义兵：指中平六年底曹操起兵讨董卓。67破降黄巾三十万众：初平三年（公元一九二年）青州黄巾众百万入兖州，刺史刘岱被杀，州吏万潜等迎曹操领兖州牧，曹操遂破降黄巾军三十余万。68穷沮：穷困败亡。69枭：斩首示众。此为斩杀之意。70二子：指袁谭、袁尚。71忖度：推测；揣度。72不逊：不恭顺；不臣。指欲篡皇帝位。73耿耿：心忧不安。74肝鬲：同“肝膈”。犹言肺腑、内心。75委捐：放弃。76执事：指掌兵官。77江湖未静：指刘备、孙权的势力尚存。78阳夏：县名，县治在今河南太康。79柘：县名，县治在今河南柘城北。80苦：县名，县治在今河南鹿邑东。81分损：分担减轻。82少减：稍稍减轻。

【校记】

［1］兼封：据章钰校，甲十一行本、乙十一行本二字皆互乙。

【原文】

刘表故吏士多归刘备，备以周瑜所给地少，不足以容其众，乃自诣京[83]见孙权，求都督荆州[84]。瑜上疏于权曰："刘备以枭雄[85]之姿，而有关羽、张飞熊虎之将，必非久屈为人用者。愚谓大计，宜徙备置吴，盛为筑宫室，多其美女玩好，以娱其耳目；分此二人各置一方，使如瑜者得挟与攻战，大事可定也。今猥[86]割土地以资业之[87]，聚此三人俱在疆埸[88]，恐蛟龙得云雨，终非池中物也。"吕范亦劝留之。权以曹操在北，方当广揽[89]英雄，不从。备还公安，久乃闻之，叹曰："天下智谋之士，所见略同。时孔明谏孤莫行，其意亦虑此也。孤方危急，不得不往。此诚险途，殆[90]不免周瑜之手。"

周瑜诣京见权曰："今曹操新败，忧在腹心[91]，未能与将军连兵相事[92]也。乞与奋威[93]俱进，取蜀而并张鲁，因留奋威固守其地，与马超结援，瑜还与将军据襄阳以蹙[94]操，北方可图也。"权许之。奋威者，孙坚弟子奋威将军、丹阳太守瑜[95]也。

周瑜还江陵为行装，于道病困[96]，与权笺曰："修短命矣，诚不足惜，但恨微志未展，不复奉教命耳。方今曹操在北，疆埸未静，刘备寄寓，有似养虎[97]，天下之事，未知终始[98]。此朝士旰食[99]之秋，至尊垂虑[100]之日也。鲁肃忠烈，临事不苟，可以代瑜。傥[101]所言可采，瑜死不朽矣！"卒于巴丘[102]。权闻之哀恸[103]，曰："公瑾有王佐之资，今忽短命，孤何赖哉！"自迎其丧于芜湖[104]。瑜有一女、二男，权为长子登[105]娶其女，以其男循[106]为骑都尉，妻以女，胤[107]为兴业都尉，妻以宗女。

初，瑜见友于孙策，太夫人[108]又使权以兄奉之。是时权位为将军，诸将、宾客为礼尚简。而瑜独先尽敬，便执臣节。程普颇以年长，数陵侮瑜，瑜折节[109]下之，终不与校[110]。普后自敬服而亲重之，乃告人曰："与周公瑾交，若饮醇醪[111]，不觉自醉。"

权以鲁肃为奋武校尉[112]，代瑜领兵，令程普领南郡[113]太守。鲁肃劝权以荆州借刘备，与共拒曹操，权从之。乃分豫章为番阳郡[114]，

【语译】

刘表原来的官吏、士人大多归服刘备，刘备因为周瑜划给他的地方太小，不足以容纳自己的部众，于是自行到京口拜见孙权，要求总管荆州。周瑜上奏疏给孙权说:“刘备凭着他枭雄的资质，而且有关羽、张飞等熊虎猛将，一定不是一个长期屈居人下被人所用的人。我认为从大局考虑，应当把刘备迁移安置到吴郡，为他修筑豪华宫室，多送他美女、玩物，娱乐他的耳目；把关羽、张飞两人各置一方，派出像我周瑜这样的将领去挟持他们一起作战，这样大事就可以办定了。如今用太多的土地资助他的事业，使这三人都聚集在边境上，恐怕蛟龙得到云雨，最终不会再做池中物了。”吕范也劝孙权留下刘备。孙权认为曹操雄踞北方，正当广招英雄，没有听从。刘备回到公安，过了很久才得知这些情况，叹息说:“天下的智谋之士，所见略同。当时孔明劝我不要去，他也考虑到这一点。当时我正在危急关头，不得不去。这确实是一条危险的途径，几乎落入周瑜之手。”

周瑜到京口拜见孙权，说:“现在曹操刚刚失败，担心内部的隐患，所以不能和将军临阵交锋。我请求和奋威一同进军，攻占蜀地，吞并张鲁，然后留下奋威坚守在那里，与马超结友互援，我回来和将军据守襄阳，以威逼曹操，这样，北方就可以图谋了。”孙权同意了这一计划。奋威是孙坚的侄儿孙瑜，任奋威将军、丹阳太守。

周瑜返回江陵准备行装，在路上病危，给孙权呈上一封信说:“寿命的长短是天命，实在不足以可惜，只遗憾我小小的志愿还没有实现，不能再聆听您的教诲了。当今曹操在北方，边界还不平静，刘备寄居国中，如同养虎，天下大事，不知道结局如何。这正是当朝之士发愤忘食的时刻，也是至尊您思虑运筹之日。鲁肃为人忠烈，处理事情一丝不苟，可以代替我周瑜。假如我的建议有可采之处，我虽死不朽!”周瑜在巴丘去世。孙权听到这一消息非常悲痛，说:“公瑾有辅佐帝王的才干，如今忽然短命而去，我将依靠谁!”孙权亲自到芜湖迎接周瑜的灵柩。周瑜有一个女儿、两个儿子，孙权为长子孙登聘娶了他的女儿，任用周瑜长子周循为骑都尉，把自己的女儿嫁给周循，任用周瑜次子周胤为兴业都尉，把同族的女儿嫁给周胤。

起初，周瑜被孙策视为好友，太夫人又让孙权把周瑜当作兄长侍奉。这时孙权的职位只是将军，各位将领、宾客对孙权礼数还很简约。而只有周瑜最先对孙权毕恭毕敬，执行臣子的礼节。程普自以为年长，多次凌辱周瑜，周瑜对他屈节谦下，始终不和他计较。程普后来内心省悟敬佩亲近周瑜，于是告诉他人说:“跟周公瑾交往，如饮美酒，不觉就自醉了。”

孙权任命鲁肃为奋武校尉，代替周瑜统兵，任命程普兼任南郡太守。鲁肃劝孙权把荆州借给刘备，与刘备共同对抗曹操，孙权听从了。于是分出豫章郡的一部分

分长沙为汉昌郡⑮。复以程普领江夏⑯太守，鲁肃为汉昌太守，屯陆口⑰。

初，权谓吕蒙曰："卿今当涂⑱掌事，不可不学。"蒙辞以军中多务。权曰："孤岂欲卿治经为博士⑲邪！但当涉猎⑳，见往事耳。卿言多务，孰若孤？孤常读书，自以为大有所益。"蒙乃始就学。及鲁肃过寻阳㉑，与蒙论议，大惊曰："卿今者才略，非复吴下阿蒙！"蒙曰："士别三日，即更刮目相待，大兄㉒何见事之晚乎！"肃遂拜蒙母，结友而别。

刘备以从事㉓庞统守㉔耒阳㉕令，在县不治，免官。鲁肃遗备书曰："庞士元非百里才㉖也，使处治中㉗、别驾之任，始当展㉘其骥足㉙耳。"诸葛亮亦言之。备见统，与善谭㉚，大器㉛之，遂用统为治中，亲待亚于诸葛亮，与亮并为军师中郎将㉜。

【段旨】

以上为第三段，写刘备入吴借荆州南郡和周瑜之死。

【注释】

㉝京：县名，即京城，又称京口城。建安十三年（公元二〇八年）孙权自吴（今江苏苏州）徙治所于丹徒，改称京城，或京口城，在今江苏镇江市。㉞都督荆州：即总督荆州，荆州共八郡，刘备已据江南四郡，现又欲据周瑜所控制的江、汉间四郡。㉟枭雄：骁悍雄杰的人物。㊱猥：多。㊲资业之：谓以土地资助他的事业。㊳疆埸：国界。㊴揽：招引；拉拢。㊵殆：几乎。㊶忧在腹心：忧患在内部。因曹操败于赤壁，威望顿减，中原可能有人因此而变乱。㊷相事：相交战。㊸奋威：指孙瑜，当时为奋威将军。㊹蹙：逼迫；威胁。㊺瑜：孙瑜（公元一七七至二一五年），字仲异，为孙坚之侄。建安九年（公元二〇四年）为丹阳太守，后又为奋威将军。好读书，虽在军中，诵声不绝。传见《三国志》卷五十一。㊻病困：病危。㊼养虎：谓养虎遗患。㊽终始：结果；结局。㊾旰食：晚食。指事务繁忙不能按时进食。㊿垂虑：注意思考。(101)傥：通"倘"，倘若；或许。(102)巴丘：山名，在湘江右岸，今湖南岳阳境。(103)哀恸：悲哀痛哭。(104)芜湖：县名，县治在今安徽芜湖市东。(105)登：孙登（公元二〇九至二四一年），字子高，孙权长子。魏黄初二年（公元二二一年）孙权为吴王，立登为太子。吴黄龙元年（公元二二九年）孙权称帝，登为皇太子。有德行，善理事。后病卒，孙权甚为悲痛。传见《三

设立番阳郡，分出长沙郡的一部分设立汉昌郡。又让程普兼任江夏太守，鲁肃任汉昌太守，驻兵陆口。

起初，孙权对吕蒙说："你现在当权管事，不可不学习。"吕蒙以军中事务繁忙为借口，孙权说："我难道是要你去研究经典做博士吗！只不过是应当浏览诸书，了解一些往事罢了。你说事务繁忙，难道比我还忙吗？我常常读书，自认为大有裨益。"吕蒙这才开始读书学习。等到鲁肃经过寻阳时，与吕蒙议论时事，大吃一惊，说："你今天的才智谋略，不再是在吴郡时的那个阿蒙了！"吕蒙说："士别三日，就当刮目相看，老兄你怎么见事这么迟晚呢！"鲁肃于是拜见吕蒙的母亲，和吕蒙结成朋友后告别。

刘备任命从事庞统试任耒阳县令，庞统在县令的职位上没治理好当地，被免官。鲁肃写信给刘备说："庞士元不是一个治理百里之县的人才，把他放在治中、别驾的职位上，才可施展千里马的才能。"诸葛亮也这么说他。刘备召见庞统，与他畅谈，便十分器重他。于是任用庞统为治中，对他的亲近和礼遇仅次于诸葛亮，又让他与诸葛亮一同任军师中郎将。

国志》卷五十九。⑯ 循：周循，周瑜长子，有父风，早卒。⑰ 胤：周胤，周瑜次子。初为兴业都尉，后以罪徙于庐陵郡。数年后诸葛瑾等联名上书为其说情，孙权已同意再起用，而胤病卒。事附见《三国志》卷五十四《吴书·周瑜传》。⑱ 太夫人：孙权母吴夫人。⑲ 折节：屈节谦下。⑳ 校：计较。㉑ 醇醪：味道浓厚的美酒。㉒ 奋武校尉：官名，校尉为统兵的中级武官，奋武为其名号。㉓ 南郡：治所在江陵，在今湖北江陵。㉔ 番阳郡："番"又写作"鄱"。治所鄱阳县，在今江西鄱阳东。㉕ 汉昌郡：治所汉昌县，在今湖南平江县东。㉖ 江夏：郡名，东汉末江夏郡治所变迁多次，程普领江夏太守时，治所在沙羡，在今湖北武汉市武昌区西南。㉗ 陆口：即今湖北蒲圻西北的陆溪口。㉘ 当涂：当仕路。指做官掌权。㉙ 博士：官名，自汉武帝置五经博士后，博士遂专掌经学传授。㉚ 涉猎：广泛涉及，谓读书多而不专精。㉛ 寻阳：即浔阳。古江名，指长江流经今江西九江北一段。㉜ 大兄：对朋友的敬称，犹今日之称"老兄"。㉝ 从事：官名。东汉州牧刺史的佐吏，有别驾从事史、治中从事史、兵曹从事史、部从事史等，均可简称从事。㉞ 守：试职称守。㉟ 耒阳：县名，县治在今湖南耒阳。㊱ 百里才：谓治理一城、一县的才能。㊲ 治中：官名，即治中从事史，州牧史的主要佐吏，职责是居中治事，主众曹文书。在诸从事史中，治中与别驾是州牧刺史的主要佐吏，可称之为诸佐吏之长，治中主管内，别驾主管外。㊳ 展：放开；施展。㊴ 骥足：比喻俊逸之才。㊵ 善谭：犹言畅谈。谭，通"谈"。㊶ 器：器重。㊷ 军师中郎将：官名。当时由于军事之需要，曹操已设置军师祭酒，刘备又设置军师中郎将，但军师祭酒只参谋军事，军师中郎将却握兵权。

【原文】

初，苍梧士燮[133]为交趾太守。交州[134]刺史朱符为夷贼所杀，州郡扰乱。燮表其弟壹领合浦[135]太守，䵋领九真[136]太守，武领南海[137]太守。燮体器宽厚，中国士人多往依之。雄长一州，偏在万里，威尊无上，出入仪卫甚盛，震服百蛮。

朝廷遣南阳张津为交州刺史。津好鬼神事，常著绛帕头[138]，鼓琴烧香，读道书，云可以助化[139]，为其将区景所杀，刘表遣零陵赖恭代津为刺史。是时苍梧太守史璜死，表又遣吴巨代之。朝廷赐燮玺书[140]，以燮为绥南中郎将[141]，董督[142]七郡[143]，领交趾太守如故。后[2]巨与恭相失，巨举兵逐恭，恭走还零陵[144]。

孙权以番阳太守临淮步骘[145]为交州刺史，士燮率兄弟奉承节度。吴巨外附内违，骘诱而斩之，威声大震。权加燮左将军，燮遣子入质，由是岭南[146]始服属于权。

【段旨】

以上为第四段，写岭南服属孙权。

【注释】

[133]士燮：字威彦，苍梧广信（今广西梧州）人，汉末为交趾（治所龙编，在今越南河内东北）太守，交趾得以安定，中原士人避乱者多往依附。其后孙权以步骘为交州刺史，燮遂归附于孙氏，又为卫将军，封龙编侯。传见《三国志》卷四十九。[134]交州：州名，建安八年（公元二〇三年）改交趾为交州，刺史治所广信，在今广西梧州。[135]合浦：郡名，治所合浦县，在今广西合浦东北。[136]九真：郡名，治所胥浦，在今越南清化西

【原文】

十六年（辛卯，公元二一一年）

春，正月，以曹操世子[147]丕为五官中郎将[148]，置官属，为丞相副。

【语译】

起初，苍梧人士燮任交趾太守。交州刺史朱符被夷人叛贼杀害，州郡骚乱。士燮上表推举他的弟弟士壹兼任合浦太守，士䵋兼任九真太守，士武兼任南海太守。士燮性情宽厚，南来的中原士大夫多投靠他。士燮雄踞一州，偏在万里之外，威望尊严至高无上，出入时仪仗卫队十分壮观，威严使百蛮镇服。

朝廷任南阳人张津为交州刺史。张津迷信鬼神，常缠着深红色的头巾，弹琴、烧香，读道家的典籍，说这样做可以助他羽化成仙，被他的将领区景杀死，刘表派零陵人赖恭接替张津为刺史。这时苍梧太守史璜去世，刘表又派吴巨接替他。朝廷赐给士燮诏书，任士燮为绥南中郎将，总督七郡事务，依旧兼任交趾太守。后来吴巨和赖恭失和，吴巨率兵驱逐赖恭，赖恭逃回零陵。

孙权任命鄱阳太守临淮人步骘为交州刺史，士燮率领兄弟接受步骘的节度。吴巨阳奉阴违，步骘诱捕并杀死他，声威大震。孙权为士燮加衔左将军，士燮送儿子给孙权做人质，从此岭南一带开始归属孙权。

北。⑬⑦南海：郡名，治所番禺，在今广东广州。⑬⑧绛帕头：深红色男子束发头巾。⑬⑨化：谓羽化成仙。⑭⓪玺书：用皇帝印章封记的文书。⑭①绥南中郎将：官名，中郎将为位次于将军的统兵将领，绥南为其称号。⑭②董督：总督。⑭③七郡：指交州的南海、苍梧、郁林、合浦、交趾、九真、日南七郡。⑭④零陵：郡名，治所泉陵，在今湖南永州市零陵区。⑭⑤步骘（？至公元二四七年）：字子山，临淮淮阴（今江苏淮安市淮阴区）人，汉末避乱至江东，孙权召为主记，又为鄱阳太守、交州刺史。以威服南土，晋升为平戎将军，封广信侯。孙权称帝后，为骠骑将军，都督西陵，后为丞相。传见《三国志》卷五十二。⑭⑥岭南：泛指五岭以南地区。

【校记】

［2］后：原无此字。据章钰校，甲十一行本、乙十一行本皆有此字，今据补。

【语译】

十六年（辛卯，公元二一一年）

春，正月，任命曹操世子曹丕为五官中郎将，设置官属，为副丞相。

三月，操遣司隶校尉锺繇讨张鲁，使征西护军[149]夏侯渊[150]等将兵出河东[151]，与繇会。仓曹属[152]高柔谏曰：“大兵西出，韩遂、马超疑为袭己，必相扇动。宜先招集三辅[153]，三辅苟平，汉中[154]可传檄而定也。”操不从。

关中诸将果疑之，马超、韩遂、侯选、程银、杨秋、李堪、张横、梁兴、成宜、马玩等十部皆反，其众十万，屯据潼关[155]。操遣安西将军[156]曹仁督诸将拒之，敕令坚壁勿与战。命五官将丕留守邺，以奋武将军[157]程昱参丕军事，门下督广陵徐宣[158]为左护军，留统诸军，乐安国渊[159]为居府长史[160]，统留事。秋，七月，操自将击超等。议者多言：“关西兵习长矛，非精选前锋，不可当也。”操曰：“战在我，非在贼也。贼虽习长矛，将使不得以刺，诸君但观之。”

八月，操至潼关，与超等夹关而军。操急持[161]之，而潜遣徐晃、朱灵以步骑四千人渡蒲阪津[162]，据河西为营。闰月，操自潼关北渡河。兵众先渡，操独与虎士[163]百余人留南岸断后。马超将步骑万余人攻之，矢下如雨，操犹据胡床[164]不动。许褚扶操上船，船工中流矢死，褚左手举马鞍以蔽操，右手刺船。校尉丁斐放牛马以饵[165]贼，贼乱，取牛马，操乃得渡。遂自蒲阪渡西河[166]，循河为甬道[167]而南。超等退拒渭口[168]，操乃多设疑兵，潜以舟载兵入渭，为浮桥，夜，分兵结营于渭南。超等夜攻营，伏兵击破之。超等屯渭南，遣使[3]求割河以西请和，操不许。九月，操进军，悉渡渭。超等数挑战，又不许。固请割地，求送任子[169]，贾诩[170]以为可伪许之。操复问计策，诩曰：“离之而已。”操曰：“解[171]。”

韩遂请与操相见。操与遂有旧，于是交马语移时，不及军事，但说京都旧故，拊[172]手欢笑。时秦、胡[173]观者，前后重沓[174]。操笑谓之曰：“尔欲观曹公邪？亦犹人也，非有四目两口，但多智耳！”既罢，超等问遂：“公何言？”遂曰：“无所言也。”超等疑之。他日，操又与遂书[175]，多所点窜[176]，如遂改定者，超等愈疑遂。操乃与克日[177]会战，先以轻兵挑之，战良久，乃纵虎骑[178]夹击，大破之，斩成宜、李堪等。遂、超奔凉州[179]，杨秋奔安定[180]。

三月，曹操派司隶校尉锺繇讨伐张鲁，派征西护军夏侯渊等率军从河东出发，与锺繇会师。仓曹属高柔劝谏说：“大军西进，韩遂、马超会怀疑是来袭击自己，一定会相互煽惑鼓动。应当先安抚三辅地区，如果平定了三辅，汉中只要一纸檄文就可平定了。”曹操没有听从。

关中各位将领果然怀疑，马超、韩遂、侯选、程银、杨秋、李堪、张横、梁兴、成宜、马玩等十部全都反叛，他们的部众有十万，驻守潼关。曹操派安西将军曹仁统领众将抵抗，严令他们坚守壁垒不与敌交战。命令五官将曹丕留守邺城，任用奋武将军程昱参与曹丕的军事，以门下督广陵人徐宣为左护军，统领留守各军，任命乐安人国渊为居府长史，统摄留守事务。秋，七月，曹操亲自领兵攻打马超等。参与谋议的人大都认为：“关西兵擅用长矛，如果没有精锐的前锋，抵挡不住。”曹操说：“战争的主动权握在我手里，不在叛贼那里。叛贼虽然擅用长矛，我将让它不能刺击，诸位只管看好吧。”

八月，曹操到达潼关，与马超等隔潼关对峙。曹操紧紧拖住马超，却暗中派徐晃、朱灵率领步兵、骑兵四千人从蒲阪津渡过黄河，在河西扎营。闰八月，曹操从潼关北渡黄河。让部众先渡，曹操独自和虎贲武士一百多人留在南岸断后。马超率领步兵、骑兵一万多人来攻，箭如雨下，曹操仍坐在胡床上不为所动。许褚扶着曹操上船，船工被流箭射中而死，许褚左手举着马鞍来遮蔽曹操，右手撑船。校尉丁裴放出牛马去引诱叛贼，叛贼阵容混乱，争夺牛马，曹操才得以渡河。于是从蒲阪渡过西河，沿河修建甬道向南进军。马超等退守渭口，曹操于是多处设置疑兵，悄悄用船运兵进入渭水，搭建浮桥，夜里，分出一支部队在渭水南岸扎营。马超等乘夜攻营，被伏兵击败。马超等驻守渭南，派出使者请求割让黄河以西的地区求和，曹操不允许。九月，曹操进军，全部渡过渭水。马超等多次挑战，曹操又不许诸将应战。马超等坚请割地，并送儿子作为人质，贾诩认为可以假意答应。曹操又问贾诩下一步的计策，贾诩说：“只是离间敌人罢了。”曹操说：“明白了。”

韩遂请求与曹操相见。曹操跟韩遂是老交情，于是两人马头相交，交谈了一个多时辰，不谈军事，只说京都的旧事，拍手欢笑。当时关中的秦人、胡人来围观的，前后里三层外三层。曹操笑着对他们说：“你们想看看曹公长什么样吗？他也和别人一样，并没有四只眼睛两张嘴，只是多点智谋罢了！”会晤结束后，马超等问韩遂：“曹公说了些什么？”韩遂说：“也没说什么。”马超等人起了疑心。过了几天，曹操又给韩遂写了封信，信中有多处涂改字句，像是韩遂改定的，马超等人更加怀疑韩遂。曹操这才跟马超等约定日期会战，先派轻兵挑战，战斗了很久，才放出骁勇的骑兵夹击，大败马超等，杀了成宜、李堪等。韩遂、马超逃奔凉州，杨秋逃奔安定。

诸将问操曰："初，贼守潼关，渭北道缺[181]，不从河东击冯翊[182]而反守潼关，引日[183]而后北渡，何也?"操曰："贼守潼关，若吾入河东，贼必引守诸津，则西河未可渡。吾故盛兵[184]向潼关，贼悉众南守，西河之备虚，故二将得擅取西河，然后引军北渡。贼不能与吾争西河者，以二将[185]之军也。连车树栅[186]，为甬道而南，既为不可胜[187]，且以示弱。渡渭为坚垒，虏至不出，所以骄之[188]也，故贼不为营垒而求割地。吾顺言许之，所以从其意，使自安而不为备，因畜士卒之力，一旦击之，所谓疾雷不及掩耳[189]。兵之变化，固非一道也。"

始，关中诸将每一部到，操辄有喜色，诸将问其故，操曰："关中长远，若贼各依险阻，征之，不一二年不可定也。今皆来集，其众虽多，莫相归服，军无适主[190]，一举可灭，为功差易[191]，吾是以喜。"

冬，十月，操自长安[192]北征杨秋，围安定。秋降，复其爵位，使留抚其民。

十二月，操自安定还，留夏侯渊屯长安。以议郎张既为京兆尹[193]。既招怀流民，兴复县邑，百姓怀之。

遂、超之叛也，弘农[194]、冯翊县邑多应之，河东民独无异心。操与超等夹渭为军，军食一仰[195]河东。及超等破，余畜[196]尚二十余万斛[197]，操乃增河东太守杜畿秩[198]中二千石[199]。

【段旨】

以上为第五段，写曹操西征马超、韩遂，平定关中。

【注释】

⑭⑦世子：诸王嫡长子为世子，即王位继承人。⑭⑧五官中郎将：官名，汉代于光禄勋下置五官、左、右三署中郎将，统领皇帝侍卫军，但不置官属。今曹丕为五官中郎将，却置官属，并为丞相之副，显然提高了政治地位。⑭⑨征西护军：官名，护为督统之意。曹操将征西先驱之重任交与夏侯渊，而渊之资序尚不能为征西将军，故改称护军。⑮⑩夏

众将领问曹操："当初，叛贼守卫潼关，渭河以北地区防备空虚，您不从河东进击冯翊，却反而坚守潼关，延迟了好几天，然后从潼关北渡黄河，是为什么？"曹操说："叛贼守潼关，如果我进入河东，叛贼必然派兵守住各个渡口，那么就不能从西河渡过了。我所以加大兵力指向潼关，叛贼全力在南面防守潼关，西河的防备空虚，所以徐晃、朱灵二位将军得以轻取西河，然后我率军北渡黄河。叛贼不能与我争夺西河的原因，就是由于两位将军驻军在那里啊。我军联结车辆，竖起栅栏，修建甬道向南推进，创造出不可战胜的条件，并且故意显示我方的薄弱。渡过渭水筑起坚固的壁垒，叛贼来后，不出去迎战，以此使敌人骄傲起来，所以叛贼不建营垒而只请求割地。我顺水推舟答应下来，顺从他们心意，让他们自感安全而不加防备，我趁机让士卒养精蓄锐，一旦向叛贼发动进攻，犹如迅雷不及掩耳。用兵的变化，本来就不止一种方法。"

开始时，关中众将领每到来一部分，曹操总是流露出高兴的神色，部下的将领们询问他其中缘故，曹操说："关中地域辽阔深远，如果叛贼各自凭险而守，征讨他们，没有一两年是不能平定的。如今全来会聚，他们人数虽多，彼此互不服从，军队没有统一的主帅，可一举歼灭，这比较容易成功，我所以高兴。"

冬，十月，曹操从长安向北征讨杨秋，包围了安定。杨秋投降，恢复了他的爵位，让他留下安抚所属的民众。

十二月，曹操从安定回师，留下夏侯渊守卫长安。任命议郎张既为京兆尹。张既招抚流亡的难民，重新恢复了过去的县城集镇，百姓都顺服他。

韩遂、马超叛乱时，弘农、冯翊所属各县大都响应，只有河东的民众毫无二心。曹操与马超等隔渭水对峙，军粮全部依赖河东。等到马超等失败时，储粮还余有二十多万斛，曹操为河东太守杜畿增秩为中二千石。

侯渊（？至公元二一九年）：字妙才，沛国谯县（今安徽亳州）人，初随曹操起兵，为别部司马、骑都尉，又为陈留、颍川太守。从曹操征讨袁绍、韩遂等，以勇著称。后为护军将军，封博昌亭侯。又为征西将军，守汉中，为刘备部将黄忠所杀。传见《三国志》卷九。⑮¹河东：郡名，治所安邑，在今山西夏县西北。⑮²仓曹属：官名，此指丞相仓曹属，丞相府之属官，主管仓谷事。⑮³三辅：地区名，汉代称京兆尹、左冯翊、右扶风为三辅。相当于以今西安为中心的陕西中部地区。⑮⁴汉中：郡名，治所南郑，在今陕西汉中。时为张鲁所据。⑮⁵潼关：关名，在今陕西潼关县北。古为桃林塞地，东汉设潼关，地当黄河之曲，秦、晋、豫三省之要冲。关城又雄踞山腰，下临黄河，甚为险要。⑮⁶安西将军：官名，东汉的杂号将军。⑮⁷奋武将军：官名，汉代的杂号将军。⑮⁸徐宣（？至

公元二三六年）：字宝坚，广陵海西（今江苏东海县南）人，曹操召为司空掾属、门下督（门下之督将），又为丞相东曹掾、魏郡太守。魏文帝初，为御史中丞、司隶校尉，又为尚书。魏明帝时，为尚书左仆射，封津阳亭侯。传见《三国志》卷二十二。⑮⑨国渊：字子尼。乐安益县（今山东寿光东）人，曹操召为司空掾属，主管屯田事。又为魏郡太守，入朝为太仆。传见《三国志》卷十一。⑯⓪居府长史：官名，总管留府诸事。⑯①持：抓住。此谓拖住马超等，使之不能摆脱。⑯②蒲阪津：渡口名，蒲阪县西黄河渡口。蒲阪县治所在今山西永济西蒲州镇。⑯③虎士：警卫勇士。⑯④胡床：坐具，从少数民族中传来，故名。隋以后称为交床或交椅。⑯⑤饵：引诱。⑯⑥西河：指今山西与陕西间自北向南流的一段黄河。⑯⑦甬道：两边筑墙或用车、树为屏障的通道。⑯⑧渭口：渭水入黄河之处。⑯⑨任子：这里义同"质子"，即以儿子为抵押。⑰⓪贾诩：字文和，武威姑臧（今甘肃武威）人。有智计。贾诩是一位典型的战国策士式的人物，朝三暮四，他初从董卓，后从李傕、段煨，又从张绣，后随张鲁归曹操。⑰①解：理解；明白。⑰②拊：拍手。⑰③秦、胡：指秦地（即关中）的土著汉族和少数族人。⑰④重沓：意谓人多拥挤，里三层，外三层。⑰⑤书：信。⑰⑥点窜：谓涂改字句。⑰⑦克日：限定日期。⑰⑧虎骑：比喻勇猛如虎的骑兵。⑰⑨凉州：州名，东汉时治所在陇县（今甘肃张家川），三国魏移治姑臧（今甘肃武威）。辖境相当于今甘肃、宁夏和青海湟水流域、内蒙古部分地区。⑱⓪安定：郡名，治所在高平

【原文】

扶风法正[200]为刘璋军议校尉[201]，璋不能用，又为其州里俱侨客[202]者所鄙，正邑邑[203]不得志。益州别驾张松与正善，自负其才，忖[204]璋不足与有为，常窃叹息。松劝璋结刘备。璋曰："谁可使者？"松乃举正。璋使正往，正辞谢，佯[205]为不得已而行。还，为松说备有雄略，密谋奉戴以为州主。

会曹操遣锺繇向汉中，璋闻之，内怀恐惧。松因说璋曰："曹公兵无敌于天下，若因张鲁之资以取蜀土，谁能御之！刘豫州，使君之宗室而曹公之深雠也，善用兵，若使之讨鲁，鲁必破矣。鲁破，则益州强，曹公虽来，无能为也。今州中[4]诸将庞羲、李异等皆恃功骄豪[206]，欲有外意[207]。不得豫州，则敌攻其外，民攻其内，必败之道也。"璋然之，遣法正将四千人迎备。主簿巴西黄权[208]谏曰："刘左将军[209]有骁[210]名，今请到，欲以部曲[211]遇之，则不满其心；欲以宾客礼待，则一国不容二君。

(今宁夏固原)。东汉移治临泾(今甘肃镇原东南)。⑱缺:谓缺而不备。⑱冯翊:即左冯翊,汉代三辅之一。冯翊的治所原在高陵县,在今陕西西安市高陵区西南。汉献帝建安初,诏分冯翊西数县为左内史郡,治所高陵,以东数县为冯翊,治所监晋,在今陕西大荔。⑱引日:拖延时日。⑱盛兵:加大兵力。⑱二将:指徐晃、朱灵。⑱树栅:立木为栅栏。⑱为不可胜:意谓创造不可战胜的条件。《孙子·形》说:“先为不可胜,以待敌之可胜。”⑱骄之:谓使敌人骄傲无备。⑱疾雷不及掩耳:谓事发极速,使人来不及预防。《淮南子·兵略》说:“疾雷不及塞耳,疾霆不暇掩目。”⑲适主:专主,谓统一的主帅。⑲差易:比较容易。⑲长安:县名,县治在今陕西西安西北。⑲京兆尹:官名,京兆尹的长官。相当于郡太守。京兆尹本政区名,为汉代三辅之一,治所长安。而京兆尹的长官亦称京兆尹,官名与政区名相同。⑲弘农:郡名,治所弘农县,在今河南灵宝北。⑲仰:依赖。⑲畜:通“蓄”,积蓄。⑲斛:古代量器名,汉代以十斗为一斛。⑲秩:俸禄。⑲中二千石:汉代九卿之秩为中二千石,郡太守之秩一般为二千石。此特嘉奖杜畿,故为其增秩。

【校记】

[3]使:据章钰校,甲十一行本、乙十一行本皆作“信”。

【语译】

扶风人法正任刘璋的军议校尉,刘璋对他不加重用。法正又受到与他一起侨居益州同州郡老乡的鄙视,郁郁不得志。益州别驾张松与法正友善,自负有才,料想追随刘璋不可能有什么作为。常常私下叹息。张松劝刘璋结交刘备。刘璋说:“谁可以担任使者?”张松就推荐法正。刘璋派法正前往,法正推辞谢绝,装出一副迫不得已才出行的样子。法正出使回来,对张松说刘备有雄才大略,密谋拥戴刘备为益州之主。

恰逢曹操派锺繇向汉中进军,刘璋得到消息,内心感到恐惧。张松乘机劝刘璋说:“曹公的军队天下无敌,如果利用张鲁打下的基础来攻占蜀地,谁能抵挡得住!刘备是您的同宗也是曹公的死对头,他善于用兵,如果让他讨伐张鲁,张鲁一定被打败。张鲁被击败,益州就强盛起来,曹公虽然来了,也不能有所作为。如今益州众将庞羲、李异等都恃功骄横,企图依附外部势力。如得不到刘备的援救,那么敌人在外面攻击,老百姓攻其内部,是必定要失败的。”刘璋认为有道理,就派法正率领四千人迎接刘备。主簿巴西人黄权劝阻说:“刘备骁勇有名,如今请来,若要把他当作部属对待,他就会心生不满,打算把他当作宾客礼遇,那么一国就容不下两个君主。

若客有泰山之安，则主有累卵之危，不若闭境以待时清。”璋不听，出权为广汉[212]长。从事广汉王累自倒悬于州门以谏，璋一无所纳。

法正至荆州，阴献策于刘备曰：“以明将军之英才，乘刘牧之懦弱，张松，州之股肱[213]，响应于内，以取益州，犹反掌也。”备疑未决。庞统言于备曰：“荆州荒残，人物殚尽[214]，东有孙车骑[215]，北有曹操，难以得志。今益州户口百万，土沃财富，诚得以为资，大业可成也。”备曰：“今指与吾为水火[216]者，曹操也。操以急，吾以宽；操以暴，吾以仁；操以谲[217]，吾以忠；每与操反，事乃可成耳。今以小利而失信义于天下，奈何?”统曰：“乱离之时，固非一道所能定也。且兼弱攻昧[218]，逆取顺守[219]，古人所贵。若事定之后，封以大国，何负于信！今日不取，终为人利耳。”备以为然。乃留诸葛亮、关羽等守荆州，以赵云领留营司马[220]，备将步卒数万人入益州。

孙权闻备西上，遣舟船迎妹。而夫人欲将备子禅还吴，张飞、赵云勒兵截江，乃得禅还。

刘璋敕在所供奉备，备入境如归，前后赠遗[221]以巨亿[222]计。备至巴郡[223]，巴郡太守严颜拊心叹曰：“此所谓‘独坐穷山，放虎自卫’者也。”备自江州北由垫江水[224]诣涪[225]，璋率步骑三万余人，车乘帐幔[226]，精光耀日，往会之。张松令法正白备，便于会袭璋。备曰：“此事不可仓猝[227][5]!”庞统曰：“今因会执之，则将军无用兵之劳而坐定一州也。”备曰：“初入他国，恩信未著，此不可也。”璋推备行[228]大司马[229]，领[230]司隶校尉[231]；备亦推璋行镇西大将军[232]，领益州牧。所将将[6]士，更相之适[233]，欢饮百余日。璋增备兵，厚加资给，使击张鲁；又令督白水[234]军。备并军三万余人，车甲、器械、资货甚盛。璋还成都，备北到葭萌[235]，未即讨鲁，厚树恩德，以收众心。

如果客人有泰山般的安稳，主人就会有累卵般的危险，不如关闭边境来等待天下清明。”刘璋不听，把黄权外任为广汉县县长。益州从事广汉人王累把自己倒挂在州城门上来谏阻，刘璋一概不加理睬。

法正到了荆州，秘密向刘备献计说：“凭借将军您的英明才能，可利用刘璋的懦怯，张松是益州的得力官员，在内响应，以此攻取益州，易如反掌。”刘备迟疑未决。庞统向刘备进言说：“荆州荒废残破，人才和物资耗尽，东面有孙权，北面有曹操，难有作为。如今益州户口百万，土地肥沃，资财丰足，如果得到益州做基地，大功可以告成。”刘备说：“当今与我势同水火的是曹操。曹操严急，我就宽厚；曹操残暴，我就仁慈；曹操诡诈，我就忠信，每事与曹操相反，事业才能成功。现在因小利而失信义于天下，怎么行呢？”庞统说：“乱离时代，本来就不是一种办法能平定的。况且吞并弱小，攻取愚昧，先用武力的方式攻占，再用教化的方式保守它，这是古人也推崇的。如果事业成功之后，封给刘璋一个大国，哪里违背信义呢！今天不去夺取，终将会成为他人的利益。”刘备认为有理。于是留下诸葛亮、关羽等守卫荆州，任命赵云为留营司马。刘备率领数万步兵进入益州。

孙权得知刘备西上，派船来迎接妹妹。夫人想把刘备的儿子刘禅带回吴郡，张飞、赵云率兵在长江上拦截，才使刘禅得以回蜀。

刘璋命令刘备经过的地方，都要给他提供军需，刘备进入益州境内如同回家一样，前后赠送的物资数以亿计。刘备到达巴郡，巴郡太守严颜捶心叹息说：“这就是所谓‘独自坐在穷山沟，放出老虎来自卫’吧。”刘备从江州以北沿垫江水到达涪县，刘璋率领步骑兵三万多人，车辆上挂着帐幕，光彩映日，前往会见刘备。张松让法正禀报刘备，就在会见时袭击刘璋，刘备说：“这事不可仓促！”庞统说：“现在趁会见时抓获刘璋，将军您不用武力就坐着平定一州。”刘备说：“刚刚进入别人的地盘，我的恩德信义还未显示，这样做不行。”刘璋推荐刘备代理大司马，兼任司隶校尉；刘备也推荐刘璋代理镇西大将军，兼任益州牧。双方所统领的将士相互往来，一起欢饮了一百多天。刘璋给刘备增加兵力，资助大量物资，让他去攻击张鲁；还让刘备督领白水的驻军。刘备合并后的兵众有三万多人，车辆、甲胄、器械、各种物资很多。刘璋回到成都，刘备向北进军到葭萌县，没有马上去征讨张鲁，而是广施恩德，以此来收取人心。

【段旨】

以上为第六段，写益州牧刘璋请刘备入蜀以拒张鲁。

【注释】

⑳法正（公元一七六至二二〇年）：字孝直，右扶风郿县（今陕西眉县）人，初入蜀依刘璋，为新都令，又为军议校尉。后奉命邀刘备入蜀，因向刘备献取蜀之计。刘备得益州后，任命法正为蜀郡太守、扬武将军。后又为尚书令、护军将军。传见《三国志》卷三十七。㉑军议校尉：校尉为次于将军的武职。军议或作军谋，参议军事。㉒侨客：谓他州寄居于益州者。㉓邑邑：通“悒悒”。忧郁。㉔忖：度量；考虑。㉕佯：假装。㉖恃功骄豪：依仗功劳而骄傲强横。庞羲曾保护刘璋诸子免于危难，李异曾杀反叛刘璋的赵韪，故二人有功于刘璋。㉗外意：谓附外之意。㉘黄权（？至公元二三九年）：字公衡，巴西阆中（今四川阆中）人，初为刘璋主簿、广汉长。刘璋降刘备后，始归降刘备，为偏将军。刘备称汉中王、领益州牧后，又为治中从事史。刘备称帝伐吴，以权为镇北将军，督镇江北以防魏军。刘备败退后，道路断绝，权被迫降魏。在魏官至车骑将军。传见《三国志》卷四十三。㉙刘左将军：即刘备。曹操曾表荐刘备为左将军。㉚骁：勇健。㉛部曲：此指部属、部下。㉜广汉：县名，县治在今四川射洪南。㉝股肱：大腿和胳膊，用以比喻辅佐之臣。因张松为州别驾，为州牧的主要佐吏，故法正有此喻。㉞殚尽：穷尽。㉟孙车骑：即孙权。刘备曾表荐孙权为车骑将军。㊱水火：言水火之不兼容。㊲谲：欺诈。㊳兼弱攻昧：此语见《左传》宣公十二年，又伪古文《尚书》以为仲虺之言。意谓兼并弱小者，攻取愚昧者。㊴逆取顺守：此

【原文】

十七年（壬辰，公元二一二年）

春，正月，曹操还邺。诏操赞拜[236]不名[237]，入朝不趋[238]，剑履上殿[239]，如萧何[240]故事。

操之西征也，河间[241]民田银、苏伯反，扇动幽、冀。五官将丕欲自讨之，功曹[242]常林[243]曰：“北方吏民，乐安厌乱，服化已久，守善者多，银、伯犬羊相聚[244]，不能为害。方今大军在远，外有强敌，将军为天下之镇[245]，轻动远举，虽克不武[246]。”乃遣将军贾信讨之，应时克灭。余贼千余人请降，议者皆曰：“公有旧法，围而后降者不赦。”程昱曰：“此乃扰攘[247]之际，权时之宜[248]。今天下略定[249]，不可诛之；纵诛之，宜先启闻。”议者皆曰：“军事有专无请。”昱曰：“凡专命者，谓有

为西汉初陆贾之言，见《史记·郦生陆贾列传》。以武力夺取天下为逆取，修文教以治天下为顺守。㉒⓪留营司马：官名，掌留营之军事。㉒①赠遗：赠送财物。㉒②巨亿：同“巨万”“万万”。㉒③巴郡：治所江州，在今重庆市南岸区。㉒④垫江水：即涪水，亦称涪内水。源出今四川松潘东北，东南流经平武、绵阳、射洪，至合川（汉之垫江县）与嘉陵江合。㉒⑤涪：县名，县治在今四川绵阳东。㉒⑥帐幔：帷幕。㉒⑦仓猝：匆忙。㉒⑧行：代理。㉒⑨大司马：官名，汉武帝置大司马代替太尉，东汉光武帝又废大司马置太尉。汉灵帝末年又并置大司马与太尉。㉓⓪领：兼任。㉓①司隶校尉：官名，掌纠察京都百官违法者，并治所辖各郡，相当于州刺史。〖按〗刘备与刘璋之此种推任，纯系空衔。㉓②镇西大将军：官名，镇西将军为杂号将军，加上“大”字，地位又比杂号将军高。㉓③更相之适：互相来往。㉓④白水：指白水关。关在白水县，县治在今四川青川县东北。白水军即杨怀、高沛所统之军。㉓⑤葭萌：县名，县治在今四川广元西南。

【校记】

［4］中：原无此字。据章钰校，甲十一行本、乙十一行本、孔天胤本皆有此字，张敦仁《通鉴刊本识误》同，今据补。［5］猝：原作“卒”。据章钰校，甲十一行本、乙十一行本皆作“猝”，今从改。〖按〗二字通。［6］将：原作“吏”。据章钰校，甲十一行本、乙十一行本皆作“将”，今据改。

【语译】

十七年（壬辰，公元二一二年）

春，正月，曹操返回邺城。诏令曹操参拜皇帝时不用唱名，入朝时不用小步趋行，可以佩剑穿鞋上殿，依照萧何的先例。

曹操西征时，河间人田银、苏伯反叛，煽动幽、冀两州的民众。五官将曹丕想亲自征讨，他的功曹常林说：“北方的官民，乐于平安憎恶战乱，受朝廷教化已经很久，安分守法的多，田银、苏伯如乌合之众，不能造成危害。当今大军在远方，外面有强大的敌人，将军是镇守天下的人，如果轻率出动远征，即使取胜也算不上威武。”于是派将军贾信去征讨，随即平定了叛乱。残余的一千多名叛贼请求归降，参与谋议的人都说：“曹公以前有令，凡是被围困后才投降的人，不予赦免。”程昱说：“这是在混乱时期的权宜措施。如今天下大体稳定，不可以诛杀；即使要诛杀，也应先向曹公请示。”参与谋议的人都说：“战时处理事情可以专断，不必请示。”程昱说：

临时之急耳。今此贼制在贾信之手，故老臣不愿将军行之也。”丕曰：“善！”即白操，操果不诛。既而闻昱之谋，甚悦，曰：“君非徒[250]明于军计，又善处人父子之间。”

故事[251]，破贼文书，以一为十。国渊上首级，皆如其实数。操问其故，渊曰：“夫征讨外寇，多其斩获之数者，欲以大武功，耸民听也。河间在封域之内，银等叛逆，虽克捷有功，渊窃耻之。”操大悦。

夏，五月癸未[252]，诛卫尉马腾，夷三族。

六月庚寅晦[253]，日有食之。

秋，七月，螟。

马超等余众屯蓝田[254]，夏侯渊击平之。

鄜[255]贼梁兴寇略冯翊[256]，诸县恐惧，皆寄治郡下[257]，议者以为当移就险阻。左冯翊[258]郑浑[259]曰：“兴等破散，藏窜山谷，虽有随者，率胁从耳。今当广开降路，宣谕威信。而保险自守，此示弱也。”乃聚吏民，治城郭，为守备，募民逐贼，得其财物妇女，十以七赏。民大悦，皆愿捕贼。贼之失妻子者皆还，求降。浑责其得他妇女，然后还之。于是转相寇盗，党与离散。又遣吏民有恩信者分布山谷告谕之，出者相继。乃使诸县长吏[260]各还本治[261]，以安集之。兴等惧，将余众聚鄜城。操使夏侯渊助浑讨之，遂斩兴，余党悉平。浑，泰之弟也。

九月庚戌[262]，立皇子熙为济阴王，懿为山阳王，邈为济北王，敦为东海王。

【段旨】

以上为第七段，写曹操安定内部，平定河北关中民变。

“凡是要专断，指的是临时有紧急的情况发生。现今这些叛贼控制在贾信的手中，因此老臣我不希望将军这样做。”曹丕说：“很好！”立刻上报曹操，曹操果然不同意诛杀。不久听说这是程昱的主意，很高兴，说：“程昱不只是明察军事谋略，还善于处理别人父子之间的关系。”

按照惯例，战胜敌人的报捷公文中，以一报十。国渊上报的首级数，都是实际数目。曹操询问其中的缘故，国渊说：“讨伐境外的敌寇，多报斩杀俘获的数目，是想以此张大武功，耸人听闻。河间在封疆之内，田银等是叛逆贼人，虽然战胜有功，但我却感到羞耻。”曹操大为高兴。

夏，五月癸未日，诛杀卫尉马腾，灭了他的三族。

六月最后一天二十九日庚寅，发生日食。

秋，七月，发生蝗灾。

马超等人的余部盘踞蓝田县，夏侯渊进击，平定了他们。

鄜县叛贼梁兴侵扰冯翊，引起各县恐慌，都把县治迁到郡城，参与谋议的人认为应迁移到险要的地方。左冯翊郑浑说：“梁兴等已经败散，窜藏山谷，虽然有跟随者，大多是胁从。现在应当广开归降之路，宣告朝廷的威严与诚信。如果据险自守，这是示弱行为。”于是聚集官民，修治城墙，整饬守备，招募民众驱逐叛贼，所获的叛贼财物和妇女，十分之七用来奖赏。民众非常高兴，都愿意抓捕叛贼。叛贼中失去妻子儿女的都回来，请求归降。郑浑责令他们把其他贼人的妇女送回来，然后还给他们自己的妻子儿女。于是叛贼们相互抢劫盗取，党羽离散。郑浑又派官民中有恩德威信的人，分别到山谷里去宣传朝廷的旨意，叛贼相继出山投降。于是令各县的令长各自迁回本治，以便安集百姓。梁兴等惧怕，把余下的部众集中到鄜城。曹操派夏侯渊帮助郑浑讨伐，于是杀死梁兴，余党全被平定。郑浑，是郑泰的弟弟。

九月二十一日庚戌，册立皇子刘熙为济阴王，刘懿为山阳王，刘邈为济北王，刘敦为东海王。

【注释】

㊱赞拜：古时臣下朝拜君王时，司仪者在旁宣唱行礼的一种仪式，还会直呼朝拜者的姓名。㊲不名：不直呼姓名，只称官衔。㊳趋：此指小步快走，表示恭敬。㊴剑履上殿：带剑穿鞋上殿。古时臣下不能穿鞋带兵器上殿。㊵萧何：西汉大臣。秦末助汉高祖刘邦定天下，功第一，刘邦为皇帝后，赐予剑履上殿、入朝不趋的待遇。传见《史记》卷五十三、《汉书》卷三十九。㊶河间：郡名，治所乐成，在今河北献县东南。㊷功曹：官名，此为五官中郎将功曹，即曹丕的属吏。㊸常林：字伯槐，河内温县（今属河

南）人，曹魏大臣，历仕曹操、文帝、明帝三朝，位列九卿，封高阳乡侯。死后葬如公礼。传见《三国志》卷二十三。㉔④犬羊相聚：犹言乌合之众。㉔⑤天下之镇：镇守天下的人。㉔⑥不武：算不上威武。㉔⑦扰攘：混乱；纷乱。㉔⑧权时之宜：衡量当时的情况，采取合适的措施。㉔⑨略定：大体已定。㉕⓪徒：仅；只。㉕①故事：先例；以往的成规。㉕②癸未：五月壬辰朔，无癸未。㉕③庚寅晦：六月二十九日。㉕④蓝田：县名，县治在今陕西蓝田西。㉕⑤鄜：县名，县治在今陕西洛川县东南。㉕⑥冯翊：政区名，左冯翊之省称，为汉

【原文】

初，张纮以秣陵[263]山川形胜，劝孙权以为治所。及刘备东过秣陵，亦劝权居之。权于是作石头城[264]，徙治秣陵，改秣陵为建业。

吕蒙闻曹操欲东兵[265]，说孙权夹濡须水口[266]立坞[267]。诸将皆曰："上岸击贼，洗足入船，何用坞为！"蒙曰："兵有利钝，战无百胜。如有邂逅[268]，敌步骑蹙[269]人，不暇及水，其得入船乎？"权曰："善！"遂作濡须坞。

冬，十月，曹操东击孙权。董昭言于曹操曰："自古以来，人臣匡世[270]，未有今日之功；有今日之功，未有久处人臣之势者也。今明公耻有惭德[271]，乐保名节；然处大臣之势，使人以大事[272]疑己，诚不可不重虑也。"乃与列侯诸将议，以丞相宜进爵国公，九锡[273]备物，以彰殊勋。荀彧以为："曹公本兴义兵以匡朝宁国，秉忠贞之诚，守退让之实，君子爱人以德[274]，不宜如此。"操由是不悦。及击孙权，表请彧劳军于谯，因辄[275]留彧，以侍中[276]、光禄大夫[277]、持节[278]，参丞相军事。操军向濡须，彧以疾留寿春[279]，饮药而卒。彧行义修整而有智谋，好推贤进士，故时人皆惜之。

臣光曰[280]："孔子之言仁也重矣，自子路、冉求、公西赤门人之高第[281]，令尹子文[282]、陈文子[283]诸侯之贤大夫，皆不足以当之[284]，而独称管仲之仁[285]，岂非以其辅佐齐桓，大济生民乎！齐桓之行若狗彘，管仲不羞而相之，其志盖以非桓公则生民不可得而济也。

代三辅之一，东汉末治所临晋在今陕西大荔。㉕⑦寄治郡下：谓将县公署迁到郡城。㉕⑧左冯翊：官名，左冯翊的长官，相当于郡太守。左冯翊的官名与政区名相同。㉕⑨郑浑：字文公，河南开封（今河南开封南）人，曹操初召为掾，又为下蔡长、邵陵令，皆有治绩。后为左冯翊、京兆尹，亦有治绩。魏文帝时，又为阳平、沛、山阳、魏等郡太守，所在兴水利，开农田，种果木，治绩卓著。后为将作大匠。传见《三国志》卷十六。㉖⓪长吏：指县令、长。㉖①本治：原来的治所。㉖②庚戌：九月二十一日。

【语译】

起初，张纮认为秣陵山川的地理形势很好，劝孙权把秣陵作为治所。等到刘备向东经过秣陵，也劝孙权移居于此。孙权于是在这里建筑石头城，把治所迁到秣陵，改秣陵为建业。

吕蒙听说曹操想向东进军，就劝说孙权在濡须水口的两岸建立坞壁。众将领都说："上岸攻打敌人，洗了脚就上船，哪里用得着坞壁！"吕蒙说："战争有胜利也有挫败，打仗没有永远取胜的。如果偶然碰上敌人步兵、骑兵逼近，来不及到水边，还能上船吗？"孙权说："说得好！"于是修建濡须坞。

冬，十月，曹操东征攻打孙权。董昭向曹操进言说："自古以来，人臣救世，从没有建立过像今天这样的功绩；有了今天这样的功绩，没有长久处于人臣地位的。如今明公您耻于德行上有缺陷，乐于保持自己的名节；然而身居大臣之位，却因为这等大事让自己被人怀疑，实在是不能不慎重考虑的。"董昭就与列侯及众将领商议，认为丞相应该晋爵为国公，赐予九锡的待遇及相应的物什，用以表彰他的特殊功勋。荀彧认为："曹公兴举义兵本来是为了拯救朝廷，安定国家，秉持忠贞的诚心，恪守退让的真情，君子以德爱人，不应这样。"曹操因此很不高兴。等到征讨孙权时，上表请求荀彧到谯县慰问军队，曹操趁机把荀彧留在军中，以侍中、光禄大夫的身份，持符节、参议丞相军事。曹操向濡须进军，荀彧因病留在寿春，服毒而死。荀彧行为正直，品德端正，富有智谋，喜欢推荐贤人，进举良士，因此当时的人都为之痛惜。

司马光说："孔子论述仁德时，非常重视仁德，即使是子路、冉求、公西赤这些门徒中的高才生，令尹子文、陈文子这些诸侯的贤能大夫，都不具备仁德的资格，却单单称颂管仲的仁德，难道不就是因为他辅佐齐桓公，极力救济生民吗！齐桓公的品行像猪狗一样，管仲不以为羞耻而辅助他，大概管仲的心中

汉末大乱，群生涂炭，自非高世之才不能济也，然则荀彧舍魏武[286]将谁事哉！

“齐桓之时，周室虽衰，未若建安之初也。建安之初，四海荡覆，尺土一民，皆非汉有。荀彧佐魏武而兴之，举贤用能，训卒厉兵，决机发策，征伐四克，遂能以弱为强，化乱为治，十分天下而有其八，其功岂在管仲之后乎！管仲不死子纠[287]而荀彧死汉室，其仁复居管仲之先矣。

“而杜牧乃以为‘彧之劝魏武取兖州[288]则比之高、光[289]，官渡不令还许[290]则比之楚、汉[291]。及事就功毕，乃欲邀名于汉代，譬之教盗穴墙[292]发匮而不与同挈，得不为盗乎！’臣以为孔子称‘文胜质则史[293]’，凡为史者记人之言，必有以文之。然则比魏武于高、光、楚、汉者，史氏之文也，岂皆彧口所言邪！用是贬彧，非其罪矣。且使魏武为帝，则彧为佐命元功，与萧何同赏矣。彧不利此而利于杀身以邀名，岂人情乎！”

【段旨】

以上为第八段，写曹操加九锡，荀彧不赞同而被逼杀。司马光认为，荀彧佐曹操取天下，为了济世安民不得已而为之，功比管仲，而德过之。

【注释】

㉖③秣陵：县名，县治在今江苏南京南。㉖④石头城：在秣陵之西，春秋时楚灭越，置金陵邑于此，孙权加以重建，依其山势筑城，改名石头城，用以储藏军粮器械。㉖⑤东兵：向东进军。㉖⑥濡须水口：濡须水在今安徽境内，源出巢湖，东南流，经无为县，东入长江。入长江处称为濡须口。㉖⑦坞：土堡；小城。孙权夹濡须口立坞以拒曹军，称濡须坞，又因其形如偃月，又称偃月坞，故址在今安徽无为东北。㉖⑧邂逅：偶然碰上。㉖⑨蹙：逼迫。㉗⓪匡世：救世。㉗①耻有惭德：不愿德行亏损而惭耻。此指曹操不愿处高位，董昭谄媚之言。㉗②大事：指篡位夺权。㉗③九锡：古代帝王尊礼大臣所赐予的九种器物与待遇。《汉书·武帝纪》注引应劭说，九种器物与待遇为：一车马，二衣服，三乐器，四朱户，五纳陛，六虎贲百人，七铁钺，八弓矢，九秬鬯。㉗④君子爱人以德：此为曾子之

认为，若不辅佐齐桓公，生民就得不到救济。汉末天下大乱，生灵涂炭，如果不具有超凡出众的才能，是不能拯救生灵的，那么荀彧舍弃曹操去侍奉谁呢！

“齐桓公的时代，周室虽然衰败，但还不像建安初年那样。建安初年，四海动乱，一尺疆土，一个百姓，都不为汉朝拥有。荀彧辅佐曹操而使汉朝振兴，推举任用贤能的人才，训练士卒，磨砺兵器，决定机务，发布政令，讨伐四方，处处获胜，于是能够变弱为强，化乱为治，十分天下，占有了八分，荀彧的功勋难道在管仲之下吗！管仲不为子纠殉身，但荀彧却为汉室而死，荀彧的仁德又在管仲之上了。

“可是杜牧居然认为‘荀彧劝曹操攻取兖州，比作萧何劝高祖刘邦称王汉中、光武帝刘秀占据河北，官渡之战不让曹操撤回许都，则比为楚汉相争时张良力劝高祖劳军。等到事成功就，才想在汉代留下美名，这就好比教唆小偷穿墙开柜而不与小偷一起拿走赃物一样，能不算作小偷吗！’臣认为孔子说过‘文采多于朴实，未免虚浮’，大凡作史的人，记录人物的言语，必然会加以文饰。那么荀彧把曹操和高祖、光武、楚汉相争类比，是史家的文饰，怎么都当成是荀彧亲口说的原话呢！用这些来贬低荀彧，那不是荀彧的罪过。假如曹操做了皇帝，那么荀彧就是辅佐帝业的元勋，会得到与萧何相同的奖赏。荀彧不贪求这些，却追求杀身成就忠于汉室的美名，难道是人之常情吗！”

言。《礼记·檀弓》载，曾子曰：“君子之爱人也以德，细人之爱人也以姑息。”㉗⑤因辄：趁此就。谓曹操趁荀彧至谯劳军而留彧在军中。㉗⑥侍中：官名，职在侍从皇帝、顾问应对。㉗⑦光禄大夫：官名，属光禄勋，掌顾问应对。㉗⑧持节：持符节。象征特别权力的凭信。㉗⑨寿春：县名，县治在今安徽寿县。㉘⓪臣光曰：本书之“臣光曰”，皆司马光之评论。㉘①高第：高才生。㉘②令尹子文：春秋时楚国大臣。楚成王时为令尹，曾率军灭弦国，攻随国。㉘③陈文子：即陈须无，齐国大夫，卒谥文子。㉘④皆不足以当之：谓皆不足以称为有仁德。《论语·公冶长》载：孟武伯问孔子：“子路仁乎？”孔子答：“由（子路名仲由）也，千乘之国，可使治其赋也，不知其仁也。”又问：“求也何如？”答：“求也，千室之邑，百乘之家，可使为之宰也，不知其仁也。”又问：“赤也何如？”答：“赤也，束带立于朝，可使与宾客言也，不知其仁也。”子张又问，楚国的令尹子文与齐国大夫陈文子可以算得上有仁德吗？孔子皆回答说：“焉得仁（怎么能算得上仁德呢）？”㉘⑤独称管仲之仁：《论语·宪问》载子路问孔子说：“桓公杀公子纠，召忽死之，管仲不死。”又问：“未仁乎？”孔子回答说：“桓公九合诸侯，不以兵车，管仲之力也。如其仁，如其仁。”㉘⑥魏武：曹操去世后，曹丕篡汉，谥曹操为魏武帝。㉘⑦管仲不死子纠：齐桓公和公子纠皆齐

襄公之弟。齐襄公无道，二人均畏惧而逃。桓公由鲍叔牙侍奉逃入莒国，公子纠由管仲和召忽侍奉逃往鲁国。襄公被杀后，桓公先入齐国立为君，遂兴兵伐鲁，逼迫鲁国杀公子纠，召忽因而自杀以殉，而管仲不但不死，还做了桓公之相。事见《左传》庄公八年、九年。㉘彧之劝魏武取兖州：指荀彧劝曹操夺取兖州以为基地，进而统一全国。事见《三国志·魏书·荀彧传》。㉙比之高、光：比拟于汉高祖刘邦与汉光武帝刘秀。秦亡后，项羽封刘邦为汉王，刘邦不满，欲攻项羽，萧何力劝刘邦以汉中为根据地，积蓄力量，进而定三秦，统一全国。事见《汉书·萧何传》。西汉末年，军阀混战，光武帝刘秀经营

【原文】

十二月，有星孛于五诸侯[294]。

刘备在葭萌[295]，庞统言于备曰："今阴选精兵，昼夜兼道，径袭成都。刘璋既不武，又素无豫备[296]，大军卒至，一举便定，此上计也。杨怀、高沛，璋之名将，各杖强兵，据守关头[297]。闻数有笺谏璋，使发遣将军还荆州。将军遣与相闻，说荆州有急，欲还救之，并使装束，外作归形。此二子既服将军英名，又喜将军之去，计必乘轻骑来见将军。因此执之，进取其兵，乃向成都，此中计也。退还白帝[298]，连引荆州，徐还图之，此下计也。若沉吟[299]不去，将致大困，不可久矣。"备然其中计。

及曹操攻孙权，权呼备自救。备贻[300]璋书曰："孙氏与孤本为唇齿，而关羽兵弱，今不往救，则曹操必取荆州，转侵州界[301]，其忧甚于张鲁。鲁自守之贼，不足虑也。"因求益万兵及资粮。璋但许兵四千，其余皆给半。备因激怒其众曰："吾为益州征强敌，师[302]徒[303]勤瘁，而积财吝赏，何以使士大夫[304]死战乎！"张松书与备及法正曰："今大事垂立[305]，如何释此去乎！"松兄广汉[306]太守肃恐祸及己，因发其谋。于是璋收斩松，敕关戍[307]诸将文书皆勿复得与备关通[308]。备大怒，召璋白水军督杨怀、高沛，责以无礼，斩之，勒兵径至关头，并其兵，进据涪城。

河北，以河北为基地，进而战胜诸敌，平定全国。事见《后汉书·光武帝纪上》。⑳官渡不令还许：指曹操与袁绍在官渡相峙时，曹操军粮已尽，欲退还许都，荀彧极力劝阻，并用奇兵战胜袁绍。事见《三国志·魏书·荀彧传》。㉑楚、汉：具体指项羽与刘邦楚汉相争时关键一战成皋之役。刘邦和项羽在成皋对峙，项羽伏兵射中刘邦，刘邦卧病不起，张良"强请汉王起行劳军，以安士卒"，以此为转折点，一步步击败楚军。事见《汉书·高帝纪上》。㉒穴墙：挖墙。㉓文胜质则史：此语见《论语·雍也》。意谓文采多于朴实，则未免虚浮。

【语译】

十二月，有孛星出现在五诸侯星区。

刘备驻军葭萌，庞统向刘备建议说："现在秘密挑选精兵，昼夜兼程，径直偷袭成都。刘璋既不懂军事，又一向没有预防设施，大军突至，一举便可平定，这是上策。杨怀、高沛，是刘璋的名将，各自依仗强兵，据守白水关头。听说他们多次上书劝说刘璋，要打发将军您回荆州。将军您派人去通知他们，说荆州有紧急情况，想回师救援，并让部队的装备，表面上看是回师的模样。这两位既敬佩将军的英名，又为将军的离去而高兴，估计他们一定会乘轻骑来见将军。乘此机会捉拿他们，进而夺取他们的兵众，就向成都进发，这是中策。退回白帝城，和荆州连为一体，慢慢再来谋划攻取益州，这是下策。如果迟疑不决，又不离去，将陷入危险的困境，不能支持多久了。"刘备赞同庞统的中策。

等到曹操攻打孙权，孙权呼吁刘备自救荆州。刘备在给刘璋的信中说："孙权与我本是唇齿相依，而关羽兵力薄弱，现今不前去营救，那么曹操一定会攻取荆州，转而侵占益州边界，这个忧患甚于张鲁。张鲁是个只求自保的贼寇，不值得忧虑。"刘备趁机要求增加一万兵马以及粮食和物资。刘璋只答应给四千兵马，其余的军需品都只给一半。刘备借机激怒他的部下，说："我为益州讨伐强敌，兵士辛苦疲惫，可是刘璋积聚了那么多财物，赏赐如此吝啬，怎么能鼓励官兵为他拼命呢！"张松写信给刘备和法正说："如今大事即将成功，怎么能放弃这里离去呢！"张松的哥哥广汉太守张肃害怕祸难殃及自己，就揭发了张松的阴谋。于是刘璋逮捕杀死张松，命令镇守关口与各戍地的众将领，各种公文都不许再向刘备通报。刘备大怒，召见刘璋的白水军督杨怀、高沛，责备他们无礼，杀掉他们，又率兵直逼白水关头，吞并了他们的部众，进军占领涪城。

【段旨】

以上为第九段，写刘备从葭萌回师攻刘璋。

【原文】

十八年（癸巳，公元二一三年）

春，正月，曹操进军濡须口，号步骑四十万，攻破孙权江西营[309]，获其都督[310]公孙阳。权率众七万御之，相守月余。操见其舟船器仗军伍整肃，叹曰："生子当如孙仲谋[311]。如刘景升[312]儿子，豚[313]犬耳！"权为笺[314]与操说："春水方生，公宜速去。"别纸言："足下不死，孤不得安。"操语诸将曰："孙权不欺孤。"乃撤军还。

庚寅[315]，诏并十四州[316]，复为九州[317]。

夏，四月，曹操至邺。

初，曹操在谯，恐滨[318]江郡县为孙权所略，欲徙令近内，以问扬州别驾蒋济曰："昔孤与袁本初对军官渡，徙燕[319]、白马[320]民，民不得走[321]，贼亦不敢钞。今欲徙淮南民，何如？"对曰："是时兵弱贼强，不徙必失之。自破袁绍以来，明公威震天下，民无他志。人情怀土，实不乐徙，惧必不安。"操不从。既而民转相惊，自庐江[322]、九江[323]、蕲春[324]、广陵[325]户十余万皆东渡江，江西遂虚，合淝以南，惟有皖城[326]。济后奉使诣邺，操迎见，大笑曰："本但欲使避贼，乃更驱尽之！"拜济丹阳[327]太守。

五月丙申[328]，以冀州十郡[329]封曹操为魏公[330]，以丞相领冀州牧如

【注释】

㉙④五诸侯：星名，属井宿，在东井北，由帝师、帝友、三公、博士、太史等五星组成。㉙⑤葭萌：县名，县治在今四川广元西南。㉙⑥豫备：事先防备。豫，通“预”。㉙⑦关头：指白水关头。㉙⑧白帝：即白帝城。本汉之鱼复县，公孙述据蜀，改名白帝城，在今重庆市奉节东。㉙⑨沉吟：犹豫不决。㉚⓪贻：留下；送。㉚①州界：谓益州州界。㉚②师：军队。㉚③徒：徒然；白白地。㉚④士大夫：本来指官僚阶层，此处特指部队的官兵。㉚⑤垂立：即将成功。㉚⑥广汉：郡名，治所雒县，在今四川广汉北。㉚⑦关戍：关口与防守地。㉚⑧关通：禀报；通报。

【语译】

十八年（癸巳，公元二一三年）

春，正月，曹操进军到濡须口，号称步兵、骑兵四十万，攻破孙权在长江西岸的营垒，俘获吴军都督公孙阳。孙权率兵七万抵御曹操，对峙一个多月。曹操看到孙权的战船、装备、军容整饬严备，感叹说：“生儿子应当如同孙仲谋。像刘景升的儿子，只不过是猪狗罢了！”孙权写信给曹操说：“春水就要爆发，您应该快速离开。”在另一张纸上附言说：“你不死去，我不得安宁。”曹操对众将领说：“孙权没有欺骗我。”于是撤军而回。

正月初三日庚寅，献帝下诏，将全国行政区十四个州裁减合并，重新划分为九个州。

夏，四月，曹操到达邺城。

起初，曹操在谯县时，担心靠近长江的郡县被孙权抢掠，想把百姓迁近内地，以此询问扬州别驾蒋济说：“先前我与袁本初在官渡两军对峙，迁移燕县、白马的民众，民众没能逃走，敌人也不敢来抢掠。如今打算迁移淮南的民众，怎么样？”蒋济回答说：“那时我弱敌强，不迁走民众一定会失去他们。自从战胜袁绍以来，明公您威震天下，民众毫无二心。人情都怀恋故土，实在不乐意迁徙，我担心如果迁徙会不得安宁。”曹操没有听从。不久民众辗转相告，惊惧不安，庐江、九江、蕲春、广陵十多万户都向东渡过长江，长江西岸成为空虚之地，合肥以南，只剩下皖城。蒋济后来奉旨出使到邺城，曹操迎见他，大笑说：“原本只想让民众躲避敌人，却反而把他们都赶到敌人那边去了！”任命蒋济为丹阳太守。

五月初十日丙申，册封曹操为魏公，把冀州的十郡作为曹操的封邑。曹操依旧

故。又加九锡：大辂[331]、戎辂[332]各一，玄牡[333]二驷[334]；衮冕[335]之服，赤舄[336]副[337]焉；轩县之乐[338]，六佾[339]之舞；朱户[340]以居；纳陛[341]以登；虎贲[342]之士三百人；𫓧[343]、钺[344]各一；彤弓[345]一，彤矢百，玈弓[346]十，玈矢千；秬鬯[347]一卣[348]，珪[349]瓒[350]副焉。

大雨水。

【段旨】

以上为第十段，写建安十八年（公元二一三年）孙曹江西濡须之战，双方不分胜负。江西之民惧徙反投奔江东。曹操晋爵魏公。

【注释】

⑳⑨江西营：指孙权驻军江西进攻合肥的基地，其营地以濡须坞为大本营。长江在安徽境内偏斜东北流，故古代称濡须口所在的一边为江西，建业所在的一边为江东。[310]都督：东汉末军事长官或领兵将帅之官名，领兵多少和职权大小没有一定。[311]孙仲谋：孙权字仲谋。[312]刘景升：刘表字景升。[313]豚：小猪。[314]笺：书信。[315]庚寅：正月初三日。[316]十四州：指司隶、豫、冀、兖、徐、青、荆、扬、益、凉、雍、并、幽、交等共十四个州。[317]复为九州：是以幽州、并州及司隶校尉之河东、河内、冯翊、扶风等郡并入冀州，以凉州及司隶校尉之京兆尹并入雍州，以司隶校尉之弘农、河南并入豫州，以交州并入荆州、益州。于是只有兖、豫、青、徐、荆、扬、冀、益、雍等九个州。此次省并，冀州地区得到扩大，曹操为冀州牧，大大增强了他的势力。[318]滨：临近。[319]燕：县名，县治在今河南延津北，在当时的黄河南岸。[320]白马：县名，县治在今河南滑县东，亦在当时的黄河南岸。[321]走：逃走。[322]庐江：郡名，治所本在舒县，在今安徽庐江

【原文】

益州从事广汉郑度闻刘备举兵，谓刘璋曰："左将军悬军[351]袭我，兵不满万，士众未附，军无辎重[352]，野谷是资，其计莫若尽驱巴西[353]、梓潼[354]民内[355]、涪水[356]以西，其仓廪野谷，一皆烧除，高垒深沟，静以待

担任丞相兼领冀州牧。又加九锡：天子的大车、兵车各一辆，各配黑色的雄马四匹；衮衣和冕冠，配以红色礼鞋；诸侯王使用的轩悬乐器，六佾乐舞；住宅使用朱红门；登宫殿的台阶修在殿檐下；虎贲卫士三百人；斧、钺各一柄；朱红色的弓一把，朱红色的箭一百支，黑色的弓十把，黑色的箭一千支；祭祀用的黑黍酒一罐，配以珪玉作柄的勺子。

许都下了大雨。

县西南。建安四年（公元一九九年）刘勋移治所于皖县，在今安徽潜山。㉓九江：郡名，东汉末治所在寿春，在今安徽寿县。㉔蕲春：郡名，治所蕲春县，在今湖北蕲春西北。〖按〗建安十八年（公元二一三年）蕲春仍为县，以后吴、魏二国方置蕲春郡，史书以后来的区划书之。㉕广陵：郡名，治所广陵县，在今江苏扬州。㉖皖城：即皖县城。㉗丹阳：郡名，治所宛陵，在今安徽宣城。〖按〗当时丹阳郡为孙权所据，蒋济不得至郡。㉘丙申：五月初十。㉙十郡：指冀州的河东、河内、魏、赵、中山、常山、巨鹿、安平、甘陵、平原十郡。㉚魏公：曹操破袁尚得冀后，居于邺。邺为魏郡治所，曹操晋封为公，故以魏为名，后进爵为魏王。㉛大辂：大车。㉜戎辂：兵车。㉝玄牡：黑色公马。㉞驷：四马驾一车称驷。㉟衮冕：天子、上公所穿绣龙的礼服为衮，礼帽为冕。㊱舄：复底鞋。㊲副：相配。㊳轩县之乐：县，"悬"本字。古代陈列乐器的制度，天子宫悬，诸侯轩悬。宫悬为四面悬挂，轩悬少去一面，即三面悬挂。㊴佾：舞的行列。古代的舞佾制度，天子八佾，即纵横皆八人，八八六十四人。诸侯六佾，六八四十八人。㊵朱户：红门。古时天子之居用红门。㊶纳陛：陛，帝王宫殿的台阶。古代帝王宫殿台阶不欲敞露，建台阶时便将台阶纳入檐内，称为纳陛。㊷虎贲：警卫勇士。㊸铁：斧。㊹钺：大斧。㊺彤弓：朱红色弓。㊻玈弓：黑弓。㊼秬鬯：黑黍酿成的香酒，用以祭祀。㊽卣：盛酒器。㊾珪：上圆下方的玉器。此指玉制的柄。㊿瓒：古礼器，盛灌鬯酒的玉杓。以珪为柄的称珪瓒。

【语译】

益州从事广汉人郑度得知刘备兴兵，就对刘璋说："刘备孤军深入来袭击我们，士兵不满一万，益州部众尚未归附，军队没有辎重，只能依靠田野的谷物为食粮。对付刘备的办法，没有比把巴西、梓潼的民众全部驱赶到内水、涪水以西更好的了，我们只要把仓库和田野里的谷物，全部烧毁，高筑壁垒，深挖壕沟，静静等待刘备。

之。彼至，请战，勿许。久无所资，不过百日，必将自走。走而击之，此必禽耳。”刘备闻而恶[357]之，以问法正。正曰：“璋终不能用，无忧也。”璋果谓其群下曰：“吾闻拒敌以安民，未闻动民以避敌也。”不用度计。

璋遣其将刘璝、冷苞、张任、邓贤、吴懿[358]等拒备，皆败，退保绵竹[359]。懿诣军降。璋复遣护军[360]南阳李严[361]、江夏费观[362]督绵竹诸军，严、观亦率其众降于备。备军益强，分遣诸将平下属县。刘璝、张任与璋子循退守雒城[363]，备进军围之。任勒兵出战于雁桥[364]，军败，任死。

秋，七月，魏始建社稷[365]、宗庙。

魏公[366]操纳[367]三女[368]为贵人[369]。

初，魏公操追马超至安定，闻田银、苏伯反，引军还。参凉州军事杨阜[370]言于操曰：“超有信、布[371]之勇，甚得羌、胡心。若大军还，不设备，陇上诸郡[372]非国家之有也。”操还，超果率羌、胡击陇上诸郡县，郡县皆应之，惟冀城[373]奉州郡以固守。

超尽兼陇右[374]之众，张鲁复遣大将杨昂助之，凡万余人，攻冀城，自正月至八月，救兵不至。刺史韦康遣别驾阎温[375]出，告急于夏侯渊[376]。外围数重，温夜从水中潜出。明日，超兵见其迹，遣追获之。超载温诣城下，使告城中云：“东方[377]无救。”温向城大呼曰：“大军不过三日至，勉之！”城中皆泣，称万岁。超虽怒，犹以攻城久不下，徐徐更诱温，冀[378]其改意。温曰：“事君有死无二，而卿乃欲令长者出不义之言乎！”超遂杀之。

已而外救不至，韦康及太守欲降。杨阜号哭谏曰：“阜等率父兄子弟以义相励，有死无二，以为使君守此城，今奈何弃垂成之功，陷不义之名乎！”刺史、太守不听，开城门迎超。超入，遂杀刺史、太守，自称征西将军、领并州牧、督凉州军事。

魏公操使夏侯渊救冀，未到而冀败。渊去冀二百余里，超来逆[379]战，渊军不利。氐王千万[380]反应超，屯兴国[381]，渊引军还。

会杨阜丧妻，就超求假[382]以葬之。阜外兄天水姜叙为抚夷将军[383]，拥兵屯历城[384]。阜见叙及其母，歔欷[385]悲甚。叙曰：“何为乃尔[386]？”

刘备来了，挑战，不加理睬。时间长了，他没有了粮草，不出一百天，必然会自动撤走。待他撤走时我们出击，这样一定能擒获刘备。”刘备听到后，十分憎恶郑度，向法正询问对策。法正说：“刘璋最终不会采纳，不必担心。”刘璋果然对部下说：“我听说抗拒敌人来安抚民众，没有听说过扰动民众去躲避敌人的。”没有采用郑度的计谋。

刘璋派部将刘璝、冷苞、张任、邓贤、吴懿等抵抗刘备，都被打败，退保绵竹。吴懿前往刘备军前投降。刘璋又派护军南阳人李严、江夏人费观统率绵竹各军，李严、费观也带领他们的部队投降了刘备。刘备的军力更加强大，分别派遣众将领平定广汉郡下属各县。刘璝、张任和刘璋的儿子刘循退守雒城，刘备进军包围雒城。张任领兵出城在雁桥与刘备交战，兵败，张任战死。

秋，七月，魏国始建社稷和宗庙。

魏公曹操把三个女儿献给献帝，三人被封为贵人。

起初，曹操追击马超到达安定，得知田银、苏伯反叛，率军返回。参凉州军事杨阜向曹操进言说：“马超有韩信、黥布的勇猛，颇得羌、胡人心。如果大军撤退，不加防备，陇西各郡县就不再是国家所有了。”曹操回军后，马超果然率领羌人、胡人进击陇西各郡县，各郡县都响应马超，只有冀城人拥戴州郡官员坚守。

马超兼并了陇西的所有部众，张鲁又派大将军杨昂助阵，共一万多人，围攻冀城，从正月到八月，救兵未来。刺史韦康派别驾阎温出城，向夏侯渊告急。城外数重包围，阎温夜里从水下潜出重围。第二天，马超的士兵发现了阎温的渡水痕迹，派人追赶抓住了他。马超把阎温捆载到城下，派人告诉城中说：“东方没有救兵。”阎温向城中大声喊道：“大军不过三天就到，努力坚守吧！”城中人都哭泣流泪，高呼万岁。马超虽然愤怒，但因为久久不能攻陷城池，便改而缓缓地劝诱阎温，希望他能改变主意。阎温说：“侍奉君主只有一死，毫无二心，而你竟然想让长者说出不义的话吗！”于是马超杀死了他。

又过了些时候，外部的救兵仍没有来，韦康和太守想投降，杨阜号啕大哭，劝阻说：“我们率领父兄子弟用道义相互鼓励，誓死没有二心，来为使君守住这座城，现在怎么能放弃这即将成就的功业，陷进不义的名声之中呢！”刺史、太守不听从，打开城门迎接马超。马超进城，就杀了刺史、太守，自称征西将军，兼任并州牧，总督凉州军事。

曹操派夏侯渊救援冀城，没有赶到而冀城失守。夏侯渊距冀城二百多里，马超前来迎击，夏侯渊的军队失利。氐王杨千万反叛，响应马超，驻守在兴国，夏侯渊率军返回驻地。

适逢妻子去世，杨阜向马超请假去安葬妻子。杨阜的表兄天水人姜叙任抚夷将军，领兵驻守在历城。杨阜拜见姜叙和姜叙的母亲，唏嘘落泪，非常悲痛。姜叙说：

阜曰："守城不能完，君亡不能死，亦何面目以视息[387]于天下！马超背父叛君，虐杀州将[388]，岂独阜之忧责，一州士大夫皆蒙其耻。君拥兵专制，而无讨贼心，此赵盾所以书弑君[389]也。超强而无义，多衅[390]，易图耳。"叙母慨然曰："咄[391]！伯奕[392]，韦使君[393]遇难，亦汝之负[394]，岂独义山哉！人谁不死，死于忠义，得其所也。但当速发，勿复顾我，我自为汝当之，不以余年累汝也。"叙乃与同郡赵昂、尹奉、武都李俊等合谋讨超，又使人至冀，结安定梁宽、南安赵衢，使为内应。超取赵昂子月为质，昂谓妻异曰："吾谋如是，事必万全，当奈月何？"异厉声应曰："雪君父之大耻，丧元[395]不足为重，况一子哉！"

九月，阜与叙进兵，入卤城[396]，昂、奉据祁山[397]，以讨超。超闻之，大怒。赵衢因谲[398]说超，使自出击之。超出，衢与梁宽闭冀城门，尽杀超妻子。超进退失据，乃袭历城，得叙母。叙母骂之曰："汝背父[399]之逆子，杀君[400]之桀贼[401]，天地岂久容汝，而不早死，敢以面目视人乎！"超杀之，又杀赵昂之子月。杨阜与超战，身被五创[402]。超兵败，遂南奔张鲁。鲁以超为都讲祭酒[403]，欲妻[404]之以女，或谓鲁曰："有人若此，不爱其亲，焉能爱人！"鲁乃止。操封讨超之功，侯者十一人，赐杨阜爵关内侯[405]。

【段旨】

以上为第十一段，写西部战事，刘备攻蜀，马超丢失关中入汉中。

【注释】

㉛悬军：谓远来的孤军。㉜辎重：粮草器械等军用物资。㉝巴西：郡名，治所阆中，在今四川阆中。㉞梓潼：县名，县治在今四川梓潼。㉟内：水名，又称内江。涪江纳入梓潼水后称内江。㊱涪水：即今涪江。源出四川松潘东北，东南流，经平武、绵阳、射洪，至合川与嘉陵江合。㊲恶：憎恨；讨厌。㊳吴懿：字子远。刘璋时为中郎将。后为蜀汉车骑将军、雍州刺史，封济阳侯。传见《三国志》卷四十五。㊴绵竹：县名，县治在今四川德阳北黄许镇。㊵护军：官名，负责监护协调各将领的关系。㊶李严：字

“为什么哭?”杨阜说:“守城没能保住城池，主亡又不能殉死，又有什么脸面活在世上！马超背叛父亲、君主，虐待杀害州刺史，难道只应是我杨阜一个人忧愤自责吗，全州的士大夫都蒙受了这一耻辱。你拥兵专断一方，却没有征伐叛贼的心意，这正和赵盾被史书称为弑君一样。马超强大但不讲道义，破绽很多，容易对付。”姜叙的母亲感叹说:“咄！姜伯奕，韦使君遇难，也有你的罪责，哪里只是杨义山一个人的责任呢！人谁能不死呢，为忠义而死，死得其所。但应当马上行动，不要再顾及我，我自会替你担当一切，不会让我的风烛残年来牵累你。”姜叙于是跟同郡人赵昂、尹奉以及武都人李俊等共同谋划讨伐马超，又派人到冀城，联络安定人梁宽、南安人赵衢，让他们作为内应，马超索取赵昂的儿子赵月作为人质，赵昂对妻子士异说:“我们密谋如此，此事一定万无一失，但赵月该怎么办呢?”士异严厉地回答说:“为君父洗雪耻辱，掉脑袋都不足惜，何况一个儿子呢!”

九月，杨阜和姜叙进军，进入卤城，赵昂、尹奉占据祁山，来讨伐马超。马超听到消息，大怒。赵衢乘机诳骗马超，要他亲自率兵攻击杨阜等。马超出城，赵衢和梁宽关闭了冀城城门，把马超的妻子儿女全部杀死。马超进退失去依靠，于是袭击历城，抓获姜叙的母亲。姜母大骂马超:“你是一个背叛父亲的逆子，杀死主人的虐贼，天地怎能长久地容你，你还不早点死，还敢厚着脸皮见人!”马超杀了她，又杀了赵昂的儿子赵月。杨阜与马超交战，身受五处创伤。马超的军队失败，于是向南投靠张鲁。张鲁任命马超为都讲祭酒，打算把女儿嫁给马超，有人对张鲁说:“像他这样的人，连自己的父母都不爱，怎能爱别人!”张鲁才作罢。曹操封赏讨伐马超有功的人员，被封侯的有十一人，赐给杨阜关内侯的爵位。

正方，南阳（治所在今河南南阳）人，初在荆州为郡吏，后入蜀，刘璋以为成都令，又为护军。降刘备后，为犍为太守、兴业将军。刘备称帝后，为尚书令。刘备临终前，与诸葛亮并受遗诏辅刘禅。刘禅即位后，为前将军，又为骠骑将军。后被废为平民。传见《三国志》卷四十。㊷费观：字宾伯，江夏鄳县（今河南罗山县西南）人，刘璋母之族侄。刘备入蜀后，与李严俱降刘备。后为蜀汉之巴郡太守、江州刺史、振威将军，封都亭侯。传见《三国志》卷四十五。㊸雒城：县名，县治在今四川广汉北。㊹雁桥：在当时雒县南。㊺社稷：社，土神。稷，谷神。古代天子、诸侯必立社稷祭祀。㊻魏公：史书自此以后称曹操不再姓名连称，只称其封爵与名。㊼纳：献纳；贡献。㊽三女：指曹宪、曹节、曹华。曹节后立为皇后。㊾贵人：妃嫔之称号。汉光武帝始置，位次于皇后。㊿杨阜：字义山，汉阳冀县（今甘肃甘谷县东南）人，初为凉州别驾，以抗击马超有功，曹操封之为关内侯。又为武都太守，有治绩。魏明帝时为将作大匠、少府，对时

政之弊多有谏议。传见《三国志》卷二十五。㉛信、布：韩信、黥布。㉜陇上诸郡：指陇西、南安、汉阳、永阳等郡。㉝冀城：即冀县，时为汉阳郡和凉州的治所。㉞陇右：地区名，指陇山以西地区，约相当于今甘肃六盘山以西、黄河以东一带。㉟阎温：字伯俭，汉阳西县（今甘肃天水市西南）人。传见《三国志》卷十八。㊱告急于夏侯渊：当时夏侯渊屯驻长安。㊲东方：陇右在西方，曹操之军在其东，故言东方。㊳冀：希望。㊴逆：迎。㊵千万：姓杨名千万，仇池氐人之首领，后归服曹魏，被封为百顷氐王。㊶兴国：聚邑名，在今甘肃秦安东北。㊷假：假期。㊸抚夷将军：官名，属杂号将军。㊹历城：聚邑名，在当时的西县。西县在今甘肃天水市西南。㊺歔欷：悲哀抽泣声。㊻何为乃尔：为何如此。㊼视息：谓生活、生存。视，看。息，呼吸。㊽州将：州刺史。㊾赵盾所以书弑君：赵盾，即赵宣子，春秋时晋国执政之卿。晋灵公即位后，残忍无道，赵宣子多次谏阻，灵公不满，欲杀宣子，宣子惧而出奔。尚未出境，其族人赵

【原文】

冬，十一月，魏初置尚书[406]、侍中[407]、六卿[408]。以荀攸为尚书令[409]，凉茂为仆射[410]，毛玠、崔琰、常林、徐奕[411]、何夔为尚书，王粲、杜袭、卫觊、和洽为侍中，锺繇为大理[412]，王修为大司农[413]，袁涣为郎中令[414]，行[415]御史大夫[416]事，陈群为御史中丞[417]。

袁涣得赏赐，皆散之，家无所储，乏则取之于人，不为皦察之行[418]，然时人皆服其清。时有传刘备死者，群臣皆贺，惟涣独否[419]。

魏公操欲复肉刑[420]，令曰："昔陈鸿胪[421]以为死刑有可加于仁恩者，御史中丞能申其父之论乎?"陈群对曰："臣父纪以为汉除肉刑而增加于笞[422]，本兴仁恻而死者更众[423]，所谓名轻而实重者也。名轻则易犯，实重则伤民。且杀人偿死，合于古制。至于伤人，或残毁其体，而裁剪毛发，非其理也。若用古刑，使淫者[424]下蚕室[425]，盗者刖[426]其足，则永无淫放[427]穿逾[428]之奸矣。夫三千之属[429]，虽未可悉复，若斯数者，时之所患，宜先施用。汉律所杀殊死[430]之罪，仁所不及也。其余逮[431]死者，可易以肉刑。如此，则所刑之与所生足以相贸[432]矣。今以笞死之法易[433]不杀之刑，是重人支体而轻人躯命也。"当时议者，唯锺繇与群议同，余皆以为未可行。操以军事未罢，顾[434]众议而止。

穿杀死灵公，宣子遂回国。而太史却记载："赵盾弑其君。"并公布于朝廷。宣子说："不然。"太史说："子为正卿（执政），亡不越境，反（返）不讨贼，非子而谁！"事见《左传》宣公二年。⑶⑼ 衅：瑕隙。⑶⑼① 咄：表示指责、呵斥。⑶⑼② 伯奕：姜叙字伯奕。⑶⑼③ 韦使君：指州刺史韦康。⑶⑼④ 负：罪负；罪过。⑶⑼⑤ 元：首；头。⑶⑼⑥ 卤城："卤"字为"西"字之讹。古"西"字写作"卣"，由"卣"又讹作"卤"。《三国志》中的《杨阜传》与《夏侯渊传》已如此，非《通鉴》独讹。⑶⑼⑦ 祁山：山名，山上有城，极为严固。在今甘肃礼县东南。⑶⑼⑧ 谲：欺骗。⑶⑼⑨ 背父：指马超不顾其父马腾在邺而反，致使马腾被杀。⑷⓪⓪ 杀君：指马超杀刺史韦康。⑷⓪① 桀贼：像夏桀一样的凶暴之贼。⑷⓪② 创：创伤。⑷⓪③ 都讲祭酒：张鲁在汉中传五斗米道，创立政教合一的政权，其政权中最高统治者称师君，以下称祭酒。张鲁令入道者都学《老子》，设置都讲祭酒。⑷⓪④ 妻：以女嫁人。⑷⓪⑤ 关内侯：汉代封爵之一，次于列侯，只有俸禄而无封地。

【语译】

冬，十一月，魏国开始设立尚书、侍中、六卿。任命荀攸为尚书令，凉茂为仆射，毛玠、崔琰、常林、徐奕、何夔为尚书，王粲、杜袭、卫觊、和洽为侍中，锺繇为大理，王脩为大司农，袁涣为郎中令，代理御史大夫事务，陈群为御史中丞。

袁涣得到赏赐，都散给他人，家中没有积蓄，缺乏时就向人求取，不故作清白之行，可是当时的人都敬佩他的清白。这时流传刘备已死的谣言，大臣们都为此向曹操祝贺，只有袁涣不贺。

魏公曹操想恢复肉刑，下令说："从前陈纪认为对有的死刑犯可以施加仁爱、恩德，御史中丞陈群能阐述你父亲的论点吗？"陈群回答说："我父亲陈纪认为汉代废除肉刑而加重了笞刑，本想倡导仁道恻隐之心，但被笞刑而死的人更多，这正是所谓名义上轻而实际上重。名义上轻就容易使人犯罪，实质上重就伤害民众。况且杀人偿命，符合古代法制。至于那些伤害了人的人，有的被伤者造成身体残废，而对伤人者的惩罚却只是剪掉毛发，很不合情理。如果用古代刑法，犯淫乱罪的施加宫刑，犯偷盗罪的砍去他的双脚，也就永远不会有淫乱放荡、穿洞越墙的奸行了。古刑三千条，虽然不能全部恢复，像这几条，正是现时社会所忧虑的问题，应该首先实行。汉代法律关于斩首的罪行，就不能顾及仁爱了。其余达到死刑程度的，可改为肉刑。这样，那些受肉刑的和保全性命的，两者足以相互抵消。如今用笞刑打死的刑法代替不杀人命的刑法，是看重人的肢体而轻视人的生命。"当时参与评议的人，只有锺繇和陈群的意见一致，其余的人都认为不可行。曹操因为战争没有结束，顾及众人意见不同而作罢。

【段旨】

以上为第十二段，写魏置百官为代汉做准备。曹操欲复肉刑，迫于物议而止。

【注释】

㊻尚书：官名，东汉时，置六曹尚书，协助皇帝处理政务。魏国所置尚书为五曹，即吏部、左民、客曹、五兵、度支。㊼侍中：官名，职在侍从皇帝，应对顾问。汉代侍中无定员，而魏国却定员为四人。㊽六卿：卿为汉代三公之下的最高行政长官，共设九卿，而魏国却置六卿，即太常、郎中令、卫尉、太仆、大鸿胪、大司农。㊾尚书令：官名，尚书台的长官。㊿仆射：官名，即尚书仆射，尚书令之副手。⑪徐奕：字秀才，东莞（治所在今山东沂水县南）人，初为曹操司空掾属，又为雍州刺史。魏国建立后，为尚书、尚书令，又为中尉、谏议大夫。传见《三国志》卷十二。⑫大理：官名，即汉代廷尉之职，掌司法刑狱。⑬大司农：官名，魏六卿之一，掌租税钱谷及财政收支，东汉末及魏国还掌屯田。⑭郎中令：官名，即东汉之光禄勋，魏六卿之一，魏文帝时又改称光禄勋，掌领宿卫侍从之官。⑮行：代理。⑯御史大夫：官名，西汉初，御史大夫为丞相之副，丞相缺时，往往以御史大夫递补。其主要职务为监察、执法，兼掌重要文书图籍。与丞相、太尉合称三公。东汉时改称司空。曹操罢三公官，又复置御史大夫。⑰御史中丞：官名，东汉御史台（又称宪台）之长官，掌律令图书，督察诸州刺史与郡国长吏，考察四方文书计簿，劾按公卿奏章。⑱不为皦察之行：不故作清白高尚之行。⑲涣独否：刘备为豫州刺史时，曾举袁涣为茂才，故袁涣不贺。⑳肉刑：古代残害人体的刑罚，如劓（割鼻）、刖（断足）等。㉑陈鸿胪：陈群父陈纪，曾为大鸿胪。㉒汉除肉刑而增加于笞：笞，用竹板或荆棍打。秦、汉初年尚行肉刑，汉文帝十三年（公元前一六七年）将其废除而代以笞刑。㉓死者更众：汉文帝用笞刑代替肉刑后，被笞者往往致死。㉔淫者：犯奸淫罪的人。淫，奸淫。㉕下蚕室：指宫刑，即破坏人的生殖机能的酷刑。㉖刖：砍去双脚的酷刑。㉗淫放：奸淫放荡。㉘穿逾：穿谓穿穴，逾谓越墙，故穿逾即谓盗窃。㉙三千之属：周穆王时作《吕刑》，有墨（黥面）、劓（割鼻）、剕（刖足）、宫、大辟（死刑），五刑之属凡三千。㉚殊死：斩刑。㉛逮：及。㉜相贸：相互交易，即谓相互抵消。㉝易：替换。㉞顾：顾及；照顾。

【研析】

本卷研析曹操"明志令"和荀彧之死。本卷记事对于曹操来说，已是他的政治晚年。赤壁战后，曹操北还，从公元二一〇至二二〇年，这最后十年是曹操的政治晚期，尽管他仍在鞍马征劳，但已失去了并吞天下的锐气。建安十七年（公元二一二年）征陇右班师，已无后顾之忧，决定用兵淮南。次年，曹操领兵四十万，再次大举南征，发动濡须之战，但未能取胜而回军。后来，曹操又进兵汉中而不敢入蜀，秦岭、长江锁住了英雄的脚步，使得曹操无所用武。一方面是孙权、刘备已经壮大，地形地利又起了作用，这是客观条件的限制；另一方面，曹操的主要精力用在逼宫和营建曹氏政权的内政上，他无暇顾及统一天下，只好含恨做周文王，这是主观条件的限制。本卷记载曹操在建安十五年十二月所下"明志令"，以及在建安十八年逼死荀彧这两件事就是鲜明的例证。由此可以看到曹操"名为汉相，实为汉贼"的奸诈嘴脸和权谋艺术，留给人们深深地思考。分述如次。

曹操"明志令"。曹操《明志令》载于《魏武故事》，见《三国志·魏书·武帝纪》裴松之注引，《资治通鉴》摘载据此。是令发布于建安十五年十二月二十五日己亥，史称"己亥令"，近人按该令内容称为曹操的"明志令"。曹操发布此令向天下世人表明他对汉室的忠心，字面确实如此，但实质上却是一纸逼宫的宣言。"设使国家无有孤，不知当几人称帝，几人称王"，非人臣所宜言。曹操言此，已无人臣之心。用通俗话来说，这叫火力侦察。曹操自称"明志令"是效周公《金縢》之作。但周公《金縢》只是誓诸鬼神，而曹操却要宣誓于天下，"此地无银三百两"。曹操让还三县，随后是封三子为侯，裁并行政区设置扩大自己所领的冀州地区。曹操不但不"委捐所典兵众"，还要扩大外援为万安计。怎样扩大外援呢？除了封三子为侯，扩大冀州领属地，不久就在建安十六年春正月任命世子曹丕为五官中郎将，设置官属，为副丞相。建安十七年冬，讽喻董昭建言尊立自己为"魏公"，加九锡，步步紧逼帝宫。荀彧表示不满，曹操毫不手软害死荀彧。此后由魏公晋爵魏王，设置百官，车舆服饰用天子排场，至于对待汉献帝，则用各种粗暴态度，无所不用其极。这一切都暴露了曹操的"不逊之志"，岂是别人"妄相忖度"！抛开正统观念，如果曹操称帝，如同曹丕代汉、司马懿代魏、而后宋齐梁陈的禅代，岂曰不仁！但曹操没有这样做，他要躲在汉献帝的背后来完成篡汉的大业，这就不能辞其为伪为奸了。看来"名为汉相，实为汉贼"，这个帽子是曹操自己做成的，怨不得人了。

再说荀彧之死。荀彧替曹操出谋献策，共事二十余年，亲密无间，两人成了儿女亲家，曹操女安阳公主是荀彧长子荀恽的妻子。但是荀彧与曹操思想意趣有很大差异。荀彧出身世族，他佐曹操征伐，是希望这位曹丞相兴复汉室。曹操则是蓄谋异志。随着曹操逼宫步骤的加紧，两人逐渐产生了裂痕，甚至矛盾公开化。建安十七年，曹操讽喻董昭等建言晋爵为魏公，加九锡。荀彧表示了不同意见，他认为曹操“本兴义兵以匡朝宁国，秉忠贞之诚，守退让之实；君子爱人以德，不宜如此”。曹操很不满意。正好曹操出征，打破荀彧留守京师的惯例，这次特地要荀彧出京劳军。荀彧觉得十分意外，感到了曹操对他的不信任。荀彧怀着不安的心情出京，到了寿春，曹操又不让他到前线濡须去劳军。荀彧恐慌，不知所措，忧愁而死，一说荀彧是被逼迫仰药而死。荀彧死后不久，曹操就晋爵为魏公。荀彧之死，没有改变曹操进逼汉室的野心。但是，荀彧不同于孔融。孔融旗帜鲜明地反对曹操；而荀彧却是曹操的首席谋士，因此荀彧之死给曹操代汉带来很大的心理影响。所以曹操只好做周文王，而让其子曹丕来登基了。

卷第六十七　汉纪五十九

起阏逢敦牂（甲午，公元二一四年），尽柔兆涒滩（丙申，公元二一六年），凡三年。

【题解】

本卷记事起公元二一四年，迄公元二一六年，凡三年，当汉献帝建安十九年到二十一年。此三年，曹孙刘三方势力继续发展，三国鼎立的局面基本形成。曹操一方，进兵汉中，扫荡了关中割据势力的残余，灭了韩遂，马超退走。曹操的主要精力用在政治上，紧逼皇帝宝座，完成了晋爵魏王，建置魏国百官，禅代的条件业已完成，只是在等待禅代的时机罢了。刘备的势力得到大发展，完成了跨有荆益的基业。由于庞统之死，诸葛亮入蜀，削弱了荆州守备力量。孙权进兵合肥受挫，掉头争荆州，孙刘同盟破裂。由于曹操紧逼，过早入汉中，刘孙中分荆州而和解，但嫌隙已构，为刘孙的夷陵之战埋下了祸根。

【原文】

孝献皇帝壬

建安十九年（甲午，公元二一四年）

春，马超从张鲁求兵，北取凉州①，鲁遣超还围祁山②。姜叙等[1]告急于夏侯渊，诸将议欲须魏公操节度③。渊曰："公在邺，反覆四千里，比报，叙等必败，非救急也。"遂行，使张郃督步骑五千为前军，超败走。

韩遂在显亲④，渊欲袭取之，遂走。渊追至略阳⑤城，去遂三十余里，诸将欲攻之。或言当攻兴国⑥氐，渊以为："遂兵精，兴国城固，攻不可卒⑦拔，不如击长离⑧诸羌。长离诸羌多在遂军，必归救其家。若舍羌独守则孤⑨，救长离则官兵得与野战，必可虏也。"渊乃留督将守辎重，自将轻兵到长离，攻烧羌屯，遂果救长离。诸将见遂

【语译】

孝献皇帝壬

建安十九年（甲午，公元二一四年）

春，马超向张鲁借兵，北上攻取凉州，张鲁派马超回师包围祁山。姜叙等向夏侯渊告急，各位将领商议想要等待魏公曹操的指挥。夏侯渊说："魏公在邺城，往返四千里，等到指令到达，姜叙等必定已败，这不是救急的办法。"于是发兵，派张郃率领步骑兵五千作为前锋，马超战败逃走。

韩遂驻军显亲，夏侯渊打算袭击攻取显亲，韩遂撤走。夏侯渊追到略阳城，距韩遂三十多里，各位将领想进攻韩遂。有人说应当攻打兴国的氐人，夏侯渊认为："韩遂的军队精锐，兴国城池坚固，进攻不可能马上拿下，不如攻击长离的各羌族部落。长离的各部落羌人大多在韩遂的军中，一定回来救他们的家乡。韩遂如果舍弃羌人，就成为独自守城的孤军，如果韩遂救援长离，官兵就可与他在野外作战，一定能俘获他。"夏侯渊于是留下督将守护辎重，亲自率领轻装部队到长离，攻打烧毁羌人的聚落，韩遂果然去救援长离。各位将领看到韩遂兵多，准备扎营挖壕再与韩

兵众，欲结营作堑乃与战。渊曰："我转斗千里，今复作营堑，则士众罢敝[10]，不可复用。贼虽众，易与[11]耳。"乃鼓之，大破遂军，进围兴国。氐王千万奔马超，余众悉降。转击高平[12]、屠各[13]，皆破之。

三月，诏魏公操位在诸侯王上，改授金玺、赤绂、远游冠[14]。

夏，四月，旱。

五月，雨水。

初，魏公操遣庐江太守朱光屯皖[15]，大开稻田。吕蒙言于孙权曰："皖田肥美，若一收孰[16]，彼众必增[17]，宜早除之。"闰月，权亲攻皖城。诸将欲作土山，添攻具，吕蒙曰："治攻具及土山，必历日乃成。城备既修，外救必至，不可图也。且吾乘雨水以入，若留经日，水必向尽[18]，还道艰难，蒙窃危之。今观此城，不能甚固，以三军锐气，四面并攻，不移时[19]可拔，及水[20]以归，全胜之道也。"权从之。蒙荐甘宁为升城督[21]。宁手持练[22]，身缘城，为士卒先。蒙以精锐继之，手执枹[23]鼓，士卒皆腾踊。侵晨[24]进攻，食时[25]破之，获朱光及男女数万口。既而张辽至夹石[26]，闻城已拔，乃退。权拜吕蒙为庐江太守，还屯寻阳[27]。

【段旨】

以上为第一段，写夏侯渊在关中败马超、韩遂；孙权在江西攻破皖城。

【注释】

①凉州：州名，汉献帝时治所在冀县，在今甘肃甘谷县东南。②祁山：山名，山上有城，极为严固。在今甘肃礼县东南。③节度：指挥调度。此指上报军事活动，须得曹操批示。④显亲：东汉时为侯国，后改为县，县治在今甘肃秦安西北。⑤略阳：县名，县治在今甘肃秦安东北。⑥兴国：聚邑名，在今甘肃秦安东北。兴国氐之首领名阿贵，后被夏侯渊所攻灭。⑦卒：同"猝"，很快。⑧长离：水名，在今甘肃秦安东北。⑨舍羌独守则孤：谓韩遂抛弃羌族而不救，只独守显亲，其势力必孤弱。⑩罢敝：疲敝；疲困。罢，通"疲"。⑪易与：容易对付。⑫高平：县名，县治在今宁夏固原。⑬屠各：

遂交战。夏侯渊说："我军转战千里，如今又要安营扎寨，挖掘壕沟，士兵就会疲乏，无法再战，叛贼人数虽多，容易对付。"于是击鼓出战，大败韩遂军队，进军包围兴国。氐王千万投奔马超，余部全部投降。转而攻击高平和匈奴的屠各部落，敌人全都被击败。

三月，汉献帝下诏，尊礼魏公曹操位在诸侯王之上，改授金印、红色绶带、远游冠。

夏，四月，大旱。

五月，下雨不停。

起初，魏公曹操派庐江太守朱光驻守皖城，大规模开垦稻田。吕蒙进言孙权说："皖城土地肥美，如果有一季丰收，他们的部众一定增加，应当趁早消灭。"闰五月，孙权亲自攻打皖城。各位将领准备堆土山，添加攻城器具，吕蒙说："添加攻城器具、堆造土山，一定要历经许多天才能完成。这样敌方的城防设施已经修好，外援必定来到，我军就不可能攻打皖城了。况且我军可趁着雨多水位高乘船而进，如果停留多日，水位已经下降，回去的航道就很艰难，我认为那样做很危险。现在来看这座城，不算十分牢固，凭着我军高涨的士气，四面同时攻击，不到一个时辰就能攻下，再趁着高水位回去，这是全胜的策略。"孙权接受了。吕蒙推荐甘宁为升城督。甘宁手持白绢，亲自攀上城墙，冲在士兵前面。吕蒙率领精锐部队跟随其后，并亲自击鼓，士兵都奋勇跳跃。破晓时进攻，早饭时攻下，俘获朱光及其男女数万人。不久张辽来到夹石，得知皖城已被攻陷，就撤退了。孙权任吕蒙为庐江太守，回军驻守寻阳。

匈奴族之一种。⑭金玺、赤绂、远游冠：这些物品乃是东汉诸王所佩用，此时曹操虽未为王，但已享受王之待遇。玺，帝王的印章。绂，印绶，系印的丝绳。⑮皖：县名，县治在今安徽潜山。⑯收孰：谓稻成熟而收获。孰，通"熟"。⑰众必增：谓有粮后人必增多。⑱水必向尽：谓上涨的江水必将退尽，不利船行。⑲不移时：谓不超出一个时辰，言其时间短促。⑳及水：谓赶上高水位利于行船。㉑升城督：登城的督将。㉒练：白丝绳。㉓枹：击鼓槌。㉔侵晨：天刚亮。㉕食时：早饭时辰，相当于今七至九时。㉖夹石：镇戍名，在今安徽桐城北。㉗寻阳：县名，县治在今湖北黄梅北。

【校记】

［1］等：原无此字。据章钰校，甲十一行本、乙十一行本、孔天胤本皆有此字，今据补。〖按〗下文云"叙等必败"，上下文应一致，当有"等"字。

【原文】

诸葛亮留关羽守荆州，与张飞、赵云将兵溯㉘流克巴东㉙。至江州㉚，破巴郡太守严颜㉛，生获之，飞呵㉜颜曰：“大军既至，何以不降，而敢拒战！”颜曰：“卿等无状㉝，侵夺我州。我州但有断头将军，无降将军也！”飞怒，令左右牵去斫头。颜容止不变，曰：“斫头便斫头，何为怒邪！”飞壮而释之，引为宾客。分遣赵云从外水㉞定江阳㉟、犍为㊱，飞定巴西㊲、德阳㊳。

刘备围雒㊴城且一年，庞统为流矢所中，卒。法正笺与刘璋，为陈形势强弱，且曰：“左将军从举兵以来，旧心㊵依依㊶，实无薄意㊷。愚以为可图变化，以保尊门㊸。”璋不答。雒城溃，备进围成都，诸葛亮、张飞、赵云引兵来会。

马超知张鲁不足与计事，又鲁将杨昂等数害其能，超内怀于邑㊹。备使建宁㊺督邮㊻李恢㊼往说之，超遂从武都㊽逃入氐中，密书请降于备。备使人止超，而潜以兵资之。超到，令引军屯城北㊾，城中震怖。

备围城数十日，使从事中郎㊿涿郡简雍(51)入说刘璋。时城中尚有精兵三万人，谷帛支一年，吏民咸欲死战。璋言：“父子在州二十余年(52)，无恩德以加百姓。百姓攻战三年，肌膏草野者，以璋故也，何心能安！”遂开城，与简雍同舆出降，群下莫不流涕。备迁璋于公安(53)，尽归其财物，佩振威将军(54)印绶。

备入成都，置酒，大飨(55)士卒，取蜀城中金银(56)，分赐将士，还其谷帛(57)。备领益州牧，以军师中郎将诸葛亮为军师将军(58)，益州太守南郡董和(59)为掌军中郎将，并署左将军府事(60)，偏将军马超为平西将军(61)，军议校尉(62)法正为蜀郡太守、扬武将军，裨将军南阳黄忠为讨虏将军，从事中郎麋竺(63)[2]为安汉将军(64)，简雍为昭德将军，北海孙乾(65)为秉忠将军，广汉长(66)黄权(67)为偏将军，汝南许靖(68)为左将军长史(69)，庞羲(70)为司马(71)，李严(72)为犍为太守，费观(73)为巴郡太守，山阳伊籍(74)为从事中郎，零陵刘巴(75)为西曹掾(76)，广汉彭羕(77)为益州治中从事。

【语译】

诸葛亮留下关羽驻守荆州，和张飞、赵云领兵逆江而上攻占巴东。张飞到达江州，打败巴郡太守严颜，活捉了他，张飞斥责严颜说："大军到达之后，为什么不投降，还敢反抗!"严颜说："你们不讲道理，侵夺我益州。我益州只有断头将军，没有投降的将军!"张飞大怒，命令左右将严颜拉出去砍头。严颜面不改色，从容地说："砍头就砍头，发什么火呢!"张飞钦佩他的胆量，就释放了他，请他做自己的宾客。诸葛亮分派赵云从外水平定江阳、犍为，张飞平定巴西、德阳。

刘备包围雒城将近一年，庞统被流箭射中而死。法正写信给刘璋，为他分析形势强弱，并说："左将军自从举兵以来，对你旧情依恋，实无鄙薄之意。我认为你可考虑改变一下自己的想法，来保住你的家族。"刘璋不做回答。雒城溃败，刘备进军包围成都，诸葛亮、张飞、赵云领兵前来会合。

马超知道张鲁不足以共谋大事，加上张鲁部将杨昂等屡屡嫉恨他的才能，马超心中郁郁不乐。刘备派建宁督邮李恢前往劝说，马超于是从武都逃入氐人部落中，秘密写信向刘备请降。刘备派人来劝阻马超，而暗中却派兵帮助他。马超到达，刘备命他领兵驻扎在成都城北，成都城内极为惊恐。

刘备围攻成都数十天，派从事中郎涿郡人简雍入城劝说刘璋。当时城中还有精兵三万人，谷粮布帛可支持一年，官民都想拼命死战。刘璋说："我父子在益州二十多年，对百姓没有什么恩德。百姓奋战了三年，弃尸荒野，都是因我的缘故，我怎能心安!"于是打开城门，与简雍同乘一辆车出城投降，部下无不流泪哭泣。刘备把刘璋迁移到公安，归还他的全部财物，让他佩戴振威将军的印绶。

刘备进入成都，大摆酒宴，盛情款待将士，取出蜀城中的金银，分别赏赐给将士们，谷粮布帛归还百姓。刘备兼任益州牧，任军师中郎将诸葛亮为军师将军，益州太守南郡人董和为掌军中郎将，共同总理左将军府事务，偏将军马超为平西将军，军议校尉法正为蜀郡太守、扬武将军，裨将军南阳人黄忠为讨虏将军，从事中郎麋竺为安汉将军，简雍为昭德将军，北海人孙乾为秉忠将军，广汉县县长黄权为偏将军，汝南人许靖为左将军长史，庞羲为司马，李严为犍为太守，费观为巴郡太守，山阳人伊籍为从事中郎，零陵人刘巴为西曹掾，广汉人彭羕为益州治中从事。

【段旨】

以上为第二段，写诸葛亮率领荆州之兵入援，刘备夺取了益州。

【注释】

㉘溯：逆流而上。㉙巴东：郡名，治所鱼复，在今重庆市奉节的白帝城。㉚江州：县名，县治在今重庆市南岸区。㉛严颜：刘璋部将，任巴东太守。张飞入蜀，俘获严颜，严颜投降，张飞待为上宾。㉜呵：怒责。㉝无状：无礼；没有道理。㉞外水：水名，又称蜀外水，即今重庆市西南的长江上游。㉟江阳：郡名，建安中刘璋分犍为郡置，治所江阳县，在今四川泸州。㊱犍为：郡名，治所武阳，在今四川眉山市彭山区东北。㊲巴西：郡名，治所阆中，在今四川阆中。㊳德阳：县名，县治在今四川遂宁东南龙凤场。㊴雒：县名，县治在今四川广汉北。㊵旧心：谓原有对刘璋的深情。㊶依依：恋恋不忘。㊷薄意：谓对刘璋刻薄之意。㊸尊门：指刘璋家族。㊹于邑：即郁悒，郁闷。㊺建宁：郡名，蜀汉后主建兴初，改益州郡为建宁郡，此时尚称益州。建宁（益州）郡治所滇池，在云南昆明市晋宁区东。㊻督邮：官名，汉代郡太守的重要属吏，职责是代表太守督察各县，宣传教令，兼司狱讼捕亡等事。郡有分为二部、四部或五部者，每部各有一督邮。㊼李恢（？至公元二三一年）：字德昂，建宁俞元（今云南澄江县境）人，初为郡督邮，后投归刘备。刘备得成都为益州牧后，恢为主簿、别驾从事。后又为庲降都督兼交州刺史。刘备死后，南中地区叛乱，恢助诸葛亮平定，以功封汉兴亭侯，为安汉将军。传见《三国志》卷四十三。㊽武都：郡名，治所下辨，在今甘肃成县西。㊾城北：指成都城北。㊿从事中郎：官名，将军之属官，职责是参谋议论。51简雍：字宪和，涿郡（治所在今河北涿州）人，与刘备同乡，有旧交。刘备至荆州后，为从事中郎，随刘备入益州后，刘璋对他甚爱慕。故刘备围成都，遣雍入城劝说刘璋，刘璋因而出降。以功为昭德将军。传见《三国志》卷三十八。52二十余年：自中平五年（公元一八八年）刘焉入蜀为益州牧，至此共二十七年。53公安：县名，刘备在荆州改南郡的油江口为公安，在今湖北公安东北。54振威将军：官名，属东汉的杂号将军，曹操定汉中后，加刘璋振威将军衔，故此时刘备仍以振威将军的印绶给刘璋。55飨：设宴犒赏。56城中金银：指成都城中公私所有的金银。57还其谷帛：谓将谷帛各还其主。58军师将军：官名。刘备所创置，官阶高于军师中郎将，仍握兵权。59董和：字幼宰，南郡枝江（今湖北枝江市东）人，初为刘璋之江原长、成都令，又为益州太守。刘备定成都后，以和为掌军中郎将（刘备所置），与诸葛亮总领刘备之军府事。办事殷勤，深得诸葛亮之称许。传见《三国志》卷三十九。60署左将军府事：署为总领之意。即总领左将军府事。刘备为左将军。61平西将军：官名，与以下的扬武将军、讨虏将军、偏将军，皆属杂号将军。62军议校尉：亦称军谋校尉。校尉为次于将军之武职，军议校尉职在参议军事。63麋竺：字子仲，东海朐县（今江苏连云港市南）人，家富实。初为徐州牧陶

谦别驾，奉命迎刘备。刘备被吕布袭击后，竺嫁妹与刘备为夫人，并资助财物、奴客，刘备赖以重振。刘备得益州后，任命他为安汉将军。传见《三国志》卷三十八。㊹安汉将军：官名，与以上讨虏将军，以下昭德将军、秉忠将军，皆刘备所创置的杂号将军。㊺孙乾：字公祐，北海（治所在今山东昌乐西）人，刘备在徐州时，即召他为从事。刘备得益州后又任命他为秉忠将军。传见《三国志》卷三十八。㊻广汉长：即广汉县县长。依汉制，大县为令，小县为长。㊼黄权：字公衡，巴西阆中（今属四川）人，少为郡吏，刘璋任州牧，历官主簿、广汉长。刘备领州牧，以权为治中从事。刘备伐吴，以权为镇北将军，督江北军以防曹魏。刘备兵败，黄权降魏，官至车骑将军，仪同三司。传见《三国志》卷四十二。㊽许靖：字文休，汝南平舆（今河南平舆北）人，蜀汉大臣，官至太傅、司徒。传见《三国志》卷三十八。㊾左将军长史：官名，职责是总理左将军军府事。㊿庞羲：河南（今河南洛阳）人，初事刘焉任议郎，后事刘璋任巴西太守。羲女嫁刘璋长子刘循为妻，为璋所亲。刘备定成都，任羲为左将军司马。(71)司马：官名，此处为左将军司马，亦总理左将军军府事，并参与军事谋划。(72)李严：一名平，字方正，南阳（今河南南阳）人，初为刘璋成都令，以护军之职率军拒刘备于绵竹，兵败降，刘备任为裨将军，历官犍为太守、兴业将军、辅汉将军、尚书令。与诸葛亮同受先主遗诏辅后主，为诸葛亮之副。后诸葛亮北伐，李严任前将军，曾运粮饷不力，被罢官，流放梓潼而病死。传见《三国志》卷四十。(73)费观：字宾伯，江夏鄳县（今河南罗山县西）人，刘璋母为观之族姑，璋又以女妻观。为李严参军拒刘备于绵竹，随李严降刘备，拜为裨将军。后为巴郡太守、江州都督。后主封都亭侯，加振威将军。年三十七卒。(74)伊籍：字机伯，山阳（治所在今山东金乡东北）人，初依刘表，刘备至荆州后，又归刘备。刘备得益州任命他为左将军从事中郎，参议军事。后为昭文将军，与诸葛亮、法正等共造《蜀科》。传见《三国志》卷三十八。(75)刘巴（？至公元二二二年）：字子初，零陵烝阳（今湖南衡阳西）人，初依曹操，后从交趾入蜀，会刘备入益州，被迫归刘备。刘备称汉中王，巴为尚书，又为尚书令。传见《三国志》卷三十九。(76)西曹掾：官名，此处为左将军西曹掾，左将军的属官。(77)彭羕：字永年，广汉（治所在今四川广汉）人，为人骄傲自大，轻视旁人，曾为益州书佐，为众人所谤，遂被罚为徒隶。刘备入蜀后，投归刘备，为治中从事、江阳太守。因不满而欲劝马超一起反叛，下狱诛死。传见《三国志》卷四十。

【校记】

［2］麋竺：原作“糜竺”。今据严衍《通鉴补》改作“麋竺”。

【原文】

初，董和在郡，清俭公直，为民夷⑱所爱信，蜀中推为循吏⑲，故备举而用之。备之自新野奔江南也，荆、楚群士从之如云，而刘巴独北[3]诣魏公操。操辟为掾，遣招纳长沙、零陵、桂阳。会备略有三郡，巴事不成，欲由交州道还京师。时诸葛亮在临蒸⑳，以书招之，巴不从，备深以为恨。巴遂自交趾入蜀依刘璋。及璋迎备，巴谏曰："备，雄人也，入必为害。"既入，巴复谏曰："若使备讨张鲁，是放虎于山林也。"璋不听，巴闭门称疾。备攻成都，令军中曰："有害巴者，诛及三族。"及得巴，甚喜。是时益州郡县皆望风景㉑附，独黄权闭城坚守，须璋稽服㉒，乃降。于是董和、黄权、李严等，本璋之所授用也，吴懿、费观等，璋之婚亲㉓也，彭羕，璋之所摈弃也，刘巴，宿昔之所忌恨也，备皆处之显任，尽其器能㉔。有志之士，无不竞劝㉕，益州之民，是以大和。

初，刘璋以许靖为蜀郡太守。成都将溃，靖谋逾城降备，备以此薄靖不用也。法正曰："天下有获虚誉而无其实者，许靖是也。然今主公㉖始创大业，天下之人，不可户说㉗，宜加敬重，以慰远近之望。"备乃礼而用之。

成都之围也，备与士众约："若事定，府库百物，孤无预焉。"及拔成都，士众皆舍干戈赴诸藏，竞取宝物。军用不足，备甚忧之。刘巴曰："此易耳。但当铸直百钱㉘，平诸物价，令吏为官市。"备从之。数月之间，府库充实。

时议者欲以成都名田宅㉙分赐诸将，赵云曰："霍去病㉚以匈奴未灭，无用家为。今国贼非但匈奴，未可求安也。须天下都定，各反桑梓㉛，归耕本土，乃其宜耳。益州人民，初罹㉜兵革㉝，田宅皆可归还，令安居复业，然后可役调㉞，得其欢心，不宜夺之，以私所爱也。"备从之。

备之袭刘璋也，留中郎将南郡霍峻㉟守葭萌㊱城。张鲁遣杨昂诱峻求共守城，峻曰："小人头可得，城不可得！"昂乃退。后璋将扶禁、向存等帅万余人由阆水㊲上，攻围峻，且一年㊳。峻城中兵才数百人，

【语译】

当初，董和在郡里任职，清廉公正，受到汉人和夷民的爱戴信任，在蜀地被推崇为克己奉公的官吏，所以刘备任用他。刘备从新野逃奔江南时，荆、楚士人如云般追随他，而只有刘巴北投魏公曹操。曹操聘用刘巴为掾属，派他去招抚长沙、零陵和桂阳。适逢刘备占领了这三郡，刘巴的差事无法完成，想转道交州回京师。此时诸葛亮在临蒸，写信召唤他，刘巴不听从，刘备为此深感遗憾。刘巴就从交趾入蜀依附刘璋。等到刘璋准备迎接刘备入蜀，刘巴劝阻说："刘备是一代英雄，进入益州一定会成为祸患。"刘备入蜀后，刘巴再次劝谏刘璋说："若派刘备讨伐张鲁，好比是把老虎放回山林。"刘璋不听，于是刘巴闭门称病。刘备攻打成都，命令军中将士说："杀害刘巴的人，我会诛灭他的三族。"等到获得刘巴，刘备十分高兴。这时益州各郡县都望风归附，只有黄权关闭城门，坚守不降，等到刘璋归服时，才投降。于是，刘璋任用的董和、黄权、李严等，刘璋的姻亲吴懿、费观等，被刘璋摒弃的彭羕，刘备往日忌恨的刘巴，都被刘备安排到显要职位上，充分发挥了他们的才能，有志之士，无不争相勉励，益州的百姓，因此过上极为和谐的生活。

起初，刘璋任许靖为蜀郡太守。成都将破时，许靖密谋越城投降刘备，刘备因此看不起许靖，不任用他。法正说："天下有获得虚名但无其实，许靖就是这样的人。然而主公您才开始创立大业，不可能挨家挨户地去向天下的人解释，许靖这样的人，还是应当加以敬重，以此来抚慰远近的民心。"刘备这才对许靖以礼相待，加以任用。

围攻成都时，刘备与部众相约说："如果事情成功，城中官府库藏的各种财物，我一分也不要。"等到攻下成都，部众都抛下武器奔赴各个仓库，争抢财物，导致军用物资不足，刘备为此十分忧虑。刘巴说："这很容易办，只要铸造面值一百的大钱，平抑物价，派吏员经营官市。"刘备听从了这个意见。几个月的时间，府库就充实了。

当时参加谋议的人想把成都私人名下的田地和住宅分别赐予众将领，赵云说："霍去病认为匈奴没有歼灭，不要考虑家庭，如今国贼不仅仅是匈奴，不可以贪求安逸。等天下都平定了，各自返回故里，在自己的土地上耕种，才是合适的。益州的百姓，刚刚遭受战祸，田地房屋都可以还给他们，让他们安居恢复旧业，然后才可以征调徭役税收，这样才能获得他们的欢心，不应夺去他们的财产来偏私自己所爱的将士。"刘备听从了。

刘备袭击刘璋时，留下中郎将南郡人霍峻守卫葭萌城。张鲁派杨昂引诱霍峻，要求一起守城，霍峻说："我的头你可得到，我守的城你得不到！"杨昂只好退走。后来刘璋部将扶禁、向存等统率一万多人从阆水逆流而上，围攻霍峻将近一年。霍峻

伺其怠隙[99]，选精锐出击，大破之，斩存。备既定蜀，乃分广汉为梓潼郡[100]，以峻为梓潼太守。

法正外统都畿[101]，内为谋主，一餐之德，睚眦之怨[102]，无不报复，擅杀毁伤己者数人。或谓诸葛亮曰："法正太纵横[103]，将军宜启主公，抑其威福。"亮曰："主公之在公安也，北畏曹操之强，东惮孙权之逼，近则惧孙夫人生变于肘腋。法孝直[104]为之辅翼，令翻然翱翔[105]，不可复制。如何禁止孝直，使不得少行其意邪？"

诸葛亮佐备治蜀，颇尚严峻，人多怨叹者。法正谓亮曰："昔高祖入关，约法三章[106]，秦民知德。今君假借威力，跨据一州，初有其国，未垂惠抚。且客主之义，宜相降下，愿缓刑弛禁，以慰其望。"亮曰："君知其一，未知其二。秦以无道，政苛民怨，匹夫大呼，天下土崩。高祖因之，可以弘济[107]。刘璋暗弱，自焉以来，有累世之恩，文法羁縻[108]，互相承奉，德政不举，威刑不肃。蜀土人士，专权自恣，君臣之道，渐以陵替[109]。宠之以位，位极则贱；顺之以恩，恩竭则慢。所以致敝，实由于此。吾今威之以法，法行则知恩；限之以爵，爵加则知荣。荣恩并济[110]，上下有节，为治之要，于斯而著矣。"

刘备以零陵蒋琬[111]为广都[112]长。备尝因游观，奄至广都，见琬众事不治，时又沉醉，备大怒，将加罪戮。诸葛亮请曰："蒋琬社稷之器[113]，非百里之才[114]也。其为政以安民为本，不以修饰为先，愿主公重加察之。"备雅敬亮，乃不加罪，仓卒但免官而已。

【段旨】

以上为第三段，写刘备入成都，进行了人事安排，兼顾新旧人物，团结了各方势力。诸葛亮治蜀，以严法济宽。

城中的士兵才几百人，抓住敌人懈怠的机会，挑选精锐出城攻击，大败敌军，杀了向存。刘备平定蜀地后，就分出广汉的一部分置为梓潼郡，任命霍峻为梓潼太守。

法正在外统辖都畿成都地区，在内作为主要的谋士，一餐饭的恩德，他都会报答，一瞪眼的怨恨，他无不加以报复，擅自杀了好几个伤害毁谤过自己的人。有人对诸葛亮说："法正太专横，将军应当上告主公，抑制他作威作福。"诸葛亮说："主公在公安的时候，北面畏惧曹操强大，东面忌惮孙权逼迫，家里唯恐孙夫人在身边生变。法孝直成为主公的羽翼，才使得主公凌空翱翔，他人不可能再加控制。如何能制止法孝直，不让他少放纵一下自己的意愿呢?"

诸葛亮辅佐刘备治理蜀地，侧重严刑峻法，引起很多人抱怨。法正对诸葛亮说："从前高祖入关时，约法三章，秦地的百姓感恩戴德。如今您借助汉室的威力，占领一州，刚刚拥有这个国家，还没有实施恩惠。再说按照客主的礼数，客人对主人应谦恭些，希望能宽松刑罚，解除禁令，用来满足本地人的期望。"诸葛亮说："您只知其一，不知其二。秦朝无道，政令苛刻，百姓怨恨，一个平头百姓大呼一声，秦朝的天下就土崩瓦解了。高祖利用这种形势，实行宽松政策，完成大业。刘璋昏暗柔弱，从刘焉以来，积下几代的恩德，但是政令法律受到束缚，相互因循，德政不施，刑法不严。蜀地的人士，专权恣肆，君臣之间的道义，逐渐衰落。用官位来施行宠爱，官位加到极限，就会被轻贱；用恩惠来笼络，恩惠到了尽头，就会心生怠慢。因此导致政事衰败，实在是这个原因。我现在用法令来树立威严，法令推行，他们就知道这是恩德；授爵加以限制，得到爵位，就知道此为荣宠。荣宠和恩惠相辅而行，这样上下才有序。治理政事的关键，在这里就会显示出来了。"

刘备任零陵人蒋琬为广都县长。刘备曾经因事巡视，突然到达广都，发现蒋琬诸事荒废，当时又大醉不醒。刘备大怒，要把蒋琬治罪处死。诸葛亮为蒋琬求情，说："蒋琬有国家大臣的才具，没有治理百里之县的才能。他治理政事以安民为本，不把修饰细节放在首位，希望主公再加考察。"刘备一向敬重诸葛亮，便不加罪于蒋琬，仓促处理，只免去了他的官职。

【注释】

⑱民夷：汉族和少数民族的民众。⑲循吏：奉职守法的官吏。⑳临蒸：县名，县治在今湖南衡阳。㉑景："影"本字。㉒稽服：稽首（磕头）服从，亦即降服。㉓婚亲：刘璋兄刘瑁娶吴懿妹为妻。刘璋母为费观的族姑。㉔器能：才干；才能。㉕劝：勉励。㉖主公：对刘备的尊称。此种称呼始于东汉，将对方尊为自己之主。㉗户说：向每家每户解释。㉘直百钱：面值一百的钱。㉙名田宅：私人名下的田地房屋。㉚霍去

病：汉武帝时之名将，多次出击匈奴，打开了通往西域的道路。汉武帝曾为他建造府第，他拒绝说："匈奴不灭，无以家为也。"事附见《史记》卷一百十一、《汉书》卷五十五《霍去病传》。⑪ 桑梓：家乡。古代住宅周围常种桑树和梓树，因以喻称家乡。⑫ 罹：遭遇。⑬ 兵革：战争。⑭ 役调：服劳役，缴赋税。⑮ 霍峻：字仲邈，南郡枝江（今湖北枝江东）人，初受刘表之命统领家乡的部曲武装，刘表死后，率众归刘备，刘备任他为中郎将。刘备定蜀后，又任他为梓潼太守。传见《三国志》卷四十一。⑯ 葭萌：县名，县治在今四川广元西南。⑰ 阆水：水名，又名西汉水，即今嘉陵江。⑱ 且一年：将近一年。⑲ 怠隙：谓因懈怠而有隙可乘。⑩ 梓潼郡：治所梓潼县，在今四川梓潼。⑩ 都畿：京都及其周围地区。刘备以成都为都，以蜀郡为畿。⑩ 睚眦之怨：发怒时瞪眼而视称为睚眦，喻指极小的仇怨。⑩ 纵横：谓恣意横行，无所忌惮。⑩ 法孝直：法正字孝直。⑩ 翻然翱翔：高高地飞翔。指法正迎刘备入益州，使刘备得以据其地，如鸟之展翅高飞。⑩ 约法三章：秦末，刘邦率兵入关，"与父老约法三章：杀人者死，伤人及盗抵

【原文】

秋，七月，魏公操击孙权，留少子临淄侯植[115]守邺。操为诸子高选官属，以邢颙[116]为植家丞[117]。颙防闲[118]以礼，无所屈挠[119]，由是不合。庶子[120]刘桢[121]美文辞，植亲爱之。桢以书谏植曰："君侯采庶子之春华，忘家丞之秋实，为上招谤，其罪不小，愚实惧焉。"

魏尚书令荀攸卒。攸深密有智防[122]，自从魏公操攻讨，常谋谟[123]帷幄，时人及子弟莫知其所言。操尝称："荀文若[124]之进善，不进不休；荀公达[125]之去恶，不去不止。"又称："二荀令[126]之论人，久而益信，吾没世不忘。"

初，枹罕[127]宋建因凉州乱，自号河首[128]平汉王，改元，置百官，三十余年。冬，十月，魏公操使夏侯渊自兴国讨建，围枹罕，拔之，斩建。渊别遣张郃等渡河，入小湟中[129]，河西[130]诸羌皆降，陇右[131]平。

帝自都许以来，守位而已，左右侍卫莫非曹氏之人者。议郎赵彦常为帝陈言时策，魏公操恶[132]而杀之。操后以事入见殿中，帝不任[133]其惧，因曰："君若能相辅，则厚；不尔，幸垂恩相舍。"操失色，俛仰[134]求出。旧仪，三公领兵，朝见，令虎贲[135]执刃挟之。操出，

罪。”事见《史记·高祖本纪》《汉书·高帝纪》。⑩⑦弘济：以宽宏成就大业。⑩⑧羁縻：束缚之意。⑩⑨陵替：谓纪纲废弛，上下失序。⑪⑩济：用。⑪⑪蒋琬（？至公元二四六年）：字公琰，零陵湘乡（今湖南湘乡）人，初随刘备入蜀，为广都长、什邡令。后为诸葛亮所重，任丞相府东曹掾、参军。诸葛亮北伐时，常统留府事，足食足兵以相供给，加抚军将军。诸葛亮死后，蒋琬继诸葛亮执政，为大将军、大司马，录尚书事。传见《三国志》卷四十四。⑪⑫广都：县名，县治在今四川成都市双流区东南。⑪⑬社稷之器：谓具有国家大臣之才具。⑪⑭百里之才：谓治理一县一邑之才能。

【校记】

［3］北：原作“比”，显系误字。《三国志》卷三十九《刘巴传》作“北”，当是，今据以校正。

【语译】

秋，七月，魏公曹操进攻孙权，让小儿子临淄侯曹植留守邺城。曹操为自己的儿子以高标准选择官属，任邢颙为曹植的家丞。邢颙常用礼法管束曹植，毫不屈服，因此与曹植不和。庶子刘桢文辞华美，曹植很喜欢他。刘桢写信劝谏曹植说：“君侯只摘取庶子我的春天之花，却忘了邢颙家丞的秋季硕果，以致为您招致毁谤，罪过不小，我确实深感恐惧。”

魏国的尚书令荀攸去世。荀攸深沉严谨，有才智谋略，善于自保，自从追随魏公曹操征伐，常常运筹帷幄，当时的人们以及他的子弟，没有人知晓他说了些什么。曹操曾经称赞说：“荀文若进献善策时，不被用不罢休；荀公达摒除恶行时，不达目的不罢休。”又称赞说道：“两位荀姓尚书令品评人物，时间越久，越使人信服，我终身不忘。”

当初，枹罕人宋建乘凉州混乱，自称河首平汉王，改年号，设置百官，延续了三十多年。冬，十月，魏公曹操派夏侯渊从兴国讨伐宋建，包围并攻克枹罕，杀死宋建。夏侯渊另外派张郃等渡过黄河，进入小湟中，河西的羌族各部全部投降，陇右平定。

献帝自从建都许县以来，仅仅保有皇帝之位罢了，左右的侍卫无不是曹操的人。议郎赵彦经常向献帝陈述对付当时形势的策略，魏公曹操很憎恨他，把他杀了。曹操后来因事进殿拜见献帝，献帝控制不住自己的恐惧情绪，因而说：“你如果能辅佐我，就仁厚些；不然的话，希望施恩把我扔在一边。”曹操大惊失色，频频鞠躬行礼，请求退出。旧的礼仪规定，领兵的三公朝见时，让虎贲卫士持刀挟持。曹操出

顾[136]左右，汗流浃背[137]，自后不复朝请。

董承女为贵人[138]，操诛承[139]，求贵人杀之。帝以贵人有妊，累为请，不能得。伏皇后由是怀惧，乃与父完书，言曹操残逼[140]之状，令密图之，完不敢发。至是，事乃泄，操大怒。十一月，使御史大夫郗虑持节策[141]收皇后玺绶，以尚书令华歆为副，勒兵[142]入宫收后。后闭户，藏壁中。歆坏户发壁，就牵后出。时帝在外殿，引虑于坐。后被发[143]、徒跣[144]、行泣过[145]，诀[146]曰："不能复相活邪？"帝曰："我亦不知命在何时！"顾谓虑曰："郗公[147]，天下宁[148]有是邪！"遂将后下暴室[149]，以幽死。所生二皇子，皆鸩[150]杀之，兄弟及宗族死者百余人。

十二月，魏公操至孟津[151]。

操以尚书郎高柔为理曹掾[152]。旧法，军征士亡，考竟[153]其妻子，而亡者犹不息。操欲更重其刑，并及父母、兄弟。柔启曰："士卒亡军[154]，诚在可疾[155]，然窃闻其中时有悔者。愚谓乃宜贷[156]其妻子，一可使诱其还心。正如前科[157]，固已绝其意望，而猥[158]复重之，柔恐自今在军之士，见一人亡逃，诛将及己，亦且[159]相随而走[160]，不可复得杀也。此重刑非所以止亡，乃所以益走耳。"操曰："善！"即止不杀。

【段旨】

以上为第四段，写曹操诛董承，罪及有孕贵人，残忍之极。高柔主刑狱，依法办案，受到曹操称赞。

【注释】

⑮植：曹植（公元一九二至二三二年），字子建，曹操的第四子。建安十六年（公元二一一年）封平原侯，建安十九年徙封临淄侯。曹操曾欲立他为太子，后未遂。曹丕为帝后，曹植深被猜忌，黄初三年（公元二二二年）封为鄄城王，魏明帝时封为东阿王，最后封陈王，死后谥为思，故史称陈思王。曹植很有政治抱负，但未得施展。擅长文学，凡散文、辞赋、诗歌，皆为当时之冠，有《曹子建集》传世。传见《三国志》卷十九。⑯邢颙：字子昂，河间鄚县（今河北任丘东北）人，曹魏大臣。历官丞相门下督、左冯翊、司隶校尉、太常。传见《三国志》卷十二。⑰家丞：官名。汉制，列侯食邑千

来，顾盼左右，汗流浃背，从此以后不再朝见。

董承的女儿是献帝的贵人，曹操杀死董承，要求把贵人也杀死。献帝因贵人有身孕，多次向曹操求情，没有得到同意。伏皇后因此心怀恐惧，就写信给父亲伏完，诉说曹操残害威逼的情况，让他密谋除掉曹操，伏完不敢发难。至此，事情泄露，曹操大怒。十一月，派御史大夫郗虑持符节诏策收缴皇后玺绶，任命尚书令华歆为郗虑的副手，率兵入宫，收捕皇后。皇后闭门，藏在夹壁中。华歆破门拆壁，把皇后拉了出来。当时献帝在外殿，请郗虑就座。皇后披头散发，光着脚，边走边哭，路过献帝身边时，诀别说："不能再救我活命吗?"献帝说："我自己也不知能活到什么时候!"回头对郗虑说："郗公，天底下居然有这样的事!"于是把伏皇后关进暴室，幽禁而死。皇后所生的两个皇子都被毒酒害死，她的兄弟及其宗族被诛杀的有一百多人。

十二月，魏公曹操到达孟津。

曹操任命尚书郎高柔为理曹掾。原来的法令规定，从征的士兵逃走，要拷问追究他们的妻子儿女，但逃走的仍然不断。曹操想再加重这种刑罚，株连及父母、兄弟。高柔启奏说："士兵逃离军队，实可痛恨，可是我听说逃跑的人中不时有后悔的。我认为应当宽免他们的妻子儿女，或许可诱使他们回心转意。按照以前的律条，本来就断绝了他们回来的想法，现在还要滥加重罚，我担心现今军中的士兵，见到一人逃跑，害怕株连遭杀，也将跟着逃走，就不可能再杀他了。加重刑罚非但不能制止逃亡，反而会助长逃亡罢了。"曹操说："好!"立即作罢，不再追究杀人。

户以上者，置家丞、庶子各一人，职责是侍奉列侯及治理列侯家事。⑱防闲：防备和阻止。⑲屈桡：退缩；屈服。⑳庶子：官名，又称太子庶子，为太子属官，四百石，第五品，职如三署郎。㉑刘桢：字公干，东平（今山东东平）人，东汉末名士，建安七子之一。与曹丕友善。传见《三国志》卷二十一。㉒智防：有才智谋略，善于自保。㉓谋谟：谋划。㉔荀文若：荀彧字文若。㉕荀公达：荀攸字公达。㉖二荀令：荀彧为汉尚书令，荀攸为魏尚书令。㉗枹罕：县名，在今甘肃临夏东北。㉘河首：宋建自以为居黄河上游，故称河首。㉙小湟中：地区名，今青海东北部湟水流域两岸地区，古时称为湟中。其间有湟中城，在今西宁、张掖之间，汉时为小月氏所居，称为小湟中。㉚河西：地区名，指今甘肃、青海两省黄河以西之地，即河西走廊与湟水流域一带。㉛陇右：地区名，指陇山以西地区，约相当于今六盘山以西、黄河以东一带。㉜恶：憎恨。㉝不任：犹言不胜。㉞俛仰：同"俯仰"。此指频频鞠躬行礼之状。㉟虎贲：禁卫勇士。㊱顾：回视。㊲汗流浃背：谓出汗很多，湿透了脊背。㊳贵人：妃嫔的称号。汉光武帝始置，位次于皇后。㊴诛承：曹操诛杀董承在建安五年（公元二〇〇年）正月。㊵残逼：残害逼

迫。⑭节策：符节与诏策。⑭勒兵：统率军队。⑭被发：散发。被，通“披”。⑭徒跣：光着脚。⑭行泣过：边走边哭走过。⑭诀：告别。⑭郗公：郗虑为御史大夫，乃三公之一，故称郗公。⑭宁：竟然；居然。⑭暴室：汉官署名，属掖庭令，主织作染练。宫中妇女有病者至此室治疗，而皇后、贵人有罪，亦下此室，故又称暴室狱。⑮鸩：以毒酒毒人。⑮孟津：关名，在今河南孟州南。⑮理曹掾：官名，汉代公府无理曹，此为曹操所置，为丞相府之属官。⑮考竟：拷打追究。⑮亡军：逃离军队。⑮疾：痛恨。⑮贷：宽免。⑮科：法令；律条。⑮猥：多；滥。⑮且：将。⑯走：逃走。

【原文】

二十年（乙未，公元二一五年）

春，正月甲子⑯，立贵人曹氏为皇后，魏公操之女[4]也。

三月，魏公操自将击张鲁，将自武都⑯入氐。氐人塞道，遣张郃、朱灵等攻破之。夏，四月，操自陈仓⑯出散关⑯至河池⑯，氐王窦茂众万余人，恃险不服。五月，攻屠之。

西平⑯、金城⑯诸将麹演、蒋石等共斩送韩遂首。

初，刘备在荆州，周瑜、甘宁等数劝孙权取蜀。权遣使谓备曰：“刘璋不武⑯，不能自守，若使曹操得蜀，则荆州危矣。今欲先攻取璋，次取张鲁，一统南方，虽有十操，无所忧也。”备报曰：“益州民富地险，刘璋虽弱，足以自守。今暴师⑯于蜀、汉⑰，转运于万里，欲使战克攻取，举不失利，此孙、吴⑰所难也。议者见曹操失利于赤壁，谓其力屈，无复远念。今操三分天下已有其二，将欲饮马于沧海⑰，观兵⑰于吴、会⑰，何肯守此坐须老乎！而同盟⑰无故自相攻伐，借枢⑰于操，使敌乘其隙，非长计也。且备与璋托⑰为宗室，冀凭威[5]灵以匡汉朝。今璋得罪于左右⑰，备独悚惧⑰，非所敢闻，愿加宽贷。”权不听，遣孙瑜率水军住夏口⑱。备不听军过，谓瑜曰：“汝欲取蜀，吾当被发入山⑱，不失信于天下也。”使关羽屯江陵⑱，张飞屯秭归⑱，诸葛亮据南郡⑱，备自住孱陵⑱，权不得已召瑜还。及备西攻刘璋，权曰：“猾虏，乃敢挟诈如此！”备留关羽守江陵，鲁肃与羽邻界，羽数生疑贰，肃常以欢好抚之。

【语译】

二十年（乙未，公元二一五年）

春，正月十八日甲子，册立贵人曹氏为皇后。皇后曹氏，是魏公曹操的女儿。

三月，魏公曹操亲自领兵攻打张鲁，准备从武都进入氐人部落。氐人堵塞道路，派张郃、朱灵等打败氐人。夏，四月，曹操从陈仓出散关到达河池，氐王窦茂拥有部众一万多人，凭仗险要不肯归服。五月，攻入氐人部落大肆屠杀。

西平、金城的各位将领麴演、蒋石等一起杀死韩遂，送来了他的首级。

起初，刘备在荆州，周瑜、甘宁等多次劝说孙权攻取蜀地。孙权派使者对刘备说："刘璋没有威势，不能自守，如果让曹操得到蜀地，荆州就危险了。如今想先攻刘璋，其次再攻张鲁，统一南方，即使有十个曹操，也没有什么忧虑的。"刘备回答说："益州民众富裕，地势险要，刘璋虽然软弱，完全可以自守。现今如果出师蜀、汉，转运万里，要想战则胜攻则取，用兵不失利，这一点孙武、吴起也难以办到。发议论的人只看到曹操在赤壁失败，认为他的力量已经穷尽，不会再有远大抱负了。事实是如今曹操已占有天下的三分之二，还想到沧海去饮马，到吴郡、会稽去检阅士兵，哪里肯守着他的地盘坐等老死呢！而同盟者之间无故相互攻击，等于把关键要害之处转借给曹操，让敌人有隙可乘，这不是善策。况且我刘备与刘璋同为刘氏宗室，希望凭借祖宗的威灵来匡扶汉朝。如今刘璋得罪了您，我本人都感到害怕，我不敢向您请求，希望您能加以宽恕。"孙权不听，派孙瑜率水军驻守夏口，刘备不许水军通过，对孙瑜说："你要攻取蜀地，我将披发入山与你周旋，不能在天下人面前失信。"刘备派出关羽驻守江陵，张飞驻守秭归，诸葛亮驻守南郡，刘备自己前往孱陵，孙权不得已召孙瑜回师。等到刘备西进攻打刘璋，孙权说："狡猾的强盗，竟敢如此心怀奸诈！"刘备留下关羽守江陵，鲁肃与关羽邻界，关羽屡屡猜疑鲁肃，鲁肃常常以友好的态度安抚他。

及备已得益州，权令中司马[186]诸葛瑾[187]从备求荆州诸郡，备不许，曰："吾方图凉州，凉州定，乃尽以荆州相与耳。"权曰："此假[188]而不反，乃欲以虚辞引岁[189]也。"遂置长沙[190]、零陵[191]、桂阳[192]三郡长吏，关羽尽逐之。权大怒，遣吕蒙督兵二万以取三郡。

蒙移书长沙、桂阳，皆望风归服，惟零陵太守郝普[193]城守不降。刘备闻之，自蜀亲至公安，遣关羽争三郡。孙权进住陆口[194]，为诸军节度。使鲁肃将万人屯益阳[195]以拒羽，飞书[196]召吕蒙，使舍零陵急还助肃。蒙得书，秘之，夜召诸将授以方略。晨当攻零陵，顾谓郝普故人南阳邓玄之曰："郝子太闻世间有忠义事，亦欲为之，而不知时也。今左将军[197]在汉中为夏侯渊所围，关羽在南郡，至尊[198]身自临之。彼方首尾倒县[199]，救死不给，岂有余力复营此哉！今吾计力度虑[200]而以攻此，曾不移日[201]而城必破，城破之后，身死何益于事，而令百岁老母戴白[202]受诛，岂不痛哉！度此家[203]不得外问[204]，谓援可恃，故至于此耳。君可见之，为陈祸福。"玄之见普，具宣蒙意，普惧而出降。蒙迎，执其手与俱下船，语毕，出书示之，因拊手[205]大笑。普见书，知备在公安而羽在益阳，惭恨入地[206]。蒙留孙河[207]，委以后事，即日引军赴益阳。

鲁肃欲与关羽会语，诸将疑恐有变，议不可往。肃曰："今日之事，宜相开譬[208]。刘备负国[209]，是非未决，羽亦何敢重欲干命[210]！"乃邀羽相见，各驻兵马百步上，但[211]诸将军单刀俱会[212]。肃因责数[213]羽以不返[214]三郡，羽曰："乌林之役[215]，左将军身在行间[216]，戮力破敌，岂得徒劳，无一块土，而足下来欲收地邪！"肃曰："不然。始与豫州[217]觐[218]于长阪[219]，豫州之众不当一校[220]，计穷虑极，志势摧弱，图欲远窜[221]，望不及此。主上矜愍豫州之身无有处所，不爱土地士民之力，使有所庇荫[222]，以济其患。而豫州私独饰情[223]，愆德隳好[224]。今已藉手[225]于西州[226]矣，又欲翦并荆州之土，斯盖凡夫所不忍行，而况整领人物之主[227]乎！"羽无以答。会闻魏公操将攻汉中，刘备惧失益州，使使求和于权。权令诸葛瑾报命，更寻盟好。遂分荆州，以湘水[228]为界，长沙、江夏[229]、桂阳以东属权，南郡、零陵、武陵[230]以西属备。诸葛瑾每奉使至蜀，与其弟亮但公会相见，退无私面。

等到刘备已经得到益州，孙权命中司马诸葛瑾向刘备索讨荆州各郡，刘备不答应，说：“我正在谋取凉州，等平定了凉州，便把荆州全部给你。”孙权说：“这是借而不还，只是想用空话拖延时日。”孙权于是设置长沙、零陵、桂阳三郡的地方长官，关羽把他们全部赶走。孙权大怒，派吕蒙统兵二万来攻取三郡。

吕蒙向长沙、桂阳发布公文，二郡都望风归服，只有零陵太守郝普守城不降。刘备得知，从蜀郡亲自赶到公安，派关羽争夺三郡。孙权进驻陆口，做各军的指挥，派鲁肃领兵一万人驻守益阳来抵抗关羽，火速传令召回吕蒙，让他放弃零陵，急速赶回援助鲁肃。吕蒙得到召还文书，把它密藏起来，连夜召集众将领布置作战方案。清晨正要攻击零陵，吕蒙回头对郝普的旧友南阳人邓玄之说：“郝子太只知道世上有忠义之事，也想这样做，却不识时务。现在刘备在汉中被夏侯渊围困，关羽在南郡，我们的至尊亲自去对付，关羽已是顾头顾不了尾，他自救都来不及，哪里还有余力再经营这块地方呢！如今我计算了自己的力量，并考虑了所采取的策略，只要发动攻击，不过一天的时间就一定能攻破城池，城破之后，他送了性命也于事无补，却让满头白发的百岁老母遭到诛杀，岂不痛惜！我估计郝子太得不到城外的消息，认为可以依靠外援，所以才这样死守。你可去见见他，为他陈述祸福得失。”邓玄之见到郝普，详尽地转达了吕蒙的意思，郝普很是恐惧，出城投降。吕蒙迎接，握着郝普的手一起下船。交谈完毕，吕蒙拿出急召他的文书给郝普看，因而拍手大笑。郝普看到文书，知道刘备在公安、关羽在益阳，羞愧悔恨得恨不得钻入地下。吕蒙留下孙河，把后事委托给他，当天率军奔赴益阳。

鲁肃想与关羽会谈，众将领疑虑，担心有变故发生，议定不能去。鲁肃说：“今日之事，应当彼此说清楚。刘备有负于我国，是非还没有最后定夺，关羽怎么敢再来冒犯我国！”于是邀请关羽相见，各自将兵马停在百步之外，只有各位将领佩刀相会。鲁肃借机责备关羽不归还三郡，关羽说：“乌林之役，左将军亲自上阵，全力击败敌人，怎么能白白地辛苦一场，得不到一块土地，而你来是想收取土地吧！”鲁肃说：“不是这样。起初与刘豫州在长阪相会时，刘豫州的部队还不足一校人马，智竭计穷，志气衰退，势力单薄，想逃往远处，当时他没想望这一切。我主上怜悯刘豫州没有安身之地，不吝惜土地和民力，使刘豫州有个庇护之所，来帮助他渡过难关。而刘豫州极端自私虚伪，丧失道德，破坏盟好。如今得到益州，有了依托，又想吞并荆州的地盘，这大概是凡夫俗子也不忍心去做的，更何况是统领众人的领袖人物呢！”关羽无言以对。适逢得知魏公曹操将要攻打汉中，刘备害怕丢失益州，派使者向孙权求和。孙权派诸葛瑾回复，重新订立盟约。于是分割荆州，以湘水为界，长沙、江夏、桂阳三郡以东归属孙权，南郡、零陵、武陵三郡以西归属刘备。诸葛瑾每次奉使至蜀，与他的弟弟诸葛亮只在公开场合见面，退场后不私下见面。

【段旨】

以上为第五段，写孙刘争荆州江南三郡，同盟破裂，虽复修好，而嫌隙已构，遗下后患。

【注释】

⑯甲子：正月十八日。⑯武都：县名，治所在今甘肃西和西南。⑯陈仓：县名，县治在今陕西宝鸡东。⑯散关：亦名大散关，在今陕西宝鸡西南的大散岭上，形势险要，古为军事重地。⑯河池：县名，县治在今甘肃徽县西。⑯西平：郡名，汉献帝建安中，分金城郡置西平郡，又分临羌县置西都县，为西平郡治所。西都县治在今青海西宁。⑯金城：郡名，治所允吾，在今甘肃永靖北。⑯不武：不刚强；没有威势。⑯暴师：指军队在外，蒙受风霜雨露。⑰蜀、汉：蜀郡与汉中郡。此处概指益州。⑰孙、吴：孙武与吴起，春秋战国时期的著名军事家。⑰饮马于沧海：在大海给马喝水。意谓出兵到大海边。⑰观兵：检阅军队以兵威示人。⑰吴、会：吴郡与会稽郡，概指孙权所据之地。⑰同盟：指刘璋与孙权的同盟。⑰枢：门户的转轴。此处指事物的关键。⑰托：依托；相依。⑰左右：指孙权。古人言谈或书信中不直称对方，而称其左右之人，表示尊敬对方。⑰悚惧：恐惧。⑱夏口：地名，即今湖北汉口，为汉水入长江处。古代汉水自襄阳以下又称夏水，故入长江处称夏口。⑱被发入山：意谓宗室被攻而不能救，无面目立于世间，只有披发入山与你周旋。⑱江陵：县名，县治在今湖北江陵。⑱秭归：县名，县治在今湖北秭归。⑱南郡：郡名，此指江南之南郡。南郡治所本在江陵，赤壁之战后，周瑜分南郡之江南地与刘备，刘备遂改油江口为公安，成为荆州牧及江南南郡的治所。公安县县治在今湖北公安东北。⑱孱陵：县名，县治在今湖北公安西南。⑱中司马：官名，建安十四年（公元二〇九年）刘备表孙权为车骑将军，此中司马即车骑将军之中司马，车骑将军之属官，总理车骑将军府事，并参与军事谋划。⑱诸葛瑾（公元一七四至二四一年）：字子瑜，诸葛亮兄。东汉末移居江南，受到孙权礼遇，遂为孙权长史、中司马，后为南郡太守。孙权称帝后，官至大将军。传见《三国志》卷五十

【原文】

秋，七月，魏公操至阳平㉛。张鲁欲举汉中降，其弟卫不肯，率众数万人拒关坚守，横山筑城十余里。初，操承凉州从事及武都降人之辞，说“张鲁易攻，阳平城下南北山相远，不可守也”，信以为然。及

二。⑱假：借。⑲引岁：拖延岁月。⑲长沙：郡名，治所临湘，在今湖南长沙。⑲零陵：郡名，治所泉陵，在今湖南永州市零陵区。⑲桂阳：郡名，治所郴县，在今湖南郴州。⑲郝普：字子太，刘备由荆州入蜀，任命他为零陵太守。后被吕蒙骗降，在吴官至廷尉。传见《三国志》卷四十五。⑲陆口：地名，在今湖北蒲圻西北之陆溪口。⑲益阳：县名，县治在今湖南益阳。⑲飞书：飞快传递的文书。⑲左将军：指刘备。⑲至尊：指孙权。至尊本指至高无上的尊位，古代用以称帝王。而此时孙权并未为帝王，盖为后来吴人追述所记，史书因袭未改。⑲首尾倒县：比喻处境极端困难危急。⑳度虑：考虑。⑳曾不移日：曾，语词，无义。不移日，不超出一日。⑳戴白：满头白发，形容人老。⑳此家：指郝普。⑳问：音讯；消息。⑳拊手：拍手。⑳惭恨入地：惭愧悔恨想钻入地下。⑳孙河：此时孙河已死，据《三国志》卷五十一《吴书·孙皎传》，此“孙河”当为“孙皎”。⑳开譬：开导劝说。⑳负国：谓有负于孙权。⑳重欲干命：谓再想干犯孙氏政权。㉑但：只；仅。㉑单刀俱会：只带刀相会。㉑责数：责备；指责。㉑返：归还。㉑乌林之役：指赤壁之战。乌林与赤壁隔江相对，赤壁在南岸，乌林在北岸。㉑行间：行伍之间，亦即军中。㉑豫州：指刘备。㉑觐：会见。㉑长阪：地名，在今湖北当阳境东北绿林山区西部的天柱山。㉒一校：校为古代军队编制单位，汉武帝设八校，一校兵数在七百至一千二百之间。㉒远窜：指刘备欲往交州投吴巨。㉒庇荫：庇护。㉒私独饰情：私独，极端自私。饰情，虚伪。㉒愆德堕好：丧失道德，破坏友谊。堕，通“隳”，毁坏。㉒藉手：谓有所凭借。㉒西州：指益州。㉒整领人物之主：统领众人之主。㉒湘水：水名，即今湖南的湘江。㉒江夏：郡名，东汉末江夏郡治所变迁多次，此时治所在沙羡，在今湖北武汉市武昌区西南。㉓武陵：郡名，治所临沅，在今湖南常德。

【校记】

［4］女：张敦仁《通鉴刊本识误》认为“女”上脱“中”字。《后汉书》卷十下《皇后纪》《三国志》卷一《武帝纪》并言曹皇后系曹操中女。曹操有三女，依次为宪、节、华，节即为曹皇后。［5］威：据章钰校，甲十一行本、乙十一行本皆作“英”。

【语译】

秋，七月，魏公曹操到达阳平。张鲁想献出汉中投降，他的弟弟张卫不肯，率领几万部众据关坚守，在山上横向筑起一道十几里的城墙。起初，曹操听到凉州从事和武都投降之人的话，说“张鲁容易被攻取，阳平城下的南北山相距遥远，无法防守”，

往临履[232]，不如所闻，乃叹曰："他人商度[233]，少如人意。"攻阳平山上诸屯，山峻难登，既不时拔，士卒伤夷[234]者多，军食且尽。操意沮[235]，便欲拔军截山[236]而还，遣大将军夏侯惇[237]、将军许褚呼山上兵还。会前军夜迷惑，误入张卫别营，营中大惊退散。侍中辛毗、主簿刘晔等在兵后，语惇、褚，言官兵已据得贼要屯，贼已散走，犹不信之。惇前自见，乃还白操。进兵攻卫，卫等夜遁。

张鲁闻阳平已陷，欲降。阎圃曰："今以迫往，功必轻。不如依杜濩赴朴胡[238]，与相拒，然后委质[239]，功必多。"乃奔南山[240]，入巴中[241]。左右欲悉烧宝货仓库，鲁曰："本欲归命[242]国家，而意未得达。今之走避锐锋，非有恶意。宝货仓库，国家之有。"遂封藏而去。操入南郑[243]，甚嘉之。又以鲁本有善意，遣人慰喻之。

丞相主簿[244]司马懿言于操曰："刘备以诈力虏刘璋，蜀人未附，而远争江陵，此机不可失也。今克汉中，益州震动，进兵临之，势必瓦解。圣人不能违时，亦不可失时也。"操曰："人苦无足，既得陇，复望蜀邪[245]！"刘晔曰："刘备，人杰也，有度而迟[246]，得蜀日浅，蜀人未恃也。今破汉中，蜀人震恐，其势自倾。以公之神明，因其倾而压之，无不克也。若少缓之，诸葛亮明于治国而为相，关羽、张飞勇冠三军而为将，蜀民既定，据险守要，则不可犯矣。今不取，必为后忧。"操不从。居[247]七日，蜀降者说"蜀中一日数十惊，守将虽斩之而不能安也。"操问晔曰："今尚可击不?"晔曰："今已小定，未可击也。"乃还。以夏侯渊为都护将军[248]，督张郃、徐晃等守汉中，以丞相长史杜袭为驸马都尉[249]，留督汉中事。袭绥怀[250]开导，百姓自乐出徙洛、邺[251]者八万余口。

便信以为真。等到他亲自察看，并不像听到的那样，于是感叹说："别人的推测，很少令人满意。"攻打阳平山上的各个营垒，山势险峻，难以攀登，一时不能攻下，士兵死伤的很多，军粮也快用尽。曹操情绪沮丧，便想截断山路收兵撤退，派大将军夏侯惇、将军许褚呼唤山上的士兵后撤。适逢前锋部队夜里迷路，误入张卫另一军营，营中的士兵大惊，败退逃散。侍中辛毗、主簿刘晔等跟在士兵后面，告诉夏侯惇、许褚说官军已占据敌贼的重要屯守地，敌贼已逃散，夏侯惇、许褚还不相信。夏侯惇亲自上前察看，回来报告曹操。进兵攻打张卫，张卫等连夜逃走。

张鲁得知阳平已经陷落，打算投降。阎圃说："现在被逼投降，身价一定很轻。不如依靠杜濩投奔朴胡，与曹操对抗，然后再委身称臣，身价一定重些。"于是逃进南山，进入巴中。张鲁身边的人想烧毁全部的宝物、钱财和仓库，张鲁说："本来就想归顺国家，只是这一意愿还没有传达给对方。现在逃离是为了避开锋芒，并无恶意。宝物、钱财和仓库，原本就是归国家所有。"于是把府库封存好而离去。曹操进入南郑，对张鲁的行为大加赞赏，又因为张鲁原本就想归降，就派人去安慰劝导他。

丞相主簿司马懿向曹操进言说："刘备利用诈术和暴力降伏了刘璋，蜀人没有归附，却又远去争夺江陵，不能失去这个机会。现在攻下汉中，益州震动，进兵攻打，敌人势必土崩瓦解。圣人不能违反天时，也不可错过时机。"曹操说："人就是苦于不知足，得到了陇地，又企望蜀地！"刘晔说："刘备是人中英杰，虽然有计谋但决断迟缓，他得到蜀地不久，蜀人尚未依恃他。如今攻破汉中，蜀人震惊恐惧，在这种形势下必然自行瓦解。凭着主公的神明，利用土崩瓦解的形势再施加压力，就会攻无不克。如果稍有迟缓，诸葛亮善于治国而为宰相，关羽、张飞勇冠三军而为将军，蜀民安定之后，据险守要，就不可侵犯了。现在不去攻取，一定会成为后患。"曹操不听。停留了七天，从蜀地来投降的人说"蜀中每天发生数十次惊恐事件，守卫的将领虽加诛杀也没法安定下来。"曹操问刘晔道："现在还能进击吗？"刘晔说："现在蜀地已稍稍安定，不能进击了。"曹操于是返回。任命夏侯渊为都护将军，统领张郃、徐晃等留守汉中，任命丞相长史杜袭为驸马都尉，留下统领汉中事务。杜袭对民众安抚开导，百姓自己乐意迁徙到洛阳、邺城的有八万多人。

【段旨】

以上为第六段，写曹操平定汉中。

【注释】

㉛阳平：关名，在今陕西勉县西北白马城。今宁强县亦有阳平关，乃后代移置，非古阳平关。㉜临履：谓亲自察看。㉝商度：商议推测。㉞伤夷：伤亡。㉟沮：沮丧。㊱截山：谓用兵把守回归的山路，以防敌方尾随追击。㊲大将军夏侯惇：此时夏侯惇为伏波将军，未为大将军。夏侯惇为大将军在曹丕即王位之后。㊳杜濩赴朴胡：杜濩、朴胡，两人名。汉代居于今四川东北部嘉陵江与渠江流域的少数民族，当时称为巴夷，又称为板楯蛮或賨人，杜濩、朴胡即为其首领。㊴委质：委身称臣。㊵南山：在

【原文】

八月，孙权率众十万围合肥[252]。时张辽、李典、乐进将七千余人屯合肥。魏公操之征张鲁也，为教[253]与合肥护军[254]薛悌，署函边曰："贼至，乃发。"及权至，发教，教曰："若孙权至者，张、李将军出战，乐将军守，护军勿得与战。"诸将以众寡不敌，疑之。张辽曰："公远征在外，比[255]救至，彼破我必矣。是以教指[256]及其未合[257]逆击[258]之，折其盛势，以安众心，然后可守也。"进等莫对，辽怒曰："成败之机，在此一战。诸君若疑，辽将独决[259]之！"李典素与辽不睦，慨然曰："此国家大事，顾君计何如耳，吾可以私憾而忘公义乎！请从君而出。"于是辽夜募敢从之士，得八百人，椎牛[260]犒飨[261]。明旦，辽被甲持戟，先登陷陈[262]，杀数十人，斩二大将，大呼自名，冲垒[263]入至权麾下[264]。权大惊，不知所为，走登高冢，以长戟自守。辽叱权下战，权不敢动。望见辽所将众少，乃聚围辽数重。辽急击围开，将麾下数十人得出。余众号呼曰："将军弃我乎？"辽复还[6]突围，拔出[265]余众。权人马皆披靡[266]，无敢当者。自旦战至日中，吴人夺气[267]。乃还修守备，众心遂安。

权守合肥十余日，城不可拔，彻[268]军还。兵皆就路，权与诸将在逍遥津[269]北，张辽觇望[270]知之，即将步骑奄[271]至。甘宁与吕蒙等力战捍[272]敌，凌统率亲近扶权出围，复还与辽战，左右尽死，身亦被创[273]，度权已免，乃还。权乘骏马上津桥，桥南已彻[274]，丈余无板。亲

今陕西勉县南，四川南江县北。㉑巴中：地名，在当时巴郡宕渠县之北界。宕渠县县治在今四川渠县东北。㉒归命：归顺。㉓南郑：县名，为汉中郡治所，县治在今陕西汉中。㉔丞相主簿：官名，丞相府的属官。曹操为丞相时置主簿四人，职责是录省众事。㉕既得陇二句：《后汉书·岑彭传》载汉光武帝刘秀与岑彭敕书说："人苦不知足，既平陇，复望蜀。"曹操援引此语，说明不想再进兵取蜀。㉖有度而迟：谓虽有计谋而决断迟缓。㉗居：停留。㉘都护将军：官名，职责是监护所在诸将，东汉初已置。㉙驸马都尉：官名，近侍官的一种，掌副车之马。魏晋以后，皇帝女婿照例加此号，简称驸马，而非实职。㉚绥怀：安抚；安辑怀柔。㉛洛、邺：洛阳与邺城。

【语译】

八月，孙权率领部众十万包围合肥。当时张辽、李典、乐进领兵七千余人驻扎合肥。魏公曹操征讨张鲁的时候，写好教令给合肥护军薛悌，在装教令的信封边上写了一行字，说："敌人到来，才打开。"等到孙权大军开到，打开教令，教令说："如果孙权来战，张、李将军出城作战，乐将军留守，护军不得参战。"各位将军认为众寡悬殊不能相敌，心存疑虑。张辽说："曹公远征在外，等到救兵到达，敌人打败我军是必然的。因此教令指示我们趁敌人的包围圈尚未合拢加以迎击，挫伤敌人的锐气，用来安定军心，然后才可防守。"乐进等没人回答，张辽愤怒地说："成败的关键在此一战。诸位如果迟疑，我张辽单独出城决战！"李典一向跟张辽不和，感慨地说："这是国家大事，只看您的谋略是否合适，我怎么可以因为私怨而忘掉公义呢！我请求随您一起出战。"于是张辽连夜招募敢死之士，得到八百人，宰牛犒劳他们。第二天早晨，张辽穿着铠甲，手持大戟，率先冲进敌阵，杀死几十人，斩了两员大将，大声喊着自己的名字，冲进敌人的壁垒，直闯到孙权的帅旗下。孙权大惊，不知所措，退走登上一个高坟堆，用长戟自卫。张辽呵斥孙权下来决战，孙权不敢行动。看到张辽所率领的士兵少，就收拢人马，重重包围了张辽。张辽急忙冲开包围圈，带领几十名部下破围而出。余下的部众大声呼叫："将军要丢弃我们吗？"张辽又返回突围，救出余部。孙权的人马都望风披靡，没有人敢拦截阻挡。从早晨战到中午，东吴的士兵锐气尽失。张辽于是回城加强防守，军心终于稳定下来。

孙权驻守合肥十多天，攻不下城池，于是撤军返回。士兵已全部上路，孙权和各位将领还在逍遥津北面，张辽从远处观望到了，立刻率领步骑兵突然到来。甘宁和吕蒙等拼力作战，抵御敌人，凌统率领亲兵扶着孙权冲出包围圈，又返回与张辽交战，身边的人都已战死，自身也受了伤，估计孙权已脱离危险，才返回。孙权骑一匹骏马奔上逍遥津桥，大桥南端的桥板已被撤去，有一丈多长没有桥板。亲近监

近监[275]谷利在马后，使权持鞍缓控[276]，利于后著鞭以助马势，遂得超[277]渡。贺齐率三千人在津南迎权，权由是得免。

权入大船宴饮，贺齐下席涕泣曰："至尊人主，常当持重[278]。今日之事，几致祸败。群下震怖，若无天地，愿以此为终身之诫！"权自前收其泪曰："大惭，谨已刻心，非但书绅[279]也。"

【段旨】

以上为第七段，写孙权争淮南，攻合肥不克。

【注释】

㉕²合肥：县名，县治在今安徽合肥。㉕³教：古代王公大臣向下属发布的指示命令。㉕⁴护军：官名，负责监护协调各将领的关系。㉕⁵比：及。㉕⁶教指：教令的意旨。㉕⁷未合：没有完成包围。㉕⁸逆击：迎击。㉕⁹独决：单独决战。㉖⁰椎牛：杀牛。㉖¹犒飨：以酒食犒劳。㉖²陈：通"阵"。㉖³垒：营垒。㉖⁴麾下：此指部下。㉖⁵拔出：救出。㉖⁶披靡：溃败。㉖⁷夺气：丧失胆气。㉖⁸彻：通"撤"，撤退。㉖⁹逍遥津：渡口

【原文】

九月，巴、賨夷帅朴胡、杜濩、任约各举其众来附，于是分巴郡[280]，以胡为巴东太守，濩为巴西太守，约为巴郡太守，皆封列侯。

冬，十月，始置名号侯[281]以赏军功。

十一月，张鲁将家属出降。魏公操逆拜[282]鲁镇南将军[283]，待以客礼，封阆中侯，邑万户。封鲁五子及阎圃等皆为列侯[284]。

习凿齿论曰："阎圃谏鲁勿王[285]，而曹公追封之，将来之人，孰不思顺！塞其本源而末流自止，其此之谓欤？若乃不明于此，而重焦烂之功[286]，丰爵厚赏，止于死战之士，则民利于有乱，俗竞于杀伐，阻兵[287]杖力，干戈不戢[288]矣。曹公之此封，可谓知赏罚之本矣。"

谷利在马后，要孙权紧紧抓住马鞍，放松缰绳，谷利在后面用鞭抽打，助马奔驰，于是才得飞渡而过。贺齐率领三千人在逍遥津南岸等候孙权，孙权因此得免于祸。

孙权进入大船设宴饮酒，贺齐走下座位哭泣说："至尊您是众人之主，应当经常谨慎稳重。今天的事，差点酿下大祸。部下震惊恐怖，好像天塌地陷一样，希望至尊以此作为终生的教训！"孙权上前替贺齐擦干眼泪说："十分惭愧，我已铭记在心，不只是写在衣带上。"

名，在当时合肥东，水上有桥。㉗0觇望：观察窥视。㉗1奄：突然。㉗2捍：抵御。㉗3创：伤。㉗4桥南已彻：谓桥南端的桥板已被撤去。㉗5亲近监：官名，孙权身边的侍卫官。㉗6持鞍缓控：抓紧马鞍，放松缰绳。㉗7超：跃越。㉗8持重：谨慎稳重。㉗9书绅：古代士大夫用带束腰，下垂的一端（约二三尺）称绅。《论语·卫灵公》载子张问孔子的问题，孔子答复后，"子张书诸绅"。即把孔子之言书写于绅带上，表示要牢牢记住。后世因把牢记别人之言称为书绅。

【校记】

［6］还：原作"前"。据章钰校，甲十一行本、乙十一行本皆作"还"，张瑛《通鉴校勘记》同，今据改。

【语译】

九月，巴、賨夷人的首领朴胡、杜濩、任约各自率领他的部众前来归附，于是划分巴郡，任命朴胡为巴东太守，杜濩为巴西太守，任约为巴郡太守，全都封为列侯。

冬，十月，首次设置名号侯用来赏赐军功。

十一月，张鲁率领全家及部属出来归降。魏公曹操出迎并封张鲁为镇南将军，依照客礼对待，封为阆中侯，食邑一万户。封张鲁的五个儿子以及阎圃等人为列侯。

习凿齿评论说："阎圃劝说张鲁不要称王，曹公却追封他为侯，将来的人，谁不想归顺曹操呢！堵塞住源头，下游的水自然止息，说的就是这个道理吗？若不明白这个道理，而只看重焦头烂额的功劳，高爵厚赏只给予那些拼死奋战的勇士，民众就会认为战乱有利可图，就会形成竞相杀伐的世风，各自拥有军队，凭借武力，战争就不会止息。曹公此举，可以说是深知赏罚的本意。"

程银、侯选、庞德皆随鲁降。魏公操复银、选官爵，拜德立义将军[289]。

张鲁之走巴中也，黄权言于刘备曰："若失汉中，则三巴[290]不振，此为割蜀之股臂也。"备乃以权为护军，率诸将迎鲁。鲁已降，权遂击朴胡、杜濩、任约，破之。魏公操使张郃督诸军徇[291]三巴，欲徙其民于汉中，进军宕渠[292]。刘备使巴西太守张飞与郃相拒，五十余日，飞袭击郃，大破之。郃走还南郑，备亦还成都。

操徙出故韩遂、马超等兵五千余人，使平难将军[293]殷署等督领，以扶风太守赵俨为关中护军[294]。操使俨发千二百兵助汉中守御，殷署督送之，行者不乐。俨护送至斜谷口[295]，还，未至营，署军叛乱。俨自随步骑百五十人，皆叛者亲党也，闻之，各惊，被甲持兵，不复自安。俨徐喻以成败，慰励[296]恳切，皆慷慨曰："死生当随护军，不敢有二!"前到诸营，各召料简[297]诸奸结叛者八百余人，散在原野。俨下令，惟取其造谋魁率[298]治之，余一不问；郡县所收送皆放遣，乃即相率还降。俨密白："宜遣将诣大营[299]，请旧兵[300]镇守关中。"魏公操遣将军刘柱将二千人往，当须到乃发遣[301]。俄而事露，诸营大骇，不可安谕[302]。俨遂宣言："当差[303]留新兵之温厚[304]者千人镇守关中，其余悉遣东[305]。"便见主者[306]内[307]诸营兵名籍[308]，立差别之[309]。留者意定，与俨同心，其当去者亦不敢动。俨一日尽遣上道，因使所留千人分布罗落之[310]。东兵[311]寻至，乃复胁谕[312]，并徙千人，令相及共东，凡所全致二万余口。

【段旨】

以上为第八段，写曹操优抚张鲁；收复关中旧将残余武装，赵俨出色地完成使命。

程银、侯选、庞德都跟随张鲁投降。魏公曹操恢复程银、侯选的官爵，任用庞德为立义将军。

张鲁逃往巴中的时候，黄权向刘备进言说："如果丢了汉中，那么三巴就不会振兴，这就是砍断了蜀的四肢。"刘备于是任命黄权为护军，统领众将去迎接张鲁。张鲁已经归降曹操，黄权于是进击朴胡、杜濩、任约，打败了他们。魏公曹操派张郃统帅各军攻取三巴，打算把当地百姓迁到汉中，张郃进军宕渠。刘备派巴西太守张飞与张郃对抗，前后五十多天，张飞袭击张郃，把张郃打得大败。张郃逃回南郑，刘备也返回成都。

曹操抽调出先前韩遂、马超等人的士兵五千多人，派平难将军殷署等统领，以扶风太守赵俨为关中护军。曹操令赵俨派兵一千二百人帮助汉中防卫，由殷署监送至汉中，被征行的士兵很不乐意。赵俨护送他们到斜谷口，就返回了，还没有到达营地，殷署监送的兵士发动叛乱。赵俨的随从警卫步兵、骑兵一百五十人，都是叛乱者的亲党，听到消息，各自惊慌，穿上铠甲，手执兵器，自己心里不再安定。赵俨向他们晓以成败利害，安慰鼓励，诚恳亲切，他们都慷慨地说："生死都跟随护军，不敢有二心！"赵俨前往各军营，分别召集审查核实结党叛乱的士兵八百多人，这些人分散在原野上。赵俨下令，只惩治那些策划叛乱的头领，其余的一概不追究；郡县所收捕送来的叛兵全都释放，于是叛兵相继归降。赵俨秘密向曹公上报："应该派将领到大营，请求派旧部镇守关中。"魏公曹操派将军刘柱率领两千人前往，要等两千人到达关中后才遣送新兵至大营。不久，事情泄露，各个军营大为恐慌，无法劝谕使之安定。赵俨于是宣布："将选留新兵中温顺厚道的一千人镇守关中，其余的都遣送至东边大营。"便召见主管军籍的人，交上各营士兵的花名册，立即加以区别挑选。留下的人心情安定，与赵俨同心，那些将被遣送的也不敢轻举妄动。赵俨在一天之内全部把他们遣送上路，乘机让留下的一千人分布安插在队伍的各个部位。刘柱率领的东兵也很快到达，于是又威逼晓谕，连同留下的一千人，命令他们一起东行，总共送到大营的有两万多人。

【注释】

㉘⓪分巴郡：刘璋已将巴郡分为巴东、巴西与巴三郡，非曹操此时所分。并且当时三巴已为刘备所据，曹操不能有其地。此为遥领，虚封，令受封者去收复三巴。巴郡，郡名，治所江州，在今重庆市南岸区。㉘①名号侯：曹操新创的封爵，既无封地，又无租税收入，仅有名号而已。亦即后世所谓的虚封。㉘②逆拜：迎接并封拜。㉘③镇南将军：官名，东汉的杂号将军。㉘④列侯：汉代分爵为二十级，列侯位最高。列侯功大者食县邑，为侯国；功小者食乡亭。㉘⑤勿王：不要称王。㉘⑥焦烂之功：《汉书·霍光传》载，霍光

死后，其子弟恃贵奢侈，茂陵人徐福多次上书朝廷，请加抑制，未被采纳。后霍氏果然谋反被诛，当时凡告发霍氏谋反者均得到封赏，而徐福却无。有人遂上书说："臣闻客有过主人者，见其灶直突（直烟囱），傍有积薪。客谓主人更为曲突，远徙其薪，不者且（将）有火患。主人默然不应。俄而（不久）家果失火，邻里共救之，幸而得息（熄）。于是杀牛置酒，谢其邻人。灼烂者（烧伤者）在于上行（上座），余各以功次坐，而不录（邀请）言曲突者。人谓主人曰：'向使（假使）听客之言，不费牛酒，终亡（无）火患。今论功而请宾，曲突徙薪亡恩泽，焦头烂额为上客邪？'"汉宣帝遂赐徐福帛十匹，后又以之为郎。(287) 阻兵：拥兵。(288) 戢：停止。(289) 立义将军：官名，属杂号将军。(290) 三巴：指巴郡、巴东、巴西三郡。(291) 徇：攻占。(292) 宕渠：县名，县治在今四川渠县东北。(293) 平难

____

【原文】

二十一年（丙申，公元二一六年）

春，二月，魏公操还邺。

夏，五月，进魏公操爵为王。

初，中尉[313]崔琰荐巨鹿杨训[314]于操，操礼辟之。及操进爵，训发表称颂功德。或笑训希世[315]浮伪[316]，谓琰为失所举。琰从训取表草视之，与训书曰："省[317]表，事佳耳。时乎，时乎！会当有变时。"琰本意，讥论者好谴呵[318]而不寻情理也。时有与琰宿不平者，白琰傲世怨谤，意旨[7]不逊[319]。操怒，收琰付狱，髡[320]为徒隶[321]。前白琰者复白之云："琰为徒，对宾客虬须[322]直视[323]，若有所瞋[324]。"遂赐琰死。

尚书仆射[325]毛玠伤琰无辜，心不悦。人复白玠怨谤，操收玠付狱。侍中桓阶、和洽皆为之陈理，操不听。阶求按实其事，王曰："言事者白，玠不但谤吾也，乃复为崔琰觖望[326]。此捐君臣恩义，妄为死友[327]怨叹，殆不可忍也。"洽曰："如言事者言，玠罪过深重，非天地所覆载。臣非敢曲理玠以枉大伦[328]也，以玠历年荷宠[329]，刚直忠公，为众所惮，不宜有此。然人情难保，要宜考核[330]，两验其实。今圣恩不忍致之于理[331]，更使曲直之分不明。"操曰："所以不考，欲两全玠及言事者耳。"洽对曰："玠信有谤主之言，当肆之市朝[332]。若玠无此言，言事者加诬大

将军：官名，曹操所置的杂号将军。㉙关中护军：官名，负责督统协调关中诸将的关系。㉙斜谷口：在今陕西眉县西南，为古褒斜道的北口。㉙慰励：安慰鼓励。㉙料简：审理检查。㉙魁率：即“魁帅”。首领；头目。㉙大营：指曹操军营。㉚旧兵：原有之兵。对殷署所领韩遂、马超之新兵而言。㉚当须到乃发遣：谓等待刘柱所领的军队到了关中，才发遣新兵。㉚不可安谕：不可用语言解释使他们安定。㉚差：选择。㉚温厚：温和敦厚。㉚遣东：谓派遣东赴曹操营。㉚主者：主管兵籍者。㉚内：通“纳”。交纳。㉚名籍：士兵的花名册。㉚立差别之：谓立即将他们区别为留者与遣者。㉛分布罗落之：谓分布罗列于行者之间，以防止他们变乱。㉛东兵：指刘柱所领的兵。㉛乃复胁谕：再一次胁迫劝谕。

【语译】

二十一年（丙申，公元二一六年）

春，二月，魏公曹操返回邺城。

夏，五月，魏公曹操晋爵为王。

起初，中尉崔琰向曹操推荐巨鹿人杨训，曹操以礼征聘他。等到曹操晋爵，杨训上表称颂曹操的功德。有人嘲笑杨训逢迎权势，浮夸虚伪，认为崔琰推举人才失当。崔琰向杨训索取奏表底稿审视，给杨训写信说：“看了奏表，真是好事一桩。时机啊，时机啊！时机到了应当有改变。”崔琰的本意，是讥嘲那些喜欢斥责他人却不通情理的评论者。当时有与崔琰结下宿怨的人，揭发崔琰傲视天下，怨恨诽谤，思想不敬。曹操恼怒，逮捕崔琰下狱，剪去头发，惩罚为做苦工的囚徒。先前揭发崔琰的人再次揭发说：“崔琰作为囚徒，对宾客吹胡子瞪眼，好像有所愤恨。”曹操于是赐崔琰自杀。

尚书仆射毛玠对崔琰无辜受难感到悲痛，心中很不高兴，有人又揭发毛玠怨恨诽谤，曹操逮捕毛玠下狱。侍中桓阶、和洽都替毛玠陈情说理，曹操不听。桓阶请求核查事实，魏王曹操说：“揭发这事的人说，毛玠不仅诽谤我，而且还替崔琰抱恨心中。这是抛弃君臣的恩义，狂妄地为死友叹恨，恐怕是不可容忍的吧。”和洽说：“如果真像检举人说的那样，毛玠罪恶深重，天地难容。臣不敢歪曲事理为毛玠辩护，破坏君臣伦理，只是毛玠多年来蒙受您的恩宠，他又刚直忠厚一心为公，被众人所畏惧，不应有此事。但是人情难保没有变化，重要的是应该进行考核审查，使两方面都得到验证核实。如今圣上施恩，不忍心交付法官，更加使得是非不明。”曹操说：“不查核的原因，只是想保全毛玠和检举人两人罢了。”和洽回答说：“毛玠果真有诽谤主上的言论，应当陈尸街头。如果毛玠没有这些言论，揭发此事的人就是

臣以误主听，不加检核，臣窃不安。”操卒不穷治，玠遂免黜，终于家。

是时西曹掾㉝沛国丁仪㉞用事，玠之获罪，仪有力焉，群下畏之侧目㉟。尚书仆射何夔及东曹属㊱东莞徐弈独不事仪，仪谮弈，出㊲为魏郡太守，赖桓阶左右㊳之得免。尚书傅选㊴谓何夔曰：“仪已害毛玠，子宜少下之。”夔曰：“为不义，适足害其身，焉能害人！且怀奸佞之心，立于明朝，其得久乎！”

崔琰从弟林㊵尝与陈群共论冀州人士，称琰为首，群以智不存身贬之。林曰：“大丈夫为有邂逅㊶耳，即如卿诸人，良足贵乎！”

五月己亥朔㊷，日有食之。

代郡乌桓三大人㊸皆称单于，恃力骄恣，太守不能治。魏王操以丞相仓曹属㊹裴潜㊺为太守，欲授以精兵，潜曰：“单于自知放横日久，今多将兵往，必惧而拒境，少将则不见惮，宜以计谋图之。”遂单车之郡，单于惊喜。潜抚以恩威，单于詟服㊻。

初，南匈奴久居塞内㊼，与编户大同而不输贡赋。议者恐其户口滋蔓，浸㊽难禁制，宜豫为之防。秋，七月，南单于呼厨泉㊾入朝于魏，魏王操因留之于邺，使右贤王㊿去卑监其国。单于岁给绵、绢、钱、谷如列侯，子孙传袭其号。分其众为五部[351]，各立其贵人为帅，选汉人为司马以监督之。

八月，魏以大理[352]锺繇为相国[353]。

冬，十月，魏王操治兵击孙权。十一月，至谯[354]。

【段旨】

以上为第九段，写曹操晚年骄矜暴虐，听谗言而诛大臣崔琰，废毛玠。

【注释】

[313]中尉：官名，中尉本秦和汉初之官，汉武帝设执金吾代替中尉，曹操为魏公建立魏国后，又设中尉代替执金吾，二者职掌相同，皆为负责宫室周围治安的长官。[314]杨训：巨鹿（今河北平乡西南）人，以清贞守道知名，由崔琰举荐，曹操礼辟，而训竟上表称颂曹操功德，被时人讥为浮伪。[315]希世：迎合权势。[316]浮伪：虚伪。[317]省：看

诬陷大臣，以此误导主上的视听，不加以查核，我深感不安。”曹操最终不加追究，毛玠于是被免去官职，在家中去世。

这时候，西曹掾沛国人丁仪当权，毛玠获罪下狱，丁仪起了很大作用，群臣畏惧不敢正视他，只有尚书仆射何夔与东曹属东莞人徐弈不侍奉丁仪，丁仪诽谤徐弈，外放其为魏郡太守，靠桓阶救助才幸免于难。尚书傅选对何夔说：“丁仪已经陷害了毛玠，你应对他稍稍谦恭些。”何夔说：“行为不义，正足以害他自己，怎么能害他人！况且心怀奸佞，立身于圣明的朝廷，能长久吗！”

崔琰的堂弟崔林曾经与陈群一起评论冀州的人士，称颂崔琰为第一位，陈群认为崔琰的才智不足以保全自己而贬低他。崔林说：“大丈夫只是偶然遇上机会罢了，就像你们这些人，真值得尊贵吗！”

五月初一日己亥，发生日食。

代郡乌桓的三位酋长都自称单于，依仗武力骄横放纵，太守无法控制。魏王曹操任丞相仓曹属裴潜为太守，准备拨给他精锐部队，裴潜说：“单于自知放纵骄横的时间太久了，现在如率领大部队前往，他一定因恐惧而拒绝我军入境，少带部队他们就不会惧怕，应该用计谋制服他们。”于是单车前往郡中，单于又惊又喜。裴潜安抚他们，恩威并施，单于慑服。

起初，南匈奴长久居留塞内，与塞内编入户籍的平民大略相同，但不纳贡赋。谋议的人害怕他们人丁繁衍，渐渐难以控制，应该事先加以防范。秋，七月，南匈奴单于呼厨泉到魏国朝见，魏王曹操乘机把他扣留在邺城，派右贤王去卑监理他的国家。每年供给单于的绵、绢、钱、谷，与列侯一样，子孙继承他的封号。把他的部众分为五部，各部设立贵人为首领，选派汉人为司马进行监督。

八月，魏王曹操任命大理锺繇为魏国的相国。

冬，十月，魏王曹操调集军队攻打孙权。十一月，到达谯县。

阅。㉘谴呵：责备；斥责。㉙不逊：不恭敬。⑳髡：古代剃发之刑。㉑徒隶：做苦工的囚徒。㉒虬须：蜷曲的胡须。㉓直视：目光紧逼注视前方。㉔瞋：愤怒。㉕尚书仆射：官名，东汉尚书令之副手。㉖觖望：怨望；因不满而怨恨。㉗死友：谓交情至死不变，可以同生死的朋友。㉘大伦：君臣伦理；君臣道义。㉙荷宠：受宠。㉚考核：考问核实。㉛理：狱官；法官。㉜肆之市朝：杀死后陈尸于市示众。㉝西曹掾：官名，即丞相西曹掾，主管府吏署用。㉞丁仪：字正礼，沛国（治所在今安徽濉溪县西北）人，初为曹操西曹掾，与曹植亲善，因助曹植争太子之位，曹丕即王位后被诛杀。传见《三国志》卷十九《魏书·陈思王植传》注引《魏略》。㉟侧目：谓不敢正视。㊱东曹属：官

名，属为公府诸曹之官，正职称掾，副职称属。此为丞相东曹属。丞相东曹主管二千石长吏迁除及军吏。㉝⑦出：指从丞相府调出。㉝⑧左右：救助。㉝⑨傅选：此“傅选”当作“傅巽”。此事见于《三国志》卷十二《魏书·何夔传》注引《魏书》，而《魏书》正作“傅巽”；并且《后汉书》与《三国志》中均无“傅选”其人，而傅巽在《三国志》中凡八见，《后汉书》中一见，又《三国志》卷六《魏书·刘表传》注引《傅子》还有傅巽的小传。㉞⓪林：崔林（？至公元二四四年），字德儒，清河东武城（今山东武城西北）人，崔琰的从弟。初被曹操召为鄔长，后为冀州主簿、别驾，又为丞相掾属、魏国御史中丞。魏文帝初，任尚书、幽州刺史、大鸿胪。魏明帝时，官光禄勋、司隶校尉、司空，封安阳乡侯。传见《三国志》卷二十四。㉞①邂逅：谓偶然碰到之事。㉞②己亥朔：五月初一日。㉞③三大人：乌丸部族的三位首领。《三国志》卷一《魏书·武帝纪》中有代郡乌丸单于普富卢，《乌丸鲜卑传》中又有能臣氐与修武卢。㉞④丞相仓曹属：官名，丞相府属官，主管仓谷事。㉞⑤裴潜：字文行，河东闻喜（今属山西）人，曹魏大臣，历仕武帝、文帝、明帝，官至尚书令。传见《三国志》卷二十三。㉞⑥詟服：因恐惧而驯服。㉞⑦久居塞内：南匈奴自汉光武帝建武二十六年（公元五〇年）入居塞内。㉞⑧浸：渐渐。㉞⑨呼厨泉：南匈奴单于于扶罗之弟。于扶罗死后，呼厨泉在兴平二年（公元一九五年）被立为单于，但未得归国。建安元年（公元一九六年）汉献帝自长安东归，右贤王去卑与白波帅韩暹等护送献帝至洛阳，又护送至许，然后与单于归国。事附见《后汉书》卷八十九《南匈奴传》。㉟⓪右贤王：匈奴诸王称号之一。位次于左贤王。㉟①五部：指左、右、前、后、中五部，分别居于并州各郡，而监国之右贤王居于平阳（在今山西临汾西南）。㉟②大理：官名，即汉之廷尉，魏国建立后改称大理，掌司法刑狱。㉟③相国：官名，即丞相。建安十八年（公元二一三年）魏国建立时置丞相等官。此时尚称相国。㉟④谯：县名，县治在今安徽亳州。

【校记】

［7］旨：据章钰校，甲十一行本、乙十一行本皆作“指”。〖按〗二字通。

【研析】

本卷所载历史，最值得研析的问题是孙刘争荆州。地理均势，是三国鼎立形成的最重要的原因之一。所谓地理均势是围绕荆州争夺而形成的。南北分治，以长江为天堑，史称划江而治。三国鼎立，长江上下游分为两个政权，长江上游政权割据益州，四塞天险，割据者自恃有地理优势。长江下游政权，必须夺取荆州，才有割据的地理优势，如果下游政权没有荆州，则西边大门洞开，荆州居高临下，政权难以巩固。所以孙吴的立国方针是极长江所有，南北分治以抗衡北方。现在多了一个刘备，已是孙权的眼中钉，即使是联盟，下游政权绝不会让出荆州。当三国鼎立的局势基本形成，刘备有了益州，孙权就要来讨荆州。无论刘备是否向孙权借了荆州，孙权都是要全力来争的。何况荆州是孙权用全力向曹操手中争来，至少南郡又确确实实是孙权借给刘备的。所以孙权讨回荆州名正而言顺，刘备不做让步，吃亏那是必然的。

先说荆州的形胜，再说孙刘争荆州的是非。

荆州形胜，兵家必争，曹操占领荆州，逼降孙权以统一天下；孙权占领荆州，要盘踞长江与曹操抗衡；对于刘备来说，荆州是立身之地，借此而居以待天下之变。荆州成了曹孙刘三家逐鹿中原的要冲，它的归属将影响历史步伐的节奏。三方军事斗争从公元二〇八年曹操南下起到公元二二二年夷陵之战画上句号为止，前后十五年，发生过五次大战役，即五次争荆州。

第一回合，曹操南下，兵不血刃下荆州。

第二回合，赤壁之战，曹孙刘三分荆州，拉开了鼎立的序幕。

第三回合，孙刘两家争荆州江南三郡，联盟发生裂痕。

第四回合，孙权袭杀关羽，夺取荆州，联盟破裂。

第五回合，夷陵之战，荆州归吴，三分地理均势形成。

荆州争夺的五个回合，有三个回合发生在联盟内部，而且一次比一次升级，最终以吴胜蜀败荆州归吴而结束。设若夷陵之战胜败易主，局势难以预料，若果还是三足鼎立，则荆州争夺仍不会结束，不达均势则不停止。

本卷所载是荆州争夺的第三回合，建安二十年（公元二一五年）孙权索讨江南三郡。荆州形胜的要冲是南郡，孙权索讨的是江南三郡。孙权不直接讨回江陵所在的南郡，正是他斗争艺术高明的表现。江陵是北伐的一个前进基地，刘备肯定不会放手。当时曹操势力还很大，孙刘两家都不愿同盟破裂，南郡在刘备手中与曹操相抗，也减轻江东所受压力。孙权如能讨回江南三郡，江陵孤立，减杀了荆州居高临下江东的形势，孙权也可以放心。可惜的是，刘备集团过分看重了荆州，把荆州的得失看得比同盟的破裂还要重要，不惜兵戎相见争夺三郡。结果同盟破裂，曹操趁机争汉中，益州差点不保。还是孙权顾大局，让了江南的一个零陵郡与刘备和好，让刘备抽身回头去保益州。汉中是益州的北大门，汉中丢失，益州孤危，所以刘备要全力去争。后来刘备得了汉中，但是只得其地不得其民。刘备争荆州南三郡，丧失了夺取汉中的最好时机，付出了沉重的代价，荆州南三郡也没有得到，大为失计。

假如刘备不争荆州南三郡，甚至不等孙权索讨，主动让出，表达同盟诚意，孙权将全力去争淮南，刘备早日得汉中，曹操陷入东西两线作战将难以应付。等到刘备夺得雍凉，有了关中，不再依赖荆州为北伐基地，全都给了孙权也无关大局。如果刘备真得了关中，实力大增，孙权或许就不来讨荆州了。历史不能假设，现实利益人皆欲得，孙刘争荆州，对双方都无可厚非。关键是实力对比，以及策略是否得当，道义是否为正，外交是否尽力。这几个方面，孙权的智慧都高于刘备、诸葛亮，难怪曹操要慨叹："生子当如孙仲谋。"良有以也。

卷第六十八　汉纪六十

起强圉作噩（丁酉，公元二一七年），尽屠维大渊献（己亥，公元二一九年），凡三年。

【题解】

本卷记事起公元二一七年，迄公元二一九年，凡三年，当汉献帝建安二十二年到建安二十四年。建安二十二年、二十三年无大事，建安二十四年，刘备北进汉中，称汉中王，关羽北伐威震华夏，刘备的事业达于巅峰。螳螂捕蝉，黄雀在后，刘备集团刚刚举起庆贺的酒杯，祝贺的话音未落，一声惊雷响起，孙权偷袭荆州，关羽走麦城，刘备集团从顶峰跌落下来。北方曹操完成了魏国的百官建制，曹丕争太子位得胜，立为太子。孙权称臣于曹操，上尊号，曹操发誓做周文王，此亦是曹氏代汉的信号。东汉即将寿终正寝，司马光评说东汉一代的兴亡，为本卷，也为东汉画上了句号。

【原文】

孝献皇帝癸

建安二十二年（丁酉，公元二一七年）

春，正月，魏王操军居巢[①]，孙权保濡须[②]。二月，操进攻之。

初，右护军蒋钦[③]屯宣城[④]，芜湖[⑤]令徐盛[⑥]收钦屯吏，表斩之。及权在濡须，钦与吕蒙持诸军节度，钦每称徐盛之善。权问之，钦曰：“盛忠而勤强，有胆略，器用好，万人督也。今大事未定，臣当助国求才，岂敢挟私恨以蔽贤乎！”权善之。

三月，操引军还，留伏波将军[⑦]夏侯惇都督[⑧]曹仁、张辽等二十六军屯居巢。权令都尉徐详[⑨]诣操请降。操报使修好，誓重结婚[⑩]。权留平虏将军[⑪]周泰督濡须，朱然[⑫]、徐盛等皆在所部，以泰寒门[⑬]，不服。权会诸将，大为酣乐[⑭]，命泰解衣，权手自指其创痕[⑮]，

【语译】

孝献皇帝癸

建安二十二年（丁酉，公元二一七年）

春，正月，魏王曹操驻军居巢，孙权驻守濡须。二月，曹操进攻濡须。

起初，孙权的右护军蒋钦驻军宣城，芜湖令徐盛逮捕了蒋钦的驻屯官员，上表将他斩首。等到孙权驻军濡须时，蒋钦和吕蒙主持各军的调度，蒋钦常常称赞徐盛的长处。孙权向他询问徐盛，蒋钦说："徐盛忠诚、勤恳、刚强，有胆略，有器度，是个统帅万人的都督人才。如今大业未成，臣应当帮助国家寻求人才，怎么敢怀着私怨掩蔽贤才呢！"孙权十分赞赏。

三月，曹操率军撤回，留下伏波将军夏侯惇统领曹仁、张辽等二十六支部队驻守居巢。孙权命都尉徐详到曹操那里请求归降。曹操回报愿结友好，立誓重缔姻亲。孙权留下平虏将军周泰统帅濡须守军，朱然、徐盛等都在周泰的统领之下，因周泰出身微贱，他们不服。孙权召集各位将领，大设酒宴，畅饮欢乐。孙权命令周泰解

问以所起，泰辄记昔战斗处以对。毕，使复服，权把其臂流涕曰："幼平⑯，卿为孤兄弟，战如熊虎，不惜躯命，被创数十⑰，肤如刻画，孤亦何心不待卿以骨肉之恩，委卿以兵马之重乎！"坐罢，住驾，使泰以兵马道从⑱，鸣鼓角⑲作鼓吹⑳而出，于是盛等乃服。

【段旨】

以上为第一段，写江东君臣顾大局，团结一心。孙权用人，动之以情。

【注释】

①居巢：县名，县治在今安徽巢湖东北。②濡须：即建安十七年（公元二一二年）孙权所筑的濡须坞，故址在今安徽无为东北。③蒋钦：字公奕，九江寿春（在今安徽寿县）人，初随孙策，任县长、都尉等。从孙权征合肥，以功为荡寇将军，领濡须督，后为右护军。从孙权讨关羽还，道中病卒。传见《三国志》卷五十五。④宣城：县名，县治在今安徽南陵东青弋镇。⑤芜湖：县名，县治在今安徽芜湖市东。⑥徐盛：字文向，琅邪莒县（今山东莒县）人，初从孙权，为别部司马、中郎将。孙权为吴王后，盛为建武将军，领庐江太守。又为安东将军，封芜湖侯。传见《三国志》卷五十五。⑦伏波将军：官名，东汉之杂号将军。⑧都督：此为统领、总领之意，非官名，以后之都督诸军事方为官名。⑨徐详：字子明，吴郡乌程（今浙江湖州市吴兴区）人，孙权为车骑将军

【原文】

夏，四月，诏魏王操设天子旌旗㉑，出入称警跸㉒。

六月，魏以军师华歆为御史大夫㉓。

冬，十月，命魏王操冕㉔十有二旒㉕，乘金根车㉖，驾六马㉗，设五时副车㉘。

魏以五官中郎将丕为太子。

初，魏王操娶丁夫人，无子，妾刘氏生子昂，卞氏生四子，丕、彰、植、熊。王使丁夫人母养昂。昂死于穰㉙，丁夫人哭泣无节，操怒

开衣服，亲自用手指着他身上的伤疤，问起来历，周泰就回忆起往日的战斗场面逐一回答。对答完，让周泰再穿好衣服，孙权抓着他的手臂流着泪说：“幼平，你为我们兄弟，作战有如熊虎，不吝惜自己的性命，受伤数十处，皮肤如刀刻划一般，我又怎么能忍心不以骨肉亲情来对待你，不把领兵的重任委托给你呢！”酒宴结束，孙权稍微停留，让周泰率兵马在前开路，鸣起鼓角奏起鼓吹，走出军营，这时，徐盛等才心服口服。

时，详与胡综、是仪俱参议军国事。孙权称帝后，详与胡综为侍中，兼左右领军。传见《三国志》卷六十二。⑩结婚：建安初，曹操已与孙策结婚姻之好，曹操以弟女嫁孙策小弟匡，又为其子彰娶孙贲女。⑪平虏将军：官名，孙氏所置的杂号将军。⑫朱然（公元一八二至二四九年）：字义封，朱治姐之子，本姓施，朱治无子，以之为嗣，遂为朱氏。曾与孙权同学相好，孙权统事后，为折冲校尉、临川太守，后从讨关羽，以功为昭武将军，后又封永安侯。孙权称帝后，为车骑将军、右护军，后又为大司马、右将军。传见《三国志》卷五十六。⑬寒门：出身微贱。⑭酣乐：饮酒尽兴畅快欢乐。⑮创痕：伤疤。⑯幼平：周泰字幼平。⑰被创数十：孙权曾在宣城被数十山越所包围，赖周泰奋勇保卫而得脱，但周泰却身受十二处伤，几乎死亡。后周泰又从孙权讨黄祖，拒曹操，攻曹仁，皆立战功。事见《三国志》卷五十五《吴书·周泰传》。⑱道从：即导从。公卿以下至县令长出行，皆有导从，导为前驱者，从为后随者。⑲鼓角：军中用以发号施令的战鼓和号角。⑳鼓吹：古代军乐，主要乐器有鼓、钲、箫、笳。汉制，边将及万人以上将军始得有鼓吹。

【语译】

夏，四月，诏令魏王曹操设置天子的旌旗，出入可以发布戒严令。

六月，魏国任命军师华歆为御史大夫。

冬，十月，册命魏王曹操所戴礼冠有十二旒，乘坐金根车，驾六马，设置五时副车。

魏国立五官中郎将曹丕为太子。

起初，魏王曹操娶的丁夫人，没有生下儿子，妾刘氏生儿子曹昂，卞氏生了四个儿子，曹丕、曹彰、曹植、曹熊。魏王曹操命丁夫人以生母的名义抚养曹昂。曹昂死在穰县，丁夫人不停哭泣，曹操一怒之下把她休了，升卞氏为继室。曹植天性

而出之，以卞氏为继室。植性机警，多艺能[30]，才藻[31]敏赡[32]，操爱之。操欲以女妻[33]丁仪，丕以仪目眇[34]，谏止之。仪由是怨丕，与弟黄门侍郎[35]廙[36]及丞相主簿[37]杨脩数称临淄侯植之才，劝操立以为嗣[38]。脩，彪之子也。操以函密访于外，尚书[39]崔琰露版[40]答曰："《春秋》之义，立子以长[41]。加五官将[42]仁孝聪明，宜承正统，琰以死守之。"植，琰之兄女婿也。尚书仆射[43]毛玠曰："近者袁绍以嫡庶不分，覆宗灭国。废立大事，非所宜闻。"东曹掾[44]邢颙曰："以庶代宗[45]，先世之戒也，愿殿下[46]深察之。"丕使人问太中大夫[47]贾诩以自固之术，诩曰："愿将军恢崇德度，躬素士之业，朝夕孜孜[48]，不违子道，如此而已。"丕从之，深自砥砺[49]。他日，操屏[50]人问诩，诩嘿然不对。操曰："与卿言，而不答，何也？"诩曰："属[51]有所思，故不即对耳。"操曰："何思？"诩曰："思袁本初[52]、刘景升[53]父子也。"操大笑。

操尝出征，丕、植并送路侧，植称述功德，发言有章，左右属目[54]，操亦悦焉。丕怅然[55]自失，济阴吴质[56]耳语[57]曰："王当行，流涕可也。"及辞，丕涕泣而拜，操及左右咸歔欷[58]，于是皆以植多华辞而诚心不及也。植既任性而行，不自雕饰；五官将御之以术，矫情自饰[59]，宫人左右并为之称说，故遂定为太子。

左右长御[60]贺卞夫人曰："将军拜太子，天下莫不喜，夫人当倾府藏以赏赐。"夫人曰："王自以丕年大，故用为嗣。我但[61]当以免无教导之过为幸耳，亦何为当重赐遗[62]乎！"长御还，具以语操，操悦，曰："怒不变容，喜不失节，故最为难。"

太子抱议郎[63]辛毗颈而言曰："辛君知我喜不？"毗以告其女宪英，宪英叹曰："太子，代君主宗庙、社稷者也。代君不可以不戚[64]，主国不可以不惧。宜戚而[1]惧，而反以为喜，何以能久！魏其不昌乎！"

久之，临淄侯植乘车行驰道[65]中，开司马门[66]出。操大怒，公车令[67]坐死[68]。由是重诸侯科禁[69]，而植宠日衰。植妻衣绣，操登台见之，以违制命[70]，还家赐死。

机警，多才多艺，文辞敏捷富丽，曹操很疼爱他。曹操想把女儿嫁给丁仪，曹丕嫌丁仪瞎了一只眼睛，就加以劝阻。因此丁仪怨恨曹丕，和弟弟黄门侍郎丁廙以及丞相主簿杨脩屡次称颂临淄侯曹植的才华，劝曹操立曹植为继承人。杨脩，是杨彪的儿子。曹操写信向宫外官员秘密询问，尚书崔琰用公开信回答说："按照《春秋》的原则，应立长子。加上五官中郎将仁孝聪明，应当继承正位，我崔琰誓死坚持这一原则。"曹植，是崔琰哥哥的女婿。尚书仆射毛玠说："近来，袁绍因嫡庶不分，宗族覆没，国家消亡。废立太子是大事，不想听到嫡庶不分的事情发生。"东曹掾邢颙说："用庶子代替嫡长子是前代所深戒的，希望殿下深加明察。"曹丕派人向太中大夫贾诩询问巩固自己地位的办法，贾诩说："希望将军崇扬德性，开扩器度，亲修寒素之士的学业，朝夕孜孜不倦，不违背做儿子的道德规范，如此就行了。"曹丕听从了贾诩的忠告，刻苦地磨炼自己。有一天，曹操屏避身边的人，询问贾诩，贾诩沉默不答。曹操说："跟你谈话，你却不回答，为什么？"贾诩说："正巧在思考问题，所以没有马上回答。"曹操说："思考什么？"贾诩说："我在想袁本初、刘景升他们父子的事。"曹操会心地大笑起来。

曹操有一次出征，曹丕、曹植一起送到路边，曹植称颂父亲的功德，出口成章，左右的人惊讶地注视他，曹操也很高兴。曹丕怅然失意，济阴人吴质向曹丕耳语说："大王将要征行，你只需哭泣流泪就行了。"等到辞别时，曹丕流泪下拜，曹操及其左右的人都泣不成声，于是人们都认为曹植富于华美文辞但忠诚之心不及曹丕。曹植放纵任性，言行不加修饰；五官中郎将使用权术，刻意做作，自我掩饰，宫中的人与曹操身边的人都称赞他，为他说话，所以曹丕最终被确立为太子。

左右长御恭贺卞夫人说："将军被立为太子，天下没有人不高兴，夫人应当拿出所有宝藏的财物来赏赐众人。"夫人说："魏王因曹丕年长，所以把他立为继承人。我只应庆幸自己避免了教导之过罢了，又有什么值得去重加赏赐呢！"长御回来，把这些都告诉了曹操，曹操高兴地说："发怒时不变脸色，高兴时不失节制，这是最难的。"

太子搂着议郎辛毗的脖子说："您知道我高兴吗？"辛毗把此事告诉他女儿宪英，宪英叹息说："太子是代替君主掌管国家的人。代替君位不能不忧心，主管国家不能不畏惧。应当忧心和畏惧，却反以此高兴得意，怎么能够长久！魏国大概不会昌盛的！"

过了很长时间，临淄侯曹植乘车行驶在驰道上，打开司马门出去。曹操大怒，公车令获罪被处死。从此加重了对诸侯的禁令，而对曹植的宠幸日渐衰退。曹植的妻子穿戴锦绣的衣服，曹操登楼台时看到了，认为违犯了法制禁令，将她遣送回娘家赐令自尽。

【段旨】

以上为第二段，写曹植与曹丕争太子位，曹丕胜出。

【注释】

㉑旌旗：旗帜的总称。㉒警跸：古时天子出称警，入称跸。警，警戒。跸，禁止行人通行以清道。㉓御史大夫：官名，西汉初，御史大夫为丞相之副，丞相缺时，往往以御史大夫递补。其主要职务为监察、执法，兼掌重要文书图籍。与丞相、太尉合称三公。东汉时改称司空。曹操罢三公官后，又复置御史大夫。㉔冕：古代天子、诸侯、卿大夫所戴的礼帽。㉕旒：卿大夫以上之冠冕所悬挂的玉串。天子十二旒，诸侯七旒，大夫五旒。㉖金根车：天子专用的特制车。㉗驾六马：天子之车驾六马。㉘五时副车：古时天子外出，其乘舆后从车五辆，按东、西、南、北、中五方，配以青、白、红、黑、黄五色，称为五时副车。㉙昂死于穰：《三国志》卷一《魏书·武帝纪》载，建安"二年春正月，公到宛（今河南南阳），张绣降，既而悔之，复反。公与战，军败，为流矢所中，长子昂、弟子安民遇害。公乃引兵还舞阳（今河南泌阳西北），绣将骑来钞，公击破之。绣奔穰（今河南邓州）"。据此，曹昂之死在宛不在穰。㉚艺能：才能。㉛才藻：才思文采。㉜敏赡：敏捷富丽。㉝妻：以女嫁人。㉞眇：偏盲；一眼瞎。㉟黄门侍郎：官名，职为侍从皇帝，传达诏命。㊱廙：丁廙，字敬礼，丁仪之弟。博学多才，建安中为黄门侍郎，与曹植亲善，曾向曹操盛称曹植。曹丕即王位后，与兄仪被诛杀。传见《三国志》卷十九《魏书·陈思王植传》注引《文士传》。㊲丞相主簿：官名，丞相府之属官。

【原文】

法正说刘备曰："曹操一举而降张鲁，定汉中，不因此势以图巴、蜀，而留夏侯渊、张郃屯守，身遽⑪北还，此非其智不逮，而力不足也，必将内有忧逼故耳。今策渊、郃才略，不胜国之将帅，举众往讨，必可克之。克之之日，广农积谷，观衅⑫伺隙，上可以倾覆寇敌，尊奖⑬王室；中可以蚕食雍⑭、凉⑮，广拓境土；下可以固守要害，为持久之计。此盖天以与我，时不可失也。"备善其策，乃率诸将进兵汉中，遣张飞、马超、吴兰等屯下辨⑯。魏王操遣都护将军⑰曹洪拒之。

鲁肃卒，孙权以从事中郎⑱彭城严畯⑲代肃，督兵万人镇陆口⑳。众人皆为畯喜，畯固辞以"朴素书生，不闲㉑军事"，发言恳恻㉒，曹操为丞相时置主簿四人，职责是处理日常众事。㊳嗣：继位人。㊴尚书：官名，东汉时置六曹尚书，协助皇帝处理政务。魏国所置尚书为五曹，亦协助魏王处理政务。㊵露版：不缄封的文书。㊶立子以长：子，此指嗣子，继位之子。《春秋公羊传》隐公元年："立适（嫡）以长不以贤，立子以贵不以长。"㊷五官将：指曹丕，时曹丕为五官中郎将。㊸尚书仆射：官名，尚书令之副手。㊹东曹掾：官名，即丞相东曹掾，主二千石迁除及军吏。㊺宗：指宗子，嫡长子。㊻殿下：汉代人对诸侯王的敬称。此称曹操。㊼太中大夫：官名，属光禄勋，掌议论。㊽孜孜：勤谨不怠。㊾砥砺：磨炼。㊿屏：屏避；退避。51属：适值；恰好。52袁本初：袁绍字本初。53刘景升：刘表字景升。54属目：注视。55怅然：失意的样子。56吴质：字季重，济阴鄄城（今山东鄄城北）人，博学多才，尤善为文，深受曹丕赏识。曾为朝歌长、元城令，官至振威将军，假节都督河北诸军事，封列侯。事附见《三国志》卷二十一《魏书·王粲传》及注引《魏略》等。57耳语：附耳悄悄言说。58歔欷：泣不成声。59矫情自饰：故意做作，以掩盖本来面目。60长御：官名，胡三省注："汉皇后宫有旁侧长御。"61但：仅；只。62遗：给予。63议郎：官名，郎官之一种，属光禄勋，但不入值宿卫，得参与朝政议论。64戚：忧虑。65驰道：正道，亦称御路，专供天子行车之路。66司马门：皇宫外门，有司马主管，故称司马门。此指邺城魏王宫之司马门。67公车令：官名，即公车司马令，主管宫门。68坐死：获罪被处死。69科禁：法度禁令。70违制命：违犯禁止穿锦绣的命令。

【校记】

［1］而：据章钰校，甲十一行本、乙十一行本皆作"宜"。

【语译】

法正进言刘备说："曹操一举降伏了张鲁，平定了汉中，他不趁此形势夺取巴、蜀，只留下夏侯渊、张郃驻守，自己突然北还，这不是他的智力不够，也不是他的军力不足，一定是他的内部有忧虑之事被逼无奈的缘故。现在估量一下夏侯渊、张郃的才干和武略，都不能胜过我国的将帅，举兵前去征讨，一定能够战胜他们。战胜之后，大兴农业，囤积粮食，寻找敌人的弱点，等待可乘的机会。这样上好的结果是可以扫灭敌寇，尊奉辅佐王室；中等的结果是可以蚕食雍、凉两州，广拓疆土；最差的结果是可以坚守险要，作持久的打算。这大概是上天赐给我们的机会，时机不可丧失。"刘备赞赏他的计策，于是统率众将进军汉中，派张飞、马超、吴兰等驻军下辨。魏王曹操派都护将军曹洪来抵抗。

鲁肃去世，孙权任命从事中郎彭城人严畯接替鲁肃，率兵一万人镇守陆口。众人都替严畯高兴，严畯以"质朴书生，不习军事"为由坚决推辞，言辞诚恳痛切，

至于流涕。权乃以左护军[83]虎威将军[84]吕蒙兼汉昌[85]太守以代之，众嘉严畯能以实让。

定威校尉[86]吴郡陆逊[87]言于孙权曰："方今克敌宁乱，非众不济。而山寇[88]旧恶[89]，依阻深地。夫腹心未平，难以图远。可大部伍[90]，取其精锐。"权从之，以为帐下右部督[91]。会丹阳贼帅费栈作乱，扇动山越。权命逊讨栈，破之。遂部伍东三郡[92]，强者为兵，羸[93]者补户[94]，得精卒数万人。宿恶荡除，所过肃清，还屯芜湖[95]。会稽太守淳于式表"逊枉取民人，愁扰所在[96]。"逊后诣都[97]，言次[98]，称式佳吏。权曰："式白君，而君荐之，何也？"逊对曰："式意欲养民，是以白逊。若逊复毁式以乱圣听，不可长[99]也。"权曰："此诚长者[100]之事，顾[101]人不能为耳。"

魏王操使丞相长史[102]王必典兵督许中事。时关羽强盛，京兆金祎睹汉祚将移，乃与少府[103]耿纪、司直[104]韦晃、太医令[105]吉本、本子邈、邈弟穆等谋杀必，挟天子以攻魏，南引关羽为援。

【段旨】

以上为第三段，写刘备的两大克星，江东吕蒙、陆逊登场。

【注释】

⑦1 遽：仓促。⑦2 衅：间隙。⑦3 尊奖：尊崇辅助。⑦4 雍：州名，汉献帝兴平元年（公元一九四年）分凉州河西四郡置雍州，治所长安，在今陕西西安。⑦5 凉：州名，汉献帝时治所在冀县，在今甘肃甘谷县东南。⑦6 下辨：县名，县治在今甘肃成县西。⑦7 都护将军：官名，职责是监护所在诸将，东汉初已置。⑦8 从事中郎：官名，将军之属官，职责是参谋议论。⑦9 严畯：字曼才，彭城（治所在今江苏徐州）人，精通《诗经》《尚书》、三《礼》。避乱至江东，张昭荐之于孙权。孙权以之为骑都尉、从事中郎。后官至尚书令。著有《孝经传》《潮水论》等。传见《三国志》卷五十三。⑧0 陆口：地名，在今湖北赤壁西北陆溪口。⑧1 闲：熟习。⑧2 恳恻：诚恳痛切。⑧3 左护军：官名，孙权置中、左、右护军各一人，掌禁兵，主武官选举。⑧4 虎威将军：官名，孙权所置的杂号将军。⑧5 汉昌：郡名，治所汉昌县，在今湖南平江县东南，县名后改为吴昌。⑧6 定威校尉：官名，孙权所置的中级武官。⑧7 陆逊（公元一八三至二四五年）：字伯言，吴郡吴县

以至于流泪。孙权于是任命左护军虎威将军吕蒙兼任汉昌太守来代替他，众人嘉许严畯据实谦让。

定威校尉吴郡人陆逊向孙权进言说："如今战胜敌人，平定祸乱，没有大量的部众是办不到的。而山越寇贼依旧作恶，依深山之地为险阻。心腹之地未平定，难以谋取远方。可以扩充部队，选取精锐。"孙权听从了这个建议，任命陆逊为帐下右部督。正逢丹阳叛贼首领费栈作乱，煽动山越。孙权命令陆逊征讨费栈，打败了他。于是在东三郡用军法整编山越，强壮的当兵，老弱的补充为编户民籍，获得精兵数万人。清除了一贯作恶的匪寇，所过之地一一肃清，回军驻屯芜湖。会稽太守淳于式上表说"陆逊枉法滥征百姓，所到之处百姓因受到骚扰而忧愁"。陆逊后来到了都城，与孙权谈话之间，称赞淳于式是个好官。孙权说："淳于式控告你，你却推荐他，为什么？"陆逊回答说："淳于式意在养育百姓，所以控告我。如果我再诋毁淳于式，用以混淆圣主的视听，这种风气是不可助长的。"孙权说："这确实是忠厚长者的处事之道，但是一般的人做不到。"

魏王曹操派丞相长史王必领兵统理许都的事务。这时关羽力量强大，京兆人金祎看到汉朝的江山将要易手，就与少府耿纪、司直韦晃、太医令吉本、吉本的儿子吉邈、吉邈的弟弟吉穆策划谋杀王必，挟持天子来攻打魏国，援引南边的关羽作为外援。

华亭（今上海松江区）人，出于江东大族，孙策之婿。初在孙权幕府为官，善于谋略，曾与吕蒙定计袭关羽。后为宜都太守、抚边将军，封华亭侯。刘备攻吴，逊任大都督，用火攻之计，大败刘备于夷陵。又为辅国将军、荆州牧，久镇武昌（今湖北鄂州）。后又破魏大司马曹休于夹石（今安徽桐城北）。官至丞相，封江陵侯。传见《三国志》卷五十八。⑱山寇：指山越部族武装。⑲旧恶：孙氏政权建立后，山越武装就不断与之对立，故称旧恶。⑳可大部伍：谓可扩大部队规模。㉑帐下右部督：官名，孙权所置，掌警卫兵。㉒东三郡：指丹阳、新都、会稽三郡。丹阳郡，治所宛陵，在今安徽宣城。新都郡，治所始新，在今浙江淳安西。会稽郡，治所山阴，在今浙江绍兴。㉓羸：瘦弱。㉔补户：谓补为编户。㉕芜湖：县名，县治在今安徽芜湖市东。㉖愁扰所在：谓陆逊所在之处，百姓受到骚扰而忧愁。㉗都：指秣陵，在今江苏南京南。㉘言次：言谈之间。㉙长：滋长；助长。⑩⓪长者：谨厚者。⑩①顾：但；只是。⑩②丞相长史：官名，丞相之主要属官，职责是协助丞相，署理诸曹事。当时曹操为魏王在邺，但仍兼汉丞相，故使长史领兵督许都之朝政。⑩③少府：官名，汉九卿之一。东汉时掌宫中御衣、宝货、珍膳等。⑩④司直：官名，即丞相司直，丞相之主要属官，职责是监察检举百官之违法者。⑩⑤太医令：官名，属少府，掌诸医。

【原文】

二十三年（戊戌，公元二一八年）

春，正月，吉邈等率其党千余人夜攻王必，烧其门，射必中肩，帐下督扶必奔南城[106]。会天明，邈等众溃，必与颍川典农中郎将[107]严匡共讨斩之。

三月，有星孛于东方。

曹洪将击吴兰，张飞屯固山[108]，声言欲断军后，众议狐疑[109]。骑都尉[110]曹休[111]曰："贼实断道者，当伏兵潜行。今乃先张声势，此其不能明矣。宜及其未集，促[112]击兰，兰破，飞自走矣。"洪从之，进，击破兰，斩之。三月，张飞、马超走。休，魏王族子也。

夏，四月，代郡[113]、上谷[114]乌桓无臣氏等反。先是，魏王操召代郡太守裴潜为丞相理曹掾[115]，操美潜治代之功，潜曰："潜于百姓虽宽，于诸胡为峻。今继者必以潜为治过严，而事加宽惠。彼素骄恣，过宽必弛[116]，既弛，又[2]将摄[117]之以法，此怨叛所由生也。以势料之，代必复叛。"于是操深悔还潜之速。后数十日，三单于反问[118]果至。操以其子鄢陵侯彰[119]行骁骑将军，使讨之。彰少善射御，膂力[120]过人。操戒彰曰："居家为父子，受事为君臣，动[121]以王法从事，尔其戒之！"

刘备屯阳平关[122]，夏侯渊、张郃、徐晃等与之相拒。备遣其将陈式等绝马鸣阁[123]道，徐晃击破之。张郃屯广石[124]，备攻之不能克，急书发益州兵。诸葛亮以问从事[125]犍为杨洪[126]，洪曰："汉中，益州咽喉，存亡之机会[127]，若无汉中，则无蜀矣。此家门之祸也，发兵何疑。"时法正从备北行，亮于是表洪领蜀郡太守，众事皆办，遂使即真。

初，犍为太守李严辟洪为功曹[128]，严未去犍为而洪已为蜀郡。洪举门下书佐[129]何祇有才策，洪尚在蜀郡，而祇已为广汉[130]太守。是以西土咸服诸葛亮能尽时人之器用[131]也。

秋，七月，魏王操自将击刘备。九月，至长安。

曹彰击代郡乌桓，身自搏战，铠[132]中数箭，意气益厉，乘胜逐北，至桑乾[133]之北，大破之，斩首、获生以千数。时鲜卑大人轲比能将数万骑观望强弱，见彰力战，所向皆破，乃请服，北方悉平。

【语译】

二十三年（戊戌，公元二一八年）

春，正月，吉邈等带领他的党羽一千多人在夜里攻打王必，烧毁他的营门，射中他的肩膀，帐下督扶着他逃往南城。适逢天亮，吉邈等部众溃散，于是王必和颍川典农中郎将严匡共同征讨吉邈，把他杀了。

三月，孛星出现在东方。

曹洪将要攻击吴兰，张飞驻扎在固山，声称要断绝曹洪军队的后路，众人商量犹豫不决。骑都尉曹休说："敌人若真想截断我军的后路，应当埋伏兵马，秘密行军。现在却事先张扬，他们做不到，这一点是很明白的。应该趁敌人还没有结集，迅速进攻吴兰，吴兰失败，张飞自然就会撤走。"曹洪听从了这个建议，进军打败并杀了吴兰。三月，张飞、马超撤走。曹休，是魏王的族子。

夏，四月，代郡、上谷郡的乌桓部落无臣氐等反叛。先前，魏王曹操征召代郡太守裴潜为丞相理曹掾，曹操赞美裴潜治理代郡的功业，裴潜说："我对待百姓虽然宽厚，对待胡人却十分严厉。现在我的后继者一定会认为我治理过严，而务加宽惠。胡人一向骄横，过于宽松势必引起放纵，放纵后，又绳之以法，怨恨反叛就由此产生了。根据这种情势来预料，代郡一定会再次叛乱。"这时曹操非常后悔这么快召回了裴潜。几十天过后，果真传来三个单于反叛的消息。曹操任命他的儿子鄢陵侯曹彰代理骁骑将军，派他去征讨三个单于。曹彰自小善于骑射，臂力过人。曹操告诫曹彰说："在家里是父子，任职后就是君臣了，一切要按王法办事，你要深以为戒！"

刘备驻军阳平关，夏侯渊、张郃、徐晃等与刘备对峙。刘备派他的部将陈式等切断马鸣阁道，被徐晃打败。张郃驻军广石，刘备攻打不下，发紧急文书征发益州的军队。诸葛亮就此事询问从事犍为人杨洪，杨洪说："汉中，是益州的咽喉，存亡的关键，如果失去汉中，就会失去蜀地。这是家门口的祸难，发兵有什么可疑虑的。"当时法正跟随刘备北征，诸葛亮于是上表推举杨洪兼领蜀郡太守，杨洪把许多事情办理得十分妥帖，就被命为专任蜀郡太守。

当初，犍为太守李严征召杨洪为功曹，李严还没有离开犍为郡，而杨洪已被任为蜀郡太守。杨洪推荐的门下书佐何祗有才干和韬略，杨洪还在蜀郡时，何祗已被任为广汉太守。所以益州人都佩服诸葛亮能做到人尽其才。

秋，七月，魏王曹操亲自领兵攻击刘备。九月，到达长安。

曹彰攻打代郡的乌桓部落，亲自上阵拼搏，铠甲被射中几箭，斗志更加高昂，乘胜追赶败敌，到达桑乾县以北，大败敌军，斩首活捉数以千计的敌人。当时鲜卑族首领轲比能率领数万骑兵观望双方的强弱情势，看到曹彰奋力作战，所向披靡，于是请求归服，北方完全平定。

南阳[134]吏民苦徭役[135]，冬，十月，宛守将侯音反。南阳太守东里衮[136]与功曹应余迸窜[137]得出，音遣骑追之，飞矢交流，余以身蔽衮，被七创[138]而死，音骑执衮以归。时征南将军曹仁[139]屯樊[140]以镇荆州，魏王操命仁还讨音。功曹宗子卿说音曰："足下顺民心，举大事，远近莫不望风。然执郡将[141]，逆而无益，何不遣之？"音从之。子卿因夜逾城从太守收余民围音，会曹仁军至，共攻之。

【段旨】

以上为第四段，写北方社会仍有反对曹操的事变，以及孙、刘争汉中。大体来说建安二十三年（公元二一八年）无大事。

【注释】

⑩⑥南城：许都之南城。⑩⑦典农中郎将：官名，东汉末，曹操实行屯田制所置，主管屯田区的农业生产、民政和田租，地位相当于郡太守，但直属中央大司农。颍川典农中郎将管理许下屯田。⑩⑧固山：山名，在今甘肃成县北。⑩⑨狐疑：犹豫不决。⑪⓪骑都尉：官名，掌羽林骑兵（曹操称之为虎豹骑）。⑪①曹休（？至公元二二八年）：字文烈，曹操族子。初从曹操征伐，常领虎豹骑作警卫。后为中领军。魏文帝初，为征东大将军、扬州牧。魏明帝时，为大司马，封长平侯。传见《三国志》卷九。⑪②促：急；迅速。⑪③代郡：郡名，治所高柳，在今山西阳高西南。⑪④上谷：郡名，治所沮阳，在今河北怀来东南。⑪⑤丞相理曹掾：官名，曹操所置丞相府属官，主管司法刑狱。⑪⑥弛：放纵。⑪⑦摄：执持。⑪⑧问：音讯；消息。⑪⑨彰：曹彰（？至公元二二三年），字子文，曹操之子。建安二十一年（公元二一六年）封鄢陵侯，后为北中郎将、代骁骑将军，讨代郡乌桓有功。魏文帝黄初三年（公元二二二年）封为任城王。传见《三国志》卷十九。⑫⓪膂力：臂力。⑫①动：动辄。⑫②阳平关：关名，在今陕西勉县西北白马城。今宁强县亦有阳平关，乃后代移置，非古阳平关。⑫③马鸣阁：地名，在今四川广元昭化镇北。⑫④广石：地名，

【原文】

二十四年（己亥，公元二一九年）

春，正月，曹仁屠宛[142]，斩侯音，复屯樊。

初，夏侯渊战虽数胜，魏王操常戒之曰："为将当有怯弱时，不可

南阳的吏民深受劳役之苦，冬，十月，宛城守将侯音反叛。南阳太守东里衮和功曹应余冲窜而出，侯音派骑兵追击，飞箭交下，应余用身体掩护东里衮，七处受伤而死，侯音的骑兵抓住东里衮回师。这时征南将军曹仁驻军樊城，以镇守荆州，魏王曹操命令曹仁回军讨伐侯音。功曹宗子卿劝侯音说："您顺应民心，兴起大事，远近莫不望风响应。但是捉拿郡太守，违背民心，没有益处，为什么不放了他?"侯音听从了。宗子卿趁着黑夜翻越城墙，跟随郡太守搜集余众包围侯音，适逢曹仁的军队也赶到，一同攻打侯音。

在今陕西勉县西。⑫⑤从事：官名，东汉州牧刺史的佐吏，有别驾从事史、治中从事史、兵曹从事史、部从事史等，均可简称从事。⑫⑥杨洪（？至公元二二八年）：字季休，犍为武阳（今四川眉山市彭山区东北）人，刘璋时为郡吏。刘备得益州后，为蜀郡太守、益州治中从事。后主刘禅时，复为蜀郡太守、忠节将军。传见《三国志》卷四十一。⑫⑦机会：犹言机枢，指关键部位。⑫⑧功曹：官名，即功曹史，郡守的主要佐吏，除分掌人事外，还参与一郡政务。⑫⑨门下书佐：官名，又称阁下书佐，郡太守的属吏，负责记录、缮写、起草、宣读等。⑬⓪广汉：郡名，治所雒县，在今四川广汉北。⑬①器用：才能；本领。⑬②铠：铠甲。⑬③桑乾：县名，县治在今河北蔚县东北。⑬④南阳：郡名，治所宛县，在今河南南阳。⑬⑤苦徭役：当时曹仁率军屯樊，民众苦于徭役。⑬⑥东里衮：人名，姓东里，名衮。⑬⑦迸窜：突逃；冲窜。⑬⑧创：伤。⑬⑨曹仁（公元一六八至二二三年）：字子孝，曹操之从弟。初为曹操别部司马，常从征战，武勇过人。曹操得荆州后，为征南将军，镇守荆州。曹丕即王位后，为车骑将军，都督荆、扬、益州诸军事，封陈侯。魏文帝初，为大将军、大司马。传见《三国志》卷九。⑭⓪樊：即樊城，在襄阳北，与襄阳隔汉水相对，在今湖北襄阳。⑭①郡将：即郡太守，因太守兼领军事，故可称将。

【校记】

［2］又：原无此字。据章钰校，甲十一行本、乙十一行本皆有此字，张敦仁《通鉴刊本识误》同，今据补。

【语译】

二十四年（己亥，公元二一九年）

春，正月，曹仁攻下宛城大肆屠杀，斩了侯音，又回军驻守樊城。

起初，夏侯渊打仗虽然屡屡获胜，魏王曹操却常常告诫他说："作为将领应当有

但恃勇也。将当以勇为本，行之以智计。但知任勇，一匹夫敌耳。”及渊与刘备相拒逾年，备自阳平南渡沔水[143]，缘山稍前，营于定军山[144]，渊引兵争之。法正曰：“可击矣。”备使讨虏将军黄忠[145]乘高鼓噪[146]攻之，渊军大败，斩渊及益州刺史赵颙[147]。张郃引兵还阳平。是时新失元帅，军中扰扰[148]，不知所为。督军[149]杜袭与渊司马[150]太原郭淮[151]收敛散卒，号令诸军曰：“张将军国家名将，刘备所惮。今日事急，非张将军不能安也。”遂权宜推郃为军主。郃出，勒兵按陈，诸将皆受郃节度，众心乃定。明日，备欲渡汉水来攻。诸将以众寡不敌，欲依水为陈以拒之。郭淮曰：“此示弱而不足挫敌，非算也。不如远水为陈，引而致之，半济而后击之，备可破也。”既陈，备疑，不渡。淮遂坚守，示无还心。以状闻于魏王操，操善之，遣使假郃节，复以淮为司马。

二月壬子晦[152]，日有食之。

三月，魏王操自长安出斜谷[153]，军遮要[154]以临汉中。刘备曰：“曹公虽来，无能为也，我必有汉川[155]矣。”乃敛众拒险，终不交锋。操运米北山下，黄忠引兵欲取之，过期不还。翊军将军[156]赵云将数十骑出营视之，值操扬兵[157]大出，云猝与相遇，遂前突其陈，且斗且却。魏兵散而复合，追至营下。云入营，更大开门，偃旗息鼓。魏兵疑云有伏，引去。云雷[158]鼓震天，惟以劲弩于后射魏兵。魏兵惊骇，自相蹂践[159]，堕汉水中死者甚多。备明旦自来，至云营，视昨战处，曰：“子龙[160]一身都为胆[161]也！”

操与备相守积月，魏军士多亡[162]。夏，五月，操悉引出汉中诸军还长安，刘备遂有汉中。

操恐刘备北取武都[163]氐以逼关中，问雍州刺史张既，既曰：“可劝使北出就谷[164]以避贼。前至者厚其宠赏，则先者知利，后必慕之。”操从之，使既之武都，徙氐五万余落[165]出居扶风[166]、天水[167]界。

武威[168]颜俊、张掖[169]和鸾、酒泉[170]黄华、西平[171]麹演等各据其郡，自号将军，更相攻击。俊遣使送母及子诣魏王操为质[172]以求助。操问张既，既曰：“俊等外假国威，内生傲悖[173]，计定势足，后即反耳。

胆怯和软弱的时候，不可一味逞勇。将领当然以勇猛为本，但行动时要运用智慧和谋略。只懂得逞勇，只可抵敌一个匹夫罢了。”等到夏侯渊与刘备相持了一年多，刘备从阳平关南渡沔水，沿着山麓向前缓慢推进，在定军山扎营，夏侯渊就率兵来争夺。法正说：“可以发动攻击了。”刘备派讨虏将军黄忠登上高处擂响战鼓，呐喊着进攻，夏侯渊的军队大败，黄忠杀了夏侯渊和益州刺史赵颙。张郃领兵退守阳平。这时曹军刚失去统帅，军中一片混乱，不知所措。督军杜袭和夏侯渊的司马太原人郭淮搜集散兵，号令各军：“张将军是国家名将，连刘备都畏惧他。如今情况危急，除非张将军谁也不能转危为安。”于是暂且推举张郃为军中主帅。张郃出来主持军务，部署兵马，巡视军阵，各位将领都接受张郃指挥，军心才安定下来。第二天，刘备想渡过汉水来攻打。各位将领认为寡不敌众，打算依水布阵抗击刘备。郭淮说：“这是示弱，而且不足以挫败敌人，不是正确的策略。不如远离汉水布阵，把敌人吸引过来，等他们渡到一半时，然后攻击他们，刘备就会被打败了。”郭淮布阵完毕，引起刘备怀疑，不肯渡过。郭淮就坚守阵地，表示没有回还的意思。张郃把这里的情况报告魏王曹操，曹操称赞这种做法，派使者颁发给张郃符节，仍任命郭淮为司马。

二月最后一天三十日壬子，发生日食。

三月，魏王曹操从长安穿过斜谷，派兵把守沿途险要，兵临汉中。刘备说：“曹公虽然亲自前来，也不能有所作为，我必定会占有汉川了。”于是聚合部众把守险要，始终不与敌人交战。曹操运米到北山下，黄忠率兵想去夺取，过了约定的时期没有回来。翊军将军赵云率领几十名骑兵出营察看，碰巧曹操大军出动，与赵云突然遭遇，赵云于是向前突袭魏军的军阵，且战且退。魏军被冲散后又会合起来，追赶到赵军营下。赵云进营后，反而大开军门，偃旗息鼓。魏军疑心赵云有埋伏，率兵离去。赵云擂响战鼓，鼓声震天，只用强弩在后面射击魏军。魏军大惊，自相践踏，很多人落入汉水中被淹死。第二天清晨刘备亲自来到赵云的军营，巡视昨日的战场，说：“子龙一身都是胆啊！”

曹操与刘备相持了几个月，魏军士兵逃亡很多。夏，五月，曹操带领汉中各军，返回长安，刘备于是占有汉中。

曹操担心刘备向北攻取武都氐人，以此来威逼关中，询问雍州刺史张既，张既说：“可劝说氐人让他们向北迁徙到有粮的地区，躲避敌人。首先来归附的厚加荣宠奖赏，那么先来的知道有利可图，后面的一定会羡慕而来。”曹操听从了这个建议，派张既到武都，迁移了五万多户氐人到扶风、天水接界处定居。

武威人颜俊、张掖人和鸾、酒泉人黄华、西平人麹演等各自占据本郡，自称将军，相互攻打。颜俊派使者送母亲和儿子到魏王曹操那里作为人质，以此请求援助。曹操询问张既，张既说：“颜俊等外借国威，在内骄横悖乱，等到订好计划，势力强

今方事定蜀，且宜两存而斗之，犹卞庄子之刺虎[174]，坐收其敝也。”王曰：“善！”岁余，鸾遂杀俊，武威王秘又杀鸾。

刘备遣宜都[175]太守扶风孟达[176]从秭归[177]北攻房陵[178]，杀房陵太守蒯祺。又遣养子副军中郎将[179]刘封[180]自汉中乘沔水下，统达军，与达会攻上庸[181]。上庸太守申耽举郡降。备加耽征北将军[182]，领上庸太守，以耽弟仪为建信将军[183]、西城[184]太守。

秋，七月，刘备自称汉中王，设坛场于沔阳[185]，陈兵列众，群臣陪位。读奏讫，乃拜受玺绶，御[186]王冠。因驿拜章，上还所假左将军、宜城亭侯印绶[187]。立子禅为王太子。拔牙门将军[188]义阳魏延[189]为镇远将军，领汉中太守，以镇汉川。备还治成都[190]，以许靖为太傅[191]，法正为尚书令[192]，关羽为前将军[193]，张飞为右将军，马超为左将军，黄忠为后将军，余皆进位有差[194]。

遣益州前部司马[195]犍为费诗[196]即授关羽印绶，羽闻黄忠位与己并，怒曰：“大丈夫终不与老兵[197]同列！”不肯受拜。诗谓羽曰：“夫立王业者，所用非一。昔萧、曹[198]与高祖少小亲旧，而陈、韩[199]亡命后至，论其班列，韩最居上，未闻萧、曹以此为怨。今汉中王以一时之功[200]，隆崇[201]汉升[202][3]，然意之轻重[203]，宁当与君侯[204]齐乎！且王与君侯譬犹一体，同休等戚，祸福共之。愚谓君侯不宜计官号之高下、爵禄之多少为意也。仆一介[205]之使，衔命之人，君侯不受拜，如是便还，但相为惜此举动，恐有后悔耳。”羽大感悟，遽[206]即受拜。

诏以魏王操夫人卞氏为王后。

【段旨】

以上为第五段，写刘备北取汉中，称汉中王，用以抗衡曹操称魏王。

大，然后就会立刻反叛。如今我军正平定蜀地，应该暂且让他们两虎互斗，就像卞庄子杀虎那样，坐收两败俱伤之利。”魏王说：“很好！”一年多后，和鸾终于杀掉颜俊，武威人王秘又杀掉和鸾。

刘备派宜都太守扶风人孟达从秭归向北攻打房陵，杀死房陵太守蒯祺。又派养子副军中郎将刘封从汉中顺沔水而下，统领孟达的军队，与孟达会合攻打上庸。上庸太守申耽举郡投降。刘备为申耽加衔为征北将军，兼任上庸太守，任命申耽的弟弟申仪为建信将军、西城太守。

秋，七月，刘备自称汉中王，在沔阳设立坛场，军队列阵，群臣就位陪从。宣读奏章后，就行礼接受印玺绶带，戴上王冠。由驿使呈献奏章，归还以前颁发的左将军、宜城亭侯印绶。册立儿子刘禅为王太子。提拔牙门将军义阳人魏延为镇远将军，兼领汉中太守，镇守汉川。刘备回到治所成都，任命许靖为太傅，法正为尚书令，关羽为前将军，张飞为右将军，马超为左将军，黄忠为后将军，其余都得到不同等级的提拔。

刘备派益州前部司马犍为人费诗就地授予关羽印绶，关羽得知黄忠的职位与自己并列，愤怒地说：“大丈夫终归不会与这个老兵同列！”不肯接受任命。费诗对关羽说：“建立王业的人，所任用的人不能都一样。从前萧何、曹参跟汉高祖从小亲善是老朋友，而陈平、韩信只不过是后来逃亡过来的人，论他们的地位排序，韩信最高，没有听说萧、曹因此而怨恨。如今汉中王凭着一时的功劳，推重黄忠，但是他在感情上的轻重，黄忠怎么能与您相同呢！况且汉中王和您犹如是一个人，同甘共苦，福祸与共。我认为君侯您不应该把官职名号的高下、爵禄的多少放在心上。我仅是一名使者，一个传达命令的人，君侯您不肯接受任命，我就这样回去，只是为君侯的这种举动感到痛惜，恐怕君侯会后悔的。”关羽深受感悟，立即接受任命。

诏命立魏王曹操的夫人卞氏为王后。

【注释】

⑫屠宛：攻破宛城后，屠杀全城军民。⑬南渡沔水：古代通称汉水为沔水。古阳平关在汉水之北，故刘备至定军山须南渡。⑭定军山：山名，在今陕西勉县东南。⑮黄忠（？至公元二二〇年）：字汉升，南阳（治所在今河南南阳）人，初属刘表，为中郎将，守长沙。后归刘备，从取益州，常冲锋陷阵，勇冠三军，为讨虏将军。后于汉中斩曹操大将夏侯渊，又为征西将军、后将军。传见《三国志》卷三十六。⑯鼓噪：擂鼓呐喊。⑰赵颙：曹操所任命的益州刺史。⑱扰扰：纷乱。⑲督军：官名，为监军之官。曹

操从汉中东还后，即留杜袭督汉中军事。(150)司马：官名，将军军府之官，综理军府事，并参与军事谋划。(151)郭淮（？至公元二四一年）：字伯济，太原阳曲（今山西阳曲东北）人，初为曹操丞相兵曹议令史，从征汉中，留为征西将军夏侯渊司马。魏文帝黄初中，为雍州刺史。魏明帝时，加建威将军，又为扬武将军。齐王芳正始中，为左将军、前将军，后又为车骑将军、仪同三司，封阳曲侯。传见《三国志》卷二十六。(152)壬子晦：二月三十日。(153)斜谷：在今陕西眉县西南，为古褒斜道之北口。古褒斜道北起斜谷，南至褒谷（在今陕西勉县褒城镇北），总长四百七十里，为秦蜀之间险要通道。(154)遮要：以兵据守险要之处。斜谷道险，曹操恐被刘备之兵所邀截，故先派兵据守险要之处，然后进临汉中。(155)汉川：汉中。(156)翊军将军：官名，刘备所置的杂号将军。(157)扬兵：显示兵威。(158)雷：通“擂”。敲击。(159)蹂践：践踏。(160)子龙：赵云字子龙。(161)一身都为胆：言其胆大，能以孤军抗击曹操大军。(162)亡：逃亡。(163)武都：郡名，治所下辨，在今甘肃成县西。郡中聚居白马氐人。(164)就谷：到有粮之地驻军。(165)落：部落。(166)扶风：即右扶风，汉代三辅之一。东汉时治所在槐里，在今陕西兴平东南。(167)天水：郡名，西汉所置，东汉改称汉阳，曹魏又改称天水。治所冀县，在今甘肃甘谷县东南。(168)武威：郡名，治所姑臧，在今甘肃武威。(169)张掖：郡名，治所觻得，在今甘肃张掖西北。(170)酒泉：郡名，治所禄福，在今甘肃酒泉。(171)西平：郡名，汉献帝建安中分金城郡置，治所西都，在今青海西宁。(172)质：人质。(173)悖：逆乱。(174)卞庄子之刺虎：卞庄子，春秋鲁国大夫，以勇著称。卞庄子曾想刺虎，管竖子阻止说：“两虎方且食牛，食甘必争，争则必斗，斗则大者伤，小者死，从伤而刺之，一举必有双虎之名。”卞庄子认为正确。不久，两虎果然争斗，大虎受伤，小虎死亡。卞庄子遂刺受伤的大虎，结果得到两虎。事见《史记·张仪列传》附《陈轸传》。(175)宜都：郡名，刘备分荆州之南郡置宜都郡，辖夷道、佷山、夷陵三县。治所夷道，在今湖北宜都西北。(176)孟达：扶风（治所在陕西兴平东南）人，初与法正入蜀依附刘璋，后归刘备，为宜都太守。后又降魏，魏文帝以之为建武将军、新城太守。魏明帝初，他又反魏投蜀，被魏将司马懿所攻杀。事附见《三国志》卷四十《蜀书·刘封传》及卷四《魏书·明帝纪》注引《魏略》。(177)秭归：县名，县治在今湖北秭归。(178)房陵：郡名，东汉末置，治所房陵县，在今湖北房陵。(179)副军中郎将：官名，刘备所置次于将军的武官。(180)刘封：本罗侯国（今湖南湘阴北）寇氏之子，刘备至荆州，

【原文】

孙权攻合肥[207]，时诸州兵戍[208]淮南[209]，扬州刺史温恢[210]谓兖州刺史裴潜曰：“此间虽有贼，然不足忧。今水潦[211]方生，而子孝[212]县军[213]，无有远备，关羽骁猾[214]，政恐征南[215]有变耳。”已而关羽果使南郡太守

收为养子。刘备得益州后，任命他为副中郎将，后为副军将军，被赐死。传见《三国志》卷四十。⑱上庸：郡名，建安时分汉中郡置，治所上庸县，在今湖北竹山县西南。⑱征北将军：官名，东汉的杂号将军。⑱建信将军：官名，亦为杂号将军。⑱西城：郡名，东汉末置，治所西城县，在今陕西安康西北。⑱沔阳：县名，县治在今陕西勉县东南。⑱御：进。⑱上还所假左将军、宜城亭侯印绶：皆曹操代表朝廷授予刘备，刘备今自称汉中王，故退还朝廷的封拜印绶。⑱牙门将军：与下文之镇远将军皆为官名，为刘备所置杂号将军。⑱魏延：字文长，义阳（治所在今湖北枣阳东）人，初随刘备入蜀，数有战功，为牙门将军，镇守汉中。刘备称帝后，为镇北将军。蜀后主时，为征西大将军，封南郑侯。诸葛亮死后，被杨仪所杀。传见《三国志》卷四十。⑲成都：县名，益州、蜀郡的治所，县治在今四川成都。⑲太傅：官名，位在三公上，为上公，无职事，多为高官之加衔。⑲尚书令：官名，尚书台的长官，东汉政归尚书，尚书令遂为总揽朝政的首脑。⑲前将军：官名，汉代所置，位次上卿，与后将军及左、右将军掌京师兵卫和边防屯警。⑲进位有差：按等级晋升。差，等级。⑲益州前部司马：官名，司马，本将军属官，非州牧刺史之属吏。东汉末的州牧刺史皆仿将军府置吏，置有司马，其职掌略同将军府之司马。⑲费诗：字公举，犍为南安（今四川乐山市）人，刘璋时为绵竹令，后降刘备，为益州前部司马。蜀后主时，为谏议大夫。传见《三国志》卷四十一。⑲老兵：轻视武人之称。⑲萧曹：萧何、曹参，与汉高祖刘邦同乡，协助刘邦起兵而得天下。⑲陈、韩：陈平、韩信，二人皆从项羽部下投归刘邦。刘邦得天下后，封韩信为楚王，而封萧何为酂侯，曹参为平阳侯，故韩信之位最高。⑳一时之功：指黄忠在汉中定军山斩夏侯渊之功。⑳隆崇：推重。⑳汉升：黄忠字汉升。⑳意之轻重：感情上的轻重。⑳君侯：建安五年曹操曾表封关羽为汉寿亭侯，故费诗称他为君侯。⑳一介：一个。自谦之词。⑳遽：遂；于是。

【校记】

［3］汉升：原误作“汉室”。胡三省注云：“言备以一时使忠与羽班，而意之轻重则不在此。”从胡三省的解释可以断定《通鉴》原文当是“汉升”二字，汉升为黄忠之字。《三国志》卷四十一《费诗传》作“汉升”。

【语译】

孙权进攻合肥，当时各州的部队守卫淮南，扬州刺史温恢对兖州刺史裴潜说：“这里虽然有匪贼，但不值得忧虑。现在雨水就要来了，曹仁孤军在外，没有远征的准备，关羽骁勇刁猾，只担心征南将军那里发生变故。”不久关羽果然派南郡太守麋

麋芳㉖守江陵㉗，将军傅士仁㉘守公安㉙，羽自率众攻曹仁于樊。仁使左将军于禁、立义将军㉚庞德等屯樊北。八月，大霖雨㉛，汉水溢，平地数丈，于禁等七军㉜皆没。禁与诸将登高避水，羽乘大船就攻之。禁等穷迫，遂降。庞德在堤上，被甲持弓，箭不虚发，自平旦㉝力战，至日过中，羽攻益急。矢尽，短兵接，德战益怒，气愈壮，而水浸盛，吏士尽降。德乘小船欲还仁营，水盛船覆，失弓矢，独抱船覆水中，为羽所得，立而不跪。羽谓曰："卿兄㉞在汉中，我欲以卿为将，不早降何为！"德骂羽曰："竖子，何谓降也！魏王带甲百万，威振天下，汝刘备庸才耳，岂能敌邪！我宁为国家鬼，不为贼将也！"羽杀之。魏王操闻之流涕[4]，曰："吾知于禁三十年，何意临危处难，反不及庞德㉟邪！"封德二子为列侯。

羽急攻樊城，城得水，往往崩坏，众皆恟惧。或谓曹仁曰："今日之危，非力所支，可及羽围未合，乘轻船夜走。"汝南㊱太守满宠曰："山水速疾，冀其不久。闻羽遣别将已在郏㊲下，自许以南，百姓扰扰㊳。羽所以不敢遂进者，恐吾军掎㊴其后耳。今若遁去，洪河㊵以南，非复国家有也，君宜待之。"仁曰："善！"乃沉白马与军人盟誓，同心固守。城中人马才数千人，城不没者数板㊶。羽乘船临城，立围数重，外内断绝。羽又遣别将围将军吕常于襄阳。荆州刺史胡修、南乡㊷太守傅方皆降于羽。

【段旨】

以上为第六段写关羽北伐，擒于禁，杀庞德，威震华夏。

芳守江陵，将军傅士仁守公安，关羽亲自率领军队在樊城攻击曹仁。曹仁派左将军于禁、立义将军庞德等驻守樊城北面。八月，大雨连绵不停，汉水溢出，平地水深数丈，于禁等七支部队全部被淹没。于禁与众将领登上高地避水，关羽乘坐大船逼近攻打。于禁等走投无路，就投降了。庞德在堤上，穿着铠甲挽弓射箭，箭无虚发，从清早起就拼死作战，直到午后，关羽进攻得越来越激烈。庞德的箭射完了，短兵相接。庞德越战越勇，气势越战越高昂，而水势逐渐升高，部下的官兵全都投降了。庞德乘坐小船打算退回曹仁的军营，水大船翻，弓箭失落，只身在水中抱着翻了的船，被关羽抓获，直立不下跪。关羽对庞德说："你的哥哥在汉中，我想任命你为将军，为什么不早投降呢！"庞德大骂关羽："你这臭小子，什么叫投降！魏王拥兵百万，威震天下，你们那个刘备不过是个庸才罢了，哪里是对手！我宁愿做国家的死鬼，也不做贼将！"关羽把他杀了。魏王曹操听到消息后流下眼泪，说："我认识于禁三十年，哪里想到面临危难，反不如庞德呢！"封庞德的两个儿子为列侯。

关羽猛攻樊城，城墙被水浸泡，往往倒塌，众人都惊骇惧怕。有人对曹仁说："今天的危险局面，不是我们的力量能够支撑的，可以趁关羽的包围圈还没有合拢，乘轻便的船在夜里撤走。"汝南太守满宠说："山洪迅疾，但愿不会长久。听说关羽派另外的将领已至郏县附近，从许都往南，百姓纷乱不安。关羽所以不敢再前进，是害怕我军拖住了他的后面。现在如果逃走，黄河以南，不再为国家所有了。您应该坚守等待。"曹仁说："好！"于是把白马沉入水中与军人们盟誓，同心坚守。城中的兵马才几千，没有被淹没的城墙只有几尺高。关羽坐船到城下，设立几层包围圈，内外断绝。关羽又派另外的将领到襄阳包围将军吕常。荆州刺史胡修、南乡太守傅方都投降了关羽。

【注释】

⑳⑦合肥：县名，县治在今安徽合肥。⑳⑧戍：守卫。⑳⑨淮南：郡名，魏改汉九江郡为淮南郡，治所寿春，在今安徽寿县。扬州刺史治所亦在此地。当时淮南为孙曹两家必争之要地。就曹氏而言，淮南为进攻江东的前沿基地；就孙权而言，淮南为屏卫江东的门户。㉑⓪温恢：字曼基，太原祁县（今山西祁县东南）人，初为县令长，又为曹操丞相主簿，出为扬州刺史。魏文帝时，为侍中，又为魏郡太守、凉州刺史。传见《三国志》卷十五。㉑①水潦：雨水。㉑②子孝：曹仁字子孝。㉑③县军：孤军深入称为悬军。县，"悬"本字。㉑④骁猾：骁勇狡猾。㉑⑤征南：指曹仁，时曹仁为征南将军屯樊城。㉑⑥糜芳：糜竺之弟，初随刘备征战，后为南郡太守，叛迎孙权，关羽因而覆败。传见《三国志》卷三十八。㉑⑦江陵：县名，县治在今湖北江陵。㉑⑧士仁：姓士名仁，字君义。此据《三国志》卷四十五《蜀书·关羽传》作"傅士仁"，衍"傅"字。下文无"傅"字。事附见

《三国志》卷四十五《蜀书·杨戏传》附《季汉辅臣赞》。㉑⑨公安：县名，在今湖北公安东北。㉒⓪立义将军：官名，属杂号将军。㉒①霖雨：连绵大雨。㉒②七军：曹操得荆州后，以襄阳为重镇，特留于禁、张辽、张郃、朱灵、李典、路招、冯楷等七军驻守襄阳，其后张辽等虽然调走，而其军队仍留归于禁所领，故仍有七军。参见《三国志·魏书·赵俨传》。㉒③平旦：清晨。㉒④兄：指庞德之从兄庞柔，当时在蜀。㉒⑤反不及庞德：于禁于初平三年（公元一九二年）曹操为兖州牧后就被曹操所用，而庞德原为马超旧将，于建安二十年（公元二一五年）曹操定汉中时始归降曹操。庞德不降而死，于禁却投降关羽。故曹操说于禁反不及庞德。㉒⑥汝南：郡名，治所平舆，在今河南平舆北。当时满宠为汝南太守，但人未在治所平舆。他受曹操之命，助曹仁守樊城，故得与曹仁谋议军事。㉒⑦郏：县名，西汉所置，东汉撤销，汉末又复置。县治在今河南郏县。㉒⑧扰扰：纷乱不安。㉒⑨掎：拖住；牵制。㉓⓪洪河：大河，指黄河。㉓①板：城高二尺为一板。㉓②南乡：郡名，汉末建安中分南阳郡置，治所南乡县，在今河南淅川县东南。

【原文】

初，沛国魏讽[233]有惑众才，倾动邺都，魏相国锺繇辟以为西曹掾[234]。荥阳任览与讽友善，同郡郑袤[235]，泰之子也，每谓览曰："讽奸雄，终必为乱。"九月，讽潜结徒党，与长乐卫尉[236]陈祎谋袭邺。未及期，祎惧而告之。太子丕诛讽，连坐死者数千人，锺繇坐免官。

初，丞相主簿杨修与丁仪兄弟谋立曹植为魏嗣，五官将丕患之，以车载废簏[237]内朝歌长吴质，与之谋。修以白魏王操，操未及推验[238]。丕惧，告质，质曰："无害也。"明日，复以簏载绢以入，修复白之，推验，无人，操由是疑焉。其后植以骄纵见疏，而植故连缀修不止，修亦不敢自绝。每当就植，虑事有阙，忖度操意，豫作答教[239]十余条，敕门下，"教出，随所问答之。"于是教裁[240]出，答已入。操怪其捷，推问，始泄。操亦以修袁术之甥，恶[241]之，乃发修前后漏泄言教，交关诸侯[242]，收杀之。

魏王操以杜袭为留府长史[243]，驻关中。关中营帅[244]许攸[245]拥部曲[246]不归附，而有慢言[247]。操大怒，先欲伐之。群臣多谏宜招怀攸，共讨强敌。操横刀于膝作色[248]不听。袭入欲谏，操逆[249]谓之曰："吾计已

【校记】

[4] 流涕：原无此二字。据章钰校，甲十一行本、乙十一行本、孔天胤本皆有此二字，今据补。

【语译】

起初，沛国人魏讽有惑乱众人的才能，轰动邺都，魏相国锺繇征辟他为西曹掾。荥阳人任览跟魏讽友好，同郡人郑袤，是郑泰的儿子，经常对任览说："魏讽是个奸雄，最终一定会叛乱。"九月，魏讽暗中纠结党羽，与长乐卫尉陈祎阴谋袭击邺都。还没有到约定的袭击日期，陈祎因害怕而告发此事。太子曹丕杀了魏讽，受株连而被处死的有几千人，锺繇也因此获罪被免官。

起初，丞相主簿杨脩与丁仪兄弟图谋拥立曹植为魏国的继承人，五官将曹丕为此忧虑，让朝歌县长吴质躲藏在废旧的竹箱里，用车子把他载来，跟他谋划。杨脩把此事上报曹操，曹操还没有来得及调查。曹丕害怕了，告诉吴质，吴质说："不用害怕。"第二天，又用箱子装着丝绢进来，杨脩又上报曹操，派人调查，箱子里没有人，曹操从此怀疑杨脩。后来曹植因骄横放纵被疏远，却依旧跟杨脩来往，杨脩也不敢主动断绝关系。每当杨脩到曹植那里，曹植有考虑不到的事情，杨脩就猜测曹操的意图，预先做好答案十几条，命令手下人："教令传来，依据所提的问题，拿出相应的预案作答。"于是教令刚刚传来，答案已送进去。曹操奇怪回应这么快，经过追查，事情才泄露。曹操还因为杨脩是袁术的外甥，讨厌他，于是揭露杨脩前后泄露教令，交结诸侯，逮捕并杀了他。

魏王曹操任命杜袭为留府长史，驻军关中。关中地方武装的头领许攸拥有部众，不肯归附，而且言辞轻慢。曹操大怒，想先征讨他。群臣大多劝谏说应该招抚许攸，共同讨伐强敌。曹操把刀横放在膝上，怒容满面，不听劝谏。杜袭进来想劝说，曹

定，卿勿复言!”袭曰:“若殿下计是邪，臣方助殿下成之；若殿下计非邪，虽成，宜改之。殿下逆臣令勿言，何待下之不阐[250]乎!”操曰:“许攸慢吾，如何可置[251]!”袭曰:“殿下谓许攸何如人邪?”操曰:“凡人也。”袭曰:“夫惟贤知贤，惟圣知圣，凡人安能知非凡人邪！方今豺狼当路而狐狸是先[252]，人将谓殿下避强攻弱，进不为勇，退不为仁。臣闻千钧[253]之弩，不为鼷鼠[254]发机；万石[255]之钟，不以莛[256]撞起音。今区区[257]之许攸，何足以劳神武[258]哉!”操曰:“善!”遂厚抚攸，攸即归服。

冬，十月，魏王操至洛阳[259]。

【段旨】

以上为第七段，写曹丕杀魏讽，曹操诛杨脩。

【注释】

[233] 魏讽：字子京，沛县（今安徽濉溪县西北）人，东汉末官吏，任西曹掾，联络长乐卫尉陈祎谋袭邺城，杀魏太子曹丕。由于陈祎告密，魏讽被诛，坐死者数千人。[234] 西曹掾：官名，此魏相国府之西曹掾。[235] 郑袤：字林叔，荥阳开封（今河南开封南）人，郑泰之子。初为临淄侯曹植文学。高贵乡公即位后，为光禄勋，魏元帝时为光禄大夫，后入晋。传见《晋书》卷四十四。[236] 长乐卫尉：官名，汉代皇太后宫称长乐宫。长乐

【原文】

陆浑[260]民孙狼等作乱，杀县主簿[261]，南附关羽。羽授狼印，给兵，还为寇贼。自许以南，往往遥应羽，羽威震华夏[262]。魏王操议徙许都以避其锐。丞相军司马[263]司马懿、西曹属[264]蒋济言于操曰:“于禁等为水所没，非战攻之失，于国家大计未足有损。刘备、孙权，外亲内疏，关羽得志，权必不愿也。可遣人劝权蹑[265]其后，许割江南以封权，则樊围自解。”操从之。

初，鲁肃尝劝孙权以曹操尚存，宜且[266]抚辑[267]关羽，与之同仇，

操反而先对杜袭说："我的主意已定，你不要再说了！"杜袭说："如果殿下的主意是正确的，臣当帮助殿下完成它；如果殿下的主意有误，即使决定了，也应改正。殿下反而先命令臣不要进言，对待下属为什么这样不开明呢！"曹操说："许攸轻慢我，怎么能放过他！"杜袭说："殿下认为许攸是什么样的人呢？"曹操说："一个平常的人。"杜袭说："只有贤人才能了解贤人，圣人才能了解圣人，平常的人怎么能了解不平常的人呢？如今豺狼当道却先打狐狸，人们会认为殿下避强攻弱，进攻说不上勇敢，退却说不上仁义。我听说有千钧之力的强弩，不向小鼠射击；万石重的大钟，不用草茎撞击发音。现在一个小小的许攸，怎么值得劳您的神明英武！"曹操说："很好！"于是优待安抚许攸，许攸立刻归服曹操。

冬，十月，魏王曹操到达洛阳。

宫置卫尉卿，掌宫室警卫。㊲ 簏：竹箱。㊳ 推验：推究检验。㊴ 教：教令。㊵ 裁：通"才"。㊶ 恶：讨厌。㊷ 交关诸侯：此谓杨脩与曹植往来勾结。交关，勾结。㊸ 留府长史：官名，总理留府事。曹操置留府于关中（驻长安），在于防蜀。㊹ 营帅：地方武装的头领。㊺ 许攸：与从袁绍部下投归曹操的许攸名同人异。㊻ 部曲：私人武装。㊼ 慢言：轻视侮辱之言。㊽ 作色：脸上变色。指生气。㊾ 逆：拒绝。㊿ 阐：明。251 置：赦免。252 豺狼当路而狐狸是先：豺狼当道，却先打狐狸。意谓弃强击弱，弃大击小。253 钧：三十斤为一钧。254 鼷鼠：一种小鼠。255 石：四钧为一石，即一百二十斤为一石。256 莛：草茎。以上皆言势力大者不轻易对微小者行动。257 区区：微小。258 神武：神明威武。指曹操。259 操至洛阳：曹操从关中回到洛阳。

【语译】

陆浑人孙狼等叛乱，杀死县主簿，向南依附关羽。关羽授予孙狼官印，拨给部队，让他回去做寇贼。自许都以南各地，往往与关羽遥相呼应，关羽的声威震动华夏。魏王曹操打算迁移许都以避开关羽的锋芒。丞相军司马司马懿、西曹属蒋济向曹操进言说："于禁等被洪水淹没，并不是攻战的失误，对国家不足以构成损害。刘备、孙权，表面上亲密，内心里却疏远，关羽得势，孙权一定不高兴。可派人劝说孙权在关羽的后方加以牵制，许诺割长江以南封给孙权，那么樊城之围自然解除。"曹操听从了这个建议。

起初，鲁肃曾经劝说孙权，因为曹操还存在，应该暂时安抚亲近关羽，跟他同

不可失也。及吕蒙代肃屯陆口，以为羽素骁雄㉘，有兼并之心；且居国上流，其势难久，密言于权曰："今令征虏㉙守南郡㉚，潘璋㉛住白帝㉜，蒋钦㉝将游兵万人循江上下，应敌所在，蒙为国家前据襄阳，如此，何忧于操，何赖于羽！且羽君臣矜其诈力，所在反覆，不可以腹心待也。今羽所以未便东向者，以至尊圣明，蒙等尚存也。今不于强壮时图之，一旦僵仆，欲复陈力，其可得邪！"权曰："今欲先取徐州㉞，然后取羽，何如？"对曰："今操远在河北，抚集幽、冀㉟，未暇东顾。徐[5]土守兵，闻不足言，往自可克。然地势陆通，骁骑所骋，至尊今日取徐州，操后旬必来争，虽以七八万人守之，犹当怀忧。不如取羽，全据长江，形势益张，易为守也。"权善之。

权尝为其子求昏㊱于羽，羽骂其使，不许昏，权由是怒。及羽攻樊，吕蒙上疏曰："羽讨樊而多留备兵，必恐蒙图其后故也。蒙常有病，乞分士众还建业㊲，以治疾为名，羽闻之，必撤备兵，尽赴襄阳。大军浮江昼夜驰上，袭其空虚，则南郡㊳可下，而羽可禽㊴也。"遂称病笃㊵。权乃露檄㊶召蒙还，阴与图计。蒙下至芜湖，定威校尉陆逊谓蒙曰："关羽接境，如何远下，后不当可忧也？"蒙曰："诚如来言，然我病笃。"逊曰："羽矜其骁气，陵轹㊷于人，始有大功，意骄志逸，但务北进，未嫌㊸于我，有相闻病，必益无备。今出其不意，自可禽制。下见至尊，宜好为计。"蒙曰："羽素勇猛，既难为敌，且已据荆州，恩信大行，兼始有功，胆势益盛，未易图也㊹。"蒙至都，权问："谁可代卿者？"蒙对曰："陆逊意思深长，才堪负重，观其规虑，终可大任；而未有远名，非羽所忌，无复是过也㊺。若用之，当令外自韬隐㊻，内察形便，然后可克。"权乃召逊，拜偏将军㊼、右部督以代蒙。逊至陆口，为书与羽，称其功美，深自谦抑，为尽忠自托之意。羽意大安，无复所嫌，稍㊽撤兵以赴樊。逊具启形状，陈其可禽之要。

羽得于禁等人马数万，粮食乏绝，擅取权湘关㊾米。权闻之，遂

心合力对付仇敌，不能失去这种关系。等到吕蒙代替鲁肃驻军陆口，认为关羽一向骁勇威武，有兼并的野心；况且关羽势力位于国家的上游，和睦的形势难以持久，于是暗中向孙权进言说："现今命令征虏将军孙皎驻守南郡，潘璋驻守白帝，蒋钦率领机动部队一万人沿长江上下游弋，奔赴敌人出现的地方，我吕蒙为国家前去把守襄阳，这样，何必担忧曹操，又何必依赖关羽！而且关羽他们君臣依仗诈谋和武力，所到之处反复无常，不能作为心腹对待。现在关羽之所以不便东进，是由于至尊圣明，我等尚在。现今不在我们力量强大的时候对付他，一旦我们倒下，想再动用武力，还有可能吗！"孙权说："现在我想先攻打徐州，然后攻打关羽，怎么样？"吕蒙回答说："现在曹操远在黄河以北，慰抚安定幽州、冀州，没有时间顾及东面。徐州的守兵，听说少得微不足道，前往自然可以攻克。然而徐州地势平坦，交通方便，正是勇猛的骑兵驰骋的地方，至尊今天攻下了徐州，曹操十天后就一定会来争夺，虽有七八万人防守，仍然让人担忧。不如攻取关羽，控制整个长江流域，形势更为有利，也容易防守。"孙权十分赞赏这个建议。

孙权曾经为自己的儿子求娶关羽的女儿，关羽辱骂孙权的使者，没有答应缔婚，孙权因此很生气。等到关羽进攻樊城，吕蒙上疏说："关羽征讨樊城，却留下许多防守的兵众，一定是担心我攻击他后方的缘故。我经常生病，请求分出一部分兵众由我带回到建业，以治病为名，关羽得知这个消息，一定撤掉防守兵众，全部赶赴襄阳。我们的大军乘船沿长江昼夜奔向上游，偷袭关羽空虚的地方，这样就可以攻下南郡，擒获关羽了。"于是吕蒙假称病重。孙权就用不加密封的檄书召吕蒙回京，秘密与他谋划。吕蒙顺江而下到了芜湖，定威校尉陆逊对吕蒙说："你的驻地与关羽接境，为什么远远地退下来，以后难道就不会发生可忧虑的事吗？"吕蒙说："真的如你所说，但我病得太重了。"陆逊说："关羽自以为骁勇气盛，欺压他人，刚刚建立大功，心骄志远，只一心北进，对我们没有猜疑，听说您生病，一定更不防备。现在出其不意，自然可以擒获制服他。回去见到至尊，应该好好地谋划大计。"吕蒙说："关羽一向勇猛，已难与他为敌，何况又占领了荆州，广施恩德信义，加上已建大功，胆量和气势更加壮大，不容易对付。"吕蒙到了都城，孙权问："谁可代替你？"吕蒙回答说："陆逊虑事深远，才能可以担当重任，考察他的谋略，可以委以大任；而且名声没有远播，不会被关羽猜忌，再没人比他更合适了。如果任用他，应当让他外表上韬光养晦，内心里洞察形势，寻找便利的时机，然后就可以取得成功。"孙权于是召回陆逊，任命为偏将军、右部督，用他代替吕蒙。陆逊到了陆口，写信给关羽，称颂他的功劳美德，言辞十分谦卑，表达要尽忠关羽、自求托身的意思。关羽这才大为放心，不再有所怀疑，逐渐抽调兵马奔赴樊城。陆逊将这些情报完全上奏孙权，陈述可以擒获关羽的关键所在。

关羽得到于禁等几万人马，粮食缺乏，擅自取用孙权的湘关米粮。孙权得知后，

发兵袭羽。权欲令征虏将军[290]孙皎[291]与吕蒙为左右部大督[292]，蒙曰："若至尊以征虏能，宜用之，以蒙能，宜用蒙。昔周瑜、程普为左右部督，督兵攻江陵，虽事决于瑜，普自恃久将，且俱是督，遂共不睦，几败国事，此目前之戒也。"权寤[293]，谢蒙曰："以卿为大督，命皎为后继可也。"

【段旨】

以上为第八段，写吕蒙献计孙权，谋取荆州。

【注释】

㉖⓪陆浑：县名，县治在今河南嵩县东北。㉖①县主簿：官名，县令长的主要属吏，与县令长近密，典领文书，治理庶务。㉖②华夏：中原。㉖③丞相军司马：官名，曹操所置丞相府属吏，主要参与军事谋划。㉖④西曹属：官名，即丞相西曹属，丞相府之属吏，主管府吏署用。㉖⑤蹑：追随；牵制。㉖⑥且：暂且。㉖⑦抚辑：安抚亲睦。㉖⑧骁雄：勇猛雄杰。㉖⑨征虏：指孙皎，当时孙皎为征虏将军。㉗⓪南郡：郡名，治所江陵，在今湖北江陵。㉗①潘璋：字文珪，东郡发干（今河南濮阳）人，孙吴大将，身经百战，官至襄阳太守、平北将军，封溧阳侯。传见《三国志》卷五十五。㉗②白帝：即白帝城。本汉之鱼复县，公孙述据蜀，改名白帝城，在今重庆市奉节东。〖按〗此云潘璋住白帝，此时白帝已为刘备所据，潘璋不可能住白帝。㉗③蒋钦：字公奕，九江寿春（今安徽寿县）人，孙吴大将，历官别部司马、西部都尉、中郎将、左护军。传见《三国志》卷五十五。㉗④徐州：西汉十三刺史部之一，在今山东南部和江苏长江以北地区。三国魏治所在彭城，即今江苏徐州。㉗⑤操远在河北二句：此言不实，鲁肃死于建安二十二年（公元二一七年），

【原文】

魏王操之出汉中也，使平寇将军[294]徐晃屯宛以助曹仁。及于禁陷没，晃前至阳陵陂[295]。关羽遣兵屯偃城[296]，晃既到，诡道[297]作都堑[298]，示欲截其后，羽兵烧屯[299]走。晃得偃城，连营稍前。操使赵俨以议郎参曹仁军事，与徐晃俱前。余救兵未到，晃所督不足解围，而诸将呼责晃，促救仁。俨谓诸将曰："今贼围素固，水潦犹盛，我徒卒单少，而

就派军队偷袭关羽。孙权打算任命征虏将军孙皎和吕蒙为左右部大督，吕蒙说："如果至尊认为征虏将军能够胜任，就只任用他，认为我吕蒙能够胜任，就只用我。从前周瑜、程普被任命为左右部督，带兵攻打江陵，虽然事情由周瑜决定，但程普依仗自己长年带兵，况且都是部督，因此彼此不和，差点坏了国家大事，这正是目前要引以为戒的。"孙权领悟，向吕蒙道歉说："任命卿为大督，让孙皎做后援就行了。"

吕蒙代鲁肃屯陆口，亦在同年。而此时曹操正在居巢（今安徽巢湖），不能说"远在河北"；并且曹操早在十年前已平定幽州和冀州，不能说当时正"抚集幽、冀，未暇东顾"。这些错误非始于《资治通鉴》，《三国志·吴书·吕蒙传》已如此记载，清代学者早已指出。㉗㉖ 昏："婚"本字。㉗㉘ 建业：县名，原名秣陵，孙权改称建业，县治在今江苏南京。㉗㉘ 南郡：指南郡治所江陵。㉗㉙ 禽：通"擒"，捉住、拿下。㉘⓪ 病笃：病重。㉘① 露檄：不缄封的檄文。㉘② 陵轹：欺压。㉘③ 嫌：怀疑。㉘④ 未易图也：不容易对付。㉘⑤ 无复是过也：再没有人超过他了。也就是说，代替吕蒙者，再没有人比陆逊更适合了。㉘⑥ 韬隐：谓隐晦其韬略。㉘⑦ 偏将军：官名，东汉的杂号将军。㉘⑧ 稍：逐渐。㉘⑨ 湘关：吴与蜀分荆州，以湘水为界，故置关水上，以通商旅，谓之湘关。又在萧、湘二水合流处有湘口关，在今湖南永州北。㉙⓪ 征虏将军：官名，东汉的杂号将军。㉙① 孙皎：字叔朗，孙坚小弟孙静之子。始从孙权为护军校尉，后为征虏将军，督镇夏口。与吕蒙擒关羽，定荆州有功。传见《三国志》卷五十一。㉙② 左右部大督：出军时临时设置的两名督军统帅。㉙③ 寤：通"悟"。理解。

【校记】

[5] 徐：原作"余"。据章钰校，甲十一行本、乙十一行本皆作"徐"，今据改。

【语译】

魏王曹操撤出汉中的时候，派平寇将军徐晃驻守宛城以援助曹仁。等到于禁被灭，徐晃向前进军至阳陵陂。关羽派兵驻扎偃城，徐晃到后，通过隐蔽小路在偃城之外挖掘壕沟，表示要截断关羽军队的后路，关羽的部队烧了军营撤离。徐晃得到偃城，联结军营，稍稍往前推进。曹操派赵俨以议郎的身份参与曹仁的军事，和徐晃一同前进。其余的救兵还没有赶到，徐晃所统领的兵力不足以解围，众将领呼嚷并责备徐晃，催促他援救曹仁。赵俨对众将领说："现在敌人包围圈本已牢固，洪水

仁隔绝，不得同力，此举适[300]所以敝内外[301]耳。当今不若前军逼围，遣谍通仁，使知外救，以励将士。计北军[302]不过十日，尚足坚守，然后表里俱发，破贼必矣。如有缓救之戮，余为诸君当之。”诸将皆喜。晃营距羽围三丈所[303]，作地道及箭飞书[304]与仁，消息数通。

孙权为笺与魏王操，请以讨羽自效，及乞不漏，令[305]羽有备。操问群臣，群臣咸言宜密之。董昭曰：“军事尚权[306]，期于合宜。宜应权以密，而内露之。羽闻权上[307]，若还自护，围则速解，便获其利，可使两贼相对衔持[308]，坐待其敝。秘而不露，使权得志，非计之上。又，围中将吏不知有救，计粮怖惧[309]，傥[310]有他意，为难不小。露之为便。且羽为人强梁[311]，自恃二城守固，必不速退。”操曰：“善！”即敕徐晃以权书射著围里及羽屯中。围里闻之，志气百倍；羽果犹豫不能去[312]。

魏王操自雒阳南救曹仁，群下皆谓“王不亟[313]行，今败矣。”侍中桓阶独曰：“大王以仁等为足以料事势不[314]也？”曰：“能。”“大王恐二人[315]遗力[316]邪？”曰：“不然。”“然则何为自往？”曰：“吾恐虏众多，而徐晃等势[317]不便[318]耳。”阶曰：“今仁等处重围之中而守死无贰[319]者，诚以大王远为之势[320]也。夫居万死之地，必有死争之心。内怀死争，外有强救，大王按六军[321]以示余力，何忧于败而欲自往！”操善其言，乃驻军摩陂[322]，前后遣殷署、朱盖等凡十二营诣晃。

关羽围头有屯，又别屯四冢[323]，晃乃扬声当攻围头屯而密攻四冢。羽见四冢[6]欲坏，自将步骑五千出战。晃击之，退走。羽围堑鹿角[324]十重，晃追羽，与俱入围中，破之，傅方、胡修皆死，羽遂撤围退，然舟船犹据沔水，襄阳隔绝不通。

还很大，我们势单力薄，而又与曹仁隔绝，不能齐心合力，很显然，这样做正让内外遭受失败罢了。现在不如进军紧逼敌人的包围圈，派间谍通知曹仁，让他知道外有救兵，以此来激励将士。估计北面的援军不超过十天就可以赶到，城中还可以坚守，然后内外一起发动攻击，一定能打败敌人。如果有救援迟缓的罪责，我替诸位承担。”众将领都很高兴。徐晃在距关羽包围圈三丈左右的地方扎营，挖地道和用飞箭传书给曹仁，多次互通消息。

孙权写信给魏王曹操，请求征讨关羽，效力曹操，并请求不要走漏消息，使关羽有所防范。曹操询问群臣意见，群臣都说应该保密。董昭说："军事上的事情，贵在权变，以期符合实际。应当向孙权承诺保密，但内部可以透露。关羽得到孙权逆流而上的消息，如果回兵自卫，樊城之围就会迅速解除，我们就获得好处，可以让两个敌人相互对峙牵制，坐等两败俱伤。如果保密不泄露，使孙权得成其志，这不是上策。又，被围困中的将士不知道有救兵，计算军粮短缺，心中便惊恐不安，如果产生什么不好的想法，就会造成不小的祸难。还是透露出去为好。况且关羽为人，强悍勇猛。自己依仗两城防守牢固，一定不会迅速撤退。”曹操说："很好！"立刻命令徐晃把孙权的书信用箭射到被围的城里和关羽的军营中。被围的城里得知消息，士气提高了百倍；关羽果然犹豫不决，不愿撤离。

魏王曹操从洛阳南下救援曹仁。群臣都认为"大王不急速行动，就要失败了"。只有侍中桓阶说："大王认为曹仁等人的能力是否足以判断形势？"曹操说："能。"桓阶说："大王担心曹仁、徐晃两人会不尽全力吗？"曹操说："不会的。"桓阶说："既然如此，为什么亲自前往？"曹操说："我怕敌人兵多，而徐晃等人兵力不足。"桓阶说："现在曹仁等人处在重围之中，却死守没有二心的原因，实在是因为大王在远处作为声援。处于万死之地，一定会有拼死抗争的决心。内怀拼死战斗之心，外有强大的救援，大王控制六军不发兵，以展示兵力有余，何必担心失败而想亲自前往呢！"曹操赞同桓阶的话，于是驻军摩陂，但仍然前后派出殷署、朱盖等共十二营兵众增援徐晃。

关羽在围头有驻军，又在四冢也驻军，徐晃于是扬言要进攻围头驻军却偷袭四冢。关羽看见四冢将被攻克，亲自率领步骑兵五千出战。徐晃进攻关羽，关羽退走。关羽包围樊城的壕沟设置了十层鹿角，徐晃追击关羽，与关羽一起进入了围城的包围圈中，打败了关羽，傅方、胡脩都战死了，关羽于是撤围退走，但是船队仍然据守沔水，襄阳依然隔绝不通。

【段旨】

以上为第九段，写曹将徐晃救襄樊，初战打败关羽，而关羽仍恋战不撤。

【注释】

㉔平寇将军：官名，曹操所置杂号将军。㉕阳陵陂：堰名，在当时偃城西北。㉖偃城：地名，在当时襄阳之北，樊城附近，在今湖北襄阳。㉗诡道：隐秘的小路。㉘都堑：长壕沟。谓从隐秘的小路至偃城之外作长壕沟。㉙屯：营寨。㉚适：正；恰好。㉛内外：指曹仁军与徐晃军。㉜北军：指曹操所派前来救曹仁的军队。㉝三丈所：约三丈左右。㉞箭飞书：以箭传递的书信。㉟令：致使。㊱权：机变；变通。㊲上：谓沿长江而上。㊳衔持：谓控制使之相争。㊴计粮怖惧：谓计算城中之粮不足以坚持守城，因而

【原文】

吕蒙至寻阳㉕，尽伏其精兵𦩷𦪇㉖中，使白衣摇橹，作商贾人服，昼夜兼行。羽所置江边屯候，尽收缚之，是故羽不闻知。麋芳[7]、士仁素皆嫌羽轻己，羽之出军，芳、仁供给军资不悉相及，羽言还，当治之，芳、仁咸惧。于是蒙令故骑都尉㉗虞翻为书说仁，为陈成败，仁得书即降。翻谓蒙曰："此谲兵㉘也，当将仁行，留兵备城。"遂将仁至南郡。麋芳城守，蒙以仁示之，芳遂开门出降。蒙入江陵，释于禁之囚，得关羽及将士家属，皆抚慰之，约令军中："不得干历㉙人家，有所求取。"蒙麾下㉚士，与蒙同郡人，取民家一笠以覆官铠㉛，官铠虽公，蒙犹以为犯军令，不可以乡里故而废法，遂垂涕斩之。于是军中震栗㉜，道不拾遗。蒙旦暮使亲近存恤㉝耆老㉞，问所不足，疾病者给医药，饥寒者赐衣粮。羽府藏财宝，皆封闭以待权至。

关羽闻南郡破，即走南还。曹仁会诸将议，咸曰："今因羽危惧，可追禽也。"赵俨曰："权邀㉟羽连兵㊱之难，欲掩㊲制其后。顾㊳羽还救，恐我乘[8]其两疲，故顺辞求效㊴，乘衅㊵因变以观利钝耳。今羽已孤迸㊶，更宜存之以为权害。若深入追北㊷，权则改虞㊸于彼㊹，将

产生恐惧心理。⑩傥：通“倘”，假使、如果。⑪强梁：强悍勇武。⑫犹豫不能去：盖关羽以为江陵、公安二城防守坚固，而陆逊又无可疑之处，徐晃所射孙权之书，恐系伪造，因此犹豫不撤退。⑬亟：急速。⑭不：通“否”。⑮二人：指守樊城的曹仁、守襄阳的吕常。⑯遗力：不尽全力。⑰势：势力。⑱不便：不利；不足。⑲贰：异心。⑳势：声势。㉑六军：周制，天子有六军，诸侯有三军、二军、一军不等。此处指全国军队。㉒摩陂：堰名，在今河南郏县东南。㉓四冢：地名，在当时樊城附近。㉔鹿角：用削尖的带枝树木埋插于地，以防敌人逾越，因形似鹿角，故名。

【校记】

［6］羽见四冢：原无此四字。据章钰校，乙十一行本有此四字，今据补。

【语译】

吕蒙到达寻阳，把精兵全部藏在舻船中，让老百姓摇橹，官兵穿上商人服装，昼夜兼程。关羽设在江边的哨兵，全部被抓获，因此关羽一无所知。麋芳、士仁向来痛恨关羽轻蔑自己，关羽出兵时，麋芳、士仁没有及时把全部军用物资运送到，关羽说返回后，要将他们治罪，麋芳、士仁都很害怕。于是吕蒙命令前骑都尉虞翻写信游说士仁，向他陈述成败得失，士仁得到书信就投降了。虞翻对吕蒙说：“这是诡计用兵，应当带士仁同行，留下部队守城。”于是带士仁到南郡。麋芳守城，吕蒙推出士仁给麋芳看，麋芳就打开城门投降。吕蒙进入江陵，把于禁从牢里放出，抓获关羽及其将士的家属，都给予慰抚，下令约束全军：“不得侵犯居民，有所索取。”吕蒙部下一个士兵，跟吕蒙是同郡人，拿了平民家里的一顶斗笠，用它来遮盖官有铠甲，铠甲虽是公物，吕蒙仍认为触犯了军令，不可因乡亲的缘故而破坏法令，于是流着眼泪杀了他。于是全军震动，道不拾遗。吕蒙早晚派出亲信去抚慰老人，问他们缺什么，为有病的人提供医药，给饥寒的人送衣送粮。关羽府库中所藏财宝，都封存起来，等待孙权到来。

关羽得知南郡被攻下，立即回军向南撤退。曹仁召集众将领商量，都说：“现在趁关羽危急惊恐，可追击擒获他。”赵俨说：“孙权想侥幸利用关羽与我交战的时候，出其不意地袭击关羽的后方。又顾虑关羽回去援救，担心我方利用他们两败俱伤，所以言辞谦恭，表示愿为我效力，无非是乘机利用事变来寻找有利之机罢了。现在关羽已孤军逃窜，更应保留他，作为孙权的祸害。如果我们穷追败敌，孙权就改而

生患于我矣。王必以此为深虑。”仁乃解严[345]。魏王操闻羽走，恐诸将追之，果疾敕仁如俨所策。

关羽数使人与吕蒙相闻，蒙辄厚遇其使，周游城中，家家致问，或手书示信。羽人还，私相参讯[346]，咸知家门无恙[347]，见待过于平时，故羽吏士无斗心。

会权至江陵，荆州将吏悉皆归附，独治中从事武陵潘濬[348]称疾不见。权遣人以床就家舆[349]致之。濬伏面著床席不起，涕泣交横，哀哽[350]不能自胜。权呼其字与语，慰谕恳恻[351]，使亲近以手巾拭其面。濬起，下地拜谢，即以为治中[352]，荆州军事，一以咨之。

武陵部从事[353]樊伷诱导诸夷，图以武陵附汉中王备。外白差督[354]督万人往讨之，权不听。特召问濬，濬答：“以五千兵往足以擒伷。”权曰：“卿何以轻之？”濬曰：“伷是南阳旧姓[355]，颇能弄唇吻[356]，而实无才略。臣所以知之者，伷昔尝为州人设馔[357]，比至日中，食不可得，而十余自起，此亦侏儒[358]观一节之验[359]也。”权大笑，即遣濬将五千人往，果斩平之。

权以吕蒙为南郡太守，封孱陵侯，赐钱一亿，黄金五百斤；以陆逊领宜都太守。

十一月，汉中王备所置宜都太守樊友委郡走，诸城长吏及蛮夷君长皆降于逊。逊请金、银、铜印以假授初附。击蜀将詹晏等及秭归大姓拥兵者，皆破降之，前后斩获招纳凡数万计。权以逊为右护军[360]、镇西将军[361]，进封娄侯，屯夷陵[362]，守峡口[363]。

关羽自知孤穷，乃西保麦城[364]。孙权使诱之，羽伪降，立幡旗为象人[365]于城上，因遁走，兵皆解散，才十余骑。权先使朱然、潘璋[366]断其径路[367]。十二月，璋司马马忠获羽及其子平于章乡[368]，斩之，遂定荆州。

初，偏将军吴郡全琮[369]上疏陈关羽可取之计，权恐事泄，寝[370]而不答。及已禽羽，权置酒公安，顾谓琮曰：“君前陈此，孤虽不相答，今日之捷，抑亦[371]君之功也。”于是封琮阳华亭侯。权复以刘璋为益州牧，驻秭归。未几，璋卒。

不再防备关羽，而将成为我们的祸患了。大王对此一定会有深思熟虑的。”曹仁于是解除了行军的装备。魏王曹操听说关羽逃走，恐怕众将领追击，果然急令曹仁不追，一如赵俨所预料。

关羽多次派人与吕蒙联系，吕蒙总是热情款待关羽的使者，让他走遍全城，到关羽部下的家中，一户一户地慰问，有的家属还亲自写信告诉家人。关羽的使者回去，将士私下前来询问，都得知家中平安，家中受到的待遇超过了平时，因此关羽的将士失去斗志。

正好孙权也到达了江陵，荆州的文武官员全部归附，只有治中从事武陵人潘浚称病不见。孙权派人抬着床到潘浚家连人带床把他抬来。潘浚面贴床席不起身，涕泪纵横，悲伤哽咽不能自已。孙权用潘浚的字称呼他，与他交谈，安抚劝说，言辞恳切，深情感人，孙权让亲近的人用手巾替潘浚擦脸。潘浚起身，下地拜谢，孙权立刻任命他为治中，荆州的军事，一一向他咨询。

武陵部从事樊伷诱导各夷族，企图使武陵归附汉中王刘备。有人报告孙权，要求派将领带兵一万人去征讨樊伷，孙权没有听从，特地召来潘浚询问。潘浚回答说：“派五千兵去，足以抓获樊伷。”孙权说：“你为什么这样轻视他？”潘浚说：“樊伷是南阳的世家大族之后，只会耍嘴皮子，而实际上没有才略。臣之所以了解他，是樊伷从前曾为州中人设宴，等到中午还没有上饭菜，十多人只得起身离开，这就好比观看侏儒表演，只看一节便可检验他的技艺水平。”孙权大笑，立即派潘浚率领五千人前往，果然斩了樊伷，平定了反叛。

孙权任命吕蒙为南郡太守，封为孱陵侯，赏赐钱一亿，黄金五百斤；任命陆逊兼任宜都太守。

十一月，汉中王刘备所置的宜都太守樊友弃郡逃走，宜都郡所属各城的长官以及蛮夷的首领都向陆逊投降。陆逊请求用金、银、铜印授予新归附的官员。进攻蜀将詹晏等，以及秭归拥有武装的豪族大姓，他们都被打败而投降陆逊，先后被斩杀、抓获、投降的总计数万人。孙权任命陆逊为右护军、镇西将军，晋封为娄侯，驻军夷陵，守卫峡口。

关羽自知孤立无援且已穷途末路，就向西退保麦城。孙权派使者诱降，关羽假装投降，在城墙上树立旗帜、假人，借机逃走，士兵全部解散，身边只有十几名骑兵。孙权事先派朱然、潘璋切断关羽逃走的小路。十二月，潘璋的司马马忠在章乡抓获关羽及其儿子关平，杀了他们，于是平定了荆州。

起初，偏将军吴郡人全琮，上奏章陈述可以战胜关羽的计策，孙权担心事情泄露，搁置不答。等到已经抓获了关羽，孙权在公安县设宴，看着全琮说：“你先前提出这一建议，我虽然没回答，但今天的胜利，也是你的功劳。”于是封全琮为阳华亭侯。孙权又任命刘璋为益州牧，驻在秭归。不久，刘璋去世。

吕蒙未及受封而疾发，权迎置于所馆之侧，所以治护者万方[372]。时有加针[373]，权为之惨戚[374]。欲数见其颜色，又恐劳动，常穿壁瞻之，见小能下食，则喜顾左右言笑[9]，不然则咄唶[375]，夜不能寐。病中瘳[376]，为下赦令，群臣毕贺，已而[377]竟卒，年四十二。权哀痛殊甚，为置守冢三百家。

权后与陆逊论周瑜、鲁肃及蒙，曰：“公瑾[378]雄烈，胆略兼人[379]，遂破孟德，开拓荆州，邈[380]焉寡俦[381]。子敬[382]因公瑾致达[383]于孤，孤与宴语[384]，便及大略帝王之业，此一快也。后孟德因获刘琮之势，张言[385]方率数十万众水步俱下，孤普请诸将，咨问所宜，无适先对[386]。至张子布[387]、秦文表[388]俱言宜遣使修檄迎之，子敬即驳[389]言不可，劝孤急呼公瑾，付任以众，逆而击之，此二快也。后虽劝吾借玄德地，是其一短，不足以损其二长也。周公不求备于一人[390]，故孤忘其短而贵其长，常以比方邓禹[391]也。子明[392]少时，孤谓不辞剧[393]易，果敢有胆而已。及身长大，学问开益，筹略奇至，可以次于公瑾，但言议英发[394]不及之耳。图取关羽，胜于子敬。子敬答孤书云：‘帝王之起，皆有驱除，羽不足忌[395]。’此子敬内不能办，外为大言耳。孤亦恕之，不苟责也。然其作军[396]屯营，不失令行禁止，部界无废负[397]，路无拾遗，其法亦美矣。”

孙权与于禁乘马并行，虞翻呵禁曰：“汝降虏，何敢与吾君齐马首乎！”抗[398]鞭欲击禁，权呵止之。

孙权之称藩也，魏王操召张辽等诸军悉还救樊，未至而围解。徐晃振旅还摩陂，操迎晃七里，置酒大会。王举酒谓晃曰：“全樊、襄阳，将军之功也。”亦厚赐桓阶，以为尚书。操嫌荆州残民及其屯田在汉川[399]者，皆欲徙之。司马懿曰：“荆楚轻脆易动，关羽新破，诸为恶者，藏窜观望。徙其善者，既伤其意，将令去者不敢复还。”操曰：“是也。”是后诸亡者悉还出。

魏王操表孙权为骠骑将军[400]，假节[401]，领荆州牧，封南昌侯。权遣校尉梁寓入贡，又遣朱光等归，上书称臣于操，称说天命。操以权书

吕蒙没来得及受封赏就旧病复发，孙权把他接来安置在自己住的馆所旁边。千方百计为他治疗护理，时常给他针灸，孙权为他悲痛忧愁。孙权想常去看望吕蒙，又担心劳累了他，于是在壁上穿洞时时注视。孙权看到吕蒙能稍稍吃点东西，就高兴得回顾左右，又说又笑，不然就唉声叹气，彻夜难眠。吕蒙病情好转了一些，孙权就为此下赦免令，群臣都来庆贺。不久，吕蒙竟然去世，年仅四十二岁。孙权非常悲痛，为吕蒙设置三百户守护墓地。

孙权后来与陆逊评论周瑜、鲁肃和吕蒙，说："周公瑾雄健刚强，胆识过人，终于打败曹操，开拓荆州，志行高远，没人能与他比肩。鲁子敬是周公瑾引荐给孤的，孤与他闲谈，便说及建立帝王之业的雄伟韬略，这是第一件痛快的事。后来曹操趁着获得刘琮的形势，扬言要率数十万大军水陆齐下，我请来所有的将领，咨询应对的策略，没有人先回答。至于张昭、秦松，都说应该派使者，写好投降的檄文，去迎接曹操，鲁子敬立刻反驳说不行，劝孤紧急征召周公瑾，把军队重任交给他，迎击曹操，这是第二件痛快的事。后来他虽然规劝孤借给刘备地盘，这是他的一个短处，但不足以有损他的两大长处。周公对一个人不求全责备，所以孤忘记他的短处而看重他的长处，孤常把他比作邓禹。吕蒙小时候，孤认为他不畏避艰难，这只是果断有胆量罢了。等他长大以后，学问大为长进，谋略出奇，可以说仅次于周公瑾，只是言谈的才华比不上罢了。在谋划获取关羽这件事上，胜过鲁肃。鲁肃回答孤的信说：'帝王的兴起，都会有替他驱除敌人的人，关羽不值得顾忌。'这是鲁肃内心知道自己办不到的事，只不过对外讲大话罢了。孤也宽恕他，不刻意责怪。但他治兵扎营，能令行禁止，在他管辖的范围内没有废事负罪的人，路不拾遗，他的管理方法也是值得称美的。"

孙权与于禁骑马并行，虞翻大声斥责于禁说："你是个投降的俘虏，怎么敢与我君主并马齐驱！"扬起马鞭要打于禁，孙权呵斥阻止了虞翻。

孙权向曹操称臣，魏王曹操召回张辽等，各自率军都去救援樊城，还没有到达，樊城之围已解。徐晃胜利班师返回摩陂，曹操到七里之外迎接徐晃，设酒宴大会群臣。魏王举起酒杯对徐晃说："保全樊城、襄阳，是将军的功劳。"也重赏桓阶，任命为尚书。曹操嫌恶荆州残留的民众及其在汉水两岸屯田的人，打算把他们全部迁走。司马懿说："荆楚一带百姓轻佻，容易发生动乱，关羽刚刚被消灭，那些作恶的，都躲藏逃窜，观望时局。要迁走善良百姓，既伤了他们的心，又将让离去的不敢再回来。"曹操说："你说得是对的。"从此以后那些逃亡的全都回来了。

魏王曹操上表推举孙权为骠骑将军，授予符节，兼领荆州牧，封为南昌侯。孙权派校尉梁寓进贡，又送回朱光等，上书向曹操称臣，规劝曹操顺应天命称帝。曹示外曰："是儿欲踞吾著炉火上[402]邪！"侍中陈群等皆曰："汉祚[403]已终，非适[404]今日。殿下功德巍巍[405]，群生注望，故孙权在远称臣。此天人之应，异气齐声。殿下宜正大位，复何疑哉！"操曰："若天命在吾，吾为周文王[406]矣。"

【段旨】

以上为第十段，写关羽失荆州，走麦城。孙权得胜，害怕刘备报仇而向曹操上尊号、称臣，避免两线作战。

【注释】

[325]寻阳：县名，县治在今湖北黄梅北。[326]艨艟：大型战船。[327]故骑都尉：虞翻原为骑都尉，因被诽谤流徙于丹阳，吕蒙请他自随。虞翻当时无官职，仍以故官称呼。[328]谲兵：谓以诡计用兵。[329]干历：冒犯。[330]麾下：部下。[331]铠：铠甲。[332]震栗：震惊恐惧。[333]存恤：慰问体恤。[334]耆老：老人。古称六十岁老人为耆。[335]邀：胡三省注认为当作"徼"。侥幸。[336]连兵：谓关羽与曹仁连兵相斗。[337]掩：乘其不备而袭取。[338]顾：顾虑。[339]求效：请求效力。[340]衅：缝隙；空子。[341]孤迸：谓孤军远窜。[342]北：败逃。[343]虞：防备。[344]彼：指关羽。[345]解严：谓解除行军的装束，不再追击关羽。[346]参讯：互相讯问。[347]无恙：无灾祸疾病，平安无事。[348]潘浚（？至公元二三九年）：字承明，武陵汉寿（今湖南常德市武陵区东北）人，初为刘表从事史，刘备领荆州后，又为治中从事史，刘备入蜀后，主持荆州事。孙权败关羽得荆州，又以浚为治中从事史，后又为奋威将军、少府、太常，封刘阳侯。传见《三国志》卷六十一。[349]舆：抬。[350]哽：悲哀而声气阻塞。[351]恳恻：诚恳痛切。[352]治中：官名，即治中从事史，州牧刺史的主要佐吏，职责是居中治事，主众曹文书。[353]部从事：官名，即部从事史或部郡国从事史，州牧刺史的佐吏，每郡一人，主察非法。[354]差督：选派督将。差，选派。[355]南阳旧姓：南阳樊氏为汉光武帝母族，故为旧姓。[356]弄唇吻：犹言耍嘴皮子。[357]设馔：设宴；安排酒食。[358]侏儒：逗人欢笑的矮小杂技艺人。[359]观一节之验：谓观其一节目足以验其技艺。[360]右护军：官名，孙权置中、左、右护军各一人，掌禁兵，主武官选举。[361]镇西将军：官名，东汉杂号将军之一。[362]夷陵：县名，县治在今湖北宜昌东南。[363]峡口：指西陵峡口，在今湖北宜昌西北。[364]麦城：旧城名，故址在今湖北当阳东南沮水、漳水之间。[365]象人：假人。[366]潘璋（？至公元二三四年）：字文珪，东郡发干（今山东聊城堂邑西南）人，初随孙权，讨山越有功，为武猛校尉。后擒关羽，为振威将军、固陵太守，封溧阳侯。

操把孙权的奏书拿给大家看，说："这小子想把我放在炉火上啊！"侍中陈群等都说："汉朝气数已尽，并不是从今天开始。殿下功德巍峨高大，众人瞩目仰望，所以孙权在远方称臣，这是天意人心的应验，众口同声。殿下应登上大位，还有什么犹豫的！"曹操说："如果天命在我这里，我就做周文王吧。"

孙权称帝后，为右将军。传见《三国志》卷五十五。㊼径路：小路。㊽章乡：乡名，又作"漳乡"，在今湖北当阳东北。㊾全琮（？至公元二四九年）：字子璜，吴郡钱唐（今浙江杭州）人，初为孙权之奋威校尉，又为偏将军，封钱唐侯。孙权称帝后，为卫将军、左护军、徐州牧，又娶公主。后为右大司马、左军师。传见《三国志》卷六十。370寝：搁置。371抑亦：还是。372万方：千方百计。373加针：扎针。374惨戚：悲伤。375咄唶：叹息之声。376中瘳：病情减轻。377已而：过后不久。378公瑾：周瑜字公瑾。379兼人：胜过别人。380邈：远。381俦：同辈；同类。382子敬：鲁肃字子敬。383致达：引荐。384宴语：闲谈。385张言：夸大而言。386无适先对：没有人先回答。387张子布：张昭字子布。388秦文表：秦松字文表。389驳：提出异议以纠驳。390周公不求备于一人：《论语·微子》载，周公谓鲁公曰："无求备于一人。"即是说，对人不要求全责备。391邓禹：东汉光武帝刘秀之功臣，在刘秀建立东汉政权中，善于出谋划策，亦有战功，但后来却大败于赤眉军。故孙权以他比鲁肃。392子明：吕蒙字子明。393剧：艰难。394英发：才华外露。395皆有驱除二句：谓关羽之强大，正好为吴驱除祸患，不必有顾忌。396作军：治军。397部界无废负：谓在统辖区内，没有因为废职而获罪者。398抗：举起。399汉川：此指襄阳、樊城一带之汉水流域。400骠骑将军：官名，位次于大将军。401假节：假，授予之意。节，代表皇帝使命的凭证。假节，即有行使皇帝使命的权力。402踞吾着炉火上：把我放在炉火上。胡三省认为："盖言汉以火德王，权欲使操加其上也。然操必以权书示外者，正欲以观众心耳。"403祚：皇帝位。404适：仅；只。405巍巍：高大貌。406周文王：周文王在殷商末年受到众多诸侯的拥戴，三分天下有其二，却还臣服于商朝。

【校记】

［7］麋芳：原作"糜芳"。今据严衍《通鉴补》改作"麋芳"。〖按〗前文载"南郡太守麋芳"，"麋"字尚不误。［8］乘：据章钰校，甲十一行本、乙十一行本皆作"承"。［9］言笑：原无此二字。据章钰校，甲十一行本、乙十一行本、孔天胤本皆有此二字，张敦仁《通鉴刊本识误》、张瑛《通鉴校勘记》同，今据补。

【原文】

臣光曰："教化[407]，国家之急务也，而俗吏慢[408]之；风俗，天下之大事也，而庸君忽[409]之。夫惟明智君子，深识长虑，然后知其为益之大而收功之远也。光武遭[410]汉中衰，群雄糜沸[411]，奋起布衣[412]，绍恢前绪[413]，征伐四方，日不暇给，乃能敦尚[414]经术，宾延[415]儒雅，开广学校，修明礼乐，武功既成，文德亦洽[416]。继以孝明、孝章，遹追[417]先志，临雍[418]拜老[419]，横经[420]问道。自公卿、大夫至于郡县之吏，咸选用经明行修之人，虎贲卫士皆习《孝经》，匈奴子弟亦游太[10]学。是以教立于上，俗成于下。其忠厚清修之士，岂惟取重于搢绅[421]，亦见慕于众庶。愚鄙污秽之人，岂惟不容于朝廷[11]，亦见弃于乡里。自三代[422]既亡，风化[423]之美，未有若东汉之盛者也。及孝和以降，贵戚[424]擅权，嬖幸[425]用事，赏罚无章，贿赂公行，贤愚浑淆，是非颠倒，可谓乱矣。然犹绵绵[426]不至于亡者，上则有公卿、大夫袁安[427]、杨震[428]、李固[429]、杜乔[430]、陈蕃、李膺[431]之徒面引廷争[432]，用公义以扶其危；下则有布衣之士符融[433]、郭泰[434]、范滂[435]、许劭[436]之流，立私论以救其败[437]。是以政治虽浊而风俗不衰，至有触冒斧钺，僵仆[438]于前，而忠义奋发，继起于后，随踵就戮，视死如归。夫岂特数子之贤哉？亦光武、明、章之遗化[439]也。当是之时，苟有明君作而振之，则汉氏之祚犹未可量也。不幸承陵夷颓敝[440]之余，重以桓、灵之昏虐，保养奸回[441]，过于骨肉，殄灭[442]忠良，甚于寇雠，积多士[443]之愤，蓄四海之怒。于是何进召戎，董卓乘衅，袁绍之徒从而构难，遂使乘舆播越[444]，宗庙丘墟[445]，王室荡覆[446]，烝民[447]涂炭，大命[448]陨绝，不可复救。然州郡拥兵专地者，虽互相吞噬，犹未尝不以尊汉为辞。以魏武之暴戾强伉[449]，加有大功于天下，其蓄无君之心久矣，乃至没身不敢废汉而自立。岂其志之不欲哉？犹畏名义而自抑也。由是观之，教化安可慢，风俗安可忽哉！"

【语译】

司马光说："教化，是国家的当务之急，但庸俗的官吏轻慢它；风俗，是天下的大事，但昏庸的君主忽视它。只有明智的君子经过深思远虑，然后知道教化风俗的收益极大，功效深远。光武帝遭遇汉朝中衰，群雄纷争，他以平民的身份起兵，承继恢复前汉传统，征伐四方，日夜忙碌，仍能崇尚经术，用宾客的礼节延请博学的儒士，大办学校，修行礼乐，成就武功，文德广布。继位的孝明帝、孝章帝，遵循先帝的遗志，亲临太学拜望师长，展开经书，探索治国的道术。从公卿、大夫直到郡县的官吏，都是选用熟悉经学、行为端庄的人，虎贲卫士都熟读《孝经》，匈奴的子弟也要到太学攻读。因此在上位的人倡导教化，处下位的人就仿效成俗。那些忠厚洁行的人，岂止是受到公卿大夫们的尊重，也为庶民百姓所仰慕。愚顽卑鄙污浊的人，不但不被朝廷所容忍，也被乡里人所唾弃。自从三代灭亡以后，风俗教化之美，没有像东汉这样隆盛。从孝和帝以后，外戚独揽大权，宦官当政用事，赏罚没有规章，贿赂公行，贤愚混淆，是非颠倒，可以说是天下大乱了。但还能延续不至于灭亡，是因为上层有公卿、大夫袁安、杨震、李固、杜乔、陈蕃、李膺这些人，当面在朝廷上抗争，用公道正义来挽救国家的危难；下层则有平民士人符融、郭泰、范滂、许劭这些人，在民间制造舆论，来挽救政治的颓败。因此，政治虽然混浊，但风俗不致衰败，甚至有人甘冒斧钺之诛，前面的人倒下了，而忠义之士更加奋发向上，紧继其后，相继赴死，视死如归。这难道只是几个人的贤德所致吗？这也是光武帝、明帝、章帝遗留下来的风俗教化的结果啊。当时，如果有贤明的君主发愤振作，汉家天下的长短就不可估量了。不幸的是经过衰落败坏之后，加上桓帝、灵帝的昏庸暴虐，护养奸邪，超过自己的骨肉，灭绝忠良，胜过仇敌，累积了文武百官的愤恨，蓄积了天下人的怨怒。于是何进召来军队，董卓趁机作乱，袁绍之流接着发难，终于使天子颠沛流离，宗庙被毁，王室倾覆，生灵涂炭，天命陨落，再也无法挽救。但是州郡拥兵独占一方的割据势力，即使相互吞食，仍然以尊崇汉室为号召。以魏武帝那样的暴戾强横，加上他对天下有大功，蓄谋废黜君主的野心已经很久，但他一直到死，仍不敢废掉汉帝而自立。难道他内心不想做皇帝吗？只不过是害怕名义不正而自我克制。由此看来，教化怎么可以轻视，风俗怎么可以忽略呢！"

【段旨】

以上为第十一段，写司马光对东汉王朝政治的得失及其灭亡原因的探索与评论。

【注释】

⑰教化：教育感化。⑱慢：轻忽。⑲忽：忽略。⑳遭：遇到。㉑糜沸：比喻动乱纷扰之甚，如粥在锅中沸腾。㉒布衣：平民。㉓绍恢前绪：谓承继恢复前汉传统。㉔敦尚：崇尚。㉕宾延：礼聘；延请。㉖洽：流播深广；周洽；广布。㉗遹追：遵循，追随。㉘雍：辟雍，太学。㉙老：师长。㉚横经：谓展开经书。㉛搢绅：谓士大夫。古时士大夫皆垂绅（束腰大带下垂部分）插笏（手板），故称士大夫为搢绅。㉜三代：指夏、商、周。㉝风化：风俗教化。㉞贵戚：指外戚。㉟嬖幸：宠爱之人。此指宦官。㊱绵绵：连续不断。㊲袁安：历仕汉明帝、章帝、和帝三朝，为太仆、司空、司徒。和帝即位，外戚窦宪兄弟专权。袁安不避权贵，多次弹劾窦氏专横。㊳杨震：汉安帝时为司徒。安帝乳母王圣及中常侍樊丰等贪侈骄横，杨震多次上书切谏，后被诬，自杀。㊴李固：汉顺帝时上书直陈外戚、宦官专权之弊，为顺帝所采纳，任议郎。冲帝时为太尉。桓帝初被外戚梁冀所诬被杀。㊵杜乔：汉顺帝时为大司农，上书切谏外戚梁氏及宦官之徇私舞弊。桓帝时为太尉，后被梁冀及宦官所诬，死于狱中。㊶陈蕃、李膺：汉桓帝时，陈蕃任太尉，李膺任司隶校尉。二人皆反对宦官专权，为太学生所敬重。灵帝时与外戚窦武谋诛宦官，事败被杀。㊷廷争：在朝廷上向皇帝谏诤。㊸符融：于汉灵帝初至太学，尊李膺为师。时有晋文经、黄子艾炫虚名于京师，公卿士大夫皆向慕，符融揭发其虚伪，二人名声顿落。㊹郭泰：汉灵帝时为太学生首领，深得李膺赏识。不就官府征召，善于品评人物。㊺范滂：汉桓帝时曾为请诏使、光禄勋主事，后为汝南太守宗资属吏，抑制豪强，与太学生结交，反对宦官专权。后与李膺等被逮入狱，终死狱中。㊻许卲：即许劭，于汉末以品评人物著称。㊼立私论以救其败：谓在民间议论当权者与朝政，从而矫正朝政之失。㊽僵仆：死亡。㊾遗化：遗留下来的教化。㊿陵夷颓敝：衰落败坏。(441)奸回：奸邪。(442)殄灭：灭绝。(443)多士：指众多士人。(444)乘舆播越：谓皇帝流亡，颠沛流离。(445)丘墟：废墟。(446)荡覆：倾覆；废毁。(447)烝民：众民百姓。(448)大命：天命，谓上天赋予之权力和使命。(449)暴戾强伉：暴虐强横。

【校记】

［10］太：原作“大”。据章钰校，甲十一行本、乙十一行本皆作“太”，熊罗宿《胡刻资治通鉴校字记》同，今从改。〖按〗二字通。［11］廷：原误作“延”。据章钰校，甲十一行本、乙十一行本皆作“廷”，熊罗宿《胡刻资治通鉴校字记》同，今据校正。

【研析】

本卷最值得研析的问题，就是已成为人们口头熟语的一句话，叫作“关羽大意失荆州”，从而夭折了隆中路线。那么如何评价关羽的功过呢？

建安二十四年（公元二一九年），刘备打败曹军，取了汉中，关羽趁此局势统大军北伐，向曹仁镇守的樊城进攻。当时曹操从汉中败归，还在长安，急令大将于禁和庞德赴襄樊前线增援。于禁是曹操的心腹大将，百战百胜的将军，庞德是北方著名勇将，关羽擒于禁，斩庞德，威名大振，达到他在军事上的鼎盛。

关羽得志于荆襄，东吴的孙权却沉不住气了。因为，荆州是蜀国的东方屏障和门户；对吴国则是居高临下，直接威胁着吴国的安全。孙权深知荆州的重要，他决心竭尽全力相争。先前由于疆场未靖，曹操在北，江东无力单独对抗曹操，孙权在赤壁战后把荆州南郡借与刘备阻滞曹操，当刘备取得益州后，孙权立即索要荆州，孙刘两家差点闹翻，以中分荆州告一段落。这次虽然和解，但是裂痕已经显露。孙权时时提防着关羽，但表面上给关羽频送秋波，孙权还派人说项，要与关羽结为儿女亲家。可是骄狂的关羽不识大体，极为藐视孙权，怒斥东吴使者，拒绝了这门亲事，给孙刘关系的破裂雪上加霜。不久东吴主张孙刘联盟的鲁肃死了，吕蒙统兵。吕蒙是疏刘派的中坚人物，他一接任就规划着袭取荆州，他为了麻痹关羽，装病回东吴，推荐胸有韬略但还未崭露头角的陆逊代替自己。果然关羽上当，大发兵北伐，荆州成了一座空城。关羽俘获于禁官兵三万，粮食一时紧张，他不经外交协商就擅取孙权辖地的粮食。这一举动不仅加剧了孙刘矛盾，而且给孙权出兵制造了口实。赳赳武夫的关羽，就这样破坏了孙刘联盟。孙权派遣吕蒙率领大军杀向荆州，在关羽的背后捅了致命的一刀，夺了南郡。关羽率领疲惫之军退还荆州与吕蒙交战。曹操欲使孙刘相斗，严令曹军不得追击，因此关羽才未受到两面夹击。尽管如此，已丧失斗志的荆州兵也非东吴精兵的对手。加上孙权统率大军为吕蒙后继，更增强了东吴士气。这时关羽向上庸的蜀兵呼救，不料那里的守将刘封、孟达两人正闹矛盾，坐视不救。这一来关羽陷入了四面楚歌的境地，一路上将士逃散，溃不成军。关羽眼见大势已去，就退走麦城，向上庸方向撤退，最后在突围中被吴将潘璋所擒。孙权杀了关羽，把首级送给曹操。关羽败走麦城，是从空前胜利的顶峰一下跌落到失败的深渊，格外令人惋惜。荆州丢失，意味着隆中路线半道夭折，“兴复汉室”成为泡影。可以说关羽个人的悲剧带来了蜀汉的悲剧，使刘备的事业受损。关羽一介赳赳武夫，他的责任是奉命打仗，胜败乃兵家常事，关羽打了败仗，要负直接责任，但荆州丢失的根本责任，不在关羽，而在刘备和诸葛亮两人身上，刘备更要负主要责任。第一，刘备与孙权争荆州南三郡，破坏同盟，责任在刘备，而非关羽。第二，刘备得汉中，为了扩大战果，兵进上庸，有一个孟达，或一个刘封就足够了，刘备把两人都派去，造成两人闹矛盾，不救关羽，亦刘备之过。第三，孟达驻守夷陵，可为关羽后援，调走孟达，关羽成了孤掌难鸣，亦刘备之过。第四，关羽北伐，不是擅自兴兵，从调孟达北上来看，关羽北伐，亦应是刘备之命，疏于防吴，犯了胜利冲昏头脑的利令智昏之过。袁绍灭了公孙瓒，急于南进失败于官渡；曹操兵不血刃下荆州，急于发动赤壁之战而败北，均是利令智昏。欲速则不达，英雄难免。人们同情刘备与关羽，于是含混地说“关羽大意失荆州”，谁都没有过错。诸葛亮隆中路线太看重荆州，不看形势变化，胶柱鼓瑟，亦是智者千虑必有一失。孙权背叛同盟，最易遭到两线夹攻，不能有任何失误，因此战战兢兢，设计周密，不惜屈身辱志，称臣于曹操，刚柔相济，成了赢家。当然最大的得益者是曹操，孙刘相争，为曹丕代汉创造了时机。